LA RESPONSABILIDAD PENAL DEL MÉDICO

LA RESPONSABILIDAD PENAL DEL MÉDICO

2ª Edición

Mª DEL CARMEN GÓMEZ RIVERO

Catedrática (h) de Derecho penal
Universidad de Sevilla

tirant lo blanch

Valencia, 2008

© TIRANT LO BLANCH
EDITA: TIRANT LO BLANCH
C/ Artes Gráficas, 14 - 46010 - Valencia
TELFS.: 96/361 00 48 - 50
FAX: 96/369 41 51
Email:tlb@tirant.com
http://www.tirant.com
Librería virtual: http://www.tirant.es
DEPOSITO LEGAL: V -
I.S.B.N.: 978 - 84 - 9876 - 100 - 9
IMPRIME: GUADA IMPRESORES, S.L. - PMc Media, S.L.

NOTA DE LA AUTORA A LA SEGUNDA EDICIÓN

En los cinco años transcurridos desde que en 2003 publicase la primera edición de *La responsabilidad penal del médico*, las cuestiones relacionadas con el régimen jurídico de la actuación sanitaria han continuado adquiriendo un incuestionable protagonismo y actualidad. Buena prueba de ello es la abundante producción legislativa que ha tenido lugar desde entonces, con incidencia directa en la determinación de los márgenes de prohibición o permisibilidad de la actividad sanitaria. Por solo citar algunas de las normas aprobadas en este período de tiempo, baste referir las relacionadas con los avances de la ciencia y las posibilidades de investigar en relación con las fases iniciales de la vida humana, entre ellas la Ley 14/2006, de 26 de mayo, sobre Técnicas de Reproducción Humana Asistida, que amplió considerablemente las posibilidades de investigar con preembriones crioconservados o congelados al eliminar la limitación contenida en la anterior Ley 45/2003, de 21 de noviembre; o la Ley 14/2007, de 3 de julio, de Investigación Biomédica, cuya novedad más importante fue permitir con determinadas condiciones la que se conoce como clonación terapéutica o, en la terminología científica de la Ley, la técnica de transferencia nuclear. Como ejemplo de la producción legislativa en otros ámbitos valga de cita la Ley 29/2006, de 26 de julio, Ley de garantías y uso racional de los medicamentos y productos sanitarios, o en un ámbito específico pero con innegable repercusión en la responsabilidad de los sanitarios, la LO 7/2006, de 21 de noviembre, de protección de la salud y lucha contra el dopaje en el deporte, que además de otras previsiones en aspectos como el secreto profesional, introdujo un nuevo delito en el Código penal, el art. 361 bis, para castigar el dopaje en el deporte.

Sin embargo, el interés por continuar en esta línea de estudio no se ciñe en exclusiva a las repercusiones que en la determinación de la responsabilidad de los sanitarios tenga la incorporación de dicha normativa a nuestro Ordenamiento jurídico. Junto a ella, la práctica ordinaria a la que han tenido que enfrentarse los Tribunales de Justicia se ha convertido en un buen banco de pruebas del rendimiento de las construcciones clásicas del Derecho penal para afrontar la solución de los distintos ámbitos en que se plantea su responsabilidad, y en los que a menudo no sólo está en juego su complejidad en estrictos términos dogmáticos, sino también, sobre todo, en clave de política criminal. Baste pensar, por sólo citar alguno de los que han tenido mayor trascendencia social por su presencia en los medios de comunicación, en el conocido caso Leganés, en el que se enjuiciaba la legalidad o no de determinadas prácticas de sedación de pacientes. Las dificultades a las que en este y en otros supuestos han tenido que enfrentarse los Tribunales de Justicia confirman la complejidad e importancia de los casos en que se ventila la responsabilidad de los sanitarios y, con ello, el interés por abundar en esta línea de estudio.

Lógicamente, también en este período de tiempo ha continuado la producción de la literatura científica sobre los distintos aspectos del régimen de aquellos profesionales, tanto de sus temas clásicos -por ejemplo, la mala praxis médica-, como de los temas más modernos -como puedan ser los relacionados con las intervenciones genéticas-, o incluso sobre temas en cierto modo a caballo entre ambos. Es lo que sucede, por ejemplo, con la protección penal del secreto médico, que tanto puede referirse a los medios tradicionales de desvelar información -como puedan ser los simples comentarios o indiscreciones-, como a la cuestión mucho más compleja en torno a los límites de protección de la llamada intimidad genética. De hecho, desde que publicara *La responsabilidad penal del médico* la continuidad de mi interés por los distintos aspectos de la responsabilidad sanitaria me ha llevado a continuar esta línea de investigación y a publicar otros trabajos, entre ellos precisamente una monografía sobre el secreto médico, cuyos resultados consideraba conveniente incorporar a esta obra.

Todas estas circunstancias me parecía que justificaban poner al día y revisar la Primera edición de *La responsabilidad penal del médico* para seguir manteniéndola como una obra que a lo largo de sus distintos capítulos ofrezca un panorama actualizado de los diversos títulos de responsabilidad a los que pueden enfrentarse los profesionales sanitarios.

Sevilla, enero de 2008

Índice

Segunda Parte
DELITOS CONTRA LA INTEGRIDAD FÍSICA Y VIDA

Prólogo

De todas las profesiones liberales, la profesión médica es quizás la que más frecuentemente suscita la intervención del Derecho penal. Ello se debe sobre todo a su directa relación con los dos bienes jurídicos más preciados del ser humano: la vida y la salud. Errores y negligencias que en otras profesiones no salen del ámbito estrictamente corporativo o todo lo más disciplinario, dan paso en el caso del médico a una fuente cada vez más abundante de procesos penales, en los que, además de la correspondiente indemnización, puede resultar sancionado con penas que van desde la multa y la inhabilitación profesional hasta la prisión.

No obstante, la responsabilidad penal del médico no siempre es fácil de determinar. A un cierto corporativismo (afortunadamente cada vez menor) se añaden dificultades que muchas veces plantean la prueba de la causalidad y la imputación objetiva y subjetiva de un determinado resultado (generalmente muerte o lesión) a una determinada actuación del profesional sanitario. En una práctica de la medicina generalmente estructurada en varias secuencias (exploración, diagnóstico, tratamiento), y cada vez más diversificada en innumerables especialidades, tampoco es fácil determinar en qué etapa y a qué especialista cabe atribuir la responsabilidad, sobre todo cuando el fallo se produce en una praxis masiva y crecientemente burocratizada, como suele ser la de las grandes unidades hospitalarias.

Adentrarse en este mundo y analizarlo exhaustivamente desde el punto de vista de la responsabilidad penal del médico en los diversos ámbitos del ejercicio de su actividad profesional no es tarea fácil, y requiere unos conocimientos médicos y jurídicos que no están al alcance de cualquiera. Afortunadamente, la Profesora Gómez Rivero, como ya tiene demostrado en otras obras suyas anteriores, no sólo posee el nivel de conocimientos jurídicos que requiere esta tarea, sino también, como podrá ver inmediatamente el lector de esta nueva obra, los conocimientos técnicos más relevantes de las principales especialidades médicas.

Es imposible en el corto espacio de lo que debe ser un prólogo, dar cuenta del contenido o siquiera de las principales aportaciones que se contienen en una obra tan amplia y ambiciosa como la que aquí se presenta, pero me gustaría destacar algunos de los puntos que en la misma se tratan, que me parecen especialmente relevantes. Una de las cosas que inmediatamente resalta es que los problemas se abordan de forma autónoma en relación directa con los tipos delictivos a los que afectan. Así, por ejemplo, el tan traído y llevado consentimiento del paciente es tratado en inmediata relación con los delitos contra la libertad, pues evidentemente y cualquiera que sea el resultado positivo o negativo que se derive de la actuación médica, el primer presupuesto de la licitud de la misma es el consentimiento de la persona sobre la que recae. Y no sólo el consentimiento genérico de la persona que tiene la capacidad para darlo, sino uno específico al acto concreto, precedido de la necesaria información por parte del médico sobre los riesgos y las ventajas e inconvenientes que puede tener el acto que se va a realizar. En una medicina cada vez más masiva y rutinaria, no es suficiente con que el paciente consienta genérica o incluso, desde el momento que ni se pregunta o cuestiona la intervención, tácitamente en el tratamiento de que va a ser objeto. Y, en todo caso, lo que no puede derivarse del consentimiento expreso o tácito del paciente es una especie de "patente de corso" para que el médico realice la intervención sin atenerse a las reglas más elementales de la "lex artis".

Esto tiene especial importancia para la solución del controvertido problema del consentimiento del lesionado en el delito de lesiones. En relación con el tema, la Profesora Gómez Rivero pone de relieve que, a pesar de la desafortunada redacción de los arts. 155 y 156 del Código penal, en realidad no se trata aquí tanto del valor justificante o incluso excluyente de la tipicidad del consentimiento en sí válidamente emitido, ni del objeto sobre el que recae, como de la corrección de la intervención o del tratamiento mismo realizado al amparo de ese consentimiento. De ahí que en los casos en que la actuación sea médicamente correcta, pero no esté cubierta por el consentimiento, bien porque éste no exista o esté viciado, no se plantee responsabilidad alguna por un delito de lesiones, aunque sí por un delito contra la libertad. Y para cubrir las lagunas que puedan derivarse del estricto tenor literal de la configuración teórica del delito de coacciones, la autora propone, siguiendo el modelo ya establecido en otros Códigos penales, un delito de "tratamiento médico arbitrario o no consentido".

Otro problema del que en este libro se hace un estudio exhaustivo es el de la responsabilidad del médico por los resultados lesivos, lo que obviamente constituye la parte central y más problemática del mismo. Ello se vincula, como es lógico, por un lado, en la Parte Especial con los delitos contra la vida y salud y, por otro, en la Parte General, y sobre todo en la Teoría General del Delito, con el problema de la responsabilidad por imprudencia y la anómala figura de la comisión por omisión. De los primeros, me gustaría destacar el tratamiento que hace de la actuación médica según la fase temporal de la vida en la que recae, con los problemas que se suscitan en relación con la manipulación genética, las lesiones al feto y el aborto, por un lado, y la eutanasia, por otro, en lo que a las cuestiones estrictamente dogmáticas se añaden otras de índole ideológica que no se pueden ignorar y que siempre están, de forma consciente o inconsciente, detrás de soluciones jurídicas aparentemente neutras con las que se pretenden encubrir las puramente ideológicas. De ahí que también le dedique en otro apartado especial importancia a la objeción de conciencia del profesional de la medicina en los ámbitos ideológicamente más controvertidos, como el aborto o la eutanasia.

De los temas de la Teoría del Delito, que obviamente adquieren su valor e importancia desde el momento que se le conectan con los concretos tipos delictivos en la Parte Especial, destacaría el tratamiento que hace la Profesora Gómez Rivero del papel que corresponde en la determinación del tipo de injusto del delito imprudente a los conocimientos y habilidades especiales que pueda tener el profesional de la medicina. Relegar en una profesión técnicamente tan compleja y cada vez más sofisticada como la médica los conocimientos especiales a un plano secundario en la configuración de la ilicitud del hecho, supondría tanto como excluir del ámbito de la responsabilidad penal al médico que teniendo conocimientos superiores a la media no los utiliza, pudiendo hacerlo, en un caso concreto en el que esos conocimientos hubiesen podido salvar una vida. Pero, como con gran perspicacia advierte la Profesora Gómez Rivero, tampoco pueden excluirse en la determinación de la ilicitud del hecho los conocimientos inferiores a la media que posea el medico que precisamente por ello realiza una intervención de forma incorrecta y, por tanto, imprudente. La Profesora Gómez Rivero se inclina por una teoría del "doble baremo", en la que, por un lado, se establece primero el nivel profesional medio, para luego confrontarlo con la actuación del médico en el caso concreto. En su opinión, se puede llegar a un juicio negativo sobre su conducta tanto si no empleó, porque no los tenía, los conocimientos y capacidades medias exigibles a cualquier profesional en esas circunstancias, como si, teniendo conocimientos y capacidades superiores a la media, no los empleó cuando podía hacerlo. De este modo, mantiene una posición próxima a una concepción personal de lo injusto, pero con una precisión que me parece importante y que delimita con gran claridad el papel que juegan los conocimientos especiales en la determinación del injusto del delito imprudente: mientras, en su opinión, en el delito imprudente de acción, sólo interesan para determinar el injusto las capacidades inferiores a la media del sujeto actuante; en el delito imprudente de omisión se deben tener en cuenta los conocimientos especiales superiores a la media que tenía el sujeto que no hizo uso de ellos.

En el tratamiento de esta y otras muchas cuestiones relacionadas con la imprudencia, la imputación objetiva o la comisión por omisión, la Profesora Gómez Rivero no se deja llevar por el apriorismo y el automatismo de unos conceptos elaborados de forma, a mi juicio, excesivamente abstracta en algunas de las modernas construcciones de la Teoría General del Delito, sino que comprueba, discute y analiza directamente la bondad de esos criterios para resolver casos concretos, cuya problemática menciona ya expresa y gráficamente en los títulos de los correspondientes epígrafes, que además ordena perfectamente en un sistema que no deja de serlo por más que siempre esté vinculado a la particularidad el caso concreto y a la discusión de sus posibles soluciones.

Además de los temas aquí sucintamente enunciados, se ocupa la autora de otros muchos igualmente importantes y claves en el ejercicio de la profesión médica, como la omisión del deber de socorro, la revelación de secretos, el intrusismo o la expendición de certificados falsos. La obra adquiere así la dimensión de un verdadero Tratado de Derecho penal médico, que será enormemente útil tanto para el penalista teórico, como práctico, así como también para el profesional de la medicina, al que el estilo directo y claro de la Profesora Gómez Rivero le ilustrará de los riesgos jurídico-penales que puede tener en el ejercicio de su actividad.

Ni que decir tiene que además de por la estrecha vinculación académica que me une a la autora de esta obra, constituye para mí un especial motivo de satisfacción escribir una vez más un Prólogo a una obra suya, en la que a diferencia del que ya escribí para su primer libro que había constituido su tesis doctoral dirigida por mi ("La inducción a cometer el delito") en este caso no es más que la constatación de que las expectativas más que fundadas que entonces tenía en su futuro académico e intelectual, se ha consolidado ahora, pocos años después, en la realidad indiscutible que se puede ver y admirar en esta obra.

Sevilla, 20 de abril de 2003

FRANCISCO MUÑOZ CONDE

INTRODUCCIÓN

Hasta fechas relativamente próximas era difícil encontrar condenas por el ejercicio de una mala *praxis* médica. El respaldo argumentativo que explicaba esta realidad podía leerse, por ejemplo, en las obras de profesionales de tan reconocido prestigio como Gregorio Marañón, quien en 1935, en su obra *Vocación y Ética*, escribía: "sólo excepcionalmente han sido justos los Tribunales que han accedido a la petición de responsabilidad. Cuando, por el contrario, han desechado esa petición, han acertado casi siempre...Pedir cuentas al médico de su fracaso con un criterio científico, como se le pide a un ingeniero que ha calculado mal la resistencia de un puente, es un disparate fundamental y es en principio totalmente inaceptable". Para avalar su afirmación ofrecía, entre otros, argumentos relacionados con la inexactitud de la medicina y las peculiaridades de cada enfermo, la libre elección del médico por parte del paciente, y la consiguiente necesidad de que éste tenga que admitir un potencial margen de error en la actuación de cada profesional. Junto a ello todavía manejaba argumentos relacionados con la responsabilidad de la Universidad y su profesorado que, posiblemente, no había instruido de forma conveniente al médico. Por todo eso, concluía, "el enfermo debe aceptar un margen de inconvenientes y de peligros derivados de los errores de la Medicina y del médico mismo como un hecho fatal, como acepta la enfermedad misma"[1].

La quiebra de ese viejo dogma de la irresponsabilidad del médico, que durante tanto tiempo inspiró el ejercicio de la medicina como tributo a su primitiva comprensión como tarea sacerdotal o sagrada, tuvo lugar mediante la paulatina asunción de la responsabilidad sanitaria en el orden civil. Que las primeras demandas de responsabilidad y, consiguientemente, las primeras condenas se produjeran en este orden no resulta difícil de explicar por varias razones. La primera, la más simple, porque en un ámbito como la medicina, inspirado en los cánones del modelo contractual o negocial civil, la pretensión de la parte perjudicada, el paciente, suele traducirse la mayoría de las veces en una reclamación indemnizatoria. Cuando éste reclama asistencia sanitaria entra en una relación interpersonal voluntaria con el profesional de la sanidad, lo que explica que hasta hace poco haya sido normal que cuando la misma fracasara por una mala *praxis* médica su reacción primaria, lejos de enfocar la óptica social y de justicia pública propia del Derecho penal, tendiera a manifestarse en primer término conforme a los parámetros propios de ese modelo de exigencia de responsabi-

[1]   GREGORIO MARAÑÓN, *Vocación y Ética*, Colección Austral, 6ª ed., Madrid, 1976, págs. 102 ss.

lidad, canalizándose en el orden civil a través de una reclamación económica que indemnizara sus perjuicios. Junto a lo anterior, tampoco puede ignorarse una segunda razón. Si durante mucho tiempo la función del médico, ya sea por rememorar su viejo carácter sagrado, ya sea por beneficiarse de su comprensión asistencial, había determinado la ausencia de su responsabilidad jurídica, el tránsito de este modelo hacia otro de responsabilidad no podía tener lugar recurriendo de forma directa al orden propio de la reacción más enérgica de cuantas contempla el Estado: el penal. El tránsito de uno a otro modelo reclamaba, por el contrario, recurrir en primera instancia a un orden, el civil, al que son ajenas las notas de violencia y, por ello, la exigencia de intervención mínima, propia del modelo punitivo.

No es por ello de extrañar que no fuera hasta la década de los 90 cuando puede empezar a hablarse de una vuelta de la vista hacia el Derecho penal en el ámbito médico. Y ello en un doble sentido. El primero, en el de la conciencia social en torno a que también en el ejercicio de la medicina se implican por antonomasia los bienes jurídicos fundamentales que protege el Derecho penal y, por ello, también en ese ámbito hacen acto de presencia intereses públicos que desbordan la dimensión contractual y resarcitoria propia de un modelo relacional estrictamente privado. El segundo, complementario del anterior, el talante con que los órganos jurisdiccionales del orden penal encaran esas nuevas pretensiones condenatorias que se le plantean. Esto se refleja tanto a la hora de apreciar la gravedad de la infracción de las normas de cuidado de cara a traspasar los umbrales de la responsabilidad penal, como a la hora de extender dicha responsabilidad no sólo a las infracciones que dan paso a resultados lesivos, sino también a otras conductas que de modo amplio puede calificarse como contrarias al buen ejercicio de la medicina; de forma singular, la falta o deficiencias de información al paciente[2].

De hecho, puede decirse que hoy día el ámbito de la responsabilidad médica en sentido amplio ha desbordado al de aquellas primeras condenas que de forma incipiente se pronunciaron en el orden civil apegadas en exclusiva a la producción de resultados lesivos. En esa primigenia concepción de la responsabilidad del sanitario, en efecto, la misma se concebía exclusivamente como el último

---

[2]   Es interesante el dato que arroja un estudio realizado en 2007 por la Sociedad Española de Ginecología y Obstetricia basado en una encuesta realizada a más del 40% de los 5.500 profesionales que hay en toda España; en concreto, el estudio se realizó sobre 2.107 profesionales de esta especialidad. Se trata del colectivo que recibe más denuncias, hasta el punto de que uno de cada tres ginecólogos ha sido objeto en los últimos diez años de, al menos, una reclamación. Conforme al referido estudio, en más del 40% de los casos analizados faltaba el consentimiento del paciente.

capítulo de la historia de un fracaso: el de la lucha voluntaria del paciente por conseguir o recuperar su estado de salud. La pérdida de esa batalla por razones imputables al médico era el único frente que podía abrir las compuertas de la responsabilidad médica. Hoy día, sin embargo, la responsabilidad del médico o, al menos, la posibilidad de su exigencia, ya no aparece exclusivamente apegada a esos cánones. Por el contrario, tanto en el orden administrativo como en el civil y, en cuanto corolario de ambos, el penal, las posibilidades de responsabilizar al sanitario han ido creciendo con el paso de los años[3].

Este proceso expansivo, lógicamente, ha tomado a su vez por base una paulatina toma de conciencia en torno al catálogo de los derechos del paciente frente a una actuación que, al despojarse por completo de sus arcaicas notas míticas o sacerdotales, se reviste de un ropaje jurídico en todos y cada uno de sus extremos. El enfermo, en efecto, no sólo tiene derecho a que no se le apliquen técnicas o a que no se le someta a prácticas descuidadas que puedan producirle un resultado lesivo o incluso la muerte. El enfermo es, ante todo, un sujeto pleno de derechos, entre los que se encuentran el del respeto de su *voluntad* o de su *intimidad* y, con ellos, de su propia *dignidad*, que no son más que plasmaciones en este ámbito del reconocimiento de otros tantos derechos que con carácter general le competen, ya antes que como enfermo, como persona. Ello explica no sólo el número de foros de encuentros y debate en torno a las distintas posibilidades de responsabilizar al sanitario. Explica ante todo el talante tan ambicioso con el que el legislador siente la necesidad de regular los aspectos relativos a la sanidad, esforzándose en articular un catálogo de derechos y obligaciones del paciente a partir del cual fundamentar aquélla. Bastante sintomático es al respecto la Ley 41/2002, básica reguladora de la Autonomía del Paciente y Derechos y Obligaciones en materia de información y Documentación clínica[4], que gestada a partir de otras iniciativas en el ámbito internacional, se aprobó por el Pleno del Congreso de los Diputados el 31 de octubre de 2002, y entró en vigor en mayo de 2003. Tiene interés reproducir las palabras de su Preámbulo, cuando señala que,

"La importancia que tienen los derechos de los pacientes como eje básico de las relaciones clínico asistenciales se pone de manifiesto al constatar el interés que han demostrado por los mismos casi todas las organizaciones internacionales con competencia en la materia. Ya desde el fin de la Segunda Guerra Mundial, organizaciones como Naciones Unidas, UNESCO o la Organización Mundial de la Salud, o, más recientemente, la Unión Europea o el Consejo de Europa, entre muchas otras,

---

[3]   Respecto a la evolución y expansión registrada en los órdenes civil y administrativo, véase PLAZA PENADÉS, *El nuevo marco de la responsabilidad médica y hospitalaria*, Navarra, 2002, págs. 17 ss.

[4]   BOCG, Serie B, n° 134-21, de 8 de noviembre de 2002.

han impulsado declaraciones o, en algún caso, han promulgado normas jurídicas sobre aspectos genéricos o específicos relacionados con esta cuestión".

Como en parte anunciábamos, entre las preocupaciones por consagrar los derechos del paciente que exceden del que se refiere en exclusiva a procurar el no-empeoramiento de su estado de salud, cobra especial interés la protección de su *autonomía* como derecho fundamental. Con su reconocimiento se trata, en definitiva, de proteger la libertad del enfermo en cuanto presupuesto legitimador de cualquier actuación médica, algo fácil de entender teniendo en cuenta que ésta supone por definición una injerencia en el soporte mismo de la existencia del ser humano, su integridad física, que incide así de pleno en el reducto más íntimo y personal del individuo hasta el punto de imbricar su protección con la de su *dignidad* misma.

Con todo, pese a ese reconocimiento, lo cierto es que a ningún observador podría escapar el dato de que hablar de libertad en el ámbito de la medicina supone necesariamente reconocer que la misma adquiere en él tintes realmente peculiares. En primer lugar, porque el punto de partida del recurso al profesional sanitario es una situación de pérdida de libertad. En efecto, no hay límite mayor a la libertad del ser humano que el estado de enfermedad. Y no ya sólo porque cuantitativamente supera con creces a aquellos otros límites que condicionan externamente la voluntad, esto es, los provenientes de una fuerza externa al sujeto, como la violencia o intimidación ejercidas por un tercero. Sobre todo porque a diferencia de lo que normalmente sucede con éstos, cuyo alcance se ciñe a actos puntuales y extraordinarios (p. ej., la firma de un documento), la enfermedad reduce e incluso anula la libertad con carácter general, esto es, para realizar desde los grandes proyectos vitales hasta los pequeños actos de la vida cotidiana. La inmensa mayoría de los ciudadanos nunca se ha visto impedida para realizar un viaje, asistir a un concierto o realizar cualquier actividad ordinaria debido a una causa externa motivada por un tercero que coaccionara su voluntad y le impidiese actualizarla. Sin embargo, esa inmensa mayoría de ciudadanos más de una vez en su vida ha tenido que renunciar a proyectos, grandes o pequeños, debido a una enfermedad más o menos grave, más o menos pasajera, que le impedía continuar su vida normal. La enfermedad aparece así como una de las principales causas de anulación de la voluntad. Cuando la misma se presenta, si el enfermo quiere recobrar la libertad perdida tendrá que emprender el camino de la búsqueda de su curación recurriendo a la figura del médico, quien aparece ante los ojos de aquél como su *agente liberador*. Este se convierte primero en *confesor* del paciente, un personaje desconocido al que sin embargo hará confidencias sumamente íntimas; luego en su *consejero*, quien entonces le hablará de las salidas que le ofrece una ciencia que el enfermo nunca ha estudiado y cuyas nociones oye hasta repetir pese a que siempre le son ajenas; por último, el médico asume el rol de conductor y guía de un viaje realmente incierto: el que traza las necesidades de la terapia.

Son las tres grandes secuencias de la historia de una relación humana y jurídica que, a su vez, acuñan una segunda peculiaridad al empleo del término libertad como derecho del paciente. Ésta tiene que ver con el reconocimiento de los límites que en términos fácticos cuestionan cualquier intento de hablar en sentido propio de la *igualdad* y, con ello, de la *libertad*. Ante todo, porque como ya apuntábamos, aquél nunca acude al médico de modo libre o espontáneo. Lo hace porque está enfermo; sólo forzado por eso y por su malestar visita a un personaje al que siempre espera antes de entrar en su consulta y a quien luego escucha desde el otro lado de una mesa que marca claramente sus posiciones. De esta forma se encuentra con un interlocutor al que puede preguntar, al que puede oír, con el que puede hablar; pero nunca dialogar con él, simplemente porque no está en condiciones de hacerlo. Para hablar de diálogo en sentido propio hay que tener igualdad de armas, igualdad de recursos, y el paciente no los tiene. Es por ello por lo que en su relación con su interlocutor suele limitarse a contestar a sus preguntas, personales o no, sin tener siquiera elementos de juicio para saber si son estrictamente necesarias. En ese contexto la *libertad* en sentido material ni existe ni puede existir; en esas condiciones lo único que el Derecho puede ofrecer al paciente es una libertad en sentido *formal*. Ésta se traduce en la garantía de que, pese a todos esas limitaciones y condicionamientos fácticos, cada viñeta de la historia sólo exista porque así lo desee el enfermo; porque a pesar de sus limitaciones, a pesar de que su posición de desconocimiento le sitúa de entrada en un plano de inferioridad, a pesar de que nunca podrá ver más allá de lo que enfoque el médico y además sin la nitidez ni siquiera con la intuición de éste, se garantizan los presupuestos mínimos para poder decir que, jurídicamente hablando, decide sobre su propio cuerpo en condiciones de libertad.

Así entendida, la libertad no es sólo el punto de llegada de la actividad médica. Es, ante todo, su punto mismo de partida. Si el deseo del enfermo por despojarse de su enfermedad no es más que manifestación de su anhelo de recuperar sus condiciones de libertad, ese empeño sólo puede tener sentido, a su vez, cuando el sujeto así lo quiere. Por ello, tanto el origen de la asistencia médica como cada una de las fases por la que atraviesa tienen que legitimarse necesariamente en un acto de voluntad del enfermo que se convierte de este modo en la espina dorsal de la relación médico-paciente.

El consentimiento del paciente es, en efecto, la espina dorsal de su relación con el médico. En su momento inicial, el acto de voluntad del enfermo es la única llave que puede abrir de forma legítima su proceso de curación. Sólo en él pueden estar las ganas y las fuerzas mismas para solicitar ayuda y sólo a él, por tanto, compete la decisión de curarse. Pero incluso cuando toma esa primera resolución, con ella sólo está solicitando al médico que le trace un boceto de cómo será ese camino que tiene que recorrer si quiere *intentar* poner fin a la rémora que es su enfermedad. La toma de una decisión que pueda adjetivarse como libre requerirá que disponga de toda la información necesaria para ponderar los *pros y contras* de cada opción. Desde la condición de profano del enfermo ello requiere, ante todo, que cuente con un cúmulo de datos a los que sólo puede tener acceso si previamente existe una *información* por parte del sanitario. Sólo cuando el paciente acude de forma voluntaria a éste y dispone de un arsenal de datos suficiente para decidir si opta por someterse a tratamiento, el acto médico estará legitimado. Cuando por el contrario su decisión se haya gestado desde el desconocimiento de los aspectos que, por su entidad, puedan considerarse básicos para formar una voluntad madura, la actuación médica dejará de estar amparada por el consentimiento del paciente y, por ello, habrá de considerarse como arbitraria. La pregunta que surge entonces es doble. En primer lugar, la relativa a cuáles sean esos datos cuyo desconocimiento desautoriza la calificación como maduro del consentimiento del enfermo; o lo que es lo mismo, los aspectos que debe comprender su consentimiento informado para que pueda decirse que la decisión que adopta es expresión de una voluntad seria, madura y, en definitiva, válida. En segundo lugar, trazado lo anterior, surge la cuestión en torno a la forma en que hayan de traducirse las posibles vulneraciones del atentado a su derecho fundamental a decidir. Es la pregunta que encara ahora el aspecto relativo a los presupuestos con los que la falta o vicios en la información puedan dar paso, más allá de una reacción disciplinaria o civil, a la responsabilidad penal. Ello requerirá depurar los atentados que, por su gravedad, resulten *merecedores* y *necesitados* de sanción penal conforme al principio de *ultima ratio* que inspira este orden.

Es cierto que no es difícil intuir que el Derecho penal tiene algo que decir cuando esta primera vulneración a la libertad del paciente se traduce en un atentado frontal a la misma. Es lo que sucede de forma clara cuando se le somete coactivamente a un acto médico o se le ofrece una información totalmente falsa, de tal modo que no consiente en el mismo o incluso desconoce su realidad. Sin embargo, frente a estos casos extremos los ataques cuantitativamente más importantes a este primer aspecto de la libertad del enfermo se mueven en una vasta zona gris en la que no siempre resulta fácil perfilar los presupuestos de la intervención penal. A ello contribuye no sólo la necesidad de depurar la misma frente a la que deba ventilarse en órdenes menos severos, como el disciplinario, administrativo o civil, sino también la complejidad inherente a la realidad contextual que envuelve la relación médico-paciente y que introduce un elemento extrajurídico de ponderación que inevitablemente recorre cada una de sus secuencias. Porque como señalara SCHMIDT, la función médica no es una actividad despersonalizada sino, ante todo, una relación humana: "el médico no se encuentra ante un cuerpo enfermo o ante el cuadro de una enfermedad con la impasible frialdad de un científico, sino que ante todo entra en relación con hombres enfermos, que entienden su situación y como tales hombres enfermos deben ser tratados"[5]. Esta contemplación impregna valorativamente cualquier aproximación —también jurídica— a la actividad médica, hasta el punto de que el protagonismo de los aspectos humanos suele manejarse como argumento para derogar, o al menos matizar, algunas de las reglas básicas que en una contemplación aséptica inspiran la relación médico-paciente. Es lo que sucede con el *derecho a la información* antes descrito. Frente a su comprensión absoluta en cuanto presupuesto de la libertad del enfermo, no son aisladas las voces que reclaman su flexibilización e, incluso, las que llegan a derogarlo en aras de salvaguardar un aspecto que se estima de mayor calado: la preservación del contexto humano en que debe desenvolverse el encuentro del profesional y el paciente y la consiguiente exigencia de que aquél vele por evitar a éste el estado de sufrimiento, de angustia o desesperación al que puede arrastrarle el conocimiento de su mal.

Al respecto no resulta difícil encontrar voces que reclaman una función paternal del profesional, traducida en lo que se ha dado en llamar *privilegio terapéutico del médico*. Bajo el argumento de evitar al paciente el sufrimiento añadido que pudiera ocasionarle el conocimiento de su enfermedad, se subraya la necesidad de potenciar el componente humano del vínculo que une al médico con su paciente hasta el punto de suavizar e incluso, si hace falta, silenciar aspectos nucleares de la información. El derecho a la información en cuanto cimiento de la libertad, por un lado, y la presencia de aspectos humanos, de otro, entran así en una relación dialéctica en cuyo centro de tensión se sitúa la figura del médico. Es él quien en última instancia concentra el poder de decidir si comunica o no la enfermedad al paciente e incluso los detalles de la terapia a la que ha de someterse o si, por el contrario, decide por él "de buena voluntad" y conforme a criterios objetivos de *racionalidad* que le aislen y protejan en lo posible del padecimiento adicional que supone el miedo al sufrimiento, al dolor y a la muerte. A cada uno de los polos de esa tensión conflictual corresponden a su vez una dualidad de posibles calificaciones jurídico-penales: si el médico comunica fríamente la noticia de la enfermedad e incluso se apresura a transmitir los resultados parciales de un diagnóstico aún no confirmado, puede plantearse su eventual responsabilidad

---

[5]   SCHMIDT, "Der Arzt im Strafrecht", en *PONSOLD, Lehrbuch der Gerichtlichen Medizin. Einschliesslich der ärztlichen Rechtskunde und der versicherungsmedizin*, Stuttgart, 1959, pág. 1.

por los daños —psíquicos— imprudentes que cause a su paciente. Si, por el contrario, opta por silenciar el diagnóstico o la terapia a que le va a someter, puede situarse en los umbrales de un delito contra la libertad, lesiones o, en su caso, detenciones ilegales o coacciones.

El anterior no es, sin embargo, el único escenario en el que se plantea un conflicto entre el derecho del paciente a estar informado y, por tanto a decidir, y otros intereses. Al contrario, todos y cada uno de los peldaños que marcan las exigencias de información y de respeto de la voluntad del enfermo se prestan a recorrerse en sentido inverso cuando se da entrada a aquellos. Baste pensar ahora en el caso de los Testigos de Jehová, quienes, si bien no tienen voluntad de morir, se niegan a la transfusión sanguínea que puede salvarles la vida; o en los huelguistas de hambre que pretenden llevar hasta las últimas consecuencias su actitud. Con tintes especiales se plantea este conflicto cuando se trata de un enfermo con padecimientos crónicos difíciles de soportar que solicita la ayuda del médico para poner fin a su existencia, único medio de acabar con su sufrimiento. En estos casos el médico vuelve a situarse en la tesitura de respetar, por un lado, la voluntad de un paciente que no quiere saborear el amargo sorbo de su encuentro con la muerte; por otro, el peso de una regulación que, salvo escasas concesiones, se inclina por mantener como dogma inquebrantable la sacralidad absoluta de la vida.

Es más, el interés que puede entrar en colisión con el derecho del paciente a decidir no siempre tiene que identificarse con un beneficio para éste. También la relatividad de su derecho a que se le informe y se respete su voluntad se evidencia cuando la no-curación e incluso la falta misma de pruebas para diagnosticar una enfermedad contagiosa suponen o pueden suponer un riesgo para terceras personas, incluido el personal médico que ha de tratarle. Ejemplo paradigmático al respecto es aquél en que el sanitario sospecha que el paciente puede estar infectado por el virus del SIDA y se plantea la conveniencia de practicarle una prueba para detectar la infección. Una vez más, en casos como éste surge la pregunta en torno cuál sea el término del conflicto que deba prevalecer: el respeto a la voluntad del paciente o, por el contrario, la preservación de la salud de terceros frente a posibles riesgos de contagio. De todas estas cuestiones se ocupa la Primera Parte del trabajo.

Casi ni que decir tiene que con los problemas relacionados con la información al paciente y el respeto de su derecho a decidir no se agota, sin embargo, el vasto ámbito en el que puede plantearse la responsabilidad del médico. Baste pensar que el punto de referencia del consentimiento que en las líneas anteriores presentábamos como inexcusable es, ya de entrada, bastante peculiar. En primer lugar, porque dejando a un lado el menoscabo a la integridad que a veces es consustancial al acto médico (p. ej., incisión para operar, puntos de sutura, etc.), su punto de referencia no es un resultado lesivo, sino una situación de *puesta en peligro*. En segundo lugar porque, al menos en los casos normales, dicho consentimiento presupone que el médico se ajuste a determinadas reglas que, si bien no eliminan, garantizan la minimalización de los riesgos.

Está claro, en efecto, que cuando el enfermo presta su consentimiento a la intervención y el medico se compromete a realizarla, ninguno de los dos está pidiendo ni garantizando su éxito, esto es, la recuperación de la salud. La medicina, como sucede en general con el resto de las ciencias, no goza de los predicados de la infalibilidad o exactitud: unas veces ni siquiera puede ofrecer remedios de eficacia probada a la enfermedad de que se trate; otras, cuando los tiene, no puede sustraerse a la infinidad de imponderables que condicionan el éxito de la terapia, entre ellos, las peculiaridades de cada paciente. Por eso, ni este puede exigir ni el médico puede ofrecer la curación. Lo único que el sanitario puede asegurar es que su actuación será fiel a dicha finalidad, que pondrá toda su ciencia, capacidad y medios a su alcance en ese empeño. De forma paralela, cuando el paciente manifiesta su voluntad de someterse a la intervención, lo que está pidiendo al médico es que actúe con la máxima diligencia posible, que haga todo lo que esté en sus manos para que la misma resulte exitosa; en pocas palabras, que actúe conforme a las reglas de lo que se conoce como la *lex artis*. Más no puede exigir, ni más tampoco puede ser lo que engrose el punto de referencia de su consentimiento. Lo único que puede reclamar el paciente es que se haga todo lo necesario para recuperar su estado de salud, y esa petición se respeta cuando el sanitario actúa conforme a las *reglas de cuidado*. A la inversa, la infracción de esas reglas o cánones científicos representa un nuevo atentado al pilar legitimador de la actividad médica, que, una vez más, sitúa al sanitario en los umbrales de la responsabilidad; ahora, por el resultado lesivo que eventualmente llegara a producirse. Porque cuando el médico se desvía de lo prescrito su conducta ya no puede reconducirse a criterios de *tolerabilidad* o de asunción *permitida* de riesgos. Cuando se produce una desviación, en efecto, la conducta médica se presenta por definición como disvaliosa, como contraria a Derecho. Dejando a un lado los contados supuestos en los que pueda apreciarse una actitud intencional por parte del médico, cuando su conducta se aparte de las reglas de cuidado su hacer se hará merecedor de la tacha de la *imprudencia*.

Lo cierto es, sin embargo, que tampoco la determinación de los presupuestos bajo los que pueda derivarse responsabilidad para el médico cuando no se ajusta a las reglas mínimas de prudencia se presta a una contemplación aséptica, sin interferencias valorativas. Así lo demuestra la discusión generada en torno al modo en que jurídicamente deba reaccionarse frente a los errores o fallos debidos a una imprudencia del profesional, hasta el punto de poder decirse que prácticamente cualquier decisión legislativa podría encontrar respaldo en una concepción prejurídica. Y es que, en efecto, los márgenes de la ponderación se trazan a partir de dos polos valorativos antagónicos, sin pueda decirse que ninguno de ellos esté por completo ni carente ni en posesión de toda la verdad: el primero es el que tiende a "disculpar" al médico de los fallos que pueda cometer, siempre, claro está, que no se trate de *errores burdos* o de *grave descuido*. En el razonamiento que acompaña a esta primera postura suelen están presentes argumentos relativos a la capacidad limitada de cualquier persona —también del médico—, cuya actividad, por tanto, no puede librarse del lastre de la falibilidad. Si el error amenaza y está presente como algo consustancial en todas las facetas de la vida, no se puede esperar que las cosas sean distintas cuando se entra en el incierto campo de la actividad curativa. De hecho, si a duras penas puede hablarse de una ciencia perfecta, simplemente porque los hombres no son capaces de hacerla, menos aun se puede esperar que cumplan con perfección los postulados de aquélla, máxime cuando, como sucede en la medicina, en su aplicación práctica se implican un sinfín de factores que no siempre el médico puede controlar. Junto a este razonamiento, no es infrecuente que sus defensores adviertan las indeseables consecuencias que supondría aplicar el máximo rigor a la actividad del médico. Así, apuntan no sólo al dato de que de otra forma se potenciaría la tan denostada actitud de vaciar su actividad de cualquier vestigio de humanidad, puesto que la misma cedería ante la preocupación por no acabar sentado en un banquillo. Ante todo destacan que, como consecuencia de ello, se acabaría fomentando la que se conoce como *medicina defensiva*[6], esto es, la práctica de pruebas y medidas innecesarias que sólo se traducen en el aumento de costes para el sistema sanitario y en el entorpecimiento de la *praxis médica*. En este sentido, por ejemplo, suelen denunciarse las cautelas que toman los anestesistas atemorizados por el hecho de que, salvo las manipulaciones quirúrgicas que realice el cirujano, asumen la responsabilidad por los problemas que surjan durante la operación. Ello propicia que antes de entrar en quirófano prefieran solicitar que el cardiólogo emita un informe en el que conste que el paciente está en condiciones de ser intervenido. El cardiólogo a su vez, si quiere asegurarse frente a la eventualidad de futuras demandas, optará por realizar pruebas detenidas que no sólo encarecen la intervención, sino que incrementan considerablemente las listas de espera.

Frente a este primer polo de la valoración, se sitúa un segundo, ahora de sentido diametralmente opuesto, que con la fuerza de un efecto pendular se vuelve implacablemente contra el médico. Es el que señala que sus errores, por huma-

---

[6]   Por todos, LAUFS, "Fortschritte und Scheidewege im Arztrecht", *NJW* 1976, págs. 1121 ss.

nos que sean, no sólo no pueden tratarse de forma más benévola, sino que ni siquiera pueden medirse por el mismo baremo que los fallos propios de cualquier otra actividad. Porque cuando están en juego vidas humanas la reacción jurídica tiene que ser más enérgica, más rigurosa que nunca, algo que no sólo debe traducirse en que se sancione con mayor severidad lo que ya es punible, sino, si hace falta, que se extienda el ámbito de aquélla a espacios que no encuentran parangón cuando se trata de otros sectores. Para esta opinión, el riesgo de acabar en una medicina defensiva sólo estaría fundado si se pretendieran incriminar también los errores más sutiles. Para evitar dicha práctica, dicen estos autores, bastará con depurar cuidadosamente lo que deba considerarse, no ya un fallo imprevisible, sino una auténtica negligencia. A esta segunda opción parece responder nuestro Código penal, que contempla una agravación de la pena mediante la cláusula de la *imprudencia profesional* en relación con delitos como el homicidio, aborto, lesiones o lesiones al feto.

Pero al margen de estas cuestiones valorativas, lo cierto es que, ya en el plano dogmático, la peculiaridad misma de la *praxis médica* convierte en protagonista singular a la elaboración teórica del delito imprudente, hasta el punto de poder decirse que prácticamente todos sus aspectos problemáticos desfilan con especial agudeza en el ámbito de la medicina. Unas veces porque el contexto en que se desenvuelve esa actividad acentúa la conflictividad inmanente a no pocas de sus aristas, como sucede, por ejemplo, respecto al debate en torno al modo en que deban valorarse los conocimientos y capacidades especiales del autor. Otras, porque las peculiaridades que rodean al ejercicio de la medicina determinan la necesidad de recubrir desde una perspectiva distinta el armazón conceptual del delito imprudente. Es lo que sucede en los casos, normales en este sector, en los que en el tratamiento del paciente intervienen de forma sucesiva o simultánea una pluralidad de profesionales que actúan, bien en el mismo plano, bien de forma subordinada, dando paso a lo que se conoce como *trabajo en equipo*.

No se agotan, sin embargo, en el tratamiento de los distintos aspectos que plantea la imprudencia el cúmulo de problemas relacionados con la responsabilidad del médico por la producción de un resultado lesivo. La tarea de fijar los presupuestos de su apreciación requiere igualmente volver la vista a otras cuestiones clásicas que desde hace tiempo han centrado la atención de la dogmática jurídico-penal, como los presupuestos conceptuales de la *omisión impropia*. La importancia de trazar sus rasgos básicos en el ámbito de la sanidad no es difícil de entender sólo con atender a la fenomenología de casos a que tiene que enfrentarse el profesional de la medicina. Baste reparar tanto en los supuestos de renuncia del paciente al tratamiento, ya sea motivado por sus creencias (Testigos de Jehová) o por su voluntad de morir (suicidas), como en aquellos otros en los que el médico alega respetar la voluntad del enfermo que en el momento de la situación de riesgo se encuentra en estado de inconsciencia.

Junto a estas cuestiones propias de la elaboración dogmática de la Parte General, la fijación de los presupuestos a partir de los cuales el médico pueda responder por los resultados lesivos que lleguen a producirse requiere igualmente delimitar los perfiles de los posibles tipos delictivos que pudieran venir en consideración. Claro está que los problemas interpretativos no se concentran en los clásicos delitos contra la vida humana independiente, básicamente, homicidio o lesiones. Aquellos se agudizan a la hora de trazar los contornos de los tipos delictivos que bordean la actividad médica en las fases iniciales y finales de la vida; a saber, los delitos de manipulación genética, lesiones al feto, aborto y eutanasia. En efecto, a las dificultades que en general se plantean a la hora de interpretar los elementos típicos de cualquier delito se suma ahora todo un cúmulo de concepciones valorativas prejurídicas que indefectiblemente condicionan cualquier aproximación a dichos tipos delictivos. Baste pensar en cuestiones como la relativa al momento a partir del cual el feto pase a considerarse como un ser portador de vida humana independiente, en las posibilidades de incriminar conforme a los delitos relativos a la manipulación genética determinadas prácticas que se sitúan en los límites de las previsiones legales, o la forma en que deban calificarse algunas conductas relacionadas con la eutanasia (p. ej., la desconexión de mecanismos reanimadores), por citar sólo algunas de las cuestiones imaginables. De todas ellas trata la Segunda Parte del trabajo.

Sin embargo, con el tratamiento de los aspectos descritos de la Parte General y Especial relativos a los delitos contra la libertad, vida y salud no se agota en su totalidad el espectro de problemas que plantea el juicio en torno a la responsabilidad médica. En efecto, la descripción problemática anterior se corresponde en exclusiva con una visión que presenta al médico como un instrumento al servicio de los intereses del paciente, de tal forma que cuando en vez de atenderlos los lesiona, surge su responsabilidad. Pero no puede olvidarse que también el médico es un sujeto de derechos cuya voluntad y, en definitiva, cuya libertad, no puede ser ignorada por el empeño en preservar, en exclusiva, los derechos del paciente. Ciertamente el sanitario es un instrumento, una figura con la que el paciente se topa indefectiblemente en su peregrinar en la búsqueda de la salud. Pero esa contemplación no significa que éste pueda arrollar la libertad de aquél hasta el punto de obligarle a realizar actos que atentan contra sus creencias o convicciones personales para así salvaguardar las propias. Baste pensar ahora en los casos en que al sanitario se le solicita la práctica de un aborto permitido al que, sin embargo, se opone su fuero interno y, en definitiva, sus *razones de conciencia*. El mismo conflicto pudiera plantearse en los casos inversos en los que las razones de conciencia llevan al médico a cometer un hecho que el legislador tipifica como delito. Sirva de ejemplo el caso en que ayuda con actos positivos y directos a la muerte de un enfermo terminal que así se lo solicita ante la situación de sufrimiento extremo en que se encuentra. Es, en definitiva, la cuestión relativa al valor que deba tener en la calificación de los hechos la alegación por parte del médico de argumentos vinculados con la actuación conforme a sus propias creencias y, en definitiva, conforme a los dictados de su conciencia. La problemática propia de estos casos se trata en la Tercera Parte del trabajo.

Junto a los ámbitos anteriormente descritos relativos a los delitos contra la libertad, la vida y la salud, el recorrido por los distintos títulos de responsabilidad en que pudiera incurrir el sanitario en el ejercicio de su profesión obliga a tener en cuenta otros tipos delictivos de la Parte Especial, como el delito de *omisión del deber de socorro* o la vulneración de la *intimidad* del paciente. De hecho, este último es uno de los mejores exponentes en torno a la especial agudeza con que se manifiestan en la actividad médica algunos problemas de la Parte Especial. Baste pensar que desde el primer contacto con el paciente hasta la práctica de la última prueba el médico aparece como su *confesor* íntimo: primero le oye mientras el paciente le habla de una enfermedad o malestar que tal vez a nadie más, ni siquiera a alguien próximo confesaría; luego, a medida que avanza la relación, el médico va aumentando más y más sus conocimientos sobre el paciente, no ya sólo por lo que a la enfermedad se refiere, sino también respecto a aspectos personales que, bien descubre, bien demanda directamente. De hecho, el punto de arranque de su relación es la formulación de preguntas que pueden ir desde la edad, profesión o estado civil hasta sus hábitos sexuales o posible adicción a las drogas, acumulando así todo un arsenal de datos cuya comunicación es para siempre irreversible. Las dificultades, claro está, no se limitan sólo a determinar cuándo el médico ha revelado un dato íntimo del paciente que ha conocido en su condición de tal. También se extienden con especial agudeza a los campos en que la protección de tal derecho entra en eventual colisión con otros, como cuando se trata de alertar a terceros sobre una enfermedad infecciosa. De estos y otros problemas de la Parte Especial, como el intrusismo, se ocupa la Cuarta Parte de esta obra.

Llegados a este punto, uno no puede extrañarse de que la aproximación jurídico penal a la actividad médica resulte conflictiva desde cualquiera de los ángulos desde los que pueda enfocarse: desde las dificultades dogmáticas a las más arduas discusiones valorativas —prejurídicas— en torno a los ámbitos conflictuales sobre los que incide, pasando por las genéricas cuestiones político criminales y de oportunidad de la reacción penal. A intentar aclarar algunos aspectos de la misma se orienta este trabajo.

PRIMERA PARTE

EL RESPETO DE LA VOLUNTAD DEL PACIENTE. POSIBLES TIPOS DELICTIVOS

I. EL PRESUPUESTO DE LA ACTIVIDAD MÉDICA: EL CONSENTIMIENTO DEL PACIENTE

La actividad médica supone por definición una injerencia en el ámbito de privacidad del individuo. Este rasgo impregna de principio a fin la situación del enfermo cuando solicita ayuda profesional. Desde que el paciente "confiesa" al médico su sintomatología, y con ello le hace partícipe de sus datos íntimos, hasta que se somete al tratamiento prescrito, con el que se afecta el soporte material mismo de su existencia —su integridad física—, se ven implicadas como en ninguna otra actividad las diversas aristas de la esfera más íntima y personal del individuo. No es por ello de extrañar que desde las coordenadas de una ordenación estatal que proclama como uno de sus pilares básicos la autonomía y el derecho al *libre desarrollo de la personalidad* del individuo, suela reconocerse de forma prácticamente unánime que el tratamiento médico reclama, como presupuesto mínimo de su conformidad a Derecho, la concurrencia del consentimiento del paciente. Sólo cuando éste asiente en acudir a la consulta, en revelar sus datos íntimos y en someterse a una terapia, la mayoría de las veces invasiva de su integridad física, el acto médico puede adjetivarse como legitimado.

De hecho, el dato de que la actividad médica suponga por definición una intromisión en la esfera más íntima y personal del paciente justifica que la preocupación por garantizar el respeto tanto de su intimidad como del sentido de su voluntad encuentre, incluso, anclajes constitucionales. Así, por lo que a lo primero se refiere, el respeto a la intimidad, su protección constitucional encuentra inequívoco reconocimiento en el art. 18 del Texto Fundamental cuando consagra en términos generales el derecho a la intimidad personal, que reclama, como uno de sus aspectos, que el conocimiento de datos tan íntimos como los relativos a la salud sólo se legitime cuando el afectado consienta en tal sentido. Otro tanto puede decirse respecto al segundo aspecto, a saber, el relativo a la necesidad de respetar el sentido de su voluntad en la fase de tratamiento propiamente dicha. Tampoco ahora existen dificultades a la hora de implicar la exigencia de una declaración de voluntad con el contenido esencial de un derecho fundamental: el derecho a la propia *integridad física* consagrado en el art. 15 de la Constitución[1]. Así, en la medida en que prácticamente la realización de cualquier terapia presupone un acto de injerencia sobre el propio cuerpo, la exigencia constitucional de respeto a la integridad física llevará a considerar ilegítima cualquier actividad médica que no cuente

---

[1]   Por todos, TOMÁS-VALIENTE LANUZA, *La cooperación al suicidio y la eutanasia en el nuevo C.P. (art. 143)*, Valencia, 2000, págs. 36 s.

con el consentimiento del paciente. Todo ello sin desconocer otros preceptos constitucionales que con carácter general respaldan igualmente la exigencia de consentimiento de éste. Baste pensar en el art. 1.1 del Texto constitucional, que propugna como uno de los valores superiores del Ordenamiento jurídico la *libertad*, o en el art. 10.1, que refiere entre los fundamentos del orden político y la paz social el respeto de la *dignidad humana* y el *libre desarrollo de la personalidad*[2].

Sin embargo, la afirmación anterior en torno a la exigencia de la voluntad del paciente como requisito legitimador de cualquier acto médico, pese a descansar en un principio jurídico indiscutido y echar sus raíces en el propio Texto Constitucional, podría enturbiarse, y de hecho con frecuencia se enturbia, cuando se contempla a la luz del móvil mismo que inspira la práctica médica así como cuando se tienen presentes otros intereses también protegidos constitucionalmente y que pudieran presentarse, incluso, como de superior rango.

En primer lugar, por lo que se refiere al móvil que inspira la práctica médica, debe recordarse que la razón de ser de ésta, al menos como regla general, es la eliminación de la enfermedad, el intento de paliar los sufrimientos y, en definitiva, de ofrecer al paciente una mejor calidad de vida y, en su caso, la continuidad de la misma. Desde esta perspectiva, que hunde sus raíces en la función de la medicina según la ética griega hipocrática del siglo IV. a.C., la actividad médica representa de por sí un interés, una finalidad en sí misma que, contemplada en términos estrictamente objetivos y desde la fría lógica de la racionalidad, puede presentarse tan digna y necesitada de protección como la salvaguardia de la libertad del paciente. En segundo lugar, a enturbiar la aparente simplicidad de la premisa que afirma la prevalencia incondicionada de la voluntad del paciente vendría a contribuir el dato de que el conflicto descrito, ínsito a la práctica médica, responde a su vez a una tensión conflictual entre intereses de rango constitucional. Si, como señalábamos más arriba, es cierto que el reconocimiento constitucional de los derechos a la intimidad e integridad física del enfermo reclama que éste preste su consentimiento al

---

[2]   En este sentido, la Sentencia de 12 de enero de 2001 de la Sala Primera del Tribunal Supremo afirma: "Ciertamente que la iluminación y el esclarecimiento, a través de la información del médico para que el enfermo pueda escoger en libertad dentro de las opciones posibles que la ciencia médica le ofrece al respecto e incluso la de no someterse a ningún tratamiento ni intervención, no supone un mero formalismo, sino que encuentra su fundamento y apoyo en la misma Constitución Española en la exaltación de la dignidad de la persona que se consagra en su art. 10.1, pero sobre todo en la libertad, de que se ocupa el art. 1.1, reconociendo la autonomía del individuo para elegir entre las diversas opciones vitales que se presenten de acuerdo con sus propios intereses y preferencias..."

acto médico de que se trate, no lo es menos que el Texto Fundamental protege en su artículo 15 la vida y la salud como bienes jurídicos del más elevado rango, lo que pudiera justificar que, llegado el caso, se considere preferente su preservación frente a la voluntad del portador.

Esta confrontación de intereses perfila claramente los dos extremos de un binomio consustancialmente conflictual: por un lado, el interés en la curación; por otro, el respeto del derecho del paciente a decidir en condiciones de libertad si desea recorrer y, en su caso, hasta dónde, el camino que, según la indicación del médico, le llevará o podrá llevarle a dicha curación. A la prioridad que se dé a cada uno de los elementos de ese binomio responden, respectivamente, los enunciados de dos máximas que pueden considerarse clásicas: "*salus aegroti suprema lex*" y "*voluntas aegroti suprema lex*", enunciados que dan paso a otros tantos modelos en torno a la forma de enfocar la relación médico-paciente: por un lado, el modelo *paternalista*, afanado en buscar la beneficencia del enfermo; por otro, el de *autonomía*, preocupado por garantizar el respeto de su voluntad[3].

Al menos a primera vista, cada uno de aquellos enunciados parece situar los intereses que respectivamente atienden en una relación de mutua exclusión. La primera opción, la preocupada por preservar la salud, es propia de una concepción paternalista de la medicina basada en el ejercicio, si no ya de una suerte de función sagrada o sacerdotal, como fue en sus primeros tiempos, sí de una función graciosa o asistencial de la que el enfermo es un simple beneficiario y desde cuyos esquemas, por tanto, el consentimiento es un elemento extraño o, al menos, adquiere un papel secundario cuando no se contempla, incluso, como un elemento distorsionador[4]. Al dar prioridad a la preservación

---

[3]   Si bien es posible realizar clasificaciones más amplias, como la que distingue entre los siguientes modelos: *paternalista, informativo, interpretativo* y *deliberativo*, atendiendo a las distintas concepciones de los objetos de la relación, las obligaciones del médico, el papel que desempeñan los valores del paciente y la manera de concebir su autonomía. Véase al respecto GALÁN CORTÉS/MÉJICA/CÁRCABA FERNÁNDEZ, en "Bioética y consentimiento informado", en *Bioética Práctica. Legislación y Jurisprudencia*, Madrid, 2000, págs. 74 ss. Sobre esta clasificación, véase también el detenido estudio de EZEQUIEL J. EMANUEL Y LINDA L. EMANUEL, "Cuatro modelos de la relación médico-paciente", en *Bioética para clínicos*, ed. Azucena Couceiro, Madrid, 1999, págs. 109 ss.

[4]   Debe observarse por otra parte que, como explican ORTS BERENGUER/GUINARTE CABADA, esa comprensión de la medicina ajena a la exigencia del consentimiento del enfermo era también propia de las fases menos avanzadas de su desarrollo. Porque "con mucha frecuencia, la información que el médico podía suministrar al enfermo era escasa y de dudoso rigor, o exacta en el diagnóstico del mal pero sin remedio conocido para él -y entonces proporcionarla sin más podía ser una crueldad gratuita-, por lo que el consentimiento informado en los siglos anteriores al XX...era una quimera de casi imposible

de la salud, la voluntad pasa a ocupar un segundo plano, de tal modo que la
legitimidad de la actuación médica habría de hallarse en la realización por
parte del profesional de todo lo que la ciencia médica aconseje para tratar la
enfermedad en cuestión. Dicha concepción, que se corresponde con la propia
significación etimológica de la palabra enfermo (*infirmus*, sin firmeza física
y moral), contempla al paciente como un ser frágil que únicamente demanda
protección y, con ello, pasa a segundo plano tanto su información como su
consentimiento. Desde estos esquemas deben entenderse las críticas que se
han formulado a la exigencia de estos aspectos. Son las que denuncian, por
ejemplo, que el instituto del consentimiento se basa en una premisa errónea,
porque los pacientes no desean ser informados ni participar en el proceso de
toma de decisiones; que consiste en una tarea inútil, porque los destinatarios
no comprenden la información que se les transmite debido a su complejidad
e incapacidad personal para evaluarla; que genera una angustia innecesaria
en el paciente y que propicia la aparición de molestias y efectos secundarios;
o que la información puede ser perjudicial en tanto que el temor y la angustia
pueden hacerle perder un tiempo precioso para la eficacia de la terapia o incluso propiciar el rechazo de los procedimientos que necesita, poniendo así en
peligro su vida y su salud[5]. En suma, desde esta perspectiva, el médico asume
un papel tutelar del paciente, a quien trata, antes que como un ser libre, como
una persona necesitada de curación[6].

A esta filosofía puede decirse que responde también la que se ha dado en
llamar *"Ética asistencial"* (*"Ethik der Fürsorge"*), para la que el acento debe
ponerse en el bienestar del paciente *("Wohlergehen")* en lugar de en su autonomía. El papel central lo ocuparía entonces la confianza en la relación médico-
paciente, con la que se trata de generar un clima comunicativo en torno a lo
que resulte más conveniente para el bienestar del enfermo, lo que desplazaría
el protagonismo de la exigencia de información como presupuesto para la
autonomía del individuo y situaría en su lugar el desarrollo de virtudes como la compasión o el reconocimiento de las limitaciones de la capacidad del

prestación", en "Consideraciones en torno a la vertiente jurídica del consentimiento informado", en *La Ciencia del Derecho Penal ante el nuevo siglo, Libro Homenaje a Cerezo Mir*,
Madrid, 2002, pág. 890.

[5] Al respecto, en relación con estas y otras críticas, véase SIMÓN LORDA, *El consentimiento
informado*, Madrid, 2000, págs. 268 ss.

[6] Véase ampliamente al respecto LAÍN ENTRALGO, *Historia Universal de la Medicina*, Barcelona, 1972.

enfermo. Es eso lo único que, según sus defensores, permitiría contemplar al enfermo ante todo en su dimensión humana[7].

Por el contrario, si se hace prevalecer la segunda máxima, *"voluntas agreorti suprema lex"*, la legitimidad de la actuación médica habrá de descansar sobre el consentimiento del enfermo, una exigencia que a su vez demanda, como tendremos ocasión de ver, la información del paciente. Conforme a estas premisas, los límites de la legitimidad de la actividad médica habrán de trazarse allí donde ya no alcance dicha voluntad del paciente. Por ello, aun cuando la intervención fuera necesaria para salvaguardar su salud, e incluso en casos extremos su vida, habría de omitirse si con ella se lesionase el derecho del paciente a decidir, en condiciones de libertad, si quiere, y hasta dónde, someterse a una terapia. Frente al papel tutelar que adopta el médico en la concepción anterior, ahora desde estos esquemas se potencia la condición del paciente como persona antes que como enfermo; como sujeto libre antes que como objeto de la terapia. Desde estas premisas su consentimiento se erige en valladar inexpugnable de la legalidad de la *praxis médica,* dando paso a lo que se ha dado en llamar un *modelo de autonomía.* Sólo de forma excepcional, cuando concurra un interés supraindividual, podría restringirse o acortarse esa libertad. Es lo que sucedería, por ejemplo, en los casos de vacunaciones obligatorias, de adopción de medidas profilácticas respecto a enfermedades contagiosas o en general, ya en nuestro Derecho, en cualquiera de los supuestos comprendidos en la LO 3/1986, de 14 de abril, de Medidas Especiales en Materia de Salud Pública, casos en los que hacen acto de presencia intereses de dimensión social que desbordan la óptica eminentemente privada de los derechos individuales del paciente[8].

Con un incuestionable punto de arranque en el sistema norteamericano, puede decirse que la aceptación de esta segunda máxima que eleva a primer plano el derecho del paciente a decidir es, al menos desde la década de los setenta, la que impregna la práctica médica actual[9]. Si bien, como apuntábamos

---

[7]   Véase EIBACH/SCHAEFER, "Patienautonomie und Patientenwünsche", en *MedR* 2001, págs. 21 ss.

[8]   En este sentido, el art. 9.2 a) de la Ley 41/2002, excepciona de la regla general de exigencia de consentimiento los casos en que exista "riesgo para la salud pública a causa de razones sanitarias establecidas por la ley. En todo caso, una vez adoptadas las medidas pertinentes, de conformidad con lo establecido en la LO 3/1986, se comunicará a la autoridad judicial en el plazo máximo de veinticuatro horas siempre que dispongan el internamiento obligatorio de personas".

[9]   De forma exhaustiva, GRACIA GULLIÉN, *Fundamentos de Bioética*, Madrid, 1989. Véase también, entre otros, SIMÓN LORDA, "El consentimiento informado y la participación del enfermo en las relaciones sanitarias", en *Bioética para clínicos, ob. cit.,* ed. Azucena

más arriba, aún pueden descubrirse defensores de un modelo paternalista, como los seguidores de la llamada "Ética asistencial", hoy se reconoce de forma mayoritaria la necesidad de respetar como punto de partida de cualquier actuación médica la voluntad del enfermo. La implantación de ese modelo ha venido de la mano del proceso de juridificación que ha acompañado a la relación médico-paciente, traducido en el reconocimiento de toda una gama de derechos de éste y la consiguiente igualdad jurídica de ambos. Desde sus cánones, está fuera de discusión que el consentimiento del enfermo es presupuesto de la licitud de cualquier terapia[10], en cuanto que así obliga a entenderlo la necesidad de respetar el *libre desarrollo de su personalidad*[11]. Superadas hoy días tanto una concepción meramente beneficiaria o graciosa de la sanidad como las concepciones sociales en torno al concepto de salud, conforme a las cuales la procedencia del acto médico debe ponderarse no sólo en función de intereses individuales sino también colectivos[12], es el individuo el único legitimado para disponer sobre su propio cuerpo. Para ello debe adoptar una decisión que sólo podrá considerarse expresión de una voluntad madura y responsable cuando se forme en condiciones de libertad. Sin la concurrencia de ésta, cualquier tratamiento, incluido el que resulte beneficioso para la salud del enfermo, habrá de reputarse ilícito.

El planteamiento anterior, en la medida en que descansa en la superación del concepto de salud en términos estrictamente físicos, supone, a su vez, partir de una concepción distinta de aquélla, en la que el baremo con el que mensurarla pasa, ante todo, por el reconocimiento de un concepto de bienes-

---

Couceiro, págs. 137 ss; el mismo en *El consentimiento informado, ob. cit.*, quien ofrece una detallada evolución de la aceptación médica de la autonomía del paciente al hilo de la evolución de las bases filosóficas de los distintos modelos sociopolíticos, págs. 25 ss. Véase también en la misma obra una amplio recorrido por el desarrollo de la teoría legal del consentimiento informado en las decisiones jurisprudenciales propias del sistema de *common law* norteamericano, págs. 43 ss, así como su plasmación en los distintos textos legales, págs. 67 ss.

[10] En la doctrina italiana, entre otros, BENNICASA, "Liceità e fondamento dell'attività medico-chirurgica a scopo terapeutico", en *Riv. it. dir. e proc. pen.* 1980, pág. 144; IADECOLA, "La rilevanza del consenso del paziente nel trattamento medico-chirurgico", en *Giust. pen.* 1986, pág. 74; FRESIA, "Luci ed ombre del consenso informato", en *Rivista italiana di medicina legale*, 1994, págs. 914 ss; MANNA, *Profili penalistici del trattamento medico-chirurgico*, Milano, 1984, págs. 127 ss.

[11] STERNBERG-LIEBEN, *Die objektiven Schranken der Einwilligung im Strafrecht*, Tübingen, 1997, págs. 248 ss.

[12] Véase por ejemplo ENGISCH, "Ärztlicher Eingriff zu Heilzwecken und Einwilligung", en *ZStW* 1939, págs. 1 ss, publicado también en *Recht und Medizin*, Hrsg. Albin Eser, 1990, págs. 134 ss.

tar psíquico que se manifiesta en la idea más amplia de *bienestar personal*[13]. De hecho, este concepto de salud, lejos de ser una mera elaboración doctrinal o teórica, encuentra acomodo en distintos textos y declaraciones, siendo, sin duda, la que de forma paradigmática refleja esta idea el concepto de salud que ofreciera la Organización Mundial de la Salud en 1947, como "el estado completo de bienestar físico, psíquico y social".

Este enfoque amplio del concepto de salud está en la base de la exigencia del consentimiento del paciente como presupuesto legitimador de la actividad médica. Mientras que cuando aquélla se agotaba en el mero dato de la ausencia de enfermedad en sentido estrictamente físico era el médico quien estaba legitimado para decidir por el enfermo conforme a los parámetros de lo más conveniente, la comprensión de la misma como estado de bienestar obliga a atender en primera instancia al contenido de la voluntad del enfermo[14]. Si ésta y los actos ordenados al proceso de su sanación concurren por caminos opuestos, la actividad curativa incidirá solamente en su estado físico, pero no en el concepto más amplio de bienestar y, por tanto, no podrá adjetivarse entonces más que como ilícita.

La aceptación de un modelo de autonomía tiene importantes repercusiones prácticas. Prescindiendo de momento de cuáles sean las consecuencias jurídicas que pueda acarrear el desconocimiento de la voluntad del paciente, baste señalar dos efectos inmediatos de aquella afirmación. La primera, que la primacía de la voluntad del enfermo no sólo conlleva la necesidad de respetar la misma aun cuando resulte contraria a lo que habría decidido un paciente sensato, sino que habrá que convenir que justamente la razón de ser de dicha máxima encuentra su genuino sentido cuando se abandona el campo de las decisiones "sensatas" y de las recomendaciones médicas y el profesional tiene que respetar una voluntad del enfermo contraria a sus intereses[15]. La segunda consecuencia, reverso de la anterior, es que, como señala CORCOY BIDASOLO[16], al concebirse la salud, no en términos estrictamente físicos, sino como un aspecto del derecho al libre desarrollo de la personalidad, habrán de considerarse lícitas, como línea de principio, las intervenciones que objetivamente no beneficien objetivamente la salud física del paciente pero, sin

---

[13]   CORCOY BIDASOLO, en *AAVV, Bioética, Derecho y sociedad,* Maria Casado (coord.), Valladolid, 1998, págs. 110 ss.

[14]   Véase al respecto CORCOY BIDASOLO, "Libertad de terapia versus consentimiento", en *Bioética, derecho y sociedad",* Madrid, 1998.

[15]   Véase SCHREIBER en MARQUARD/SEIDLER/STAUDINGER (Hrsg.), *Medizinische Ethik und soziale Verantwortung,* 1989, págs. 73 ss.

[16]   CORCOY BIDASOLO en AAVV, *Bioética, Derecho y sociedad, ob. cit.* págs. 113 ss.

embargo, mejoren su salud desde el punto de vista de la comprensión amplia de aquel concepto en cuanto estado de bienestar. Baste pensar, a título de ejemplo, en las intervenciones de cirugía transexual o en las que tienen una finalidad meramente estética.

Con todo, no puede ignorarse que el reconocimiento de la importancia del consentimiento del paciente y, con ello, de su información, no tiene por qué presentarse necesariamente como el resultado de un pulso ganado a la otra máxima, esto es, la que acentúa la atención a su salud. Al contrario, es perfectamente posible ofrecer una versión de ambos intereses que los presente de forma entreverada, como aspectos que conviven en la práctica médica actual o, al menos, que convergen en determinados tramos de la misma garantizándose recíprocamente su vigencia. De hecho, en no pocas ocasiones ambas aristas del problema están llamadas a actuar de modo complementario, entrando así en una suerte de simbiosis que conjuga y completa mutuamente su sentido. Así lo apuntan los propios profesionales de la medicina cuando destacan que en el éxito de la labor curativa juega un papel nada desdeñable la voluntad de curación del paciente. Y no sólo desde un punto de vista psicológico, sino también desde el ángulo objetivo de la eficacia misma de la terapia, en cuanto que ésta requiere muchas veces un intercambio comunicativo entre médico y paciente que proporcione datos tan básicos y a la vez tan necesarios como pueda ser la evolución que experimenta la enfermedad y su sintomatología en función de la clase de tratamiento, su dosis o la forma de administrarlo.

En resumen, pues, puede decirse que hoy día la confrontación tajante y absoluta que apuntábamos líneas más arriba entre la libertad del paciente, de un lado, y el interés en su curación, de otro, no corresponde a una polémica abierta que estuviera aún pendiente de resolverse. Porque si bien es cierto que la finalidad de la actividad médica es la curación del enfermo, hace tiempo que el consentimiento de éste se reconoce como presupuesto de aquélla en cualquier Estado que haya abandonado cánones autoritarios o actitudes paternalistas extremas[17]. En este sentido, además de numerosas

---

[17]   Sobre la evolución del consentimiento informado a la luz del principio de autonomía, véase la completa exposición que ofrece GRACIA GUILLÉN, *Fundamentos de Bioética*, ob. cit., págs. 155 ss.

leyes sectoriales[18], regionales[19] e incluso de declaraciones en el orden internacional[20], dicha exigencia se ha plasmado en los textos positivos nacionales que con carácter general regulan los derechos de los pacientes.

---

[18] Así, por sólo citar algunas normas, los apartados b) y c) del art. 4 de la Ley 30/1979, de 27 de octubre, sobre Extracción y Trasplante de Órganos, contemplan, respectivamente, la exigencia de la información y el consentimiento del donante; el art. 3 de la Ley 14/2006, de 26 de mayo, sobre Técnicas de Reproducción Humana Asistida se ocupa de garantizar la información y asesoramiento que deben recibir tanto quienes recurran a ellas como quienes actúen como donantes, contemplando en el apartado 4 un formulario de consentimiento informado dirigido a la mujer receptora de estas técnicas. Conforme a su art. 6.2, entre la información proporcionada a la mujer se incluirá, en todo caso, "la de los posibles riesgos, para ella misma durante el tratamiento y el embarazo y para la descendencia, que se pueda derivar de la maternidad a una edad clínicamente inadecuada". Por su parte, las exigencias de información y consentimiento se encuentran rigurosamente recogidas en la Ley 14/2007, de 3 de julio, de Investigación biomédica, en relación con las diferentes conductas que contempla (arts. 13 ss., 46 ss.)

[19] Véase por ejemplo el art. 2 de la Ley 21/2000 de Cataluña, sobre los derechos de información relativos a la salud, la autonomía del paciente y la documentación clínica, los arts. 10 ss. de la Ley 1/2003, de 28 de enero de derechos e información al paciente, de la Comunidad Valenciana, los arts. 12 ss. de la Ley 5/2003, de 4 de abril, de Salud de las Illes Balears, o los arts. 18 y ss. de la Ley 8/2003, de 8 de abril sobre derechos y deberes de las personas en relación con la salud de Castilla y León.

[20] Como el Convenio para la protección de los Derechos Humanos y la dignidad del Ser Humano con respecto a las aplicaciones de la Biología y la Medicina, también conocido como Convenio de Oviedo, de 4 de abril de 1997, ratificado por Instrumento de 23 de julio de 1999, que se halla en vigor en el Estado español desde el 1 de enero de 2000. Conforme a su art. 5: "Una intervención en el ámbito de la sanidad sólo podrá efectuarse después de que la persona afectada haya dado su libre e inequívoco consentimiento. Dicha persona deberá recibir previamente una información adecuada acerca de la finalidad y la naturaleza de la intervención, así como sobre sus riesgos y consecuencias". Véase también el Convenio de Nuremberg de 1947 sobre experimentación con seres humanos: "El consentimiento informado supone que el paciente sepa lo que se propone hacer el médico y quiere, acepta y aprueba lo que se le propone. El papel del médico es ayudar a sanar; el paciente consiente en que el médico busque los medios para aliviar o curar". Ya en el ámbito comunitario véase la Declaración para la Promoción de los Derechos de los Pacientes en Europa, acordada en Amsterdam, en marzo de 1984 bajo los Auspicios de la OMS (art. 3.2: "el consentimiento formal del paciente es requisito esencial para cualquier intervención médica"), así como el art. 3.2 de la Carta de Derechos fundamentales de la Unión Europea (DOCE 2000/C, 364/01), que disponía que "En el marco de la medicina y la biología se respetarán en particular: el consentimiento libre e informado de la persona de que se trate, de acuerdo con las modalidades establecidas en la ley"; los Principios de Ética Médica Europea, aprobado por las Conferencia Internacional de Órdenes Médicas en París el 6 de enero de 1987, cuyo art. 4 dispone "Salvo en caso de urgencia, el médico debe informar al enfermo sobre los efectos y posibles consecuencias del tratamiento. Obtendrá el consentimiento del paciente sobre todo cuando los actos propuestos presenten un serio peligro". Por su parte, el art. 20, en relación con la experimentación humana, exige que se haya "informado de forma adecuada acerca de los objetivos, métodos y ben-

Haciendo abstracción de los textos más remotos que de forma incipiente consagraban los derechos del paciente[21], el reconocimiento de la exigencia de su consentimiento ya se contenía sin ambages en la Ley General de Sanidad, de 25 de abril de 1986, también conocida como Ley Lluch, (en referencia al Ministro de Sanidad que la promovió, el socialista asesinado por ETA, Ernest Lluch)[22]. Actualmente su exigencia se contempla en la Ley 41/2002, básica reguladora de la Autonomía del Paciente y Derechos y Obligaciones en materia de información y Documentación clínica, aprobada por el Pleno del Congreso de los Diputados el 31 de octubre (BOE de 15 de noviembre), que entró en vigor en mayo de 2003. Como indica expresamente su Preámbulo, se orienta a completar las previsiones que la Ley General de Sanidad enunció como principios generales. Para ello, en los cuatro primeros apartados de su art. 2, así como en el art. 8 se ocupa de precisar el fundamento y requisitos del consentimiento, fijando en el apartado segundo del art. 9 las excepciones a la regla general. Dejando a un lado de momento éstas, así como las peculiaridades del consentimiento en casos especiales, los artículos que ahora interesan son los siguientes:

Art. 2:

1. La dignidad de la persona humana, el respeto a la autonomía de su voluntad y a la de su intimidad, orientarán toda la actividad encaminada a obtener, utilizar, archivar, custodiar y transmitir la información y la documentación clínica.

---

eficios propuestos, así como sobre los riesgos y molestias potenciales, y su derecho a no participar en la experimentación y a poder retirarse en cualquier momento". En relación con otros instrumentos internacionales, véase GALÁN CORTÉS, *Responsabilidad médica y consentimiento informado*, Madrid, 2001, págs. 63 ss.

[21] Véase al respecto, SIMÓN LORDA, *El consentimiento informado*, ob. cit., págs. 92 ss.

[22] En sus hoy derogados apartados 5, 6 y 9 del art. 10 (derogados por la Disposición Derogatoria única de la Ley 41/2002, reconocía, entre otros derechos del paciente, el: 5. derecho "a que se le dé en términos comprensibles, a él y a sus familiares o allegados, información completa y continuada, verbal y escrita sobre su proceso, incluyendo diagnóstico, pronóstico y alternativas del tratamiento"; 6. derecho "a la libre elección entre las opciones que le presente el responsable médico de su caso, siendo preciso el previo consentimiento escrito del usuario para la realización de cualquier intervención, excepto en los siguientes casos: a) Cuando la no intervención suponga un riesgo para la salud pública; b) Cuando no esté capacitado para tomar decisiones, en cuyo caso, el derecho corresponderá a sus familiares o personas a él allegadas; c) Cuando la urgencia no permita demoras por poder ocasionar lesiones irreversibles o existir peligro de fallecimiento"; 9. "a negarse al tratamiento, excepto en los casos señalados en el apartado 6, debiendo, para ello, solicitar el alta voluntaria, en los términos que señala el apartado 4 del artículo siguiente".

2. Toda actuación en el ámbito de la sanidad requiere, con carácter general, el previo consentimiento de los pacientes o usuarios. El consentimiento, que debe obtenerse después de que el paciente reciba una información adecuada, se hará por escrito en los supuestos previstos en la ley.

3. El paciente o usuario tiene derecho a decidir libremente, después de recibir la información adecuada, entre las opciones clínicas disponibles.

4. Todo paciente o usuario tiene derecho a negarse al tratamiento, excepto en los casos determinados en la ley. Su negativa al tratamiento constará por escrito.

6. Todo profesional que interviene en la actividad asistencial está obligado no sólo a la correcta prestación de sus técnicas, sino al cumplimiento de los deberes de información y de documentación clínica, y al respeto de las decisiones adoptadas libre y voluntariamente por el paciente".

Art. 8:

1. Toda actuación en el ámbito de la salud de un paciente necesita el consentimiento libre y voluntario del afectado, una vez que, recibida la información prevista en el art. 4 (relativo al derecho a la prestación asistencial) haya valorado las opciones propias del caso.

2. El paciente puede revocar libremente por escrito su consentimiento en cualquier momento.

El consentimiento del paciente y con él, como tendremos ocasión de insistir más adelante, el deber de información por parte del médico, se presenta como el pilar esencial sobre el que pivota el diseño de cualquier intervención médica en el plano legislativo[23]. Como no podía ser de otra forma, al compás de esa plasmación legislativa, el progresivo reconocimiento del papel crucial de la voluntad del enfermo ha calado en la interpretación jurisprudencial en torno a las exigencias de información, siendo especialmente interesante la cita de la Sentencia de la Sala Primera del Tribunal Supremo de 12 de enero de 2001, que considera el consentimiento informado como un derecho fundamental[24]:

"Ciertamente que la iluminación y el esclarecimiento, a través de la información del médico para que el enfermo pueda escoger en libertad dentro de las opciones posibles que la ciencia médica le ofrece al respecto e incluso la de no someterse a ningún tratamiento, ni intervención, no supone un mero formalismo, sino que encuentra su fundamento y apoyo en la misma Constitución Española, en exaltación de la dignidad de la persona que se consagra en su art. 1.1 reconociendo la autonomía del individuo para elegir entre las diversas opciones vitales que se presenten de acuerdo con sus

---

[23]   No obstante, esta regulación ha sido tachada por algún autor de "antipaternalismo suicida", por cuanto ignora el privilegio terapéutico y el rechazo de la información, y de un "paternalismo subido", en cuanto que parece que siempre que esté en peligro la vida de un paciente debe considerarse que existe una situación de urgencia y que, por tanto, en esas ocasiones el médico no está vinculado al consentimiento informado. Por todos, GRACIA GUILLÉN, *Fundamentos de Bioética, ob. cit.*, pág. 181.

[24]   Retomando la doctrina de esta sentencia, véase la de 11 de mayo de 2001, también de la Sala Civil de Tribunal Supremo.

intereses y preferencias...en el artículo 9,2, en el 10,1 y además en los Pactos Internacionales como la Declaración Universal de Derechos Humanos de 10 de diciembre de 1948, proclamada por la Asamblea General de las Naciones Unidas, principalmente en su Preámbulo y artículos 12. 18 a 20, 25, 28 y 29, el Convenio para la Protección de los Derechos Humanos y de las Libertades Fundamentales, de Roma de 4 de noviembre de 1950, en sus artículos 3,4,5,8 y 9 del Pacto Internacional de Derechos Civiles y Políticos de Nueva York de 16 de diciembre de 1966, en sus artículos 1,3,5,8,9 y 10. El consentimiento informado constituye un derecho humano fundamental, precisamente una de las últimas aportaciones realizada en la teoría de los derechos humanos, consecuencia necesaria o explicación de los clásicos derechos a la vida, a la integridad física y a la libertad de conciencia. Derecho a la libertad personal, a decidir por sí mismo en lo atinente a la propia persona y a la propia vida y consecuencia de la autodisposición sobre el propio cuerpo. Regulado por la Ley General de Sanidad, y actualmente también en el Convenio Internacional para la Protección de los Derechos Humanos y la Dignidad del Ser Humano con respecto a las Aplicaciones de la Biología y de la Medicina y que ha pasado a ser derecho interno español por su publicación en el BOE forma parte de la actuación sanitaria practicada con seres libres y autónomos".

Ahora bien, sentada como regla general la necesidad de que concurra el consentimiento del paciente, ello no quiere decir que la *praxis* médica permanezca siempre dentro de la idílica simbiosis entre el cumplimiento de los fines de la medicina, por un lado, y las exigencias de información y el respeto a la libre voluntad de aquél, por otro, y, con ello, ajena a cualquier situación conflictual. Al contrario, la práctica médica actual está plagada de fricciones que dificultan el ya de por sí difícil equilibrio que tiene que mantener el médico en su doble condición de profesional y ante todo, de ser humano. Testimonio de esa tensión conflictual son los principios generales de la Bioética, cuyo origen se remonta al Informe Belmont, elaborado en 1978 por la National Comission for the Protection of Human Subjects of Biomedical and Behavorial Sciences a petición del Congreso norteamericano. En él se enunciaron distintas máximas o principios llamados a conjugarse de forma antitética en la formulación de la que se denomina *ética médica*: los de *no-maleficencia, justicia, beneficencia* y *autonomía*[25]. Los tres primeros son, en definitiva principios en tensión que evidencian los intereses contrapuestos que a menudo se enfrentan al que hasta ahora se había presentado como principio fundamental: el respeto de la autonomía del paciente.

---

[25]   BEAUCHAMPS/CHILDRESS, *Principios de ética médica*, Barcelona, 1999. BEAUCHAMPS fue miembro de la Comisión Nacional que elaboró el Informe Belmont, en el que se formularon tres de los cuatro principios de Bioética: *respeto* por las personas, *beneficencia* y *equidad*. Un año después, BEAUCHAMPS/CHILDRESS publicaron la primera edición de su libro en el que acuñaron los términos *autonomía, beneficencia y justicia* añadiendo el de *no maleficencia*. Véase el prólogo a la edición española de la obra a cargo de Diego Gracia. Véase también, entre otros, GRACIA GUILLÉN, "Planteamiento general de la bioética", en *Bioética para clínicos*, ed. *Azucena Couceiro, ob. cit.*, págs. 19 ss. De forma detallada sobre cada uno de esos principios, véase el mismo autor en *Bioética y Derecho, ob. cit.*, y también SIMÓN LORDA, *El consentimiento informado, ob. cit.*, págs. 119 ss.

De hecho, como señala GRACIA GUILLÉN, en el conjunto de relaciones a que da paso el ejercicio de la medicina pueden identificarse los respectivos agentes precursores de cada uno de estos principios. Así, mientras el paciente actúa guiado por el principio moral de autonomía, el médico lo hace por el de beneficencia y la sociedad por el de justicia[26].

La conjugación de estos principios sitúa continuamente a los profesionales de la medicina ante la tesitura de dar prioridad a uno u otro interés, con el consiguiente temor a las responsabilidades que eventualmente pudieran derivarse de su decisión. Es más, como explica el autor citado, dicha tensión o conflictividad en absoluto puede considerarse coyuntural. Al contrario, "en una sociedad en que todos sus individuos son, mientras no se demuestre lo contrario, agentes morales autónomos con criterios distintos sobre lo que es bueno y lo que es malo, la relación médica, en tanto que relación interpersonal, puede ser no ya accidentalmente conflictiva, sino esencialmente conflictiva"[27].

Bien es verdad que en una primera aproximación podría establecerse un orden jerárquico entre ellos, de tal forma que se acotara una suerte de secuencia que marcase la prioridad en su aplicación. Como señala GRACIA GUILLÉN, en abstracto podría decirse que el principio de *justicia* siempre es de aplicación preferente, en cuanto apunta a una óptica de bienestar común por encima del individual. En realidad, esa perspectiva supraindividual lo que haría sería excepcionar en determinados casos la prevalencia del que se presenta como enunciado superior, el de *autonomía* que, por ello, a su vez ocupa un orden preferente respecto al de *beneficencia*[28]. No obstante, como reconoce el mismo autor, esta descripción apriorística de la relación jerárquica entre principios requeriría siempre prestar atención a las circunstancias del caso concreto y, de modo especial, a las consecuencias que conlleva la decisión[29].

Así, por ejemplo, es posible que en el caso concreto pueda augurarse que el paciente, por miedo, rechazaría el tratamiento que necesita si se le informara hasta las últimas consecuencias de todos los riesgos o complicaciones que puede conllevar; otras veces la conveniencia de omitir determinada información puede referirse a efectos asociados que, si bien no son perjudiciales para la salud, sí pueden tener una importancia decisiva para el paciente,

---

[26] GRACIA GUILLÉN, *Fundamentos de Bioética, ob. cit.*, págs. 18 ss. Para este autor el principio de beneficencia y no maleficencia pueden reunirse en uno sólo, que mandaría no hacer mal a nadie y promover el bien, pág. 103
[27] GRACIA GUILLÉN, *Fundamentos de Bioética, ob. cit.*, pág. 18.
[28] GRACIA GUILLÉN, *Fundamentos de Bioética, ob. cit.*, pág. 203.
[29] GRACIA GUILLÉN, *Fundamentos de Bioética, ob. cit.*, pág. 203.

hasta el punto de que la atención de esos aspectos puede llegar a determinar que rechace la terapia que precisa. Baste pensar en el supuesto en el que sea previsible que el enfermo diera más importancia a su aspecto estético frente a su curación, por ejemplo, cuando se trata de una modelo que posiblemente rechazará la intervención si se le informa que tras la misma va a precisar sesiones de quimioterapia que le harán perder el cabello. ¿Estaría justificado en estos casos *limitar* el derecho a la autodeterminación del paciente en aras de su salud o, por el contrario, esta información sesgada elimina uno de los pilares —el respeto a su libertad— que legitima la práctica médica? La misma duda se plantea en los supuestos en los que el desconocimiento de datos afecta al diagnóstico mismo de la enfermedad, ¿está legitimado el médico para ocultar información relativa a la gravedad de la enfermedad, y eliminar de esta forma posibles dudas y miedos del paciente que pudieran obstaculizar la terapia?, ¿Y si la lesión a su libertad de decidir se hiciera para evitarle el más que probable daño psicológico, la angustia y temor vital que la misma le produciría? Y caso de que la respuesta fuese negativa, ¿habría de conminarse penalmente la conducta del médico que con tales argumentos ocultase información?

Estas y otras cuestiones están presentes en el apartado que sigue. Con todo, debe advertirse que el valor de dicho epígrafe es básicamente el de aglutinar los problemas relacionados con las dificultades que plantea el reconocimiento de la autonomía del paciente cuando entra en colisión con otros derechos o intereses, remitiendo su solución detallada a la sede correspondiente.

1. Posibles límites al consentimiento como criterio legitimador de la actividad médica. Remisión a otro lugar

Hasta ahora hemos afirmado, como regla general, la preeminencia de la voluntad del paciente como presupuesto legitimador de la actividad médica. Como ya en parte anticipábamos, sin embargo, dicha afirmación no quiere decir que no existan supuestos en los que la actuación del médico, que bien desconoce la petición del paciente, bien —la mayoría de las veces— practica un tratamiento que éste no ha consentido o incluso que rechaza, pueda considerarse lícita.

Por seguir un orden creciente de complejidad, pueden identificarse, en primer lugar, determinados supuestos en los que claramente no es el consentimiento el presupuesto legitimador de la actividad médica. Es lo que sucede en relación con los casos ya referidos de tratamientos médicos obligados, como ocurre con las campañas de vacunaciones obligatorias, que precisamente justifican su carácter por la protección prioritaria de la salud pública frente a la voluntad del individuo[30].

Todavía es posible imaginar otros supuestos que, si bien responden a una fenomenología completamente distinta, son paradigmáticos de las excepciones a la exigencia del consentimiento del enfermo. Es lo que sucede, por ejemplo, en el ámbito de ciertos ensayos experimentales cuya eficacia requiere, como presupuesto, el desconocimiento por parte del paciente de que está siendo sometido al mismo. Baste pensar en el uso terapéutico de placebos, cuyos posibles efectos pasan justamente por que el paciente ni conozca ni, por tanto, consienta en su empleo[31]. Cuestión distinta es, lógicamente, que la admisibilidad de dicho tipo de excepciones requiera que el ensayo no comporte efectos nocivos o que genere un riesgo para el paciente, en cuyo caso, como tendremos ocasión de sostener en el capítulo correspondiente a las consecuencias de la infracción del deber de información, podría fundamentarse la correspondiente responsabilidad de quien realiza el ensayo.

Junto a los casos anteriores, en la amplia fenomenología de supuestos que pueden plantearse en el ejercicio de la medicina son imaginables otros en los que se disparan las dudas a la hora de determinar si la actuación practicada sin el consentimiento del paciente e incluso en discordancia con sus deseos resulta lícita. Baste pensar en ámbitos problemáticos tan distintos como el de los sujetos menores de edad o que padecen alteraciones en su salud psíquica, el de los enfermos que se hallan en estado de inconsciencia, así como en los genuinos supuestos de renuncia del paciente al tratamiento, bien sea por sus creencias religiosas, por simple miedo al mismo o incluso por manifestar tendencias suicidas. De hecho, la posibilidad de excepcionar en estos casos la regla general de la exigencia del consentimiento está presente, como ya tuvimos ocasión de referir líneas más arriba, en la Ley 41/2002. Conforme a su artículo 9.2:

"Los facultativos podrán llevar a cabo las intervenciones clínicas indispensables en favor de la salud del paciente, sin necesidad de contar con su consentimiento, en los siguientes casos:

a)   Cuando exista riesgo para la salud pública a causa de razones sanitarias establecidas por la ley. En todo caso, una vez adoptadas las medidas pertinentes, de conformidad con lo establecido en la LO 3/1986, se comunicará a la autoridad judicial en el plazo máximo de veinticuatro horas siempre que dispongan el internamiento obligatorio de personas.

---

[30]   Véase por ejemplo, STERNBERG-LIEBEN, *Die objektiven Schranken der Einwilligung im Strafrecht, ob. cit.,* págs. 247 s.

[31]   Por todos, BEAUCHAMPS/CHILDRESS, *Principios de ética médica, ob. cit.,* págs. 144 ss.

b)   Cuando existe riesgo inmediato grave para la integridad física o psíquica del enfermo y no es posible conseguir su autorización, consultando cuando las circunstancias lo permitan a sus familiares o a las personas vinculadas de hecho a él".

Por su parte, el mismo texto legal establece en el apartado 3 de ese artículo los supuestos en los que procederá otorgar el consentimiento por representación: cuando el paciente no sea capaz de tomar decisiones, cuando esté incapacitado legalmente, y cuando se trate de menores de dieciséis años."

A partir de esta realidad conflictual básica, las dificultades pueden seguir multiplicándose tanto como pueda hacerlo la variedad de casos imaginables. Baste pensar en aquellos en que la negativa al tratamiento provenga de una embarazada que rechaza la terapia que necesita para su salud e incluso para la preservación de su vida y, con ella, la del feto. ¿Podría en estos casos justificarse un tratamiento coactivo, no ya en aras de preservar la salud o la vida de la mujer, sino del futuro niño?

Las mismas dudas se plantearían en otros ámbitos en los que, si bien la base problemática es común a los anteriores, el signo de la dificultad se presenta en sentido diametralmente opuesto. Es lo que sucede con aquellos en los que el contenido de la voluntad del paciente no se traduce en la renuncia a una terapia, sino en la solicitud de la práctica de una prueba que, bien el médico considera contraindicada, bien desborda las posibilidades materiales del sistema de salud, o bien, simplemente, parece innecesaria a la vista del estado de salud del paciente. Baste pensar, por ejemplo, en el caso del enfermo terminal que siguiera demandando tratamientos costosos que, sin embargo, poco podrían ayudarle ya; el del paciente que insistiera en su ingreso en un centro hospitalario con recursos limitados pese a que sería suficiente su tratamiento ambulatorio, o el de la mujer embarazada que, pese a que no se le diagnosticase dificultad alguna para el parto natural solicitase la práctica de una cesárea. Como también tendremos ocasión de ver más adelante, este problema presenta tintes peculiares en un ámbito en el que se acentúa sensiblemente la tensión conflictual entre los deseos del paciente y las indicaciones terapéuticas: la problemática propia que plantean los Testigos de Jehová, quienes, ante la negativa a someterse a la trasfusión prescrita por el médico, suelen optar por demandar otros tratamientos alternativos, tal vez más costosos aunque menos eficaces, planteándose entonces si el médico está obligado a secundar los deseos del paciente.

Las dudas salpican también los ámbitos en los que la libertad de voluntad del paciente como principio rector de la práctica médica colisiona con la preservación de valores éticos arraigados en la sociedad. Es lo que sucede, por ejemplo, en el ámbito de la experimentación, donde surge la duda en torno a si la voluntad de la persona afectada puede legitimar cualquier tipo de prueba experimental o si, por el contrario, la eficacia de aquella voluntad debe encontrar su límite en el respeto de determinados principios éticos. Otro tanto debe decirse en torno a las dudas sobre la admisibilidad del consentimiento como fundamento legitimador de cualquier tipo de intervención de trasplante de órganos, incluso la que pudiera resultar contraria a la dignidad del donante.

De considerarse que la declaración de voluntad del paciente tiene prioridad absoluta a la hora de realizar cualquier intervención, en todos estos casos el médico estaría obligado a secundar los deseos de aquél con independencia del juicio en torno a la utilidad e incluso racionalidad de su decisión. Por el contrario si, como tendremos ocasión de sostener a lo largo de este trabajo, la obligación de obrar del médico se ciñe a la realización de los actos que sean indicados y necesarios para restablecer la salud del enfermo, el consentimiento de éste, su autonomía, volverá a encontrar límites a su validez.

De esta breve descripción de algunos posibles ámbitos problemáticos resulta clara la compleja relación entre el principio de autonomía con los otros tres postulados de ética médica: así, la *autonomía* entrará en tensión con el principio de *justicia* en casos como el de falta de recursos materiales y, por tanto, de necesidad de racionalizar el empleo de los mismos; entrará en tensión con el de *beneficencia* en los supuestos en que se practique una intervención que resulte necesaria para el paciente y que, sin embargo, éste rechace; por último, el conflicto será con el principio de *no-maleficencia* allí donde el enfermo solicite una práctica que le perjudica, bien a él, bien, en el caso de la mujer embarazada, al feto.

Este apartado, sin embargo, sólo pretende ser testimonial de dicha problemática. Para evitar reiteraciones, en él únicamente se trata de dejar constancia de estos ámbitos de conflicto, remitiendo su estudio particularizado al Capítulo II de esta Primera parte del trabajo, donde se tratan las consecuencias penales por vicios relativos al consentimiento. En él se estudian los específicos problemas que plantean determinados supuestos, como aquellos en que el paciente se encuentra en estado de inconsciencia o los casos de urgencia vital[32]. Las páginas que siguen se centran en exclusiva en la regla general en torno a la exigencia del consentimiento, así como en los presupuestos bajo los cuales puede reconocerse eficacia a la voluntad manifestada por el paciente (apartados 2.1, 2.2, 2.3 y 2.4), centrándose de forma especial en el pilar sobre el que singularmente descansa el mismo: el deber de información (2.5), su contenido (2.5.1), así como los límites que eventualmente puedan restringir dicho deber (2.5.2).

---

[32]   Véase *infra*, II, 2.2.1.

2. Los presupuestos de validez del consentimiento del paciente

Se tratan en este apartado los requisitos que debe reunir el consentimiento del paciente para que pueda considerarse como presupuesto legitimador de la actividad médica. De esta forma se pretenden depurar los casos en que realmente puede hablarse de una manifestación de voluntad que exteriorice el contenido real de la decisión de aquél frente a aquellos otros supuestos en que ciertamente el paciente haya manifestado su consentimiento, pero sin embargo no pueda reputarse como expresión de una voluntad seria y madura de aquél. Para ello, en lo que sigue, analizaremos los distintos presupuestos que deben concurrir para que su manifestación de voluntad, lejos de considerarse meramente formal, pueda reputarse como fundamento legitimador de la actividad del médico.

En la doctrina suele admitirse la siguiente secuencia en la descomposición de los requisitos del consentimiento informado: 1.- competencia; 2.- exposición; 3.- comprensión; 4.- voluntariedad y 5. -consentimiento[33]. Con ella, se pone de manifiesto la necesidad de que la declaración de voluntad provenga de una persona competente, con capacidad para consentir, que el paciente reciba una información suficiente, que a su vez asegure su comprensión, y que a partir de ella actúe de forma voluntaria —libre de presiones externas e internas—, siendo el resultado final la exteriorización del consentimiento que, además, habrá de ser actual, como garantía de su subsistencia.

Sin embargo, aun reconociendo que esa es la secuencia lógica de gestación de la manifestación de voluntad del paciente, a efectos expositivos consideramos preferible dejar para el último lugar el contenido del deber de informar. La razón es que dicha exigencia condensa el requisito que presenta en la práctica médica mayores dificultades y que, como tendremos ocasión de insistir en el Capítulo II, es el que a su vez plantea mayor número de interrogantes en torno a la depuración de lo que sean meras irregularidades que tengan consecuencias sólo de orden civil y aquellas otras que deban dar lugar a un juicio de reproche penal. Ello justifica que en el estudio de dichos requisitos tratemos con carácter previo algunas exigencias que no son propiamente de contenido, sino que se refieren a requisitos de forma.

---

[33]   BEAUCHAMPS/CHILDRESS, *Principios de ética médica*, ob. cit.,pág. 137. Véase otras posibles sistematizaciones en SIMÓN LORDA, *El consentimiento informado*, ob. cit., págs. 210 ss.

2.1. La capacidad de consentir del paciente. Especial referencia a los menores de edad e incapaces

El presupuesto mínimo para poder afirmar que el sujeto adopta una decisión de voluntad de forma plenamente responsable e imputable, libre de vicios internos, es que reúna una serie de condiciones psíquicas mínimas que aseguren la madurez de su decisión. Dejando a un lado los problemas que plantean los estados de inconsciencia, donde a menudo la discusión se traslada al intento de fundamentar el consentimiento presunto del enfermo[34], las dudas en torno a la capacidad de decisión del paciente se concentran en la tarea de delimitar cuándo puede reputarse válido el consentimiento que proviene de un sujeto menor de edad o que padece cualquier tipo de anomalía o alteración psíquica.

Por seguir un orden creciente de complejidad, puede decirse que son menores las dificultades teóricas que se plantean a la hora de determinar en qué casos la persona que padece algún tipo de incapacidad, por *anomalía o deficiencia mental*, está incapacitada para consentir. Aquí habrían de incluirse no sólo los casos de enfermedades mentales permanentes, sino también los supuestos en los que el enfermo se encuentre en una situación de trastorno mental, que incluso puede estar motivada por su propio estado de enfermedad[35].

En relación con estos casos suele reconocerse sin dificultades en el orden civil que para decidir en qué circunstancias esas personas conservan su capacidad de obrar habrá de atenderse al concreto grado de incapacidad que padezcan, una comprobación que, en definitiva, remite a las circunstancias del caso concreto. Tal vez sólo sea conveniente señalar ahora que en la medida en que con la exigencia de consentimiento del paciente, lejos de tratarse de un requisito formal, se pretende garantizar el derecho a que el mismo sea consciente del acto que realiza y asienta en someterse a él, la determinación de los presupuestos para considerarle capacitado para ello no debe vincularse a la

---

[34]   Véase *infra*, Capítulo II.

[35]   GIUNTA, en *Rivista italiana di diritto e procedura penale*, 2001, *ob. cit.*, pág. 390 s., 392. Este autor señala incluso que hay supuestos en que el intento de cumplir con las exigencias del consentimiento informado puede resultar cruel: es lo que sucederá cuando se trate de un paciente aquejado de fuertes dolores y la terapia que se trate de aplicarle sea precisamente paliativa de los mismos, de tal modo que el cumplimiento de aquel deber llevaría indefectiblemente a aplazar ese tratamiento. En estos casos, concluye, bastará con que el paciente siquiera de forma implícita consienta en la terapia paliativa del dolor, sin que sea exigible ni una información detallada de la misma ni el consiguiente consentimiento específico. A la hora de elegir la concreta terapia, el médico habrá de atender a la que resulte más satisfactoria para la preservación de la vida del paciente.

declaración judicial de incapacidad. Es cierto que cuando ésta exista el médico habrá de estar a la opinión que manifiesten los representantes legales. Así lo reconoce el art. 9.3 b) de la Ley 41/2002 cuando dispone que: "Se otorgará el consentimiento por representación...b) Cuando el paciente esté incapacitado legalmente". Sin embargo, como también la misma Ley reconoce, no puede deducirse que, faltando dicha declaración, el médico tenga carta blanca para desconocer las deficiencias intelectivas o volitivas que presente el enfermo aun cuando éstas sean claramente manifiestas. Esta comprensión amplia de las alteraciones mentales permite dar una respuesta a los casos en los que la negativa del paciente al tratamiento venga motivada por su propio estado de enfermedad mental, siquiera sea en el sentido de alteraciones psíquicas. Es lo que sucede, por ejemplo, con los enfermos anoréxicos. La negativa al tratamiento que eventualmente opusieran estos enfermos podría salvarse por la vía de su incapacidad para consentir, entrando en juego, por tanto, el recurso al asentimiento que presten sus representantes legales.

Debe observarse, por lo demás, que en la práctica médica será el profesional sanitario quien deba evaluar la capacidad de hecho del paciente. Así lo aconseja, entre otras razones, la necesidad de que, al menos en los casos menos dudosos, no se entorpezca la práctica médica con el continuo traslado de expedientes a la autoridad judicial y el consiguiente riesgo que puede producir la demora para la vida y salud del paciente[36]. En este sentido, dispone el apartado a) del art. 9.3 de la citada Ley que,

> Se otorgará el consentimiento por representación: "a) Cuando el paciente no sea capaz de tomar decisiones, a criterio del médico responsable de la asistencia, o su estado físico o psíquico no le permita hacerse cargo de su situación. Si el paciente carece de representante legal, el consentimiento lo prestarán las personas vinculadas a él por razones familiares o de hecho".

Más dificultades plantea la tarea de determinar la capacidad de los *menores de edad* para emitir una declaración de voluntad que pueda reputarse válida en aras a autorizar un acto médico. Bien es verdad que las dificultades no deben surgir en los supuestos que pudieran calificarse como extremos, que permiten fundamentar una solución unívoca. Es lo que sucede cuando se trata de intervenciones necesarias e inaplazables, cuya omisión puede poner en peligro seriamente la salud e incluso la vida del menor. En estos casos, como explica GIUNTA, ni el menor podría disponer de esos bienes ni mucho

---

[36]   Véase al respecto SIMÓN LORDA, *El consentimiento informado, ob. cit.*, págs. 330 ss., quien señala, además, razones tanto de tipo consuetudinario como relativas a los deberes que gravan al sanitario y que le obligan a comprobar la capacidad del enfermo para, en su caso, protegerle de sus propias decisiones dañinas. No obstante, como señala este autor, sería deseable el desarrollo protocolario de criterios de evaluación que inyectaran seguridad jurídica a la práctica médica, págs. 341 s.

menos el representante legal podría tomar una decisión que contrariase sus intereses. En efecto, en la medida en que, por un lado, se trata de disponer de un bien jurídico —la salud— que tiene el carácter de personalísimo y, por otro, vinculado a lo anterior, están en juego intereses que aconsejan asegurar la madurez de la decisión, hay que admitir que en la protección de la salud y vida de los menores se implican intereses de Derecho público que determinan la consideración de esos bienes jurídicos como indisponibles[37]. Puede decirse, por tanto, que en tales casos lo que se trata de preservar es, antes que su capacidad dispositiva, la *incolumidad o indemnidad* del menor frente a los daños que, por su gravedad o irreversibilidad, escapan al espectro de actos sobre los que puede disponer.

En realidad, las dificultades en torno al papel que deba atribuirse al consentimiento del menor de edad surgen allí donde se trate de intervenciones cuya omisión no comporte un riesgo grave para la salud o para la vida de éste. A su vez, dentro de esta tipología de casos debe hacerse una precisión ulterior. En efecto, la atención a la lógica que inspira el instituto de la representación legal, en concreto la exigencia de que la decisión que adopten los representantes legales deba orientarse en todo caso a buscar lo que resulte mejor para los intereses del menor, determina que la discrepancia de la opinión de aquellos respecto a la de éste deba presentarse siempre en términos de un conflicto en el que es el menor quien rechaza o solicita una intervención que, en puros términos de beneficio para su salud, no resulta indicada. Baste pensar no sólo en los casos en que solicitara una operación de cirugía estética sino también en aquellos otros en que rechace una intervención de carácter terapéutico que, sin embargo, no fuera estrictamente indispensable (ej., operación de sinusitis o, simplemente, la práctica de una ortodoncia).

Así delimitado el problema, en la tarea de concretar bajo qué condiciones el menor pueda considerarse capacitado para consentir puede decirse que han sido dos, básicamente, las posturas que tradicionalmente se han enfrentado: la primera es la que hace coincidir la relevancia de ese consentimiento con los requisitos de capacidad establecidos en el orden extrapenal, en concreto, con la capacidad negocial que se exige en el ámbito civil y que, por regla general, requiere haber cumplido los 18 años; la segunda es la que propone definir la capacidad decisoria del paciente conforme a presupuestos autónomos, nacidos y orientados exclusivamente al ámbito médico.

De seguirse la primera opción, la regla tendría que ser negar al menor de edad civil, conforme a una presunción *iuris et de iure*, la facultad para

---

[37]   GIUNTA, en *Rivista italiana di diritto e procedura penale*, 2001, *ob. cit.*, pág. 397.

disponer sobre su cuerpo y decidir sobre su libertad. De seguirse la segunda opción, por el contrario, pasaría a primer plano la comprobación de que en el caso concreto el sujeto tenía, de hecho, capacidad para disponer de bienes personales.

Al menos hasta el año 2002, a la dificultad para tomar partido por una de estas posibles alternativas habían contribuido las distintas declaraciones normativas. En efecto, hasta la aprobación de la Ley 41/2002, era extraordinariamente difícil encontrar en el Ordenamiento jurídico una disposición —extrapenal— que de forma inequívoca ofreciera una línea de solución para la cuestión que aquí se ventila, siendo abundantes, por el contrario, las fórmulas vagas, genéricas, cuyo alcance era realmente difícil de precisar.

Bien es verdad que alguna disposición puntual parecía inclinarse por hacer prevalecer la voluntad del menor cuando tuviese capacidad natural de discernimiento[38] y que, ya con carácter general, el Código Civil dispone en el art. 154 que "si los hijos tuvieren suficiente juicio, deberán ser oídos siempre antes de adoptar decisiones que les afecten". También es verdad que, conforme al art. 162.2 del mismo cuerpo legal, se reconoce al menor la capacidad para realizar determinados actos. Así, tras disponer que "los padres que ostenten la patria potestad tienen la representación legal de sus hijos menores no emancipados", excepciona de tal regla los "actos relativos a derechos de la personalidad u otros que el hijo, de acuerdo con las Leyes y sus condiciones de madurez, pueda realizar por sí mismo"[39].

---

[38]   Como el Código de Deontología Médica de 1999, que dispone en su art. 10. 6 que "La opinión del menor será tomada en consideración como un factor que será tanto más determinante en función de su edad y su grado de madurez". En la misma línea se pronuncia el Código de Deontología y Normas de Ética Médica, aprobado por la Asamblea General de Médicos de Cataluña, de 16 de julio de 1997, cuyo art. 13 dispone que "En caso de un menor, el médico debe respetar su voluntad si éste tiene capacidad para comprender aquello que decide aunque el padre, la madre o el representante legal disientan". Ya en el ámbito comunitario, a esta orientación respondía la Carta de Derechos fundamentales de la Unión Europea (DOCE 2000/C, 364/01), cuyo art. 24.1 disponía que "los menores tienen derecho a la protección y a los cuidados necesarios para su bienestar. Podrán expresar su opinión libremente. Ésta será tenida en cuenta en relación con los asuntos que les afecten, en función de su edad y de su madurez".

[39]   Al respecto, ATAZ LÓPEZ, *Los médicos y la responsabilidad civil*, Madrid, 1985, págs. 65 ss., si bien, a la postre, en caso de discordancia entre la voluntad de los padres o representantes y el menor, parecía atender, más allá del criterio de la capacidad de éste, al de su interés: "lo que ocurre es que el hijo, de acuerdo con lo dispuesto en el art. 154 del Código, deberá siempre ser escuchado por sus padres, si tuviera suficiente juicio, antes de la adopción de medidas que le afecten, en estos casos tendrá no sólo la posibilidad de ser oído, sino también la facultad de oposición, siempre que tenga la suficiente madurez; si bien en la práctica parece que más que la madurez del hijo, lo que se vendrá a discutir

Sin embargo, lo cierto es que el esfuerzo por concretar dichas fórmulas sólo había arrojado como fruto la imprecisión y vaguedad, algo a lo que contribuían las disposiciones más modernas que, sin embargo, suelen calificarse por la doctrina civilista como progresistas para los derechos del menor. Es el caso de la Ley Orgánica 1/1996, de 15 de enero, de Protección Jurídica del Menor que, tras consagrar en el apartado 2 del artículo 2 que "Las limitaciones a la capacidad de obrar de los menores se interpretarán de forma restrictiva", reconoce en su art. 9 el derecho del menor "a ser oído tanto en el ámbito familiar como en cualquier procedimiento administrativo o judicial en que esté directamente implicado y que conduzca a una decisión que afecte a su esfera personal, familiar o social"[40].

Por otro lado, las leyes que en el ámbito regional se habían ido aprobando tampoco parecían ofrecer una línea de solución homogénea. Así, mientras la Ley gallega reguladora del consentimiento informado y de la información clínica de los pacientes, aprobada por el Parlamento gallego el 8 de mayo de 2001, parecía remitirse a la mayoría de edad civil[41], la Ley catalana permitía entender que habría de estarse a la concreta capacidad del menor, si bien presumiéndose ésta siempre a partir de los dieciséis años[42], situándose en la misma línea la Ley 6/2002, de 15 de abril, de Salud de Aragón[43]. Finalmente, la Ley Navarra había optado por esta-

---

en casos como éste, será lo acertado de la decisión de los padres o del hijo", concluyendo que "en la vida práctica lo normal es que, aun teniendo el hijo madurez, sean los padres los que acuerden la conveniencia o no de determinado tratamiento, del mismo modo que son los padres los que se convierten en deudores del médico por los honorarios", pág. 67.

[40] Véase también el art. 11 de la Ley 8/1995, de 27 de julio, de *Atención y Protección de los Niños y Adolescentes* y de modificación de la Ley 37/1991, de 30 de diciembre.

[41] Conforme a su art. 4 ter, b) "Cuando el paciente sea un menor de edad o un incapacitado legal, el derecho corresponderá a su padre, a su madre o a su representante legal, que deberá acreditar de forma clara e inequívoca, en virtud de la correspondiente sentencia de incapacitación y de constitución de la tutela, que está legalmente habilitado para tomar decisiones que afecten a la persona del menor o incapaz. El menor de edad o incapacitado legal deberá intervenir, en la medida de lo posible, en el procedimiento de autorización".

[42] Conforme al art. 7.2 d) de la Ley 21/2000 de Cataluña, *sobre los derechos de información relativos a la salud, la autonomía del paciente y la documentación clínica*, aprobada por el Parlamento Catalán el 21 de diciembre de 2000, "En el caso de menores, si éstos no son competentes, ni intelectual ni emocionalmente, para comprender el alcance de la intervención sobre la propia salud, el consentimiento lo dará el representante del menor, habiendo escuchado en todo caso su opción si es mayor de doce años. En el resto de los casos, y especialmente en caso de menores emancipados y adolescentes de más de dieciséis años, el menor ha de dar personalmente su consentimiento".

[43] Esta norma dispone que si se trata de un menor de doce años habrá de escucharse su opinión, prestando el consentimiento el representante legal en los casos en que el menor no se encuentre preparado, ni intelectual ni emocionalmente para poder comprender el alcance de la intervención sobre su salud. En el caso de los menores emancipados y ado-

blecer topes rígidos de edad marcados en el cumplimiento de los dieciséis años[44], y en el mismo sentido se había pronunciado la Ley del Parlamento de la Rioja 2/2002, de 17 de abril[45].

Este panorama tampoco resultaba mucho más clarificador cuando, ya en el ámbito nacional, se atendía a las normas específicas relativas a determinados actos médicos. Tampoco en ellas, en efecto, era posible descubrir una línea de solución uniforme a partir de la cual pudiera extraerse un criterio válido con carácter general. Así, por ejemplo, mientras alguna disposición, como la Ley 30/1979, de 27 de octubre, relativa a la donación de órganos, exige que el donante sea mayor de edad, lo que parece remitir así a la normativa civil, otras normas como la ya derogada Ley 42/1988, de 28 de diciembre, relativa a la donación y utilización de embriones y fetos humanos o de sus células tejidos y órganos, admitía la donación por los menores de edad, si bien requiriendo, además de su consentimiento, el de sus representantes legales[46]. Finalmente, todavía pueden citarse normas, como el RD 651/1993, de 19 de abril, por el que se regulan los requisitos para la realización de ensayos clínicos, que optan por combinar diferentes criterios. Dicho Real Decreto dispone que en caso de menores de edad o incapaces el consentimiento lo prestarán sus representantes legales, si bien añade que, "cuando las condiciones del sujeto lo permitan

---

       lescentes mayores de dieciséis años, el menor habrá de prestar personalmente su consentimiento.

[44]   Así lo dispone la *Ley sobre los derechos del paciente a las voluntades anticipadas, a la información y a la documentación clínica*, aprobada por el Parlamento Navarro el 25 de abril de 2002. Conforme a su art. 7.2 b): "En los casos de incapacidad legal, de personas internadas por trastornos psíquicos y de menores, el consentimiento debe darlo quien tenga la tutela o curatela. Los menores emancipados y los adolescentes de más de dieciséis años deberán dar personalmente su consentimiento. En el caso de los menores, el consentimiento debe darlo su representante después de haber escuchado su opinión, en todo caso, si es mayor de doce años".

[45]   Conforme a su art. 6.4: "a) El usuario menor de 16 años con madurez emocional suficiente debe ser consultado por el médico o equipo médico sobre las decisiones, procedimientos o prácticas que afecten a su salud, con el fin de que su opinión sea considerada y ponderada en atención a su edad y madurez; b) En todo caso el consentimiento informado deberán prestarlo, en los supuestos y formas establecidos en esta Ley, los representantes legales del menor".

[46]   La norma que actualmente contempla la donación de embriones y fetos humanos es la Ley 14/2007, de Investigación Biomédica, que tras exigir en su art. 29.1 que el donante o donantes de los embriones hayan otorgado previamente su consentimiento de forma expresa y por escrito, dispone que "Si alguno de ellos fuera menor no emancipado o estuviera incapacitado, será necesario además el consentimiento de sus representantes legales".

y, en todo caso, cuando el menor tenga doce o más años, deberá prestar su consentimiento".

También en el ámbito internacional el recurso a criterios vagos o difusos había sido la tónica dominante. Valga de cita el Convenio para la protección de los Derechos Humanos y la dignidad del Ser Humano con respecto a las aplicaciones de la Biología y la Medicina, también conocido como Convenio de Oviedo, de 4 de abril de 1997. Su artículo 6.2, tras establecer que cuando se trate de una persona incapacitada para consentir debido a su minoría de edad, el consentimiento habrá de prestarlo sus representantes legales, se limita a añadir que su opinión habrá de tenerse presente en función de su edad y madurez[47].

Ante la falta de sólidos soportes legales que avalaran de forma inequívoca una solución, no es de extrañar que tanto en nuestras fronteras como en aquellos Ordenamientos que tampoco ofrecen una específica declaración al respecto[48], se abriese una discusión con implicaciones inmediatas en la posi-

---

[47] Dispone dicho artículo: "Cuando, según la Ley, un menor no tenga capacidad para expresar su consentimiento para una intervención, ésta sólo podrá efectuarse con autorización de su representante, de una autoridad o una persona o institución designada por la Ley. La opinión del menor será tomada en consideración como un factor que será tanto más determinante en función de su edad y su grado de madurez".

[48] A modo de referente comparado sobre el estado de discusión en el Derecho alemán, véase ESER/BURKHARDT, *Derecho Penal, Cuestiones fundamentales de la Teoría del Delito sobre la base de casos de sentencias*, Madrid, 1995, págs. 276 s. A favor de exigir el cumplimiento de una determinada edad SEIZINGER, Das Konflikt zwischen dem Minderjährigen und seinem gesetzlichen Vertreter bei der Einwilligung in den Heileingriff im Strafrecht, 1976, págs. 95 ss; ULSENHEIMER, *Arztstrafrecht in der Praxis*, Heidelberg, 1988, págs. 96 ss; WILLINGER, quien diferencia entre pacientes menores de 14 años, que nunca podrían consentir, los menores entre 14 y 18 años, que podrían prestar su consentimiento siempre que tengan capacidad de decidir y se trate de intervenciones simples, y los mayores de 18, que tendrían plena capacidad decisoria, *Ethische und rechtliche Aspekte der ärztlichen Aufklärungspflicht*, Frankfurt, 1996, págs. 180 ss; LAUFS, en LAUF/UHLENBRUCK, Handbuch des Arztrechts, München, 1999. pág. 825; ROUKA propone como criterio los 16 años, *Das Selbstbestimmungsrecht des Minderjährigen bei ärtrlichen Eingriffen*, Frankfurt am Main, 1996, págs. 123 ss. En la doctrina italiana, por todos, CRESPI, *La responsabilità penale nel trattamento médico-chirurgico con esito infausto*, Palermo, 1955, págs. 59 ss., apelando a razones de seguridad jurídica. Por el contrario, se muestran partidarios de atender a la concreta capacidad del menor en la doctrina alemana WILLHELM, *Operationsrecht des Arztes und Einwilligung des Patienten in der Rechtspflege*, 1912, págs. 28 ss; PFEFFER, *Durchführung von HIV-Test ohne den Willen des Betroffenen. Pflicht und Befugnis zur Befundmitteilung aus der Sicht des Strafrechts*, Berlin, 1989, pág. 54. AMELUNG, "Über die Einwilligungsfähigkeit", en ZStW 1992, págs. 525 ss., 821 ss; el mismo en *Vetorechte beschränkt Einwilligungsfähiger in Grenzbereichen medizinischer Intervention*, Berlin/New York, 1995; VOLL, *Die Einwilligung im Arztrecht. Eine Untersuchung zu*

ble responsabilidad del médico. Por un lado, buena parte de la doctrina[49] y de la jurisprudencia había defendido la solución de exigir que el menor hubiese cumplido una determinada edad, bien a partir de criterios de analogía con lo que se requiere a efectos de la voluntad negocial civil[50], bien manejando argumentos de seguridad jurídica. No obstante, también parte de la doctrina se había mostrado partidaria de atender a la concreta capacidad de comprender

---

den Straf-, Zivil-, und Verfassungsrechtlichen Grundlagen, insbesondere bei Sterilisation und Transplantation unter Berücksichtigung des Betreuugsgesetzes, Frankfurt am Main, 2002; MAYER, Die *Unfähigkeit des erwachsenen Patienten zur Einwilligung in den ärztlichen Eingriff, Kiel*, 1994.

En la literatura italiana véase DEL CORSO, "Il consenso del paziente nell'attivitá medico-chirurgica" *en Rivista italiana di diritto e procedura penale, 1987*, págs. 556 ss; PRINCI-GALLI, *La responsabilità del médico, ob. cit, págs. 211 s*; SANTACROCE, SANTACROCE, "Trasfusioni di sangue, somministrazione di emoderivati e consenso informato del paziente", en *La Giustizia Penale*, 1997, págs. 118 s; BONEKKI-GIANNELLI, "Consenso e attività médico-chirurgica: profile deontologici e responsabilità penale, Consenso e attività médico-chirurgica: profili deontologici e responsabilità penale", en *Rivista italiana di medicina legale*, 1991, págs. 14 ss; EUSEBI, "Sul mancato consenso al trattamento terapeutico: profili giuridico-penali", en *Rivista italiana di medicina legale*, 1995, págs. 732 s; BILANCETTI, *La responsabilità penale e civile del médico*, Milan, 1995, págs. 132 ss. No obstante, otros autores, si bien comparten la solución de atender a las circunstancias del caso concreto, fijan algunos topes de edad. Así, por ejemplo, en la doctrina italiana, proponen una edad que oscile entre los 14 y 16 años, RIZ, Il consenso dell'avente diritto, Padova, 1979, pág. 314; ANGELINI ROTA-GUALDI, "Il tema di consenso del minore al trattamento médico chirurgico", *in Giusticia penale*, 1980, págs. 368 ss; NANNINI, Il *consenso al trattamento médico*, Milano 1989, págs. 144 ss; VARANI, "I trattamenti sanitari tra obbligo e consenso" en *Archivio giuridico "Filippo Serafini"*, 1991, págs. 133 ss. En la doctrina austriaca, ZIPF, "Problemas del tratamiento curativo realizado sin consentimiento en el Derecho penal alemán y austriaco. Consideración especial del trasplante de órganos", en *Avances de la Medicina y Derecho penal*, Barcelona, 1988, págs. 157 s: "el menor de 14 años no puede consentir validamente en un tratamiento médico. Los menores de edad, pero mayores de 14 años, que tengan capacidad para discernir, podrán, siempre que se estime suficiente su capacidad, consentir en el tratamiento".

[49] Con relación a la problemática del consentimiento para las transfusiones sanguíneas, véase ROMEO CASABONA, "¿Límites de la posición de garante de los padres respecto al hijo menor? (La negativa de los padres, por motivos religiosos, a una transfusión de sangre vital para el hijo menor)", en *Revista de Derecho penal y criminología*, 1998, págs. 335 ss; ESPINOSA LABELLA, "Las transfusiones de sangre a testigos de Jehová: un conflicto entre el médico y el enfermo", *AP* 1996, págs. 944 ss.

[50] Por ejemplo, DIEZ RIPOLLÉS, "La disponibilidad de la salud e integridad personales", en *Cuadernos de Derecho Judicial. Delitos contra la vida e integridad física*, Madrid, 1995, págs. 139 s: "Será menor de edad a los efectos de la disposición de bienes jurídico-penales personales, y siempre que se exija expresamente tal cualidad en el disponente, toda persona no emancipada que aún no ha cumplido los 18 años".

del menor[51]. El principal argumento manejado para ello apuntaba a la conveniencia de abandonar el lastre que siempre supone el establecimiento de topes rígidos de edad y atender a las circunstancias del caso concreto, únicas que pueden permitir una valoración apegada a la realidad.

Ni que decir tiene que la discusión no es meramente teórica. De admitirse que la capacidad de consentir del menor se vincula a su concreta capacidad de comprender y querer habrían de deducirse importantes consecuencias, ya que ni siquiera en los casos en los que la voluntad de aquél se opusiera a lo médicamente indicado podría suplirse por la de sus representantes legales, al menos, mientras no concurriesen las situaciones de inminencia y necesidad antes referidas; en otras palabras, habría de respetarse su decisión por mucho que pueda reputarse a primera vista como insensata[52].

En este contexto de falta de claridad se aprobó en el año 2002 la Ley básica reguladora de la Autonomía del Paciente y Derechos y Obligaciones en mate-

---

[51] Esta solución es la sostenida, entre otros, por JORGE BARREIRO, Agustín, *La imprudencia punible en la actividad médico-quirúrgica*, Madrid, 1990, págs. 85 ss; el mismo en "La relevancia jurídico-penal del consentimiento del paciente en el tratamiento médico-quirúrgico", *CPC* 1982, págs. 23 ss; ROMEO CASABONA, "El consentimiento en las lesiones en el Proyecto de Código penal de 1980", en *CPC* 1982, pág. 278; el mismo en "El diagnóstico antenatal y sus implicaciones jurídico-penales", en *La Ley*, 1987, pág. 804; BUENO ARÚS, "Límites al consentimiento en la disposición del propio cuerpo desde la perspectiva del Derecho penal", en *PJ* 1985; GARZÓN REAL, "Responsabilidad civil. Negligencia profesional e imprudencia médico sanitaria", en *La Ley*, 1987, págs. 817 s; FRAGA MANDIÁN/LAMAS MEILÁN, El consentimiento informado (El consentimiento del paciente en la actividad médico-quirúrgica), ed. *por Revista Xurídica Galega*, 1989, págs 36 ss; PÉREZ DEL VALLE, *Conciencia y Derecho penal. Límites a la eficacia del Derecho penal en comportamientos de conciencia*, Granada, 1994, págs. 314 ss; ARMANZA GALDOS, "La eximente por consentimiento del titular del bien jurídico", en *Revista de Derecho Penal y criminología*, 1998, págs. 119 s; MARTÍNEZ-CALCERRADA, *Derecho médico, Volumen primero, Derecho médico general y especial*, Madrid, 1986, pág. 92, 275 s; CORCOY BIDASOLO, "Tratamiento del secreto y derecho a la intimidad del menor. Eficacia del consentimiento", en *Protección de menores en el Código penal*, Madrid, 1999, págs. 305 s; GALÁN CORTÉS, *El consentimiento informado del usuario de los servicios sanitarios*, Madrid, 1997, págs. 33 ss; el mismo en *Responsabilidad médica y consentimiento informado, ob. cit.*, págs. 78 ss.

[52] O, en palabras de ROXIN, contraria a "todo sentido común médico". De hecho, también la misma "insensatez" no es infrecuente en decisiones de adultos sin que por ello se cuestione que sea expresión de una voluntad formada y válida. No obstante, según vimos, este autor entiende que en tales casos pasa a ser preferente la decisión del representante legal, ya que "si la decisión tomada por el joven va contra todo sentido común médico, ello constituirá un fuerte indicio de carencia de capacidad de comprensión", *Derecho Penal, Parte General*, trad. de Luzón Peña, Díaz y García Conlledo y Vicente Remesal, Madrid, 1997, pág. 538.

ria de información y Documentación clínica. Antes de entrar en el estudio de la concreta fórmula que contempla, conviene, muy someramente, al proceso de elaboración del texto; en concreto, es importante recordar que la atención al criterio de la concreta capacidad y madurez del menor fue la línea que inspiró el Texto de la Proposición de Ley presentada inicialmente en el Senado[53], si bien ofreciendo algunos indicadores referenciales a la edad a partir de los cuales se presumiese su capacidad. Así, el art. 7.2 de ese texto, relativo a las situaciones en las que procedería el consentimiento por sustitución, disponía que "En el caso de menores, si éstos no son competentes, ni intelectual ni emocionalmente, para comprender el alcance de la intervención sobre su salud, el consentimiento debe darlo el representante del menor, después de haber escuchado, en todo caso, su opinión si es mayor de doce años. En los demás casos, y *especialmente* en casos de menores emancipados y adolescentes de más de dieciséis años, el menor debe dar personalmente su consentimiento". De esta forma, si bien esa redacción dejaba claro que los mayores de dieciséis años debían prestar personalmente en todo caso su consentimiento, no contemplaba esos casos desde la nota de la exclusividad; sino que el empleo del adverbio "especialmente", permitía interpretar que ese era tan sólo uno de los supuestos en los que habría de atenderse a su voluntad.

Esta redacción inicial, sin embargo, no se mantuvo en el curso de la tramitación parlamentaria. Así, el Texto del Dictamen presentado por la Comisión del Congreso[54], recogiendo el contenido del informe de la Ponencia[55], ofrecería una redacción distinta de este artículo en los términos en los que finalmente se acabaría aprobando, y que ya habían encontrado acogida en algún texto normativo comunitario[56]. Conforme a su art. 9.3 c),

El consentimiento se otorgará por representación, "Cuando el paciente menor de edad no sea capaz intelectual ni emocionalmente de comprender el alcance de la intervención. En este caso, el consentimiento lo dará el representante legal del menor después de haber escuchado su opinión si tiene doce años cumplidos. Cuando se trate de menores no incapaces ni incapacitados, pero emancipados o con dieciséis años cumplidos, no cabe prestar el consentimiento por representación. Sin embargo, en caso de actuación de grave riesgo, según el criterio del facultativo, los padres serán informados y su decisión será tenida en cuenta para la toma de la decisión correspondiente".

No obstante, de esta regla excepciona el apartado 4 determinados supuestos:

---

[53]   BOCG, de 1 marzo de 2001.
[54]   *BOCG*, de 17 de junio de 2002.
[55]   *BOCG* de 10 de junio de 2002.
[56]   Es el caso de la Ley Foral Navarra, cuyo texto reproduje en nota 39.

"La interrupción voluntaria del embarazo, la práctica de ensayos clínicos y la práctica de técnicas de reproducción humana asistida se rigen por lo establecido con carácter general sobre la mayoría de edad y por las disposiciones especiales de aplicación".

Pese a que esta redacción no resulta tan explícita como la anterior en lo que se refiere a los menores de 16 años, debe entenderse que la letra de la ley no significa *a contrario sensu*, que en esos casos el consentimiento siempre tenga que prestarse por representación. Por el contrario, permite entender que también por debajo de esa edad, si en el caso concreto el menor tuviera capacidad de comprender y querer, habría de respetarse su voluntad. De hecho así lo ha interpretado buena parte de la doctrina civilista, que señalando a menudo lo confuso y criticable de los términos empleados por la norma, se decanta por interpretar que también los menores de 16 años deben considerarse capacitados para consentir cuando cuenten con la capacidad natural de comprender y querer[57]. Por otra parte, no es otra la interpretación que puede encontrarse consagrada en alguna normativa regional aprobada con posterioridad a la Ley 41/2002. Es el caso de la Ley 8/2003, de 8 de abril, sobre derechos y deberes de las personas en relación con la salud de Castilla y León, que conforme a su artículo 5.1 consagra expresamente esa solución al disponer que: "Toda persona mayor de 16 años o menor emancipada ha de considerarse capacitada, en principio, para recibir información y tomar decisiones acerca de su propia salud. Asimismo, y sin perjuicio de lo anterior, habrán de considerarse capacitados todos los menores que, a criterio del médico responsable de la asistencia, tengan las condiciones de madurez suficiente".

Con todo, hay que reconocer que aun cuando se conceda el referido valor a las previsiones legales no desaparecen por completo las dudas interpretativas. En primer lugar, porque no es fácil determinar el valor de la cláusula contenida en la Ley, conforme a la cual, aun tratándose de un menor emancipado o mayor de 16 años, "en caso de actuación de grave riesgo, según el criterio del facultativo, los padres serán informados y su decisión será tenida en cuenta para la toma de la decisión correspondiente". Esta previsión plantea la compleja cuestión en torno a cuál sea su alcance exacto, puesto que si bien los padres deben ser oídos parece que su intervención no puede desplazar la

---

[57]   Es la opinión que sostiene por ejemplo, RODRÍGUEZ LÓPEZ, *La autonomía del paciente. Información, consentimiento y documentación clínica*, Madrid, 2004, pág. 148, que reproduce lo que ya sostuviera PARRA LUCÁN, "La capacidad del paciente para prestar válido consentimiento informado. El confuso panorama legislativo español", en *Actualidad Aranzadi*, abril, 2003, págs. 1908 ss. Además de lo confuso de la redacción, esta autora denuncia lo incorrecto de que en materia de derechos de la personalidad se utilice la expresión "consentimiento por representación"; DOMÍNGUEZ LUELMO, *Derecho sanitario y responsabilidad médica*, Valladolid, 2003, págs. 287 ss.

voluntad del menor, de modo que habrá que deducir que en última instancia, en caso de conflicto, habrá de acudirse a la autoridad judicial.

En segundo lugar, porque también resulta complicado trazar la solución de los casos en que se plantea un conflicto entre la opinión manifestada por el menor y la de sus representantes legales, tanto cuando aquel haya alcanzado los dieciséis años[58] como cuando se encuentre por debajo de esa edad[59]. No es por ello de extrañar que desde aquella doctrina se haya llamado la atención sobre la conveniencia de haber introducido una previsión específica que, como hace la Ley gallega en su art. 6 c), dispusiera que en caso de incompatibilidad entre la voluntad del representante legal y los intereses del menor o incapacitado, se solicite la intervención de la autoridad judicial[60].

En tercer lugar, tampoco es fácil interpretar otra previsión especial contemplada igualmente en la Ley 41/2002, relativa ahora a los casos de interrupción voluntaria del embarazo, la práctica de ensayos clínicos y la práctica de técnicas de reproducción humana asistida, casos que según la Ley 41/2002 "se rigen por lo establecido con carácter general sobre la mayoría de edad y por las disposiciones especiales de aplicación". Como se ha denunciado en la doctrina civilista, se trata de nuevo de una regla confusa, que agrupa, además, supuestos de muy distinta índole, puesto que si bien existe una regulación específica para los casos de ensayos clínicos y para la práctica de técnicas de reproducción asistida, no existe para los supuestos de interrupción del embarazo, con lo que resulta realmente difícil determinar a qué se está remitiendo el legislador en relación con este supuesto. Baste pensar que si contempla una regla especial distinta a la contenida en la Ley 41/2002, lo lógico sería que su sentido fuera atender a la mayoría de edad civil, una previsión sin embargo difícil de conciliar con la importancia y repercusiones que sin duda compor-

---

[58]   Véase sobre esta cuestión por ejemplo, PARRA LUCÁN, *Actualidad Jurídica Aranzadi*, *ob.cit.*, págs. 1912 ss., quien entiende que en los casos en que el menor hubiera cumplido los 16 años y se opusiera a la intervención, la misma sólo podría llevarse a cabo obteniendo una autoridad judicial.

[59]   DOMÍNGUEZ LUELMO, *Derecho sanitario y responsabilidad médica*, ob. cit., págs. 298 ss., quien partiendo de que el consentimiento por representación debe ser adecuado a las circunstancias y proporcionado a las necesidades que haya de atender, siempre a favor del paciente y con respeto a su dignidad personal, en los casos en que el menor se oponga a recibir un tratamiento contra el criterio de sus representantes legales deberá acudirse a la autoridad judicial.

[60]   Véase en este sentido, por ejemplo, GUERRERO ZAPLANA, *El consentimiento informado. Su valoración en la jurisprudencia. Ley básica 41/2002 y leyes autonómicas*, Valladolid, 2004, pág. 83.

ta la decisión para la menor de edad[61]. Ante esta situación no es de extrañar que en la doctrina civilista se hayan propuesto interpretaciones que palien las consecuencias a que entonces habría de llegarse, y que permitan conceder el máximo protagonismo posible a la voluntad de la menor[62].

En cuarto lugar, y enlazando con lo anterior, debe tenerse en cuenta la existencia de previsiones especiales en determinadas normas que contemplan mayores exigencias para la prestación del consentimiento, y a las que si bien no se refiere expresamente la Ley 41/2002, deben entenderse de aplicación preferente. Es el caso, por ejemplo, de la Ley 30/1979, de 27 de octubre, sobre extracción y trasplante de órganos y el RD 2070/1999, de 30 de diciembre, por el que se regulan las actividades de obtención y utilización clínica de órganos humanos y la coordinación territorial en materia de donación y trasplante de órganos y tejidos, que sólo permiten que sean donantes vivos de órganos los mayores de edad, excluyendo expresamente de dicha posibilidad a los menores aun cuando medie el consentimiento de sus padres o tutores (art. 9.1 d) del Real Decreto citado). No obstante, debe tenerse en cuenta que conforme al art. 7.2 del Real Decreto 411/1996, de 1 de marzo, por el que se regulan las actividades relativas a la utilización de tejidos humanos, "Los menores de edad pueden ser donantes de residuos quirúrgicos, de progenitores hematopoyéticos y de médula ósea. En estos dos últimos casos exclusivamente para las situaciones en que exista relación genética entre donante y receptor y siempre con previa autorización de sus padres o tutores. En estos casos el donante menor de edad deberá ser oído conforme prevé el artículo 9.1 de la Ley orgánica 1/1996, de 15 de enero, de Protección Jurídica del menor".

---

[61]   Véase al respecto PARRA LUCÁN, *Aranzadi Civil, ob. cit.*, págs. 1924 ss; DOMÍNGUEZ LUELMO, *Derecho sanitario y responsabilidad médica, ob. cit.*, págs. 299 ss.

[62]   Entre ellas destaca la propuesta por GARCÍA GARNICA, *El ejercicio de los derechos de la personalidad del menor no emancipado*, Madrid, 2004, 170 ss. En los casos en que la menor tenga capacidad natural, esta autora entiende que habría de respetarse su voluntad conforme al art. 162.2.1 CC. Si la menor no tuviera dicha capacidad natural propone diferenciar entre las distintas indicaciones bajo las que se realizara el aborto. En concreto, en los casos de indicación terapéutica, por analogía con los actos médicos que benefician la salud del menor, considera que habría de admitirse la legitimación del representante legal y si la decisión de éstos se estimara contraria a los intereses de la menor habrá de acudirse a la autoridad judicial. En los casos de aborto por indicación ética y eugenésica diferencia a su vez según la menor se encuentre imposibilitada o no para expresar su voluntad. En el primer caso, si pudiera acreditarse que la continuidad del embarazo comportaría problemas para su salud física o psicológica propone reconducir su tratamiento al propio de la indicación terapéutica. En otro caso entiende que debería someterse a control judicial la decisión adoptada por los representantes legales.

Igualmente, entre otras disposiciones, puede citarse las que regulan las materias a que remite la Ley 41/2002: la práctica de ensayos clínicos y de técnicas de reproducción humana asistida. De lo primero se ocupa el art. 1 del RD 223/2004, de 6 de febrero, por el que se regulan los ensayos clínicos con medicamentos, que en su art. 4 contempla los requisitos que habrán de respetarse. Por su parte, en relación con la práctica de técnicas de reproducción asistida, el art. 5.6 de la Ley 14/2006, de 26 de mayo, sobre técnicas de reproducción humana asistida, dispone que "los donantes deberán tener más de 18 años, buen estado de salud psicofísica y plena capacidad de obrar".

Por último, tampoco deja de plantear alguna reflexión la situación que genera la existencia de leyes regionales, anteriores y posteriores a la aprobación de la ley nacional, que a veces contienen previsiones difícilmente conciliables con las que contempla esta norma. Nadie debe por ello extrañarse que respecto a las mismas se haya planteado, no sólo la posible inconstitucionalidad de dichas previsiones como tales por exceder de su marco competencial[63], sino también en cuanto al contenido de las que restringen los derechos reconocidos por la norma nacional. Así ha sucedido respecto a la Ley 1/2003, de 28 de enero, de la Comunidad Valenciana, que parece limitarse a conceder al menor de dieciséis años con capacidad para comprender el derecho a recibir la información adecuada a su edad, formación y capacidad, pero sin reconocerle la capacidad de consentir[64], y respecto a la que algún autor ha defendido su inconstitucionalidad por infracción del art. 14 de la CE así como del art. 149.1 y 8, que contempla la competencia exclusiva del Estado para la "regulación de las condiciones básicas que garanticen la igualdad de todos los

---

[63]   Véase por todos PARRA LUCÁN, *Aranzadi Civil, ob. cit.*, págs. 1906 ss: "resulta desconcertante que la capacidad para prestar consentimiento, que afecta a la capacidad de las personas y a las instituciones de guarda y protección previstas para quienes no gozan de plena capacidad y que, por tanto, son de Derecho civil, haya sido objeto de atención por diversos legisladores autonómicos, al margen de su competencia sobre un Derecho civil propio".

[64]   "Cuando el paciente sea menor de edad o se trate de un incapacitado legalmente, el derecho corresponde a sus padres o representante legal, el cual deberá acreditar de forma clara e inequívoca, en virtud de la correspondiente sentencia de incapacitación y constitución de la tutela, que está legalmente habilitado para tomar decisiones que afecten a la persona menor o incapacitada por él tutelada. En el caso de menores emancipados el menor deberá dar personalmente su consentimiento. No obstante, cuando se trate de un menor y, a juicio del médico responsable, éste tenga el suficiente grado de madurez, se le facilitará también a él la información adecuada a su edad, formación y capacidad".

españoles en el ejercicio de los derechos y en el cumplimiento de los deberes constitucionales"[65].

2.2. No exigencia de que el consentimiento se exprese con una determinada forma

Cuando se abordan los requisitos formales que deben concurrir en la manifestación de voluntad del paciente, la doctrina es prácticamente unánime a la hora de reconocer un notable grado de flexibilidad en cuanto a las exigencias de *forma*. Ello no es de extrañar en la medida en que con el requisito del consentimiento no se trata de cumplir una exigencia meramente *ad solemnitatem*, sino, por el contrario, de garantizar que la manifestación de voluntad del paciente corresponda a sus deseos y preferencias reales. En tanto ésta se asegure, en principio es indiferente que el consentimiento se manifieste en un documento escrito o que se exprese verbalmente, incluso que dicha exteriorización tenga lugar de forma expresa o tácita. Lo importante es que pueda descubrirse una declaración de voluntad inequívoca del enfermo[66].

Ahora bien, afirmado lo anterior, cuestión distinta es que la mayoría de las veces, debido a la necesidad de garantizar la prueba de la concurrencia de dicho contenido de voluntad, lo normal sea que la misma se recoja por escrito[67]. De hecho, en la *praxis* médica actual se han generalizado los formularios que, al menos en los casos de intervenciones de cierta entidad, como ocurre con las operaciones quirúrgicas o de tratamiento oncológico, el paciente tiene que cumplimentar por escrito avalando con su firma no sólo el deseo de someterse a la intervención, sino también que conoce todos los riesgos y posibles complicaciones de la misma, conforme al contenido mínimo del deber de información al que tendremos ocasión de referirnos más adelante. Dejando a un lado algunas disposiciones puntuales[68], esta exigencia ya se contemplaba en la Ley

---

[65]   DOLZ LAGO, ¿"Inconstitucionalidad de la Ley 1/2003, de 28 de enero, de la Generalitat, de derechos e información al paciente de la Comunidad Valenciana en relación con los menores de edad?, en *La Ley, 21 de* marzo de 2003.

[66]   Véase por ejemplo la Sentencia de 2 de julio de 2002 de la Sala de lo Civil del Tribunal Supremo, así como la Sentencia de la Sala de lo Civil y Penal del Tribunal Superior de Justicia de Navarra, de 27 de octubre de 2001.

[67]   Por todos, GALÁN CORTÉS, *Responsabilidad médica y consentimiento informado, ob. cit.*, págs. 115 ss.

[68]   Entre otras, véase, por ejemplo, la Ley 30/1979, sobre extracción y trasplante de órganos; la Ley 14/2006, relativa a las técnicas de reproducción humana asistida; o la Ley 29/2006, de 26 de julio, de garantías y uso racional de los medicamentos y productos sanitarios.

General de Sanidad[69], y actualmente la misma se consagra en la Ley 41/2002. Su art. 2.2, tras declarar la exigencia del consentimiento del paciente como punto de partida de cualquier actuación en el ámbito de la sanidad, dispone que dicho consentimiento habrá de prestarse por escrito en los supuestos previstos en la ley.

Conforme a su art. 8.2:

"El consentimiento será verbal por regla general. Sin embargo, se prestará por escrito en los siguientes casos: intervención quirúrgica, procedimientos diagnósticos invasores y, en general, aplicación de procedimientos que suponen riesgos o inconvenientes de notoria y previsible repercusión negativa sobre la salud del paciente".

Por su parte, conforme al art. 10.2 de esa misma Ley,

"El médico responsable deberá ponderar en cada caso que cuanto más dudoso sea el resultado de una intervención más necesario resulta el previo consentimiento por escrito del paciente".

De hecho, la exigencia de una cierta formalización del consentimiento del paciente como garantía de su existencia se evidencia de forma especialmente clara en otros supuestos en los que se extrema la necesidad de garantizar la concurrencia real de aquella manifestación de voluntad. Es lo que sucede, por ejemplo, en el caso del llamado "testamento vital" o "documento de voluntades anticipadas", documento que recoge una manifestación de voluntad que el paciente emite de forma anticipada para que, llegado el caso, sea respetada.

Al margen de las dudas que en estos casos pudiera plantear la actualidad del consentimiento, algo sobre lo que tendremos ocasión de volver a insistir en el apartado correspondiente[70], la mayor inseguridad en torno a la existencia real de la voluntad anticipada ha determinado que en la práctica el respeto de la misma se condicione a la existencia de un documento en el que sin ambages se expresen los límites y contenido de aquella manifestación de voluntad. En esta línea se situaban las previsiones del Convenio del Consejo de Europa para la protección de los derechos humanos y de la dignidad del ser humano respecto de las aplicaciones de la biología y la medicina, de 4 de abril de 1997, y a ella responde la Ley 41/2002, que regula por primera vez en el ámbito nacional las manifestaciones anticipadas de voluntad, denominadas en la Ley como

---

[69]   Disponía el apartado 6 del art. 10 que, salvo casos excepcionales de imposibilidad de consentir, es "preciso el previo consentimiento *escrito* del usuario para la realización de cualquier intervención". Dicho apartado ha sido derogado por la Disposición Derogatoria Única de la Ley 41/2002.

[70]   Véase *infra* II, 2.2.3, *La negativa del paciente al tratamiento en los casos de urgencia.*

"instrucciones previas"[71]. Conforme a la misma, la manifestación de voluntad habrá de recogerse en un documento escrito (art. 11.2), debiendo existir en el Ministerio de Sanidad y Consumo un registro nacional de instrucciones previas (art. 11.5)[72].

2.3. Momento de prestación del consentimiento

En la medida en que la finalidad del consentimiento en el acto médico es legitimar al sanitario para que realice una actividad que de otra forma habría de reputarse lesiva al bien jurídico salud, no existen dudas a la hora de afirmar que la declaración de voluntad del paciente ha de emitirse con carácter previo a la realización del acto en cuestión.

Más allá de esta exigencia básica, el consentimiento, para ser eficaz, ha de prestarse en un momento temporal que garantice la madurez de la decisión. Para ello, la doctrina suele ser unánime a la hora de exigir que, salvo situaciones de urgencia, entre la emisión del consentimiento y la realización del acto médico que legitima ha de mediar un lapso temporal que asegure un mínimo de reflexión y madurez en el proceso de la toma de decisión. Lógicamente, en la tarea de delimitar ese plazo, no pueden enunciarse reglas fijas, pudiendo funcionar como criterio indicador la atención a lo que se considere *razonable* en función de las circunstancias concurrentes en el caso concreto[73].

A esta exigencia se refiere, al menos de forma indirecta, la Ley 41/2002, cuando tras declarar en su art. 8.1 que el consentimiento es necesario en el ámbito de la salud, añade que dicho consentimiento habrá de emitirse "una vez que, recibida la información prevista en el art. 4 (relativo a la información asistencias), "haya valorado (el paciente) las opciones de cada caso", valoración que, lógicamente, supone que haya contado con un espacio temporal mínimo entre aquélla y la emisión de su voluntad.

---

[71] En el ámbito regional se han aprobado leyes que prevén el derecho de los usuarios de la sanidad a expresar de forma anticipada su voluntad en las Comunidades Autónomas de Andalucía, Aragón, Cataluña, Extremadura, Galicia, Madrid, Navarra y La Rioja.

[72] A diferencia del Texto original de la Proposición de Ley, presentada en el Senado, que en su art. 8 permitía que, entre otras formas, se emitiese dicha declaración de voluntad ante tres testigos mayores de edad y con capacidad de obrar. Véase BOCG, Serie III A, 1 de marzo de 2001.

[73] A este respecto, WERTENBRUCH, "Der Zeitpunkt der Patientenaufklärung", en *MedR* 1995, págs. 306 ss; ULSENHEIMER, *Arztstrafrecht in der Praxis, ob. cit.*, págs. 105 ss.

Por otra parte, en el mismo orden de exigencia de que el consentimiento se preste en un momento temporal que garantice la madurez de la decisión, debe tenerse presente que, en la medida de lo posible, el mismo habrá de obtenerse antes de que se presente el estado de sufrimiento que pueda alterar la capacidad de decisión de enfermo. Como ilustra GIUNTA, en la medida en que, por ejemplo, se puede prever la fecha de un parto, habrá solicitarse el consentimiento de la embarazada para que opte por el procedimiento de dar a luz que considere mejor antes que se presenten los dolores propios del mismo[74].

2.4.   La especificidad y actualidad del consentimiento

Otro de los requisitos que debe cumplir el consentimiento del paciente para que pueda reconocérsele su completa validez es que la declaración de voluntad que emite se refiera expresamente al acto médico que se le va a practicar. Con ello se trata de excluir la validez de declaraciones de voluntad genéricas para legitimar actos específicos. Así, por ejemplo, del hecho de que en su día el paciente acudiese a una consulta solicitando asistencia médica y consintiera en un determinado acto para tratar una determinada dolencia no puede deducirse que por ello consienta sin más a cualquier intervención, de mayor o menor entidad, que posteriormente fuera precisa para tratar dicha dolencia. Por el contrario, es una exigencia básica que el consentimiento debe emitirse para cada acto específico en que se descompone la asistencia sanitaria. Así lo confirma la 41/2002 cuando dispone en su art. 8.3 que "El consentimiento escrito del paciente será necesario para cada una de las actuaciones especificadas en el punto anterior de este artículo".

Cuestión distinta es que, afirmada esa regla general, existan supuestos en los que no sea necesaria la reiteración del consentimiento para cada acto. Como explica en la doctrina italiana GIUNTA, es lo que sucederá en los tratamientos cíclicos, esto es, aquellos en los que la terapia requiere la repetición de actos de la misma entidad que comportan idéntico riesgo, como sucede, por ejemplo, con las sesiones de quimioterapia. Y ello, como aclara el autor, aun cuando esos actos sean practicados por distintos médicos[75], ya que en realidad, en casos como éste se trata de un único tratamiento que se proyecta en el tiempo a través de una secuencia de actos.

---

[74]   GIUNTA, en *Rivista italiana di diritto e procedura penale*, 2001, *ob. cit.*, pág. 389.
[75]   GIUNTA,"Il consenso informato allátto medico tra principi costituzionali e implicazioni penalistiche", en *Rivista italiana di diritto e procedura penale*, 2001, pág. 384.

Por otra parte, el consentimiento debe ser *actual*, esto es, debe responder a los deseos presentes del enfermo en el momento en el que se trata de realizar el acto médico en cuestión, sin que baste en tal sentido la comprobación de que, alguna vez, manifestó una voluntad favorable a la intervención. En este orden de ideas, puede decirse que es una máxima asumida sin mayores dificultades en la *praxis* médica aquella que recuerda que el paciente puede en cualquier momento variar el sentido de su decisión, debiendo el médico en tal caso respetarla. Así, por ejemplo, no puede ser óbice a la necesidad de respetar su voluntad el hecho de que durante un período más o menos largo de tiempo haya consentido someterse a un tratamiento al que ahora, por la razón que sea, decide renunciar. Baste pensar, por ejemplo, en el paciente que ha estado durante meses sometiéndose a sesiones de quimioterapia que ahora rechaza. Sólo reconociendo plena eficacia a su renuncia se garantiza que la legitimidad del acto médico no se condicione al mero argumento formal en torno a que alguna vez existió dicha voluntad, sino a que aquella se mantenga debido a la falta de concurrencia de una voluntad de signo contrario[76]. A esta posibilidad se refiere expresamente la Ley 41/2002 al establecer en el apartado 5 de su art. 8 que "El paciente puede revocar libremente por escrito su consentimiento en cualquier momento". Ya antes, en el ámbito internacional, a esa exigencia básica se refería el Convenio de Asturias, relativo a los Derechos Humanos y la Biomedicina, al disponer en su art. 5.3 que "en cualquier momento la persona afectada podrá retirar libremente su consentimiento".

Cuestión distinta es que, afirmada la premisa anterior como regla general, la validez de la nueva manifestación de voluntad requiera comprobar que se trata de una decisión que cumple los requisitos necesarios para que pueda reputarse como madura y autónoma. El primero de ellos será que el enfermo cuente con toda la información necesaria en torno al alcance de su renuncia, algo que, en realidad, no es una exigencia específica en torno a su admisibilidad sino, como tendremos ocasión de ver, un presupuesto general de la validez de cualquier exteriorización de voluntad. El segundo de los requisitos, que también no es más que expresión de los presupuestos generales de la validez del consentimiento enunciados con carácter general, será que se exprese en un estado psíquico de normalidad, y no de alteración momentánea de la motivabilidad. En este sentido, autores como BEAUCHAMPS/CHILDRESS, manejan como indicadores de esa madurez ciertos datos externos, como pueda ser la coherencia de la decisión con la personalidad del enfermo, indicadores que, en cualquier caso, como tales, son meras presunciones que pueden

---

[76] Por todos STERNBERG-LIEBEN, *Die objektiven Schranken der Einwilligung im Strafrecht*, *ob. cit.*, págs. 206 ss.

destruirse por la concurrencia de indicios contrarios: "Por ejemplo, si una mujer que siempre se ha mostrado valiente y dispuesta a luchar por la vida a pesar de los años que lleva padeciendo una enfermedad, decide de repente abandonar la diálisis, existen pruebas (aunque no necesariamente decisivas) de que la decisión puede no ser lo suficientemente autónoma. Cuando una acción es compatible con el carácter, lo más probable es que sea autónoma (como, p. ej., cuando un Testigo de Jehová rechaza una transfusión). Pero no es necesario actuar de acuerdo con el carácter para que exista autonomía. Los actos incompatibles con el carácter nos son más que, a lo sumo, señales de aviso que indican la necesidad de buscar explicaciones y profundizar más si el acto es o no autónomo"[77].

En realidad, puede decirse que las mayores dificultades en torno a la exigencia de actualidad del consentimiento se han planteado tradicionalmente en relación con las *voluntades anticipadas*, expediente por el que, como ya recordábamos líneas más arriba, el paciente exterioriza sus deseos y el sentido de su voluntad antes de que se presente la situación crítica. El supuesto paradigmático es, sin duda, el que se ha dado en llamar *testamento vital*. En este ámbito los interrogantes se concentran a la hora de determinar si la voluntad recogida en dicho documento puede seguir reputándose actual en el momento en que se presenta la situación para la que el paciente emitió la manifestación de voluntad anticipada. De hecho, no han sido aisladas las voces doctrinales que han cuestionado la validez de dicho tipo de declaraciones bajo el argumento de la dificultad de descubrir en las mismas una manifestación de voluntad que, expresada en un tiempo en el que el sujeto se planteaba su enfermedad, o al menos el estado crítico, de forma meramente hipotética, pueda tenerse por actual cuando aquélla se presenta[78].

Con todo, pese al margen de incertidumbre que siempre rodea a la vigencia de estas declaraciones, en tanto pueda comprobarse una voluntad seria e inequívocamente manifestada en aquél momento previo, el destierro de concepciones paternalistas obliga a respetarla. Desde la necesidad de romper definitivamente con esos esquemas tutelares, no le falta razón a GIUNTA cuando explica que la actualidad de la declaración de voluntad no debe entenderse

---

[77]   BEAUCHAMPS/CHILDRESS, *Principios de ética médica*, ob. cit pág. 123.

[78]   Sobre su problemática, entre otros, ROXIN, "Über die mutmassliche Einwilligung", en *Festschrift für Welzel, Berlín*, 1974, págs. 447 s; VERREL, "Zivilrechtliche Vorsorge ist besser als strafrechtliche Kontrolle", *en MedR* 1999, págs. 548 ss; VARANI, Archivio giuridico "Filippo Serafini", ob. cit., págs. 130 s. En nuestra doctrina véase por todos TOMÁS-VALIENTE LANUZA, *La disponibilidad de la propia vida en el Derecho penal*, ob. cit., págs. *88 ss*.

en términos meramente cronológicos, sino conforme a criterios lógicos. De acuerdo con ellos, ha de entenderse actual la voluntad que, manifestada para regir cuando sobrevenga una situación de inconsciencia, no haya sido revocada al tiempo de verificarse dicha situación[79].

Debe observarse, por otra parte, que la problemática en torno a la exigencia de actualidad del consentimiento no se ciñe sólo a estos supuestos específicos de anticipación de la declaración de voluntad respecto al momento en que se presenta el estado de enfermedad, sino que también está presente en los casos en que el consentimiento se expresa cuando ya ha aparecido el problema de salud. Como afirmábamos líneas más arriba, la necesidad de asegurar que dicha voluntad se proyecte desde el punto temporal de su exteriorización hasta el de la realización del acto médico ha determinado que en los textos positivos se reconozca como principio básico el de la *revocabilidad* del consentimiento ya prestado en cualquier momento del tratamiento, incluyendo la fase de realización del mismo. De esta forma se subraya que el consentimiento, lejos de concebirse como un estado que legitima estáticamente la intervención, se presenta simplemente como una declaración de voluntad puntual, cuya vigencia es siempre susceptible de modificarse e incluso de desaparecer.

Con todo, pese a la aparente simpleza de la afirmación anterior, a veces se ha suscitado la cuestión en torno a los límites de dicha revocabilidad. A grandes rasgos puede decirse que son tres, básicamente, los problemas relacionados con las posibilidades de desautorizar un consentimiento ya emitido.

El primero de ellos se plantea en los casos en que la revocación del consentimiento tiene lugar en una fase en la que, si bien ya se ha producido la incidencia en la integridad física de quien ahora pretende retirar su consentimiento, la utilidad de la intervención y, con ella, el acto médico, aún no ha concluido. Baste pensar en el caso del donante de médula ósea que pretende revocar su acto dispositivo en una fase posterior a la extracción de aquella pero anterior a la implantación al receptor, ¿habría de atenderse a esa voluntad contraria del donante? Sobre estos supuestos tuvo ocasión de pronunciarse, si bien de forma incidental, la Fiscalía General del Estado en la consulta 3/1985, de 30 de abril, relativa a la capacidad de los oligofrénicos para prestar el consentimiento previsto en el art. 428 CP. La Fiscalía, tras establecer como regla general la revocabilidad del consentimiento orientado a desistir libremente del propósito inicial de autorizar el acto, afirma: "En las intervenciones que se compongan de dos actos distintos (trasplantes, por ejemplo) no será válida

---

[79]   GIUNTA, en *Rivista italiana di diritto e procedura penale*, 2001, *ob. cit.*, pág. 381.

una presunta revocación posterior a la extracción y anterior a la implantación del órgano o tejido destinado a injerto o trasplante".

Según entiendo, si bien la Fiscalía no lo refiere expresamente, esta solución presupone adoptar como punto de partida una comprensión singular tanto del objeto de referencia del consentimiento como de su alcance, en cuanto que no puede ignorarse que tras la misma late la idea de que la capacidad dispositiva del donante se ciñe al acto de donación, pero no a la suerte o finalidad que corra el órgano donado una vez que le ha sido extraído. Así entendido, en puridad, esta restricción no habría de interpretarse propiamente como una limitación a la capacidad de desistir de donante, ya que, en lo que se refiere a su acto de donación, la sigue conservando plenamente hasta el último de los momentos en que puede resultar afectado en su integridad por el acto médico. De lo que se trataría simplemente es de negarle un poder decisorio sobre el destino que después corra el órgano del que en su día decidió desprenderse con conocimiento de que se destinaría a una operación ulterior de trasplante.

Un segundo problema en relación con los límites de la revocabilidad del consentimiento es el que suscitan los casos que ya planteara ARZT en la doctrina alemana y que más recientemente retoma en esa misma doctrina STERNBERG-LIEBEN. Se trata de los supuestos en los que el propio paciente emite una declaración de voluntad consintiendo en la intervención a la vez que solicita que no se atienda a su eventual manifestación de voluntad futura en sentido contrario. Es lo que sucede, por ejemplo, cuando el enfermo reconoce su carácter especialmente timorato y, amenazado por los miedos que seguramente tendrá conforme se vaya aproximando el día de la operación, pide al médico que le proteja frente a sus propios temores haciendo caso omiso del eventual rechazo que entonces manifieste[80]. La pregunta que se plantea entonces es la siguiente: ¿puede una declaración de voluntad del enfermo deslegitimar la que eventualmente pueda hacer en el futuro? Dicho de otro modo, ¿puede privarse al paciente de su facultad de disponer en el futuro con una declaración que, en principio, tiene la misma fuerza vinculante que la que entonces emita?

Es cierto que, como señala el citado autor, la estructura problemática de estos casos recuerda a la de otros que tienen como denominador común el dato de que el paciente renuncia por anticipado a un derecho que le corresponde. Me refiero a los supuestos en que rechaza ser informado por preferir

---

[80]   STERNBERG-LIEBEN, *Die objektiven Schranken der Einwilligung im Strafrecht, ob. cit.,* págs. 262.

ponerse en manos del médico sin conocer los riesgos de la intervención a que va a someterse, casos en los que de forma prácticamente unánime se reconoce como línea de principio la admisibilidad de la renuncia. No obstante, sin desconocer dicho parecido morfológico, la especificidad de los supuestos que ahora se plantean resulta evidente. Baste pensar que mientras en aquellos se trata de una renuncia presente, que no excluye que en el futuro el enfermo decida en sentido contrario, ahora se cuestiona nada menos que la irrevocabilidad de una decisión que aboca al enfermo a actuar sin posibilidades de rectificación futura.

A mi juicio, la solución de estos supuestos requiere distinguir distintos grupos de casos entre la amplia fenomenología que pudiera presentarse, en cuanto que sólo a partir de dicha diferenciación será posible encontrar una línea coherente que permita fundamentar con base en criterios de *razonabilidad* la legitimidad de la renuncia. Dicha línea de diferenciación pasa, según entiendo, por identificar los supuestos en que la declaración de voluntad en torno a la irrevocabilidad de su contenido obedezca a un estado de decisión presente que el enfermo no quisiera perder, frente a aquellos otros en que dicha petición de que no se atiendan sus decisiones futuras se deba, como en el ejemplo antes propuesto, a su miedo o temor fundado de entrar en un estado de agitación emocional que le impida decidir cabalmente. Adelantando conclusiones, a mi juicio, la validez de dicha declaración de irrevocabilidad del consentimiento debe ceñirse exclusivamente a este segundo grupo de casos. Vayamos por partes.

En el primer supuesto, la razón que inspira esa declaración de voluntad es el deseo de paciente de preservar una voluntad actual que juzga como la más apropiada y, por ello, desea que no se consideren sus deseos futuros de signo contrario. Se trata, en definitiva, de la prevención de una voluntad frente a otra —futura— que, por las condiciones en que se emite, tiene el mismo valor que la que en su día manifestó. En tanto que ambas se expresan en idénticas condiciones de normalidad psíquica y emocional, cualquiera de ellas tiene el mismo peso. Por ello, según entiendo, negar en tales casos cualquier valor a una hipotética declaración de voluntad posterior de signo contrario supondría cercenar un derecho fundamental del paciente sin contar con un fundamento sólido para ello. En efecto, cuando se trata de la discusión en torno a la invalidez de una voluntad futura no puede desconocerse que la cuestión que late en el fondo es la de los presupuestos para excluir la vigencia de un derecho fundamental del enfermo, como es la libertad de decidir en cada momento lo que crea más conveniente. Y al igual que sucede siempre que se plantea la renuncia de un derecho básico, su admisibilidad requiere que descanse sobre un pilar sólido que la respalde. Sin embargo, el pretendido pilar que la sostendría ahora no es más que una declaración de voluntad previa que, por las condiciones en que se emite, no tiene fuerza ni rango superior a la que se pretende desconocer. Tanto una como otra son declaraciones de voluntad paralelas emitidas por un sujeto con la misma capacidad decisoria. Argumentos para eclipsar una con otra no existen. En esa situación de igualdad de condiciones, habría de acudirse a un criterio temporal, de tal modo que la declaración posterior habría de considerarse preferente.

Distintas entiendo que se presentan las cosas cuando, como en el ejemplo que manejábamos líneas más arriba y que ya propusiera ARZT, la segunda declaración de voluntad está rodeada de unas circunstancias de motivabilidad especiales frente a las cuales, justamente, se quiere proteger a quien manifiesta su deseo de que no se atienda a sus posibles renuncias futuras. En efecto, en aquel ejemplo, el paciente quería prevenirse frente al riesgo de una especial alteración en su ánimo motivada por el temor que en el mismo despertaba el hecho de sumirse eventualmente en una situación de pánico que actuara bloqueando la racionalidad de sus decisiones. Lo que caracteriza a estos supuestos frente a los anteriores es, en definitiva, que ahora no se trata de dos voluntades paralelas, en pie de igualdad, sino, por el contrario, de dos manifestaciones de voluntad que poseen distinto rango y valor: una emitida en condiciones de plena normalidad psíquica; la otra —la segunda— emitida, por el contrario, en un estado de alteración de la capacidad mental y, con ello, de la capacidad decisoria del sujeto, algo que, como apunta STERNBERG-LIEBEN, emparenta su estado con el propio de la *inimputabilidad*[81]. A mi juicio, en estas circunstancias nada se opondría a conceder validez a la petición de irrevocabilidad contenida en la primera declaración de voluntad, en cuanto que la misma se orienta a bloquear una toma de decisión que no responde a una voluntad madura.

Lógicamente, la dificultad de este diseño reside en calibrar cuándo la declaración de invalidez de futuras renuncias se deba al dato del temor ante la inmadurez de la segunda decisión y, con ello, a que se atienda a una voluntad inmadura, y cuándo, por el contrario, representa una simple declaración que no puede impedir la validez de otras que el mismo sujeto emita en condiciones de libertad. Pero como ocurre otras tantas veces en que se plantea la valoración de aspectos subjetivos, para llegar a una convicción al respecto habrá de atenderse a los indicadores externos. De hecho, lo normal es que en la primera declaración de voluntad el paciente haya manifestado de forma expresa los

---

[81]   STERNBERG-LIEBEN, *Die objektiven Schranken der Einwilligung im Strafrecht, ob. cit.*, págs. 263 ss.

motivos de la irrevocabilidad de su decisión, en el ejemplo que propone ARZT, el miedo a la inmadurez de su segunda manifestación de voluntad, con lo que bastará constatar la situación de pánico o temor incontrolado al tiempo de la intervención para descartar el valor de aquélla.

Esta misma lógica argumentativa que está en la base de la solución de estos casos debe inspirar la solución de un último problema relacionado con los límites a la facultad del paciente de revocar el consentimiento. Es el que se plantea cuando durante el curso de la intervención el paciente, unas veces por dolor, otras por miedo a continuar, pide al médico que interrumpa el tratamiento. Valga de cita el ejemplo que propone SIMÓN LORDA: durante la realización de una colonoscopia el paciente en un momento determinado exclama: '¡Pare por favor, no lo soporto más!'. El médico puede estar a punto de alcanzar el punto que desea examinar[82], ¿habría de respetar en tal caso la voluntad el médico e interrumpir inmediatamente la práctica, o, por el contrario, está legitimado en tales casos a asumir una suerte de función tutelar en beneficio del paciente?

La doctrina que se muestra en tales casos partidaria de que el médico respete la voluntad contraria del enfermo emitida en el curso del tratamiento justifica su postura en la preocupación por desterrar cualquier vestigio tutelar en la actividad médica. Así, por ejemplo, escribe el citado autor que en el ejemplo propuesto: "Por regla general se le dirá al paciente: 'Espere un poco, que ya casi está', y se continuará realizando el procedimiento. Pero si el paciente vuelve a solicitar la conclusión de la exploración, lo cierto es que el médico debe entender que el paciente *está* de facto retirando su consentimiento. La conducta moralmente más adecuada es parar inmediatamente la progresión de la colonoscopia, explicarle al paciente la importancia diagnóstica de alcanzar la zona deseada del colon, pedirle permiso para continuar...Pero si el paciente decide dar por finalizado el procedimiento el colonoscopio debe retirarse inmediatamente"[83].

Ahora bien, aun reconociendo como línea de principio la corrección de esta solución, creo que no puede ignorarse la necesidad de tener presente los mismos parámetros que inspiraron el tratamiento de la problemática expuesta más arriba. Y es que, en efecto, el destierro de los cánones paternalistas y la adopción en su lugar del modelo de respeto de la autonomía del paciente requiere que la declaración que éste manifiesta corresponda a una voluntad seria y madura, y no cabe duda de que hay situaciones en las que, debido al

---

[82]   SIMÓN LORDA, *El consentimiento informado, ob. cit.,* págs. 248.
[83]   SIMÓN LORDA, *El consentimiento informado, ob. cit.,* págs. 248.

estado de dolor o sufrimiento que comporta la terapia, difícilmente pueden predicarse esos atributos de una voluntad. Creo que no le falta por ello razón a GIUNTA cuando afirma que la validez de esa negativa del paciente habrá de cuestionarse en casos, por ejemplo, como el de quien fue informado y asintió en el dolor o incomodidad que aquella comportaría, casos en los que la renuncia que después manifiesta no habría de contemplarse sino como una flaqueza transitoria de su voluntad real y madura[84].

2.5. El consentimiento como libre expresión de la voluntad del paciente: la ausencia de presiones externas e internas. La información del paciente

Junto a los anteriores requisitos, el presupuesto lógico en la tarea de diseñar las coordenadas que garanticen la libertad de la toma de decisión del enfermo es la ausencia tanto de presiones *externas* que condicionen su voluntad, como de vicios de origen *interno*. Con los primeros se hace referencia a la exigencia de que el paciente no esté sometido a presiones que, desde el exterior, condicionen el sentido de su voluntad, como sucedería con el empleo de violencia, física o psíquica. Con lo segundo, la ausencia de vicios internos, se trata de garantizar que el enfermo no se encuentre en una situación de desconocimiento de los datos relevantes para expresar de forma responsable su negativa o asentimiento a la intervención de que se trate, ya que cuando el sujeto emite su decisión sin contar con todo ese arsenal de datos básicos para formarla, la misma habría de contemplarse como una voluntad meramente *formal* o *ciega*.

De ambos presupuestos de la validez del consentimiento del paciente —ausencia de presiones físicas o psíquicas y conocimiento de todos los datos necesarios que permitan considerarlo como expresión de una decisión responsable— el presente apartado se dedica a los requisitos mínimos que deben concurrir para que se entienda cumplido el segundo; esto es, las condiciones mínimas *internas* a la formación de voluntad que garantizan que el sujeto preste de manera *libre* y *responsable* su consentimiento al acto médico en cuestión. Respecto a lo primero, esto es, la exigencia de que la formación de voluntad esté ausente de presiones *externas*, baste decir ahora que son trasladables los criterios ensayados con carácter general en la doctrina para apreciar los delitos de amenazas y coacciones: sólo cuando teniendo en cuenta las circunstancias del caso concreto pueda decirse que la formación de voluntad

---

[84]   GIUNTA, *Rivista italiana di diritto e procedura penale*, 2001, *ob. cit.*, pág. 385.

o la exteriorización de la misma estuvo condicionada por una presión externa, habría de descartarse su relevancia.

Casi ni que decir tiene que no es suficiente cualquier incidencia externa para considerar viciada la voluntad de quien consiente en un tratamiento sanitario. De hecho, así lo da a entender el propio Código penal cuando condiciona la concesión de determinados beneficios a que el sujeto preste su consentimiento para un determinado tratamiento. Es paradigmático al respecto el artículo 87 CP. Como es sabido, este artículo permite la suspensión de la pena pese a que se trate de sujetos que no cumplen todos los requisitos exigidos con carácter general por el artículo 81 cuando, entre otras cosas, "se certifique suficientemente, por centro o servicio público o privado debidamente acreditado u homologado, que el condenado se encuentra deshabituado o sometido al tratamiento para tal fin en el momento de decidir sobre su suspensión". Cierto que en estos casos no puede ignorarse que muchas veces la decisión del drogodependiente de someterse a un tratamiento médico estará directamente influenciada por un factor externo que, de forma premial, le motiva para someterse al mismo. Sin embargo, en la medida en que se trata de un beneficio legal —no de un empeoramiento de la situación— y dado que, por ello, el reo sigue conservando de forma plena su capacidad de decisión, resultaría imposible apreciar un vicio relevante en la formación de su voluntad por mucho que, como sucederá la mayoría de las veces, el consentimiento esté decisivamente condicionado por dicha circunstancia[85]. Otro tanto habría que decir en la legislación alemana respecto a la ley de castración voluntaria para los delincuentes sexuales reincidentes. Al margen de las dudas que la misma despierte, lo que interesa destacar es que también en estos casos la "voluntariedad" de la medida pudiera ponerse en entredicho desde el momento que lo que sujeto pretende con ella es obtener un importante beneficio penitenciario. Sin embargo, una vez más, en tanto se trata de condiciones impuestas en la ley con carácter general que se traducen en un beneficio para el recluso, su consentimiento habría de valorarse como libre.

Distinta consideración merecen los supuestos en los que la obtención del consentimiento tiene lugar aprovechando una situación de inferioridad o necesidad del paciente. En este sentido puede citarse un caso que en el año 1999 saltaba a los medios de comunicación: una sociedad de EEUU ofrecía 200 dólares a las drogadictas que se esterilizasen. El texto publicitario era el

---

[85]   En relación con las "presiones" que puede sufrir el interno en un centro penitenciario para someterse a pruebas de detección del virus del Sida, véase PFEFFER, *Durchführung von HIV-Test ohne den Willen des Betroffenen. Pflicht und Befugnis zur Befundmitteilung aus der Sicht des Strafrechts, ob. cit.*, págs. 135 ss.

siguiente: "If you are addictet to drugs, get birth control - get $ 200 casch" ("Si eres adicta a las drogas controla la natalidad y gana 200 dólares")[86]. Según entiendo, en este caso es innegable el condicionamiento que para la mujer supone su precaria situación económica, puesto que no se explica de otra forma que consienta a la intervención a cambio de tan pequeña cantidad. Si bien es verdad que en tales casos el consentimiento que presta no puede considerarse totalmente nulo, tampoco puede valorarse totalmente como libre, lo que, como tendremos ocasión de insistir en otra sede[87], en nuestro Derecho permitiría dar paso a la aplicación de la cláusula contenida en el art. 155 CP.

Si cabe, de forma aún más clara habría de negarse la relevancia del consentimiento en el caso de presiones que apenas dejan al sujeto un margen de decisión y en las que, por tanto, ni siquiera podría apreciarse el art. 155 CP. Sirvan de ejemplo algunos casos denunciados en América Latina, en concreto, por la Defensoría del Pueblo del Perú en sus informes de enero de 1998 y agosto de 1999. Se trataba de denuncias efectuadas en el marco de un programa de esterilización gubernamental dirigido a determinadas mujeres que ya habían tenido varios hijos. Entre otras denuncias, se registraron las amenazas que se hicieron a algunas de ellas en el sentido de que si no se esterilizaban se le impediría salir del hospital tras haber dado a luz, no le entregarían a su hijo o no se le devolvería su documentación. En la misma línea podrían mencionarse las denuncias en las que se aseguraba a la mujer que si no accedía a la esterilización ya no podría beneficiarse de las prestaciones del sistema público de salud, lo que sin duda tenía capacidad para condicionar poderosamente su voluntad, puesto que se trataba de personas de escasos recursos económicos a las que resultaba imposible acceder a las prestaciones sanitarias del sector privado.

En realidad los problemas específicos que plantea en la *praxis* médica la exigencia de la ausencia de vicios en el consentimiento del paciente se refieren a aquellos de los que pudiera adolecer su resolución a consecuencia de la omisión o deficiencia del deber de informar que grava al médico[88]. En este apartado se tratan de acotar los límites de dicho deber como presupuesto mínimo de la emisión del consentimiento válido por parte del paciente.

---

[86]   Información aparecida en el Diario *El País*, con fecha de 1 de agosto de 1999.

[87]   Véase *infra* III, *El consentimiento del paciente y el delito de lesiones*.

[88]   Respecto a la información que adicionalmente pudiera corresponder a los servicios de salud a efectos de presentar contra ellos, caso contrario, reclamaciones indemnizatorias, véase la doctrina jurisprudencial recogida en AAVV, *Información y documentación clínica. Su tratamiento jurisprudencial*, coord. Romeo Casabona, ed. por el Ministerio de Sanidad y Consumo, Madrid, 2000, págs. 47 ss.

Para evitar equívocos conviene hacer de inmediato una precisión adicional relativa al significado que deba atribuirse al deber de información a los efectos que ahora interesan. Y es que dicho concepto puede manejarse en dos sentidos. En primer lugar, la información puede referirse a todos aquellos datos que son relevantes de cara a la curación o alivio de la enfermedad. Se incluyen aquí los aspectos que el paciente debe conocer para mejorar su estado de salud, bien sea al margen de un tratamiento concreto, bien al hilo de éste. Valga de ejemplo la información sobre aspectos tales como la conveniencia de dejar de fumar, hacer deporte, seguir una determinada dieta o, ya en relación con una terapia concreta, indicaciones como la dosis del medicamento, las precauciones que deben seguirse con su uso, incompatibilidades, efectos secundarios, etc. Dado que con esa información se trata de asegurar el éxito de la terapia y, en general, de mejorar la salud del paciente, a la misma suele denominarse como *"información terapéutica"*[89]. Justamente por ello, porque su razón de ser es garantizar la salud del enfermo, sus posibles deficiencias incidirán, en su caso, en la responsabilidad del médico por una conducta negligente, esto es, por el fracaso del tratamiento médico debido a los errores que le sean imputables.

Frente a esta primera acepción del deber de información puede manejarse una segunda, referida ahora a los datos que son relevantes para asegurar la libertad en la toma de decisión del enfermo respecto a la aceptación o rechazo de una determinada terapia. Como enseguida tendremos ocasión de insistir, aquí se incluyen aspectos tales como los caracteres de la misma, sus posibilidades de éxito o los riesgos que comporta, extremos que se traducen, en definitiva, en los *pros* y *contras* a partir de los cuales aquél pueda formar su decisión de forma consciente y responsable. Sólo en este segundo sentido interesa el contenido del deber de informar para la problemática que ahora tratamos, en cuanto que sólo el contenido del deber así acotado adquiere protagonismo a la hora de garantizar el derecho del enfermo a disponer de su propio cuerpo y, en definitiva, a salvaguardar su libre autodeterminación.

---

[89] Entre otros, GLATZ, *Der Arzt zwischen Aufklärung und Beratung. Eine Untersuchung über ärztliche Hinweispflichten in Deutschland und der Vereinigten Staaten*, Belin, 1996, pág. 237; LAUF/UHLENBRUCRUCK, *Handbuch des Arztrechts, ob. cit.*, págs. 345 ss. En nuestra, sobre su concepto, BLANCO CORDERO, "Relevancia penal de la omisión o del exceso de información médica terapéutica", en *Actualidad Penal*, n° 26, 1997, marg. 575 ss.

2.5.1. La información médica

Según veíamos, uno de los presupuestos indispensables para poder considerar como libre el consentimiento del paciente es que lo emita estando en conocimiento de todos los aspectos relevantes de la intervención así como de sus consecuencias y posibles alternativas. No es por ello de extrañar que a esta exigencia se refiriese ya la Ley General de Sanidad[90], y que actualmente la misma se contemple en el art. 2.2 de la Ley 41/2002, que dispone que el consentimiento del paciente debe obtenerse después de que haya recibido una información adecuada.

Sólo cuando se cumplan los requisitos mínimos del deber de información, el paciente estará en condiciones de disponer, más allá de aspectos que pudieran calificarse de derivados, como los patrimoniales o espirituales, sobre su propio cuerpo[91]. Según se reconoce de forma unánime, es ésta una exigencia que entronca con el derecho fundamental a la *libertad de autodeterminación*[92]. Es más, puede decirse que dicho derecho a estar informado no es sino una ramificación más del derecho constitucional básico a la *dignidad humana*, en cuanto que la del enfermo pasa por ser, en la medida de lo posible, dueño de su propio destino, esto es, libre de escoger cómo y hasta dónde quiere ser tra-

---

[90]   Al reconocer en el apartado 5 del art. 10 el derecho del paciente "a que se le dé en términos comprensibles, a él y a sus familiares o allegados, información completa y continuada, verbal y escrita sobre su proceso, incluyendo diagnóstico, pronóstico y alternativas del tratamiento". Dicho apartado ha sido derogado por la Disposición Derogatoria Única de la Ley 41/2002.

[91]   Lo que comprende no sólo la decisión sobre si desea o no recibir un tratamiento, así como el que en concreto se le vaya a practicar sino, en su caso, sobre que no se prolongue su vida cuando entre en fase terminal o que se le acorte la misma (*eutanasia*).

[92]   En la doctrina alemana, entre otros, GALLWAS, "Zur Legitimation ärztlichen Handelns", en *NJW* 1976, págs. 1134 s; LAUF, "Fortschritte und Scheidewege im Arztrecht", en *NJW* 1976, pág. 1123; el mismo en LAUF/UHLENBRUCK, Handbuch des Arztrechts, ob. cit., págs. 459 ss; DEUTSCH, "Das therapeutische Privileg des Arztes: Nichtaufklärung zugunsten des Patienten", en *NJW* 1980, pág. 1306; el mismo en Arztrecht und Arzneimittelrecht, Berlín/Heidelberg/New York, 1983, págs. 36 s; TEMPEL, "Inhalt, Grenzen und Durchführung der ärztlichen Aufklärungspflicht unter Zugrundelegung der höchstrichterlichen Rechtsprechung", en *NJW* 1980, pág. 611; JUNG, "Außenseitermethoden und strafrechtliche Haftung", en *ZStW* 1985, pág. 58; SCHÖNKE/SCHRÖDER, *Strafgesetzbuch*. 23 Auf., München, 1988, §223.30. En la literatura italiana, entre otros, DEL CORSO, *en Rivista ilatiana di diritto e procedura penale*, 1987, pág. 538, si bien destacando que dicha tutela sólo es en un sentido formal, dada la disparidad de los respectivos conocimientos del médico y el paciente; también, pág. 548; CRESPI, *La responsabilità penale nel trattamento medico chirurgico con esito infausto*, ob. cit., págs. 35 ss; IADECOLA, *Il medico e la legge penale*, Milan, 1993, pág. 10.

tado, sin que su puesta en manos del médico suponga deslizarse por un tenebroso —y denigrante— túnel cuyos tramos sólo aquél conoce o puede prever.

Con ser trascendental la incidencia de la información para garantizar el respeto de la voluntad del paciente, su sentido no se agota en la misma, sino que adquiere protagonismo igualmente de cara a otros aspectos. Baste pensar que sólo cuando aquél conoce la enfermedad que padece así como la sintomatología y evolución de la misma se sitúa en condiciones de "colaborar" con el tratamiento prescrito, de autoconocerse y de prever la reacción de su cuerpo al mismo así como de proporcionar al facultativo una información exacta sobre la evolución que experimenta al hilo de la terapia. Todo ello sin olvidar otros aspectos como es, en el caso de enfermedades contagiosas, la prevención del contagio a terceros —normalmente familiares—, medida que sólo puede adoptar el paciente cuando está informado de su enfermedad[93].

Por lo demás, no está de más advertir que el sentido del deber de información sobre el que se ocupan las páginas que siguen se ciñe a las circunstancias que rodean a la intervención cuando la misma se realiza dentro de los límites de lo que prescribe la *lex artis* y, por tanto, el acto médico no se califica como imprudente[94]. De hecho, debe advertirse que sólo en determinados supuestos resultaría imaginable que el paciente preste su consentimiento para un acto médico imprudente sobre cuyos extremos, por tanto, debiera estar informado. Así, por razones lógicas, no habría de calificarse sino como absurda cualquier pretensión de que el enfermo consintiera a una actuación médica imprudente cuando la misma se califica como inconsciente. Sobre el sinsentido de tal pretensión no creo que haga falta insistir. No obstante, frente a estos casos sería posible descubrir supuestos en los que se plantea el deber de informar como presupuesto del consentimiento del paciente a un acto médico que no respeta las reglas de la *lex artis*. Valga de cita el caso de quien se somete a una terapia no convencional o de experimentación que aún no está avalada por la comunidad científica. Se trata de un ámbito que remite a una problemática más amplia de la que tendremos ocasión de ocuparnos en otra sede: la relativa a la eficacia del consentimiento del paciente en actividades experimentales, tratamientos no indicados y prácticas que en general no se adecuan a los cánones que marcan las reglas técnicas de la medicina. Para evitar reiteraciones, nos remitimos en este punto al apartado correspondiente[95].

---

93   Sobre estos aspectos, véase GEILEN, "Rechtsfragen der ärztlichen Aufklärungsplficht", en *Die juristischeProblematik in der Medizin, Band I. Ärztliche Aufklärungs- und Schweigepflicht*, (Hrsg. von Mergen), München, 1971, págs. 12 ss.

94   Entre otros, GLATZ, *Der Arzt zwischen Aufklärung und Beratung, ob. cit.*, pág. 244.

95   Véase *infra* III, *El consentimiento del paciente y el delito de lesiones*.

Todavía conviene hacer una última advertencia antes de entrar de lleno en el contenido del deber de información del médico. Y es que si, como veíamos más arriba, su fundamento, lejos de obedecer a razones puramente *pro forma* enlaza con el reconocimiento de derechos fundamentales del paciente, el deber que iremos acotando en las páginas que siguen conserva su vigencia en tanto que pueda predicarse que, de otra forma, aquel derecho fundamental resultaría vulnerado. La falta de dicha lesividad material va a producirse, al menos, en dos tipos de supuestos: el primero, los casos en los que al médico le conste que el paciente tenía ya conocimiento de dichos aspectos básicos del acto médico, de tal modo que la comunicación se limitara a recordarle o confirmarle los mismos[96]; el segundo, aquellos casos en que el paciente renuncie de forma inequívoca a la información, supuestos en los que la omisión del médico lo que hace es justamente respetar la voluntad de aquél[97]. Estos últimos, los de renuncia a la información, no son, en definitiva, más que expresión del ejercicio del derecho del paciente a no querer saber[98], derecho que, como tal, se consagró por vez primera en el Convenio de Oviedo, y en la actualidad se recoge en nuestro país en la Ley 41/2002 cuando consagra como regla general en el art. 4.1 que,

"toda persona tiene derecho a que se respete su voluntad a no ser informada".

Si bien, conforme al apartado primero del art. 9,

"La renuncia del paciente a recibir información está limitada por el interés de la salud del propio paciente, de terceros, de la colectividad y por las exigencias terapéuticas del caso. Cuando el paciente manifieste expresamente su deseo de no ser informado, se respetará su voluntad haciendo constar su renuncia documentalmente, sin perjuicio de la obtención de su consentimiento previo para la intervención".

---

[96]   Por todos, ZIPF, *Problemas del tratamiento curativo realizado sin consentimiento en el Derecho Penal alemán y austriaco. Consideración especial del trasplante de órganos, ob. cit.*, págs. 157 ss.

[97]   Por todos, BEAUCHAMPS/CHILDRESS, *Principios de ética médica, ob. cit.*, págs. 154 s., quien no obstante advierte de los posibles abusos que podrían producirse a consecuencia de la renuncia del paciente. Por ello, propone introducir reglas que proporcionen un criterio para invalidar la renuncia a la información salvo en los casos en que un organismo consultivo, ya sea un comité institucional de revisión o un comité de ética hospitalaria, aceptasen la renuncia. Sin desconocer las ventajas que comporta esta garantía, entiendo que tampoco puede desconocerse que su exigencia, al menos en la totalidad de los casos, supondría introducir una rémora importante a la funcionabilidad de la práctica médica.

[98]   Si bien debe entenderse como expresión del derecho de autonomía del paciente, no han faltado propuestas de reconducirlo a otros derechos, como la intimidad. Véase el respecto REQUEJO NAVEROS, "El derecho a no saber: fundamento y necesidad de protección penal", en *La Ley*, 17 de enero de 2006.

2.5.1.1. Contenido del deber de información

La primera cuestión lógica que plantea el cumplimiento del derecho del paciente a estar informado es trazar los contornos del mismo por lo que al contenido de la información se refiere. Se trata, en definitiva, de encontrar un punto de equilibrio a partir del cual pueda decirse que el paciente emitió su voluntad contando con todo el arsenal de datos y, con ello, con todos los elementos de juicio necesarios para formarla. De hecho, con la referencia al consentimiento del paciente en modo alguno se pretende plasmar la exigencia de que éste tenga que conocer absolutamente todos los pormenores del acto médico al que va a someterse. Dicha pretensión, además de agotadora e inconveniente, sería prácticamente imposible, puesto que incluso en las cotas más altas del deber de informar, siempre sería posible imaginar cuotas adicionales de información que, o bien son irrelevantes para la toma de decisión, o bien corresponden a la lista de datos que el paciente ni siquiera estaría en condiciones de asimilar. Por ello, cuando se habla del derecho del enfermo a estar informado se hace referencia de forma exclusiva a la exigencia de que aquél sea conocedor de los datos esenciales que son necesarios para formar su voluntad en condiciones que aseguren la libertad de su decisión[99]. De lo que se trata, en definitiva, es de identificar qué datos el médico no está obligado a comunicar, con la consecuencia de que cuando los omita no pueda decirse que la voluntad del enfermo se encuentre viciada, y cuáles, por el contrario, son fundamentales para conformar la voluntad del paciente, de tal modo que si el profesional los omite pueda derivarse responsabilidad por falta de información.

A la hora de intentar trazar, con carácter general, los perfiles de ese contenido mínimo de la información médica han sido, básicamente, tres los modelos ensayados en la doctrina. El primero de ellos apunta a los baremos que traza lo que se considera *habitual* en la práctica médica. Con él se atiende a la información que pudiera requerir el paciente conforme a los parámetros de lo que suele ser común

---

[99]   Véase por ejemplo la Sentencia de la Sala de lo Civil y Penal del Tribunal Superior de Justicia de Navarra, de 27 de octubre de 2001, que si bien argumentando con relación a las exigencias contenidas en la Ley Foral de Salud, afirma que una interpretación rígida de la exigencia de informar "sobre dificultar el desempeño de la función médica con la imposición a los facultativos de exhaustivas indicaciones de todas y cada una de las eventualidades imaginables, por remotas y excepcionales que pudieran resultar, pugnaría con la claridad que la comprensión de la información suministrada requiere y en no pocas ocasiones propiciaría un injustificado alarmismo de incidencia negativa en el paciente. La exigencia de información ha de entenderse, pues, dentro de lo razonable, en los términos requeridos por la necesaria ilustración al paciente sobre su estado de salud y la consiguiente adopción por él de las decisiones que le conciernen, con ponderación de los riesgos y beneficios que de las alternativas ofrecidas puedan previsiblemente derivarse".

o usual en el ejercicio de la profesión, relegándose su medida, en última instancia, a la experiencia del profesional en el ejercicio de su arte. Es, en definitiva, lo que se conoce como el estándar del *médico razonable*. Las objeciones a este primer criterio, sin embargo, no son difíciles de imaginar. Como señalan BEAUCHAMPS/ CHILDRESS, de convertirse en principio rector con el que decidir el grado de información que deba facilitarse al enfermo, podrían quedar legitimadas por la vía de la reiteración y consolidación actos que, sin embargo, no alcanzan dicho nivel mínimo. Todo ello al margen de las ambigüedades en torno a lo que deba entenderse por la práctica médica habitual, las dificultades de demostrar la actuación incorrecta del médico debido al corporativismo profesional, así como al traslado del centro de decisión desde el enfermo hasta el médico[100].

El segundo modelo es el que atiende al paradigma de todo lo que ponderaría en su toma de decisión un "hombre sensato" (*"verständiger Mensch"*)[101] o una *persona razonable*[102]. En palabras de GRÜNDWALD, sólo cuando el paciente cuenta con ese arsenal mínimo de datos que habría demandado una persona razonable está en condiciones de ponderar libremente los *pros y contras* de cada opción y formar una decisión responsable al respecto[103]. No obstante, tampoco resulta difícil descubrir las objeciones que pueden oponerse a este criterio, en cuanto que, de nuevo en palabras de BEAUCHAMPS/

---

[100]   BEAUCHAMPS/CHILDRESS, *Principios de ética médica, ob. cit.,* pág. 140.

[101]   Entre otros, GRÜNDWALD, "Heilbehandlung und ärztliche Aufklärungspflicht", en *Medizinisch-juristiche Grenzprobleme unserer Zeit, (Hrsg. von Göppinger),* München, 1966, págs. 144 ss, quien señala que en tal ponderación deben tenerse en cuenta tanto elementos cuantitativos como cualitativos, esto es, de posibilidades de realización del riesgo así como la entidad del mismo; BOCKELMANN, *Strafrecht des Arztes,* en Ponsold, *Lehrbuch der gerichtlichen Medizin,* 1968. págs. 58 ss; SCHREIBER, "Ärztliche Aufklärung- Zweck, Grenzen und Modalitäten", en *Innere Medizin und Recht,* Berlin, Wien, 1996, pág. 18; WILLINGER, *Ethische und rechtliche Aspekte der ärztlichen Aufklärungspflicht,* Frankfurt, 1996, págs 155 s; véase también GLATZ, *Der Arzt zwischen Aufklärung und Beratung, ob. cit.,* pág. 246.

[102]   *En nuestra doctrina, sobre la aplicabilidad y evolución de dicho criterio, véase GRACIA GUILLÉN, Fundamentos de Bioética, ob. cit.,* págs. 170 ss.

[103]   GRÜNDWALD, en Göppinger (Hrsg.), Arzt und Recht, ob. cit., pág. 141; véase también KERN/LAUFS, Die ärztliche Aufklärungspflicht unter besonderer Berücksichtigung der richterlichen Spruchpraxis, Berlin/Heidelberg/New York, 1983; LAUF/UHLENBRUCK, Handbuch des Arztrechts, ob. cit., págs. 468 ss; LAUFS, "Die Entwicklung des Arztrechts 1983/1984", en NJW 1984, págs. 1384 ss., pág. 1388, quien señala que la obligación de informar del médico no puede ser suplida por la que pueda recibir el paciente por vía de terceros, en concreto, por otras personas que sufran la misma enfermedad; HINDERER, «Aufgaben und Grenzen der strafrechtlicher Verantwortlichkeit bei Fehlhandlungen im Gesundheitswesen nach dem Strafrecht der DDR», en ZStW 1985, págs. 147 ss. En la doctrina italiana véase por ejemplo DEL CORSO, en Rivista italiana di diritto e procedura penale, 1987, ob. cit., pág. 550; FRESIA, en Riv. it. med. leg. 1994, ob. cit., págs. 902.

CHILDRESS, sus contornos son difíciles de concretar, puesto que no es fácil precisar con pretensiones de validez general cuál es el grado de información que habría demandado un "paciente sensato"[104].

Un último criterio es el que focaliza su atención exclusivamente en aspectos *subjetivos*, convirtiendo ahora en centro de gravedad la demanda de información que requiera el paciente concreto. Se trata de adecuar el grado de información a las exigencias de cada paciente, mensurando así el nivel de explicación exigible conforme a aspectos relativos a su demanda informativa. En este orden de ideas, habrán de tenerse en cuenta datos objetivos, como el nivel cultural del paciente, pero también habrá de estarse a los requerimientos que éste formule. Lógicamente, la dificultad a la que se enfrenta ahora el uso aislado de este criterio es superar la crítica que apunta a lo cuestionable de considerar al enfermo que por primera vez se enfrenta al problema de salud de que se trate como un sujeto suficientemente capacitado para solicitar la información que necesite y, a partir de ahí, convertir su criterio en baremo con el que mensurar el cumplimiento o no del deber de información por parte del médico, puesto que entonces, éste habría de responder cuando no ha informado al paciente timorato e hipocondríaco de un riesgo remoto que, sin embargo, también él habría valorado como significativo. Pero es que, incluso dejando al lado estos supuestos de pacientes especialmente "asustadizos", también en el resto de los casos resulta discutible que sea el enfermo quien marque el grado de información que desea recibir. Baste pensar que lo normal será, por el contrario, que su desconocimiento sobre los aspectos técnicos alimente su desorientación en torno a cuáles sean los extremos sobre los que deba estar informado[105].

Por ello, ante la insuficiencia de cualquiera de los modelos anteriores para definir por sí solos los perfiles del deber de informar que grava al sanitario[106], la solución debe pasar por la conjugación de los diferentes criterios, de modo que, al combinarse entre sí, limen sus respectivos puntos críticos. Así, por ejemplo, las líneas de actuación que marque el criterio de la *habitualidad* en la práctica médica habrá de trazase sobre la base de los datos que se reputen de necesario conocimiento para un *paciente medio*, esto es, el que se conoce como un *paciente sensato*. A su vez, la definición de cuándo sea ese el caso requerirá que los médicos tracen el contenido del deber de información que

---

[104] BEAUCHAMPS/CHILDRESS, *Principios de ética médica, ob. cit.,* pág. 141.
[105] BEAUCHAMPS/CHILDRESS, *Principios de ética médica, ob. cit.,* pág. 141.
[106] Sobre todas estas dificultades así como las construcciones alternativas que se han ensayado para salvarlos véase SIMÓN LORDA, *El consentimiento informado, ob. cit.,* págs. 230 ss.

debe poseer dicho paciente medio, tanto a partir de su experiencia como de los específicos conocimientos técnicos que poseen y que les permiten identificar los puntos más importantes de la enfermedad y del tratamiento que prescriben, fijando a partir de lo anterior los aspectos que serían de interés para cualquier paciente *standard*. Por último, cerrando el círculo, el nivel de información que resulte de los parámetros anteriores habrá de conjugarse, a su vez, con las demandas que ya *a título individual* formule el paciente, y que de esta forma servirán para modular el nivel de información que se haya acotado conforme a los parámetros anteriores.

Dejando a un lado los requerimientos particulares que en cada caso formule el paciente, la necesidad de establecer ciertos módulos objetivos que, conforme a lo anterior, perfilen las exigencias mínimas del deber de informar, ha dado paso a la consagración de ciertas fórmulas que recientemente han encontrado plasmación legal. Así, la Ley 41/2002 se hizo eco de la necesidad de trazar un contenido mínimo del deber de información al disponer en su art. 4.1 que,

"Los pacientes tienen derecho a conocer toda la información disponible sobre cualquier actuación en el ámbito de su salud, añadiendo que la información, "comprende, como mínimo, la finalidad y la naturaleza de cada intervención, sus riesgos y sus consecuencias".

Esa declaración se completa en el art. 10:

"El facultativo proporcionará al paciente, antes de recabar su consentimiento escrito, la información básica siguiente: a) las consecuencias relevantes o de importancia que la intervención origina con seguridad; b) los riesgos relacionados con las circunstancias personales o profesionales del paciente; c) los riesgos de posible realización en condiciones normales, conforme a la experiencia y al estado de la ciencia o directamente relacionados con el tipo de intervención; d) las contraindicaciones."

Pero el esfuerzo por trazar los mínimos del deber de informar puede descubrirse, ya antes que en la legislación citada, tanto en formulaciones doctrinales[107] como en pronunciamientos jurisprudenciales[108] que se han enfrentado con la tarea de perfilar los puntos mínimos sobre los que debe recaer la información en las distintas fases de la actividad médica —desde el diagnóstico al tratamiento, incluyendo tanto las medidas curativas como paliativas del do-

---

[107] Véase una detallada exposición en SIMÓN LORDA, *El consentimiento informado, ob. cit.*, págs. 234 ss.

[108] Véase un estudio de la jurisprudencia de la Sala Civil del Tribunal Supremo en la década de los 90 en *AAVV, Información y Documentación Clínica, ob. cit.*, págs. 23 ss. Véase también PLAZA PENADÉS, *El nuevo marco de la responsabilidad médica y hospitalaria, ob. cit.*, págs. 67 ss.

lor[109]—, dando paso a la enunciación casi repetitiva de los exigencias mínimas del deber de información.

Así, en primer lugar, por lo que al diagnóstico se refiere, suele admitirse sin discusión que el paciente debe conocer tanto la realidad de las pruebas orientadas a identificar la enfermedad como el resultado de las mismas. Y no ya sólo porque ese contenido pueda ser relevante a efectos de la que se ha dado en llamar *información terapéutica*, sino porque, por lo que ahora interesa, es un elemento de juicio básico del paciente para ponderar si considera su enfermedad lo suficientemente grave como para someterse a tratamiento. A este dato mínimo debe añadirse el conocimiento de la terapia que demanda su enfermedad y los efectos y contraindicaciones que cabe esperar de la misma.

En el capítulo de los peligros que potencialmente comporte la intervención suelen reconocerse tres clases de riesgos sobre los que el paciente debe estar informado, siempre que los mismos sean previsibles[110]: en primer lugar, los riesgos típicos de la intervención, esto es, los asociados a un determinado tipo de intervenciones según el estado y el conocimiento actual de la ciencia, también denominados "riesgos patognomónicos". En segundo lugar, se citan los riesgos generales derivados de posibles complicaciones. Un último grupo lo conforman los riesgos que con frecuencia suelen asociarse a una intervención.

Los primeros son aquellos propios del acto médico de que se trate. Dada su especificidad, normalmente son desconocidos por los legos. Por ello, tanto

---

[109] Sobre estas cuestiones en la doctrina alemana véase por ejemplo BERGMANN, "Patien-aufklärung in der Schmerztherapie", en *Der Schmerz* 1998-5, págs. 323 ss.

[110] Como afirma la Sentencia de la Sala de lo Civil y Penal del Tribunal Superior de Justicia de Navarra, de 27 de octubre de 2001: "no incurre el profesional de la medicina en responsabilidad por los daños que, a causa de su insólito, atípico o anormal acaecimiento en intervenciones de la naturaleza de la practicada y en las circunstancias concurrentes en ella, escapen a una común, prudente y razonable previsión de los riesgos asociados a ella. Su misma imprevisibilidad, excluyente de la culpa por su falta de previsión, hace disculpable la omisión de su advertencia en la información previa debida al paciente. No reciben sin embargo el mismo tratamiento los daños consecuentes a una intervención que, pese a ser…inevitables…resultan previsibles por constituir su acaecimiento un riesgo típico, inherente o asociado, según la experiencia y el estado actual de la ciencia médica, a la actuación diagnóstica o terapéutica en cuestión".

la doctrina[111] como la jurisprudencia[112] coinciden al señalar que la información debe facilitarse con independencia de su cuantificación estadística. Los segundos son aquellos comunes a cualquier tipo de intervención. Si bien son normalmente conocidos por cualquiera, el médico tiene que asegurarse de que el paciente está en el caso concreto informado de los mismos. Por último, el deber de informar alcanzaría a los riesgos que estadísticamente se asocian con frecuencia al acto médico, ya que está fuera de dudas que la alta probabilidad de su aparición es un criterio de peso en el proceso de formación de la voluntad del paciente[113].

---

[111] En nuestra doctrina véase, por ejemplo, GALÁN CORTÉS/MÉJICA/CÁRCABA FERNÁNDEZ, en *Bioética Práctica. Legislación y Jurisprudencia, ob. cit.* pág. 83; GALÁN CORTÉS en *Responsabilidad médica y consentimiento informado, ob. cit.*, págs. 197 ss., donde ofrece un detallado estudio jurisprudencial.

[112] Véase la Sentencia de 12 de enero de 2001 de la Sala de lo Civil del Tribunal Supremo, en la que se enjuiciaba la conducta del médico que no informó a la paciente de una complicación consistente en la lesión permanente en el nervio recurrente a consecuencia de una intervención en el cuello. Si bien se trataba de un riesgo excepcional, cifrado sólo en el 0,03 % de los casos, representaba un riesgo típico de esa clase de intervenciones. Por ello, el Alto Tribunal consideró que "poco importa la frecuencia a efectos de la información y el tanto por ciento de las estadísticas al respecto, si es tal complicación inherente a toda intervención en el cuello, ya que por su inherencia y ser perfectamente conocida debió manifestárselo a la enferma". En el mismo sentido, citaba a la sentencia de 25 de abril de 1994, relativa a una operación de vasectomía en la que el médico debió informar del riesgo de la recanalización espontánea de la vía seminal pese a que dicha posibilidad oscila entre el 0,4 y el 1% de los casos. Véase también la Sentencia de la Sala de lo Civil y Penal del Tribunal Superior de Justicia de Navarra, de 27 de octubre de 2001: "lo relevante a estos efectos no es tanto la intensidad estadística o porcentual del riesgo cuanto su tipicidad, inherencia o común asociación, según el estado de la ciencia, a la intervención médica de que se trate". En el caso que enjuiciaba absolvió al médico dentista por la falta de información de la posible lesión del nervio dentario con pérdida de sensibilidad, por entender que no constituye un riesgo asociado o vinculado a la extracción de la pieza.

[113] En nuestra jurisprudencia véase por ejemplo la Sentencia de la Sala de lo Civil del Tribunal Supremo de 2 de julio de 2002. En ella se enjuiciaba el caso en el que durante una intervención quirúrgica de vasectomía se produjo una hemorragia que desembocó en un hematoma y posterior orquitis que hizo disminuir progresivamente el testículo del paciente hasta su atrofia. El enfermo no fue informado en ningún momento acerca de las complicaciones de la operación a la que iba a someterse. El TS condenó al médico por infracción del deber de informar: "resulta evidente que la información proporcionada no fue la oportuna y razonable en relación con la intervención y el usuario, pues no se le pusieron de relieve eventuales riesgos, previsibles e incluso frecuentes, para poder ser valorados por el mismo, y con base en tal conocimiento prestar su asentimiento o conformidad de desistir de la operación, y ello era tanto más relevante si se tiene en cuenta que se trataba de una intervención quirúrgica, y de un supuesto de los que se denominan de medicina voluntaria".

Con todo, suele existir unanimidad a la hora de afirmar que, aun concurriendo el requisito de la frecuencia y gravedad, el médico no está obligado a informar sobre los riesgos que son *inherentes*, indisociables a cualquier intervención, puesto que entran dentro de lo que es lícito suponer que conoce cualquier persona. Mantener en tales casos el deber de informar, se dice, supondría desconocer que esa obligación no responde a una exigencia vacua o meramente formal, sino que se vincula a la necesidad —material— de que el paciente conozca todos los datos precisos para formar su voluntad[114]. Por ello, salvo que existan indicios en contra, el médico no tiene por qué suponer el desconocimiento de esos datos por el paciente y, por tanto, las eventuales deficiencias en la formación de su voluntad.

La ponderación de los riesgos que comporta el acto médico se convierte, a su vez, en factor condicionante de otra información que también forma parte de los aspectos mínimos que el paciente debe conocer. Es la relativa a la existencia de otras posibles *alternativas* entre las que, lógicamente, sólo es posible elegir cuando se conocen los respectivos riesgos y ventajas de cada una de ellas, así como los riesgos que conlleva la falta de tratamiento[115]. Sólo entonces puede garantizarse que la libertad de decisión del enfermo no se agote en el binomio tratamiento/no tratamiento, sino que igualmente se extienda a la elección de la terapia que estime más adecuada de entre las que le ofrece el estado de la ciencia[116] [117], bien por la mayor confianza que le inspira, bien por

---

[114]   Sobre este aspecto en la doctrian alemana por todos, BOCKELMANN, "Rechtliche Grundlage und rechtliche Grenzen der ärztliche Aufklärungspflicht", en *NJW* 1961, publicado también en *Recht und Medizin*, Hrgs. Eser 1990, pág. 183.

[115]   En la doctrian alemana, SCHMIDT, en PONSOLD, *Lehrbuch der Gerichtlichen Medizin*, Stuttgart, 1957, págs. 38 ss; GRÜNDWALT, Die Aufklärungspflicht des Arztes, en *ZStW* 1961, págs. 12 ss; BRÜGMANN, en "Widerrechtlichkeit des ärztlichen Eingriffs und Aufklärungspflicht des Arztes", en *NJW* 1977, pág. 1474; ROXIN, "Die durch Täuschung herbeigeführte Einwilligung im Strafrecht", en *Gedächtnisschrift für Noll*, Zürich, 1984, pág. 290; ENGISCH, en "Aufklärung und Sterbehilfe bei Krebs in rechtlicher Sicht", en *Fs. Bockelmann*, München, 1979, págs 523 ss., para quien no sólo debe informarse al paciente de los riesgos próximos, sino también de los remotos. No obstante, algún autor, como BOCKELMANN, salvo en los casos en que influya en la toma de decisión, excluye el diagnóstico del contenido del deber de información,"Rechtliche Grundlagen und rechtliche Grenzen der ärztlichen Aufklärungspflicht", en *Recht und Medizin, ob, cit.*, págs. 187 ss; HART, "Arzthaftung und Arzneimitteltherapie", en *MedR* 1991, págs. 300 ss.
LAUFS, «Die Entwicklung des Arztrechts 1983/1984», en *NJW* 1984, págs. 1384 ss.

[116]   CORCOY BIDASOLO en AAVV, *Bioética, Derecho y sociedad, ob. cit.*, págs. 115 ss.

[117]   Así, por ejemplo, la STS de 23 de abril de 1992, en relación con la conducta del médico que operó a una niña de una escoliosis dorsal directa idiopática, sufriendo a consecuencia de la intervención parálisis de las extremidades inferiores. El TS condenó civilmente al médico por entender que la operación no era ineludible, sino que existían otros tratamien-

su menor agresividad[118]. Para que ello sea así, no puede perderse de vista que la información que debe suministrar el médico sobre cada una de las posibles alternativas debe ser lo más objetiva posible, sin que la opinión del médico condicione, o al menos no de forma poderosa, el sentido de la decisión del paciente. Ciertamente no se trata de que el médico oculte sus preferencias. Al contrario, como tendremos ocasión de volver a insistir, su consejo es un dato que el enfermo necesita como un elemento más de ponderación a la hora de decidir. De hecho, tampoco se trata de desconocer el peso tan relevante que siempre va a tener para éste la opinión del médico en la búsqueda de lo que más le convenga, algo que, por lo demás, permite incardinar esta exigencia en el principio ético de *beneficencia*[119]. Lo único que se trata de evitar es, simplemente, que aquél, desde el convencimiento de lo que resulte más adecuado para el paciente, tergiverse la información en torno a las posibilidades reales de cada terapia y acabe siendo un obstáculo para que el paciente pueda decantarse por la opción que para el profesional no es la óptima[120].

---

tos alternativos de los que no advirtió a la madre; así como tampoco lo hizo sobre las posibles consecuencias de la intervención. En el orden penal resulta interesante la cita de la Sentencia de la Audiencia Provincial de Madrid de 25 de abril de 2006, que condenó por lesiones al médico que realizó una operación de cirugía estética defectuosa que además resultaba desproporcionada en relación con la deformidad que padecía la paciente. El Tribunal consideró que no podía eximir de responsabilidad el consentimiento prestado por ésta "puesto que lo presta una persona sin conocimientos en medicina, que no tiene capacidad para valorar si la operación ofrecida es la adecuada a sus problemas o si los riesgos a los que se expone son superiores al problema que se trataba de solucionar".

[118] Cuestión distinta es que esa libertad de elección no sea practicable siempre en términos absolutos, sino que encuentre ciertas limitaciones, unas veces motivadas por los condicionamientos materiales del sistema de salud (véase por ejemplo CORCOY BIDASOLO en AAVV, *Bioética, Derecho y sociedad, ob. cit.*, págs. 129 ss); otras por la negativa a la práctica por parte del médico por considerar la elección del paciente peligrosa para su salud. Sobre este problema tendremos ocasión de insistir al tratar las dificultades que presenta el tratamiento de los Testigos de Jehová cuando solicitan una terapia alternativa a la transfusión sanguínea, medio necesario para preservar su vida o salud.

[119] Véase al respecto SIMÓN LORDA, *El consentimiento informado, ob. cit.*, págs 249 ss.

[120] De hecho, esta exigencia hunde ya sus raíces en la ética griega. Conforme al tratado hipocrático titulado "Sobre la decencia", "el médico debe hacer patente una cierta vivacidad, pues una actitud grave le hace inaccesible tanto a los sanos como a los enfermos. Y debe estar muy pendiente de sí mismo sin exhibir demasiado su persona ni dar a los profanos más explicaciones que las estrictamente necesarias, pues eso suele ser forzosamente una incitación a enjuiciar el tratamiento". Sobre sus orígenes y evolución posterior, véase entre otros, SIMÓN LORDA, "El consentimiento informado y la participación del enfermo en las relaciones sanitarias", *ob. cit.*, págs. 135 ss; en la misma obra, véase también GRACIA GUILLÉN, "La práctica de la medicina", págs. 96 ss.

Por otra parte, hay que tener presente que, además del conocimiento de los respectivos riesgos y ventajas de cada una de las opciones terapéuticas, el contenido del deber de informar suele modularse en función del carácter *convencional o no* de la alternativa que se ofrece. Como afirma JUNG[121] en la doctrina alemana, "el paciente tiene que ser informado en mayor medida en tanto menos usual o más moderno sea el método a emplear". En los casos de tratamientos no convencionales, continúa el mismo autor, la validez del consentimiento requiere, como regla general, además de la información de las consecuencias asociadas a la falta de tratamiento, que se indique expresamente al enfermo que se trata de un método que se aparta del *standard* científico, debiéndose por ello reducir la eficacia del consentimiento presunto a los casos en los que, o consta que el paciente habría querido ese método especial, o no sea posible su curación con los métodos tradicionales[122][123].

2.5.1.2. Forma de proporcionar la información

La referencia a los principales aspectos en torno al deber de informar del médico quedaría incompleta si no se hiciera mención a las cuestiones formales en torno a la manera de transmitir la información.

La primera cuestión que puede plantearse en este sentido es la relativa al *sujeto* sobre el que pesa el deber de informar. En principio, no suelen existir dificultades para admitir que dicha obligación recae con carácter general sobre el médico responsable del paciente[124]. Así parecía darlo a entender el art. 10.7 de la Ley General de Sanidad al reconocer el derecho del enfermo "a que se le asigne un médico, cuyo nombre se le dará a conocer, que será su interlocutor principal con el equipo asistencial, en tal forma que en caso de ausencia, otro facultativo del equipo asumirá tal responsabilidad" y así lo consagra ya

---

[121]   JUNG, en "Außenseitermethoden und strafrechtliche Haftung", en *ZStW* 1985, pág. 54,

[122]   JUNG, en *ZStW* 1985, *ob. cit.*, págs. 58 s. Véase también SIEBERT, "Strafrechtliche Grenzen ärztlicher Therapiefreiheit", en *MedR* 1983, pág. 220; LAUFS, *Arztrecht*, München, 1978, págs. 124 s.

[123]   Puede hablarse de un supuesto de invalidez del consentimiento por falta de información suficiente en un caso ocurrido en Reino Unido que hace unos años saltaba a los medios de comunicación: el hospital North Staffordshire no informó a los padres de que la terapia consistía en aplicar a sus bebes prematuros un pulmón artificial en fase experimental. Sólo se les dijo que el ventilador aplicado a la incubadora era "el mejor y más avanzado tratamiento" para ayudar a los bebés prematuros a respirar; información recogida del Diario *El País*, 9 de mayo de 2000.

[124]   Véase por ejemplo el Documento Final del Grupo de Expertos en *Información y Documentación Clínica, ob. cit.*, de 26 de noviembre de 1997.

sin ambages el apartado tercero del art. 4 de la Ley 41/2002 cuando establece que "El médico responsable del paciente le garantiza el cumplimiento de su derecho a la información".

No obstante, por razones lógicas, esta competencia habrá de excluirse allí donde le remita a un especialista más cualificado, por ser éste el único conocedor de todos los riesgos que pudieran presentarse y, por ello, el obligado a transmitir esa información especializada[125]. En este sentido, el mismo art. 4.3 de la norma citada establece que "Los profesionales que le atienden (al paciente) durante el proceso asistencial o le aplican una técnica o un procedimiento concreto también son responsables de informarle".

Junto con lo anterior, puede decirse que también el consenso se extiende a la hora de admitir que, dado que no se trata de un deber formal, sino ordenado a garantizar la efectiva capacidad de decisión del paciente, no es necesario que sea el profesional que le atiende quien siempre y en todo caso tenga que facilitar personalmente la información. Por el contrario, es perfectamente válido que de ella se encargue cualquier otro facultativo que practica la intervención o que interviene en cualquiera de sus fases, siempre que concurran dos presupuestos lógicos. El primero, que el profesional que facilite la información esté lo suficientemente cualificado como para responder con exactitud a cada una de las cuestiones que pudiera plantearle el paciente; el segundo, que en los casos de delegación el médico delegante se asegure que el delegado facilite toda la información pertinente al enfermo, evitando así la falsa confianza recíproca entre los médicos en torno a que sería el otro quien ya habría facilitado la información.

Tampoco ofrece especiales dificultades la afirmación en torno a quién sea el titular del derecho de estar informado. Como señala de forma expresa el art. 5 de la Ley 41/2002, titular de dicho derecho es el paciente, si bien añade que "También serán informadas las personas vinculadas a él, por razones familiares o de hecho, en la medida que el paciente lo permita de manera expresa o tácita". En los casos en que el paciente, por su estado, no esté en condiciones de recibir información, la Ley prevé que la misma se facilite a las personas vinculadas a él por razones familiares o de hecho (art. 5.3)[126].

---

[125]   Véase GALÁN CORTÉS, quien critica algunos pronunciamientos jurisprudenciales que hacen recaer siempre el deber de información sobre el médico principal, *El consentimiento informado del usuario de los servicios sanitarios*, ob. cit., págs. 79 ss., 90 ss.

[126]   En esa misma línea ya se pronunciaba la Ley 2/2000, de 19 de diciembre, de la Generalitat de Cataluña sobre los derechos de información concernientes a la salud y la autonomía del paciente, y la documentación clínica, cuyo art. 3.1 dispone que "el titular del derecho a

Debe observarse que con esta previsión se superan las críticas de las que se había hecho acreedora la Ley General de Sanidad, que disponía en su art. 5 que la información debe facilitarse al paciente y a sus familiares o allegados. Porque también debe contemplarse como un derecho del paciente el de decidir el momento y grado de información que suministra a sus familiares, derecho que encuentra su respaldo en la obligación de confidencialidad del médico respecto a éstos[127].

Conforme al apartado 2 del mismo art. 5, el paciente sigue siendo titular del derecho a la información aun en los casos en que tenga mermadas sus facultades de comprensión, en cuyo caso, será informado "de modo adecuado a sus posibilidades de comprensión, cumpliendo con el deber de informar también a su representante legal". Esta regla resultará aplicable a los pacientes menores de edad que, conforme a los criterios expuestos, no tengan suficiente capacidad de juicio para prestar un consentimiento válido.

Más allá de la delimitación de los sujetos, activo y pasivo de la obligación de informar, resulta obligada una referencia al *cómo* de proporcionar dicha información, esto es, a la forma que la misma haya de revestir así como a los términos en que haya de facilitarse al paciente.

Al respecto, no existen dificultades para afirmar que lo más frecuente será que se preste verbalmente, siendo ésta, por tanto, la manera general de prestarla, tal como reconoce el art. 4.1 de la Ley 41/2002. Por otra parte, tampoco existen demasiadas dificultades para concretar los términos en los que haya de proporcionarse la información. En este sentido, tanto la doctrina como la jurisprudencia se muestran unánimes al afirmar que la información que se facilite al paciente tiene que ser escrupulosamente *veraz* y realizarse de forma *inteligible* para el mismo. Como afirmase la Sentencia del Tribunal Supremo de 3 de octubre de 1997, la información "ha de ser suficiente, esclarecedora, veraz y adecuada a las circunstancias" o, si se quiere, en palabras de la Corte de Casación francesa en Sentencias de 21 de febrero de 1961 o de 5 de mayo de 1981, 'simple, aproximativa, inteligible y leal', sin que su formulación y la de la consiguiente manifestación de su consentimiento transformen la existencia de dicho binomio garantista del derecho a la salud en una exigencia con caracteres de requisito 'ad solemnitatem' ni, por contra, sus trámites formales reduzcan la operatividad de aquél a la de un

---

la información es el paciente. Debe informarse a las personas a él vinculadas en la medida en que éste lo permita expresa o tácitamente".

[127]   Por todos, GALÁN CORTÉS, *Responsabilidad médica y consentimiento informado, ob. cit.*, pág. 74.

puro trámite burocrático estandarizado, devaluando así la integración del deber de informar y el correlativo derecho a recibir información".

Como se desprende de los requisitos enunciados en las sentencias citadas, el cumplimiento de esta exigencia requiere, ante todo, el empleo por parte del profesional de la medicina de un lenguaje accesible que garantice la comprensión real, y no meramente formal, por parte del enfermo. A esta exigencia se refiere el art. 4.2 de la Ley 41/2002 cuando señala que la información "será verdadera" y se comunicará al paciente de forma "comprensible y adecuada a sus necesidades". Ello requerirá adecuar la forma y contenido de dicha información al nivel cultural de cada paciente, lo que presupone el esfuerzo del profesional por acompasar sus explicaciones al grado de capacidad de entendimiento de su receptor. Unas veces ello les llevará a tener que renunciar en la medida de lo posible al empleo de nociones técnicas y recurrir a términos más accesibles para el paciente; otras veces, como señalan BEAUCHAMPS CHILDRESS, ello le obligará a buscar analogías con otros sucesos de la vida cotidiana que pueda comprender[128].

Por otra parte, es importante advertir que, como señala en su art. 5.2 la tantas veces citada Ley 41/2002, la necesidad de adecuar la información al grado de capacidad de comprensión del paciente resulta también necesaria en los casos en que éste se encuentre en estado de cierta incapacidad, si bien entonces también sea necesario informar a su representante legal.

Justamente por lo anterior, esto es, por la necesidad de garantizar que el paciente no solo recibe información, sino que está en condiciones de procesar la misma, un aspecto importante a la hora de proporcionarla es igualmente la exigencia de que vaya acompañada en determinados casos de una cierta *explicación* o incluso de un *consejo*. El paciente, en efecto, no puede considerarse, o al menos no siempre, suficientemente capacitado para decidir por el hecho de que cuente con un arsenal de datos más o menos extenso, puesto que la mayoría de las veces no le basta con conocer el nombre técnico de la enfermedad o el de las posibles terapias que pueden aplicársele. Aquél reclama y necesita casi siempre una orientación por parte del profesional que supla los vicios que de otra forma produciría en su decisión la carencia de conocimientos especializados.

---

[128]   "Los profesionales pueden exponer los riesgos en forma de probabilidades ya sean numéricas o no numéricas, y ayudar al paciente a comprenderlos comparándolos con otros riesgos más conocidos y con experiencias previas, como por ejemplo los riesgos que existen al conducir un coche o al trabajar con herramientas mecánicas", BEAUCHAMPS/CHILDRESS, *Principios de ética médica, ob. cit.*, págs. 150 s.

Debe observarse que dicha orientación va a resultar necesaria en las dos secuencias en las que se proyecta la razón de ser del deber de informar: la primera, a la hora de alcanzar la comprensión misma de la información, puesto que la necesidad del paciente de hacerse con una idea sobre su estado de salud en absoluto se satisface, o al menos no como regla general, con el conocimiento de un cúmulo de datos técnicos. Al contrario, la misma reclama una valoración del profesional tanto sobre la gravedad de la enfermedad como sobre la conveniencia y eficacia de las distintas terapias. A partir de lo anterior se comprende con facilidad el segundo aspecto que hace necesaria esa orientación por parte del profesional: porque sólo entonces, cuando además de con un arsenal de datos el paciente cuenta con una cierta valoración de los mismos, está en condiciones de emitir un consentimiento que, por informado, pueda reputarse válido para justificar la intervención[129].

En las páginas anteriores hemos tratado de acotar los principales aspectos relativos al deber de información del médico que a su vez trazan el correlativo derecho del paciente. Para ello hemos ido esbozado, en líneas generales, los aspectos sobre los que aquella debe recaer. Sin embargo, como sucede prácticamente con la totalidad de los derechos, el de estar informado tampoco es absoluto. Como anunciábamos al principio de este Capítulo, en no pocas ocasiones durante el ejercicio de la práctica médica el profesional se verá envuelto en una serie de conflictos que le sitúan ante la tesitura de dar prioridad a aquel derecho del paciente o, por el contrario, a otros intereses que son igualmente dignos de protección. Unas veces estos otros intereses tienen un alcance estrictamente individual, como sucede, tal como enseguida tendremos ocasión de ver, con el llamado *privilegio terapéutico,* con el que se trata de proteger al enfermo frente a un arsenal de información que a veces le pudiera resultar desfavorable. Otras veces, los intereses a que se enfrenta el derecho a la información son de cariz supraindividual: en ocasiones se trata simplemente de preservar la funcionalidad misma de la práctica médica evitando que una información pormenorizada pudiera entorpecerla; otras, se trata de auténticas colisiones con otros derechos que pudieran tener mayor calado. Es lo sucede, por ejemplo, en los casos en los que se cuestionan, no ya los límites del derecho del paciente a saber, sino, ahora en el extremo opuesto, los límites de su derecho a no estar informado. El ámbito paradigmático de este problema se corresponde con el de las enfermedades transmisibles, donde se plantea la necesidad de que el paciente conozca su enfermedad y su carácter contagioso para que adopte las medidas preventivas necesarias de cara a evitar el contagio a terceras personas. De ello se ocupa el siguiente apartado, remitiéndose

---

[129] BEAUCHAMPS/CHILDRESS, *Principios de ética médica, ob. cit.,* pág. 139.

al Capítulo II el estudio de las consecuencias que, en su caso, deriven de la infracción del deber de información así delimitado.

2.5.2. *Límites al deber de información*

A la hora de exponer los distintos límites que en situaciones concretas pueden condicionar e incluso excluir el derecho a la información del paciente, pueden trazarse dos grandes grupos de casos que aglutinan los diferentes supuestos que pudieran plantearse. El primero centra su atención en extremos meramente *objetivos*. El segundo, por el contrario, pone el acento en los aspectos que afectan a la vertiente humana de la relación médico-paciente y que, por ello, aquí se califican como *subjetivos*. En lo que sigue trataremos por separado cada uno de esos grupos de casos.

2.5.2.1. Condicionantes objetivos del deber de informar

Dentro de este primer grupo de casos pueden diferenciarse a su vez dos supuestos distintos: a los primeros corresponden aquellos en los que la relativización del deber de informar se vincula al cúmulo de posibles circunstancias concurrentes en el caso concreto; los segundos comprenderían aquellos otros en los que el factor que modula tal deber se asocia a razones que apuntan a la necesidad de garantizar la funcionabilidad de la práctica médica.

a) Condicionantes vinculados a las circunstancias concurrentes en el caso concreto

La razón de ser de este primer límite de cariz objetivo no resulta difícil de entender. Porque aun partiendo de que elemento indispensable de la legitimidad de cualquier acto médico es la necesidad de que el paciente conozca su realidad y sus elementos esenciales, el contenido de dicha información o, si se quiere, sus exigencias, no pueden ser las mismas ni predicarse con igual intensidad en todos los supuestos imaginables.

En primer lugar, ya en la fase de diagnóstico, porque al más básico sentido común no escapa que no puede medirse por el mismo rasero el grado de la información que deba recibir un paciente al que se le diagnostica una simple infección que la que debe recibir aquél al que se le ha detectado un tumor. De hecho, no ya la información que de *motu propio* ofrece el médico sino la intensidad de los requerimientos que le formula el paciente son claramente distintos en uno y otro supuesto. Esta misma modulación del contenido de la información en fase de diagnóstico es predicable respecto a las características del acto médico indicado, aspecto éste en el que quizás de forma aun más evidente el alcance del deber de informar se condiciona a las variables del caso concreto[130]. Así, en primer lugar, la intensidad de la información tiene que matizarse por la *urgencia* del acto médico de que se trate, en cuanto que no cabe duda de que el nivel de detalle exigible guarda una relación de proporción inversa con el grado de urgencia que reclama el tratamiento del paciente. A todas luces no puede ser igual la intensidad de aquélla cuando se trata de alguien que acaba de sufrir un ataque cardíaco y necesita una inmediata intervención, que en el caso de quien entra en quirófano para solucionar un problema estético[131].

También la diferente índole de los *riesgos* que puede implicar el acto médico modula el contenido del deber de informar. De hecho, puede decirse que es éste uno de los aspectos que con más matices condiciona tal deber, puesto que si el médico está obligado a comunicar los riesgos, ese deber, por lógica, crece a medida que lo hacen éstos. Pero no sólo en su aspecto cuantitativo, sino también cualitativo el contenido de la información tiene que graduarse en función de la entidad del peligro que comporta. Así, un riesgo que no sea excesivamente frecuente puede ser más serio y peligroso que otros que, si bien suelen aparecer con una frecuencia relativamente alta, no revisten mayor gra-

---

[130]   En general, LAUFS, Die Verletzung der ärztlichen Aufklärungspflicht und ihre deliktische Rechtsfolge, en *NJW* 1974, pág. 2026; LAUF/UHLENBRUCRUCK, *Handbuch des Arztrechts, ob. cit.*, págs. 465 ss; SCHWALM, "Zum Begriff und Beweis des ärztlichen Kunstfehlers", en *Fs. Bockelmann*, München, 1979, pág. 544; TEMPEL, en *NJW* 1980 *ob. cit.*, págs. 611 ss.

[131]   Entre otros, TEMPEL, NJW 1980, ob. cit., págs. 611 ss; LAUFS, en *Arztrecht, ob. cit.*, págs. 49 ss, 57; SCHÖNKE/SCHRÖDER, *Strafgesetzbuch, ob. cit.*, § 223.39 ss; SCHLUND, "Aufklärung im Rahmen ärztlicher Tätigkeit", en *Der Gynäkologe*, 1997-7, págs. 534 ss; ULSENHEIMER, Arztstrafrecht in der Praxis, ob. cit., págs. 72 ss; EHLERS, Die ärztliche Aufklärung vor medizinischen Eingriffen, Köln, Berlin, Bonn, München, 1987, págs. 79 ss., donde gradúa los distintos tipos de intervenciones según su urgencia: en primer lugar, operaciones de cirugía estética e intervenciones con fines de diagnóstico, después las intervenciones terapéuticas de indicación relativa, en tercer lugar, las de indicación absoluta y finalmente las de indicación vital. En la doctrina italiana, con referencias doctrinales, RIZ, *Il trattamento medico e le cause di giustificazione*, Padova, 1975, págs. 64 ss; SCHMIDT, *"Der Arzt im Strafrecht"*, en PONSOLD, *ob. cit., págs. 39 s.* Ya en el ámbito jurisprudencial, sobre el diferente contenido del deber de informar dependiendo de la clase de intervención de que se trate, véase la Sentencia de la Sala 1ª del TS, de 25 de abril de 1994 en relación con el riesgo de recanalización tras una operación de vasectomía; de forma amplia, sobre el distinto nivel de información exigido en la jurisprudencia, véase Información y Documentación Clínica, ob. cit., págs. 62 ss.

vedad. Si la razón de ser del deber de informar es, como reiteradamente venimos afirmando, posibilitar que el paciente forme su voluntad en condiciones de libertad, deberá conocer los riesgos que, por su entidad, pueden ser relevantes en su toma de decisión. Así, no es el mismo el valor de la información, por ejemplo, cuando lo que está en juego es el riesgo de que a consecuencia de la operación el sujeto refiera trastornos como fiebre, inflamación, dolores o molestias pasajeras, que cuando el peligro sea de sufrir una embolia[132].

Igualmente, habrá de tenerse presente el cúmulo de aspectos subjetivos que le rodean y que también vendrían a modular el contenido de dicho deber. No es la misma, por ejemplo, la valoración que merece a un tenor profesional el riesgo de que su voz sufra un cambio a consecuencia de una intervención de garganta que la valoración que hace de ese mismo riesgo un empleado de banco; de la misma manera, no es igual la relevancia que tiene la pérdida de agilidad en los dedos para un pianista que para cualquier otra persona[133]. Se trata, en definitiva, de aspectos subjetivos que, en cuanto adquieren un papel decisivo en la escala valorativa del enfermo, deben ser igualmente atendidos a la hora de precisar los contornos mínimos sobre los que debe recaer el deber de informar.

Pero sin duda, el criterio más importante que actúa modulando el contenido de la información es el que atiende a la condiciones constitucionales del paciente, a sus circunstancias especiales y, en difinitiva, a todos los extremos personales que pueden actuar determinando un incremento de la complicaciones asociadas en general a la intervención de que se trate. Al respecto, es especialmente importante la cita de Sentencia del Tribunal Supremo, Sala Civil, de 15 de noviembre de 2006, que consideró que los documentos tipo impresos en que no figura particularizado el historial del enfermo ni el proceso que va

---

[132]   No obstante hay que advertir que esta exigencia de atender a la gravedad de los riesgos no siempre se ha seguido en el orden penal. Con independencia de que en el Capítulo II tengamos ocasión de acotar los supuestos en los que la falta de información de lugar a responsabilidad penal, baste de momento citar la STS de 3 de octubre de 1997, en la que el Alto Tribunal consideró que la falta de información de un riesgo poco probable aunque grave no genera responsabilidad penal, ya que otra cosa supondría asignar al consentimiento "caracteres de requisito formal inalterable desnaturalizador de la relación de confianza que debe existir entre el facultativo y el paciente". Sobre la jurisprudencia en el Orden civil, véase *Información y Documentación Clínica, ob. cit.*, págs. 34 ss.

[133]   ENGLJAHRINGER, *Ärztliche Aufklärungsplicht vor medizinischen Eingriffe, ob. cit.*, págs. 192 ss; ULSENHEIMER, *Artzstrafrecht in der Praxis, ob. cit.*, págs. 76 ss. En nuestra doctrina, MUÑOZ CONDE, ROXIN/SCHROTH (Hrsg.), "Einige Fragen des ärztlichen Heileingriffs im spanischen Strafrecht", en *Handbuch des Medizinstrafrechts, ob. cit.*, págs. 707 ss.

a someterse no cumplen los requisitos del deber de información. En concreto, la Sentencia enjuiciaba la posible responsabilidad del médico por fallecimiento de un paciente sometido a tratamiento de litiasis mediante ondas de choque. Pese a que el enfermo se le proporcionaron los documentos base, folletos informativos, e incluso un video relativo al tratamiento, el Tribunal consideró insuficiente esa información. Tras recordar que el consentimiento informado es presupuesto y elemento esencial de la *lex artis* y parte del derecho básico a la dignidad de la persona y autonomía de su voluntad, el Alto Tribunal consideró que los documentos impresos que firmó el enfermo son,

> "*simples y escuetos formularios, más próximos a un mero acto adminstrativo, que médico, que fueron firmados el mismo día de la intervención, y utilizados tanto para la primera como para la segunda (de 13 de enero y de 23 de abril de 1992), a pesar de que los tratamientos prestados eran diferentes, al necesitar el segundo del anestesia. En ninguno se menciona el tratamiento a realizar, identificado posibles aspectos concretos expresados por el paciente. Tampoco se hace mención particularizada de la situación médica del enfermo (esclerodermia), ni concreción de los riesgos y posibles complicaciones de un tratamiento que no tenía caracter de urgencia y al que podía renunciar, sin que el vídeo o folleto proporcionado, a los que no se refiere la sentencia, parezcan tener más valor que el de dar a conocer la técnica utilizada; todo lo cual permite concluir que el consentimiento del fallecido no fue prestado y obtenido contando con la información necesaria, ni con la que exige el artículo 10.5 de la Ley 14/86, al no reunir los requisitos mínimos y razonables para haberle permitido decidir, con suficiente conocimiento, si decidía someterse o no a la intervención, siendo este necesario al no darse las circunstancias excepcionales del at. 10.6 a).b) y c) de la LGS*"

b) Condicionantes objetivos al deber de información vinculados a razones de funcionabilidad

Un segundo bloque dentro del capítulo de las circunstancias que objetivamente modulan el contenido de la información es que apunta a la necesidad de *funcionalizar* y *optimizar* la práctica médica; en concreto, de no entorpecerla con una explicación detallada de cada acto al que se va a someter al paciente. En este sentido, como ya apuntábamos más arriba, no suelen existir dificultades a la hora de afirmar que el médico no está obligado a ofrecer al enfermo una información por completo detallada en torno a todos y cada uno de los aspectos del acto al que va a someterse. Aquél sólo está obligado a comunicarle los datos que pueden serle de interés para su toma de decisión[134]. Lo contrario, se dice, no sólo sería únicamente posible si el paciente estuviese en posesión de conocimientos médicos suficientes para poder entender todo el arsenal de información que se le ofrece y que, en general, escapan a cualquier persona lega. También podría incluso conllevar el efecto inverso al que pretende la información; a saber, el riesgo de desorientar más al paciente que

---

[134]   Por todos, BOCKELMANN, *Recht und Medizin, ob. cit.*, pág. 183.

informarle, de atemorizarle más que responsabilizarle de su decisión, puesto que debido a la falta de conocimientos médicos por parte de éste, lo normal será que distorsione la valoración de todos esos datos, ya sea por sobre valorar unos, ya por infravalorar otros.

Si bien es verdad que no suelen existir dificultades a la hora de reconocer este punto de partida, su plasmación en determinados supuestos resulta extraordinariamente controvertida. El debate doctrinal más encendido al respecto ha tenido por escenario la específica problemática del SIDA, centrándose en concreto la discusión en torno a la necesidad de informar al paciente acerca de que va a ser sometido a una prueba para detectar si es portador de anticuerpos del SIDA. Bien es verdad que hay determinados casos en los que la realización de dichas pruebas aparece prevista en normas sectoriales, por lo que, implícitamente, puede decirse que el paciente es conocedor su práctica aun cuando no se le informe al respecto. Es lo que sucede, por ejemplo, con el Real Decreto 1854/1993, de 22 de octubre, por el que se determinan con carácter general los requisitos técnicos y condiciones mínimas de la hemodonación y bancos de sangre. Conforme al art. 8 de dicho Real Decreto, en cada donación se realizarán, entre otras, la prueba de detección del virus de inmunodeficiencia humana, disponiendo el artículo siguiente, el 9, que en caso de detectarse alguna anomalía se le notificará al donante para que la ponga en conocimiento de su médico si lo estima oportuno.

En realidad, puede decirse que las dudas se plantean en los casos en los que el paciente acude al médico para que le diagnostique la dolencia que refiere y, si bien aquél no se opone de forma expresa a la práctica de la prueba de detección del VIH, tampoco manifiesta su consentimiento específico para la misma; son, en definitiva, los supuestos en los que el médico se limita a prescribir un análisis como medio de exploración del paciente sin advertirle que la analítica comprende dicha prueba. Dada su importancia y el dato de que en buena medida se convierten en paradigma de las cuestiones que plantea el deber de información en fase de diagnóstico, resulta conveniente hacer una específica referencia a los mismos.

* *Excurso: especial referencia a la práctica de pruebas para detectar el virus del Sida*

En la doctrina que se ha ocupado del tema no han faltado voces que, como exponentes de la línea de relativizar las exigencias del consentimiento con el fin de agilizar la práctica médica, han ensayado fórmulas con las que respaldar la postura de que no es necesario que el paciente consienta de forma expresa a la prueba del SIDA. En este sentido puede citarse en la doctrina alemana a SOLBACH/SOLBACH[135], quienes juegan en realidad con una presunción de consentimiento al argumentar que quien consiente en la extracción de la sangre lo está haciendo también al test del SIDA, puesto que, entienden, es algo que no puede descartar un paciente sensato (*"verständiger Patient"*). Si bien de forma más moderada, puede citarse en la misma línea a los autores[136] que como EBERBACH[137], BRUNS[138] o MICHEL[139], introducen criterios diferenciadores que, al menos en determinados casos, permitan renunciar a la exigencia expresa de consentimiento. Así, mientras el primer autor mencionado considera que dicha exigencia decae cuando el paciente acude al médico para someterse a un chequeo genérico, BRUNS maneja como criterio el dato de que el paciente acuse síntomas que puedan indiciar la existencia de la enfermedad. Más lejos va aún la postura sostenida por MICHEL, para quien puede operarse con la presunción de consentimiento en todos los casos en los que el test esté médicamente indicado, esto es, cuando reporte una ventaja al paciente.

Sin desconocer lo que de ventajoso pudieran tener estos intentos, en cuanto inyectan agilidad a la *praxis* médica, su admisibilidad resulta en mi opinión más que dudosa. Bien es verdad que el médico no tiene que explicar al detalle cada una de las pruebas que entran dentro de lo que pudieran llamarse "comunes", como pueda ser el nivel de glucosa, de colesterol o de hemoglobina. Lo contrario supondría convertir a la actividad médica en una torturante y agotadora tarea informativa que sólo tendría sentido desde los esquemas de la que se ha dado en llamar *medicina defensiva*. Sin embargo, cuando se trata de indagar si el sujeto es portador del virus del SIDA, la perspectiva tiene que ser necesariamente distinta.

Es cierto que las posibilidades actuales de curación de la enfermedad hace que decaigan los argumentos que hace unos años manejaba por ejemplo PFEFFER[140], cuando advertía que debido a la gravedad de la enfermedad y a las dificultades para su curación habría que valorarse la *alteración psíquica* que su conocimiento podría suponer para el paciente, al conocer lo que podría significar un proceso irreversible hacia la muerte. En la actualidad, dada la efi-

---

[135] SOLBACH/SOLBACH, "Zur Frage der Strafbarkeit einer Venenpunktion zum Zweck einer 'routinenmäßigen' Untersuchung auf 'AIDS'", en *JA* 1987, págs. 299 ss.
[136] Entre otros, véase también GLATZ, *Der Arzt zwischen Aufklärung und Beratung, ob. cit.*, págs. 240 ss; SCHLEHOFER, "AIDS und Organspende", en *Jura* 1989, págs. 263 ss.
[137] EBERBACH, "Heimliche AIDS-Test", *NJW* 1987, págs. 1470 ss.
[138] BRUNS, "AIDS, Alltag und Recht", en *MDR* 1987, págs. 335 ss.
[139] MICHEL, "Aids-test ohne Einwilligung -Körperverletzung oder strafbarkeitslücke?", en *JuS* 1988, págs. 8 ss.
[140] PFEFFER, *Durchführung von HIV-Test ohne den Willen des Betroffenen, ob. cit.*, pág. 66.

cacia de los medicamentos contra el Sida, dicho argumento perdería su valor. Con todo, no puede desconocerse que ello no impide que siga considerándose como una enfermedad grave y con cierto estigma social, por lo que la decisión sobre su conocimiento sólo puede corresponder al concreto sujeto.

En la línea de preservar la voluntad del paciente frente al eventual interés en la práctica no consentida de la prueba de detección de anticuerpos del SIDA, tiene especial interés la Sentencia del Tribunal de Justicia de las Comunidades Europeas de 5 de octubre de 1994. Resumidamente, se enjuiciaba la conformidad a Derecho de una decisión de la Comisión de las Comunidades Europeas, por la que se negaba a contratar a un trabajador en calidad de agente temporal alegando su falta de aptitud física. En concreto, la Dirección General de Personal y Administración pidió al trabajador que se sometiera a un examen médico, de conformidad con lo dispuesto en la normativa relativa a los agentes de las Comunidades Europeas. El trabajador asintió en ese examen, si bien dejando constancia expresa de su negativa a someterse a una prueba de detección de anticuerpos VIH, propuesta por el Servicio Médico. Si bien no se le practicó esa prueba, sí se le sometió al llamado recuento linfocitario T4/T8, destinado a evaluar el sistema inmunitario del paciente, analítica que constituye un importante indicio de la seropositividad. Ese examen arrojó como resultado una importante alteración de su sistema inmunitario. La Comisión se negó a contratarlo para un puesto de mecanógrafo en calidad de agente temporal alegando su falta de aptitud física.

El Tribunal de Primera Instancia de las Comunidades Europeas rechazó las pretensiones del trabajador por entender que si bien "una extracción de sangre que tiene por objeto determinar la posible presencia de anticuerpos del VIH atenta contra la integridad física del interesado y que ningún candidato puede ser sometido a la misma sin su consentimiento expreso", el demandante no ha demostrado que fuese sometido a tal prueba específica, y que la prueba hematológica consistente en "el recuento de los linfocitos T4 y T8 no es apropiada para determinar la existencia de una posible seropositividad". Recurrida esta Sentencia dictada en primera instancia, el Tribunal de Justicia - estimó las pretensiones del demandante por entender que su negativa a las pruebas del SIDA no sólo comprende la práctica directa de la misma, sino la de aquéllas que indician la enfermedad:

"...el derecho al respeto de la vida privada exige respetar la negativa del interesado en toda su extensión. Dado que el recurrente se había negado expresamente a someterse a una prueba de detección del SIDA, el mencionado derecho se oponía a que la administración realizara cualquier tipo de prueba que permitiera sospechar o comprobar la existencia de dicha enfermedad, cuya revelación había rehusado aquél. Ahora bien, de las comprobaciones efectuadas por el Tribunal de Primera Instancia se sigue que el análisis linfocitario de que se trata proporcionó al médico asesor indicios suficientes para llegar a la conclusión de que era posible que el candidato fuera portador del virus del SIDA".

Con todo, de inmediato debe advertirse que esta solución tiene que matizarse cuando en el caso concreto se entreveran intereses que exceden de los estrictamente individuales del enfermo; esto es, cuando se abandona su contemplación aislada para atender a la colisión de su interés con el de otras personas eventualmente afectadas, como pudiera ser el personal sanitario que ha de atenderle y que tiene que conocer si aquél es portador o no del virus para así extremar las medidas de precaución de cara a evitar el contagio. Según entiendo, prescindiendo ahora de la calificación jurídica que merecerían los casos en que el médico actuase sin contar con el consentimiento del paciente[141], la colisión de intereses entre el derecho a la información y el interés en la salud de terceros habrá de canalizarse a través de los esquemas de un *estado de necesidad* que, en su caso, justifique la realización de las pruebas del Sida sin haber recabado el consentimiento del enfermo e incluso contra la voluntad del mismo.

En cualquier caso, como observa PFEFFER, la admisibilidad de dicha causa de justificación tiene que condicionarse a determinados límites que garanticen el encaje de tales supuestos en sus esquemas dogmáticos[142]. En concreto, el autor supedita su admisibilidad a una triple comprobación. En primer lugar, exige que exista una situación de *peligro actual*. Para ello, entiende, no basta la mera sospecha de la posibilidad del contagio, sino que deben concurrir indicios que racionalmente apunten a la alta posibilidad del mismo, por ejemplo, porque el paciente pertenezca a los que se conocen como *grupos de riesgo*[143]. En segundo lugar, dicha situación de riesgo requiere que la naturaleza del tratamiento médico que haya de recibir el enfermo represente un *peligro real* de contagio. Es lo que sucederá cuando el personal sanitario que atienda al enfermo tenga que aplicarle una terapia que suponga un contacto directo con la sangre[144]. Por

---

[141]   Véase *infra*, II, 2.2. *Responsabilidad penal por falta de consentimiento del paciente.*

[142]   PFEFFER, *Durchführung von HIV-Tests ohne den Willen des Betroffenen, ob. cit.*, págs. 98 ss. En un sentido distinto EBERBACH, *NJW* 1987, *ob. cit.*, pág. 1472, quien entiende que en tales casos no se da ni el requisito de que el peligro sea evitable de otro modo ni que exista una situación de riesgo actual.

[143]   Dicha pertenencia tiene que existir de forma real, y no meramente supuesta o presumida, PFEFFER, *Durchführung von HIV-Tests ohne den Willen des Betroffenen, ob. cit.* pág. 118. Niegan, por el contrario, que concurra dicha situación de peligrosidad inminente ni siquiera en relación con los grupos de riesgo, EBERBACH, *NJW 1987, ob. cit.*, pág. 1472; MICHEL, *JuS* 1988, *ob. cit.*, pág. 12.

[144]   Conforme a esta exigencia deben quedar al margen de dicha posibilidad los casos en que el riesgo de contagio puede tener lugar por vías *indirectas*, supuestos que no sobrepasarían el riesgo general de contagio (por ej., el que pesa sobre el personal encargado de afeitar al paciente), PFEFFER, *Durchführung von HIV-Tests ohne den Willen des Betroffenen, ob. cit.* págs. 116 s.

último, la apreciación de dicha causa de justificación requerirá que el peligro no sea *evitable* de otro modo; por ejemplo, en el ámbito que aquí interesa, porque no pueda someterse al paciente a una terapia alternativa que no presente riesgos de contagio para el médico, o bien porque el profesional no pueda renunciar a ofrecer el tratamiento al paciente que se niega a someterse a las pruebas, como sucedería cuando pesa sobre el médico una obligación inexcusable de prestar asistencia[145].

Por lo demás, ni aun configurando el consentimiento como causa de justificación —y no de exclusión del tipo— podrían descubrirse razones que se opusieran a apreciar un *estado de necesidad*. Al respecto, quisiera salir al paso de la posible objeción que apuntase a la imposibilidad de que lo que no resulta justificado por una causa *específica* de justificación (el *consentimiento*) pretendiera justificarse recurriendo a otra de carácter *genérico* (el *estado de necesidad*), que vendría así a solaparse en sentido contradictorio con la primera. Como señala PFEFFER, dicha posible contradicción habría de descartarse desde el momento en que para valorar el estado de necesidad se tienen en cuenta intereses de terceros —el personal sanitario—, lo que introduce un elemento de ponderación que es ajeno al consentimiento entendido como causa de justificación[146].

En las páginas anteriores hemos tratado los supuestos en los que la implicación de intereses de terceros puede justificar la práctica de la prueba. Cuestión distinta, aunque estrechamente relacionada con la anterior, es la que se presenta en los casos en que dichas pruebas arrojen un resultado positivo y, para evitar situaciones de riesgo, fuera conveniente comunicar dicho resultado al paciente pese a que el mismo hubiera manifestado su derecho a *"no querer saber"*. Como suele admitir de forma pacífica la doctrina e incluso

---

[145]   Lo que, señala el autor, sucede respecto a la obligación impuesta en el §323 c) StGB de auxiliar a la víctima de un accidente; PFEFFER, *Durchführung von HIV-Tests ohne den Willen des Betroffenen*, ob. cit. págs. 119 ss., 126.

[146]   Es más, para este autor ni siquiera cuando los intereses en conflicto se reduzcan a los del portador se produciría dicho solapamiento, ya que los aspectos que toman en consideración una y otra causa de exclusión de la antijuricidad son sensiblemente distintos, como lo pone de relieve el dato de que sólo en el estado de necesidad tiene lugar una valoración normativa, PFEFFER, *Durchführung von HIV-Test ohne den Willen des Betroffenen*, ob. cit., págs. 110 ss.

se reconoce en algún instrumento internacional[147] y nacional[148], no sólo es un derecho indiscutido del paciente el de conocer todo cuanto rodea a su estado de salud, sino también el de poder renunciar a dicha información, esto es, a conocer los resultados de una exploración, gravedad de la enfermedad, consecuencias del tratamiento o cualquier otro aspecto de su salud que el médico llegue a descubrir en el transcurso de su relación con el enfermo[149]. Por ello, sólo allí donde éste no desee saber y, sin embargo, la gravedad de la enfermedad aconseje su conocimiento, se plantea el problema que ahora interesa.

Por otra parte, para acotar el problema que aquí interesa, debe quedar claro que ahora tan solo se atiende a la perspectiva del enfermo que ha manifestado su derecho a "no querer saber". De esta cuestión tiene que diferenciarse la relativa al posible derecho e incluso deber del médico de comunicar la enfermedad, no ya al paciente, sino a terceras personas para evitar así el

---

[147]　Así, el art. 10 del *Convenio para la protección de los Derechos Humanos y la dignidad del Ser Humano con respecto a las aplicaciones de la Biología y la Medicina* de 4 de abril de 1997, donde tras consagrar el derecho de toda persona a conocer toda la información obtenida respecto a su salud, añade que "No obstante, deberá respetarse la voluntad de una persona a no ser informada".

[148]　Véase el art. 4.1 de la Ley 41/2002, conforme al cual, "Los pacientes tienen derecho a conocer, con motivo de cualquier actuación en el ámbito de su salud, toda la información disponible sobre la misma, salvando los supuestos exceptuados por la ley".

[149]　En la doctrina alemana, sobre los presupuestos de la validez de la renuncia véase ROßNER, "Verzicht des Patienten auf eine Aufklärung durch den Arzt", en *NJW* 1990, págs. 2291 ss; PROSKE, "Ärzliche Aufklärungspflicht und Einwilligung aus strafrechtlicher Sicht", en Schick, *Die Haftung des Arztes in zivil- und strafrechtlicher Sicht unter Einschluß des Arzneimittelrechts*, 1983, pág. 107, quien exige que la renuncia se manifieste de forma expresa. Con todo, debe advertirse que no es infrecuente en esa doctrina identificar un núcleo mínimo sobre el que paciente tiene que estar informado, cifrado en la realidad de la intervención, GEILEN, *en Juristische Problematik in der Medizin, ob. cit*, pág. 33; LAUF/UHLENBRUCRUCK, *Handbuch des Arztrechts, ob. cit.*, págs. 487 s. Un ámbito especialmente problemático, no sólo por ser aún en buena medida desconocido, sino por sus implicaciones con derechos de terceros, es el relativo a la información genética. Al respecto véase, entre otros trabajos, los de DE SOLA, "Privacidad y datos genéticos. Situaciones de conflicto (I)", *en Revista de Derecho y Genoma Humano*, n° 1, julio-diciembre 1994, págs. 185 ss; ABBING, "La información genética y los derechos de terceros. ¿Cómo encontrar el adecuado equilibrio?", *en Revista de Derecho y Genoma Humano*, n° 2, enero-junio, 1995, págs. 40 ss; CAOUKIAN, "La confidencialidad en la genética: la necesidad del derecho a la intimidad y el derecho a 'no saber'", *en Revista de Derecho y Genoma Humano*, n° 2, enero-junio, 1995, págs. 55 ss; TAUPITZ, *Revista de Derecho y Genoma Humano*, n° 8, enero-junio 1998, págs. 111 ss. Con carácter general, véase por todos MARTÍNEZ-CALCERRADA, *Derecho médico, Volumen primero, Derecho médico general y especial, ob. cit.*, págs. 97 ss, 266.

riesgo de contagio, cuestión que analizaremos al tratar los límites del secreto médico[150].

Dejando a un lado las genéricas declaraciones del Código de Ética y Deontología Médica de 1999[151], hasta la aprobación de la Ley 41/2002 no existía una específica previsión legal al respecto que ofreciera la clave de solución al conflicto. Bien es verdad que en alguna normativa sectorial era posible descubrir una regla para una hipótesis que comparte con la que aquí se trata el dato de que, de alguna manera, el enfermo no está "en espera del resultado". En concreto, el RD 1854/1993, de 22 de octubre, regulador de los requisitos técnicos y condiciones mínimas de hemodonación y bancos de sangre, tras establecer la obligatoriedad de que el donante se someta a pruebas de detección de agentes infecciosos, dispone su art. 9: "En caso de detectarse alguna anomalía en los estudios analíticos realizados, deberá ser comprobada en una nueva muestra, notificándose al donante la anormalidad observada para que la ponga en conocimiento de su médico si se estima oportuno".

Sin embargo, pese a esa cierta similitud, no hacía falta indagar demasiado para descartar la posibilidad de trasladar por vía analógica esa solución a los casos que ahora se plantean. En primer lugar, porque en los supuestos que contempla el referido Decreto ese "no estar a la espera del resultado" tiene un origen muy distinto al de los que ahora tratamos. Allí, en efecto, se trata de una situación en la que el enfermo es, normalmente, ajeno por completo a la enfermedad que se le diagnostica. Este, en efecto, acude a donar sangre y a raíz de la extracción se le diagnostica la enfermedad; por el contrario, en los que ahora interesan se le ha practicado una prueba que se orienta de forma específica a detectarla. En segundo lugar, las diferencias entre uno y otro caso se acentúan desde el momento en que mientras en el primero la información se orienta a la salvaguardia del eventual interés del enfermo en reaccionar frente al decurso de la enfermedad, en los que ahora se plantean dicho interés desborda la óptica individual del afectado. Ahora, en efecto, el mismo ha renunciado al conocimiento de la enfermedad, bien sea para ignorar así por completo su situación, aceptando de forma voluntaria —y respetable— una actitud de asunción de riesgos (casos en los que ni siquiera desea la prueba), bien para someterse incondicionalmente a la terapia que se le prescriba pero

---

[150]   Véase *infra* Cuarta parte, Cap. II.3.2, *Límites de la vigencia del secreto médico*.
[151]   Dispone su art. 16: "Con discreción, exclusivamente ante quien tenga que hacerlo, en sus justos y restringidos límites y, si lo estimara necesario, solicitando el asesoramiento del Colegio, el médico podrá revelar el secreto en los siguientes casos:... d. Si con su silencio diera lugar a un perjuicio al propio paciente o a otras personas; o a un peligro colectivo".

sin querer saber la patología que la demanda (casos en los que se somete a ella a condición de no conocer el resultado).

Con todo, pese a las diferencias anteriores, lo cierto es que dicha normativa ya ponía en la pista de cual debiera ser la solución, en la medida en que tanto en uno como en otro supuesto lo importante es que ya no se trata de garantizar en exclusiva el interés del paciente en la curación, sino que se apunta a las implicaciones que potencialmente puede acarrear esa enfermedad al bien jurídico colectivo *salud pública*[152]. Las dificultades interpretativas se han zanjado definitivamente en el Derecho positivo a partir de la aprobación de la Ley 41/2002, que establece en el apartado primero de su art. 9 que "La renuncia del paciente a recibir información está limitada por el interés de la salud del propio paciente, de terceros, de la colectividad, y por las exigencias terapéuticas del caso".

Con dicha regla el legislador ha consagrado un *estado de necesidad*, en el que se trata de dar salida a un conflicto que se plantea, por un lado, entre el derecho del paciente a permanecer ajeno al conocimiento de su estado de salud y, por otro, la necesidad de salvaguardar el derecho superior a la salud de los terceros que potencialmente pudieran verse implicados por dicha actitud. Por lo demás, casi ni que decir tiene que una cuestión totalmente distinta es la que se plantea en los casos en los que, pese a estar en posesión de dicha información, el paciente no adopte medidas preventivas para evitar el contagio e incluso confiese desde el principio que aunque se le informe de la enfermedad no las adoptará. Según tendremos ocasión de tratar en otra sede, dicha actitud podrá afectar, en su caso, a su posible responsabilidad por el resultado lesivo que eventualmente se acabe produciendo.

2.5.2.2. Condicionantes subjetivos del deber de informar

Junto a las limitaciones anteriores de carácter objetivo, no es infrecuente encontrar en la doctrina voces partidarias de respetar un segundo límite al deber de informar que focaliza ahora su atención en la *relación médico-paciente*. Esta limitación pone el acento en el componente *humano* que está presente en la puesta de éste en manos del médico, y apunta a una posible restricción del derecho a la información con base en consideraciones humanitarias.

---

[152] En este sentido, ROMEO CASABONA, "Aspectos específicos de la información en relación con los análisis genéticos y con las enfermedades transmisibles", en *Información y documentación clínica, ob. cit.*, págs. 323 ss. Véase el mismo en "Responsabilidad médico-sanitaria y Sida", en *Actualidad Penal*, 1993-2.

Esta tendencia, que ya contara entre sus precursores con profesionales como Gregorio Marañón[153], parece haber encontrado eco incluso en algún documento internacional[154]. Su propuesta consiste en introducir una serie de restricciones al deber de informar con miras a encuadrar la actividad médica en un marco más humano que eleve a primer plano las condiciones personales y la sensibilidad misma del enfermo. Ello les lleva a sostener, a veces de forma encubierta[155], una función tutelar del médico, fundamentando así el derecho de éste a silenciar la enfermedad diagnosticada cuando, por su grave-

[153] En su obra *Vocación y Ética* escribía en 1935: "Mas si la vida, en general, inclina a la mentira, ¡qué no será cuando un sentimiento piadoso nos empuja además a ella, como en el caso del médico! El amigo mío que vivió sin otra preocupación que decir siempre la verdad solía fulminar sus más atroces anatemas contra los médicos, disimuladores perpetuos de la realidad. Pero claro, es que sin ese disimulo, legítimo y santo, para nada servirían los sueros más exactos y las operaciones quirúrgicas más perfectas. Algunas noches, al terminar mi trabajo, he pensado lo que hubiera pasado si a todos los enfermos que habían desfilado por la clínica les hubiera dicho rigurosamente la verdad. No se necesitaría más para componer la pieza más espeluznante del Gran Guiñol. El médico, pues, -digámoslo heroicamente- debe mentir. Y no sólo por caridad, sino por servicio a la salud. ¡Cuántas veces una inexactitud, deliberadamente imbuida en la mente del enfermo, le beneficia más que todas las drogas de la farmacopea! El médico de experiencia sabe incluso diagnosticar a una particular dolencia: la del enfermo 'sediento de mentira', el que sufre el tormento de la verdad que sabe; y pide, sin saberlo, y a veces deliberadamente, que se le arranque y se le substituya por una ficción". Y más adelante añade "¿Cómo va el médico, entonces, a no mentir? Pecado lleno de disculpas magníficas es, por lo tanto, este de mentir al enfermo que lo necesita. Y, en ocasiones, el pecado se convierte en obligación", págs. 71 ss, Colección Austral, 6ª ed., Madrid, 1976.

[154] Así, el citado *Convenio para la protección de los Derechos Humanos y la dignidad del Ser Humano con respecto a las aplicaciones de la Biología y la Medicina*. Tras consagrar en el art. 10.2 el derecho del enfermo a estar informado de todas las circunstancias relativas a su estado de salud, dispone en su apartado 3 que "De modo excepcional, la ley podrá establecer restricciones, en interés del paciente, con respecto al ejercicio de los derechos mencionados en el apartado 2"; véase también la *Declaración de Helsinki* cuando dispone "si es posible, y de acuerdo con la psicología del paciente, el médico debe obtener el libre consentimiento del sujeto tras proporcionarle una explicación completa", lo que a *contrario sensu* parece dar a entender que el médico no está obligado a ofrecer dicha información cuando existan razones para sospechar la fragilidad psíquica del enfermo. En el ámbito comunitario, véase la *Recomendación 5/97 del Comité de Ministros del Consejo de Europa*, que en su art. 8.2 c) prevé la posibilidad de que el acceso a los datos médicos pueda quedar limitada cuando sea probable que el conocimiento de la información cause un serio daño a la salud del afectado.

[155] Según interpreto, es lo que está presente en concepciones como la sostenida en la doctrina italiana por MANTOVANI, Ferrando, en "La responsabilita' del medico", en *Rivista italiana de medicina legale*, 1980, págs. 26 s., quien en los casos de pronóstico grave apunta a una hipotética presunción de que el paciente no quiere ser informado, de tal forma que el deber del médico sólo emerge cuando el paciente expresa una voluntad "racionalmente motivada", "auténtica, firme, unívoca y persistente".

dad, pudiera repercutir negativamente en la salud psíquica del paciente[156]. Es lo que en el Derecho anglo-americano se denomina *"privilegio terapéutico del médico"*[157], que encuentra normalmente su ámbito de aplicación en los casos en que, más allá de la genérica posibilidad de una depresión o alteración anímica, fuese previsible el riesgo de que el enfermo decidiera suspender la terapia[158]. Desde estas premisas, en definitiva, a partir de los presupuestos de una

---

[156] Entre la amplia literatura, véase por ejemplo GRÜNDWALD, en *ZStW*, 1961, *ob. cit.*, pág. 19, si bien con la salvedad de que la comunicación de la gravedad del diagnóstico sea necesaria para que el sujeto se someta al tratamiento; el mismo en Göppinger (Hrsg.), *Arzt und Recht, ob. cit.*, págs. 140 ss; SCHÖNKE/SCHRÖDER, *Strafgesetzbuch, ob. cit.*, §223.42 ss; HALLERMANN, "Ärztliche Aufklärungspflicht aus medizinischer Sicht", en *Die juristische Problematik in der Medizin. Band II. Ärztliche Aufklärungs- und Schweigepflicht*, München, 1971, págs. 55 ss; BRÜGMANN, en *NJW* 1977, ob. cit., pág. 1474; DEUTSCH, *NJW*, 1980, *ob. cit.*, pág. 1307, limitando el derecho de silenciar la información a los casos en que el tratamiento aparezca como algo necesario y urgente, el peligro de producirse determinados efectos no deseados no sea elevado y el paciente se encuentre en un estado de miedo que le impida ponderar todas las circunstancias. Véase también, entre otros, BOCKELMANN, *Recht und Medizin, ob. cit.*, págs. 197 ss; WILLINGER, Ethische und rechtliche Aspekte der ärztlichen Aufklärungspflicht, ob. cit., págs. 158 ss, 187 ss; BRENNER, Arzt und Recht, Stuttgart, New York, 1983, B.I 3.1.37 ss. De forma muy matizada, TEMPEL, *NJW* 1980, *ob. cit.*, pág. 614; ESER, "Medizin und Strafrecht: Eine schutzgutorientierte Problemübersicht", en *ZStW* 1985 pág. 21 (publicado también en Recht und Medizin, Darmstadt, 1990), para quien la información no puede llegar a tal extremo de perjudicar lo que primariamente se trata de favorecer: la salud. Excluye la operatividad de dicho principio en los casos de tratamientos no convencionales ("Außenseitermethoden"), JUNG, *ZStW* 1985, ob. cit., pág. 54; HERRMANN, "Soll ein Krebspatient über seine Diagnose aufgeklärt werden?", en *MedR* 1988, págs. 1 ss. En nuestra doctrina, JORGE BARREIRO, Agustín, *La imprudencia punible en la actividad médico-quirúrgica, ob. cit.*, págs. 94 s, para quien, "en estos supuestos entra en juego el llamado principio de 'asistencia', apoyado en el estado de necesidad...se trata de una valoración referida a una situación conflictiva entre el derecho de autodeterminación del paciente, que está conectado a la problemática del deber de información del médico, y el interés de proteger la salud o la vida del enfermo"; el mismo en "La relevancia jurídico-penal del consentimiento del paciente en el tratamiento médico-quirúrgico", *CPC* 1982, págs. 30,32; véase también GALÁN CORTÉS, *El consentimiento informado del usuario de los servicios, ob. cit.*, págs. 50 s; GRACIA GUILLÉN, *Fundamentos de Bioética, ob. cit.*, págs. 104 ss., 152 ss., quien propone un uso limitado del mismo.

[157] DEUTSCH, *NJW* 1980, *ob. cit.*, págs. 1305 ss; el mismo en *Arztrecht und Arzneimittelrecht, ob. cit.*, págs. 51 ss; el mismo en *Medizinrecht, Arztrecht, Arzneimittelrecht und Medizinprodukterecht*, Heidelberg, 1999, núm 149 ss; LAUFS, en LAUF/UHLENBRUCK, *Handbuch des Arztrechts, ob. cit.*, págs. 352 s. En un sentido crítico a tal expresión, ESER, *ZStW* 1985, *ob, cit.*, pág. 22, nota 57, por entender que tal terminología propicia el riesgo de perder de vista la premisa básica de que el punto de referencia es el paciente, antes que un privilegio médico.

[158] En la doctrina italiana, véase por ejemplo, SANTACROCE, en *La Giustizia Penale*, ob. cit., 1997, pág. 120; DEL CORSO, *Rivista italiana di diritto e procedura penale*, 1987, ob.

suerte de *estado de necesidad*, se trata de atribuir al facultativo una función protectora respecto al enfermo, no ya en relación con la enfermedad para la que ha acudido al mismo, sino con las secuelas psíquicas que pueda generarle. Es más, algunos autores llegan a fundamentar la responsabilidad del facultativo cuando, por la brusquedad con que informe al paciente, le provoque alteraciones psíquicas[159].

A favor de este modo de actuar se alega que de otra forma, esto es, si se considerarse contraria a Derecho la conducta del profesional que por motivos pietistas omite comunicar al paciente algún aspecto de su enfermedad, se podría acabar potenciando la *crueldad* del médico como una arista más de lo que se ha dado en llamar la *medicina defensiva*. Esta, se dice, resultaría una consecuencia lógica, ya que el profesional sólo tendría la tranquilidad de que

cit., pág, 551; RIZ, *Il trattamento medico e le cause di giustificazione, ob. cit.*, págs. 72 ss., recurriendo en estos casos al instituto del consentimiento presunto. En la literatura alemana véase GALLWAS, *NJW* 1976, ob. cit., pág. 1135. Este autor parte de considerar que el consentimiento está orientado a favorecer al paciente, por lo que no puede volverse contra el mismo, como sucedería cuando al recabarlo peligrase el éxito del tratamiento; BOCKELMANN, *Strafrecht des Arztes, ob. cit*, págs. 61 s; el mismo en "Der ärztliche Heileingriff in Beiträgen zur Zeitschrift für die gesamte Strafrechtswissenschaft im ersten Jahrhundert ihres Bestehens", en *ZStW* 1981, págs. 149 s: DEUTSCH, *NJW* 1980, ob. cit., págs. 1306 s; el mismo en *Medizinrecht, Arztrecht, Arzneimittelrecht und Medizinprodukterecht, ob. cit.*, págs. 102 ss, quien junto a la posible alteración psíquica que pueda sufrir el paciente se refiere a otros riesgos, no sólo para el mismo, como, por ejemplo, el de sufrir un ataque cardíaco, o el de negarse a recibir tratamiento, sino también para terceros; BAUER, "Aufklärung und Sterbehilfe in medizinischer Sicht", en Fs. Bockelmann, München, 1979, págs. 497 ss; GEILEN, en *Juristische Problematik in der Medizin, ob. cit.*, págs. 37 ss; MAURACH/SCHROEDER/MAIWALD, *Strafrecht. Besonderer Teil*, Heidelberg, 1988, págs. 97 s. En un sentido restrictivo en torno a la gravedad de los riesgos que pueden llevar a modificar el contenido de la información, entre otros, TEMPEL, *NJW* 1980, ob. cit., pág. 614, para quien no puede valorarse como un riesgo que aconsejara suprimir la información la posibilidad de que el paciente decida suspender el tratamiento, ya que en eso consiste justamente su libertad de decisión. En la misma línea, GRÜNDWALD, en ZStW 1961, ob. cit., págs. 26 ss., mencionando como efecto temido, por ejemplo, el suicidio, sin que sean suficientes otras consecuencias como la mera alteración anímica, ni siquiera el genérico temor a que suspenda el tratamiento; véase el mismo en Göppinger (Hrsg.), Arzt und Recht, ob. cit., pág. 147; KAUFMANN, Arthur "Die eigenmächtige Heilbehandlung", en *ZStW* 1961, pág. 362 ss; LAUFS, *en Arztrecht, ob. cit.*, págs. 59 s; el mismo en LAUF/UHLENBRUCRUCK, *Handbuch des Arztrechts, ob. cit.*, págs 468 ss; Véase también ENGLJÄHRINGER, *Ärztliche Aufklärungspflicht vor medizinischen Eingriffe, wien, 1996*, págs. 217 s; EBERBACH, en "Die ärztliche Aufklärung unheilbar Kranker", en MedR 1986, págs. 181 ss.

[159]   Entre otros, en la doctrina italiana PRINCIGALLI, *La responsabilità del médico, ob. cit.*, págs. 212 ss. En relación con el exceso de información. En la literatura alemana véase, por ejemplo, DEUTSCH, *Arztrecht und Arzneimittelrecht, ob. cit.*, págs. 53 s.

no se le van a plantear reclamaciones cuando desatendiera exigencias que no se dudan en calificar como humanitarias[160]. A partir de lo anterior, estos autores hablan incluso del riesgo de la mutación del sentido original con el que se concibió la exigencia del consentimiento, de tal forma que de ser instrumento de garantía del enfermo —que le protege frente a posibles actuaciones del médico—, devendría en un instrumento de garantía del médico —protegido ahora frente a eventuales reclamaciones de aquél—[161]. Como aval adicional para justificar la racionalidad de la propuesta, sus defensores apuntan al hecho de que, como revelan algunas encuestas, este proceder no es ajeno a lo que sucede en la práctica médica habitual, en la que sólo un 38'8 % de los médicos se manifiesta dispuesto a informar a los pacientes de un pronóstico negativo[162].

Sin desconocer lo loable de las preocupaciones que laten bajo esta tendencia a relativizar las exigencias del consentimiento en el caso concreto, la misma se presta, a mi juicio, a varias precisiones.

Es cierto que, como señalara SCHMIDT[163], la actividad médica debe estar presidida por consideraciones relativas a la condición, no sólo de enfermo, sino ante todo de ser humano del paciente. Ahora bien, según creo, los principios de deontología médica no pueden exacerbarse hasta el punto de asignar al médico una función tutelar extrema sobre aquél, más propia de una trasnochada actitud *paternalista* que del compromiso que le es propio y que ha asumido sobre la base de la voluntad de ambas partes. No puede olvidarse que el consentimiento del enfermo tiene que ser siempre, como regla general, punto de partida de la actividad médica, y que su prestación requiere, como presupuesto lógico, el conocimiento de todos los aspectos del acto sobre el

---

[160] Véase al respecto las Actas del seminario conjunto sobre Información y documentación clínica, celebrado en Madrid los días 22 y 23 de septiembre de 1997, en *Información y documentación clínica, ob. cit.*, págs. 202 ss.

[161] CAPRIO/PRODOMO/RICCI/DI PALMA/ROVE, "Consenso informato e decadimento cognitivo", en *Rivista italiana di Medicina Legale*, 1998, págs. 905 ss.

[162] Tomada de STANGELAND, "Aspectos sociológicos de la eutanasia en España", en *El tratamiento jurídico de la eutanasia. Una perspectiva comparada*, Valencia, 1996, pág. 33. Resulta interesante el dato sociológico que aporta el autor de que los pacientes de sexo masculino, con formación de clase medio-alta reciben una información más precisa de su enfermedad que los pacientes del sexo femenino y de entorno rural o humilde. Por su parte, un estudio realizado por VEGA FEGA/VILLALAIN BLANCO, arroja como resultado que únicamente el 19,5 por 100 de los médicos se manifiesta a favor de informar al paciente de su enfermedad mortal, "Sobre la eutanasia: actitud de los sanitarios hacia la información y el tratamiento del paciente", en *CPC* 1992, pág. 483.

[163] SCHMIDT, "Der Arzt im Strafrecht", en *PONSOLD, ob. cit.*, pág. 1.

que recae[164]. Según vimos, así lo declaraba ya el art. 10 de la Ley General de Sanidad, y actualmente es una exigencia que contempla la Ley 41/2002, y que igualmente se recoge en leyes sectoriales[165] así como en declaraciones en el ámbito internacional[166].

Por ello, de entrada, me parece rechazable tanto la pretensión de atribuir al médico un papel persuasivo sobre el enfermo para que se someta al tratamiento como la de asignarle un poder, necesariamente discrecional, para *"decidir"* por el paciente *"en beneficio"* del mismo sobre el "si" de la información. Cuando están en juego varias posibilidades de elección, es el afectado el único legitimado para decidir y, para ello, es imprescindible que disponga de todos los datos necesarios al respecto. Ello impide que se compartan los principales argumentos manejados por los partidarios de atribuir al médico dicho poder decisorio.

En primer lugar, porque, como señala TREMPEL, no puede valorarse como un riesgo que aconseje censurar la información la posible renuncia a la terapia adecuada. Dicha renuncia no es sino parte indisociable de la libertad de elección o, lo que es lo mismo, representa "la otra alternativa" del paciente cuya amputación conlleva, a su vez, la de su libertad[167]. En segundo lugar, porque es bastante dudosa la validez, al menos en términos generales, del razonamiento que apunta a que el conocimiento de la enfermedad puede resultar contraproducente para el enfermo; al contrario, como señala GIESEN,

---

[164] Entre otros, SÁNCHEZ CARO, "El derecho a la información en la relación sanitaria: aspectos civiles", en *La Ley* 1993-3, págs. 954 s.

[165] Así, por ejemplo, el art. 4 y 6 de la Ley 30/1979, de 27 de octubre, sobre Extracción y Trasplante de Órganos, o el art. 3 de la Ley 14/2006, de 26 de abril, sobre Técnicas de Reproducción Humana Asistida. En el orden deontológico, el Código de Ética y Deontología Médica de 1979, actualizado en 1990, reconocía de forma muy restrictiva las excepciones a la regla general de información completa y veraz al paciente: "En beneficio del paciente puede ser oportuno no comunicarle inmediatamente un pronóstico muy grave. *Aunque esta actitud debe considerarse excepcional* con el fin de salvaguardar el derecho del paciente a decidir sobre su futuro"(art. 11.5). Dicha cláusula ha desaparecido en el Código de 1999.

[166] Como el art. 5 del Convenio para la protección de los Derechos Humanos y la dignidad del Ser Humano con respecto a las aplicaciones de la Biología y la Medicina; o el art. 4 de los Principios de Ética Médica Europea, aprobado por las Conferencia Internacional de Órdenes Médicas en París el 6 de enero de 1987.

[167] TEMPEL, *NJW* 1980, *ob. cit.*, pág. 614. Dignas de mención me parecen en este sentido las palabras que pronunciara el juez Byron White del Tribunal Supremo de Estados Unidos en 1986 y que recogen BEAUCHAMPS/CHILDRESS, *Principios de ética médica, ob. cit.* pág. 143: "Forma parte de la propia naturaleza del consentimiento informado el que éste produzca cierta ansiedad en el paciente e influya en su decisión. Ésta es, de hecho, la razón por la que existe y...es una razón totalmente saludable".

es justamente ese conocimiento el que puede fortalecer su voluntad de luchar contra su enfermedad y alimentar el interés por una terapia que de otra forma pudiera rechazar por considerarla innecesaria o prescindible[168]. En último lugar, porque de lo contrario, esto es, de atribuir al médico un papel decisorio sobre los límites de la información, no sólo se generaría en el paciente la terrible inseguridad de que al cruzar los umbrales de la consulta nunca podría estar seguro de que se le ha dicho la verdad[169]. También se le acabaría convirtiendo en el cliente involuntario de una especie de psiquiatra *sui generis* legitimado para actuar de forma tan generosa como lo sea su intuición, algo que unas veces puede llevar a ocultar al enfermo una información que le pertenece; otras, a someterle a sus espaldas a pruebas de diagnóstico[170]. Todo ello sin desconocer el consiguiente riesgo denunciado por BEAUCHAMPS/CHILDRESS de que, a largo plazo, se ponga en peligro la reacción especial de confianza entre médicos y pacientes y éstos pongan en tela de juicio la integridad moral del médico[171].

Cuestión distinta de la anterior es que sea lícito reconocer al médico un margen de libertad a la hora de ponderar, no ya el "sí" de la información, sino el *"cómo"* de la misma de cara a amortiguar los posibles efectos psíquicos que pudiera tener sobre el enfermo, faceta ésta en la que, como explica GALÁN CORTÉS, cobra especial protagonismo el don de psicología del médico[172]. Así, por ejemplo, puede resultar conveniente, siempre que lo permita la ausencia de urgencia de la intervención o el tratamiento, demorar la comunicación del diagnóstico o pronóstico de la enfermedad o proceder a la misma de forma paulatina tras un diálogo continuado con el paciente para evitar o atenuar así,

---

[168] GIESEN, *Arzthaftungsrecht*, Tübingen, 1995, págs. 283 ss, 290.

[169] Se refieren a este temor, entre otros, KAUFMANN, Arthur ob. cit, en *ZStW* 1961, pág. 363; JAKOBS, *Derecho Penal, Parte General. Fundamentos y teoría de la imputación*, Trad. de Cuello Contreras y Serrano González de Murillo, Madrid, 1997, pág. 527.

[170] En el orden civil es interesante la cita de la condena impuesta a un médico por un Juzgado de primera instancia de Barcelona. El Juzgado le condenó al pago de un millón de pesetas a un paciente por no informarle de que padecía un cáncer de intestino desde hacía nueve meses. El paciente fue intervenido de urgencia debido a una apendicitis aguda y se le encontró un tumor en el intestino durante la operación. Sin embargo, fue dado de alta sin tener conocimiento de que se había encargado un informe para averiguar la patología del tumor detectado. Según la sentencia, no debe "en ningún caso hurtarse al conocimiento de la persona afectada" los datos sobre su enfermedad, con independencia de que exista o no una solución terapéutica a la misma; información recogida en el Diario *El País*, de 27 del octubre de 1998.

[171] BEAUCHAMPS/CHILDRESS, *Principios de ética médica, ob. cit.*, págs. 382 ss.

[172] GALÁN CORTÉS, *Responsabilidad médica y consentimiento informado, ob. cit.*, págs. 301 ss.

en la medida de lo posible, las eventuales alteraciones psíquicas que pudiera ocasionarle[173]. Pero insistamos una vez más, dicha facultad habrá de ceñirse a lo que se refiere a la *forma* de transmitir la información, no a su *fondo*[174].

Hasta aquí la postura que sostenemos con carácter general. A partir de la misma resulta necesario realizar varias precisiones que sitúen en sus justos términos las afirmaciones anteriores. En primer lugar, que el reconocimiento de que en principio el médico está siempre obligado a informar, no supone concluir afirmando de forma automática que cuando, movido por consideraciones pietistas omita esa información, deba responder efectivamente en el caso concreto por esa carencia. Ya desde la óptica estrictamente penal, al analizar en el siguiente capítulo las consecuencias que deriven de la falta del deber de información, tendremos ocasión de referirnos a las amplias posibilidades de apreciar en tales casos una causa de exclusión de la culpabilidad.

En segundo lugar, de inmediato conviene precisar que la enunciación de aquel principio general tampoco supone negar cualquier papel a los argumentos relacionados con la necesidad de no causar daños adicionales al paciente en orden a hacer decaer el deber de informar —y no meramente exculpar al médico—. Al contrario, es posible identificar algunos casos en los que excepcionalmente pudieran apreciarse los requisitos de un *estado de necesidad* que justificase la conducta. Para ello, deberán concurrir todos los presupuestos de dicha causa de justificación. Así, en primer lugar debe darse una relación de adecuación entre males. Esa relación debe excluirse cuando la falta de infor-

---

[173]   Dispone en este sentido el apartado 1 del art. 10 del Código de Ética y Deontología Médica de 1999 que: "Los pacientes tienen derecho a recibir información sobre su enfermedad y el médico debe esforzarse en dársela con delicadeza y de manera que pueda comprenderla" En la doctrina alemana, entre otros, EBERBACH, en "Die ärztliche Aufklärung unheilbar Kranker", en MedR 1986, pág. 184; ENGISCH, en Fs. Bockelmann, ob. cit., págs. 519 ss., 529, para quien, si bien respetando en todo caso la libertad del paciente y, con ello, su derecho a la información, el médico debe moderar ésta en aras de la terapia, subrayando las esperanzas de curación y suavizando los riesgos.

[174]   En este sentido debe mencionarse el Código deontológico del Consejo de Médicos de Cataluña de 1998, que tras consagrar en su art. 20 el deber del médico de proporcionar al paciente la máxima información sobre su estado de salud, los pasos diagnósticos, las exploraciones complementarias y los tratamientos, así como el deber de hacerlo de forma entendedora y prudente, dispone en el art. 23 que esa información ha de procurarse aun cuando se trate de enfermedades graves, planteándose en conciencia el médico cómo conseguir que la información, o la forma de darla, no perjudiquen al paciente. En esta misma clave deben interpretarse las previsiones de la Ley 21/2000 de Cataluña sobre los derechos de información relativos a la salud, la autonomía del paciente y la documentación clínica, cuyo art. 2.2 dispone que la información se ha de dar de forma comprensible y adecuada a las necesidades y requerimientos del paciente para ayudarle a tomar decisiones de manera autónoma.

mación tenga como consecuencia que el enfermo no se someta al tratamiento que necesita y ello le produzca un empeoramiento de su estado de salud. Baste pensar, por ejemplo, en los casos en que el silencio médico impida que el enfermo acuda al centro médico correspondiente para recibir las sesiones de quimioterapia que necesita, lugar en el que se enteraría necesariamente de la enfermedad que padece. La razón por la que en tales casos habría de rechazarse la posibilidad de justificar la conducta del médico acudiendo al expediente de estado de necesidad se vincula con argumentos relacionados con una ponderación de intereses. Téngase en cuenta que en estos casos los bienes jurídicos que entrarían en conflicto no serían ya la libertad y la eventual salud psíquica del paciente, sino ésta y la inminente producción de una consecuencia lesiva.

En tercer lugar, para dar luz verde a un eventual estado de necesidad será necesario que el enfermo no haya manifestado su firme voluntad de estar informado. Como es sabido, suele ser una máxima indiscutida que cuando se trata de salvaguardar un bien disponible, presupuesto indispensable es que el titular no renuncie a su protección. Aplicado a los casos que ahora interesan, si el paciente rechaza de forma inequívoca cualquier protección frente al eventual daño que pudiera causar a su salud psíquica el conocimiento de su diagnóstico, la pretensión de seguir protegiéndole frente a su voluntad habría de considerarse ilícita. Lo contrario sólo sería admisible desde un paternalismo exacerbado, incompatible con el obligado reconocimiento de un espacio de autonomía al paciente.

En cuarto lugar, la necesidad de que el mal que amenaza se presente de modo inminente determina la exigencia de acotar el posible ámbito de aplicación del precepto a una fenomenología muy concreta de casos. Un supuesto claro en este sentido sería aquél en el que la enfermedad que se hubiera comprometido a tratar el facultativo fuera precisamente de índole psíquica; ninguna dificultad ofrecería tampoco la ocultación del diagnóstico cuando el médico que trata a un enfermo de una dolencia física tuviera conocimiento de un dictamen emitido por otro especialista en Psiquiatría o Psicología en el que advirtiese la especial debilidad del paciente. Otro tanto habría que decir en relación con determinadas enfermedades físicas. Baste pensar ahora en el caso en el que el paciente padeciera una severa cardiopatía, de tal forma que la tensión emocional que previsiblemente le provocase el conocimiento de su enfermedad pudiera resultarle seriamente perjudicial para su salud. Como señala GIUNTA, en estos casos el deber de informar entraría en colisión con un deber de mayor calado: el de no causar daño al paciente[175], tal como reclama el principio ético de *no-maleficencia*.

Más allá de estos supuestos en los que resulta inequívoca la existencia de un riesgo grave para la salud psíquica o física del paciente, el médico habrá de contar en cada caso concreto con un margen de discrecionalidad que le permita valorar aspectos tales como los antecedentes de depresión del paciente, la posible sintomatología externa reveladora de episodios de angustia, su especial debilidad o tendencia depresiva, los temores acusados, la intensidad de la enfermedad física que podría agravarse y, en general, todos aquellos indicadores externos que, de forma objetiva, permitan alertarle sobre la gravedad de los riesgos de la información.

Por otra parte, la apreciación del estado de necesidad requeriría también la concurrencia del requisito de que el mal que amenaza producirse de forma inminente fuese imposible evitarlo por otras vías, por ejemplo, mediante una comunicación cuidada y el ofrecimiento, caso de ser necesario, de ayuda psicológica al enfermo. También habrán de incluirse aquí los casos en que, por no tratarse de una intervención urgente, fuera posible referir la información a un momento ulterior en el que el paciente se encuentre mejor preparado psicológicamente[176]. De todas formas debe observarse que, en cualquiera de estos casos, la omisión de la comunicación al enfermo no exime al médico del deber de informar a los familiares o personas allegadas al mismo.

En estos términos restringidos entiendo debe interpretarse la previsión del apartado 4 del art. 5 de la Ley 41/2002, así como las previsiones contenidas en las respectivas normas regionales[177]. En lo que a la Ley 41/2002 se refiere, tras consagrar su art. 4.2 que la información clínica tiene que ser verdadera, dispone:

> *"El derecho a la información sanitaria de los pacientes puede limitarse por la existencia acreditada de un estado de necesidad terapéutica. Se entenderá por necesidad terapéutica la facultad del*

---

[175]   GIUNTA, en *Rivista italiana di diritto e procedura penale*, 2001, *ob. cit.*, pág. 389.

[176]   GIUNTA, en *Rivista italiana di diritto e procedura penale*, 2001, *ob. cit.*, pág. 389.

[177]   Véase por ejemplo la Ley 8/2003, de Castilla-León, que dispone en su art. 20 que "Cuando en los centros, servicios o establecimientos sometidos a la presente Ley, se produzcan casos excepcionales en los que, por razones objetivas, el conocimiento de su situación por parte de una persona pudiera perjudicar de manera grave su salud, el médico asignado podrá actuar profesionalmente sin informar antes al paciente, debiendo en todo caso informar a las personas vinculadas a él por razones familiares o de hecho y dejar constancia en la historia clínica de la necesidad terapéutica existente. En función de la evolución de dicha necesidad terapéutica el médico podrá informar de forma progresiva, debiendo aportar al paciente información completa en la medida en que aquélla necesidad desaparezca".

médico para actuar profesionalmente sin informar antes al paciente, cuando por razones objetivas el conocimiento de su propia situación pueda perjudicar su salud de manera grave. Llegado este caso, el médico dejará constancia razonada de las circunstancias en la historia clínica y comunicará su decisión a las personas vinculadas al paciente por razones familiares o de hecho".

Al margen de estos casos en los que excepcionalmente sería posible fundamentar la concurrencia de una causa de justificación, pueden acotarse determinadas premisas bajo las que el médico puede estar, si no obligado, sí respaldado por la *posibilidad* de no informar. El contexto que legitime tal opción no se vincula, a mi juicio, con las posibilidades de herir la sensibilidad del paciente y, en definitiva, con la gravedad de la información y la supuesta fragilidad del destinatario; por el contrario, su presupuesto se vincula con la utilidad de aquélla, esto es, con su genuino valor como elemento ponderativo a efectos de tomar una decisión y de mensurar los *pros* y *contras* de la misma. Según entiendo, es lo que sucederá en dos grupos de casos.

Los primeros son aquellos en los que al paciente se le oculte la gravedad real del diagnóstico cuando ya se haya decidido al tratamiento y la información que se omite no incida en la ponderación acerca de las ventajas y riesgos del mismo. Porque como observa en nuestra doctrina TOMÁS-VALIENTE LANUZA, la ocultación de tales datos no puede decirse que afecte a la autonomía del paciente[178]. Junto a este primer ámbito, todavía puede identificarse un segundo en el que el médico estaría autorizado a ocultar información al enfermo: los casos en los que, por la gravedad o avance de la enfermedad, resultase vedada cualquier esperanza, no sólo de curación, sino de posible mejoría sintomática del paciente. Baste pensar en los supuestos en los que el diagnóstico sea de un cáncer terminal que, por su avanzado estado, ya no admitiese medida terapéutica alguna. En tanto que el conocimiento del diagnóstico fatal no proporcione al enfermo una información relevante para decidir si opta por intentar mejorar su salud sometiéndose a terapia, la información perdería su valor como garantía de la autodeterminación del paciente[179]. Otro tanto habría que decir en los supuestos en los que, si bien no se trata de una enfermedad terminal, el conocimiento por parte del paciente de su estado sólo puede llevarle a un estado de preocupación sin que aquél, sin embargo, sea un elemento relevante de cara a ninguna decisión. Baste pensar por ejemplo en el caso del portador de un marcapasos que se sometiera a una intervención de cambio de pila en la que los médicos advirtieran que al retirársele ésta su corazón no tiene ya autonomía alguna, de modo que depende por completo del marcapasos. Mantener en tales casos la exigencia de que esté informado sólo

---

[178] TOMÁS-VALIENTE LANUZA, *La disponibilidad de la propia vida en el Derecho penal, ob. cit.*, págs. 494 ss.

[179] En este sentido, TEMPEL, *NJW* 1980, *ob. cit.*, pág. 614.

sería viable desde una compresión estrictamente formal del derecho a saber que desenfocara su genuina razón de ser y que de paso, ahora sí, ignoraría por completo cualquier faceta humana en el ejercicio de la medicina.

Conviene insistir en que esta conclusión se refiere a los casos en que se descarte cualquier eficacia del tratamiento. Valoración diferente habrían de merecer aquellos otros supuestos en los que, si bien éste no puede asegurar la curación, sí puede aumentar la esperanza de vida o reducir los sufrimientos de la enfermedad y, con ello, elevar la calidad de vida del enfermo. De existir tal posibilidad y, en definitiva, una opción que sólo está legitimado a tomar el paciente, se conservaría intacta la obligación del médico de facilitar toda la información necesaria para garantizar el respeto de la voluntad de aquél.

II. LAS CONSECUENCIAS PENALES POR VICIOS EN EL CONSENTIMIENTO O AUSENCIA DEL MISMO

En el Capítulo primero tratamos de acotar los límites del deber de informar así como de depurar los casos en los que, bien por falta de información, bien por sus deficiencias, no pueda decirse que el acto médico esté legitimado por el consentimiento del paciente. La identificación de esos supuestos no es, sin embargo, más que el punto de partida de cualquier indagación en torno a los presupuestos de la responsabilidad penal. Por eso, dentro de esa amplia gama de casos se trata ahora de identificar aquellos de los que, por su especial gravedad, puedan derivarse consecuencias penales. La tarea que se pretende realizar es, en definitiva, la de acotar, conforme al principio penal de *intervención mínima*, los vicios o deficiencias en el deber de informar que resulten mecedores de pena. No obstante, antes de proceder a esa delimitación de casos, y como cuestión preliminar, resulta conveniente hacer una serie de precisiones previas en torno al posible título delictivo por el que habría de canalizarse en estos casos la responsabilidad del médico (1). Sólo una vez delimitado el mismo estaremos en condiciones de acotar los supuestos en los que, en su caso, resulte *merecida* y *necesaria* su apreciación (2).

1. Título de responsabilidad por el que deba responder el médico

Cuando se plantea el título de responsabilidad conforme al que deba ventilarse la responsabilidad del profesional que realiza un acto médico sin contar con la voluntad del paciente, ya sea por ausencia de la misma o por vicios relevantes en su proceso de formación, son dos, básicamente[180], los posibles puntos de referencia que vienen en consideración: los delitos de lesiones, por un lado; y los delitos que tutelan la libre formación de voluntad, por otro.

En primer lugar, un posible título delictivo que podría venir en consideración es el delito de lesiones, previsto en los arts. 147 ss. CP. La base argumentativa que respalda esta primera opción enlaza con argumentos que tienen que ver con la forma en que previamente se enfoquen dos cuestiones previas. La primera, la manera en que se conciba la relación entre la actividad médica y el delito de lesiones; la segunda, el papel que se reserve al consentimiento como causa excluyente de responsabilidad penal. Sólo cuando se afirme que la actividad médica, en la medida en que incide sobre la integridad física del enfermo, es subsumible siempre en un delito de lesiones respecto al que el consentimiento de éste opera como causa de justificación, podrá sostenerse que cuando falte la conformidad del paciente la responsabilidad del sanitario tenga que discurrir conforme a los tipos delictivos que tutelan, según las distintas formas de entender el bien jurídico en las lesiones, la integridad corporal del sujeto pasivo o, de forma más amplia, su salud.

Los partidarios de reconducir los atentados a la voluntad del paciente a los tipos relativos a las lesiones todavía suelen manejar un argumento adicional relacionado con consideraciones de índole *político-criminal*. Porque de esta manera, dicen sus defensores, se evitan las lagunas de punibilidad que de otra forma podrían producirse. Y es que, ante la imposibilidad de apreciar no pocas veces los requisitos propios de los tipos que en general tutelan en el Código penal la voluntad —la mayoría de las veces el requisito de la violencia como

---

[180]   Todo ello al margen de la posibilidad de que en determinados casos la realización de la práctica médica sin el consentimiento del paciente pueda reconducirse a los delitos de detenciones ilegales e incluso suponer un atentado a su intimidad. En relación con esto último tuvo ocasión de pronunciarse el Tribunal Constitucional en la Sentencia núm. 37/1988, de 15 de febrero, relativa a las medidas ordenadas por el Juzgado de Jerez de la Frontera en el proceso abierto por un delito de aborto contra el médico Germán Sáez de Santamaría. Dicho Juzgado ordenó la práctica de una prueba pericial a la después recurrente, que consistía en su examen corporal por el Médico Forense al objeto de detectar señales de una posible interrupción voluntaria del embarazo. El Tribunal Constitucional amparó a la mujer al considerar la intimidad corporal como una manifestación más de la intimidad: "la Constitución garantiza la intimidad personal (art. 18.1), de la que forma parte la intimidad corporal, de principio inmune, en las relaciones jurídico-públicas que ahora importan, frente a toda indagación o pesquisa que sobre el cuerpo quiera imponerse contra la voluntad de la persona, cuyo sentimiento de pudor queda así protegido por el ordenamiento, en tanto responda a estimaciones y criterios arraigados en la cultura de la comunidad" (Fundamento Jurídico 7).

elemento típico del delito de coacciones—, habría que acabar reconociendo que en los casos en que el médico oculta al paciente la trascendencia e incluso la realidad misma del acto al que le somete, su responsabilidad habría de discurrir, todo lo más, por la vía disciplinaria o civil. De esta forma su actuación ilegítima quedaría extramuros del orden penal pese a la gravedad del atentado a la voluntad del enfermo.

Sobre la relación entre la actividad médica y el delito de lesiones se ocupa un Capítulo específico de este trabajo[181]. Para evitar reiteraciones, remitimos a esa sede el estudio detallado de ésta y otras cuestiones que se implican con ella. Tan sólo conviene anticipar ahora la conclusión que entonces tendremos ocasión de fundamentar en torno a que cuando se trata de una actividad terapéutica realizada conforme a las reglas de la *lex artis* debe excluirse ya de entrada la posibilidad de reconducir la actividad del médico al desvalor de acción de dicho tipo delictivo. Esta conclusión habrá de mantenerse con independencia de que falte una información adecuada y, con ella, el consentimiento válido del afectado, puesto que el sentido lógico del consentimiento en el delito de lesiones es excluir su tipicidad objetiva en los casos en que previamente ésta se haya fundamentado. Es lo que sucede, por ejemplo, cuando se trata de una actividad experimental u otra que, pese a ser curativa, no se realiza conforme a las reglas de cuidado, o en casos como la esterilización o las prácticas de reproducción asistida, que sólo pueden incidir positivamente en la salud —psíquica— del sujeto cuando se trata de una intervención que desea[182]. Cuando, por el contrario, se trata de una actividad terapéutica realizada conforme a las reglas de cuidado, la contemplación total del suceso impide reconducir los posibles resultados lesivos que eventualmente se produzcan al delito de lesiones. Con independencia de que remitamos al capítulo correspondiente el estudio particularizado de los distintos argumentos, baste referir ahora, de forma muy resumida, algunas de las razones que avalan tal afirmación.

En primer lugar, la más básica, es que el intento de castigar estos casos por lesiones responde a un expediente forzado que, lejos de encontrar su apoyo en

---

[181]   Véase *infra*, III, *El consentimiento del paciente y el delito de lesiones.*

[182]   No obstante, véase por ejemplo la Sentencia del Tribunal Supremo de 26 de octubre de 1995 que confirmó la Sentencia de la Audiencia Provincial de Ciudad Real que condenó por lesiones -físicas- al médico que aprovechando una intervención de cesárea procedió a la esterilización de la mujer sin que mediara el consentimiento, siquiera presunto, de ésta, ni se hubiera consultado el parecer de los allegados o familiares. Véase también un supuesto de hecho muy parecido en la Sentencia de la Sala 1º del TS de 24 de mayo de 1995.

la letra de la ley, se articula con la única finalidad de reconducir a un tipo que tutela la integridad física —o psíquica— comportamientos que lesionan un bien jurídico totalmente distinto: la libertad de decisión del paciente. Cuando éste no cuenta con toda la información necesaria para formar su voluntad, lo que se ve afectado es su *capacidad de determinación*, esto es, su *libertad* de decidir, lo que, como tendremos ocasión de insistir, nada tiene que ver con los presupuestos bajo los que eventualmente pueda afirmarse que la intervención médica es constitutiva de un delito de lesiones por realizarse fuera de los cánones que marcan las reglas de la *lex artis*. La imprudencia y, con ello, la responsabilidad por lesiones, existe o no en función del modo en que se realiza el acto médico, sin que en esta conclusión influya que el mismo estuviera o no consentido[183].

En segundo lugar, en apoyo de cuanto venimos sosteniendo hablaría un argumento que enlaza con consideraciones semánticas. Y es que choca frontalmente con el significado mismo del término "lesiones" la pretensión de reconducir a dicho tipo delictivo los supuestos en los que el tratamiento curativo —no consentido— resulta exitoso y, por tanto, no lesivo para el paciente. Afirmar que se han producido lesiones cuando el enfermo se ha curado pero no ha prestado su consentimiento encierra en sí mismo un contrasentido.

No está de más observar que el razonamiento que aquí criticamos ni siquiera está presente en un ámbito distinto, el civil, en el que, como es sabido, puede apreciarse la tendencia a derivar responsabilidad resarcitoria para el médico en los casos en que, incluso pese a actuar conforme a las reglas de cuidado, no informa al paciente de un riesgo típico de la intervención que se acaba realizando[184]. Incluso en ese orden en el que pareciera mezclarse la valoración del resultado final con los vicios o defectos de información, la pre-

---

[183]   Véase HIRSCH, "Zur Frage eines Straftatbestands der eigenmächtigen Heilbehandlung", *FS für Heinz Zipf Strafrecht und Überzeugungstäter*, Heidelberg, 1999, págs. 357 ss; véase también en un sentido contrario al texto, ULSENHEIMER, *Arztstrafrecht in der Praxis, ob. cit.*, págs. 112 ss.

[184]   Véase por todos GALÁN CORTÉS, *Responsabilidad médica y consentimiento informado, ob. cit.*, págs. 219 ss. En la jurisprudencia puede citarse a modo de ejemplo la Sentencia de la Sala de lo Civil y Penal del Tribunal Superior de Justicia de Navarra, de 27 de octubre de 2001 que enuncia entre los requisitos para que proceda la responsabilidad civil lo siguiente: "a) Que el paciente haya sufrido un daño personal cierto y probado. El daño es presupuesto fundamental de cualquier clase de responsabilidad civil. Sin él, la eventual omisión del consentimiento informado para una intervención médica no pasa de ser una infracción de los deberes profesionales, con posibles repercusiones en otros órdenes, pero carente de consecuencias en la esfera de la responsabilidad civil, contractual o extracontractual; b) Que el daño sufrido sea consecuencia de la intervención médica practicada y materialización de un riesgo típico o inherente a ella...".

tensión resarcitoria no surge del daño en sí, sino de la doctrina conocida como *"pérdida de oportunidad"* y atiende, por tanto, al dato de que el paciente que ignoraba el riesgo que comportaba la operación no tenía posibilidad de sustraerse al mismo. De esta forma, también en el orden civil, la responsabilidad del médico por los daños producidos en el marco de un acto médico no amparado por un consentimiento válido atiende directamente a la falta de consentimiento; no a la lesión sufrida por el paciente.

Todavía podría destacarse un tercer argumento que se opondría a dicho proceder. Baste pensar que la subsunción de los casos que ahora interesan en los tipos de lesiones daría luz verde a la extensión del Derecho penal a supuestos que resultan seriamente dudosos. Entonces, en efecto, habrían de castigarse no sólo los casos en que el médico fuera consciente de la falta de información del enfermo y, en general, de la falta de validez del consentimiento prestado por el paciente, sino también aquellos otros supuestos en los que la falta de información se debiera simplemente a una omisión negligente de aquél. Y es que, si cuando las reglas de la *lex artis* se vulneran de forma negligente entra en juego el tipo de lesiones imprudentes, y entre las violaciones a esas reglas cierto sector de la doctrina pretende incorporar la falta de información, la consecuencia lógica tendría que ser castigar también la omisión de la información imprudente[185]. Esta consecuencia, sin embargo, se opone a la preocupación por no incriminar en exceso la profesión médica, argumento al que paradójicamente suelen recurrir los detractores de crear un precepto especial para castigar estos atentados a la libertad por considerar "suficiente" el recurso a los tipos de lesiones. Todo ello sin olvidar que, ahora desde un punto de vista valorativo, el razonamiento que aquí se critica supondría tanto como equiparar el desvalor de la falta de información con el de la causación de una lesión, supuestos sobre cuyo diferente contenido de injusto no parece necesario volver a insistir[186].

---

[185]   Véase HIRSCH, *en Gedächtnisschrift für Zipf, ob. cit.*, págs. 357 ss; ULSENHEIMER, Arztstrafrecht in der Praxis, *ob. cit.*, págs. 117 ss.

[186]   Obsérvese por lo demás que a partir de esta estricta delimitación entre lo que sean los ataques al bien jurídico salud, por un lado, y a la libertad de autodeterminación del sujeto, por otro, con más razón deben descartarse las objeciones apuntadas por algún autor relativas ahora al marco penal inferior que resultaría en los casos en que la conducta pudiera reconducirse a un delito de coacciones frente al resultante de apreciar las lesiones. En este sentido, por ejemplo, GONZALEZ RUS propone entender que entre las reglas de la *lex artis* habría de entenderse incluido el consentimiento, de tal suerte que cuando éste faltase, pudieran apreciarse las lesiones. Conforme a lo que aquí sostenemos, si en tal hipótesis se castiga al sujeto por coacciones y no por lesiones, es porque el bien jurídico que ha resultado afectado es la libertad, no la salud, y entonces pierde cualquier sentido proceder a una comparación entre las penas que resultarían en uno y otro caso.

Es más, estas críticas tampoco desaparecerían en el caso de no seguirse la opinión de quienes incluyen el cumplimiento del deber de información dentro de las reglas de cuidado. Al contrario, las incoherencias que se producirían serían aún más escandalosas si se acepta la premisa de que toda actividad médica representa un delito de lesiones cuya antijuricidad se excluye por la concurrencia de consentimiento del paciente. Porque como explica BOCKEL-MANN en la doctrina alemana, dado que el consentimiento se refiere sólo a la operación como tal, pero no a las eventuales negligencias que se cometan, cuando sea éste el caso, es decir, cuando el médico obre de modo negligente, su responsabilidad también habría de discurrir conforme al tipo de un delito doloso, en la medida en que entonces no sería posible afirmar la concurrencia del consentimiento del paciente[187].

En realidad, puede decirse que esta serie de incoherencias y distorsiones que arrojaría el intento de reconducir la actividad terapéutica no consentida al delito de lesiones no es más que el resultado de la disparidad de bienes jurídicos que se ven implicados, respectivamente, en aquella fenomenología de casos y en estos tipos delictivos. Mientras el objeto de tutela de los delitos de lesiones es la preservación de la integridad física y la salud del sujeto, cuando falta el consentimiento del enfermo el bien jurídico lesionado es otro de cariz muy distinto, que apunta en exclusiva al atentado a la voluntad que sufre el paciente, trasladando así su problemática al ámbito propio de los delitos contra la libertad.

Ahora bien, así enfocado el objeto de tutela, la primera cuestión que se plantea es si para la protección de dicho bien jurídico en el ámbito penal son suficientes los tipos delictivos que en el Código penal se orientan a tutelar con carácter general la voluntad o si, por el contrario, resulta necesario, o al menos conveniente, tipificar de forma específica los atentados a la libertad que provengan de la práctica médica. Las dudas surgen por el dato, ya en parte anunciado, de que en no pocas ocasiones va a ser difícil apreciar los requisitos típicos de los delitos contra la libertad que el legislador penal reconoce; básicamente el de coacciones. Es lo que sucederá la mayoría de las veces debido a la exigencia típica de que medie un acto de violencia sobre las personas, algo que muy raramente se dará en la práctica médica[188]. No es por ello de extrañar

---

[187] BOCKELMANN, *Strafrecht des Arztes, ob. cit.,*pág. 55. Véase también págs. 62 ss.
[188] Sobre los requisitos de este delito, véase por todos HIGUERA GUIMERÁ, *El delito de coacciones*, Barcelona, 1978. Sobre las dificultades de apreciar un delito de coacciones debido a la ausencia del requisito de la violencia sobre las personas, véase por ejemplo ASUA BATARRITA/DE LA MATA, "El delito de coacciones y el tratamiento médico realizado sin consentimiento o con consentimiento viciado", en *La Ley*, 1990, págs. 2 ss.

que tanto en nuestro Derecho como en el de aquellos países que regulan en términos similares el delito de coacciones, se haya abierto un debate en torno a la conveniencia de incorporar un tipo delictivo específico que contemple los atentados a la formación de libertad en el ámbito que ahora interesa y que por esta vía garantice la ausencia de las lagunas de punibilidad que de otra forma se producirían.

La opción de configurar dicho tipo específico ha encontrado un amplio eco en la doctrina alemana[189]. De *lege ferenda*, en aquel Derecho se incorporó al parágrafo 162 del Proyecto oficial de 1962[190] así como al Proyecto Alternativo

---

No obstante, como señala ASUA BATARRITA, si bien el requisito típico de la violencia resulta, en general, difícilmente apreciable en el ámbito médico, no puede descartarse la posibilidad de su existencia. Más allá de los extraños casos en los que el médico anule con violencia la voluntad del sujeto, es posible apreciar la violencia física en "supuestos en que la postración del enfermo -paralítico, extenuado, politraumatizado- le impidiera desplegar una oposición acorde con su negativa, lúcidamente manifestada, al tratamiento", "Tratamiento curativo son consentimiento del paciente y responsabilidad penal", en JANO 1995, pág. 620. En este sentido resulta interesante la cita de la STS de 10 de octubre de 2005, que apreció la concurrencia de un delito de coacciones en la conducta de quien, haciéndose pasar por médico, administraba a la víctima fármacos que le provocaban un estado de somnolencia y posibilitaba su manipulación: "la vis o fuerza empleada por el sujeto activo del delito de coacciones no sólo comprende los casos de violencia física como tal, sino que incluye cualquier modalidad de compulsión o ataque a la voluntad de la víctima, pues con ello también limita su libertad. De hecho, así se ha reconocido en el supuesto de empleo de narcóticos o, incluso, de métodos que no comportan contacto físico con el sujeto pasivo, tales como la hipnosis. De no ser así se crearían espacios de impunidad inasumibles, de forma que tan relevante para doblegar la voluntad es el empleo de violencia física como de otros medios que producen el mismo efecto...ha de convenirse que en el presente supuesto concurre dicha compulsión sobre la voluntad de la víctima, en cuanto resulta probado...que el acusado, con la aquiescencia de la coacusada, le administró durante un prolongado lapso temporal diversos medicamentos que produjeron en aquella un cuadro de debilidad y somnolencia continuos, estando su voluntad doblegada a causa de tal ingesta medicamentosa, con significativa reducción de su capacidad decisoria".

[189] Entre la abundante literatura al respecto, valga de cita SCHROEDER, *Besondere Strafvorsichten gegen Eigenmächtige und Fehrelerhafte Heilbehandlung?*, Passau, 1998; HIRSCH, en *Gedächtnisschrift für Zipf, ob. cit.*, págs. 353 ss; véanse las referencias doctrinales que ofrece el mismo autor, págs. 354 ss; GRÜNDWALD, "Heilbehandlung und ärztlliche Aufklärungspflicht", *ob. cit.*, pág. 13; BOCKELMANN, *Strafrecht des Arztes, ob. cit.*, págs. 62 ss; NEUHAUS, "Ärztliches Handeln als Körperverletzung aus Sicht des Chirurgen", en *ZaeFQ*, 1998, págs. 542 ss.

[190] Disponía el art. 162 del Proyecto de 1962, que incurre en tratamiento arbitrario ("Eigenmächtige Heilbehandlung"): (1). Quien realice a otro, sin su consentimiento, una operación o cualquier otro tratamiento médico con la finalidad de prevenir, diagnosticar, curar o aliviar enfermedades, padecimientos o alteraciones físicas o psíquicas será castigado con una pena de prisión de hasta tres años, con arresto o con pena similar. (2). El hecho no será punible conforme al apartado 1 si el consentimiento sólo se puede obtener medi-

de 1966[191]; ya de forma más reciente, el 15 de julio de 1996 se presentó un Proyecto en la Sexta Ley de Reforma del Derecho penal que proponía incluir el tratamiento médico arbitrario[192] que, sin embargo, tampoco llegó a ver la luz.

---

ante un aplazamiento de la intervención, lo que habría supuesto un peligro de muerte o de sufrir un grave daño para su salud física o psíquica (§147.2), y no concurran circunstancias que hagan pensar que el sujeto habría denegado el consentimiento. (3). El hecho no será punible conforme al apartado 1 si el médico emprende el tratamiento de una persona sin que haya consentido en el sentido del apartado 1, por el hecho de no haber estado suficientemente informada, pero, 1. la persona en cuestión había consentido en general a someterse a un tratamiento, y si fuera necesario, a una operación, 2. el tratamiento era necesario según el conocimiento y la experiencia médica para evitar un peligro de muerte o un daño grave al cuerpo o la salud (§147.2) 3. una información completa habría alterado psíquicamente a la persona de forma tan grave que previsiblemente la operación habría resultado seriamente perjudicada. 4. no pueda deducirse de las circunstancias que el paciente habría negado el consentimiento de haber sido completamente informado. (4). Caso de que el autor crea erróneamente que concurren los presupuestos del apartado 2 ó 3 y dicho error sea debido a imprudencia, será castigado con una pena de prisión de hasta dos años, con arresto o pena similar. 4. El hecho sólo será perseguible a instancia de parte. Si la víctima fallece, el derecho de querella pasará a los herederos conforme el §121,2". La propuesta de incluir un tipo relativo al tratamiento médico arbitrario se contenía ya antes en el Proyecto de 1927; al respecto, véase HEIMBERGER, "Arzt und Strafrecht", *Festgabe für Reinhard* von Frank, Tübingen, 1930, págs. 402 ss; véase también KAMPS, *Ärztliche Arbeitsteilung und strafrechtliches Fahrlässigkeit*, ob. cit., pág. 109, nota 11.

[191] Conforme al parágrafo 229: 1. Quien sin contar con el consentimiento válido del afectado lo someta a una intervención o a cualquier otro tratamiento que afecte a su integridad física o a su estado de salud de forma relevante para así diagnosticar, curar, aliviar o prevenir una enfermedad, daño, padecimiento, malestar o alteración actual o futura de éste o del feto, será castigado con pena de prisión de hasta cinco años o con pena de multa. 2. En casos especialmente graves, la pena de prisión será de seis meses hasta 10 años. En general, se da un supuesto grave: 1.-cuando la práctica sirve para la experimentación de un medicamento, sin que se realice en interés de la persona afectada o del feto, o; 2.- cuando no pueda justificarse con una ponderación de la finalidad pretendida y el peligro que deriva para la persona afectada. 3. El hecho sólo será perseguible a instancia de parte a no ser que, 1.-se trate del supuesto descrito en el apartado 2 del párrafo 2; 2. el interés público afectado haga aconsejable la intervención pública. Si la persona lesionada fallece, se transmite la acción penal a los familiares conforme al §77.2. Véase el comentario al respecto de SCHROEDER, *Besondere Strafvorsichten gegen Eigenmächtige und Fehlerhafte Heilbehandlung?*, ob. cit., en especial, págs. 29 ss; HIRSCH, en *Gedächtnisschrift für Zipf*, ob. cit., págs. 353 ss.

[192] Su tenor literal era el siguiente: "1.- Quien sin el consentimiento válido del afectado realiza una intervención corporal o cualquier tratamiento que incide de forma relevante en su integridad física o en su estado de salud, con la finalidad de reconocer, curar, aliviar o prevenir una enfermedad, daño, sufrimiento, molestias o trastorno de carácter físico o psíquico, presente o futura de la persona o del feto, será castigado con pena privativa de libertad de hasta 5 años o con una multa; 2. En casos especialmente graves la pena privativa de libertad será de 6 meses a 10 años. Por regla general, existe un supuesto de extrema gravedad cuando el tratamiento: 1.-se orienta a la experimentación de nuevos métodos

De *lege lata*, actualmente consagran esa solución el Código penal austriaco de 1975 y el portugués de 1982. Dispone el primero en su art. 110:

"1. El que someta a otro a tratamiento médico sin su consentimiento, aun cuando lo haga conforme a las reglas de la Ciencia médica, será castigado con pena privativa de libertad de hasta seis meses o con multa hasta 360 cuotas diarias.

2. Si el autor no solicitó el consentimiento por creer que la dilación del tratamiento habría supuesto un grave peligro para la vida o salud del paciente, será castigado conforme al apartado 1, si tal peligro eventual no existió y el autor se podía haber percatado de ello de haber actuado de forma cuidadosa.

3. El delito sólo será perseguible a instancia de parte".

Por su parte, el art. 158 del Código penal portugués establece,

"1. Las personas contempladas en el art. 150 que, considerando los fines en él señalados, sometieran al paciente a intervenciones o tratamientos sin su consentimiento serán castigados con prisión de hasta tres años y multa de hasta 120 días.

2. El autor no será castigado cuando el consentimiento:

a) sólo pueda ser obtenido aplazando el tratamiento y ello implique un peligro para la vida o un grave peligro para el cuerpo o la salud,

b) fue otorgado para una intervención o tratamiento diferente, pero el que le fue practicado era oportuno conforme al estado de conocimientos o experiencia médica como apropiado para evitar un peligro para el cuerpo o la salud, y no concurran circunstancias que permitan inferir con certeza que el consentimiento sería denegado.

3. Tampoco será punible el autor cuando la intervención o tratamiento se realizaran en cumplimiento de una obligación legal.

4. Si el autor, por negligencia, creyese que concurren los presupuestos del consentimiento, será castigado con prisión de hasta 6 meses y multa de hasta 50 días.

5. Los hechos serán perseguibles por la presentación de querella".

No obstante, como en parte ya anticipábamos, la incorporación de preceptos de este tenor y, en su caso, las propuestas de la misma, nunca han conseguido sustraerse al debate doctrinal en torno a su conveniencia. Así, frente a los defensores de esta opción no han faltado voces críticas que apuntan a las posibles objeciones que podrían formularse a la misma. Unas veces las críticas se han centrado en argumentos de corte dogmático así como en la —a juicio de estos autores— dudosa necesidad de tipificar autónomamente este tipo de

---

de tratamiento, sin que esté indicado para el interés de la persona tratada o del feto; 2.- cuando no puede ser justificado en una ponderación de la finalidad que se pretende conseguir con él y el peligro que acarrea para la persona tratada. Véase al respecto, KARGL, "Körperverletzung durch Heilbehandlung", en *GA*, 2001, págs. 538 ss; HIRSCH, en *FS für Heinz Zipf*, págs. 353 ss; HARTMANN, *Eigenmächtige und fehlerhafte Heilbehandlung*, Baden-Baden, 1999, pags. 79 ss., si bien formulando objeciones a la concreta forma en que se redactó. Véase también el recorrido que ofrece por otros proyectos anteriores, págs 80 ss. De forma crítica SCHREIBER "Zur Reform des Arztstrafrechts", en *Fs. für Joachim Hirsch*, Berlin, 1999, págs. 713 ss.

conductas. El razonamiento que suele estar en su base enlaza con frecuencia con el entendimiento de que dichos atentados ya podían reconducirse a los delitos de lesiones, alegándose —la mayoría de las veces de forma complementaria—, la dudosa consistencia que cabría atribuir al bien jurídico representado por la libertad de autodeterminación del enfermo para fundamentar un nuevo delito contra la libertad[193]. Otras veces, sin embargo, las objeciones han encontrado su origen en argumentos relacionados con la conveniencia de incorporar el precepto desde un punto de vista *político-criminal*, teniendo en cuenta que, como señala KRAUSS en la doctrina alemana, se trata de un tipo especial que no grava al resto de las profesiones[194]. Es, en definitiva, un argumento que enlaza con razones utilitaristas, ligadas fundamentalmente a la necesidad de no extender aun más la intervención del Derecho penal a la profesión médica ante el riesgo de acabar en la práctica de la que se ha dado en llamar *medicina defensiva*.

Frente a estas críticas, sin embargo, entiendo que la incorporación de un precepto de esta índole es la única opción que permite satisfacer la demanda de tutela penal en los supuestos que ahora se tratan. No creo, en efecto, que nadie esté dispuesto a discutir que, al menos los casos más graves en que el médico, por ejemplo, amputa un brazo o una pierna al enfermo sin consultarle sobre la intervención y sin concurrir razones de urgencia, representan un atentado a la libertad tan grave como los que inspiraron al legislador a incorporar al Código penal los distintos delitos contra la libertad. Es cierto que debe huirse del riesgo de criminalizar en exceso la práctica médica, que los médicos no pueden estar constantemente amenazados de acabar entre rejas y que la medicina no se puede convertir en una profesión heroica que sólo unos cuantos se atrevan a ejercer; como cierto y fundando es también el temor de aquellos que apuntan al riesgo de acabar en la práctica de una *medicina defensiva*, conforme a la que se considere preferente garantizar la seguridad del médico sobre la del paciente y, sobre todo, por encima del sentido humano que debe inspirar su modelo de relación.

Sin embargo, esos temores sólo tendrían consistencia si realmente de lo que se tratase fuera de extender el ámbito de la intervención penal a conductas que hasta la fecha no tenían parangón en nuestro Derecho. Pero esa no es la propuesta, o al menos, no la que sostenemos en estas líneas. Por el contrario, como enseguida intentaremos fundamentar, lo que se propone es

---

[193] Véase por ejemplo, KARGL, *GA*, 2001, *ob. cit.*, págs. 538 ss.
[194] KRAUSS, Zur strafrechtlichen Problematik der eigenmächtigen Heilbehandlung, en *Fs. Bockelmann*, München, 1979 págs. 574 ss. Denunciando la extensión de la punibilidad que podría producirse, véase SCHREIBER, en *Fs. für Joachim Hirsch, ob. cit.*, págs. 712 ss.

de depurar los casos más graves mediante la delimitación del ámbito típico del delito que eventualmente se crease tanto a partir de criterios relacionados con su tipicidad objetiva como subjetiva. Con ello no se trataría, en definitiva, de incorporar una suerte de delito especial propio que no tuviese correspondencia con otros atentados que el Código penal ya castiga en general. Al contrario, la propuesta debe entenderse exclusivamente como una plasmación en el ámbito médico de los atentados a la libertad que, por su especial gravedad, ya sanciona el Derecho penal. Es más, en este orden de ideas la filosofía que inspira la propuesta que se formula en estas páginas repele incluso una redacción más amplia de los delitos comunes, como el de coacciones, en el sentido de eliminar la exigencia del empleo de violencia o intimidación en el ámbito médico. Porque si algo está claro es que, desde el punto de vista del sentido valorativo más básico, resulta inadmisible cualquier intento de castigar al médico como un delincuente común que atenta contra la libertad de un tercero.

En efecto, la filosofía que debería inspirar la incorporación de un delito de nuevo cuño en el ámbito de la medicina es la de desgajar formalmente el atentado a la voluntad del paciente de aquellos otros que dan paso al delito de coacciones, y reservarle un marco penal inferior al de éstas, al menos en los casos en que la actividad médica no consentida se hubiese realizado con finalidad curativa. No debe pasarse por alto que de otra forma, aun cuando los Tribunales recondujeran la conducta del profesional al tipo genérico de coacciones a partir de una redacción más laxa de sus requisitos, no escaparía al más burdo sentido común lo difícil que resultaría justificar la equiparación conceptual y, en su caso punitiva, de la conducta de quien somete a alguien a una práctica que en absoluto tiene finalidad curativa sino que se realiza, por ejemplo, por diversión o por el placer sádico que provoque en el agente someter a la persona a la práctica en cuestión, y aquella otra conducta de quien realiza una actividad con finalidad terapéutica pero sin mediar el consentimiento del paciente.

Por otra parte, quienes se muestran preocupados por el temor de acabar incriminando en exceso la práctica médica no sólo deberían tener en cuenta el argumento penológico anterior en relación con el delito de coacciones. Igualmente deberían tener presente que, como advierte HIRSCH[195], sólo con la previsión de un tipo específico se evitaría la reconducción forzada de estos supuestos a tipos que no corresponden a su contenido de desvalor —básicamente las lesiones—, y cuya asimilación, por tanto, supondría una vez más equiparar conductas que responden a un diferente contenido de injusto. De esta forma, al asegurarse un espacio penal propio para los atentados más gra-

---

[195]   HIRSCH, en *FS für Heinz Zipf, ob. cit.*, págs. 360 ss,

ves que cometiera el médico contra la voluntad del paciente, el efecto que se acabaría produciendo no sería una extensión de la responsabilidad penal del profesional. El efecto sería, por el contrario, la acotación de la misma garantizando una respuesta penal que no desborde su contenido de desvalor.

Sirva como ejemplo de la crítica a la tendencia expansiva hacia los delitos de lesiones de conductas que, en puridad, habrían de canalizarse a los delitos contra la libertad, la Sentencia del Tribunal Supremo de 26 de octubre de 1995, que condenó a un médico por delito de lesiones —físicas—. Se trataba de un caso en el que el cirujano, aprovechando que la paciente había sido sometida a una intervención de cesárea, le practicó una ligadura de trompas médicamente indicada (dado el riesgo que podía representar un nuevo embarazo en las condiciones de la mujer) pero sin mediar el consentimiento informado de la paciente ni de sus familiares. Como sostuvimos más arriba y tendremos ocasión de fundamentar en otra sede de este trabajo[196], en la medida en que la intervención estaba médicamente indicada resulta imposible apreciar un delito de lesiones, al menos físicas, como pretende la sentencia. Que el Tribunal reconduzca a este delito la intervención realizada sin consentimiento del paciente no puede explicarse a mi juicio más que desde la ausencia en el Código penal de un delito que específicamente contemple el tratamiento médico realizado sin consentimiento del enfermo. Sólo desde esas premisas y desde el deseo de evitar la impunidad, puede entenderse que el Tribunal esté dispuesto a apreciar un delito de lesiones físicas pese a que la intervención ha sido beneficiosa para la salud de la paciente.

Las reflexiones anteriores han intentado mostrar la conveniencia de incorporar un delito de tratamiento médico arbitrario para evitar el defecto que de otra forma amenazaría con producirse. Con él se trata, en definitiva, de conseguir un punto de equilibrio entre dos exigencias. Por un lado, impedir las lagunas de punibilidad a que pudiera llegarse en los casos en que la conducta médica representa un serio atentado a la libertad del paciente; por otro, situar su castigo en un contexto que, lejos de criminalizar aun más la práctica médica, impida su reconducción forzada a otros expedientes que desorbiten su contenido de injusto. Admitidas las premisas anteriores, el debate que se abre será entonces el relativo a la forma de tipificar dicho delito de tratamiento médico arbitrario; esto es, una discusión que se plantearía en el terreno relativo al *"cómo"* de la redacción del precepto. Bien, pues para lograr esa conciliación de exigencias, me parece que habrían de tenerse presentes una serie de crite-

---

[196]   Véase *infra*, III, *El consentimiento del paciente y el delito de lesiones*.

rios que, a modo de mínimos, depuren el ámbito en el que está legitimada la intervención penal.

En primer lugar, por lo que se refiere a las necesidades de incriminación, me parece claro que, en la línea de lo que prevén tanto el Código penal austriaco como el portugués, la conveniencia de incorporar tipos penales específicos relativos a la vulneración del deber de informar se ciñe a los casos en que la falta o vicios de aquélla lo que condiciona o puede condicionar es la práctica del tratamiento, no la ausencia del mismo. Con ello se trata de subrayar que al margen de esos tipos delictivos deben permanecer los casos en que la ignorancia del paciente sobre su estado de salud determine que ni siquiera se plantee la posibilidad de elegir entre asumir un tratamiento o dejar que la enfermedad siga su curso, puesto que en estos casos cualquiera de las posibles circunstancias subjetivas que explicativamente pudieran inspirar la actuación del médico eliminarían las posibilidades y la necesidad misma de aplicar un tipo del tenor que aquí se propone.

En efecto, la primera posiblidad sería que la actuación del médico responda a una actitud dolosa. En tal caso la incompetencia del delito que ahora se propone para contemplar su injusto resulta palmaria. Porque entonces la falta de información no habría de contemplarse sino como una secuencia, la propia de una tentativa, encaminada a producir un resultado lesivo posterior. En estos supuestos, en definitiva, el injusto que se ventila no sería el representado por la lesión a la libertad del paciente, sino una maniobra que se orienta a causarle una lesión y, en su caso, la muerte, lo que, por tanto, remite a los correspondientes tipos de lesiones o de homicidio, ya sea en su forma intentada o consumada. Desde estas coordenadas pierde todo sentido dotar de autonomía al momento consistente en la falta de información para sancionarlo con una pena, puesto que éste no será entonces más que una secuencia inherente a dicha finalidad ulterior y más amplia que, como tal, repele cualquier contemplación autónoma.

Frente a los casos anteriores, puede suceder que la falta de información que determina que al paciente se le vede la facultad de optar por el tratamiento que precisa se deba a una mera actitud de negligencia del médico. Son, en definitiva, supuestos que bien pudieran reconducirse a los casos de error de diagnóstico o de falsa apreciación de la terapia que precisa el enfermo. Según entiendo, la racionalidad de la incriminación de estos casos habría de decaer igualmente tanto si se acaba produciendo finalmente un resultado lesivo como si no. En primer lugar, porque si aquél se produce, el presupuesto lógico para apreciar un error de diagnóstico y fundamentar la consiguiente condena por lesiones u homicidio imprudente es que el médico no informe correctamente al paciente. Exigir lo contrario sería un absurdo sobre el que creo que no hace falta insistir. Pero en segundo lugar, también cuando finalmente no se produzca un resultado lesivo y, por tanto, no pueda castigarse al profesional conforme a ese título delictivo, la falta de información, como tal, habría de quedar extramuros del delito de tratamiento médico arbitrario. Debe observarse al respecto que en tales casos aquélla habría de calificarse como imprudente, en cuanto trae su causa de un acto —el diagnóstico erróneo— que a su vez lo es. Otro tanto habría de decirse respecto a los supuestos en que la actuación médica, como tal, fuese correcta, de tal modo que la imprudencia del profesional fuera atribuible sólo a la falta de información. El tratamiento de estos casos se vincula con la cuestión relativa a la conveniencia político-criminal de no incriminar los supuestos de falta de información negligente, puesto que el principio penal básico de *intervención mínima* aconseja la expulsión de la imprudencia del espectro de comportamientos que pudieran abarcar los tipos de tratamiento médico arbitrario. Sobre esto tendremos ocasión de volver a insistir más adelante.

Así acotados de forma negativa los supuestos que habría de comprender el delito de tratamiento médico arbitrario, los casos que sí resultarían abarcados, a saber, los de falta de información que determinan que el paciente se someta a una terapia, están necesitados de una serie de restricciones que igualmente garanticen la salvaguardia del aquel principio de *mínima intervención penal*. En concreto entiendo que la exigencia de no incriminar en exceso la práctica médica aconsejaría la introducción de algunos criterios correctores en el ámbito típico de tales preceptos, tanto por lo que se refiere a su caracterización objetiva como a los elementos subjetivos de su tipicidad.

Por lo que a lo primero se refiere, esto es, a la delimitación de su tipicidad objetiva, entiendo que la depuración de los supuestos penalmente relevantes requeriría asegurar que los vicios en la información tuvieran especial trascendencia. A mi modo de ver, esa relevancia podría fundamentarse sobre la base de dos tipos de razones. La primera, por razón de la entidad de los datos que se ocultan al paciente, como sucedería cuando no se le informe sobre la realidad misma del acto y éste tuviera serias consecuencias para él. Baste pensar en el caso citado más arriba de una esterilización practicada en el curso de una operación de cesárea. La segunda, porque el acto médico comportara un *riesgo* serio para la vida o salud sobre el que no se informe al enfermo. Con esto se trata de exigir que la ignorancia del paciente, bien sobre la realidad misma del tratamiento, bien sobre algún extremo del acto médico o sobre las circunstancias que lo rodean, se traduzca en una significativa apreciación diferente del riesgo que cree correr respecto al que realmente supone la práctica médica a la que se somete. Sobre todo esto se ocupa de forma detallada el apartado siguiente, dedicado al análisis de los distintos grupos de casos que pueden presentarse. En tanto que en el estudio de esa fenomenología de supuestos se trazan los criterios con que otorgar relevancia penal a los atentados a la libertad, nos remitimos al mismo para evitar reiteraciones.

Lo que interesa destacar ahora es que sólo con la incorporación de estos límites se asegura que la desatención del contenido de la voluntad del enfermo se valore como especialmente grave para justificar el recurso al Derecho penal. Sólo así se evitarían no sólo las críticas de los que, como ASÚA BATARRITA, apuntan al riesgo de que la opción por incriminar el tratamiento médico arbitrario pierda de vista el principio de *intervención mínima* del Derecho penal, con el consiguiente desconocimiento de otras instancias sancionadoras de orden civil y administrativo[197]. También se evitaría el tantas veces mencionado riesgo de potenciar una actitud deshumanizada de la medicina en la que el médico comunicara al paciente con toda crudeza el diagnóstico de una enfermedad grave para justificar así la aplicación de un tratamiento de la índole que sea, por ejemplo, meramente paliativo o de mejoría sintomática, cuya aplicación, en sí, sólo comporta efectos beneficiosos para aquél.

Junto con lo anterior, todavía debería incorporarse una restricción adicional referida a los casos en que el incumplimiento del deber de informar no recaiga sobre la realidad misma del acto o sus consecuencias de segura producción, sino sobre los riesgos asociados a la misma. El castigo en el orden penal de estas conductas requeriría, conforme al principio de *intervención mínima*, una exigencia que, sin embargo, ni el Código penal portugués ni el austriaco contemplan: que el riesgo grave que se ocultó al paciente se acabe materializando en un resultado lesivo al modo de una *condición objetiva de penalidad* que acote los casos más graves que justifiquen el recurso al Derecho penal, puesto que de otra forma bastaría comprobar que el médico no informó de un riesgo grave para dar luz verde a la intervención penal. Esta conclusión difícilmente podría compatibilizarse con la premisa que aquí sostenemos en torno a que la incorporación de un delito de tratamiento médico arbitrario en ningún caso debe representar un aumento de las posibilidades de castigo respecto al delito de coacciones (a salvo, lógicamente, del requisito de la violencia o intimidación). Y si en este delito el castigo por la infracción consumada se hace depender de que el atentado a la libertad se materialice en un resultado lesivo (impedir u obligar a hacer), sería conveniente exigir un plus adicional para apreciar el delito de tratamiento médico arbitrario, representado ahora en la efectiva materialización del riesgo. Todo ello con la diferencia de que al contemplarse esta exigen-

---

[197]   ASUA BATARRITA, en *JANO*, 1995, *ob. cit.*, págs. 621 s.

cia como una condición objetiva de penalidad, se excluiría, además, el castigo de las formas intentadas cuando aquélla no tenga lugar.

Al respecto no puede desconocerse el argumento adicional que supone el dato de que dicha exigencia ya se consagra en el orden civil, como recordase de forma ejemplar la Sentencia de la Sala de lo Civil y Penal del Tribunal Superior de Justicia de Navarra, de 27 de octubre de 2001[198]. Si esto es así en aquel orden, sería difícilmente admisible que dicho requisito pudiera flexibilizarse y mucho menos desconocerse cuando se trata de reaccionar nada menos que con la maquinaria penal. Sería absurdo, en efecto, que para la sanción civil de dichas conductas se exigiera la producción de un resultado lesivo, y en cambio fuera suficiente para la conminación penal con la tarea de identificar un riesgo grave sobre el que no se informó al enfermo.

Por lo demás, conviene insistir en que la propuesta que aquí formulamos pasa por contemplar esa exigencia como una condición de la pena a la que, por tanto, no tiene que referirse el dolo del autor. Cuestión distinta es que esa caracterización no exima de la tarea de comprobar conforme a los criterios de atribución normativa que la producción de aquel daño sea justamente la realización de un riesgo sobre el que no se informó al enfermo, y no un elemento casual o azaroso que acompañe a aquella infracción, una exigencia que por lo demás también se requiere en el orden civil[199].

Una limitación adicional se orientaría a excluir de la órbita penal los supuestos en que, atendiendo a la voluntad real del paciente, la falta de información dé paso exclusivamente a una infracción formal. Es lo que sucederá en los supuestos en que aquél confiese o pudiera demostrarse que, de haber recibido la información pertinente, no se habría alterado el sentido de su decisión. Con independencia de que tratemos este aspecto en un apartado específico[200] baste anticipar por ahora que, de otra forma, la sanción penal perdería el contenido de antijuricidad material que siempre debe legitimarla para pasar a sancionar

---

[198] "El daño es presupuesto fundamental de cualquier clase de responsabilidad civil. Sin él, la eventual omisión del consentimiento informado para una intervención médica no pasa de ser una infracción de los deberes profesionales, con posibles repercusiones en otros órdenes...".

[199] Como afirma la misma sentencia de la Sala de lo Civil y Penal del Tribunal Superior de Justicia de Navarra, de 27 de octubre de 2001, es requisito de la responsabilidad civil: "b) Que el daño sufrido sea consecuencia de la intervención médica practicada y materialización de un riesgo típico inherente a ella... El daño no sólo ha de mostrarse vinculado o ligado causalmente a la intervención, sino que ha de ser traducción de un riesgo típico o asociado a ella del que el paciente debió ser informado previamente a su realización..."

[200] Véase *infra* 2.1.2.

meros injustos formales, algo frontalmente incompatible con el principio de *mínima intervención* que inspira el orden penal.

Por otra parte, en este orden de restricciones, la tipicidad penal habría de descartarse igualmente en los casos en que, si bien el paciente no hubiera recibido información sobre el acto de que se trate, sí hubieran sido informados sus familiares o personas allegadas. Sólo desgajando estos supuestos del ámbito de intervención penal se aseguraría la expulsión de este orden de dos grupos de casos que no son merecedores de pena. Los primeros, los supuestos que ya referimos en el capítulo relativo al consentimiento del paciente al tratar el denominado *privilegio terapéutico* del médico. Como allí intentábamos fundamentar, bajo determinadas circunstancias pueden identificarse casos en los que sea admisible ocultar una información al paciente y, en su caso, el tratamiento al que se somete, siempre que, por un lado, éste no haya manifestado su deseo de estar informado y, por otro, reciban información sus familiares o personas allegadas. El segundo grupo de casos que se asegura expulsar del Derecho penal con tal exigencia es el relativo a una forma de actuar que, por razones de operatividad, inspira la práctica médica actual: los supuestos en que durante el curso de la intervención se descubriese, por ejemplo, que lo que en principio parecía un simple quiste es en realidad un tumor que obliga a la extirpación, no sólo del mismo, sino también de la zona afectada; esto es, los casos conocidos como de *ampliación de la intervención*, que trataremos en el apartado dedicado al consentimiento del paciente en los estados de inconsciencia[201]. Baste anticipar ahora que, en la medida en que el consentimiento de los familiares viene a operar sobre la base de la voluntad presunta del paciente, el asentimiento de aquellos legitima la intervención médica.

Junto a las limitaciones anteriores orientadas a depurar, de *lege ferenda*, los requisitos de la tipicidad objetiva de un delito de tratamiento médico arbitrario, habrían de asegurarse otras, referidas ahora a su vertiente subjetiva. Al respecto, sería conveniente incriminar exclusivamente los comportamientos en los que el médico actúe con dolo, esto es, los casos en que conozca que el paciente no ha consentido o que su consentimiento es inválido y, pese a ello, realice la intervención o el acto médico de que se trate[202]. De esta forma, se trata de excluir del ámbito típico del delito de tratamiento médico arbitrario casos como el del médico que no informa a su paciente porque cree que éste ya contaba con la información necesaria; o aquellos otros en los que aprecia

---

[201] Véase *infra* 2.2.1, *La imposibilidad de prestar el consentimiento: el estado de inconsciencia del paciente*.

[202] HIRSCH, en *FS für Heinz Zipf*, *ob. cit.*, págs. 365.

erróneamente que el paciente no deseaba ser informado. Frente a la opción que, según vimos, sigue el Código penal portugués de incriminar estos supuestos con una pena atenuada, la necesidad de no acabar en la tan denostada *medicina defensiva o deshumanizada* aconseja expulsar estos supuestos del ámbito del Derecho penal. Baste pensar que de otra forma, en caso de duda, el médico siempre optaría por comunicar el diagnóstico al paciente aun en los supuestos en los que éste le hubiera dado a entender, tal vez de forma implícita, que no quería conocer el estado de su enfermedad. El resultado sería la tan temida práctica de la medicina desvinculada de cualquier aspecto humano y ajena a cualquier clima comunicativo o de confianza entre el médico y el paciente.

Debe observarse, por lo demás, que si se admitiese la sanción de los comportamientos imprudentes, ello supondría a su vez desbordar de nuevo la exigencia que aquí sostenemos de asegurar que la incorporación de tal precepto no suponga un *plus* respecto al espectro de comportamientos que ya ha decidido castigar el legislador con carácter general. No debe olvidarse que el Código penal se ha limitado a incriminar los atentados a la libertad que se cometen a título de dolo, no los imprudentes.

A su vez, esta restricción está llamada a convertirse en un argumento adicional para justificar la introducción del tipo de tratamiento médico arbitrario. Porque como explica HIRSCH, si se acotan a las conductas de falta de información dolosa los supuestos en que intervenga el Derecho penal, con esa opción, a la postre, se acabará produciendo una restricción de la misma respecto a lo que sucede en la actualidad. De hecho, según veíamos, para evitar la impunidad, no pocas veces se tiende a castigar el tratamiento médico arbitrario conforme a los delitos de lesiones, tipo éste que también permite el castigo por imprudencia y, con ello, la incriminación de los casos en que el médico actúe en la creencia —vencible— errónea en torno a la concurrencia del consentimiento del paciente[203].

Por último, por lo que se refiere a la pena, por las razones que ya apuntábamos más arriba, al menos en los casos en que la intervención se haya realizado con finalidad curativa, el marco penal debería quedar siempre por debajo del que ha previsto el legislador para el delito de coacciones. Sólo así se conseguiría trazar una diferencia valorativa respecto a otros atentados genéricos a la voluntad en los que el móvil que los impulsan es espurio y que, por ello, ya en sede de injusto, merecen a todas luces un diferente grado de energía en la reacción penal. Conforme a lo anterior, el marco de la pena privativa

---

[203] HIRSCH, en *FS für Heinz Zipf, ob. cit.*, págs. 361.

de libertad podría oscilar entre los seis meses y dos años, previéndose como alternativa, al igual que en las coacciones, una pena de multa que habría de estar igualmente por debajo del marco penal previsto para éstas. Por otra parte, la especificidad de la profesión debería conllevar la previsión de una pena de *inhabilitación especial* para el ejercicio de la misma. Entiendo, no obstante, que la aplicación de dicha pena de inhabilitación no debería proceder de forma automática, sino que habría de reservarse para los supuestos más graves. Sólo así se garantizaría la exclusiva aplicación a los casos más disvaliosos de una sanción que para el profesional puede ser tan gravosa o más que la pena privativa de libertad.

En la medida en que el sentido del establecimiento de un marco penal autónomo para este tipo de conductas —y más suave respecto a las coacciones—, descansa en la consideración de la finalidad curativa que inspira la actuación del médico, allí donde no esté presente dicho móvil los hechos habrían de castigarse conforme al tipo genérico de coacciones, en cuanto que entonces decaerían las bases que inspiran una contemplación valorativa diferente de la conducta del médico frente a la de quien atenta por móviles espurios contra la voluntad de un tercero.

Ahora bien, asegurada una reacción penal diferenciada para los supuestos de tratamiento médico realizado con finalidad terapéutica, entiendo que aquélla deberá permanecer invariable con independencia de que el tratamiento médico se haya realizado o no conforme a las normas de cuidado[204]. La razón, insistamos una vez más, es que lo que se trataría de proteger en dicho precepto es exclusivamente la libertad de decisión del paciente. Bien es verdad que en una contemplación global del suceso el comportamiento se revela más disvalioso cuando, además, la intervención se realiza violando las reglas de la *lex artis*; pero ese diferente contenido de desvalor habrá de encontrar entonces su traducción en el correspondiente concurso con el delito de lesiones, no en la exasperación de la pena de un delito contra la libertad.

Debe observarse que esta relación concursal habrá de reservarse para los casos en que la falta de información se refiera al acto médico como tal, no a las circunstancias que lo apartan de la *lex artis*. Como ya apuntábamos más arriba, dejando a un lado casos puntuales en que se trata, por ej., de una técnica nueva no reconocida por la comunidad científica, sobre estas circunstancias sería absurdo exigir al médico un deber de informar: el más mínimo sentido común impone entender que su deber de información se

---

[204]   HIRSCH, en *FS für Heinz Zipf*, ob. cit., págs. 366.

refiere al acto médico indicado, no a las circunstancias que lo convierten en imprudente.

Por otra parte, como también ya vimos, de las reglas del concurso de delitos habrá de excluirse igualmente la variante consistente en la ocultación de una información que determina que el paciente no se someta a tratamiento. En la medida en que dicha falta de información la realice el profesional con conocimiento de que impide al paciente que opte por decidirse por una terapia que necesita para salvaguardar su vida o salud, los posibles resultados lesivos que se produzcan habrán de imputarse, como mínimo, a título de dolo eventual. De esta forma, allí donde se predique la posición de garantía del médico respecto a ese paciente y se le imputen a título omisivo doloso dichos resultados, la fase previa de ocultación de información no aparece más que como una secuencia inicial de una maniobra dolosa más amplia que, por tanto, carece de entidad propia para dar paso a un concurso de delitos.

Llegados a este punto, y conforme a las exigencias que hemos ido trazando, podría formularse una propuesta de tipificación del delito de tratamiento médico arbitrario con el siguiente tenor:

"1. El profesional sanitario que con finalidad curativa, a sabiendas, someta a un enfermo a tratamiento médico sin su consentimiento aun cuando lo haga conforme a las reglas de la Ciencia médica, será castigado con la pena de prisión de seis meses a dos años o multa de seis a dieciocho meses siempre que concurra cualquiera de las circunstancias siguientes:

a) que se trate de un acto que comporte para el paciente consecuencias permanentes o irreversibles;

b) que la ignorancia del sujeto sobre la realidad de la intervención o sobre los extremos de la misma le lleve a desconocer los graves riesgos que el acto comporta para su vida o salud. En este supuesto, sin perjuicio de la responsabilidad por otros títulos delictivos a que dé lugar, los hechos sólo se castigarán si el riesgo que se ocultó al paciente se ha materializado en un resultado lesivo.

2. En los casos de especial gravedad el juez podrá imponer la pena de inhabilitación especial para el ejercicio de la profesión, oficio o cargo, por un período de uno a cuatro años.

3. Los supuestos descritos en el apartado primero no serán punibles cuando concurran cualquiera de las siguientes circunstancias:

a) que se trate de evitar daños en la salud del paciente y éste no haya manifestado su deseo serio e inequívoco de que en ningún caso se le oculte información;

b) que se trate de la ampliación de una intervención ya iniciada cuya interrupción sería perjudicial para el paciente, se haya informado a los familiares y pueda presumirse el consentimiento de aquél.

4. Tampoco serán punibles los supuestos descritos en este artículo cuando pudiera probarse que una información adecuada no hubiese incidido en la decisión que de todas formas habría adoptado el paciente.

5. La actuación médica realizada sin el consentimiento del paciente se castigará conforme a los tipos de coacciones cuando no se realice con finalidad curativa."

Hasta aquí las ventajas de incorporar al Código penal un precepto específico que impida, bien expulsar del orden penal, bien castigar con una marco penal superior la conducta de quien somete al paciente a una intervención que, pese a estar médicamente indicada, no desea, así como la propuesta de articulación de un precepto de ese tenor. Con todo, pese a que de *lege lata* nuestro Ordenamiento no contempla como delito autónomo el tratamiento médico arbitrario, lo cierto es que el legislador ha acogido —conscientemente o no— su estructura en algún tipo de la Parte Especial. Es lo que sucede en el delito de *aborto*; en concreto, en el art. 144 CP que castiga a quien produzca el aborto de una mujer sin su consentimiento. Debe observarse que allí donde el médico realice tal práctica no consentida pese a concurrir alguna de las indicaciones que lo permiten, por lo que aquí interesa, la terapéutica, el injusto que vendría a sancionar el art. 144 CP sería la lesión a la *libertad de autodeterminación* de la mujer. En estos casos, en efecto, el embarazo representa un riesgo grave para la salud de la embarazada y, con ello, su interrupción, un beneficio para la misma, de tal modo que el reproche penal sólo surge en estos supuestos del dato de que la intervención no está avalada por el consentimiento de la mujer. De todas formas, no puede ocultarse la impresión de que probablemente ni siquiera el legislador haya sido consciente de que en la hipótesis comentada la tutela tenga el alcance descrito. Bastante sintomático es al respecto el hecho de que haya sometido a un mismo tratamiento en el art. 144 CP a todos los supuestos de aborto sin consentimiento de la mujer, al margen, por tanto, de que se den o no los presupuestos de la respectiva indicación.

La misma protección exclusiva de la libertad del paciente frente a una actividad médica no consentida puede apreciarse en un tipo delictivo distinto, el contemplado en el art. 162.1 CP, que ubicado entre los delitos relativos a la manipulación genética, dispone:

> *"Quien practique reproducción asistida en una mujer, sin su consentimiento, será castigado con la pena de prisión de dos a seis años, e inhabilitación especial para empleo o cargo público, profesión u oficio por tiempo de uno a cuatro años".*

Más allá de estos supuestos puntuales, en tanto no se incorpore un tipo específico de tratamiento médico arbitrario, la tutela penal habrá de venir exclusivamente de la mano de los atentados que tutelan la voluntad del enfermo, básicamente el delito de coacciones y, en su caso, las amenazas o detenciones ilegales. No es por ello de extrañar que un recorrido por la jurisprudencia habida hasta la fecha arroje como resultado que prácticamente todas las condenas que se han producido por falta o deficiencia de información médica se registren en el orden civil, siendo realmente escasas las condenas por estos vicios en la jurisdicción penal, ámbito en el que, sin embargo, se advierte el serio peligro ya denunciado de desbordar los contornos típicos de otros tipos delictivos, básicamente las lesiones, que responden a un diferente contenido de desvalor que el que revisten los comportamientos que aquí interesan. Buen ejemplo de ello es la Sentencia ya citada del Tribunal Supremo de 26 de octubre de 1995, que condenó por un delito de lesiones —físicas— a un médico que, aprovechando una operación de cesárea, esterilizó a una mujer sin mediar su consentimiento pese a que la intervención, en sí, estaba médicamente indicada.

Antes de abandonar el capítulo en torno al título de responsabilidad al que habrían de reconducirse los atentados a la voluntad del paciente resulta conveniente hacer referencia a una cuestión de alcance general. Es la relativa al tratamiento que deban merecer los casos en los que se produce una disociación entre la efectiva concurrencia o ausencia del consentimiento por parte del paciente y las creencias del médico al respecto; esto es, tanto los casos en los que, si bien el paciente estaba conforme con la intervención, el médico actuase desconociendo dicha conformidad, como aquellos otros, justamente inversos, en los que el médico obrase en la creencia de que concurre un consentimiento que en realidad no existe.

Lógicamente, la solución de este segundo grupo de casos citados aparece condicionada por la que previamente se sostenga en torno al tratamiento de los supuestos en los que, si bien el sanitario actúa conforme a las reglas de la *lex artis*, lo hace sin contar con el consentimiento del paciente: en concreto, a la postura que se mantenga en torno a si tales casos son reconducibles a un delito de lesiones o, por el contrario, a los tipos que tutelan la libertad. Para los que defiendan la primera opción, la solución dependerá, a su vez, del papel que en dicho delito se conceda al consentimiento del paciente: como causa de exclusión de la *tipicidad* o, por el contrario, de la *antijuricidad* de la conducta. Mientras en el primer caso el error habría de tratarse como de *tipo* conforme a las reglas del art. 14.1 CP, en el segundo su tratamiento habría de discurrir conforme a los esquemas del *error de prohibición* (art. 14.3). Por el contrario, para quienes sostengan, como aquí hacemos, que el tratamiento médico realizado conforme a los dictados de la *lex artis* pero sin contar con el consentimiento del paciente es reconducible a un atentado contra la libertad personal, la respuesta es única: allí donde resulte aplicable uno de los tipos que tutelan la libertad, dado que en ellos el consentimiento forma parte indiscutida del tipo, la solución no puede ser otra que apreciar un *error de tipo* (art. 14.1 CP), lo que en el caso de las detenciones ilegales y coacciones determinará la impunidad del comportamiento. Tan sólo conviene recordar que conforme a la propuesta que hacíamos líneas más arriba de crear un delito que incrimine específicamente el tratamiento médico arbitrario, el castigo de la imprudencia debiera ventilarse, todo lo más, en el orden civil.

De estos casos deben diferenciarse aquellos otros, opuestos ahora, en los que el médico actúa en la creencia de que violenta la voluntad del paciente cuando, en realidad, el mismo está conforme con la intervención. En la doctrina que ha tratado el problema se han defendido las dos soluciones imaginables; a saber, considerar irrelevante el desconocimiento de la conformidad del enfermo, de tal modo que bastaría la objetiva concurrencia de la misma[205] o, segunda posibilidad, dar relevancia al dato del desconocimiento, de tal forma que el mismo impidiese exonerar al médico de responsabilidad penal[206].

Tampoco ahora puede pasarse por alto que la elección de una otra solución aparece directamente condicionada por la postura que previamente se sostenga respecto al papel que desempeñe el consentimiento en el respectivo tipo delictivo de la Parte Especial. Así, por ejemplo, sólo para los que defiendan que el consentimiento del paciente opera como *causa de justificación* en el delito de lesiones tiene sentido exigir para su eficacia, como lo hace PFEFFER, que el médico conozca su concurrencia. Porque sólo entonces se cumple uno de los requisitos exigidos con carácter general para todas las causas de justificación: el conocimiento de sus presupuestos[207]. Por el contrario, para los autores que partan, como aquí hacemos, de que en relación con los tipos de lesiones el consentimiento del paciente excluye la propia *tipicidad*, lo decisivo será el dato objetivo de su

---

[205] Por todos, ROMANO, *Comentario sistemático del Codice Penale*, I, Milano, 1987, pág. 458.

[206] En relación con la problemática del Sida, PFEFFER, *Durchführung von HIV-Test ohne den Willen des Betroffenen, ob. cit.*, pág. 54.

[207] MUÑOZ CONDE, *Derecho Penal, Parte General*, 6ª ed., Valencia, 2007, págs. 316 s.

concurrencia. Menos problemática se presenta aún la solución en relación con la eventual responsabilidad del médico por un delito contra la libertad (coacciones, detenciones ilegales). En tanto que está fuera de discusión que en ellos la falta de consentimiento forma parte del tipo, cuando ésta concurra, con independencia de las creencias del sujeto activo, habrá de excluirse la responsabilidad penal. Se trataría, en definitiva, de un *delito putativo,* impune como es sabido.

2. *Presupuestos de la responsabilidad penal por la actividad médica en los casos de vicios o falta de consentimiento del paciente. Análisis de los distintos grupos de casos que pueden presentarse*

En el Capítulo Primero tratábamos de enunciar de forma amplia los casos en que, debido a su deficiencia, falta de información o a una creencia falsa —ya sea infundida por un tercero o por el propio médico, ya gestada autónomamente por el paciente—, pudiera decirse que el consentimiento de éste resultaba afectado por vicios de mayor o menor intensidad. Las páginas que siguen se ocupan de acotar las condiciones bajo las cuales dichos vicios adquieran relevancia penal y, con ello, de los casos en que pueda apreciarse responsabilidad en este orden para la conducta del médico.

No obstante, antes de entrar de lleno en su problemática conviene recordar que, como ya señalábamos en el apartado anterior, en tanto no se incorpore al Código penal un delito de tratamiento médico arbitrario, los únicos tipos que, de *lege lata,* podrían venir en consideración serían los que con carácter general sancionan en el Código penal los atentados contra la libertad. Como entonces advertíamos, esto comporta un doble óbice a la efectiva exigencia de responsabilidad en este orden. El primero es de índole *dogmático,* en cuanto que en la mayoría de los casos va a resultar, si no imposible, sí realmente forzado apreciar los requisitos típicos de estos delitos, básicamente, los del tipo de coacciones. El segundo obstáculo es de índole *político criminal.* Como también apuntábamos, al aplicarse al médico la pena correspondiente a esos tipos delictivos, se estaría equiparando valorativamente la conducta inspirada en la finalidad de curar a otras de gravedad en absoluto comparable como, por ejemplo, la de quien apunta con un arma a una persona para que realice u omita una determinada conducta. Por ello, cuando en las páginas siguientes delimitemos los supuestos en los que podría deducirse responsabilidad penal se hace desde la conciencia de que, en la práctica, si se quiere evitar también la distorsión que supondría apreciar los delitos de lesiones, habrá que admitir que, si no todos, sí muchos de esos atentados van a tener que seguir reconduciéndose a otros órdenes no penales.

A efectos expositivos trataremos por separado dos grandes grupos de casos perfectamente diferenciables entre sí. Los primeros, aquellos en los que se produce un vicio en la formación de voluntad del enfermo, bien sea por la falta de información, deficiencias o vicios de la misma (2.1). Los segundos, aquellos otros en los que se cuestiona la concurrencia misma de su consentimiento (2.1). Aquí habrían de incluirse supuestos como el de la situación de inconsciencia del paciente (2.1.1), la problemática penal propia del consentimiento manifestado por menores de edad o incapaces (2.2.2), así como la negativa del paciente a someterse a un tratamiento en los casos de urgencia (2.2.3). Por último, debido a la específica problemática que plantean, dedicaremos un apartado independiente a los casos en que la discordancia entre la voluntad del paciente y el acto que el médico realiza u omite se refiera a una mujer embarazada (2.2.4).

2.1. Responsabilidad penal por vicios en el consentimiento del paciente: la falta de información, deficiencia y vicios de la misma

Como ya en parte anunciábamos, el carácter de *ultima ratio* del Derecho penal pone en la pista de que no cualquier irregularidad que pudiera influir o haya influido en la toma de decisión del enfermo puede dar paso a la responsabilidad penal del médico. Ello supondría desconocer la existencia de instancias sancionadoras de naturaleza civil que, por lo demás, satisfacen la mayoría de las veces las pretensiones estrictamente resarcitorias del afectado. Por ello, si bien es verdad que no han faltado propuestas de invalidar el consentimiento cuando la formación de voluntad esté afectada por algún vicio, con independencia de la intensidad del mismo[208], no es de extrañar que en la doctrina se hayan ensayado fórmulas para depurar las condiciones mínimas de su relevancia penal[209].

Sin duda, en esta tarea una de las que goza de mayor predicamento es la que propusiera ARZT en la doctrina alemana. Para este autor, la determinación de los errores o deficiencias de conocimiento que sean penalmente rele-

---

[208] Es la postura que sostuviera BOCKELMANN, *Strafrecht des Arztes, ob. cit.*, pág. 54, quien afirma de forma genérica que la validez del consentimiento requiere que el mismo esté libre de "error, coacción o engaño".

[209] Conviene subrayar que, más allá de la cuestión relativa a si concurre un atentado a la libertad, la pregunta en torno a si la posibilidad de apreciar un delito de lesiones se acota a los casos en los que el acto médico, o bien no tiene finalidad curativa, o bien se realiza de forma contraria a las reglas de cuidado, véase *infra, Segunda Parte, I, La responsabilidad penal médica por la producción de un resultado lesivo*.

vantes pasa por identificar aquellos que afectan al bien jurídico protegido en la respectiva norma penal (*"rechtsgutsbezogene Irrtümer"*), lo que concreta en la fórmula de que el sujeto que presta su consentimiento no sea consciente del *sentido* y *alcance real* de su acto dispositivo[210]. Trasladado al ámbito sanitario, es lo que sucedería, según el mismo autor aclara, cuando el médico lesiona el deber de informar, de tal modo que el paciente, o desconoce los riesgos de la intervención, o tiene sólo un conocimiento sesgado de la misma[211]. En el resto de los supuestos de error la regla habría de ser, según ARTZ, mantener la eficacia del consentimiento así prestado. Es lo que sucedería, por ejemplo, cuando al donante de un órgano se le engaña sobre la identidad del receptor en consideración al cual dona o sobre la necesidad misma de la donación, por ejemplo, porque el supuesto receptor fuese un sujeto sano.

La adhesión y el predicamento de que ha gozado este criterio tan simple de distinción no es de extrañar si se repara en la seguridad que ofrece en un campo que, como sucede siempre que entran en juego consideraciones valorativas, parece estar por definición condenado a bucear entre soluciones vagas y difusas que en última instancia se acaban diluyendo en la genérica remisión a las peculiaridades del caso concreto. La línea de solución propuesta por ARZT, además, parece ofrecer un sólido pilar argumentativo a un grupo de casos cuyo tratamiento siempre ha encontrado respuesta unánime en la doctrina, si bien respaldada la mayoría de las veces sólo por la lógica intuitiva del sentido común. Es lo que sucede en los supuestos en los que el sujeto no conoce la identidad o el alcance real del acto de disposición que realiza.

Sin embargo, la gran ventaja de seguridad que ofrece la construcción de ARTZ en relación con estos supuestos en los que el error afecta de lleno al bien jurídico de que se dispone, se torna a su vez, paradójicamente, en su gran inconveniente. Es lo que sucede cuando, por exclusión, conforme a la misma hay que concluir afirmando que en el resto de los casos la solución debe ser la de negar indiferenciadamente cualquier relevancia al error como vicio relevante de la voluntad. No sin razón se la tilda ahora de ser una solución hermética y rígida que irrumpe mecánicamente y con una frialdad ciega en un terreno en el que, sin embargo, las circunstancias del caso concreto condicionan poderosamente el sentido mismo de la justicia. Frente a este hermetismo reaccionan enérgicamente los autores que, como ROXIN, apuntan el malestar que generaría esta

---

[210] Entre otros, NOLL, *Übergesetzliche Rechtfertigungsgründe, inbesondern die Einwilligung des Verletzten*, Basel, 1955, quien acude a la genérica fórmula de comprobar si el motivo decisivo para la disposición del bien jurídico se ha formado en condiciones de libertad, pág. 131.

[211] ARZT, *Willensmängel bei der Einwilligung*, Göttingen 1970, págs. 17 ss.

solución ya desde el más burdo sentido de la *justicia*. Porque, dicen, abocaría a tratar de igual forma el caso en el que un sujeto consiente en la extirpación de un órgano para salvar la vida de su hijo enfermo, cosa que efectivamente sucede, y aquel otro en el que el sujeto consiente en la extirpación en la creencia de que lo necesita su hijo, quien en realidad está sano[212].

Ante esta dificultad no han sido infrecuentes los esfuerzos doctrinales por encontrar fórmulas que flexibilicen su rigidez[213]. Entre ellos merece destacarse la propuesta formulada por ROXIN. Este autor propone atender a las circunstancias que doten de sentido al acto de disposición y permitan contemplarlo, por tanto, como expresión de un genuino acto de voluntad del titular del bien jurídico[214]. Para ello se esfuerza en trazar un criterio normativo que tenga en cuenta si el vicio o deficiencia de conocimiento excluye o no la libertad de decisión del titular del bien jurídico. En esta tarea llega a diferenciar hasta cinco grupos de casos atendiendo a los extremos sobre los que recaiga el error[215]: 1) sobre la clase de bien jurídico sobre el que se dispone o la intensidad de dicha disposición; 2) sobre la contraprestación que se espera con ésta; 3) sobre la finalidad altruista pretendida con el acto dispositivo; 4) sobre la existencia de una situación de necesidad que motivase la decisión del titular; 5) sobre otras circunstancias que inciden en la motivación del disponente.

Bien es verdad que, en principio, cualquier acto al que el sujeto condicione de forma más o menos caprichosa su voluntad podría contemplarse como condicionante de su libertad de decisión. Sin embargo, la necesidad de reservar el recurso al Derecho penal para los atentados que realmente sean dignos de protección obliga, en la construcción de ROXIN, a depurar la misma a partir de criterios normativos que objetiven la relevancia penal de la frustración de expectativas. Esta restricción determina, a su juicio, que sólo en los casos 2) y 5) pueda considerarse eficaz el consentimiento. Con relación a este último supuesto, y refiriéndose en concreto al ámbito médico, plasma dicho criterio normativo en la exigencia de que el error, por ejemplo, por afectar a la identidad de un médico igualmente cualificado, sea irrelevante para un paciente

---

[212]   ROXIN, en *Fs. für Noll, ob. cit.*, págs. 275 ss. También en un sentido crítico, AMELUNG, "Der Einwilligung des Verletzen im Strafrecht", en *JuS* 2001, págs. 943 s.

[213]   Así, por ejemplo, STERNBERG-LIEBEN, *Die objektiven Schranken der Einwilligung im Strafrecht, ob. cit.*, págs. 532 ss., apunta a un criterio subjetivo, que pondría el acento en la comprobación de que el error que no se refería al bien jurídico pero al que sin embargo la víctima supeditaba su voluntad haya sido provocado o no de forma intencional por quien pretende aprovecharse del mismo.

[214]   ROXIN, en *Fs. für Noll, ob. cit.*, págs. 275 ss.

[215]   ROXIN, en *Fs. Noll, ob. cit.*, págs. 281 ss.

sensato (*"müssen Irrtümer unbeachtlich sein, die für die Entschlußfassung irgendeines vernünftigen Patienten ohne Bedeutung sind"*)[216].

Las consideraciones que siguen parten de dicha premisa metodológica y se esfuerzan, por tanto, en ofrecer módulos normativos que permitan depurar los supuestos de error con relevancia penal. Para ello, a efectos expositivos distinguiremos cuatro grandes grupos de casos que corresponden a otros tantos supuestos problemáticos claramente diferenciables (2.1.1): el primero comprende los supuestos en los que el error incide en el *sentido* o *dimensión* del acto en el que el paciente consiente (2.1.1.1); el segundo comprendería los casos en los que el error afecta a las posibilidades de elección de paciente (2.1.1.2); el tercero aglutinaría todos aquellos supuestos en los que el error afecta a las circunstancias de la intervención o, lo que es lo mismo, al *"cómo"* de su realización (2.1.1.3). Un último grupo lo representan aquellos en los que el error recae sobre circunstancias que afectan a la finalidad misma que con la intervención esperaba conseguir el disponente, esto es, al *"para qué"* de la misma (2.1.1.4).

2.1.1. Grupos de casos

2.1.1.1. Casos en los que el error vicia el conocimiento de la entidad del acto o las consecuencias del mismo

En primer lugar, está fuera de discusión que el consentimiento debe reputarse inválido allí donde los vicios del mismo sean de tal entidad que impidan al paciente conocer la realidad misma del acto médico al que se somete. Puede decirse, por ello, que el criterio elaborado por ARTZ ofrece en el plano teórico una línea de solución impecable.

Dicho criterio, en efecto, proporciona sin dificultades una solución satisfactoria para los supuestos más simples en los que el enfermo ignora por completo la identidad del acto al que va a ser sometido. Porque si el paciente no reconoce la incidencia que el mismo va a tener sobre su cuerpo, difícilmente podría decirse que consiente en él. Es lo que sucede, por ejemplo, cuando presta su consentimiento para ser anestesiado en la creencia de que se le va a someter a una exploración que requiere anestesia, siendo así que en reali-

---

[216] ROXIN, en *Fs. Noll, ob. cit.*, pág. 289. En el mismo sentido, AMELUNG, en *JuS* 2001, *ob. cit.*, pág. 944.

dad se trata de intervenirle quirúrgicamente[217], supuestos a los que la doctrina nunca ha dudado en atribuirle relevancia penal[218].

Otro tanto cabría afirmar respecto a los casos en que si bien el paciente tiene conocimiento de que va a ser sometido a un acto de la clase del que se le practica (por ejemplo, ahora se le dice que la intervención va a ser curativa), la identidad de la intervención a la que se somete en absoluto corresponde con la que él creía. Baste pensar ahora en los casos en los que se le hace creer que la intervención se orienta a extraerle un quiste provocado por la acumulación de grasa cuando en realidad se trata de extirparle un tumor maligno; o en el ejemplo en el que se dice al enfermo de corazón que se le va a implantar un marcapasos cuando en realidad se trata de un trasplante. En cualquiera de esos supuestos puede decirse que el paciente ignora por completo la identidad del acto médico al que va a ser sometido y, por ello, sería desconocer la realidad misma de las cosas afirmar la validez de su consentimiento.

Esta misma conclusión sería trasladable respecto a las consecuencias o secuelas permanentes que necesariamente conlleve la intervención y que, por su entidad, afectan al sentido mismo del acto de disposición del enfermo sobre su cuerpo. Baste pensar en el ejemplo en que se le oculta que el resultado de aquélla es la inmovilidad o incluso la amputación de una pierna. Bien es cierto que también ahora el sujeto conoce que va a ser sometido a una intervención. Sin embargo, el desconocimiento de una consecuencia que acuña los caracteres básicos del acto médico en cuestión excluye la validez del consentimiento

---

[217] Casi ni decir tiene que lo mismo habría de afirmarse cuando el engaño se produzca en el proceso de toma de decisión del paciente, de tal modo que tenga lugar en una fase en la que aún no se hubiera decantado definitivamente en contra de la terapia. Sirva de ejemplo un caso denunciado en América Latina, en concreto, por la Defensoría del Pueblo del Perú en su Informe de agosto de 1999, pág. 40. Se trataba de una mujer a la que se pretendía esterilizar en el marco del llamado Programa de Salud Reproductiva y Planificación Familiar del Ministerio de Salud. Pese a que ni ella ni su esposo habían tomado aún la decisión, fue anestesiada mientras ella creía que se le estaba tomando una simple muestra de análisis.

[218] Al respecto, entre otros, MICHEL, en *JuS* 1988, *ob. cit.*, págs. 8 ss; SCHÜNEMANN, *Problemas jurídico-penales relacionados con el Sida*, trad. de Mir Puig, en *Problemas jurídico penales del Sida*, Barcelona, 1993, págs. 69 ss; HÖPFEL, "Strafrechtliche Probleme des HIV-Test", en *Aids und Strafrecht*, Herausgegeben von Szwarc, Berlín, 1996, págs. 103 ss. En nuestra doctrina, véase ROMEO CASABONA, en *Información y documentación clínica*, *ob. cit.*, pág. 314; el mismo en "Acciones médicas ante el paciente o donante portadores o enfermos de Sida", *JANO*, nº 1032, 1993, pág. 102; ASUA BATARRITA, en *JANO* 1995, *ob. cit.*, pág. 620.

que presta[219]. No es por ello de extrañar que incluso en el ámbito internacional el art. 5 del Convenio para la protección de los Derechos Humanos y la dignidad del Ser Humano con respecto a las aplicaciones de la Biología y la Medicina, de 4 de abril de 1997 incluya entre los requisitos mínimos sobre los que el paciente debe estar informado la finalidad y la clase de la intervención a la que va a someterse, y que ya en el orden nacional, la Ley 41/2002 disponga en su art. 10 que el paciente tiene que conocer, entre otros aspectos, "a) las consecuencias relevantes o de importancia que la intervención origina con seguridad".

Las dificultades surgen allí donde, si bien el paciente no ignora la realidad ni los rasgos más burdos del acto médico al que se somete, no conoce determinados extremos del mismo, en concreto, los relacionados con los *efectos* o las *consecuencias* eventual o hipotéticamente asociados a la terapia en cuestión. Son, en definitiva, casos, por así llamarlos, "intermedios", en los que si bien el desconocimiento no despoja al enfermo de los datos que pudieran considerarse mínimos de cara a calibrar la incidencia que tiene el acto médico sobre su cuerpo, tampoco satisfacen todas las exigencias que garantizarían su libertad de decisión. Sirva de ejemplo el supuesto en que si bien se informa al paciente de la enfermedad que padece así como de la índole del acto al que se va a someter, se le oculta que a consecuencia de la intervención ocular *puede* sufrir pérdida de la visión, o que a consecuencia de la operación de espalda existe el *riesgo* de quedar tetrapléjico.

A mi juicio, la línea de solución de estos supuestos tiene que venir de la mano de la aplicación del criterio que late en la construcción de ROXIN: la comprobación de que el engaño u omisión incide en la *cuantificación* del riesgo, de tal modo que, conforme a módulos objetivables, pueda trazarse una diferencia *racional* y *objetiva* entre el riesgo propio del acto en el que el paciente consintió y el que comporta el finalmente realizado y, en definitiva, que pueda trazarse una diferencia relevante en términos de gravedad entre ambos. A la hora de concretar este criterio habrá de atenderse a la comprobación de dos extremos. El primero de ellos es de índole *cuantitativa*. Con él se trata de verificar que existe una diferencia notable entre el riesgo que cree asumir el paciente y el que realmente corre. El segundo de ellos es de orden *cualitativo*, orientado ahora a determinar los caracteres que debe revestir el riesgo para que adquiera relevancia penal.

---

[219] De nuevo, podría mencionarse aquí también uno de los supuestos denunciados por la Defensoría del Pueblo del Perú en su informe de 1999. Se trata de los casos en los que en dentro de la ya citada campaña de esterilización no se informó a la paciente de una consecuencia esencial de la intervención como es la irreversibilidad del método.

En primer lugar, por lo que se refiere a su estimación *cuantitativa*, no cabe duda de que en este ámbito, como sucede en tantos otros, la apreciación de cuándo la diferencia entre el riesgo que asume y cree asumir el paciente puede considerarse relevante está necesitada de un proceso de concreción judicial que impide formular con carácter general cualquier delimitación apriorística y rígida de sus perfiles. Se trata, en definitiva, de que el juez realice una tarea valorativa en torno a los datos desconocidos que, por su gravedad y la distancia que marcan con la realidad, pueda decirse que habrían o podrían haber condicionado conforme a módulos de *razonabilidad* una solución distinta. Dejando de momento a un lado los márgenes de incertidumbre que inevitablemente conlleva este proceder, interesa destacar que este juicio presidido por el módulo de lo razonable en absoluto supone negar la atención a las circunstancias que, también de forma razonable, habrían alterado la escala valorativa o de preferencias del paciente concreto frente a la hipotética decisión del resto de las personas. Baste pensar en el caso en el que se oculta a un cantante que a consecuencia de su intervención de garganta existe el riesgo del cambio de gravedad que puede registrar su voz. En la medida en que esa preferencia subjetiva responde a una razón plenamente objetivable, nada se opondría a otorgarle relevancia a la hora de apreciar una diferencia significativa entre el riesgo real y el que cree asumir el paciente.

En segundo lugar, la concreción del criterio propuesto requiere atender a baremos de corte *cualitativo*, con los que se trata ahora de enfocar y delimitar los riesgos cuya entidad deba tomarse en consideración. Y es que, si lo que se pretende es trazar un criterio con el que deslindar los supuestos de especial gravedad que, más allá de una indemnización civil reclamen el castigo penal, habrá de exigirse que dichos riesgos sobre cuya apreciación yerra el paciente afecten a bienes jurídicos de especial trascendencia: la *vida* y la *salud*. Dado el carácter de *ultima ratio* de la intervención penal, al margen de la misma habrán de quedar los casos en los que, si bien el conocimiento exacto de las circunstancias de la intervención habría determinado una decisión distinta del paciente, la diferencia que supone la elección entre alternativas se refería a otros intereses que, si bien también pudieran ser dignos de tutela, no recaen sobre la salud o vida del enfermo (por ej., el tiempo de recuperación).

Por el contrario, en tanto se trata de riesgos para la vida o salud que de forma relevante difieren de los que aceptó el enfermo, no habría de verse dificultad alguna para afirmar en estos casos la relevancia penal de la falta de información[220] conforme a los tipos que tutelan la libertad.

Si bien no todos los supuestos que se enuncian a continuación se ventilaron en la vía penal, debido, sin dudas, a las dificultades ya denunciadas para apreciar los títulos delictivos que tutelan la libertad, conforme al criterio anterior dicha responsabilidad habría podido exigirse de haber existido un tipo que específicamente contemplase los casos de tratamiento médico arbitrario. Así habría sido en relación con supuestos como el enjuiciado por la Sala Primera del Tribunal Supremo, de 23 de abril de 1992, referente a la operación de una menor que padecía escoliosis dorsal directa idiopática, que la postró a una silla de ruedas sin que antes de la operación fuese informada de ese riesgo ni de otras alternativas menos peligrosas; la Sentencia de la Sección 4ª de la Audiencia Provincial de Málaga de 4 de abril de 1995, que juzgó un caso en el que no se informó a la donante de médula ósea de los riesgos de la misma, en concreto, de sufrir una paresia que le impedía la movilidad; o la sentencia de la Sala 1ª del TS de 31 de julio de 1996 dictada a consecuencia de una demanda interpuesta contra un traumatólogo que intervino a la paciente para eliminarle una protusión discal cervical sin informarle de los riesgos de sufrir una tetraparesia y tetraplejia.

A una solución distinta habría de llegarse en el resto de los supuestos. Así, porque no se trataría ahora de una diferencia entre riesgos que afectan a la vida o salud del enfermo, habría de expulsarse del ámbito penal el caso, por ejemplo, en el que efectivamente se hubiera informado al paciente de que con la intervención se trata de extraerle un tumor, si bien ocultándole las posibilidades de que se vuelva a reproducir. En tanto los riesgos reales de la opera-

---

[220] No está de más insistir en que a la hora de calibrar la relevancia penal del riesgo deben tenerse en cuenta criterios cualitativos relativos a su gravedad y también, en tanto que sea posible, aspectos cuantitativos. Así, por ejemplo, la Sentencia del Tribunal Supremo de 3 de octubre de 1997 consideró que la falta de información de un riesgo poco probable no puede dar origen a la responsabilidad penal, ya que de lo contrario a la información se le asignarían "caracteres de un requisito formal inalterable desnaturalizador de la relación de confianza que debe existir entre el facultativo y el paciente". Por su parte, la Sentencia de 12 de diciembre de 1994 de la Sala de lo penal de la Audiencia Provincial de Soria absolvió a un médico en un supuesto en el que el paciente padecía una pancreatitis que acabó produciendo su muerte, por considerar que, si bien no se advirtió al paciente del riesgo de sufrir la pancreatitis (aproximadamente entre el 0,2 y 2l 2%), dicha información no era obligada, ya que sólo se debe informar al paciente de los riesgos típicos. Frente a ello, sin embargo, en el orden civil la Sentencia de 19 de abril de 1997 consideró suficiente para fundamentar la condena la falta de información en un supuesto similar.

ción no sean distintos de los que aquél asume no puede valorarse el engaño con entidad suficiente para derivar del mismo responsabilidad penal.

Lo mismo habría que decir en otros supuestos en los que el riesgo que se oculta no puede valorarse como estrictamente lesivo. Valga de cita el caso enjuiciado por la Sentencia de la Audiencia Provincial de Barcelona, de 12 de junio de 1989, en la que se ventilaba la responsabilidad del cirujano que no informó al paciente que se sometió a una intervención de vasectomía sobre la necesidad de realizar controles analíticos periódicos de esperma así como de las medidas que debía adoptar para evitar el riesgo aún subsistente de fertilidad. En el mismo sentido podría citarse la Sentencia de la Audiencia Provincial de Tarragona de 23 de marzo de 1992, que condenó al ginecólogo que practicó a una mujer una ligadura de trompas que fracasó por repermeabilización, riesgo sobre el que no fue informada. Por poner ahora un ejemplo en el ámbito de la cirugía estética, es lo que sucedería en el caso enjuiciado por la Sentencia del Juzgado de Primera Instancia de Gijón de 8 de octubre de 1996, en la que se intervino a una paciente para corregirle un defecto estético nasal sin informarle del riesgo de fracaso; o el caso enjuiciado por la Sección 14ª de la Audiencia Provincial de Barcelona en la sentencia de 25 de noviembre de 1995, relativo al médico que no informó a la mujer de los riesgos de la intervención de cirugía estética para corregirle ciertas anomalías en sus senos, en concreto, no le informó de las deformidades que podría acarrearle. Conforme a la línea de solución propuesta, la responsabilidad del sanitario habría de ventilarse en tales casos exclusivamente en el ámbito civil.

Ante de concluir este apartado relativo a los supuestos en los que el paciente no conoce, bien la entidad del acto, bien el alcance del mismo, conviene hacer referencia a aquellos en que ignora que a consecuencia de la primera intervención tendrá que someterse a otros actos que, sin embargo, ya no desea. Sirva de ejemplo el caso en el que el médico, si bien informa al paciente de que se le va a practicar una complicada intervención para extirparle un tumor, no le comunica que posteriormente tendrá que someterse a severas sesiones de quimioterapia, algo que de haber conocido habría determinado la revocación de su consentimiento.

Según entiendo, la solución a estos supuestos pasa por diferenciar la legitimidad de la actuación médica en relación con cada uno de los actos en los que se proyecta. En primer lugar, respecto a la intervención quirúrgica en sí, en tanto que al paciente no se le oculta su realidad ni su alcance, ni dicha omisión determina un mayor riesgo ni secuelas permanentes que permitieran afirmar un nuevo atentado a la integridad o salud del enfermo, difícilmente podría discutirse la validez del consentimiento prestado para la misma. Distinta habrá de ser la valoración respecto a aquellas consecuencias desconocidas totalmente por el enfermo y que debe aceptar de forma necesaria para mantener su salud tras la intervención; en el ejemplo propuesto, las sesiones de quimioterapia. En tanto dicho tratamiento ulterior sea necesario y, por su sustancialidad y gravedad, como sucede en el ejemplo propuesto, no pueda entenderse apriorísticamente comprendido en el consentimiento prestado para la intervención[221], se darán las bases para apreciar un atentado contra la libertad del enfermo. Bien es verdad que siempre quedará a éste la posibilidad de oponerse a dicho tratamiento necesario; pero los límites de esa renuncia estarán entonces tan condicionados por el riesgo que inexorablemente la misma comportará a su salud que su opción no podrá seguir valorándose como expresión de su derecho a la *libre autodeterminación*.

Por último, por su dificultad, trataremos en un apartado independiente, a modo de excurso, la específica tipología de supuestos en que se oculta una información a la mujer embarazada en relación con la práctica de una prueba que, en su caso, puede influir en su decisión en torno a continuar o poner fin a su embarazo.

* Excurso: los supuestos de falta de información relacionada con un diagnóstico prenatal

La delimitación de la problemática que ahora interesa está necesitada de una precisión que acote su ámbito. En concreto, cuando se plantea la responsabilidad que pudiera derivarse para el médico de las posibles irregularidades relacionadas con las prácticas de diagnóstico prenatal, se hace preciso distinguir, al menos, dos grandes supuestos de los cuales sólo uno interesa en esta sede. En efecto, la propia contemplación del decurso secuencial imaginable en relación con el diagnóstico prenatal obliga a diferenciar, por un lado, los casos en los que el médico no advierte, esto es, no informa, bien acerca de la posibilidad o conveniencia de realizar dicho tipo de prácticas, o bien de los riesgos que la misma comporta, y, por otro, aquellos otros en los que su irregularidad se deriva, bien de la incorrecta realización, bien de la valoración errónea de los resultados de la práctica.

Sólo en el primer grupo de casos, esto es, aquellos en los que el profesional no advierte a la paciente, ya sea sobre la conveniencia o necesidad de realizar

---

[221]   Como sucedería, por ejemplo respecto al suministro de antibióticos, sueros, inyectables o pastillas de todo tipo. Se trata de prácticas que necesariamente son implícitas a cualquier intervención y sobre cuya existencia, por tanto, ni hay que informar especialmente al paciente, ni recaban un consentimiento específico.

dicho tipo de pruebas, ya sobre los riesgos que la misma puede comportar, tendría sentido plantear la responsabilidad del médico por la falta de información. En el segundo grupo, a saber, el de los casos en que el fallo se produce pese a la realización de la prueba, la eventual responsabilidad del médico habría de canalizarse, en su caso, por otros títulos delictivos: unas veces por un delito de lesiones, como sucedería cuando la prueba se realiza de forma incorrecta y provoca daños a la madre o al feto; otras por un error de diagnóstico. Sería éste el caso cuando aquélla se realiza correctamente pero el médico valora sus resultados de forma equivocada[222]. Son éstos últimos los supuestos que han dado lugar a las pretensiones indemnizatorias que se conocen como *wrongful birth* y *wrongful life*, casos en los que, respectivamente, los padres del niño nacido con deficiencias o incluso éste por medio de sus representantes legales, reclaman contra el médico por los costes económicos y morales que les ocasiona el nacimiento en tales circunstancias[223].

Así delimitada la genuina problemática de la falta de información relativa a la práctica de pruebas de diagnóstico, hay que advertir todavía que la identificación de los posibles casos con relevancia penal está necesitada de una acotación ulterior. Y es que cuando se plantea la posible responsabilidad penal del médico por las consecuencias que pudieran ocasionarse por la falta de información en este ámbito son imaginables dos supuestos distintos, ya referidos más arriba. Los primeros, aquellos en los que a la madre no se le informa de los riesgos que conlleva la práctica de la prueba, tanto para su salud, como para la vida del feto. Baste pensar en el ejemplo en el que el médico advierte a la mujer sobre la conveniencia de someterse a una amniocentosis pero sin informarle ni sobre los riesgos que la práctica comporta para ella ni los relativos a la posibilidad de que a consecuencia de la misma se produzca un aborto espontáneo. Los segundos son los supuestos en los que pese a que el médico advierte una situación de riesgo[224], movido por una actitud de confian-

---

[222]   En realidad este supuesto no se diferenciaría de aquellos otros en los que, por cualquier circunstancia, se produce un diagnóstico erróneo que determina la decisión de abortar de la mujer. Sirva de ejemplo el caso enjuiciado por la Sentencia de la Sala de lo Contencioso-Administrativo del Tribunal Superior de Justicia de Navarra, de 27 de julio de 2000. En ella se condenó al Servicio Navarro de Salud a indemnizar con veinticuatro millones de pesetas a la demandante, una mujer que decidió abortar tras diagnosticársele su condición de portadora del virus del Sida, diagnóstico que en realidad era erróneo.

[223]   Véase *infra*, Segunda Parte, I, 1, *La responsabilidad penal médica por la producción de un resultado lesivo. La imprudencia*.

[224]   Con esto se pretender resaltar que se hace referencia a los casos en que el médico advierte dicha situación de riesgo y, pese a ello, debido a una actitud de confianza, no aconseja la práctica de la prueba. De otra forma, esto es, si el médico valorase erróneamente la necesidad de la misma, el error habría de reconducirse a la fase de diagnóstico y, caso de

za respecto a que no se producirá el resultado, no informa a la mujer sobre la conveniencia de someterse a una prueba que habría detectado la enfermedad fetal y, con ello, se le veda la posibilidad de acogerse al aborto por indicación eugenésica. También habrían de incluirse aquí los supuestos en los que, si bien la prueba se realiza, no se informa a la madre del fracaso de la misma[225].

En realidad, sólo el primer grupo de casos podría dar lugar a responsabilidad penal por falta de información. Si, conforme a cuanto hemos sostenido en estas páginas, el criterio que delimite los supuestos de falta de información con relevancia penal apunta a la necesidad de que la misma comporte una diferencia significativa de riesgos entre los que paciente cree asumir y los que realmente corre, dicha exigencia sólo se cumple en el primero de los supuestos citados. En el segundo, por el contrario, no sería posible apreciar dicha diferencia de riesgos, puesto que en él lo único que sucede es que a la madre no se le ofrece la oportunidad de interrumpir su embarazo ante la eventualidad del nacimiento de un hijo con graves taras físicas o psíquicas. Pero el riesgo que asume la madre para su vida o salud permanece inalterado. Debe observarse, por otra parte, que sería posible derivar responsabilidad para el médico respecto a las posibles deficiencias o anomalías que padezca el niño. En primer lugar, porque la existencia de aquéllas, como tal, no son imputables a éste. En segundo lugar, porque el nacimiento de ese ser repele su valoración como un daño. Es cierto que en los supuestos que se han planteado en el orden civil, la mayoría de las veces vinculados al error de diagnóstico tras la práctica de la prueba, se reconoce paulatinamente el derecho a una indemnización por tales casos; pero como se insiste tanto en la doctrina como en los mismos pronunciamientos que reconocen el derecho a la pretensión indemnizatoria, dicha responsabilidad no surge del dato del nacimiento del niño con taras físicas o psíquicas, sino de los costos que la misma comporta. Lo único que podría valorarse como un daño y dar lugar, por tanto, a responsabilidad incluso de

---

no poderse apreciar dicho error, la solución habría de ser la impunidad del médico. A un supuesto de este tipo corresponde, por ejemplo, el caso enjuiciado por la Sentencia de la Sección Primera de la Audiencia Provincial de Badajoz, de 31 de diciembre de 1999. Se trataba de ventilar la posible responsabilidad del médico que no aconsejó a una mujer de 29 años que presentaba parámetros normales sobre la posibilidad de someterse a una prueba para detectar la posible afectación del feto del síndrome de Down, como era el caso. El Tribunal absolvió al médico por entender que no procedía la realización de la prueba de amniocentosis.

[225] Es lo que sucede, por ejemplo, en el caso enjuiciado por la Sentencia de Sala Primera del Tribunal Supremo, de 6 de junio de 1997. En ella se enjuiciaba la posible responsabilidad del médico respecto a una embarazada a la que no se le informó del fracaso de una amniocentonsis que se había realizado. El niño nació con síndrome de Down. El TS condenó al médico y al Servicio Valenciano de Salud a abonar a la actora 50 millones de pesetas.

orden penal, son sólo los casos inversos, esto es, aquellos en los que por error de diagnóstico se practica un aborto.

Por otra parte, al margen de los argumentos anteriores, en contra de la posibilidad de derivar responsabilidad para el médico en el segundo de los grupos señalados hablarían argumentos relacionados en general con la improcedencia de hacer responder al médico por la falta de información cuando la misma se vincula a un error relacionado con la forma de calibrar la necesidad de la terapia. Aun cuando el resultado final pudiera reconducirse a un tipo delictivo, como sucede cuando se trata de pruebas cuya omisión da lugar a que el paciente empeore su estado de salud, en contra de dicha pretensión hablarían los argumentos que ya manejábamos más arriba al proponer la conveniencia de incorporar un delito de tratamiento médico arbitrario. Porque una de dos: o la omisión de la práctica responde a una actitud dolosa, en cuyo caso perdería cualquier sentido valorar de forma autónoma la falta de información; o la falta de información obedece a una negligencia del médico a la hora de apreciar su procedencia, en cuyo caso, o se produce un resultado lesivo y entonces el médico responderá por lesiones imprudentes, o aquél no se produce, supuestos en que la incriminación de la falta de información como tal sólo sería posible si prosperasen las propuestas de castigar el tratamiento médico arbitrario cometido por imprudencia. Baste remitirnos en este punto a las razones que exponíamos más arriba en contra de esta propuesta.

2.1.1.2. Casos en los que el error afecta a las posibilidades de elección del paciente

En este apartado se hace referencia a todos aquellos supuestos, en cierto modo residuales respecto a los anteriores, en los que el engaño, si bien no afecta al sentido ni a la entidad del acto, sí recae sobre las circunstancias que lo rodean y que expresan los *pros* y *contras* del mismo a partir de los cuales el paciente pueda adoptar cabalmente una decisión. Son, en definitiva, aspectos que inciden de lleno en las razones que impulsan racionalmente a cualquier sujeto a decidirse a favor o en contra del tratamiento y, correlativamente, a elegir o descartar otras alternativas.

Para evitar equívocos, conviene advertir que en este apartado no se hace referencia al engaño que afecta a los móviles que subjetivamente pudieran condicionar la voluntad del enfermo, en el sentido de atender a sus preferencias personales. A alguno de estos casos tendremos ocasión de hacer referencia en el apartado relativo al error que afecta a los fines de la intervención[226]. Los supuestos que se tratan en este apartado son aquellos en los que el engaño incide sobre las circunstancias relativas al acto o a sus alternativas que *racionalmente*, desde una perspectiva objetiva, pudieran incidir en la toma de decisión del paciente. Para ilustrarlos bien pudieran servir algunos ejemplos relativos a intervenciones de esterilización:

A la mujer se le asegura que la opción de esterilizarse es la más conveniente porque "se van a terminar otros métodos anticonceptivos".

La mujer se sometió a la esterilización porque no se le informó de la existencia de otros métodos anticonceptivos que pudieran calificarse como "menos agresivos", e incluso sobre la posibilidad de que la esterilización no recaiga sobre ella, sino sobre su pareja.

A la mujer que consiente en la esterilización se le oculta que dicho método no es totalmente infalible, esto es, que subsiste la posibilidad, siquiera remota, de que vuelva a quedarse embarazada[227].

Común a todos estos supuestos vuelve a ser, de nuevo, el dato de que si bien la paciente presta un consentimiento para ser intervenida, no puede decirse que el mismo esté exento de vicios. Ello plantea una vez mas la cuestión en torno a si la entidad de tales vicios es de tal calibre que pueda justificar, más allá de instancias sancionadoras civiles, la intervención del Derecho penal.

En la línea de cuanto hasta ahora hemos venido sosteniendo, la solución de estos supuestos debe hallarse de nuevo en la búsqueda de criterios normativos de cuantificación del riesgo. Bien es verdad que, al menos a primera vista, la tipología de casos que ahora se tratan podría dificultar la operatividad de dicho criterio. Es lo que sucede, por ejemplo, respecto al primero de los casos mencionados, esto es, aquél en el que se oculta a la paciente que siguen a su disposición los métodos anticonceptivos alternativos que hasta entonces venía usando. Pudiera decirse, en efecto, que en casos como éste el error no afecta a la entidad del riesgo que la paciente asume, en tanto se parta de que fue debidamente informada de la trascendencia de la operación. No obstante, entiendo que también en ellos es posible formular la cuestión en términos de cuantificación de riesgo, si se quiere, de forma hipotética. Así permite entenderlo el hecho de que también ahora el engaño se traduce en que la paciente descarte una opción que implicaba un riesgo cuantitativamente inferior a la que acaba "eligiendo". El engaño, en efecto, determina en estos supuestos que la mujer asuma un riesgo y acepte unas consecuencias sensiblemente más graves a la que probablemente habría asumido de conocer que podía con-

---

[226] Véase *infra* apartado 2.1.1.4, *Supuestos en los que el engaño afecte a la finalidad de la intervención.*

[227] Se trata de casos recogidos de las denuncias formuladas por la Defensoría del Pueblo del Perú en sus informes de enero de 1998 (págs. 41 ss), agosto de 1999 (págs. 40 ss).

tinuar disponiendo de otros métodos anticonceptivos alternativos. En otras palabras, aquélla acepta una intervención sin duda más riesgosa porque desconoce otras posibilidades que están a su alcance. En estas circunstancias, la pretensión de hablar de voluntariedad en la asunción del riesgo no puede basarse más que en una ficción[228].

Lo mismo debe sostenerse respecto al segundo caso referido al comienzo del presente epígrafe: el de la mujer que ignora la existencia de otros métodos anticonceptivos. En realidad, el mismo no es más que una variante del que se acaba de comentar, puesto que, en el fondo, es indiferente que la mujer no cuente o no tome en consideración otros métodos porque crea que ya no podrá disponer de ellos, que porque ignore su existencia. Lo importante es que también aquí acepta los riesgos propios de la intervención motivada por la creencia de que no tiene otras alternativas reales menos riesgosas.

Más discutible pudiera ser la solución en el tercer ejemplo. En realidad su fenomenología ya fue referida en el apartado anterior. Como entonces afirmábamos, difícilmente puede decirse que en él sea predicable una diferencia cuantitativa de riesgos con relevancia penal, puesto que la paciente tiene conocimiento de todos los riesgos que comporta la operación así como de la existencia de otras alternativas para evitar la concepción. Por lo mismo, también conoce que esas otras alternativas presentan un riesgo menor que la que elige. Es cierto que de haber conocido los posibles riesgos del fracaso puede que se hubiese inclinado por otra opción; pero entonces ese dato de la confianza en la infalibilidad del método habrá de valorarse exclusivamente como un *error en los motivos* por los que accede a la intervención, sin traducción posible en una hipotética cuantificación del riesgo para los bienes jurídicos vida o salud. Por ello, si se quiere respetar el principio penal básico de *intervención mínima*, las consecuencias del error sobre tales supuestos deberán examinarse todo lo más en el orden civil.

Resumiendo, pues, puede decirse que habrá de concederse relevancia penal a los casos en los que el engaño recaiga sobre las posibilidades de optar por un método alternativo que comporte un riesgo inferior al que elige el paciente, reconduciéndose por el contrario a la vía civil el resto de los supuestos

---

[228]   Véase también, por ejemplo, una sentencia de 3 de marzo de 1994 del BGH alemán, comentada por PUPPE. Se trataba de un caso en el que el médico operó al paciente de un tumor, pero sin advertirle de que existía una terapia alternativa y, en cualquier caso, una tratamiento aconsejable con carácter previo. El Tribunal consideró que, pese a esa omisión, no podía decirse que el médico hubiera infringido el deber de cuidado, sino sólo el deber de informar al paciente sobre esas otras alternativas, en *JR*, 1994 (Anm. zum BGH Besch. 3.3.94), págs. 514 ss.

en los que el engaño se refiere exclusivamente a las posibilidades de éxito de la alternativa que ha elegido.

2.1.1.3. Supuestos en los que el error afecta a una circunstancia que rodea el "cómo" de la realización del acto

Se tratan en este apartado los casos en los que, si bien el paciente es plenamente consciente del sentido, entidad, alcance y consecuencias del acto médico al que va a someterse, así como de la existencia de otras posibles alternativas, se encuentra en situación de error sobre uno de los extremos o circunstancias que lo rodean. Aquí habrían de incluirse supuestos como el del enfermo que consiente en la operación en la creencia errónea de que va a ser intervenido por un médico concreto, o el del que es operado con una técnica distinta a la que consintió (p. ej., método de anestesia, forma del parto, etc.) o, el de quien consiente en una técnica concreta de operación porque desconoce la existencia de otra técnica alternativa para realizar la misma clase de intervención[229].

Una vez más, la búsqueda de parámetros normativos con los que mensurar objetivamente la relevancia del error en esta tipología de casos tiene que canalizarse a través del criterio que implícitamente late en la construcción de ROXIN; a saber, la comprobación de que el engaño se traduce en un aumento del riesgo, conforme a una perspectiva *ex ante*, respecto al asumido inicialmente por el paciente, de tal modo que conforme a módulos objetivos pueda trazarse una diferencia *racional* y *objetivable* entre el acto en el que el paciente consintió y el finalmente realizado[230]. Es lo que sucedería, retomando los ejemplos manejados al principio, cuando el cambio de médico determine un mayor peligro de la intervención debido a la menor cualificación de aquél[231], o cuando el método empleado tenga menores

---

[229]   Debe observarse que a diferencia de cuanto se trataba en el apartado anterior, ahora se hace referencia, no a una terapia alternativa, como pueda ser optar por un método anticonceptivo distinto a la esterilización, sino a una técnica distinta de practicar la misma terapia.

[230]   A este criterio apunta ULSENHEIMER, *Artzstrafrecht in der Praxis, ob. cit.*, págs. 63 s.

[231]   Debe advertirse que, como señala ENGLJÄHRINGER, *Aufklärungspflicht vor medizinischen Eingriffen, ob. cit.*, págs. 197 ss, en estos casos en los que la intervención se realiza por una persona menos cualificada, más allá de la responsabilidad del médico por la falta de información al paciente sobre este extremo, puede derivarse responsabilidad por negligencia. Es lo que sucedería en los casos en los que la intervención la realice un recién licenciado sin la supervisión de otro médico.

posibilidades de éxito[232]. Diferente valoración merecerían los supuestos en que, debido a la misma cualificación del que interviene o la equiparable idoneidad de los métodos en cuestión, no pueda hablarse de un mayor riesgo de la intervención y, con ello, pueda decirse que el engaño sería irrelevante "para cualquier paciente sensato"[233]. Es más, siempre que se respete dicha premisa, ROXIN se plantea incluso la posibilidad de que la intervención sea realizada, no ya por un médico distinto del que esperaba el paciente, sino incluso por estudiantes de medicina: "si en un Hospital se llevan a cabo intervenciones mínimas, contra lo que esperan los pacientes, no por un médico sino por estudiantes de medicina especialmente capacitados a tal efecto, ello no se justifica por el consentimiento presunto de los pacientes que podían haber sido consultados al respecto pero que no lo han sido, sino porque su consentimiento a la intervención, en una interpretación adecuada a la situación real, se ha extendido también al tratamiento por un estudiante de medicina competente"[234]. Esa cuantificación objetiva permite expulsar del ámbito de protección penal la defraudación de simples tendencias caprichosas del sujeto que, por mucho que condicionen su voluntad, deben permanecer en la antesala de la protección penal y dar paso, todo lo más, a una reclamación por vía civil[235].

Tal vez no esté de más advertir que fuera del ámbito de intervención penal deben quedar también otros supuestos en los que igualmente existen irregularidades que bien pudieran reconducirse de forma amplia al grupo de casos en los que existe un vicio en torno al "cómo" de la realización, pero sin que el mismo tenga por qué suponer un incremento del riesgo respecto del que habría asumido el paciente de haberse realizado la operación correctamente. Baste pensar, por ejemplo, en el incumplimiento de los plazos fijados a veces reglamentariamente para determinadas intervenciones en las que se prescribe un período de reflexión entre la manifestación de la voluntad del paciente y la práctica de la intervención. Si bien se trata de plazos estatuidos para garantizar la madurez y reflexión de la decisión del afectado, entiendo que, si no se quiere criminalizar cualquier irregularidad en la actuación médica, el incum-

---

[232]   ENGLJÄHRINGER, *Ärztliche Aufklärungsplicht vor medizinischen Eingriffen, ob. cit.*, págs. 195 s.

[233]   ROXIN, en *Fs. für Noll, ob. cit.*, pág. 289.

[234]   ROXIN, *Derecho Penal, Parte General, ob. cit.*,, pág. 770, pág. 546, solución que hay que admitir siempre que no pueda deducirse que la intervención por el estudiante supone un riesgo sobreañadido; el mismo en *Fs. für Noll, ob. cit.*, págs, 288 ss. Véase también SCHÖNKE/SCHRÖDER, *Strafgesetzbuch, ob. cit.*, §223.39, incluyendo también los casos de desconocimiento de la corta experiencia del médico.

[235]   Al respecto, con referencias jurisprudenciales, SEOANE PRADO, "Información clínica", en *Información y Documentación clínica, ob. cit.*, págs. 248 ss; SÁNCHEZ CARO, en *La Ley, ob. cit.*, 1993-3, págs. 947 ss.

plimiento de los mismos debe ventilarse por vías ajenas a la responsabilidad penal, siempre, lógicamente, que en el momento de la decisión el sujeto estuviera en condiciones de formar y emitir su declaración de voluntad.

2.1.1.4. Supuestos en los que el engaño afecta a la finalidad de la intervención

En este cuarto grupo se incluyen los supuestos en los que el engaño afecta al fin mismo por el que el paciente presta su consentimiento para ser intervenido. La mayor dificultad que presentan frente a los anteriores se debe a que ahora el engaño recae sobre un aspecto que, al menos en principio, parece escapar con mayor facilidad a cualquier módulo de mensurabilidad objetiva. Bien es cierto que todavía pueden identificarse supuestos en los que es posible dicha cuantificación. Así, en primer lugar, ninguna duda cabe de que habrá de negarse cualquier relevancia al consentimiento allí donde el paciente haya sido engañado totalmente sobre el fin que motiva la intervención. Un buen ejemplo de ello lo ofrecen los casos, ya referidos, denunciados por una Defensoría del Pueblo latinoamericana, en concreto del Perú, en los años 1998 y 1999. Entre otras denuncias registradas en el marco de campañas gubernamentales de esterilización, consta la procedente de algunas mujeres a las que se aseguraba que aquella intervención era una medida coactiva, de tal forma que si no accedían a la misma podrían ser incluso sancionadas.

Junto a los anteriores, también es posible identificar otros supuestos en los que puede detectarse sin mayores dificultades un desfase relevante entre la finalidad que cree alcanzar el paciente con la intervención y lo que sucede en la realidad. Sirvan de ejemplo aquellos en los que se somete al enfermo a una intervención bajo unas expectativas de curación infundadas, de tal modo que el riesgo que comporta la misma no se corresponde con la utilidad que con ella espera conseguir el paciente[236]. Con base en el mismo criterio, no habría dificultad

---

[236] Distintos habrían de valorarse, por el contrario, los supuestos en los que la terapia a la que se somete el paciente no comporta beneficios, pero tampoco riesgos para su salud, puesto que en estos casos no podría hablarse de una diferente cuantificación de riesgos que incida en los bienes jurídicos de los que más arriba hacíamos depender la intervención penal, a saber, la vida y la integridad física. Por ello, en estos casos, y a salvo de la responsabilidad en que pudiera incurrir el médico por la falta de lesiones que eventualmente produjese (por ejemplo, por inyectar la sustancia), así como por sustraer al paciente a otras alternativas eficaces, aquélla habría de dilucidarse, todo lo más, en el orden civil. A un supuesto de este tipo pertenecería el caso denunciado por un Juzgado de Instrucción de Madrid, en el que un médico alergólogo, en connivencia con un laboratorio, prescribía a sus pacientes vacunas que, según consta en las diligencias, eran en ocasiones "mezclas

para hacer responder al médico en casos como aquél en que hace creer al enfermo que la finalidad de la operación es curativa cuando en realidad se realiza con fines experimentales[237]. En tanto que entre el fin real y el que el sujeto cree alcanzar con la intervención existe una significativa diferencia de riesgos para su vida y salud, no habrían de hallarse dificultades para afirmar la invalidez del consentimiento que presta y la consiguiente responsabilidad penal del médico.

Frente a estos supuestos en los que es posible manejar un baremo objetivo, lo normal es, sin embargo, que la incidencia del engaño sobre el fin de la intervención repercuta en aspectos mucho más sutiles que escapan a cualquier criterio de mensurabilidad objetiva. Es lo que sucede en los casos en los que aquél incide en el plano de las *preferencias* y *móviles subjetivos* del afectado. Sirvan de ejemplo los siguientes:

a) A consintió en donar su médula porque así se lo pidió su compañera sentimental, especialmente sensibilizada con los problemas de leucemia, quien incluso le amenazó con abandonarle si se negaba a ello. Tras realizar la donación su compañera le abandonó.

b) El médico diagnosticó a un niño de 12 años una enfermedad renal grave que aconsejaba un trasplante. El padre se ofreció a donar uno de sus riñones para así salvar a su hijo. Una vez extraído el riñón, fue implantado a un paciente distinto[238].

c) El médico engañó al padre haciéndole creer que su hijo padecía una enfermedad renal grave, y le sugirió que donase un riñón para salvarle. El padre así lo hizo. Una vez extraído, el riñón fue desechado[239].

Como puede comprobarse, a todos estos casos es común el dato de que el móvil último que impulsa la decisión del sujeto está decisivamente condicionado por un motivo inexistente, creado mediante maniobras engañosas. Así, de conocer el donante que su pareja le abandonará de todas formas (a),

---

de líquidos inocuos". A veces, incluso, se trataba de pacientes a los que se le diagnosticaba una alergia que ni siquiera padecían, para someterlos así, durante años, a dichos tratamientos inocuos (*El País*, 17 de abril de 1999).

[237]   MEYER, Maria-Katharina, *Ausschluß der Autonomie durch Irrtum*, Köln/Berlin/Bonn/München/Heymann, 1984, pág. 178.

[238]   Ejemplo manejado por ROXIN, en *Fs. für Noll, ob. cit.*, pág. 286. A un supuesto parecido se refiere SCHLEHOFER, en *Jura*, 1989, *ob. cit.*, págs. 263 ss., en el que el médico engaña a la mujer sobre el hecho de que el riñón que ella dona no será para su marido.

[239]   A este grupo pertenecería también el caso propuesto por ROXIN, en el que se hace creer a la madre que su hijo ha sufrido un accidente y que para conservar la vista necesita que ella le done su córnea, cosa que hace, ROXIN, *Derecho Penal, Parte General, ob. cit.*, págs. 547; el mismo en *Fs. für Noll, ob. cit.*, pág. 280.

que el receptor del órgano no será el hijo (b), o que éste no está enfermo (c), no habría prestado su consentimiento para la donación. Más allá de este denominador común, sin embargo, cada uno de ellos presenta peculiaridades propias que individualizan su problemática. De entrada, es posible trazar un primer criterio diferenciador en atención a que el fin que se frustra sea el pretendido de forma *mediata* o *inmediata* por el autor; esto es, que el engaño recaiga sobre la pretensión, directa o indirecta, que pretendía obtener con el acto dispositivo.

Ante todo, debe hacerse una precisión previa que contribuya a precisar el sentido de este criterio diferenciador. Y es que cuando se habla de fines *mediatos* o *inmediatos* se hace referencia, respectivamente, a los que se anudan de forma *indirecta* o *directa* al acto en cuestión, pero sin prejuzgar en absoluto que la decisión del paciente esté condicionada por uno u otro o, lo que es lo mismo, que para él el interés preponderante sea el directo o indirecto. Así, podrá suceder que el efecto realmente valioso y esperado por el donante no sea el que resulta de forma *inmediata* de su acto, sino el que pretende conseguir *mediatamente* con él. Es lo que sucede en el ejemplo a). En él, en efecto, el móvil que condiciona la decisión del paciente no es la donación como tal, sino lo que pretende conseguir mediatamente con ella: la continuidad de su relación sentimental. A un caso de este tipo obedece también el propuesto en nuestra doctrina por ALVAREZ GARCÍA, quien ejemplifica a partir de un caso ocurrido en los Estados Unidos:

> Un individuo acaudalado que necesitaba un trasplante de riñón entabló una relación sentimental con una mujer económicamente débil. El hombre le propuso matrimonio, y ella, en prueba de su amor, le ofreció uno de sus riñones. Ante la incompatibilidad de este donante con el receptor, el hermano de ella se ofreció para donar el órgano a quien sería su cuñado, pidiéndole sólo que se hiciera cargo de los gastos del hospital y que hiciera feliz a su hermana. Una vez realizado el trasplante, el receptor rompió su promesa de matrimonio[240].

Ni en este caso referido por ALVAREZ GARCÍA, ni en el enunciado en la letra a), se ven afectados los extremos que objetivamente dotaban de racionalidad al acto de donación como tal y, con ello, no se ve alterado el fin *inmediato* de la intervención[241]. Porque tanto en uno como en otro caso el sujeto cuenta,

---

[240]   ALVAREZ GARCÍA, *La puesta en peligro de la vida y/o integridad física asumida voluntariamente por su titular*, Valencia, 1999, pág. 483, nota 285.

[241]   Debe observarse que se evita ejemplificar sobre el supuesto en el que el sujeto preste su consentimiento con el fin de obtener una contraprestación económica que luego resulte insatisfecha. La solución de estos casos la ofrece el propio legislador. Como es sabido, conforme a la Ley de Trasplantes la donación mediante precio sería nula. Por otra parte, ya en el ámbito específicamente penal, el art. 156 CP excluye la validez del consentimiento otorgado para un trasplante mediante precio o recompensa.

en el momento de la decisión, con todos los elementos de juicio necesarios para formar su voluntad de una manera libre y responsable. En ambos casos, en efecto, el donante es consciente de las circunstancias objetivas y de los móviles subjetivos que inspiran su decisión. En esos ejemplos lo que queda insatisfecho no es el sentido del acto, sino un fin adicional que trasciende al mismo, que es ulterior y perfectamente separable de la donación: la utilidad que *mediatamente* pretendía conseguir el donante y que impulsaba su decisión.

En el ejemplo a), en efecto, el donante es consciente de que la intervención tiene como objeto la extracción de un órgano que lo recibirá una persona determinada. En eso consiste el fin *inmediato*. Y éste se cumple. A ello anuda el donante la consecución de una meta *mediata* que es ajena y trascendente al acto de la donación: la continuidad de su relación sentimental. Es sólo ésta la que resulta frustrada. De hecho, cuando fracasa su pretensión lo que "la víctima" realmente pretende no es el castigo de alguien por haberle sometido a una intervención que no quería. Su reacción se dirige contra quien no ha cumplido la promesa que esperaba con ella; dicho de otra forma, el paciente no "reniega" del acto para el que se ofreció ni de los presupuestos que lo condicionaron ("quiero mantener mi relación y, para ello, dono un órgano"). Su reclamación se dirige contra el incumplimiento de lo que pretendía con ella; en el ejemplo, la continuidad de la relación sentimental. Pero los presupuestos situacionales siguen siendo válidos. Por decirlo de otro modo, también ahora, cuando el donante advierte el engaño, sigue manteniendo los condicionamientos que motivaron su decisión ("quiero asegurar la continuidad de mi relación sentimental y para ello dono la médula"). Lo único que reclama es el cumplimiento de dichos fines mediatos, si bien con el argumento, eso sí, de que de haber conocido la frustración no habría consentido en el acto. Pero respecto a esa reclamación es claro que poco tienen que decir ni los tipos que tutelan la integridad del paciente ni la libre formación de su voluntad[242].

El mismo análisis es trasladable al supuesto que comenta ÁLVAREZ GARCÍA. También en él lo que resulta frustrado es el objetivo que *mediatamente* pretendía conseguir el donante. No cabe duda de que el fin perseguido de forma inmediata se ha satisfecho: la extracción del órgano y su recepción por la persona designada como receptor. Ese es el objetivo *inmediato* del acto y, como tal, ha quedado plenamente cumplido. Lo único que resulta frustrado

---

[242] No parece necesario insistir en que el juicio en torno al mantenimiento de su voluntad no puede tomar como punto de referencia el dato aleatorio -y caprichoso- de que, *ex post*, conocido el incumplimiento, el sujeto siga prefiriendo la obtención del dinero o, por el contrario, piense ahora que habría sido mejor renunciar desde el principio a tal expectativa.

es la consecución de un fin que ya es ajeno al acto de la donación como tal: la continuidad de la relación sentimental de su hermana. De hecho, una vez más, cuando éste se frustra, el donante no se vuelve contra su acto dispositivo porque, una vez más, las coordenadas de su decisión siguen siendo perfectamente válidas. Lo que exige es el cumplimiento de cuanto esperaba del mismo. Pero, como venimos insistiendo, eso no puede cancelar la eficacia del consentimiento ni a efectos de excluir un delito de lesiones ni de apreciar un atentado contra la libertad.

Admitir otra cosa sólo sería posible a costa de renunciar a cualquier módulo de *racionalidad objetiva* para situar en primer plano de la protección penal la consecución de los móviles, preferencias y expectativas, más o menos caprichosas, que el sujeto esperaba conseguir en el momento de la toma de su decisión. Bien es verdad que en el ejemplo el donante aceptó tal condición motivado por la creencia de que el receptor se convertiría en su futuro cuñado. Pero ese dato lo único que determina es que, desde una contemplación *ex post*, quede defraudada la expectativa representada por lo que el donante pretendía conseguir a partir de ahí. Dicha expectativa ni la protege ni la puede proteger el Derecho penal. Y no ya sólo porque el riesgo del abandono es algo que el donante no podía descartar, sino, ya antes, porque aunque aquél hubiera asegurado su compromiso de forma tan contundente que apenas quedasen resquicios para la duda, dicho engaño tampoco podría dar al traste con la libertad de su acto dispositivo. La misma se agota en el dato de que el sujeto, impulsado por fines —que luego se cumplirán o no— o por circunstancias —que puede que sea reales o simplemente tenidas por reales—, consiente sin presiones en un acto lesivo con plena conciencia tanto de su finalidad (curación de su cuñado), como del alcance que tiene sobre su cuerpo. Sobre la suerte de las promesas amorosas el Derecho penal ni puede ni tiene nada que decir.

Es más, si se admite lo anterior, esto es, que la frustración de los fines *mediatos* no puede invalidar la eficacia del consentimiento, ni a efectos de apreciar un atentado contra la libertad ni de excluir su eficacia en las lesiones, la lógica misma hace perder cualquier sentido a la aplicación a estos casos de la cláusula atenuatoria prevista en el art. 155 CP, como sin embargo sostiene ÁLVAREZ GARCÍA[243]. Porque si se afirma que el consentimiento no está viciado y que ello impide excluir el delito de lesiones, es absurdo plantear una atenua-

---

[243]   ALVAREZ GARCÍA, *La puesta en peligro de la vida y/o integridad física asumida voluntariamente por su titular, ob. cit*, págs. 483 s.

ción de la pena. Para evitar reiteraciones nos remitimos a cuanto tendremos ocasión de sostener al tratar el ámbito de aplicación del art. 155[244].

Al margen de lo anterior, no puede pasarse por alto la dificultad sobreañadida que se presentaría en esta tipología de casos para articular dogmáticamente la responsabilidad del causante del engaño si al mismo se le concediera relevancia penal. Baste pensar, en efecto, que dada la divergencia entre el sujeto que engaña y quien realiza la intervención, la única posibilidad de hacer responsable a aquél sería considerarle como *autor mediato* de la conducta de éste, algo que resulta realmente forzado aceptar, puesto que difícilmente puede decirse que el médico actúe instrumentalizado por un tercero por el hecho de desconocer los errores, expectativas o esperanzas de su paciente.

Frente a este primer grupo de casos en los que el fin que se frustra es el que se anudaba de forma *mediata* al acto, mayor dificultad parecen presentar ya a primera vista aquellos otros en los que el engaño incide en la consecuencia *directa* que debía reportar. Es lo que sucede en los ejemplos b) y c). En ellos, en efecto, lo que resulta frustrado no son ya los móviles, las expectativas o alicientes que condicionaban mediata y subjetivamente la decisión del donante. Lo que ahora se frustran son los presupuestos situacionales mismos a partir de los cuales se forma aquélla: en un caso, porque la donación no se destina a curar la enfermedad de la persona que subjetivamente condiciona la decisión del donante; en otro, de forma aun más clara, porque esa enfermedad ni siquiera existe: es un mero simulacro.

Es cierto que, al igual que en los casos anteriores, también ahora el sujeto consiente en la intervención mediante maniobras engañosas o, lo que es lo mismo, el consentimiento se apoya en una maniobra fraudulenta que, de desaparecer, arrastraría consigo también a aquél. A diferencia de ellos, sin embargo, ahora el sujeto no presta el consentimiento buscando con él un fin ulterior que le reporte una ventaja añadida a la que deriva del acto mismo de la donación. Ahora lo que se frustra es el fin que está en la base del acto y que le da sentido; lo que AMELUNG llama el valor de cambio ("*Tauschwert*") en el que se exterioriza la voluntad de disposición del titular del bien jurídico[245]. En el caso b) el presupuesto situacional es la necesidad del hijo de recibir un

---

244 Véase *infra III, El consentimiento del paciente y el delito de lesiones.*
245 AMELUNG, en *JuS* 2001, *ob, cit.,* pág. 943: "...el portador del bien jurídico no tiene exclusivamente interés en la conservación de su bien jurídico, sino que éste también posee para él un valor de cambio, que le faculta para sacrificarlo a cambio de obtener otro valor... En la medida en que el Derecho reconoce la autorización del que consiente para la disposición autónoma sobre un bien jurídico, también reconoce su cualidad como potencial "objeto de cambio", porque el empleo de un bien jurídico para un cambio externo o in-

órgano. El donante no consiente en la extracción de forma genérica, sino que lo hace sólo porque su hijo está enfermo y necesita el trasplante. El cumplimiento de ese fin no es ninguna preferencia subjetiva del donante ni ninguna expectativa añadida a la donación, sino algo inherente al acto dispositivo en que consiste la intervención. El cumplimiento de ese fin es el sentido único e inmediato de la misma y la atraviesa de principio a fin. Si el órgano lo recibe otro individuo, se frustra el sentido mismo de la donación: su fin *inmediato*. Tan inherente es ese fin al acto que, a diferencia de los casos anteriores, cuando dicho fin se frustra el donante ya no puede reclamar nada. Antes, en efecto, cuando descubría el engaño podía seguir exigiendo aquello que subjetivamente condicionó en su día su decisión: la entrega de dinero o la continuidad de una relación sentimental. Ahora, sin embargo, tan unido va el fin al acto, que cuando éste se frustra ni siquiera puede exigir el cumplimiento de lo que esperaba de él. Ya no puede exigir el cumplimiento de nada. Si el órgano se ha trasplantado a otra persona, ya no puede pretender nada; no puede "rebelarse" contra sus expectativas. Estas se agotaron en el acto del trasplante. No hay más. Por eso, lo único que le queda a quien ha resultado engañado es protestar por el hecho mismo del trasplante.

De forma aún más clara se evidencia esta inherencia de los fines al acto mismo de la donación en el ejemplo c). En él ni siquiera existe la enfermedad de la persona que condiciona la formación de voluntad del donante. Ello anula por completo la finalidad misma de la decisión. El sujeto lo que intentaba con su donación era evitar un mal. No perseguía fines mediatos. Por eso, cuando conoce la inutilidad de su decisión no hay nada que desee que se cumpla, ni mucho menos que sea real el presupuesto situacional que la dotaba de sentido —la enfermedad del hijo—. Ahora el conocimiento de la inutilidad de la decisión provoca indefectiblemente su rechazo a todo aquello que la condicinó[246]. Su reclamación se vuelve de forma directa contra el acto realizado. No se "rebela", no "reniega" de la frustración de ningún fin mediato; reniega de

---

terno pertenece a los comportamientos que permiten la libertad de disposición del titular del bien jurídico".

[246] Lo mismo puede decirse de los casos en que el médico oculta al donante que el destinatario no está en condiciones de recibir el órgano. A estos casos se refiere SCHROTH, "Die strafrechtlichen Grenzen der Lebenspende", en *Medizinstrafrecht, In Spannungsfeld von Medizin, Ethik und Strafrecht*, Hrsg. ROXIN/SCHROTT, Stuttgart/München/Hannover/Berlin/Weimar/Dresden, 1999, pág. 248. Véase el mismo en "Die strafrechtlichen Grenzen der Organlebendspende sowie der Knochenmarktransplantation", en ROXIN/SCHROTH (Hrsg.), *Handbuch des Medizinstrafrechts*, Stuttgart, 2007, págs. 374 ss.

su propio acto. En estas circunstancias, el vicio del consentimiento no puede pasar inadvertido al Derecho penal[247].

Es más, afirmada dicha relación de imbricación entre el sentido del acto y el consentimiento prestado al mismo, entiendo que ni siquiera podría venir en consideración la cláusula *atenuatoria* contenida en el art. 155 CP. Partiendo, en efecto, de que se trata de un supuesto en el que, por faltar la finalidad terapéutica, habría de reconducirse al tipo objetivo del delito de lesiones, ni siquiera habría espacio para esta versión más moderada de la eficacia del consentimiento. En efecto, como tendremos ocasión de sostener en otro lugar[248], la misma presupone que el sujeto preste su consentimiento en condiciones que, si bien impiden considerarlo plena expresión del libre desarrollo de su personalidad, no anulan su consideración como *libre*, tal como reclama el art. 155 CP. Esta se cifra en la exigencia de que los condicionamientos externos no impidan que el sujeto sea consciente del *sentido* y *alcance* de su acto dispositivo, puesto que sólo entonces puede reconocerse un margen de maniobra a quien consiente, atribuible a su propia responsabilidad, que permita atenuar la pena del autor.

No es esto lo que ocurre, sin embargo, en el caso que ahora comentamos. En él, por definición, el consentimiento se basa en unos presupuestos ajenos por completo a los reales. El donante ni sabe ni puede saber que su decisión, debido a la carencia de sentido del acto de donación, es totalmente absurda. En esas condiciones, no puede decirse que el consentimiento prestado cumpla los requisitos de los que se hace depender la aplicación del art. 155 CP; en concreto, que haya sido emitido de forma *válida* y *libre*. En efecto, difícilmente puede hablarse de condiciones de libertad cuando el donante actúa impulsado por un dato angustioso que en realidad no existe. Ahora ya no se trata, en efecto, de que sea consciente del acto en que consiente pero lo haga motivado por circunstancias de necesidad. Ahora simplemente el sujeto consiente porque no puede ver la in-

---

[247]   JAKOBS sostiene en estos supuestos un delito de lesiones, *Derecho Penal, Parte General*, *ob. cit.*, pág. 528. El argumento que maneja para ello es que "dado que la relación cualificada (también jurídicamente) con determinadas personas allegadas como motivo de la acción es más importante que la solidaridad general, la modificación de los bienes que soporta la víctima de la intervención ha sido 'motivada' sólo en la situación simulada: el que crea la situación tiene que responder, por tanto, como autor mediato por la pérdida del bien que de otro modo no habría estado motivada". Conforme a lo anterior, sostiene que en el caso en que a la esposa donante se le engañe sobre la cualidad de receptor de su marido, el médico habrá de responder como *autor mediato* de un delito de lesiones; véase también SCHLEHOFER, en *Jura*, 1989, *ob. cit.*, págs. 271 s. quien condiciona la solución a que se trate de un caso en el que el origen del error sea una maniobra engañosa.

[248]   Véase *infra III, 2.2.1, El alcance del artículo 155.*

utilidad de su decisión; porque no sabe que está consistiendo en algo que anula el sentido directo e inmediato del acto mismo de la donación. En tal situación la libertad ni existe ni puede existir. Predicar pese a todo su existencia sólo sería posible si la misma se manejase en un sentido meramente formal que cerrase los ojos a los condicionamientos materiales que están en la base de la voluntad. Ello impide otorgar eficacia alguna al consentimiento prestado, ni siquiera en la versión más moderada que contempla el art. 155 CP.

Llegados a este punto y afirmada, por tanto, la responsabilidad penal en los ejemplos b) y c), conviene subrayar la conveniencia de esta solución desde un punto de vista *político-criminal*. No son otras consideraciones las que justifican su tratamiento diferenciado frente al sostenido para otro grupo de casos que, si bien se plantean en un contexto diferente, guardan una semejanza estructural innegable con el que ahora tratamos. En concreto, aquellos en los que el sujeto pretende poner fin a la vida y el engaño se refiere al sentido de la acción suicida. Es lo que sucede, por ejemplo, en los suicidios dobles por amor en los que, en realidad, uno de los amantes ha decidido desde el principio que no va a morir. Bien es verdad que, como sostuviera MUÑOZ CONDE, en tanto la víctima conozca la realidad del acto suicida, el engaño no puede determinar la conversión de quien lo provoca en autor mediato de un homicidio, sino que el punto de referencia de su calificación tiene que seguir siendo el suicidio[249]. Ahora bien, aun suscribiendo plenamente los argumentos de este autor, entiendo que contra la pretensión de trasladar la solución al ámbito que ahora interesa hablaría un argumento de índole *político criminal*. Porque mientras que cuando se trata del engaño sobre el sentido de la acción suicida la consideración como libre de quien toma tal decisión motivado por un error permite seguir castigando al causante de la misma como *inductor* o *cooperador necesario* al suicidio[250], en los que ahora se tratan, de negarse que el sentido de la acción sea consustancial al acto dispositivo, la consecuencia habría de ser la *impunidad*, algo que, como dice ROXIN[251], se concilia mal con el sentido más básico de justicia.

---

[249]   MUÑOZ CONDE, "Provocación al suicidio mediante engaño. Un caso límite entre autoría mediata en asesinato e inducción y ayuda al suicidio", en *ADPCP* 1987, págs. 301 ss: "sólo la provocación de un error sobre la cualidad letal de la acción, o sobre el hecho mismo de la muerte, puede fundamentar una autoría mediata del que provoca ese tipo de error y con ello un asesinato. La provocación del error sobre el sentido mismo de la acción suicida, por el contrario, todo lo más puede ser castigado como inducción o ayuda al suicidio".

[250]   MUÑOZ CONDE, en *ADPCP*, 1987, *ob. cit.*, págs. 301 ss.

[251]   ROXIN, en *Fs. für Noll, ob. cit.*, pág. 280.

Hasta aquí hemos intentado delimitar los supuestos en los que la falta de información pudiera dar paso a la responsabilidad penal por un atentado a la libertad del enfermo. Todo ello, en cualquier caso, condicionado por la ya tantas veces apuntadas escasas posibilidades prácticas de deducir dicha responsabilidad en tanto no se articule en nuestro Derecho un delito de tratamiento médico arbitrario. Sin embargo, estas reflexiones quedarían incompletas si no se hiciera referencia a dos cuestiones distintas que contribuyen a depurar el ámbito de responsabilidad delimitado en las páginas anteriores. La primera de ellas se orienta con carácter general a identificar los supuestos que merecen respuesta penal a partir de consideraciones relacionadas con su carácter de *ultima ratio* así como con las exigencias derivadas del principio de *lesividad* material (2.1.2). La segunda apunta a la restricción de la responsabilidad del médico en un ámbito específico: el de los casos en que la falta de información o engaño que vicia el consentimiento del paciente obedece a razones pietistas (2.1.3).

2.1.2. *La exigencia de una doble comprobación: en primer lugar, la relación entre la falta de consentimiento o los vicios o ausencia del mismo y la realización del acto médico como presupuesto de la responsabilidad penal; en segundo lugar, que en los casos en que se ocultó al paciente los riesgos de la intervención, éstos se hayan materializado en un resultado lesivo*

Se tratan en este apartado los requisitos que obliga a introducir el carácter de *ultima ratio* de la intervención penal; en concreto, la necesidad de delimitar lo que sean meros incumplimientos de deberes que gravitan sobre el médico frente a los genuinos presupuestos de su responsabilidad penal.

En primer lugar, se trata de expulsar de la órbita penal aquellos casos en los que la incidencia práctica de la falta de información haya sido nula; dicho de otra forma, se trata de excluir los supuestos en los que dichos vicios no tienen a la postre más que el valor de meros incumplimientos formales de los deberes que pesan sobre el médico y que tal vez, por ello, pudieran dar lugar, todo lo más, a una responsabilidad de índole extrapenal.

La primera cuestión que se plantea al respecto es la de concretar el punto mismo de referencia de aquél juicio hipotético en torno a la voluntad del enfermo. Porque, ¿a qué tiene que referirse la incidencia de la falta o vicios de la información?, ¿al resultado de la decisión del paciente, esto es, a su resolución final a favor o en contra de la intervención?, ¿o es suficiente, por el contrario, con que la incidencia que hubiese tenido el conocimiento por el paciente de todas las circunstancias fuese sólo una prolongación del período de reflexión antes de decidirse?

Según entiendo, la respuesta a estas preguntas tiene que venir necesariamente de la mano de los principios a que obedece la necesidad de introducir pautas limitadoras del juicio de responsabilidad penal. Si, como afirmábamos líneas más arriba, de lo que se trata es de asegurar en este ámbito la vigencia del carácter de *ultima ratio* de la intervención penal, la responsabilidad en este orden habrá de excluirse no sólo en los casos en que aun cuando el paciente hubiese conocido la envergadura real de la misma o los aspectos que deformaban la percepción sobre las circunstancias que la rodean habría consentido igualmente sin hacer ningún tipo de reflexiones adicionales. También habrá de excluirse en aquellos otros casos en los que la toma de la misma decisión hubiese estado precedida por una valoración más meditada e incluso prolongada en el tiempo sobre los *pros y contras* de la intervención. Derivar en cualquiera de estos supuestos responsabilidad penal para el médico contradiría el carácter restrictivo que inspira el recurso al orden penal, incriminando lo que no pasan de ser meros injustos formales. Por ello, la prueba en el proceso penal de que en el caso concreto la falta o vicios de información no tuvieron incidencia efectiva en la decisión final del enfermo debería llevar a la absolución del médico[252].

Ciertamente, la tarea judicial de demostrar que de haber contado el paciente con una información completa o exacta habría adoptado una solución diferente no se presenta como algo sencillo. Baste pensar que en ella confluyen y se entreveran dos cuestiones realmente complejas. La primera, la de demostrar en el proceso las tendencias y elementos subjetivos; ahora, en concreto, que la declaración de voluntad del paciente habría tenido un sentido contrario, bien caso de haber conocido todas las circunstancias concurrentes, bien de haber estado consciente y, por tanto, en condiciones de consentir. La segunda, las dificultades que, también en general, se plantean al juez cuando tiene que ventilar un problema de causalidad hipotética; en este caso, entre la decisión que el paciente adoptó por error o desconocimiento y aquella otra que habría adoptado si hubiese conocido todas las circunstancias concurrentes y, en su caso, de haberse encontrado en estado de conciencia. Es más, si ya en general la constatación de un juicio de causalidad hipotética se presenta a veces con los caracteres de una auténtica prueba diabólica, las dificultades se disparan aún más cuando a la multitud de circunstancias que hay que tener

---

[252] En este sentido véase LAUFS, en LAUF/UHLENBRUCK, *Handbuch des Arztrechts, ob.cit.,* págs. 370 s.

presentes a la hora de calibrar lo que pudo y no llegó a ser, se suma el dato de que el condicionante último de aquella otra existencia hipotética sea una declaración de voluntad.

Por todo lo anterior, las dudas y dificultades van a ser grandes. Sin embargo, al igual que también sucede con carácter general cada vez que se plantean estos problemas al juez en ámbitos distintos, no por ello debe renunciarse a la exigencia de comprobar cuál habría sido el sentido de la voluntad del enfermo en otro caso.

Debe observarse, con todo, que a la hora de realizar dicho juicio de comprobación hipotética el juez puede inspirarse, al igual que sucede siempre que tiene que enfrentarse a un problema de esta índole, en dos modelos distintos. El primero, el de comprobar con una *probabilidad rayana en la certeza* que el enfermo habría adoptado una decisión de signo contrario de ser conocedor de todos los datos. El segundo es el modelo que se contenta con comprobar que, de haber sido éste el caso, se habrían *incrementado notablemente las posibilidades* de que hubiera adoptado una declaración de voluntad distinta.

Las consecuencias prácticas de los respectivos modos de proceder no se hacen esperar. Mientras con el primero se restringiría de forma sensible la responsabilidad del médico, dadas las dificultades para comprobar con seguridad que de otra forma el paciente no habría consentido, con el segundo se amplía el espectro de su responsabilidad. Conforme a éste, en efecto, bastaría con advertir que la probabilidad de adoptar una decisión diferente habría sido sensiblemente superior de no haber concurrido ningún vicio en su voluntad. Justo por esa razón entiendo que éste debe ser el criterio que inspire la labor indagatoria del juez, en cuanto que lo contrario supondría negar prácticamente las posibilidades de admitir que el enfermo habría tomado una decisión distinta.

Por lo demás, no está de más advertir que a la hora de comprobar cuándo existía un amplio margen de posibilidades de que el paciente decidiera de otra forma, habrán de tenerse en cuenta no sólo las razones de índole estrictamente subjetiva que pudiera alegar aquél. También, de forma complementaria y subsidiaria, a modo de indicadores adicionales, en esa tarea probatoria el juez habrá de valorar las circunstancias que, en condiciones objetivas, habría impulsado a cualquier persona a actuar.

Junto a esta primera exigencia, el castigo penal de la falta de información requiere todavía de una restricción ulterior, que apunta a la necesidad, que ya sostuvimos al formular la propuesta de tipificación del delito de tratamiento médico arbitrario, de que cuando la falta de información se refiera a los posibles riesgos del mismo, éstos se acaben materializando en un resultado lesivo.

Como entonces manteníamos, este requisito, que ya rige en el orden civil, resulta indispensable en la tarea de depurar los supuestos con relevancia penal. Su papel sería el de condicionar desde parámetros ajenos a la intencionalidad del autor los supuestos más graves. Tal vez sólo convenga insistir una vez más en que esa caracterización del resultado conforme a la lógica estructural propia de las condiciones objetivas de penalidad no debe impedir comprobar, conforme a los criterios generales de causalidad e imputación objetiva, que dicho resultado resulta reconducible en términos explicativos y normativos al riesgo desconocido por el enfermo.

2.1.3. *La específica problemática de los supuestos en que la ocultación de información obedece a razones pietistas*

Cuando más arriba tratábamos con carácter general los límites dentro de los cuáles podría concederse un espacio de juego al engaño del médico inspirado en el deseo de no causar sufrimientos al paciente, sosteníamos que, salvo contadas excepciones, la legitimidad de esta actitud paternalista había de excluirse en aras de garantizar otros derechos de aquél de mayor calado, como su *libertad* e incluso su *dignidad*. Porque dar luz verde a dicha práctica entrañaría el riesgo de reducir la condición del paciente a la de un mero objeto de la intervención médica, despojándole así de su derecho fundamental a ser dueño de su propio destino. La pregunta que ahora se plantea es si ese proceder que se ha tachado de ilegítimo puede tener consecuencias penales o si, por el contrario, su relevancia jurídica debiera ventilarse, todo lo más, en el orden civil.

Al menos en determinados supuestos, entiendo que la respuesta debe ser rotundamente contraria a admitir la responsabilidad penal. Así sucedería, en primer lugar, en los casos referidos al tratar el privilegio terapéutico cuando pudiera plantearse un *estado de necesidad* que justificase la conducta que realiza para evitar la producción de daños a la salud del paciente[253]. Con todo, como entonces sostenía[254], tal posibilidad debe reservarse para los supuestos en los que concurran los presupuestos conceptuales de dicha causa de justificación. El primero de ellos es que exista una relación de adecuación entre males. Este primer requisito debe excluirse cuando la falta de información tenga consecuencias lesivas para el enfermo, por ejemplo, porque para garantizar

---

[253]   IADECOLA, "La rilevanza del consenso del paziente nel trattamento medico-chirurgico", en *Giur. mer.* 1987, pág. 1052.
[254]   Véase *supra, 2.5.2.2 Condicionantes subjetivos al deber de informar.*

el desconocimiento de la gravedad de su estado se le impidiera someterse al tratamiento que necesita. Como ya sostenía en aquella sede, en esos supuestos habría de descartarse la posibilidad de justificar la conducta del médico acudiendo al expediente del estado de necesidad, puesto que los bienes jurídicos que entrarían en conflicto no serían ya la libertad y la eventual salud psíquica del paciente, sino ésta y la inminente producción de una consecuencia lesiva. En el mismo orden de ideas, otro requisito para apreciar el estado de necesidad es que no medie una petición seria e inequívoca del enfermo de recibir información, puesto que el estado de necesidad abandonaría los márgenes de la racionalidad jurídica si pretendiera imponerse pese a la voluntad contraria de quien se pretende beneficiar. Por otra parte, habría de concurrir el requisito de la inminencia del mal que amenaza producirse, algo que en el apartado correspondiente a los límites al deber de informar cifrábamos en la exigencia de que, por la razón que fuese, existieran motivos fundados para prever la producción de dicho mal (p. ej., los casos en los que el paciente ya estuviera siendo sometido a tratamiento psíquico, mostrase una actitud de angustia, o incluso padeciera una enfermedad física que pudiera agravarse por la comunicación, p. ej., una cardiopatía grave); así como en la exigencia de que el mal no fuese evitable de otro modo, por ejemplo, mediante una comunicación en tales condiciones que garantizara el respeto a la sensibilidad del enfermo.

En los casos en que a la postre se compruebe que el mal que se pretendía evitar al paciente no era tal o, al menos, no tenía la entidad suficiente para justificar el engaño o no se daba el resto de los requisitos del estado de necesidad, la solución pasará por apreciar un *error sobre los presupuestos objetivos de la causa de justificación* que, como señala MUÑOZ CONDE, en tanto se ajuste a los parámetros de lo *razonable*, debe merecer el mismo tratamiento que los casos de concurrencia real de una causa de exclusión de la antijuricidad[255].

Debe observarse que de aceptarse la propuesta de tipificación de un delito de tratamiento médico arbitrario en los términos que veíamos más arriba, la solución de buen número de casos habría de ser la atipicidad misma del comportamiento. Baste recordar que aquélla pasaba por incorporar un apartado que declarase que los supuestos descritos de falta de información no serían punibles cuando el médico hubiese informado a los familiares, siempre que concurriera, entre otras, la circunstancia de que con la falta de información se tratase de evitar daños físicos o psíquicos al paciente y éste no hubiese manifestado su deseo expreso de que en ningún caso se le oculte información. Al elevarse esa causa de justificación a elemento típico, en los casos en que el

---

255   MUÑOZ CONDE, *Derecho penal, Parte General, ob. cit.*, págs. 317 ss.

médico errase sobre la misma la consecuencia habría de ser la apreciación, todo lo más, de un comportamiento imprudente, impune conforme a dicha propuesta.

Fuera de estos supuestos en los que no puede recurrirse al estado de necesidad ni asimilar el tratamiento del error del sujeto a los de concurrencia real de sus presupuestos, quedará abierta la vía de apreciar una causa de atenuación y, la mayoría de las veces, de exclusión de la *culpabilidad* del médico por la vía del *error de prohibición*. La pretensión de condenarle penalmente en determinados supuestos en los que oculta información al enfermo no sólo encerraría el riesgo tantas veces denunciado de acabar en la que se conoce como *medicina defensiva*. Ante todo, a este proceder se opondría frontalmente el carácter de *ultima ratio* de la intervención penal y más allá de ella, incluso, el más básico sentido común. A éste no escapa, en efecto, que resultaría cuando menos injusto pretender que acabe entre rejas el médico que ha intentado evitar un mal inminente al enfermo. Bien es verdad que ha lesionado el derecho del mismo a estar informado y, con ello, por lo que ahora interesa, su libertad de decidir, un bien jurídico que en absoluto es ajeno al Derecho penal. Pero no puede olvidarse que dicha lesión ha estado motivada única y exclusivamente por el deseo de preservar un bien jurídico que el médico estimó de mayor calado, la salud de aquél. En estas condiciones, nada se opondría a apreciar los presupuestos de un error sobre la licitud de la conducta y, con ello, a dar luz verde a una atenuación o incluso a una total exclusión de la pena en sede de *culpabilidad*.

2.2. Responsabilidad penal por falta de consentimiento del paciente

2.2.1. La imposibilidad de prestar el consentimiento: el estado de inconsciencia del paciente

No es objeto de este apartado abordar el tratamiento de los supuestos en los que el enfermo entra en estado de inconsciencia tras haber manifestado su voluntad en un documento que refleje sin ambages los términos de la misma para el caso de que no pudiera manifestarla. Estos supuestos no plantearían problema alguno en tanto que la declaración de voluntad anticipada se proyecte al momento en que ya no puede expresarla, casos en los que no cabe más que concluir que el médico estaría obligado a su respeto[256]. De hecho, una de las novedades más importantes introducidas por la Ley 41/2002 fue la fijación de los requisitos para el reconocimiento de la validez de las manifestaciones anticipadas de voluntad, denominadas como documentos de "instrucciones previas"[257]. Con ella, la Ley vino a incorporar al ámbito nacional una previsión que ya se contemplaba en el art. 9 del Convenio del Consejo de Europa para la protección de los derechos humanos y la dignidad del ser humano con respecto de las aplicaciones de la biología y la medicina, de 4 de abril de 1997 (Convenio de Oviedo)[258], y que en el ámbito autonómico ya contaba con precedentes en las Comunidades Autónomas de Cataluña, Madrid, Galicia, Aragón, Navarra, Extremadura y La Rioja, y a la que desde el año 2003 se ha sumado la Comunidad Autónoma de Andalucía[259].

---

[256]   Por todos, ROXIN, en *Festschrift für Welzel, ob. cit.*, págs. 447 s; en la doctrina italiana, por ejemplo, VARANI, en *Archivio giuridico "Filippo Serafini", ob. cit.*, págs. 130 s.

[257]   Conforme al art. 11 de la Ley: "1. Por el documento de instrucciones previas, una persona mayor de edad, capaz y libre, manifiesta anticipadamente su voluntad, con el objeto de que ésta se cumpla en el momento en que llegue a situaciones en cuyas circunstancias no sea capaz de expresarlos personalmente, sobre los cuidados y el tratamiento de su salud o, una vez llegado el fallecimiento, sobre el destino de su cuerpo o los órganos del mismo. El otorgante del documento puede designar, además, un representante para que, llegado el caso, sirva como interlocutor suyo con el médico o el equipo sanitario para procurar el cumplimiento de las instrucciones previas. 2.- Cada servicio de salud regulará el procedimiento adecuado para que, llegado el caso, se garantice el cumplimiento de las instrucciones previas de cada persona, que deberán constar siempre por escrito. 3.- No serán aplicadas las instrucciones previas contrarias al ordenamiento jurídico, a la *lex artis*, ni las que no se correspondan con el supuesto de hecho que el interesado haya previsto en el momento de manifestarlas. En la historia clínica del paciente quedará constancia razonada de las anotaciones relacionadas con estas previsiones. 4.- Las instrucciones previas podrán revocarse libremente en cualquier momento, dejando constancia por escrito. 5.- Con el fin de asegurar la eficacia en todo el territorio nacional de las instrucciones previas manifestadas por los pacientes y formalizadas de acuerdo con lo dispuesto en la legislación de las respectiva Comunidades Autónomas, se creará en el Ministerio de Sanidad y Consumo el Registro Nacional de instrucciones previas que se regirá por las normas que reglamentariamente se determinen, previo acuerdo del Consejo interterritorial de Salud".

[258]   Conforme a dicho artículo, cuando en el momento de la intervención médica el paciente no pueda expresar su voluntad habrá de atenderse a los deseos que previamente haya manifestado en relación con el tipo de intervención de que se trate.

[259]   Véase la Ley 5/2003, de 9 de octubre, de declaración de voluntad vital anticipada. Conforme a su art. 2," se entiende por declaración de voluntad vital anticipada la manifestación escrita hecha para ser incorporada al Registro que esta Ley crea, por una persona capaz que, consciente y libremente, expresa las opciones e instrucciones que deben respetarse en la asistencia sanitaria que reciba en el caso de que concurran circunstancias clínicas en las cuales no pueda expresar personalmente su voluntad". Puede verse un comentario a la misma en GÓMEZ RIVERO, "La Ley Andaluza de Declaración de Voluntad

Debe advertirse, con todo, que esta solución a veces se ha puesto en tela de juicio con argumentos que apuntan, básicamente, a la imposibilidad de asegurar que el paciente siga manteniendo la misma voluntad que manifestó cuando sólo de forma hipotética se planteaba su enfermedad[260]. Pero si bien es verdad que no puede descartarse con toda certeza dicho cambio de opción, convertirla en argumento para poder obrar de forma distinta al sentido de lo previamente manifestado habría de conducir, llevado hasta sus últimas consecuencias, a vaciar de sentido cualquier declaración de voluntad una vez que el enfermo entrase en estado de inconsciencia, con la consiguiente impotencia de éste para asegurarse el respeto de su decisión. Todo ello sin olvidar que esa postura supondría conceder una carta blanca al médico para decidir por el paciente, emergiendo así el papel tutelar de aquél que tantas veces se ha criticado[261].

Así delimitado de forma negativa el objeto de este apartado, los supuestos que aquí se contemplan son aquellos en los que el enfermo se encuentra inconsciente en el momento en que se plantea la necesidad de la intervención y el mismo no ha manifestado previamente su voluntad para tal caso. La pregunta que surge entonces es la siguiente: ¿qué presupuestos legitiman en tales circunstancias la actuación del médico?

La frecuencia con la que el problema está llamado a plantearse explica que no haya pasado inadvertido en los textos normativos. Así, pensando en estos supuestos, en el ámbito internacional, el art. 8 del Convenio para la protección de los derechos humanos y la dignidad del ser humano con respecto a las aplicaciones de la biología y la medicina, dispone que: "Cuando, debido a una situación de urgencia, no pueda obtenerse el consentimiento adecuado, podrá procederse inmediatamente a cualquier intervención indispensable desde el punto de vista médico en favor de la salud de la persona afectada".

Ya en el ámbito nacional, ante la ausencia de cualquier previsión específica del problema en el Código penal[262], la única referencia que existía en la legisla-

---

Vital Anticipada", publicado en *http://www.geriatrianet.com*, vol. 6. núm. 1, 2004, págs.1-18.

[260]   Véase por ejemplo, BRENNER, *Arzt und Recht, ob. cit.*, B I 3.1, págs. 46 s.

[261]   En el sentido de respetar la voluntad del paciente así manifestada, véase UHLENBRUCK, "Vorab-Einwilligung und Stellvertretung bei der Einwilligung in einen Heilbegriff", en *MedR*, 1992, págs. 134 ss.

[262]   Distinta es la situación en el Derecho austriaco, cuyo Código penal contempla en el § 110.2 una regla que autoriza la intervención en tanto no conste la voluntad contraria del paciente. Al respecto, ZIPF, *Problemas del tratamiento curativo realizado sin consentimiento en el Derecho Penal alemán y austriaco. Consideración especial del trasplante de órganos, ob. cit.*, págs. 158 ss.

ción ordinaria hasta el año 2002 era la Ley General de Sanidad, que más que ofrecer un punto de apoyo con el que solucionar su problemática contribuía a enturbiarla, dificultando aun más la labor del intérprete. En efecto, el art. 10.6 de dicha Ley, derogado por la Ley 41/2002, excepcionaba la regla general de que el paciente tiene derecho a negarse al tratamiento en los casos señalados en el apartado 6 del mismo artículo: "a) cuando la no intervención suponga un riesgo para la salud pública; b) *cuando no esté (el paciente) capacitado para tomar decisiones, en cuyo caso el derecho corresponderá a sus familiares o personas a él allegadas*; c) cuando la urgencia no permita demoras por poderse ocasionar lesiones irreversibles o existir peligro de fallecimiento".

En octubre de 2002 se aprobó la Ley 41/2002, en la que se incluye una referencia expresa al problema, que, si bien con modificaciones, se inserta básicamente en la línea de lo que ya recogía la Ley General de Sanidad. Conforme al apartado 2 del art. 9 de dicha norma:

Los facultativos podrán llevar a cabo las intervenciones clínicas indispensables en favor de la salud del paciente, sin necesidad de contar con su consentimiento, en los siguientes casos:

"a) Cuando existe riesgo para la salud pública a causa de razones sanitarias establecidas por la ley. En todo caso, una vez adoptadas las medidas pertinentes, de conformidad con lo establecido en la Ley Orgánica 3/1986, se comunicará a la autoridad judicial en el plazo máximo de veinticuatro horas siempre que dispongan el internamiento obligatorio de personas.

b) Cuando existe riesgo inmediato grave para la integridad física o psíquica del enfermo y no es posible conseguir su autorización, consultando cuando las circunstancias lo permitan a sus familiares o a las personas vinculadas de hecho a él".

Por otra parte, conforme a apartado a) del art. 9.3, el consentimiento se otorgará por representación:

"a) Cuando el paciente no sea capaz de tomar decisiones, a criterio del médico responsable de la asistencia, o su estado físico o psíquico no le permita hacerse cargo de su situación. Si el paciente carece de representante legal, el consentimiento lo prestarán las personas vinculadas a él por lazos familiares o de hecho".

Sin embargo, pese a la incorporación de dichas previsiones, lo cierto es que ni antes la Ley General de Sanidad, ni ahora la Ley 41/2002, establecen de forma inequívoca la forma en que haya de actuarse en tal caso o, si se quiere, los criterios con los que configurar el sentido de la voluntad que el enfermo no puede expresar. No es por ello de extrañar que tanto en nuestra doctrina como en la de aquellos países en los que la Ley no precisa con claridad la forma de integrar en tales casos aquélla, existan posiciones encontradas al respecto. Así, mientras una parte de los autores entienden que habrá de recurrirse para legitimar la intervención del enfermo inconsciente a las pautas propias de un *estado de necesidad*[263], otra parte de la doctrina exige la necesidad de comprobar el consentimiento del enfermo acudiendo a la *ficción* propia de un juicio hipotético en torno a si, de estar consciente, asentiría en el tratamiento[264].

La lógica que está en la base de la primera opción es la de suplir la voluntad *real* —y desconocida— del paciente por la comprobación de la concurrencia de los presupuestos que *racional y objetivamente* aconsejan el acto médico de que se trate. Conforme al segundo razonamiento, por el contrario, se trataría de determinar "si el titular del bien jurídico afectado por la conducta típica" habría "consentido en su realización de haber tenido conocimiento de los he-

---

[263] En la doctrina alemana fundamentan un estado de necesidad, entre otros, BOCKEL-MANN, en *NJW* 1961, ob. cit., pág. 949. En nuestra doctrina, ROMEO CASABONA, *El médico y el Derecho penal. La actividad curativa (Licitud y responsabilidad penal)*, Barcelona, 1981, para quien en estos casos en los que "se producen colisiones internas de los intereses o bienes del interesado, y se actúa en su interés material", considera preferible apreciar el estado de necesidad ante "los problemas que puede plantear la aplicación del consentimiento presunto (determinar sus presupuestos en el caso concreto, sus límites, el exceso de celo, etc.) así como la inseguridad derivada de su peculiar naturaleza", pág. 366; si bien sin hacer referencia expresa al estado de necesidad, la misma solución está en la base del razonamiento de quienes apuntan a la necesidad de atender a lo que resulte más sensato, LAUF, en LAUF/UHLENBRUCRUCK, *Handbuch des Arztrechts, ob. cit.* págs. 446 s. Véase también JORGE BARREIRO, Agustín, *La imprudencia punible en la actividad médico-quirúrgica, ob. cit.*, pág. 102 s., 366. A este planteamiento parece también responder en nuestra doctrina AMELA VICH, "La responsabilidad penal del médico y del cirujano", en *PJ* 1997, págs. 257 s. si bien añade una afirmación que, a mi juicio, debe relativizarse. Afirma que en los casos en los que el paciente no pueda emitir su consentimiento por hallarse inconsciente y en grave peligro, el médico deberá intervenir pese a que los allegados o familiares se opongan a la transfusión, concluyendo que dado que el médico "es garante de la vida del enfermo...puede incurrir en responsabilidad penal, por omisión". Especial mención merece en la doctrina italiana la construcción de VASALLI, G., "Alcune considerazioni nel consenso del paziente e lo stato di necessità nel trattamento médico-chirurgico", *Archivio penale*, 1973, págs. 97 ss., quien ha elaborado el concepto de "necesidad médica", como categoría más amplia que el estado de necesidad y que, por tanto, sería capaz de comprender todos los supuestos de tratamiento médico quirúrgico, como los de medicina preventiva y con finalidad de diagnóstico.

[264] MEZGER, *Tratado de Derecho Penal*, Trad. y notas de Derecho español por Córdoba Roda, Barcelona, 1962, págs. 413 ss; JESCHECK, *Tratado de Derecho penal*, Trad. de Manzanares Samaniego, Berlín-Granada 1993. pág. 527; SCHONKE/SCHRÖDER, *Strafgesetzbuch, Kommentar, ob. cit.*, pág. 425: AMELUNG, en *ZStW* 1992, *ob, cit.*, págs. 550 s.

chos y hubiera podido consentir"[265]. Todavía, frente a estas dos opciones, es posible encontrar una tercera, defendida, por ejemplo, en la doctrina italiana por DEL CORSO, que a partir del entendimiento de que en la relación médico-paciente aquél ostenta siempre una posición de garantía, sostiene que en tal caso el médico está obligado a intervenir, si bien las condiciones en que se produce tal intervención (situación excepcional de urgencia, estado de inconsciencia del paciente), determina que su obligación de actuar se ciña exclusivamente a realizar los actos mínimos y necesarios para mantenerle con vida en espera de que pueda prestar su consentimiento[266]. Con esta tercera opción, en definitiva, lo que se defiende no es otra cosa que un *estado de necesidad* cuyos límites se definen de forma singularmente restrictiva.

La ponderación de los intereses objetivos, por un lado, y la indagación a la voluntad del paciente, por otro, representan así las dos grandes líneas de solución del conflicto. La ventaja de la primera opción es, sin duda, la seguridad y funcionabilidad que inyecta a la práctica médica, al permitir practicar sin demoras una intervención que objetivamente beneficia al paciente. Por su parte, la ventaja de la segunda propuesta resulta evidente en la medida en que da prioridad a la indagación de la voluntad real del enfermo, algo sobre cuya trascendencia en el ámbito médico no hace falta volver a insistir.

Sin desconocer las ventajas que comporta la primera opción, el tratamiento de estos supuestos no puede perder de vista la necesidad de respetar el lugar central que ocupa la voluntad del paciente como presupuesto legitimador de la intervención médica. Porque si, como suele admitirse sin dificultades, el respeto a la voluntad del enfermo es la piedra angular de cualquier acto médico, la misma premisa debe sostenerse cuando aquél no está en el momento de la intervención en condiciones de exteriorizar una voluntad cuyo sentido, sin embargo, puede descubrirse. El enfermo inconsciente no está al margen de los derechos del resto de los pacientes. Su única peculiaridad es que no puede exteriorizar en un momento dado su voluntad. Pero si ésta pudiera descubrirse, habrá de estarse a la misma, lo que impide que pueda atenderse de forma exclusiva a los intereses objetivamente más beneficiosos para él.

A la doctrina no ha pasado inadvertida la inconveniencia de realizar una interpretación de las leyes citadas —básicamente respecto a los apartados co-

---

[265] CASAS BARQUERO, *El consentimiento en las lesiones*, Córdoba, 1987, pág. 103; LÓPEZ BARJA DE QUIROGA, *El consentimiento en el Derecho penal*, Madrid, 1999, págs. 18 s; BUENO ARÚS, "El consentimiento del paciente en el tratamiento médico-quirúrgico y la Ley General de Sanidad", en *Estudios de Derecho penal y Criminología*, tomo I, 1989, págs. 171 s.

[266] DEL CORSO, *Rivista italiana di diritto e procedura penale*, 1987, *ob. cit.*, págs. 567 ss.

rrespondientes entonces vigentes de la Ley General de Sanidad— en el sentido de entender que cuando el paciente está inconsciente decae cualquier pretensión de que se siga respetando su voluntad, trasladándose entonces la decisión a los representantes legales, quienes habrían de decidir de acuerdo con el interés objetivo del enfermo. Frente a ello, se ha manejado, entre otros argumentos, la imposibilidad de atribuir al legislador ordinario la facultad de restringir con carácter general un derecho fundamental como es la libertad del paciente[267]. En efecto, si según tuvimos ocasión de referir más arriba, el reconocimiento de la libertad de decisión del paciente entronca en sus ramificaciones más elevadas con su *dignidad* en cuanto persona, no habría de tacharse más que de absurda la pretensión de interpretar los términos de una ley ordinaria en sentido contrario a dicho valor fundamental.

Conforme a lo anterior, por tanto, también en los casos en que el paciente se encuentre en estado de inconsciencia, la legitimación de la actividad médica tiene que venir de la mano de la comprobación de cuál habría sido su voluntad caso de poder manifestarla. Si esa comprobación arrojase como resultado el rechazo de la intervención, la misma resultaría ilegítima por mucho que se juzgase conveniente de acuerdo con la lógica estructural propia de una estricta ponderación objetiva de intereses[268]. Como explica en la doctrina alemana STERNBERG-LIEBEN, "El consentimiento presunto no debe conducir a una tutela mediante una ayuda no solicitada; en ningún caso debe sustituir la necesaria valoración interna por parte del portador del bien jurídico para la renuncia al mismo por una valoración externa de terceros a partir de criterios de utilidad objetiva, como sucede con el modelo de regulación que toma por base el parágrafo 34 (estado de necesidad)"[269]. De esta forma, insistamos una vez más, si resulta que la voluntad presunta del paciente es contraria a lo objetivamente esperado, ésta habría de respetarse[270]. Ahora bien, sentado lo an-

---

[267]   Sobre estos argumentos en relación con las previsiones de la Ley General de Sanidad, véase por todos, TOMÁS-VALIENTE LANUZA, *La disponibilidad de la propia vida en el Derecho penal*, ob. cit., págs. 494 ss.

[268]   MAURACH/ZIPF, *Strafrecht, Allgemeiner Teil*, ob. cit., pág. 386.

[269]   STERNBERG-LIEBEN, *Die objektiven Schranken der Einwilligung im Strafrecht*, ob. cit., págs. 206 ss.

[270]   ROXIN, *Derecho Penal, Parte General*, ob. cit., pág. 766; MAURACH/ZIPF, *Strafrecht. Allgemeiner Teil*, ob. cit., pág. 386; DEUTSCH, *Arztrecht und Arzneimittelrecht*, ob. cit., págs. 181 ss; FISCHER, "Die mutmaßliche Einwilligung bei ärztlichen Eingriffen", en *Fs. für Deutsch*, München, 1999, págs. 545 ss; JESCHECK, *Tratado de Derecho penal*, Trad. de Manzanares Samaniego, Berlín-Granada 1993, pág. 527, insistiendo en que dicha solución habrá de mantenerse aun cuando la decisión del paciente pueda calificarse como irracional: "el consentimiento presunto no constituye un caso de tutela por auxiliador no solicitado, sino de representación de otro en su libertad de decisión", por lo que "debe

terior, respecto a la indagación de esa voluntad no está de más hacer algunas precisiones. En primer lugar, que en la medida en que se trata de descubrir, a partir de las circunstancias concurrentes en el caso concreto, cuál sea la voluntad del enfermo, dicha comprobación adquiere una perspectiva estrictamente *ex ante*. De este modo, aun cuando en contra de lo apriorísticamente deducible aquélla resulte ser a la postre diferente, el que se reputó como consentimiento presunto del enfermo no dejaría de eximir de responsabilidad penal al médico[271].

En segundo lugar, que en esa indagación están necesariamente llamados a ser oídos los familiares del paciente. En este sentido debe entenderse tanto la referencia a los familiares que hacía la Ley General de Sanidad como la que ahora hace la Ley 41/2002 cuando dispone en el art. 9.2 b) que en los casos en que exista riesgo inmediato grave para la integridad física o psíquica del enfermo y no sea posible conseguir su autorización se consultarán, cuando las circunstancias lo permitan, a sus familiares o a las personas vinculadas de hecho a él. La razón de esta exigencia se comprende sin dificultades teniendo en cuenta que si de lo que se trata es de indagar la voluntad, y no de sustituirla, esas personas son las únicas que pueden aportar datos valiosos en torno al sentido de la voluntad que en otro caso habría manifestado el paciente.

En tercer lugar, conviene precisar que la prevalencia de la voluntad del enfermo contraria a lo que médicamente resulta indicado no puede basarse exclusivamente en cualquier tipo de indicios, sino sólo en los que de forma sólida reflejen de manera inequívoca el contenido de la voluntad de aquél.

Así, por ejemplo, el dato de que el enfermo sea Testigo de Jehová no podría justificar, por sí sólo, que no se le practique el tratamiento indicado. Porque del hecho de que esa persona profese una religión que incluye entre sus dogmas la negativa a las transfusiones sanguíneas no puede deducirse que cuando en el caso concreto se vea en una situación de urgencia que demanda dicho tratamiento, esté decidido a renunciar al mismo para así respetar es-

---

ser admisible una decisión cuando se basa en una decisión objetivamente insensata del paciente". En sentido un contrario véase por ejemplo ZAFFARONI, quien a partir del mayor valor del bien jurídico vida se decanta por dar prioridad a ésta frente a la decisión insensata del paciente: "la vida es un bien jurídico disponible en menor medida que la salud...quien se niega a ser atendido hallándose en inminente peligro de muerte...puede ser tratado aun en contra de su voluntad", en "Consentimiento y lesión quirúrgica", *Jurisprudencia argentina*, 1973, págs. 38 ss.

[271]   JESCHECK, *Tratado, I, ob. cit.* págs. 524 s; ROXIN, *Derecho Penal, Parte General, ob, cit.*, pág. 765; MIR PUIG, *Derecho Penal, Parte General*, Barcelona, 1996, pág. 567,

trictamente todos los mandatos de su confesión[272]. Distintas deben valorarse las cosas cuando el Testigo de Jehová porta un documento o, como sucede frecuentemente en la práctica, una medalla inscrita en la que consta que no quiere ser sometido a transfusión sanguínea aun en el supuesto de urgencia vital. Sin perjuicio de cuanto más adelante sostengamos en torno a las posibilidades de apreciar un *estado de necesidad*, baste decir por ahora que en tal caso sí puede considerarse que existe una declaración de voluntad actualizada que, como tal, el médico habría de respetar.

Por último, y vinculado a lo anterior, debe advertirse que si bien se trata de indagar la voluntad del enfermo en cualquiera de los sentidos posibles en que puede manifestarse, esto es, tanto asintiendo como rechazando el tratamiento, la tarea de fundamentar que el enfermo se negaría a la terapia requerirá apoyos indiciarios más sólidos que los que permitirían fundamentar la presunción de su consentimiento conforme a lo más beneficioso para su salud. En este sentido, no le falta razón a GIUNTA cuando afirma que ni siquiera es exigible al médico que despliegue una suerte de tarea indagatoria para asegurarse de que no se desvirtúa la presunción de que el paciente desea lo más adecuado a sus intereses[273]. La razón por la que esto sea así se vincula al valor de presunción que en estos casos hay que reconocer al criterio de lo más beneficioso para la salud del enfermo a partir del llamado *instinto de conservación*.

Especialmente interesante resulta la fundamentación que ofrece el autor italiano citado. Para GIUNTA, la razón de ser de la regla general en torno a la licitud de la intervención médica terapéutica puede hallarse en la idea del "deber de solidaridad social reconocido en el art. 2 de la Constitución y en la posición de garantía que, especialmente en la estructura pública, asume el médico en relación con la salud del sujeto que asiste"[274]. No obstante, sin desconocer lo que de cierto y novedoso tiene su razonamiento, entiendo que resulta preferible acudir a la idea del instinto de conservación, puesto que con ella se subraya que esa presunción toma por base la supuesta voluntad del enfermo, mientras que con la idea de solidaridad parece desenfocarse la misma. Sin embargo, ese deber de solidaridad como fundamento legitimador de la

---

[272]   Así, por ejemplo, FISCHER, en *Fs. für Deutsch, ob. cit.*, págs 549, 555. No obstante, en el sentido que aquí se critica, RESCIGNO, en VINCENZI AMATO/SPAGNOLO/LARICCIA/ LORENZINI/BARNI/MANTOVANI/RESCIGNO, en "Relazioni, interventi e conclusioni al Convegno di stud"i, Roma, 1° diciembre 1982, en *Trattamenti sanitari fra libertà e doverosità*, Napoli, 1983, págs 191 s.

[273]   GIUNTA, en *Rivista italiana di diritto e procedura penale*, 2001, *ob. cit.*, pág. 385.

[274]   GIUNTA, en *Rivista italiana di diritto e procedura penale*, 2001, *ob. cit.*, pág. 383, 391.

actuación médica sólo puede surgir allí donde concurra la voluntad —presunta— de la persona de ser atendida.

De lo anterior se deduce que, una vez afirmada la prevalencia de la voluntad —indagada— del enfermo, lo cierto es que no puede negarse un ámbito propio de juego a una ponderación objetiva de intereses. Esta desplegará sus efectos allí donde en absoluto concurran indicios o, al menos, no concurran indicios suficientes para interpretar cuál sea el sentido de la voluntad real del paciente. Debe insistirse en que su valor no será nunca el de *suplir* de forma automática la voluntad de aquél cuando no pueda constatarse el sentido de ésta, sino ser un *indicio* que, a modo de presunción, ayude a clarificar cuál habría sido la voluntad real del paciente a partir del dato de la probabilidad que añade el criterio de lo *razonable*[275]. Por ello, porque no se trata de *suplir* la voluntad real, sino de *presumir* su contenido, la relevancia de dicha ponderación objetiva sólo puede cobrar protagonismo cuando arroje como resultado una opción que, por conforme a criterios de probabilidad, pueda decirse que razonablemente es la que habría elegido el enfermo. No a otra filosofía obedece el llamado *"instinto de autoconservación"*[276], criterio que de forma objetiva y racional se orienta a presumir la voluntad del paciente de seguir viviendo en tanto no conste lo contrario[277]. Sólo dentro de estas coordenadas entiendo que estaría justificado recurrir al consentimiento presunto como criterio de indagación de la voluntad del enfermo[278], en cuanto que sólo desde estas premisas es lícito fundamentar una prevalencia objetiva de una opción sobre otra; y sólo desde ellas puede decirse que la práctica de la intervención se corresponde con el *standard* de lo que habría sido la decisión de un hipotético paciente medio.

---

[275]   ROXIN, *Derecho Penal, Parte General*, ob. cit., págs. 765 s; véase también, por ejemplo ULSENHEIMER, *Arztstrafrecht in der Praxis, ob. cit., págs. 102 ss.* .

[276]   MANTOVANI, *Aspetti penalistici, en Trattamenti sanitari tra libertà e doverosità*, Napoli, 1983, pág. 166.

[277]   Conforme a cuanto venimos afirmando debe interpretarse la mal denominada *excepción* a la regla general de consentimiento que ya se contemplaba en el art. 10.6 c) de la Ley General de Sanidad, y que ahora contempla el art. 9.2 b) de la Ley 41/2002 respecto a los casos de riesgo inmediato grave para la integridad física o psíquica del enfermo. Como afirma ASUA BATARRITA, no se trata "de un 'estado de necesidad' que enfrenta la voluntad del paciente a la protección de su salud o su vida, sino del decaimiento del deber...de información y de obtención de la autorización personal...La previsión del art. 10.6 c no legitima la intervención *contra* la voluntad consciente y fundada del enfermo ni siquiera cuando la intervención sea urgente para salvarle la vida", ASUA BATARRITA, en *JANO*, 1995, *ob. cit.* pág. 614.

[278]   FISCHER, en *Fs. für Deutsch, ob. cit.*, págs. 551 ss.

Aquí se agota, sin embargo, la virtualidad del recurso a los resultados que arroje una ponderación objetiva de intereses. Extenderlos más allá de ese espacio de juego supondría que con ellos no se trataría ya de indagar la voluntad real del enfermo, sino de integrarla a partir de un criterio que en absoluto tiene por qué coincidir con ella. En efecto, fuera de los ámbitos señalados, resulta imposible fundamentar en términos estrictamente objetivos la solución al conflicto de intereses que impregna el binomio respeto de la voluntad del paciente/preservación de su salud. Baste pensar que cuando el tratamiento pasa por una solución drástica, como pueda ser la amputación de un órgano, es ilusorio presumir una opción que se corresponda sin ambages con la voluntad del afectado. En esa tesitura cualquier decisión está decisivamente condicionada por ponderaciones subjetivas que, respectivamente, acentúan las ventajas o inconvenientes de la terapia. Hablar en estos casos con seguridad de lo que hipotéticamente habría preferido el paciente concreto sólo sería posible a partir del recurso a un falso criterio con el que encubrir la imposición de las preferencias de quien ahora decide por él.

Hasta ahora hemos intentado trazar las pautas que deben inspirar la actuación del médico en los casos en que se trata de un paciente que no puede consentir en el momento en el que precisa la intervención. Resta todavía hacer una referencia a los cauces procedimentales por los que el médico deba actuar en tales casos, puesto que no puede pasarse por alto que la articulación de dicha línea de solución requiere identificar el procedimiento y, con ello, la persona competente para decidir a partir de todos los indicios reseñados cuál sea la voluntad del paciente.

Desde luego, no es difícil advertir que en los supuestos en que éste no haya designado un representante legal, conferir sin más el poder decisorio al médico o, como hace el art. 9.3 a) de la Ley 41/2002, a las personas vinculadas a él por razones familiares o de hecho, puede dar lugar a decisiones poco respetuosas con aquella voluntad[279]. Por ello, salvo en los casos de extrema urgencia en los que resulte imposible poner en marcha cualquier mecanismo que avale la interpretación médica, debería instaurarse algún tipo de *cauce procedimental* que legitimara dicha opción. En este sentido no le falta razón a las propuestas, como la que hace entre nosotros CORCOY BIDASOLO, de ins-

---

[279] Todo ello sin desconocer, además, que dicho precepto no establece un orden entre esas personas para los casos en que no exista acuerdo, lo que puede generar la incertidumbre adicional acerca del modo en que haya de procederse en tales casos. Véase al respecto DOMÍNGUEZ LUELMO, A, *Derecho sanitario y responsabilidad médica*, Valladolid, 2003, pág. 308.

taurar Comités éticos que, oídos los familiares y el facultativo, deban decidir sobre la terapia más indicada[280].

Por lo demás y al margen de la conveniencia de instaurar esos cauces procedimentales, me parece ineludible que, salvo casos de urgencia, el médico acuda a la autoridad judicial cuando se enfrente con supuestos especialmente conflictivos. Baste pensar en los casos en que el enfermo no tenga familiares, o en aquellos otros en los que éstos aseguren sin razón que lo justifique la concurrencia de una voluntad contraria por parte del enfermo que sin embargo no representa lo más beneficioso para su salud.

Ejemplo de los primero es el caso que saltaba a la prensa en agosto de 2002. Se trataba de un hombre de 47 años que padecía un tumor cerebral benigno de ocho centímetros. La gravedad del estado del enfermo así como la imposibilidad de localizar a sus parientes obligó a los facultativos a reclamar la autorización del juez para que decidiera sobre la procedencia de una intervención que los médicos calificaban como "de alto riesgo y peligrosa", en la que, según explicaron al juez, el enfermo podría fallecer o padecer graves secuelas tras su paso por el quirófano. Las opciones que los médicos plantearon a aquél se movían entre dejar al paciente en su estado actual, lo que le llevaría 'irreversiblemente' a la muerte tras un período de sufrimiento, o autorizar la intervención quirúrgica. El Juzgado de Primera instancia de Alicante concedió la autorización en una decisión que se calificó como "pionera en la justicia española" en el derecho fundamental a la vida del enfermo[281]

Las pautas anteriores deben ser también aplicables a los casos, discutidos fundamentalmente en la doctrina alemana, en los que el médico advierta la necesidad de *ampliar o modificar* la intervención ya iniciada.

Ante todo debe advertirse que la dificultad de estos supuestos se ciñe a la concurrencia de dos circunstancias. La primera, que el cambio de planes suponga un giro sustancial respecto a lo inicialmente previsto, como sucede, por ejemplo, cuando se plantea la amputación del órgano o la afectación de otro distinto. Cuando, por el contrario, se trate de modificaciones no esenciales (por ejemplo, extirpar dos quistes en lugar del único que se diagnosticó) no habría de plantearse problema alguno, puesto que pueden entenderse comprendidas genéricamente dentro del consentimiento prestado inicialmente por el paciente. La segunda circunstancia apunta a la necesidad de que la interrupción de la intervención represente un riesgo para la vida o salud del

---

[280]   CORCOY BIDASOLO en AAVV, *Bioética, Derecho y sociedad, ob. cit.*, pág. 131.
[281]   Véase la información aparecida en el Diario *El País*, de 24 de agosto de 2002.

enfermo, ya que en otro caso no habría espacio de juego para el consentimiento presunto[282].

Valga de cita, por ejemplo, el caso enjuiciado por la Sala penal del Tribunal Supremo alemán en la Sentencia de 4 de octubre de 1999. En él se trataba de determinar la posible responsabilidad de los ginecólogos que esterilizaron a una mujer durante una operación de cesárea, pese a que antes de ser anestesiada, ya en la mesa de operaciones, le preguntaron si deseaba esterilizarse debido a los riesgos que le comportaría un nuevo embarazo, algo a lo que se negó. No obstante, durante la intervención los médicos observaron que la mujer presentaba un desgarro de útero, lo que confirmaba el pronóstico en torno a la conveniencia de la esterilización, a la vez que cuestionaba a los médicos la procedencia de seguir respetando la voluntad manifestada por la mujer. El Tribunal rechazó que pudiera hablarse de consentimiento presunto argumentando la ausencia de la urgencia de la intervención. Junto a ello, el pronunciamiento insistió en la idea de que el valor de criterios objetivos, como lo que sería sensato para un paciente medio o lo que realmente convendría a la mujer, son indicadores que sólo pueden funcionar como indicios para indagar el contenido de una voluntad presunta, pero cuyo valor se desvanece tan pronto como —tal como ocurría en el hecho enjuiciado—, existe una voluntad contraria manifestada de la enferma[283].

Conforme a las pautas que hemos venido sosteniendo, la legitimación de la ampliación de la operación sólo podría fundamentarse, más allá de la concurrencia de los presupuestos objetivos de un *estado de necesidad*[284], en la averi-

---

[282] MÜLLER, "Operationserweiterung", en *Medizinstrafrecht. in Spannungsfeld von Medizin, Ethik und Strafrecht*, Hrsg. ROXIN/SCHROTH, Stuttgart/München/Hannover/Berlin/Weimer/Dresden, 1999, págs. 32 s; LAUFS, en LAUF/UHLENBRUCK, *Handbuch des Arztrechts, ob. cit.*, pág. 361.

[283] Véase el comentario que hace a esta Sentencia HOYER, Anmerkung zum Urteil des BGH von 4.10.99, en *JR*, 2000, págs. 470 ss.

[284] RIZ, *Il trattamento médico e le cause di giustificazione, ob. cit.*, págs. 86 s., quien requiere para ello que concurra una situación de riesgo vital. Más amplias son las propuestas que aprecian los presupuestos del *estado de necesidad* no sólo en los casos de riesgo vital para el paciente, sino en todos aquéllos en que la intervención sea necesaria -y no meramente indicada-. Es la postura sostenida en la doctrina alemana, entre otros, por BOCKEL-MANN, en *NJW*, 1961, *ob. cit.*, págs. 945 ss; TEMPEL, en *NJW*, 1980 *ob. cit.*, 1980, págs. 609 ss; VON GERLACH, "Ärztliche Aufklärungspflicht und eigenmächtige Heilbehandlung", en *Moderne Medizin und Strafrecht*, en Kaufmann (Hrsg), Heidelberg, 1989, pág. 29, quien da prioridad al consentimiento del paciente sólo en los casos en los que la ampliación no sea peligrosa. A esta solución parece apuntar también WACHSMUTH, al advertir tanto el riesgo de que el médico acabe practicando una medicina defensiva, que le asegure su ausencia de responsabilidad, como el inconveniente que supone tener que iniciar una

guación de cuál habría sido la voluntad del paciente caso de poder expresarla[285]. Es más, frente a lo que opina algún autor, como MARTÍNEZ-CALCERRADA, entiendo que esta regla también ha de mantenerse cuando el consentimiento inicialmente prestado se refiera a un acto que, debido a un error de diagnóstico, se revele en el curso de la intervención como inapropiado, debiendo sustituirse por otro. Frente a este parecer, el autor citado se inclina por descartar la necesidad de indagar en tales supuestos la voluntad real del paciente por entender que su consentimiento inicial cubriría la intervención que hubiera de hacerse, "porque el paciente acude al médico con la intención de subsanar su dolencia; y pese a dar su autorización para un determinado acto, no debe el error médico en el diagnostico impedir la curación perseguida por paciente y facultativo, sino al contrario, ser corregido cumpliendo el inicial encargo del enfermo"[286].

Esta argumentación no sólo me parece infundada sino ante todo realmente peligrosa, en cuanto que supone dar al traste con todo el sistema de garantías que con carácter general respaldan al paciente y que se sintetizan en la tantas veces repetida necesidad de contar con su consentimiento en cuanto presupuesto de cualquier acto médico. Lo más llamativo es que esa quiebra se posibilita por el hecho, sin duda paradójico, de que el origen del cambio de planes se debe explicativamente a un error médico, supuesto en el que, en definitiva, parece que aquél tuviera que soportar una doble situación injusta: la primera, el error mismo del profesional; la segunda, que precisamente por ese motivo se prescinda de su voluntad. Pero es que además, al margen de que el error médico se vuelva incomprensiblemente de esta forma adicional en contra del paciente, me parece injustificado afirmar que del hecho de que éste acuda al médico pueda deducirse que por ello esté dispuesto a consentir en cualquier acto. Esta conclusión supondría tanto como echar por tierra la razón de ser misma del derecho de información del enfermo. Según veíamos, su sentido es justamente permitirle que elija la opción que más se ajuste a su voluntad. Y

---

nueva intervención con el consiguiente proceso de contar la verdad al paciente y, en su caso, convencerle para que se someta a la misma, en "Die chirurgische Indikation. Rechtsnorm und Realität", en *Fs. Bockelmann*, München, 1979, págs. 473 ss.

[285]   MÜLLER, en *Medizinstrafrecht. in Spannungsfeld von Medizin, Ethick und Strafrecht, ob. cit.*, págs. 29 ss.

[286]   MARTÍNEZ-CALCERRADA, *Derecho médico, ob. cit.*, págs. 100 ss., quien distingue entre los casos de urgencia, en los que el médico podrá actuar sin recabar el consentimiento del paciente, y los que no lo son. Cuando sea éste el caso, habrá de seguirse el mismo criterio siempre que la intervención esté relacionada de forma directa (p. ej., complicaciones) o indirecta con el plan primitivo. Esta referencia más amplia le permite incluir el caso comentado.

ese derecho perdería su razón de ser si bastase constatar la voluntad de curación para dar luz verde a cualquier tratamiento, sea de la índole que sea.

No obstante, de inmediato debe advertirse que lo anterior no supone, como sin embargo ha defendido algún autor[287], que se vede cualquier espacio de juego al consentimiento presunto del paciente cuando existan indicios razonables para presumir su voluntad de someterse a la nueva intervención. Lo contrario supondría trastrocar la función del consentimiento, de tal modo que lo que en su origen nació como una garantía instituida en beneficio del enfermo se acabase convirtiendo en un expediente que se volvería en su contra. Como sosteníamos líneas más arriba, allí donde no pueda descubrirse indiciariamente la voluntad del enfermo, es lícito reservar un espacio de juego a los resultados que arroje una ponderación estrictamente objetiva de intereses, que cobraría ahora el valor de una *presunción* en torno a lo que sería su voluntad en el caso de poder manifestarla. Es lo que sucederá cuando dicha ponderación objetiva refleje sin ambages la elección indubitada de un *paciente medio* a partir de las pautas que marcan los criterios de la *razonabilidad* de la decisión.

De hecho, en esta línea se ha orientado una *praxis* médica que hoy día puede considerarse consolidada. Como es sabido, suele ser práctica médica habitual la de continuar la operación en casos, por ejemplo, como el del paciente al que en la sala de operaciones se le descubre que el tumor que se trataba de extirparle es maligno. En ellos suele considerarse suficiente el consentimiento prestado por los familiares o personas allegadas sobre la base de la voluntad presunta del paciente[288] [289]. En este sentido, ya en el ámbito positivo, establece

---

287   En este sentido, FISCHER, en *Fs. für Deutsch, ob. cit.*, págs. 552 s.
288   Véase por ejemplo la Sentencia de la Sección 5ª de la Audiencia Provincial de Zaragoza, de 31 de julio de 1993, que consideró correcta la histerectomía total a la que fue sometida la paciente con ocasión de practicársele cierta intervención quirúrgica por contarse con el consentimiento del marido.
289   No está de más advertir que las exigencias para comprobar el consentimiento presunto habrán de ser distintas en función del tipo de operación, los fines que el paciente pretendía conseguir con la misma así como las circunstancias que la rodean. Así, por ejemplo, la presunción del consentimiento podrá operar con más facilidad allí donde, como en el caso propuesto en el texto, la intervención tenga finalidad terapéutica y el enfermo haya manifestado su deseo de curarse. Mayores cautelas habrán de adoptarse para apreciar el consentimiento presunto allí donde se trate de una intervención no estrictamente terapéutica y de consecuencias irreversibles. Valga de ejemplo el caso de la embarazada que solicita al médico que, dado que sólo desea tener dos hijos y se encuentra en su segundo embarazo, proceda a esterilizarla durante la operación de cesárea. Si el médico advirtiese que el niño presenta patologías que hacen dudar de su viabilidad extrauterina difícilmente se podría seguir presumiendo la voluntad de la mujer de continuar con su propósito inicial de esterilizarse.

el art. 9.2 b) de la Ley 41/2002 que cuando exista riesgo inmediato grave para la integridad física o psíquica del enfermo y no sea posible conseguir su autorización, el médico podrá llevar a cabo las operaciones indispensables para el enfermo "consultando cuando las circunstancias lo permitan a sus familiares o a las personas vinculadas de hecho a él"[290].

Casi ni que decir tiene que un tratamiento diferente merecen los supuestos en los que no se cumple la exigencia mínima de solicitud del consentimiento a los familiares o representantes legales e incluso no se respetan las reglas básicas de cuidado. Sirva de ejemplo el caso, no ya académico, sino enjuiciado por nuestro Tribunal Supremo en la Sentencia de 10 de marzo de 1959.

Los hechos enjuiciados eran los siguientes: Al paciente, un hombre de 38 años, se le había reproducido una hernia inguinal, operada con anterioridad. El médico que le atendió se limitó a mirarle la cicatriz que presentaba en el abdomen, palpándole la región afectada y comunicándole que debía personarse el día indicado a efectos de una nueva intervención. Tras cancelar la primera cita por ausencia del médico y obtener una segunda, quedó hospitalizado sin someterse a prueba médica alguna. Ya en el quirófano, el cirujano le administró anestesia raquídea local. El médico realizó la operación de hernia inguinal, asistido como ayudante por el hijo del médico. Una vez abierta la cavidad abdominal, el cirujano creyó apreciar una masa tumoral, reveladora de la existencia de un sarcoma de pene, por lo que llevó a cabo el cercenamiento de raíz del órgano del paciente, sin realizar la correspondiente biopsia que hubiera confirmado, en su caso, el precoz diagnóstico. Todo ello se realizó sin consentimiento, autorización ni conocimiento del paciente, ni tampoco de sus familiares ni allegados, como lo eran su esposa y su hermano, los cuales se encontraban en la residencia sanitaria esperando el resultado de la operación de hernia. Una vez cercenado el miembro viril, el cirujano no aplicó a la herida producida por tal amputación terapia alguna, ni tampoco conservó el miembro amputado al objeto de efectuar la oportuna biopsia. No hubo comunicación a tal respecto al paciente, ni a sus familiares.

En definitiva, fuera de los márgenes acotados más arriba, el médico debe interrumpir la operación y recabar el consentimiento del paciente, puesto que, por mucho que pueda decirse que aquélla está objetivamente indicada, cuan-

---

[290] Como tuvimos ocasión de sostener en el apartado correspondiente al título de responsabilidad por el que habría de responder el médico cuando desconociera la voluntad del paciente, la propuesta de incorporar al Código penal un delito de tratamiento médico arbitrario habría de salvar expresamente el castigo de estos supuestos *supra*, II.1, *Título de responsabilidad por el que deba responder el médico.*

do tiene consecuencias relevantes para éste sólo es él, con su subjetividad, el legitimado para decidir. Por lo demás, a diferencia de lo que sostiene cierto sector de la doctrina[291], entiendo que la solución propuesta debe mantenerse inalterada con independencia de que la ampliación de la intervención fuese o no previsible; esto es, del grado de reproche que merezca la omisión del médico de interrogar al paciente sobre qué debe hacer en el caso de que durante el curso de la intervención advierta la necesidad o conveniencia de ampliarla. No puede ser de otra forma teniendo en cuenta que lo que aquí se ventila no es el reproche que pueda formularse al médico, sino la necesidad de ser lo más escrupuloso posible con la voluntad del paciente. Y el dato de la "culpa" o no del médico por omitir formular dicha pregunta en absoluto añade nada al juicio en torno a si se ha lesionado la voluntad de aquél.

Por último, debe hacerse todavía una observación relativa al encuadre dogmático de la exención de pena que permite el consentimiento presunto. El hecho de que la voluntad descanse en una ficción, impide que su efecto sea excluir el tipo, debiendo valorarse más bien, como señala ROXIN, como una causa de *justificación* de la conducta: "mientras que el consentimiento es expresión de la libertad de actuación del titular del bien jurídico y por tanto el que obra con consentimiento no lesiona los bienes jurídicos de aquél, quien invoca un consentimiento presunto se interfiere sin permiso, y por ello realizando el tipo delictivo, en los bienes jurídicos de otro, y sólo puede estar justificado por el hecho de que se presume su consentimiento según un juicio objetivo"[292].

2.2.2. *El consentimiento en el caso de pacientes menores de edad e incapaces*

En la primera parte de este trabajo ya tuvimos ocasión de referirnos a los singulares problemas que plantea determinar las condiciones con las que pueda considerarse válido el consentimiento prestado por pacientes menores de edad o incapaces. Allí ya quedaron trazados los criterios con los que había de reconocerse eficacia a la declaración de voluntad que emitiesen. Como entonces destacábamos, si bien es verdad que en el caso de los incapacitados la línea de solución siempre ha resultado más homogénea, no ocurre lo mismo con la cuestión relativa a la forma de valorar la capacidad para consentir de

---

[291] Por ejemplo, GLATZ, *Der Arzt zwischen Aufklärung und Beratung, ob. cit.*, pág. 258, donde parece limitar el conflicto de intereses a los casos en que la operación no era previsible.

[292] ROXIN, *Derecho Penal, Parte General, ob. cit.*, págs. 765 s. En el mismo sentido, véase JAKOBS, *Derecho penal, Parte General, ob. cit.*, págs. 523 ss.

los menores de edad. Respecto a ellos, en efecto, dejando a un lado los casos de urgencia vital, ha sido hasta la fecha frecuente descubrir en la doctrina voces encontradas en torno a si debe prevalecer el criterio de atender en el caso concreto a su *capacidad natural de entender y querer*, o a si, por el contrario, debe operarse con topes rígidos de edad. Dicha disparidad de criterios no era de extrañar teniendo en cuenta que también en el plano normativo ha sido difícil descubrir líneas de solución uniformes al respecto, siendo frecuente, por el contrario, encontrar, unas veces criterios difusos que en su vaguedad no permitían inferir una línea de solución clara; y otras, criterios discrepantes entre las diferentes previsiones contenidas en las respectivas normas dictadas tanto en el ámbito sectorial como autonómico. En este clima marcado por la situación de ambigüedad se aprobó la Ley 41/2002 que, como también ya tuvimos ocasión de señalar, se decantó finalmente por el criterio de fijar una edad, la de los dieciséis años, a partir de la cual no cabe el consentimiento por representación, pero sin que ello signifique, a *contrario sensu,* que por debajo de esa edad el menor nunca pueda consentir. De hecho, como también entonces destacábamos, en alguna ley regional aprobada con posterioridad, en concreto, en la Ley 8/2003, de Castilla y León, se ha reconocido expresamente que sin perjuicio de que el mayor de 16 años o emancipado sea competente para decidir, "habrán de considerarse capacitados todos los menores que, a criterio del médico responsable de la asistencia, tengan las condiciones de madurez suficientes" (art. 5.1).

Esta solución no sólo es la más satisfactoria en el orden civil, sino también, en el penal. Como es sabido, conforme al principio penal de *intervención mínima*, el castigo en este orden debe reservarse para los supuestos en los que realmente pueda apreciarse que, por encima del dato de que el menor haya cumplido o no una determinada edad, se haya lesionado su autonomía conforme a criterios materiales de capacidad. A favor de este modo de proceder hablaría, en definitiva, la necesidad de respetar el principio de *lesividad material* que debe presidir cualquier pretensión de castigo en el orden penal. Con ello, en definitiva, se trataría de asegurar, como explica LESCH[293] en la doctrina alemana, que la valoración penal atienda a la efectiva lesión del bien jurídico protegido en los respectivos tipos delictivos, la libertad en lo que ahora interesa. Y en tanto se trata de atentados a la esfera más personal del individuo, resultaría improcedente elevar a criterio rector un baremo rígido que

---

[293]   LESCH, "Die strafrechtliche Einwilligung beim HIV-Antikörpertest an Minderjährigen", en *NJW* 1989, págs. 2309 ss. Véase también, más recientemente, AMELUNG, *ZStW* 1992, *ob. cit.*, págs. 525 ss., donde realiza una completa exposición del estado de la cuestión.

cierre los ojos a la efectiva lesión del bien jurídico, lo que sólo puede decidirse cuando se atienden a las circunstancias del caso concreto[294].

De hecho, al margen de lo anterior pueden ofrecerse una serie de argumentos apegados tanto a razones vinculadas con la regulación que el Código penal ofrece en determinados aspectos como a construcciones dogmáticas asumidas de forma prácticamente unánime por la doctrina.

En primer lugar, pueden manejarse argumentos vinculados con la regulación puntual que en determinados ámbitos ofrece el Código penal; en concreto a la hora de redactar algunos aspectos del delito de lesiones. Como es sabido, el legislador se refiere expresamente al consentimiento de los menores e incapaces en los arts. 155 y 156. Este último contempla una regla especial para los casos en que el acto médico no tenga finalidad curativa, sino que consista en un trasplante de órganos (por lo que al donante se refiere), esterilización y cirugía transexual. Dada tanto la irreversibilidad de la intervención como la falta de urgencia de la misma, dispone dicho artículo que "no será válido el consentimiento prestado por los menores de edad o incapaces ni por sus representantes legales"[295]. No obstante, añade que "no será punible la esterilización de persona incapacitada que adolezca de grave deficiencia psíquica cuando aquélla, tomándose como criterio rector el del mayor interés del incapaz, haya sido autorizada por el Juez, bien en el mismo expediente de incapacitación, bien en un expediente de jurisdicción voluntaria tramitado con posterioridad al mismo, a petición del representante legal del incapaz, oído el dictamen de dos especialistas, el Ministerio Fiscal y previa exploración del incapaz".

---

[294]   En este sentido, entre otros, DEUTSCH, *Arztrecht und Arzneimittelrecht, ob. cit.*, págs. 175 ss., proponiendo ponderar, entre otros elementos, la urgencia y necesidad de la intervención; ROXIN, *Derecho Penal, Parte General, ob. cit.*, págs. 542 s. No obstante, señala que en los casos en los que la voluntad manifestada vaya contra el sentido común, será preferente la decisión del representante legal, ya que "si la decisión tomada por el joven va contra todo sentido común médico, ello constituirá un fuerte indicio de carencia de capacidad de comprensión" (pág. 538), PRINCIGALLI, *La responsabilità del médico, ob. cit.*, págs. 211 s.

[295]   La exigencia de que el sujeto sea mayor de edad aparece expresamente consagrada en algunas disposiciones especiales, como la Ley 30/1979, de 27 de octubre que exige, entre otros requisitos, que el donante sea mayor de edad. Únicamente se exceptúa de esta regla la donación de residuos quirúrgicos, de progenitores hematopoyéticos y de médula ósea, respecto a la que, conforme al art. 7.2 del RD 411/1996, de 1 de marzo, por el que se regulan las actividades relativas a la utilización de seres humanos, puede ser donante también el menor de edad, si concurre, entre otros requisitos, la autorización del padre o tutor. No obstante, conforme a la misma ley, en tales casos el menor de edad deberá ser oído.

En realidad, como señala MUÑOZ CONDE, este precepto, sobre cuya constitucionalidad tuvo ocasión de pronunciarse el Tribunal Constitucional en la Sentencia de 18 de agosto de 1994 dictada con motivo del planteamiento de una cuestión de inconstitucionalidad[296], vino a resolver, más que un problema de consentimiento, un caso de estado de necesidad[297] en el que los intereses a ponderar son, por un lado, el derecho del incapaz a su capacidad reproductora y, por otro, las dificultades que comporta dicho ejercicio en tales condiciones[298].

Es en el art. 155 donde el legislador se refiere con carácter general al consentimiento prestado por menores e incapaces, exceptuándolo de la regla general consagrada en el mismo artículo de que el consentimiento válida, libre espontánea y expresamente emitido por el ofendido atenúa la pena.

Pues bien, según entiendo, una interpretación integradora de dicho precepto con otros del Código penal lleva igualmente a admitir dicha solución. En efecto, el citado precepto se refiere, además de a los menores, a los incapaces. El concepto de incapaz lo proporciona el art. 25 CP en los siguientes términos: "toda persona, haya sido o no declarada su incapacitación, que padezca una enfermedad de carácter permanente que le impida gobernar su persona o bienes por sí misma". La conjugación de estos dos preceptos permite fundamentar un argumento a favor de atender a la concreta capacidad del menor: si el legislador en el art. 155 ha recogido bajo una misma razón de ser dos categorías de sujetos a los que quiere conceder especial protección, parece lógico entender que las razones que están en su base deban ser las mismas. En concreto, si para excluir la validez del consentimiento en el caso de los incapaces no es decisiva, conforme al art. 25 CP, la declaración civil de incapacidad sino el dato de que el sujeto no pueda gobernar su persona o bienes, tampoco parece que deba ser un criterio rígido o formal el que decida cuándo el sujeto,

---

[296]   Véase no obstante los votos particulares formulados por los magistrados Gabaldón López, Gimeno Sendra, González Campos y de Mendizábal Allende.

[297]   Conforme a la referida Sentencia: "El problema de la sustitución del consentimiento en los casos de inidoneidad del sujeto para emitirlo, atendida su situación de grave deficiencia psíquica, se convierte, por tanto, en el de la justificación y proporcionalidad de la acción interventora sobre su integridad corporal; una justificación que únicamente ha de residir, siempre en interés del incapaz, en la concurrencia de derechos y valores constitucionalmente reconocidos cuya protección legitime la limitación del derecho fundamental a la integridad física que la intervención entraña".

[298]   MUÑOZ CONDE, *Derecho Penal, Parte Especial*, 16ª ed., Valencia, 2007, págs. 127. Desarrolla de forma amplia sus argumentos en "La esterilización de deficientes psíquicos: comentario a la sentencia del Tribunal Constitucional español de 14 de julio de 1994", en *Revista de Derecho y Genoma Humano*, nº 2, enero-junio 1995, págs. 185 ss.

por su edad, esté en condiciones de prestar un consentimiento válido a efectos penales. Mas bien esa misma razón de ser obliga a pensar que en ambos casos el legislador quiere proteger a quienes, por las circunstancias que sean —alteración psíquica o minoría de edad—, no tengan capacidad natural, y, por ello, no puedan gobernar su persona de un modo responsable.

Por otra parte, este planteamiento resulta plenamente coherente con lo previsto en el art. 156 CP que, según ya vimos, en determinados supuestos (trasplante de órganos, esterilizaciones y cirugía transexual) niega validez tanto al consentimiento prestado por el menor como por sus representantes legales. El contenido del precepto no sólo no resulta contradictorio con cuanto aquí sostenemos, sino que es su consecuencia lógica. En primer lugar, porque viene a avalar implícitamente la premisa de que la voluntad del menor no es en el resto de los casos irrelevante a efectos penales. Si lo fuera, esto es, si la regla general fuese que sólo el consentimiento expresado por sus representantes excluye la responsabilidad penal, ni siquiera haría falta decir que en tales casos no es válido el prestado por el menor. En segundo lugar, puede apuntarse todavía un dato aún más básico que, sin necesidad siquiera de recurrir a la argumentación precedente, confirma de forma decisiva la coherencia de la solución que aquí sostenemos con las previsiones legales. Es el dato referido más arriba relativo a la propia razón de ser del precepto o, si se quiere, al sentido de sus previsiones. Y es que el hecho de que en tales supuestos la capacidad para consentir no sólo se vede al menor sino también a sus representantes legales, delata que no se trata en realidad de una regla relativa al consentimiento. En realidad lo que en ella se ventila es algo bien distinto: la garantía que ha querido instituir el legislador de que, dada su trascendencia, el menor o incapaz se sustraiga a tal tipo de intervenciones. El legislador no estaría, por tanto, negando la capacidad de consentir del menor en tales casos, sino pronunciándose sobre una cuestión previa, mucho más amplia, que apunta a la viabilidad misma de esa intervención.

Junto a lo anterior, en favor de atender a la concreta capacidad del menor todavía podrían ofrecerse otros argumentos adicionales directamente implicados con los esquemas penales.

Uno de ellos se vincula con argumentos relacionados con una cuestión planteada en la Teoría General del Delito que, si bien es distinta a la que ahora tratamos, responde a un tronco problemático común: la valoración de la capacidad del menor o incapaz que realiza un hecho delictivo instado por un hombre de atrás. Como es sabido, la principal dificultad que plantean estos supuestos es la de determinar si el menor debe considerarse instrumento de aquél o, por el contrario, sujeto plenamente responsable —con independencia, lógicamente, de que en atención a su culpabilidad disminuida resulte castigado con una pena inferior, exento de pena o sometido a un régimen especial conforme a la Ley Orgánica 5/2000 reguladora de la responsabilidad penal de los menores—. Si en este ámbito, en el que entran en juego intereses estrictamente penales, apenas se plantean dificultades para afirmar que la línea de solución debe trazarse a partir de la atención a la concreta capacidad natural de comprender y querer del menor[299], no habría razón para manejar un baremo distinto cuando, como ahora, lo que se plantea es también la capacidad del menor, si bien no ya como sujeto activo sino como posible víctima del delito.

Como exponente de lo anterior es digna de mención la Sentencia de la Audiencia Provincial de Huesca de 20 de noviembre de 1996 a propósito de un menor —un niño de 13 años— Testigo de Jehová que mostró una inequívoca y reiterada actitud de rechazo a la transfusión sanguínea que necesitaba. Para reconocer al menor capacidad de decisión pese a no haber alcanzado la mayoría de edad y, con ello, para absolver a los padres, el Tribunal recurrió como argumento al art. 181 CP, que reconoce al menor, entonces de doce años, la capacidad para consentir en una relación sexual.

Ese mismo supuesto daría lugar a un pronunciamiento del Tribunal Constitucional en la Sentencia 154/2002, de 18 de julio, que acogió el criterio de la capacidad natural de obrar. Sobre ella tendremos ocasión de volver más adelante al tratar los casos de negativa del paciente al tratamiento, a cuya sede remitimos la exposición más detallada de los hechos enjuiciados. Baste decir ahora que la misma se dictó con motivo de plantearse un recurso de amparo contra la STS de 27 de junio de 1997, que condenó a los padres como autores de un delito de homicidio en comisión por omisión por no autorizar la práctica médica ni convencer a su hijo para que se sometiera a la transfusión sanguínea que necesitaba para salvar su vida.

Al margen de otros argumentos a los que tendremos ocasión de referirnos tanto al tratar los casos de renuncia del paciente al tratamiento médico como los límites de la posición de garantía, el Tribunal Constitucional hizo en el punto que ahora nos interesa una declaración en la que reconoció al menor, pese a serlo, determinados derechos, entre ellos el de libertad religiosa:

"Es cierto que el Ordenamiento jurídico concede relevancia a determinados actos o situaciones jurídicas del menor de edad. Ello se aprecia en concreto, atendiendo a la normativa que pudiera regular las relaciones entre las personas afectadas por el tema que nos ocupa- tanto en la Compilación del Derecho Civil de Aragón...como, en su caso, en el Código Civil. Así, los actos relativos a los derechos de la personalidad (entre los que se halla precisamente el de integridad física), de los

---

[299]   GÓMEZ RIVERO, *La inducción a cometer el delito*, Valencia, 1995 págs. 214 ss.

que queda excluida la facultad de representación legal que tienen los padres en cuanto titulares de la patria potestad, según explícitamente proclama el art. 162.1 del Código Civil...; tal exclusión, por otra parte, no alcanza al deber de velar y cuidar del menor y sus intereses. También cabe señalar diversos actos conducentes a la creación de efectos jurídicos o a la formalización de determinados actos jurídicos, como son, entre otros, los relativos a la capacidad para contraer matrimonio, para testar, para testificar, para ser oído a fin de otorgar su guarda o custodia a uno de los progenitores. Y asimismo, en el ámbito penal, para la tipificación de determinados delitos".

No obstante, de inmediato el Tribunal precisó que el reconocimiento excepcional de la capacidad del menor respecto a determinados actos jurídicos no es por sí sólo suficiente para reconocer eficacia jurídica a un acto que, "por afectar en sentido negativo a la vida, tiene, como notas esenciales, la de ser definitivo y, en consecuencia, irreparable". Estas dudas del Tribunal Constitucional se consolidaron definitivamente cuando en relación con el caso concreto que enjuiciaba hizo una declaración por la que despojaba al menor de la capacidad de decidir: "no hay datos suficientes de los que pueda concluirse con certeza...que el menor fallecido, hijo de los recurrentes en amparo, de trece años de edad, tuviera la madurez de juicio necesaria para asumir una decisión vital, como la que nos ocupa".

Por encima de la conclusión a la que en el caso concreto llegó el Alto Tribunal, condicionada sin duda por la cuestión más compleja relativa a la capacidad de disponer sobre la propia vida[300], lo importante es destacar que, como línea de principio, reconoció que la capacidad de consentir del menor, lejos de vincularse con el establecimiento de topes rígidos de edad, se basa en la comprobación de su concreta capacidad de juicio.

De la solución de condicionar la prestación del consentimiento por el menor a su capacidad natural de entender y querer se desprenden importantes consecuencias en la tarea de delimitar los presupuestos de la intervención penal. En primer lugar, que el médico no es responsable penalmente por violar la eventual voluntad contraria de los padres o representantes legales del menor allí donde realiza una intervención terapéutica consentida por éste cuando cuenta con capacidad natural de entender y querer, pese a que no concurra el asentimiento de sus representantes legales.

En segundo lugar, consecuencia del criterio sostenido es que, dejando a un lado los supuestos de urgencia, cuando por razón de su madurez el menor esté en condiciones de manifestar una opinión responsable y se niegue a la terapia pese a lo que manifiestan sus representantes legales, el médico *podrá* atender a la voluntad de aquél sin incurrir en responsabilidad penal. No obstante, si su voluntad contradijera gravemente sus intereses, el médico deberá realizar

---

[300] Véase *infra*, 2.2.3, *La negativa del paciente al tratamiento en los casos de urgencia.*

la intervención amparado en el consentimiento de sus padres o representantes legales. Sólo cuando su decisión contraria al tratamiento coincida con las de sus padres o representantes y contradiga sus intereses y por su importancia sea irreversible, el médico habrá de solicitar la autorización judicial conforme al art. 154 *in fine* CC y, caso de que ni siquiera fuera posible demorar la operación para obtener aquélla, estará legitimado directamente para realizarla[301].

Con todo, hay que reconocer que la Ley 41/2002 no ha solucionado todos los supuestos que pueden presentarse en la práctica sino que, al contrario, ha complicado la solución de algunos de ellos. Es lo que sucede en concreto con el delito de aborto, respecto al que el art. 9.4 de la Ley excepciona de aquella regla general junto con los casos de la práctica de ensayos clínicos y la práctica de técnicas de reproducción humana asistida que, según dispone el precepto, se rigen "por lo establecido con carácter general sobre la mayoría de edad y por las disposiciones especiales de aplicación". Sin embargo, como se denuncia en la doctrina civilista, no existe en la legislación civil una previsión específica para los casos en que se plantea el aborto de la mujer embarazada[302], por lo que tal vez lo único que pudiera entenderse es que el legislador quiere remitirse en estos casos a la regla general de la mayoría de edad civil, esto es, a los 18 años[303]. La cuestión, desde luego está llamada a tener una alta incidencia práctica. Valgan de cita procesos como el abierto al ginecólogo

---

[301]   Parece exigir la intervención del juez con carácter general GARCÍA ANDRADE, *Reflexiones sobre la responsabilidad médica*, Madrid, 1998, págs. 94 ss. En el sentido que aquí se apunta de atender a la entidad de la intervención a la que el menor se niega, FRAGA MANDIÁN/LAMAS MEILÁN, *El consentimiento informado (El consentimiento del paciente en la actividad médico-quirúrgica)*, ob. cit., pág. 39.

[302]   Véase PARRA LUCÁN, *Aranzadi Civil*, 2003, *ob. cit.*, págs. 1925 s.

[303]   Debe decirse, con todo, que también en la doctrina civilista se ha defendido que en estos casos debe estarse a la capacidad de comprender de la menor. Es el caso, por ejemplo, de PARRA LUCÁN, *Aranzadi Civil*, 2003, *ob. cit.*, págs. 1925 s., a partir de las previsiones del art. 162.1 del Código Civil, que excluye de la representación de los padres el ejercicio de derechos de la personalidad que, de acuerdo con las condiciones de madurez, puedan realizar por sí solos "El art. 162 se centra en la madurez de la propia menor y, posiblemente, la solución preferible sea entender que, teniendo discernimiento suficiente, basta su propio consentimiento". Ya antes de esta norma sostenía dicha solución ARROYO ZAPATERO "Los menores de edad y los incapaces ante el aborto y la esterilización", en *Estudios Penales y Criminológicos*, XI, 1998, págs. 13 ss: "La mujer menor de edad, en la medida en que la decisión de continuar o no el embarazo en los casos de conflicto que integran las indicaciones legales es un acto personalísimo, puede solicitar y consentir eficazmente, sin necesidad de autorización de padres o tutores, en la práctica del aborto si a juicio del facultativo tiene madurez suficiente para comprender los riesgos y naturaleza de interrupción del embarazo", si bien justificaba la apreciación de un estado de necesidad cuando se tratase de evitar un grave peligro para la vida o la salud de la menor. En el mismo sentido, DOLZ LAGO, "Menores embarazadas y aborto: ¿quién decide?, en *Actualidad Penal*, 1996,

Sáenz de Santamaría por practicar el aborto a una chica de 16 años, pese a que había estado en numerosas ocasiones acogida por la Junta de Andalucía, que estaba emancipada y convivía con un hombre mayor de edad, situación que sus padres conocían.

Es cierto que presentan menos dificultades los supuestos en los que la menor de edad desea seguir adelante con su embarazo pese a la oposición de sus padres o representantes legales. En estos casos ha de prevalecer sin condiciones la voluntad de la menor embarazada, ya que de otra forma podría derivarse responsabilidad penal, además de por un delito de coacciones, por los tipos relativos al aborto realizado sin la voluntad de la embarazada; y ello tanto cuando concurra alguna de las indicaciones previstas en la ley como cuando no sea ése el caso[304]. Frente a ellos, las dificultades se concentran a la hora de determinar en qué casos debe atenderse a la voluntad de la menor de poner fin a su embarazo, pareciendo deducirse de la Ley que, al excepcionar estos supuestos de su ámbito de aplicación, significa que deben tratarse conforme al art. 315 CC, conforme al cual la mayoría de edad se alcanza al cumplir los 18 años. No le falta por ello razón a LAURENZO COPELLO cuando afirma que "La Ley 41/2002 supone así un grave retroceso en la forma de tratar a las mujeres embarazadas menores de edad, en la medida en que las obliga a contar en todo caso con la anuencia de terceras personas para tomar una decisión de carácter estrictamente personal, lo que supone una vulneración de su derecho a la intimidad y al debido respeto a la autonomía de la voluntad de quien se enfrenta a la difícil decisión de interrumpir un embarazo". La dimensión de este problema es mayor teniendo en cuenta que, como afirma la citada autora, son altas las cifras de interrupciones del embarazo solicitadas por menores de edad. Por ello, considera con razón que deberían optarse también en estos casos por el criterio de la capacidad natural de consentir de la menor, manejando para ello los siguientes argumentos: la tendencia general de la legislación española a reconocer capacidad progresiva a los menores para ejercer sus derechos; la naturaleza personalísima del derecho a decidir sobre la maternidad; la capacidad para contraer matrimonio a partir de los catorce años de edad; el

---

margs. 539 ss; ROMEO MALANDA, "El valor jurídico del consentimiento prestado por los menores de edad en el ámbito sanitario", en *La Ley*, 2000, págs. 1460 s.

[304] Uno de estos supuestos saltaba a los medios de comunicación a principios de octubre de 2002. Se trataba de una chica de 15 años a la que sus padres trataban de convencer para que abortase pese a la firme voluntad de ésta de continuar la gestación. Los padres del novio acudieron al juzgado para denunciar a la familia de la chica por inducción al aborto. El titular del juzgado de instrucción nº 3 del Ferrol decidió tomar medidas cautelares, ordenando el traslado de la chica a casa de otros familiares como forma de amparar su derecho a decidir (Véase la información aparecida en el Diario *El País* el día 4 de octubre de 2002).

reconocimiento de la plena libertad sexual a los menores a partir de los trece años; la insuficiencia del consentimiento de los representantes legales para justificar la intervención abortiva en el caso de que la menor manifieste su voluntad de continuar con la gestación; así como que la exigencia del consentimiento paterno no es coherente con la regulación general del consentimiento de los menores en materia de intervenciones clínicas[305].

2.2.3. *La negativa del paciente al tratamiento en los casos de urgencia*

Como venimos reiteradamente afirmando, como línea de principio, salvo lo dispuesto en alguna disposición puntual relativa a especiales situaciones de sujeción[306] o de riesgo para terceros[307], es un derecho básico del paciente el poder deci-

---

[305] LAURENZO COPELLO, "El aborto en la legislación penal española: una reforma necesaria". Fundación Alternativas, págs. 53 ss http://www.fundacionalternativas.com/laboratorio

[306] Así, por ejemplo, dispone el art. 140 del Reglamento Penitenciario: 1 "Los internos ingresados en el Establecimiento serán examinados por el médico con el fin de conocer su estado físico y mental; descubrir la posible existencia de enfermedades, adoptando en su caso las medidas necesarias, proponer el aislamiento de los sospechosos de enfermedades infecto-contagiosas y de perturbaciones mentales y observar las peculiaridades físicas y mentales de cada interno a efectos de clasificación". 2. De este reconocimiento se dejará constancia en la historia clínica del interno y en el libro de reconocimiento de ingresos, haciendo expresa constancia de cuantos antecedentes clínicos refiera aquél y el origen de los mismos". Dispone el art. 210 del Reglamento Penitenciario: "1. El tratamiento médico-sanitario se llevará a cabo siempre con el consentimiento informado del interno. Sólo cuando exista peligro inminente para la vida de éste se podrá imponer un tratamiento contra la voluntad del interesado, siendo la intervención médica la estrictamente necesaria para intentar salvar la vida del paciente y sin perjuicio de solicitar la autorización judicial correspondiente cuando ello fuese preciso. De estas actuaciones se dará conocimiento a la autoridad judicial. 2. La intervención médico-sanitaria también podrá realizarse sin el consentimiento del paciente cuando el no hacerlo suponga un riesgo evidente para la salud o la vida de terceras personas. De estas actuaciones se dará conocimiento a la Autoridad judicial. 3. Cuando por criterio facultativo se precise el ingreso del interno en un Centro hospitalario y no se encuentre con la autorización del paciente, la Administración Penitenciaria solicitará de la Autoridad judicial competente la autorización de ingreso de detenidos, presos o penados en un Centro hospitalario, salvo en casos de urgencia en que la comunicación a dicha Autoridad se hará posteriormente de forma inmediata".

[307] Así, el art. 9.3 de la Ley 41/2002 dispone que los facultativos podrán llevar a cabo las intervenciones médicas indispensables en favor de la salud del paciente cuando, entre otras razones, exista riesgo para la salud pública a causa de razones sanitarias establecidas por la ley. Por su parte, la LO 3/1986, de 14 de abril de medidas especiales en materia de salud pública establece en su art. 1: "Al objeto de proteger la salud y prevenir su pérdida o deterioro, las autoridades sanitarias de las distintas Administraciones Públicas podrán, dentro del ámbito de sus competencias, adoptar las medidas previstas en la presente Ley cuando así lo exijan razones sanitarias de urgencia o necesidad". Art. 2: "Las autoridades sanitar-

dir en condiciones de libertad si desea someterse a la terapia que necesita y, en su caso, hasta dónde quiere llegar con la misma. Como señala en nuestra doctrina TOMÁS-VALIENTE LANUZA, el derecho del paciente a rechazar el tratamiento tiene el carácter de derecho fundamental, en cuanto integra el contenido esencial del derecho a la *integridad física* consagrado en el art. 15 de la Constitución "Sin perjuicio de que otros derechos o valores constitucionales (tales como la libertad del art. 1.1, la dignidad, el libre desarrollo de la personalidad, la prohibición de tratos inhumanos y degradantes, en su caso la libertad religiosa) puedan servir de ulterior apoyo al reconocimiento de la libertad del paciente"[308].

Debe observarse, por otra parte, que este postulado indiscutible no es más que el reverso de la afirmación en torno a que el presupuesto de la legitimidad de cualquier intervención médica es el consentimiento del enfermo. Así, de la misma forma que parecería disparatado que el médico obligase a pasar por su consulta a quien sospecha que tiene problemas de salud, resultaría inadmisible que obligase a someterse a tratamiento a quien, por miedo o por cualquier otro tipo de razones, se negase al mismo. Esto sería un absurdo que creo que nadie estaría dispuesto a discutir. Por eso, al menos como regla general, dispone el apartado 4 del art. 2 de la Ley 41/2002 que "Todo paciente tiene derecho a negarse al tratamiento".

Sin embargo, pese a que se trata de una premisa que como línea de principio apenas necesita de mayor fundamento, su validez o, al menos su vigencia sin matices, suele ponerse en tela de juicio cuando entran en juego determinadas circunstancias que pudieran fundamentar un interés superior; en concre-

---

ias competentes podrán adoptar medidas de reconocimiento, tratamiento, hospitalización o control cuando se aprecien indicios racionales que permitan suponer la existencia de peligro para la salud de la población debido a la situación sanitaria concreta de una persona o grupo de personas o por las condiciones sanitarias en que se desarrolle una actividad. Art. 3 "Con el fin de controlar enfermedades transmisibles, la autoridad sanitaria, además de realizar las acciones preventivas generales, podrá adoptar las medidas oportunas para el control de los enfermos, de las personas que estén o hayan estado en contacto con las mismas y del medio ambiente inmediato, así como las que se consideren necesarias en caso de riesgo de carácter transmisible". Véanse también los art. 8.2, 9,10, 11, 12.3 y concordantes del Pacto Internacional de Derechos Civiles y Políticos de 19 de diciembre de 1966 (BOE 30 abril 1977), que posibilitan la injerencia de la autoridad pública, en tanto estén previstas las medidas en la ley y constituyan el medio necesario para la "protección de la salud o los derechos y libertades de los demás". En la doctrina véase NEUMAN, "El VIH en la prisión y confidencialidad médica", en Homenaje al Dr. Marino Barbero Santos, vol. II, Salamanca, 2001, págs. 391 ss.

[308]   TOMÁS-VALIENTE LANUZA, *La cooperación al suicidio y la eutanasia en el nuevo C.P. (art. 143)*, págs. 36 s.

to, por lo que ahora nos interesa, cuando el respeto de la voluntad del enfermo que se niega al tratamiento determina la puesta en peligro de su vida o salud.

Dada la diversidad de riesgos que puede conllevar la falta de intervención, resulta conveniente distinguir a efectos expositivos dos grupos distintos de casos, en cuanto que su diferente estructura morfológica tiene que estar necesariamente presente en la forma de encarar su solución. Los primeros serían aquellos en los que el paciente se niega a un tratamiento cuya omisión o rechazo, si bien puede producirle a corto plazo un empeoramiento de su estado de salud, no tiene por qué causarle necesariamente la muerte; los segundos son los supuestos en los que la renuncia a la terapia supone un inminente peligro para la vida del enfermo. Con esta distinción, en definitiva, se trata de abordar de forma separada las situaciones en las que el bien jurídico afectado de forma inmediata sea la *salud* o *integridad física*, de un lado, y la *vida*, de otro. En lo que sigue tratamos por separado cada uno de ellos.

2.2.3.1. Casos en los que el bien jurídico lesionado o puesto en peligro por la negativa del paciente al tratamiento es su salud o integridad física

Si bien es verdad que toda lesión o menoscabo de la integridad física conlleva la posibilidad más o menos remota de que el curso causal de la enfermedad acabe poniendo en peligro la vida, se tratan en este apartado los supuestos en que dicho riesgo de muerte no es actual ni inminente, de tal modo que la eventual negativa del enfermo a la terapia que precisa sólo compromete su estado de salud. Aquí se incluyen casos, por ejemplo, como el del paciente que se niega a ser intervenido de un quiste, el que se opone a que le extraigan piedras de la vesícula, o incluso a que se le realice un trasplante de riñón cuando prefiere seguir sometiéndose a las posibilidades más limitadas que le ofrecen los tratamientos alternativos. También en este apartado debe incluirse el supuesto de negativa del paciente a una transfusión sanguínea por motivos religiosos cuando, dada la fase de la enfermedad, aun no existe peligro para su vida. Lo mismo habría que decir respecto a los casos de huelga de hambre cuando el huelguista aún no ha entrado en fase terminal.

Ante todo, cualquier intento de ofrecer una línea de solución para estos supuestos en los que la negativa del paciente al tratamiento incide en su salud, requiere hacer una aclaración previa que contribuya a delimitar y a ubicar su problemática desde la óptica penal. Así obliga a hacerlo el hecho de que el rechazo del tratamiento pueda enfocarse desde la lógica estructural de dos construcciones dogmáticas que, respectivamente, responden a principios diferentes. En efecto, es posible, en primer lugar, plantear la renuncia del paciente en términos de la efectiva lesión del bien jurídico salud. Desde esta óptica, el único elemento al que habría de condicionarse la viabilidad de tal renuncia es al predicado en torno a la disponibilidad de dicho bien jurídico representado por la salud e integridad física, algo cuyo reconocimiento en absoluto se plantea como dudoso. Esta la lógica argumentativa habrá de estar tras los casos en que la negativa del paciente a la terapia que precisa se traduzca necesariamente en una lesión a su salud o integridad física. Baste pensar en los casos en que se asegura al enfermo que si no se somete a la intervención se producirán de forma inminente y segura complicaciones adicionales que agravarán su estado de salud.

No es esto, sin embargo, lo que sucede en todos, ni siquiera en la mayoría de los casos en que el paciente opta por renunciar al tratamiento. Al contrario, el cúmulo de circunstancias y de imponderables que rodean a todo lo relacionado con la salud y el proceso curativo hace que sea posible identificar un buen número de supuestos en los que las consecuencias de la falta de intervención o terapia prescrita se limitan a representar un riesgo de empeoramiento de su salud; esto es, los casos cuya nota de identidad es que cuando el enfermo se niega a ser intervenido no asume de forma directa la producción de una lesión, sino el *riesgo* de que la misma se produzca. Desde la fenomenología propia de estos casos, su aproximación penal no puede afrontarse desde la lógica propia de la disponibilidad del bien jurídico, sino desde los esquemas teóricos de las *autopuestas en peligro*[309]. Como es sabido, el diseño dogmático de este expediente se orienta a dejar al margen de la intervención penal los supuestos en los que la situación de riesgo es asumida de forma voluntaria y responsable por quien se somete a la misma, de tal modo que los resultados que eventualmente pudieran derivarse de ella habrían de atribuirse de forma exclusiva al ámbito de responsabilidad de la víctima cuando ésta es mayor de edad y se encuentra en plenas condiciones de disponer.

La aplicación de dicha figura al ámbito que ahora interesa determina que cuando el enfermo, tras haber sido informado de manera clara y precisa de los riesgos que conlleva su renuncia al tratamiento persista en la negativa al mismo, será él el único responsable de las consecuencias lesivas que puedan producirse; por decirlo en otras palabras, en tales supuestos estará actuando a riesgo propio sin que, por tanto, pueda dirigir pretensión resarcitoria alguna

---

[309]   Con específica referencia a la problemática que aquí se aborda véase TAMARIT SUMAL-LA, *La víctima en Derecho penal*, Pamplona, 1998, págs. 132 ss.

contra el médico que le informó oportunamente de los riesgos de su actitud[310]. Como afirma STERNBERG-LIEBEN en la doctrina alemana[311], lo contrario supondría negar al individuo un espacio mínimo de libertad, tal como reclama el derecho básico al libre desarrollo de la personalidad, traducido ahora en la posibilidad de decidir la procedencia misma del tratamiento[312] y, con ello, el

---

[310]   En nuestra doctrina parte de un planteamiento distinto TOMÁS-VALIENTE LANUZA, *La disponibilidad de la propia vida en el Derecho penal, ob. cit.*, págs. 340 s. Para esta autora el respeto a la voluntad del enfermo debe fundamentarse, no en términos del reconocimiento de un espacio de libertad, sino como expresión del derecho a la integridad física reconocido constitucionalmente. Esta línea de solución, entiende, es la única que permite trazar un criterio que lleve a soluciones distintas en los casos de suicidio asistido, porque la misma "obliga al Estado a reconocer la validez de una negativa libremente formulada a soportar un tratamiento médico, pero no le impone tener que tolerar acciones que consistan en introducir en el cuerpo de una persona (a solicitud de ésta) agentes externos que ocasionen su muerte", pág. 343. No obstante, sin desconocer las ventajas del razonamiento, entiendo que el mismo supone reconducir a la postre el problema a los límites de la contemplación relativa de dicho derecho a la integridad física con el alcance que se conceda al reconocimiento constitucional del derecho a la vida. De hecho, cuando la autora parece hacer frente implícitamente a este argumento realiza una afirmación que no me parece decisiva: "pretender justificar la vulneración de tal derecho (la integridad física) con el argumento de que la misma es necesaria para preservar la vida del sujeto no es, a mi juicio, admisible: el puro paternalismo fuerte, ausente todo daño o riesgo para terceros, no puede considerarse una justificación suficiente de la vulneración de un derecho fundamental", págs. 385 s. Me parece que esta argumentación sólo sería decisiva si el reconocimiento del derecho a la preservación de la vida pudiera justificarse exclusivamente desde actitudes paternalistas, algo que, sin embargo, como la autora reconoce, no tiene por qué ser así. Esos mismos argumentos no parternalistas que maneja en relación con otros supuestos que no son los de rechazo al tratamiento, podrían justificar también la prevalencia del derecho a la vida en el caso que ahora interesa.

[311]   STERNBERG-LIEBEN, *Die objektiven Schranken der Einwilligung im Strafrecht, ob. cit.*, págs. 248 s.

[312]   MUÑOZ CONDE, *Derecho Penal, Parte Especial, ob. cit.*, págs. 69 ss; BACIGALUPO, "El consentimiento en los delitos contra la vida y la integridad física", *Poder Judicial*, 1986 Número especial XII, pág. 154; DÍEZ RIPOLLÉS, *Delitos contra bienes jurídicos fundamentales, ob. cit.* págs. 249 ss; BAJO FERNÁNDEZ, "Prolongación artificial de la vida y trato inhumano o degradante, en *CPC* 1993, pág. 723; En relación con la específica problemática del Sida, ROMEO CASABONA, "El paciente de Sida y la afectación de su libertad de someterse a tratamiento y a su confidencialidad", en *JANO*, n° 1024, 1993, pág. 56; el mismo en *Revista de Derecho Penal y Criminología*, 1998, ob. cit., págs. 343 ss. En este sentido se pronuncia también AMELA VICH, en *PJ* 1997, *ob. cit.*, págs. 257 s; TOMÁS-VALIENTE LANUZA, *La disponibilidad de la propia vida en el Derecho penal, ob. cit.*, págs. 75 ss. Esta autora fundamenta su solución en la premisa de que la libertad de autodeterminación del paciente pasa por el respeto de lo que denomina su propio plan de vida, de tal modo que "sólo cuando el sujeto se comporte irracionalmente, es decir, en contra de lo que él mismo reconoce como su bienestar...cabrá imponer (cumplido el requisito de la proporcionalidad...) una medida paternalista, (pág. 69). De ahí deduce que la decisión del Testigo de Jehová que se niega al tratamiento debe valorarse como racional,

derecho a ponderar de forma libre y responsable si se somete a una situación de riesgo, bien sea por renunciar totalmente a cualquier terapia, bien por preferir otras alternativas de menor eficacia. En esta fase cobran pleno sentido las palabras de MUÑOZ CONDE cuando afirma que el problema ni siquiera debería plantearse,

> *"cuando la negativa a la transfusión provenga del paciente, adulto y en pleno uso de sus facultades mentales, pues en este caso se trata simplemente de un ejercicio legítimo del derecho a disponer sobre su propio cuerpo a través del consentimiento como presupuesto de cualquier tipo de intervención médica; por eso me parece especialmente desafortunada la praxis que se lleva a cabo en algunos hospitales españoles todavía de recabar la autorización del juez de guardia para la transfusión, cuando el médico considera que es necesaria y urgente para la salvación del paciente y éste se niega a admitirla. Especialmente preocupante es esta actitud porque además de conculcar el derecho fundamental a la libertad de conciencia puede conculcar también el derecho del paciente a elegir la forma de tratamiento que le parezca más conveniente"[313].*

En resumen, pues, debe reconocerse pleno ámbito de juego a la decisión libre del enfermo tanto para decidir renunciar a la protección de su salud, ya sea por la vía de la disposición del bien jurídico en los casos en que con seguridad se produzca una consecuencia lesiva, ya sea para asumir el riesgo en los casos, la mayoría, en los que aquélla se presenta como de incierta producción. Llegados a este punto, puede contestarse sin dificultad a la pregunta en torno a si sería posible fundamentar la responsabilidad del médico por un delito de *lesiones en comisión por omisión* caso de que atendiera a la voluntad del enfermo contraria a la terapia, y a consecuencia de ello se produjera un empeoramiento de su estado de salud. A estas alturas de la exposición no cabe más que decir que, salvo lo que más adelante sostendremos a propósito de los supuestos de estados de inconsciencia, la respuesta tiene que ser rotundamen-

---

puesto que con ella el sujeto satisface los bienes por él más altamente valorados (pág. 75). En la doctrina italiana, reconoce el derecho a la negativa del paciente, entre otros, MANTOVANI, Ferrando, en Rivista italiana di medicina legale, 1980, ob. cit., págs. 23 ss. No obstante, el autor matiza de inmediato el reconocimiento de dicho derecho: en primer lugar, porque fundamenta el deber del médico de persuadir al paciente cuando su negativa al tratamiento esté motivada por miedos irracionales; en segundo lugar -y es, sin duda, lo más llamativo-, porque en relación con los Testigos de Jehová sostiene la posibilidad de que el médico pueda intervenir contra la voluntad de aquél cuando sea necesario para salvar su vida o salud y no exista una terapia alternativa, pág. 25; BILANCETTI, *La responsabilità penale e civile del médico, ob. cit.,* págs. 155 ss; DÁLESSIO, "I limiti costituzionali dei trattamenti 'sanitari'", *in Diritto e società,* 1981, pags. 550 ss: PRINCIGALLI, *La responsabilità del medico, ob. cit.,* pág. 202; FRESIA, *Rivista italiana di medicina legale,* 1994, *ob. cit.,* págs. 897 ss; BARNI/DELL'OSSO/MARTINI, "Aspetti médico-legali e riflessi deontologici del diritto a morire", en *Rivista di medicina legale,* 1981, págs. 27 ss.

[313]   MUÑOZ CONDE, "La objeción de conciencia en Derecho Penal", en *Nueva Doctrina Penal,* 1996, publicado también en *Política criminal y nuevo Derecho penal,* Barcelona, 1997 págs. 88 s., nota 4.

te negativa. De hecho, como veremos al tratar los presupuestos de la responsabilidad del médico por un delito de omisión impropia[314], en estos supuestos debe negarse ya la posición de garantía del mismo.

Para evitar reiteraciones nos remitimos a los argumentos que tendremos ocasión de exponer en la sede relativa a la delimitación de la responsabilidad omisiva del médico. Tan sólo conviene subrayar ahora que la opción contraria, esto es, la de desconocer la voluntad del enfermo y, con ella, fundamentar el deber de obrar del médico, únicamente podría echar sus raíces en una comprensión estandarizada u objetiva de lo que haya de entenderse por *bienestar*[315], esto es, en una comprensión desligada por completo de los deseos e intereses del paciente. Ello supondría adoptar un punto de partida que, al desatender la voluntad real del enfermo, sólo podría conducir a su cosificación, esto es, a su denigración a un mero objeto de tratamiento, lo que se correspondería con una trasnochada actitud paternalista del médico que en absoluto hoy día le es propia. No hace falta insistir en que este proceder sería poco o nada respetuoso no sólo con un modelo de Estado que reconoce un ámbito de autonomía a sus individuos. Ese proceder se opondría ante todo, ya de forma concreta, a los derechos constitucionales básicos a la *libertad* (art. 1.1 CE), la *dignidad humana*[316], el libre desarrollo de la *personalidad* (art. 10 CE) y a la *integridad física* (art. 15 CE)[317].

La segunda consecuencia, ahora ya en el orden específicamente penal, es que, afirmado el derecho del paciente a renunciar al tratamiento, cuando el médico realice la intervención pese a la ausencia del consentimiento o incluso mediando la oposición expresa del paciente, habría de apreciarse un delito de *coacciones*[318] o, en su caso, de *detenciones ilegales*. De hecho, sobre la existencia en tales casos de un atentado a la libertad ya tuvo ocasión de pronunciarse el Tribunal Constitucional en la Sentencia 120/1990, y a ella se refirió la STC 166/1996, de 28 de octubre de 1996, relativa a la reclamación planteada por un Testigo de Jehová de que la Seguridad Social costease la intervención realizada en un centro privado sin transfusión de sangre (práctica a la que se

---

[314]   Véase *infra, Segunda Parte*, I, 2, *La responsabilidad del médico en comisión por omisión*.

[315]   TOMÁS-VALIENTE LANUZA, *La disponibilidad de la propia vida en el Derecho penal, ob. cit.*, págs. 37, 49.

[316]   Entre otros, BACIGALUPO ZAPATER, *Estudios sobre la Parte Especial del Derecho penal*, 2 ed. Madrid, 1994, pág. 111; VALLE MUÑIZ, "La ausencia de responsabilidad penal en determinados supuestos de eutanasia", en *Cuadernos jurídicos*, diciembre 1994, págs. 12 ss.; el mismo en "Relevancia jurídico penal de la eutanasia", en *CPC* 1989, págs. 165 ss.

[317]   TOMÁS-VALIENTE LANUZA, *La cooperación al suicidio y la eutanasia en el nuevo C.P. (art. 143), ob. cit.*, págs. 36 s.

[318]   *MUÑOZ CONDE, Derecho penal, Parte Especial, ob. cit.*, pág. 70

había el Hospital público), cuando recordaba que "una asistencia médica coactiva constituiría una grave limitación vulneradora del derecho fundamental,
a no ser que tuviera justificación constitucional". Como tendremos ocasión
de insistir más adelante, esa posible justificación constitucional se refiere a
los supuestos en los que la negativa al tratamiento pudiera poner en peligro
la vida del sujeto. En el resto de los casos, que son los que ahora interesan, la
consecuencia habrá de ser el respeto a la voluntad del paciente.

Es más, en estos casos ni siquiera sería posible admitir un *estado de necesidad* que actuase justificando la conducta. En primer lugar, porque en la mayoría de los supuestos en los que la negativa del enfermo se traduce en un riesgo
futuro de empeoramiento de su salud, faltaría el requisito de la inminencia del
mal que está en la base conceptual misma del estado de necesidad. En segundo lugar, porque incluso en los casos en que aquella renuncia se tradujera en
un empeoramiento certero del estado de salud del enfermo, a su apreciación
se opondrían igualmente otros argumentos. En efecto, como se reconoce de
forma mayoritaria en la doctrina, cuando el bien que se pretende salvar es
disponible no puede considerarse lícita la acción salvadora realizada contra la
voluntad del sujeto que hipotéticamente se trata de favorecer[319]. En el ámbito
de los bienes disponibles, el estado de necesidad sólo puede encontrar acogida
cuando con él se trata de salvaguardar un bien que su titular tiene interés en
preservar, puesto que sólo cuando concurre esta premisa básica puede decirse que existe un interés digno de protección que pudiera entrar en colisión
con el otro bien que finalmente se acaba lesionando. Lo contrario sólo podría
sostenerse desde una concepción del individuo que pusiera exclusivamente
el acento en su dimensión social, con el consiguiente desconocimiento de su
capacidad decisoria para asumir de forma libre y responsable situaciones de
riesgo[320]. Todo ello sin olvidar que, de ser coherentes, el desconocimiento de
este espacio de libertad llevaría consigo despojar de sentido al derecho que,

---

[319] Por todos, PFEFFER, *Durchführung von HIV-Tests ohne den Willen des Betroffenen, ob.
cit.*, pág. 114.

[320] En la doctrina italiana véase IADECOLA, quien a partir de dicha comprensión social del
individuo no sólo llega a considerar lícita *per se* la conducta del médico que impone el
tratamiento sin la voluntad del paciente, sino que apunta incluso al deber de actuar que
gravaría al facultativo en tal caso, en "Il trattamento médico-chirurgico di emergenza ed
il dissenso del paziente", en *La Giustizia penale*, 1989-I, págs. 120 ss. Véase el mismo en
"La responsabilità penale del médico tra posizione di garanzia e rispetto della volontà del
paziente", en *Cassazione Penale*, 1998, págs. 606 ss; también en *Il médico e la legge penale,
ob. cit* págs. 16 ss. A la misma conclusión llega EUSEBI, *Rivista italiana di medicina legale*,
1995, *ob. cit.*, págs. 736 ss; RUGGIERO, "Il consenso dell'avente diritto nel trattamento
médico-chirurgico: prospettive di riforma", en *Rivista italiana di medicina legale*, 1996,
págs. 201 ss.

según vimos, se reconoce de forma prácticamente unánime al paciente: el de estar informado. Si esta información es la espina dorsal del tratamiento médico, el significado que cabalmente la dota de sentido no es que el paciente "sepa" a lo que se le va a someter con o sin su voluntad. Si se le reconoce este derecho es justamente para que así tenga una posibilidad de elegir, de ponderar los riesgos y decidir, de manera libre y responsable, si decide o no asumirlos.

En cualquier caso, y justamente al hilo de lo anterior, no está de más insistir en que cuanto hemos afirmado debe reservarse para los supuestos en que el enfermo expresa su voluntad de forma responsable, esto es, libre de cualquier vicio o manipulación tanto externa como interna. Respecto a estas últimas, ello presupone, en primer lugar, que el médico le haya proporcionado una información rigurosa sobre los riesgos que conlleva su oposición a la terapia. Sólo cuando el paciente cuenta con todo el arsenal de información necesaria en torno a los *pros* y *contras* de su actitud puede decirse que las consecuencias de su negativa son imputables en exclusiva a su decisión responsable. Por lo que se refiere a la ausencia de presiones externas, ya sea en sentido físico o psíquico, tan sólo debe recordarse ahora que, al igual que sucede en general con la elaboración dogmática del delito de coacciones, su apreciación requerirá atender al tipo de presión que se ejerza sobre la víctima. Evidentemente, no es la misma la situación cuando se ofrece una sustanciosa cantidad de dinero a una persona no necesitada para que no se someta al tratamiento y así probar de forma experimental la evolución natural de la enfermedad que padece, que cuando se ofrece una cantidad, incluso no importante, a quien se encuentra en situación de seria dificultad económica o incluso se le amenaza con causar un mal a personas de su entorno familiar. Es un problema, en definitiva, de valoración de la entidad de la presión, para cuya solución resulta trasladable la elaboración teórica propia de los delitos de amenazas y coacciones.

Descartado que en tales supuestos en los que se presiona al paciente o se le ocultan determinados extremos la eventual producción de un daño pueda reconducirse a su decisión responsable, el título de responsabilidad vendrá condicionado por la conjugación de dos variables: la primera, que el vicio de la voluntad obedezca a una presión externa o, por el contrario, a una maniobra de ocultación o engaño; la segunda, que el causante de esa distorsión de la voluntad sea un tercero o una persona que por definición ocupa una posición de garantía respecto al enfermo, como sucede con el médico que ha asumido su tratamiento.

El resultado que arroja la conjugación de esas dos variables llevará a afirmar la responsabilidad por un delito de lesiones en comisión por omisión

—siempre, lógicamente, que se den el resto de los supuestos de equivalencia estructural— en todos los casos en que el agente de dicha maniobra haya sido el médico que trataba al paciente, puesto que conforme a cuanto tendremos ocasión de sostener más adelante, mientras esté vigente el compromiso asistencial que motivó la demanda sanitaria, el médico ocupa una posición de garantía respecto al tratamiento de la dolencia que aquél le confió[321]. Al respecto tan sólo conviene hacer ahora dos tipos de precisiones relativas a los casos en que se haya presionado al paciente para que rehúse la terapia. La primera, que cuando la intensidad de dicha presión sea tal que anule por completo la voluntad del enfermo, el médico no sólo habrá de responder por un delito de lesiones sino también por el correspondiente delito de coacciones o amenazas, que entraría así en relación concursal con aquél; la segunda aclaración se refiere a los casos en que la presión no se traduzca en la anulación de la voluntad del enfermo, sino sólo en un vicio en el proceso de su formación. Baste pensar en el ejemplo que proponíamos líneas más arriba en el que se ofrecía una cantidad de dinero a una persona necesitada para que renunciara a la terapia. Conforme a cuanto sostendremos con más detenimiento al tratar el ámbito de aplicación del art. 155 CP, la responsabilidad del médico por las lesiones que eventualmente llegaran a producirse habría de graduarse conforme a la atenuación que permite dicho precepto. Para evitar reiteraciones nos remitimos en este punto a aquella sede.

Frente a estos supuestos, en aquellos otros, sin duda más infrecuentes, en los que el vicio de la voluntad no traiga su causa de la maniobra del médico que se ha comprometido a tratar al paciente sino de la de un tercero, la responsabilidad de éste por un delito de lesiones en comisión por omisión requerirá fundamentar su previa posición de garantía por injerencia, ya sea por engaño (como sucede, por ejemplo, en los casos en que se le destruye o se le impide ver el informe que ha elaborado el médico en el que constan los riesgos de la negativa), ya sea por un acto de presión intimidatoria o incluso física. Constatada dicha posición de garantía, la responsabilidad por el resultado lesivo como comitente omisivo requerirá, lógicamente, comprobar la concurrencia del resto de los requisitos de dicha figura, especialmente la existencia de equivalencia estructural. Por lo demás, al igual que sostuvimos a propósito de la responsabilidad del médico, todo ello sin perjuicio de apreciar un concurso de delitos con las amenazas y coacciones cuando se den sus presupuestos y de aplicar, en su caso, la cláusula del art. 155 respecto a la responsabilidad por lesiones en los casos de presiones de menor intensidad.

---

[321]   véase *infra, Segunda Parte I.2, La responsabilidad penal del médico en comisión por omisión.*

Conviene precisar que cuanto hemos venido sosteniendo resulta también aplicable a dos grupos de casos cuyas peculiaridades demandan una mención especial: los primeros, aquellos en los que la negativa del enfermo al tratamiento se deba a una creencia errónea; los segundos, los supuestos en los que el sujeto se encuentre en una situación de sujeción especial.

En primer lugar, esta línea de solución es la que debe inspirar el tratamiento de los casos en los que la negativa del paciente al tratamiento se base en una creencia falsa. Su peculiaridad frente a la problemática propia de los Testigos de Jehová es, por tanto, que mientras en éstos la decisión del paciente obedece a una actitud o filosofía existencial que le lleva a rechazar "con todas sus consecuencias" la solución que la medicina le ofrece, de tal forma que el sujeto es consciente de que el tratamiento es la única terapia que podría elevar sus posibilidades de curación, en los que ahora interesan la negativa del enfermo se apoya en creencias erróneas. A estos casos se refiere TOMÁS-VALIENTE LANUZA, si bien en el ámbito de las situaciones terminales. Esta autora cita ejemplos como el de la mujer que rehúsa recibir una transfusión sanguínea imprescindible para salvar su vida por creer que la oración sería suficiente para curarla. Lo mismo habría de decirse de los casos en los que la renuncia a la transfusión no sitúa al paciente aún en una situación terminal así como en aquellos otros en los que el rechazo a un tratamiento que mejoraría la enfermedad está motivado por la creencia en la efectividad del recurso a curanderos o a conjuros. Otro tanto considera aplicable cuando la negativa al tratamiento obedece a la incredulidad misma ante el diagnóstico que el médico le comunica[322]. Son, en definitiva, los supuestos en los que la oposición del tratamiento no se debe al rechazo en sí de éste, sino al convencimiento personal de su innecesariedad.

Es cierto que, como señala la autora citada, en muchos supuestos el problema se simplifica sensiblemente en tanto la creencia no sea sino expresión de alguna anomalía mental, puesto que en esos casos la voluntad manifestada del paciente habría de considerarse inválida debido a la falta del presupuesto mínimo de la capacidad de comprender y querer. En realidad las dificultades se concentran allí donde la negativa exprese una opción personal que, aun cuando objetivamente pueda tacharse de insensata, refleje el esquema de valores y ponderaciones e incluso el nivel cultural del individuo. En estos casos,

---

[322]   A un supuesto de este tipo se refieren BEAUCHAMPS/CHILDRESS, *Principios de ética médica, ob. cit.,* págs. 152 ss. Se trataba de una mujer de 52 años a la que se diagnosticó un cáncer. Sin embargo, la enferma se negaba a creerlo con el argumento de que "todo el mundo sabe que las personas que tienen cáncer están enfermas, se encuentran mal y pierden peso", síntomas que ella no experimentaba.

pese a su irracionalidad, habría de respetarse dicha voluntad[323], en cuanto que lo contrario supondría desconocer un ámbito mínimo de libertad para adoptar de forma responsable la decisión de autoponerse en peligro, con la consiguiente reducción del afectado a un mero objeto de tratamiento, algo difícil de conciliar, insistamos una vez más, tanto con el reconocimiento constitucional de la *libertad* como valor superior del ordenamiento jurídico (art. 1.1 CE), el principio constitucional básico de la *dignidad* de la persona y el *libre desarrollo de la personalidad*[324] elevados en el art. 10 CE a fundamento del orden político y de la paz social, así como con el respeto del derecho fundamental a la *integridad física* consagrado en el art. 15 CE.

En segundo lugar, el mismo tratamiento merecen los casos en que se trata de un recluso, sujeto, por tanto, a un *régimen especial*, puesto que no puede olvidarse que el condenado a una pena de prisión, por el hecho de estarlo, ni "pasa a pertenecer" a la Administración penitenciaria, ni queda despojado de derechos constitucionales básicos, como los anteriormente referidos[325].

---

[323] En un sentido contrario parecen mostrarse BEAUCHAMPS/CHILDRESS, en relación con los supuestos en los que el paciente no se cree la enfermedad que los médicos le han diagnosticado, *Principios de ética médica, ob. cit.*, págs. 152 ss.

[324] A esta solución llega TOMÁS-VALIENTE LANUZA a partir de las premisas generales de las que parte, en concreto de combinar los principios de *competencia* (entendiendo por tal la capacidad de decidir), *racionalidad* (como conformidad de la decisión tomada con el plan de vida del sujeto) y *proporcionalidad*. Este último, señala la autora, se opondría de forma decisiva a legitimar un tratamiento coactivo en tales supuestos, debido a la extraordinaria agresividad que comportaría el mismo, tanto por los bienes afectados como por la duración de determinados tratamientos: "se trata, en suma, de invasiones de tal calibre en los derechos de una persona que resultan inadmisibles en un Estado de Derecho", TOMÁS-VALIENTE LANUZA, *La disponibilidad de la propia vida en el Derecho penal, ob. cit.*, págs. 82 ss.

[325] En la doctrina alemana, a favor de dar prioridad a la voluntad del detenido en tanto la misma pueda considerarse libre y responsable, BEMMANN, "Zur Fragwürdigkeit der Zwangernährung von Strafgefangenen", en *Fs Klug*, 1983, pág. 569. Por el contrario, a favor de la alimentación coactiva, HERZBERG, "Zur Strafbarkeit der Beteiligung am frei gewählten Selbstmord, dargestellt am Beispiel des Gefangenensuizids und der strafrechtlichen Verantwortung der Vollzugsbediensteten", en *ZStW* 1979, págs. 577 ss. En la doctrina italiana, se muestra en contra de la alimentación coactiva, entre otros, BUZZI, "L'alimentazione coatta nei confronti dei detenuto", en Rivista italiana di medicina legale, 1982, págs. 284 s; FASSONE, "Sciopero della fame, autodeterminazione e libertà personale", en *Questione giustizia*, 1982, págs. 342 s; FIANDACA, "Sullo sciopero della fame nelle carceri", en *Foro italiano*, 1983, págs. 235 s.

2.2.3.2. Supuestos en los que la negativa del paciente se traduce en una situación de peligro para su vida

Se tratan en este apartado los supuestos en los que la oposición del paciente a recibir el tratamiento que necesita le coloca en una situación de riesgo inminente de pérdida de su vida. A diferencia de los casos anteriores en los que la negativa a la terapia indicada encontraba como referente inmediato una situación de riesgo para su salud o integridad física, y, con ello, sólo mediatamente un riesgo para su vida, en los que ahora interesan la gravedad de la enfermedad coloca al enfermo ante el riesgo inmediato de muerte.

Pese a que éste es el denominador común básico aglutinante de todos los supuestos que van a tratarse ahora, las diferentes razones que pueden estar tras la decisión del paciente obligan a diferenciar, en la línea propuesta por MUÑOZ CONDE[326], dos grandes grupos de casos en función de la voluntad o de los móviles que con tal negativa persiga el enfermo; en concreto, de que tenga voluntad de morir (ej., suicida que se niega a ser atendido), o que, por el contrario, se limite a aceptar el riesgo de la muerte motivado por razones de índole religiosa (*Testigos de Jehová*) o meramente reivindicativas (*huelgas de hambre*).

Bien es cierto que desde el punto de vista del enfermo o, si se prefiere, desde el punto de vista de la situación de riesgo que pende sobre él, tal diferencia es completamente irrelevante, puesto que el efecto sobre su vida es único: una situación de riesgo inminente de pérdida de la misma. Aquella distinción, sin embargo, resulta obligada desde el momento en que la cuestión se enfoca desde el punto de vista de la posible responsabilidad penal de terceros. Desde esta perspectiva adquiere singular protagonismo la razón a que obedece la negativa del paciente. Ahora, en efecto, el dato de la existencia o no de la voluntad suicida condiciona de entrada el tipo delictivo por el que puedan responder los terceros: un suicidio, en el primer caso; un homicidio, en el segundo.

Debe advertirse, con todo, que si bien este punto de partida obedece a la necesidad de respetar el diferente trazo valorativo que marca el propio Código penal entre el homicidio y las conductas de colaboración en el suicidio, los perfiles o criterios con los que reconducir a uno u otro tipo delictivo la distinta fenomenología de supuestos que pueden presentarse no gozan de aceptación doctrinal unánime. De hecho, uno de los grandes focos de discusión se centra en torno a la posibilidad de atraer hacia el espectro de aplicación de los tipos relativos al suicidio también los supuestos de renuncia a tratamientos médi-

---

[326]   MUÑOZ CONDE, *Derecho penal, Parte Especial*, ob. cit., págs. 69 s.

cos y los de huelgas de hambre. El razonamiento que está en la base de esta afirmación suele vincularse a la clasificación de las formas de dolo que tradicionalmente se admiten en la dogmática penal. Así, es usual afirmar que en los casos en los que el paciente rechaza el tratamiento alentado por sus convicciones personales —ya sean políticas o religiosas— es posible descubrir un paralelismo innegable con la expresión de una actitud de aceptación, o cuanto menos de indiferencia, que permite reconducir la negativa al tratamiento a una forma de dolo directo de segundo grado y, en su caso, a la actitud propia del dolo eventual[327].

Sin negar lo que hay de cierto en ese paralelismo, entiendo, en la línea sostenida por MUÑOZ CONDE, que los casos en los que el sujeto no tiene voluntad directa de morir deben reconducirse a la tipología delictiva del homicidio. A mi modo de ver, el razonamiento que aquí se critica sólo sería correcto si lo que tratara de calibrarse en el plano normativo fuese una voluntad delictiva; por decirlo de otra forma, si se partiera de que el suicidio es punible para el suicida y, a partir de ahí, se tratase de completar el tipo subjetivo de ese hipotético delito conforme a la actitud interna que revela el sujeto. Desde esta óptica, nada se opondría a afirmar que, por ejemplo, al huelguista de hambre le es atribuible su muerte en términos, cuando menos, de dolo eventual. Esa construcción fracasa, sin embargo, cuando lo que se trata de determinar no es el título subjetivo por el que hipotéticamente debiera responder quien es, al menos, indiferente ante su muerte, sino la eventual responsabilidad del médico y de los terceros en general obligados a asistirle. Así debe entenderse teniendo en cuenta que la percepción de la realidad tal como se manifiesta en el más puro plano fenomenológico, esto es, ajena todavía a traducciones valorativas, es la única que puede cabalmente comprender las verdaderas razones que están en la base de cada decisión y la única, en definitiva, que puede dar la clave para determinar si quien antepone sus convicciones a su propia vida es o no un auténtico suicida. Si justamente la dificultad de todo lo relacionado con el respeto de la voluntad del paciente obedece a la necesidad de atender al cúmulo de condicionamientos que laten bajo su decisión, la única forma plausible de aproximarse a su problemática es no desconocer que, como señalara MUÑOZ CONDE, "ni el huelguista ni el enfermo que rechaza la transfusión

---

[327] Véase por ejemplo TOMÁS-VALIENTE LANUZA, *La disponibilidad de la propia vida en el Derecho penal, ob. cit.*, págs. 418 ss, así como las referencias doctrinales que recoge la autora.

tienen voluntad de morir, sino de conseguir su reivindicación o simplemente de curarse de una forma que no requiera la transfusión"[328].

a) Casos en el que el paciente rechaza el tratamiento que necesita pese a que no desea la muerte

Como paradigma de la conflictividad inmanente a este tipo de supuestos puede referirse la problemática de los Testigos de Jehová. Como es sabido, quienes profesan esta confesión religiosa se niegan a recibir transfusiones sanguíneas porque, según la exégesis, transfiere la corriente de vida de una persona a otra, "lo que se prohíbe por Jehová en su palabra". Ello les lleva a rechazar la transfusión incluso cuando son informados de que no existe una terapia alternativa y que su vida o, en su caso, la de las personas sometidas a su tutela, corre serio peligro. La pregunta que se plantea entonces es la siguiente: ¿debe intervenir en tales casos el médico contra la voluntad del enfermo o, por el contrario, debe respetar su decisión, de tal modo que si, pese a haberle advertido del riesgo, se produce un resultado letal aquél quede totalmente exento de responsabilidad?

Es cierto que pueden identificarse algunos casos cuya solución no presenta dificultad alguna. Así sucede cuando esas personas se sustraen a la terapia evitando ponerse en contacto con el facultativo, casos en los que la posible muerte o resultados lesivos que se produzcan entran de lleno en su ámbito de su responsabilidad. En efecto, si algo está fuera de discusión es que al médico no puede asignársele una suerte de función fiscalizadora del estado de salud de las personas en general que tuviera que ejercer por iniciativa propia. Ello le convertiría en una especie de gendarme de la salud pública; algo por completo inadmisible.

Las dificultades surgen allí donde el paciente ya ha entrado en una relación asistencial con el médico y, una vez que éste prescribe la transfusión, aquél manifiesta su negativa a someterse a la misma. Ni que decir tiene que las dudas no surgen sólo con relación a los Testigos de Jehová. Los mismos son los términos del debate en los casos en que la puesta en peligro de la vida obedece a otros motivos de conciencia que impulsan al sujeto a reivindicar determinadas exigencias mediante la medida extrema de presión que suponen las *huelgas de hambre*. También aquí el dilema que se plantea es el de si

---

[328]   MUÑOZ CONDE, *Derecho penal, Parte Especial, ob. cit.*, pág. 70 véase también, por ejemplo, ALVAREZ GARCIA, *La puesta en peligro de la vida y/o integridad física asumida voluntariamente por su titular, ob. cit.*, págs. 537 ss.

debe prevalecer la máxima *"salus aegroti suprema lex"* (y con ello el derecho constitucional a la vida) o, por el contrario, aquélla que reza *"voluntas agreoti suprema lex"* (y con ello, los principios constitucionales de libertad, libre desarrollo de la personalidad y el derecho a la integridad física), entendida aquella voluntad como expresión de las creencias o convicciones de cualquier tipo. La pregunta que surge entonces es la siguiente: ¿debe respetar el médico, hasta sus últimas consecuencias, la negativa del huelguista a recibir alimentos o, por el contrario, está autorizado e incluso obligado a poner fin a la misma mediante la alimentación o transfusión forzosa?

La mera presentación de la problemática revela que el respeto a la voluntad, por un lado, y el interés representado por el mantenimiento de la vida como soporte del resto de los derechos del individuo, por otro, se sitúan en una relación de tensión cuyos extremos son aparentemente irreconciliables. La prevalencia de uno de ellos supone por definición la lesión del otro. La consecuencia inmediata es que el mantenimiento de la vida pese a que su titular acepte una situación de riesgo para la misma sólo se justificaría si pudiera descubrirse un fundamento con el que legitimar el sacrificio de aquél derecho en aras de éste. Si tal fundamento no prospera, la solución habría de ser el respeto absoluto a la voluntad del afectado, de tal modo que quien contraviniera la misma incurriría en responsabilidad penal, ya sea por un delito de *lesiones, coacciones* o *detenciones ilegales*.

A la primera tendencia, esto es, la de intentar justificar la primacía del bien jurídico vida frente a la voluntad de su titular de ponerla en peligro, responde la Sentencia del Tribunal Constitucional 24/1994, de 27 de enero. Si bien condicionada en última instancia por motivos de índole procesal, en ella se desestimó la demanda de amparo planteada por un Testigo de Jehová al que se le había practicado contra su voluntad una transfusión sanguínea al amparo de una autorización judicial, resultando, además, que como consecuencia de esa transfusión se le había transmitido el virus de la hepatitis C.

Pero sin duda, el pronunciamiento más importante en la década de los 90 se encuentra en la conocida Sentencia del Tribunal Constitucional 120/1990, de 27 de junio, relativa a la huelga de hambre mantenida por una serie de reclusos pertenecientes al colectivo «Grapo». En ella el Tribunal Constitucional se planteó la conformidad con el Texto constitucional de la resolución judicial que ordenaba a la Administración penitenciaria prestar asistencia médica obligatoria a los huelguistas y, en especial, a alimentarles, incluso contra su voluntad, cuando con la huelga de hambre se pusiera en peligro su vida hasta el punto de llevarles a una situación de inconsciencia. El Tribunal Constitucional se pronunció en el sentido de reconocer la conformidad de la alimentación forzosa, con los derechos fundamentales a la *libertad ideológica*, a la *dignidad* y el reconocimiento en el art. 15 CE del derecho a la *vida*. No obstante, y aquí reside el punto de apoyo con el que relativiza e incluso enturbia sus argumentos, insistió en todo momento en que el contenido del fallo estaba condicionado por el dato de la especial relación de dependencia en que se encontraban los reclusos frente a la Administración penitenciaria[329].

En efecto, presupuesto del fallo del TC es que "la asistencia médica se impone en el marco de la relación de sujeción especial que vincula a los solicitantes de amparo con la Administración penitenciaria y que ésta, en virtud de tal situación especial, viene obligada a velar por la vida y la salud de los internos sometidos a su custodia; deber que le viene impuesto por el art. 3.4 de la LOGP, que es la Ley a la que se remite el art. 25.2 de la Constitución como la habilitada para establecer limitaciones a los derechos fundamentales de los reclusos, y que tiene por finalidad, en el caso debatido, proteger bienes constitucionalmente consagrados, como son la vida y la salud de las personas".

Sentado esto, por lo que se refiere a la posible vulneración del derecho a la vida, sostiene que el mismo tiene "un contenido de protección positiva que impide considerarlo como un derecho de libertad que incluya el derecho a la propia muerte". Y si bien el Alto Tribunal reconoce que el poder fáctico de disposición sobre la propia muerte pertenece al ámbito personal del individuo en cuanto manifestación de un *agere licere* que la ley no prohíbe, concluye que no es "en ningún modo, un derecho subjetivo que implique la posibilidad de movilizar el apoyo del poder público para vencer la resistencia que se oponga a la voluntad de morir, ni, mucho menos, un derecho subjetivo de carácter fundamental en el que esa posibilidad se extienda incluso frente a la resistencia del legislador, que no puede reducir el contenido esencial del derecho"[330].

---

[329] En la doctrina que se ha ocupado del tema suele ser mayoritaria la postura que, a partir del carácter irreversible de la decisión, se muestra partidaria de proceder a la alimentación allí donde el huelguista entre en estado de inconsciencia y no pueda, por tanto, seguir actualizando su negativa. Entre otros, MUÑOZ CONDE, *Derecho Penal, Parte Especial, ob. cit.*, págs. 69 s; DÍEZ RIPOLLÉS, en DÍEZ RIPOLLÉS/GRACIA MARTÍN, *Delitos contra bienes jurídicos fundamentales. Vida humana independiente y voluntad, ob. cit.*, págs. 247 s; BAJO FERNÁNDEZ, *CPC* 1993, *ob. cit.*, págs. 726 ss; NÚÑEZ PAZ, *Homicidio consentido, eutanasia y derecho a morir con dignidad*, Madrid, 1999 págs. 139 ss.

[330] Deben destacarse los votos particulares de Rodríguez-Piñero y Leguina, quienes sostuvieron que el deber de la Administración penitenciaria de velar por la salud e integridad física de los reclusos encuentra su límite en la voluntad del enfermo. Conforme al voto particular del primero: "la obligación de la Administración penitenciaria de velar por la vida y salud de los internos no puede ser entendida como justificativa del establecimiento de un límite adicional a los derechos fundamentales del penado, el cual, en relación a su vida y salud y como enfermo, goza de los mismos derechos y libertades que cualquier otro

Son, en definitiva, declaraciones absolutamente impregnadas por la situación de relación especial que une al recluso con la Administración penitenciaria[331]. Cuando incidentalmente el Alto Tribunal aparta sus argumentos de dicho ropaje y se distancia del contexto sobre el que tiene que pronunciarse, parece admitir, al menos tímidamente, la prevalencia del derecho a decidir. Con todo, no puede ocultarse la impresión de que ese tímido reconocimiento es más un argumento para robustecer la solución que mantiene en el ámbito de la relación carcelaria que un pronunciamiento definitivo respecto a la valoración del resto de los casos. Es lo que parece deducirse de las palabras del Tribunal Constitucional cuando afirma: "...*una cosa es la decisión de quien asume el riesgo de morir en un acto de voluntad que sólo a él le afecta, en cuyo caso podría sostenerse la ilicitud de la asistencia médica obligatoria o de cualquier otro impedimento a la realización de esa voluntad,* y cosa bien distinta es la decisión de quienes, hallándose en el seno de una relación especial penitenciaria, arriesgan su vida con el fin de conseguir que la Administración deje de ejercer o ejerza de distinta forma potestades que le confiere el ordenamiento jurídico..."

Ya en un fallo posterior, el Tribunal Constitucional volvería a tener ocasión de pronunciarse al respecto en un caso bastante parecido en el que, en realidad, lo que hacía no era más confirmar la doctrina sentada en la STC 120/1990 y resolver la cuestión en torno a si los fallos judiciales ahora recurridos ante él la habían respetado. Se trata de la Sentencia 137/1990, de 19 de julio de 1990, que resolvió un recurso de amparo planteado por algunos reclusos del Centro Penitenciario de Soria pertenecientes al grupo GRAPO que habían adoptado como medida reivindicatoria una huelga de hambre para obtener de la Dirección General de Instituciones Penitenciarias la concentración en un único establecimiento de los internos pertenecientes a dicha organización. El recurso se interpuso frente a la decisión de la Audiencia Provincial de Guadalajara que confirmó lo acordado por el Juzgado de Vigilancia Penitenciaria, autorizando

---

ciudadano, y por ello ha de reconocerse el mismo grado de voluntariedad en relación con la asistencia médica y sanitaria". Por su parte, el voto particular de Leguina insistía en que "No estando en juego derechos fundamentales de terceros, ni bienes o valores constitucionales que sea necesario preservar a toda costa, ninguna relación de supremacía especial -tampoco la penitenciaria- puede justificar una coacción como la que ahora se denuncia que, aun cuando dirigida a cuidar la salud o a salvar la vida de quienes la soportan, afecta al núcleo esencial de la libertad personal y de la autonomía de la voluntad del individuo, consistente en tomar por sí solo las decisiones que mejor convengan a uno mismo, sin menoscabo ni daño de los demás".
[331] Véase al respecto, TOMÁS-VALIENTE LANUZA, *La cooperación al suicidio y la eutanasia en el nuevo C.P. (art. 143),* ob. cit., págs. 31 ss.

el empleo de los medios coercitivos estrictamente necesarios para evitar un daño a su integridad física, sin esperar a la situación de pérdida de conocimiento debido a la posible irreversibilidad del coma que pudiera producirse[332]. En la Sentencia, el Tribunal Constitucional volvió a reiterar la totalidad de los argumentos manejados ya por la Sentencia 129/1990 para descartar la posible vulneración de los derechos consagrados en los arts. 15, 16.1, 17.1 y 18.1 CE.

En la misma línea debe mencionarse la STC de 11/1991, de 17 de enero, que traía su causa del recurso de amparo interpuesto por el Ministerio Fiscal contra el Auto del Juzgado de Vigilancia Penitenciaria de Cáceres, de 4 de junio de 1990, y contra el dictado en apelación por la Audiencia Provincial de Cáceres de 2 de julio siguiente, por los que se acordaba que un interno, miembro del Grapo, no recibiese asistencia médica ni fuese alimentado forzadamente hasta que perdiese la conciencia o tomase una decisión contraria a la que venía sosteniendo.

Frente a las alegaciones del Ministerio Fiscal así como del Abogado del Estado, que sostenían que dicho criterio vulneraba la doctrina sentada por el Tribunal Constitucional en la Sentencia más arriba referida, el Alto Tribunal, tras ratificarse en la misma, consideró que el criterio defendido por las sentencias recurridas no era contradictorio con aquella doctrina, no representando más que una pequeña discrepancia en torno al momento en que la situación de riesgo legitima la intervención: "si se declaró compatible con la Constitución y con los derechos fundamentales entonces invocados que la alimentación forzosa tuviera lugar una vez que la vida de los reclusos en huelga de hambre corriera grave peligro, lo que se determinaría previo los oportunos informes médicos y en la forma que el Juez de Vigilancia Penitenciaria estableciera, no puede extraerse de esta declaración que la fijación del momento a partir del cual se permita la alimentación forzosa haya de sujetarse necesariamente al mismo momento en todos los casos en que resulte aplicable el art. 3.4 de la LOGP. Porque, en síntesis, lo que ahora se pide en este recurso de amparo, no es más que la anulación de unas resoluciones judiciales que difieren sólo

---

[332] Debe observarse, como ha destacado ARRIBAS LÓPEZ, que este criterio difícilmente resultará aplicable a otros supuestos en los que, sin embargo, la pasividad de la Administración penitenciaria puede determinar igualmente que se produzca un resultado lesivo para el interno. Es lo que sucederá cuando se trate de procesos patológicos prolongados en el tiempo (por ejemplo, padecimiento del Sida o tuberculosis), debido a la imposibilidad de apreciar un riesgo vital inmediato derivado de su negativa a someterse a la medicación prescrita y la consiguiente necesidad entonces de hacer caso omiso a su voluntad en todas las ocasiones en las que se negara a tomar dicha medicación, en "Breves consideraciones sobre la asistencia médica forzosa a los internos en centros penitenciarios", en *Actualidad Jurídica Aranzadi*, 18 de mayo de 2006, págs. 15 ss.

parcialmente y en forma motivada del momento en que, a juicio de los órganos judiciales competentes, ha de procederse a la intervención sanitaria y a la alimentación coactiva por parte de la Administración Penitenciaria para asegurar el derecho a la vida del interno que se niega a recibir alimentos... es el inminente o evidenciable peligro de muerte lo que justifica, según unas y otras resoluciones, la intervención coactiva de la administración del centro penitenciario para prestar asistencia terapéutica y alimentaria a los reclusos en huelga de hambre"[333].

Ya fuera del ámbito penitenciario, sería en la Sentencia ya citada de 18 de julio de 2002 en la que el Tribunal Constitucional volvería a tener que enfrentarse con uno de los casos más polémicos en torno a los límites de la libertad de obrar. En ella, se trataba de resolver un recurso de amparo presentado contra la Sentencia del Tribunal Supremo de 27 de junio de 1997, que resolvía un recurso de casación interpuesto contra la Sentencia de 20 de noviembre de 1996 de la Audiencia Provincial de Huesca seguida por delito de homicidio.

Aunque ya fue referida en otra sede, no está de más recordar con algo de detalle los hechos enjuiciados: a consecuencia de una caída en bicicleta, un niño de 13 años refirió en días posteriores episodios de hemorragias nasales, lo que motivó que la madre lo llevase a un centro sanitario, donde aconsejaron

---

[333] En aplicación de esta doctrina del TC merecen destacarse los respectivos autos de la Audiencia Nacional de 14 de septiembre de 2006 y de 16 de noviembre del mismo año en relación con la huelga de hambre mantenida por De Juana Chaos como medio de protesta por su condena por un delito de amenazas terroristas a la pena de 12 años y 7 meses de prisión. El primero de los Autos autorizó que se procediera a la alimentación forzosa del interno, de forma coactiva si fuere necesario, en el caso de que corriera peligro su vida o salud, lo que cifró en el momento en que "pueda iniciarse un periodo irreversible de grave peligro de deterioro físico o de pérdida de su vida". Por su parte, el Auto de 16 de noviembre autorizó la realización de cuantos controles se considerasen oportunos para evaluar el estado físico del interno, así como su ingreso en un Centro hospitalario si se considerase necesario, si bien garantizando en todo caso el respeto de su dignidad. De forma crítica sobre esta doctrina véase GARCÍA GUERRERO, J., Y MARTÍN SÁNCHEZ, V., "El dilema del médico ante la huelga de hambre", *Diario El País*, 19 de diciembre de 2006, pág. 40, quienes desde el punto de vista de los facultativos de la Administración penitenciaria denuncian la difícil situación en que se encuentran estos profesionales. Por ello sostienen que el facultativo debería limitarse a "comunicar al paciente si está dispuesto a aceptar su decisión, sea cual sea, y si no es así, se lo comunicará para que sea posible que otro profesional se haga cargo de la asistencia; ante las manifestaciones explícitas, libres y reiteradas de un paciente que juzga competente, de no querer alimentarse, debería buscar otro profesional que ratificara su juicio sobre la competencia del paciente; si el paciente es considerado competente su opción deberá ser respetada y no se decidirá cuándo se debe iniciar una alimentación forzada porque la respuesta es "nunca" por respeto a la libre elección del paciente".

el traslado del menor al hospital, en el que le prescribieron una transfusión sanguínea. Los padres manifestaron que su religión no permitía tal terapia, por ser Testigos de Jehová, rogando por ello a los médicos que le practicasen un tratamiento alternativo. Al ser informados de que no existía otra terapia, solicitaron el alta del hijo para llevarlo a otros centros donde se le pudiera aplicar ese tratamiento alternativo, petición a la que no accedió el centro hospitalario por considerar que peligraba la vida del menor. Desde el centro hospitalario se solicitó autorización al Juzgado de guardia para realizar la transfusión, siendo concedida el 9 de septiembre de 1994. Pero al ir a practicarla, el menor, sin intervención alguna de sus padres, "la rechazó con auténtico terror, reaccionando agitada y violentamente en un estado de gran excitación que los médicos estimaron muy contraproducente, pues podía precipitar una hemorragia cerebral". A la vista de los hechos, los médicos solicitaron a los padres que realizaran una labor persuasiva sobre el hijo, algo a lo que éstos no accedieron por violentar sus creencias. La imposibilidad de practicar la transfusión motivó que los médicos concedieran el alta del paciente del centro hospitalario.

Tras visitar nuevos Hospitales en los que igualmente se les indicó como única terapia la transfusión de sangre, los padres regresaron a su domicilio, en el que permanecieron hasta que el Juzgado de Instrucción de Fraga (Huesca), tras recibir un escrito del Ayuntamiento de esa localidad informando sobre la situación del menor y oído el Ministerio Fiscal, dispuso mediante Auto de 12 de septiembre autorizar la entrada en el domicilio del menor para que recibiera inmediatamente la asistencia médica que necesitaba. Los padres, una vez más, acataron sin resistencia la decisión, siendo el propio padre el que bajó al menor a la ambulancia para que fuera conducido al Hospital, donde llegó en estado de coma profundo, totalmente inconsciente. Allí se procedió a realizar la transfusión ordenada judicialmente. El niño falleció al día siguiente. Según los dictámenes médicos, si el menor hubiera recibido a tiempo las transfusiones que necesitaba habría tenido a corto y medio plazo una alta posibilidad de supervivencia, y a largo plazo, tal cosa dependía ya de la concreta enfermedad que padecía, que no pudo llegar a ser diagnosticada.

La Audiencia Provincial de Huesca absolvió a los padres en la Sentencia de 20 de noviembre de 1996 al considerar que el niño tenía juicio suficiente para negarse a la transfusión. El razonamiento que estuvo en la base del fallo fue tanto la capacidad del menor para ejercer su derecho a la autodeterminación[334], como la inexigibilidad de que los padres se opongan a sus propias razones de conciencia[335]. El Tribunal Supremo casó la sentencia de la Audiencia Provincial de Huesca y les condenó como autores de un delito de homicidio, si bien apreciando la atenuante muy cualificada de arrebato u obcecación. Para ello manejó varios argumentos de lectura convergente: el primero, la irrelevancia del consentimiento u oposición de un niño de 13 años de edad; el segundo, que la mención del orden público en el art. 16 CE no se ciñe a su perturbación material, sino que tiene un significado jurídico institucional más profundo, y que por tal hay que entender los intereses y los fines generales que constituyen el fundamento ético-social de la total ordenación jurídica en el seno del Estado. Por ello, "la libertad de conciencia y de religión no se garantizan de forma absoluta e incondicionada y, en caso de conflicto o colisión, pueden estar limitadas por otros derechos constitucionalmente protegidos, especialmente cuando los que resultan afectados son los derechos de otras personas...el derecho a la vida y la salud del menor no puede ceder ante la afirmación de la libertad de conciencia u objeción de los padres"; el tercer argumento destacaba que, "la posición de garante, presente en los padres, no se ve afectada por el hecho de que el hijo, miembro de la misma confesión religiosa, también se opusiera a las transfusiones de sangre". Conforme a lo anterior, condenó a los padres como autores de un delito de homicidio con la concurrencia con carácter de muy cualificada de la atenuante de obcecación o estado pasional, a la pena de dos años y seis meses de prisión.

Contra a esa Sentencia, se presentó ante el Tribunal Constitucional demanda de amparo alegando la violación de los derechos fundamentales a la libertad religiosa y a la integridad física y moral y a no sufrir torturas o tratos inhumanos o degradantes, reconocidos en los arts. 16.1 y 15 de la Consti-

---

[334] La Sentencia razonaba tanto sobre la base del art. 92 del CC como del art. 181 del CP que -en la fecha del fallo- establecen que los mayores de doce años pueden consentir en una relación sexual.

[335] El Tribunal entendió que no es "exigible que los padres del menor, tras llevar a su hijo a un centro adecuado, tengan obligatoriamente que renunciar, en contra de su conciencia, a sus convicciones religiosas para pasar a pedir o aprobar una transfusión que consideran moralmente perniciosa e inadecuada, no siendo tampoco jurídicamente exigible que dicho progenitor deba intentar convencer a su hijo de algo que... ni él mismo está convencido y que iría totalmente en contra de las enseñanzas que, en un uso y ejercicio regular, normal y ordinario de su libertad religiosa, había ido transmitiendo a su hijo desde mucho antes de que se produjera el accidente, o de que se exteriorizaran los primeros síntomas de la enfermedad. De este modo, los padres, después de reclamar la asistencia médica por los cauces convencionales, dando a la sociedad la oportunidad efectiva de sustituirles, si lo cree conveniente, en el ejercicio de la autoridad familiar... cumplen con su deber de garantes, por no serles jurídicamente exigible nada más allá".

tución, cuestionándose la exigibilidad de que los padres actuasen contra la voluntad expresada del hijo.

Si bien los argumentos del Tribunal Constitucional se concentraron en torno a la subsistencia de la posición de garantía de los padres en tal caso, lo que consideró que cedía por razones vinculadas a la idea de *inexigibilidad* frente a su libertad religiosa[336], el Alto Tribunal tuvo que volver a posicionarse en torno a los límites de la renuncia al tratamiento cuando la negativa conlleva una situación de riesgo para la vida. Para ello, recordó una vez más la doctrina que ya sentara en Sentencias anteriores en torno al reconocimiento de que la libertad religiosa tiene, además de una manifestación interna que garantiza la existencia de un ámbito íntimo de creencias, también una manifestación externa "que faculta a los ciudadanos para actuar con arreglo a sus propias convicciones y mantenerlas frente a terceros…Este reconocimiento de un ámbito de libertad y de una esfera de *agere licere* lo es 'con plena inmunidad de coacción del Estado o de cualesquiera grupos sociales'…"

Por otra parte, retomando igualmente la doctrina ya sentada en otras Sentencias, aprovechó para volver a afirmar que cuando se plantea la cuestión de la disponibilidad de la vida, no puede extraerse del derecho constitucional a la misma un derecho de libertad que incluya el derecho a la propia muerte y, con ello, el derecho a exigir la colaboración activa de terceros con tal fin. Como ya sentara el Tribunal Constitucional en las Sentencias comentadas, lo único que puede reconocerse al individuo es un *agere licere* como reducto de su libertad: "la decisión de arrostrar la propia muerte no es un derecho fundamental sino únicamente una manifestación del principio general de libertad que informa nuestro texto constitucional".

No obstante, pese a ese reconocimiento el Tribunal Constitucional hizo de inmediato una afirmación que cercenaba la luz verde a la posibilidad de admitir dicho espacio mínimo de libertad en el caso concreto que enjuiciaba. Tras admitir, en efecto, que el menor también es titular del derecho a la libertad religiosa y que, más allá de él, al oponerse a la injerencia ajena sobre su propio cuerpo estaba ejercitando un derecho de autodeterminación "que tiene por objeto el propio sustrato corporal…y que se traduce en el marco constitucional como un derecho fundamental a la integridad física (art. 15 CE)", entendió que esa regla tiene ciertos límites. Así, aquella capacidad genérica no es por sí sola suficiente para reconocer eficacia jurídica a un acto que, "por afectar en sentido negativo a la vida, tiene, como notas esenciales, la de ser definitivo y, en consecuencia, irreparable". Además, continuaba el Tribunal, en el

---

[336]   Véase *infra*, Segunda Parte, I, 2, *La responsabilidad del médico en comisión por omisión*.

caso enjuiciado no podría apreciarse su capacidad para consentir porque "no hay datos suficientes de los que pueda concluirse con certeza...que el menor fallecido, hijo de los recurrentes en amparo, de trece años de edad, tuviera la madurez de juicio necesaria para asumir una decisión vital, como la que nos ocupa. Así pues, la decisión del menor no vinculaba a los padres respecto de la decisión que ellos, a los efectos ahora considerados, había de adoptar".

Dejando a un lado lo dudoso que resulta negar en el caso enjuiciado la capacidad del menor —ya que la enérgica oposición que mostraba a recibir la sangre revelaba un convencimiento propio y no expresión del de sus padres[337]—, así como el reconocimiento, ahora digno de aplauso, de que la capacidad de consentir de aquél se vincula a su capacidad natural de entender y querer[338], lo que interesa destacar es que el razonamiento del Tribunal Constitucional descansa en la idea de excepcionar esa regla general allí donde se implique un interés superior, como es, en el caso enjuiciado, la vida del menor[339]. De esta forma, vino implícitamente a reconocer la implicación de una suerte de intereses de Derecho público que vedarían el respeto al dogma de la autodeterminación del paciente como principio rector de la actividad médica[340]. Ellos obligarían a pasar a primer plano, no el respeto de su voluntad, sino un

---

[337] En un sentido distinto ROMEO CASABONA, para quien, al margen de que entienda que, en general, no puede concederse relevancia al consentimiento del menor cuando se traduce en una puesta en peligro de su vida, sostiene que en el caso enjuiciado por el TS faltaba la madurez de aquél, puesto que la reacción de auténtico terror por parte del menor ante la posibilidad de la transfusión "parece compatible con una actitud madura y serena de firmeza", *Revista de Derecho Penal y Criminología*, 1998, *ob. cit.*, pág. 337. A mi modo de ver, el dato de una reacción histérica ante la idea de la transfusión no puede valorarse por sí sola como elemento suficiente para negar su madurez; y no ya sólo porque el modo de reaccionar de cada uno ante una misma situación no depende en muchas ocasiones de la madurez, sino de la propia personalidad de cada cual, sino porque dicha reacción se presta a interpretarse en sentido diametralmente opuesto, esto es, como muestra de la firmeza e interiorización de las convicciones religiosas del menor más allá de lo que sea el credo de los padres. En la misma línea que aquí se critica véase también TAMARIT SUMALLA, *La víctima en Derecho penal, ob. cit.*, págs. 136 ss.

[338] Véase *supra*, II, 2.2.2, *El consentimiento en caso de pacientes menores de edad e incapaces*.

[339] Véase al respecto el comentario de BAJO FERNÁNDEZ, M., "La nueva Ley de Autonomía del Paciente, en *Dogmática y ley penal, Libro Homenaje a Enrique Bacigalupo*, Barcelona, 2004, págs. 931 ss.

[340] Con relación a este específico ámbito, véase FURGUIUELE, "Diritto del minore al trattamento médico-sanitario, libertà religiosa del genitore, intervento e tutela statuale", en *Giur. it.*, 1984, pág. 357. En nuestra doctrina, PÉREZ DEL VALLE, *Conciencia y Derecho penal, ob. cit.*, págs. 314 ss.

bien jurídico de mayor calado que apunta a la *incolumidad o indemnidad* del menor[341].

Interesa destacar que de esta forma, una vez más, el Tribunal volvió a reconocer un derecho cuya efectiva apreciación, también de nuevo, sin embargo, parece reemplazar para una "mejor ocasión", al entender que tampoco en el caso que enjuiciaba se daban los presupuestos fácticos de su reconocimiento.

Ya en el ámbito de jurisdicción ordinaria, el Tribunal Supremo ha tenido ocasión de ocuparse de la específica problemática de los Testigos de Jehová. En lo que alcanzo a ver, al margen de algunos autos en los que legitima las autorizaciones concedidas por algunos jueces para realizar la transfusión[342], el Alto Tribunal sólo se ha enfrentado en dos Sentencias al problema de la colisión del derecho a la vida y a la libertad del sujeto, en este caso, en su vertiente religiosa. Estos pronunciamientos, además de escasos, pueden parecer, al menos a primera vista, si no contradictorios, sí al menos condicionados por las circunstancias del caso concreto que se enjuicia y por la solución a la que apriorísticamente se quiere llegar. En

---

[341]   Baste apuntar, por lo demás, que en estas condiciones habría de negarse igualmente cualquier valor decisorio a la voluntad de los padres o representantes que se orientaran a obstaculizar la terapia que el menor precisa. Y no ya sólo porque en tal caso su decisión habría de valorarse como un abuso o desviación de su poder de representación incompatibles con el interés estatal en la preservación de la incolumidad o indemnidad del menor (ATAZ LÓPEZ, *Los médicos y la responsabilidad civil, ob. cit.*, págs. 95 s: "la solución estaría además avalada ahora por lo dispuesto en el artículo 154 del Código civil, es decir, por el posible incumplimiento por parte de los padres del deber de velar por los hijos, y por la excepción que el artículo 162 del mismo Código hace. Teniendo en cuenta que según la común opinión social, negarse a recibir un tratamiento puede ser perjudicial para el hijo, parece que estaremos ante un abuso en el ejercicio de la patria potestad, cuyo reconocimiento permitiría proceder al médico"). También porque, ya en el específico ámbito de los Testigos de Jehová, como observa ROMEO CASABONA, la colisión se produce ahora entre "la vida y salud del hijo o del incapaz con la conciencia de los padres, no con la propia conciencia del hijo", ROMEO CASABONA, "La objeción de conciencia en la praxis médica", en Libertad ideológica y derecho a no ser discriminado, *Escuela Judicial y Consejo General del Poder Judicial*, 1996, págs. 85 s.

[342]   Entre otros, véanse los Autos de 14 de marzo de 1979, donde el Tribunal admitió la concurrencia de un estado de necesidad que justificaría la lesión del derecho a la libertad religiosa ante el peligro de muerte; de 22 de diciembre de 1983, que deduce que, conforme al art. 3.1 de la Ley Orgánica de Libertad Religiosa el juez estaba "legítimamente autorizado" para autorizar la transfusión, y 25 de enero de 1984; o de 20 de junio de 1984: "el derecho garantizado a la libertad religiosa por el art. 16.1 de la Constitución tiene como límite la salud de las personas, según dicho art. 3, y en pro de ella actuó el Magistrado-Juez, otorgando autorización para las transfusiones sanguíneas".

efecto, también ahora da la impresión de que el Tribunal sólo afirma de forma rotunda la necesidad de respetar la voluntad del paciente cuando a continuación las circunstancias del caso le permiten afirmar que no es eso lo que sucede en el supuesto sobre el que tiene que pronunciarse.

La primera de ellas es la Sentencia de 27 de marzo de 1990, en la que se enjuiciaban los siguientes hechos: una mujer, J., tras sufrir una paliza por parte de su marido, fue ingresada en el Hospital, donde se le colocó un catéter para continuar su hemoterapia. En estas condiciones, según el relato fáctico, "J. quedó encamada, en estado de inconsciencia, en compañía de su hermana política, cuando se personó L.C., buscando la tarjeta que acreditaba que J., como Testigo de Jehová, no quería que se le hiciesen transfusiones de sangre, manifestando que por ello no se le podían hacer tales transfusiones, lo que motivó una situación de tensión entre el visitante y la acompañante de la enferma que determinó que ésta saliese de la habitación buscando a la enfermera y cuando ambas regresaron encontraron que el catéter había sido quitado por el procesado y que éste presionaba con su mano el brazo de la hospitalizada impidiendo la hemorragia que se había producido. Posteriormente el procesado L.C, cuando el Médico de guardia ordenó que se repusiera la cánula y que continuase la transfusión se opuso a ello, llegando incluso a decir que se exigiría responsabilidad por ello. A consecuencia de todo lo relatado Josefa G. O. fallece aquella misma tarde por el shock hipovolímico que estaba contenido por la aportación de sangre que recibía".

La Audiencia condenó a L. C. como autor de un delito de imprudencia temeraria con resultado de muerte a la pena de un año de prisión menor. El Tribunal Supremo casó la Sentencia y le condenó por un delito de homicidio con dolo eventual con la atenuante muy cualificada de obcecación o estado pasional, a la pena de seis años y un día de prisión mayor. Pese a que el caso concurría la peculiaridad de no quedar acreditada la voluntad de la paciente, el Tribunal Supremo hizo una declaración genérica que excedía al supuesto en cuestión, al afirmar que el eventual consentimiento de la víctima:

"excluye la tipicidad penal cuando en la definición de ciertos delitos se ha tenido en cuenta dicha voluntad, y la antijuricidad si el sujeto pasivo tiene libre disposición del bien jurídico afectado; sin embargo, cuando el consentimiento afecta a la vida, bien indisponible, es absolutamente ineficaz". La sentencia concluía recordando la doctrina establecida en otras resoluciones (Autos de 27 de septiembre de 1978, 14 de marzo de 1979 y 22 de diciembre de 1983) "que reconocían el valor indisponible de la vida humana resolviendo a favor de este bien jurídico el conflicto suscitado con el derecho a la libertad religiosa, ambos constitucionales protegidos, pero con preeminencia absoluta del derecho a la vida, por ser el centro y principio de todos los *demás. En definitiva, las creencias religiosas indicadas no pueden disminuir la reprochabilidad del hecho por cuanto era del todo exigible al sujeto un comportamiento adecuado a la norma".*

La segunda Sentencia en la que el Tribunal Supremo tuvo ocasión de pronunciarse sobre el tema fue la ya citada de 27 de junio de 1997. Si bien el objeto principal de la misma era la cuestión en torno a la capacidad para consentir de un Testigo de Jehová menor de edad así como el alcance de la posición de garantía de los padres, el Alto Tribunal reconoció como principio general el de prevalencia de la voluntad del paciente. Así, tras dejar sentado que en la colisión entre el respeto a las creencias religiosas y el derecho a la vida la ponderación debe ser distinta según que el afectado sea un menor o mayor de edad, afirmó:

"El adulto capaz puede enfrentar su objeción de conciencia al tratamiento médico, debiéndose respetar su decisión, salvo que con ello ponga en peligro derechos o intereses ajenos, lesione la salud pública u otros bienes que exigen especial protección"[343].

Hasta aquí el recorrido por algunos pronunciamientos jurisprudenciales en los que, como advertíamos, llama la atención el dato de que las declaraciones contundentes de los Tribunales, tanto Constitucional como Supremo, en torno al reconocimiento de un ámbito de libertad sólo se produzcan allí donde las circunstancias del caso impidan su aplicación en el supuesto que enjuician. Es el momento ahora de adoptar una postura al respecto.

A mi juicio, el tratamiento de estos casos en los que, si bien el paciente no desea la muerte, su negativa al tratamiento da paso a una situación que aboca indefectiblemente a la pérdida de aquélla, requiere no perder de vista un dato que se erige en la auténtica espina dorsal de su solución. Este no es otro que el hecho de que la inminencia de la muerte destierra la problemática de la renuncia del paciente del espacio propio de las *autopuestas en peligro* para encararla frontalmente con el dogma de la indisponibilidad de la vida y, con ello, de la punibilidad de las contribuciones de terceros que se orientan a su destrucción. En efecto, cuando el sujeto entra en fase terminal su actitud no se corresponde ya con un acto de puesta en peligro. Por el contrario, lo que

---

[343]   Debe entenderse que no así respecto a otros intereses, como el de los hijos a que siga viviendo el padre para así tener garantizadas unas condiciones económicas, educativas o familiares que perderían de otra forma. Puede citarse en este sentido un caso recogido por DURANY PICH, *Objeciones de conciencia*, Pamplona, 1998, págs. 25 ss: los Tribunales rechazaron la petición de un hospital de transfundir sangre a un Testigo de Jehová, casado y con dos hijos. Ante la negativa a la transfusión, el Hospital recurrió a la Corte Suprema; y ante la negativa de éste, a la Corte de Apelación del Distrito de Columbia, que confirmó la sentencia anterior, afirmando que no hay interés prevalente del Estado en mantener la vida del paciente y que la libertad de los hijos no está por encima de las libertad religiosa del sujeto.

entonces se cuestiona es la posibilidad de disponer de su vida mediante la persistencia de su negativa a la terapia.

Así planteado el problema, la contrariedad a Derecho de las conductas que favorezcan esa actitud no es difícil de fundamentar a partir de un argumento *a maiore ad minus.* Porque si bien es verdad que del reconocimiento constitucional de la *libertad* en el art. 1.1 CE así como del derecho al respeto a la *integridad física* en el art. 15 pudiera admitirse que, como posible opción del legislador ordinario, sería perfectamente compatible con el Texto Fundamental el reconocimiento de la impunidad de las colaboraciones en un suicidio libre[344], a su admisión se oponen razones vinculadas, ya de *lege lata,* al Derecho positivo. En efecto. si el Código penal no autoriza las contribuciones activas ni pasivas por parte de terceros a la muerte de quien tiene voluntad de poner fin a su vida, mucho menos podría autorizar una contribución (omisiva) que se orienta a facilitar la muerte de quien se enfrenta a la pérdida de su vida pese a no tener voluntad suicida. Admitir lo contrario supondría desconocer el espíritu de la prohibición penal, por mucho que con su violación se pretendiera llegar a soluciones que se estimaran más adecuadas desde un punto de vista político-criminal; un debate que habría de plantearse entonces en términos de *lege ferenda* a partir de las posibilidades que ofrece la conjugación del valor de los distintos intereses implicados en su reconocimiento constitucional, pero no como una cuestión que pudiera discutirse de *lege lata.*

Debe observarse por lo demás que desde esta premisa decae el sentido y la necesidad misma de manejar argumentos adicionales que apuntasen a que cuando el paciente entra en fase terminal ni siquiera podría asegurarse la persistencia de su negativa a la terapia. Porque al tacharse, en cuanto opción de Derecho positivo, como contraria a Derecho la contribución de poner fin a la vida de un tercero, la conducta seguiría siendo penalmente relevante en cualquier caso, esto es, ya tuviera el paciente voluntad de morir o no.

Ya en el ámbito penitenciario, esta solución la consagra la Ley General penitenciaria. Es cierto que la misma contiene una previsión que, al menos a primera vista, parece autorizar con carácter general una intervención coercitiva por parte de la Administración penitenciaria en el ámbito de la salud; en concreto, el art. 45.1 b) de la Ley, que dentro del Capítulo IV dedicado al régimen disciplinario, prevé la posibilidad de que, con autorización del Director, se utilicen medios coercitivos "para evitar daños de los internos a sí mismos, a otras personas o cosas". Sin embargo, el sentido de esta previsión

---

[344]   TOMÁS-VALIENTE LANUZA, *La cooperación al suicidio y la eutanasia en el nuevo C.P. (art. 143), ob. cit.,* págs. 36 ss.

es, como advierte DÍEZ RIPOLLÉS, sólo el de restablecer la normalidad regimental en casos excepcionales[345]. En realidad, es el art. 210.1 del Reglamento penitenciario el que se ocupa de la situación que ahora interesa, conforme al cual, "Sólo cuando exista peligro inminente para la vida de éste (el interno) se podrá imponer un tratamiento contra la voluntad del interesado, siendo la intervención médica la estrictamente necesaria para intentar salvar la vida del paciente y sin perjuicio de solicitar la autorización judicial correspondiente cuando ello fuese preciso. De estas actuaciones se dará conocimiento a la autoridad judicial". Como suele admitirse en la doctrina, la procedencia de dicha autorización habrá de limitarse a los supuestos de pérdida de conciencia[346].

En cualquier caso, junto a estas razones que manejábamos más arriba con carácter general a propósito de las situaciones de pérdida inminente de la vida, en los supuestos específicos de huelgas de hambre pueden manejarse a favor de la interpretación que hemos venido sosteniendo una serie de argumentos relacionados con la realidad contextual que envuelve a la decisión. El primero, la dificultad para considerar *libre*, en el genuino sentido de la palabra, el consentimiento expresado por el sujeto en tal situación conflictual o, lo que es lo mismo, la necesidad de no desconocer que su decisión nace y se agota en un motivo reivindicatorio; el segundo, un argumento *político criminal* que de nuevo vuelve a enlazar con la realidad contextual de las huelgas de hambre, puesto que, como observa MUÑOZ CONDE, "un respeto a ultranza de la voluntad del huelguista, incluso cuando éste ha perdido la conciencia puede ser para el Gobierno un cómodo expediente para desembarazarse de sus más temidos adversarios políticos. Bastaría con colocarlos en una situación desesperada o excesivamente opresiva en prisión para, aún de modo indirecto, inducirles a la huelga de hambre, dejando luego simplemente, en un 'escrupuloso y democrático' respeto a la libertad individual, que ésta llegue hasta el final"[347].

En resumen, pues, puede decirse que tanto con carácter general como en el específico ámbito de la Administración penitenciaria y huelgas de hambre, cuando el sujeto haya entrado en estado de inconsciencia no puede considerarse lícita la mera pasividad ante esas conductas. Ello plantea ante todo la

---

[345]   DÍEZ RIPOLLÉS, *Comentarios al Código penal. Parte Especial,* Valencia, 1997, pág. 255.
[346]   DÍEZ RIPOLLÉS, *Comentarios al Código penal, ob. cit.,* págs. 255 s; NÚÑEZ PAZ, *Homicidio consentido, eutanasia y derecho a morir con dignidad, ob. cit.,* págs. 138 s. En contra, SILVA SÁNCHEZ, para quien la voluntad del huelguista debe respetarse incluso cuando el mismo pierde la conciencia, "Causación de la propia muerte y responsabilidad penal de terceros", *ADPCP* 1987, pág. 474.
[347]   MUÑOZ CONDE, *Derecho Penal, Parte Especial, ob. cit.,* págs. 69 s.

pregunta en torno a los presupuestos bajo los cuales el médico deba responder por el resultado lesivo en *comisión por omisión*. Para evitar reiteraciones, nos remitimos al respecto a la sede en que se tratan sus requisitos[348]. Baste anticipar ahora que en casos como los de huelgas de hambres en centros penitenciarios y en general en los supuestos en los que el sujeto no puede o no quiere sustraerse totalmente al tratamiento sanitario, es posible acotar bajo determinados presupuestos ámbitos de responsabilidad del médico conforme a aquel título delictivo.

Cuestión distinta es la relativa a si, allí donde se aprecie la responsabilidad del profesional conforme a un delito de omisión impropia, sería posible afirmar la concurrencia de una causa de justificación, básicamente un *estado de necesidad*[349], que asegure la impunidad de la conducta del médico que decide obrar con el único móvil de salvaguardar la vida del paciente.

La posibilidad de apreciar un estado de necesidad cuando el médico actúa para salvar la vida del enfermo pese a su voluntad contraria ha sido negada por cierto sector doctrinal[350]. Así, por ejemplo, en contra de la misma argu-

---

[348]   Véase *infra*, Segunda Parte, 2, *La responsabilidad del médico en comisión por omisión*.

[349]   Entre otros, BUENO ARUS, "El rechazo del tratamiento en el ámbito hospitalario", en *AP* 1991, margs. 401 ss; GIMBERNAT ORDEIG, "Justificación y exculpación en Derecho penal español en la exención de responsabilidad por situaciones especiales de necesidad (legítima defensa, estado de necesidad, colisión de deberes)", en ESER/GIMBERNAT/PERRON, *Justificación y exculpación en Derecho penal. Coloquio Hispano-Alemán de Derecho penal*, Madrid, 1995, págs. 63 ss; ROMEO CASABONA, *El médico y el Derecho penal, ob. cit.*, págs. 369 ss.   Debe tenerse en cuenta que en algunos ámbitos especiales pudiera plantearse la concurrencia de una causa de justificación distinta. Así, DÍEZ RIPOLLÉS, en relación con la específica problemática de las huelgas de hambre, sostiene que lo que podría venir en consideración es el ejercicio de un derecho (art. 8.11 CP del anterior CP), manejando a favor de la intervención argumentos que tienen que ver con intereses político-criminales. Distinta es la opinión que sostiene respecto al problema de los Testigos de Jehová, casos en los que niega que la conducta pueda quedar justificada por el ejercicio de un derecho, tanto por el plus adicional que representa en estos casos el respeto a la voluntad religiosa, como por la ausencia de los argumentos político criminales presentes en los casos de huelgas de hambre, *Delitos contra bienes jurídicos fundamentales, ob. cit.*, págs. 247 s; págs. 253 s.   En la doctrina alemana, a propósito de los Testigos de Jehová, véase ULSENHEIMER, *Arztstrafrecht in der Praxis, ob. cit.*, págs. 84 ss.

[350]   TOMÁS-VALIENTE LANUZA, *La disponibilidad de la propia vida en el Derecho penal, ob. cit.*, págs. 506 ss; ALVAREZ GARCÍA, *La puesta en peligro de la vida y/o integridad física asumida voluntariamente por su titular, ob. cit.*, págs. 537 ss; GALÁN CORTÉS, *El consentimiento informado del usuario de los servicios sanitarios, ob. cit.*, págs. 60 s. Véase también BUENO ARÚS, en *Estudios de Derecho penal y Criminología*, tomo I, 1989, *ob. cit.*, págs. 165 s., con el argumento de que no puede hablarse de estado de necesidad cuando los bienes jurídicos en aparente conflicto pertenecen al mismo sujeto. Con singular energía se opone a la apreciación de un estado de necesidad FERNÁNDEZ BERMEJO, para quien

menta BAJO FERNÁNDEZ, que "los elementos en conflicto no son sólo la vida humana y la integridad física, sino que entran en juego convicciones éticas de la comunidad y las valoraciones ético-sociales para resolver la ponderación necesaria en este supuesto...el mal causado contra la voluntad de quien lo sufre, producido por quien no se encuentra en una situación de necesidad, ha de considerarse superior al evitado, aunque se tratara de la muerte, si falta la necesaria adecuación a los valores fundamentales de la comunidad jurídica"[351].

Más moderada es la postura sostenida por los autores que, como MUÑOZ CONDE, si bien no descartan la posibilidad de apreciar dicha causa de justificación en el ámbito médico, reservan su operatividad a determinados supuestos. Este autor ciñe la apreciación del estado de necesidad a los casos en los que el paciente que se encuentra en peligro inminente de muerte sufra alteraciones en su capacidad de decidir debidas a su propia patología (p. ej., alimentación forzosa de anoréxicos terminales). "El tratamiento coactivo no estará, en cambio, justificado en los casos en los que el rechazo del tratamien-

---

el mismo sólo sería posible desde una comprensión de la vida en términos puramente biológicos, en lugar de como un concepto global que define el personalísimo proyecto vital que cada individuo se da a sí mismo. Además, sería imposible atribuir "a un tercero -no sometido a situación de necesidad- la facultad de verificar una valoración de los bienes en conflicto contraria a la del titular de aquéllos"; todo eso sin desconocer, según el autor, la incerteza que conlleva siempre, por sus riesgos, cualquier intervención: "Ya no se trata sólo, pues, de respetar como más valioso un determinado proyecto vital, asumido por un una minoría -la de los Testigos de Jehová, en este caso-, sino de reconocer, humildemente, la incapacidad de los 'nuevos brujos' de asegurar el éxito de una terapia, la transfusión de sangre, 'adornada' además del riesgo de transmisión de enfermedades...", en "Autonomía personal y tratamiento médico: límites constitucionales de la intervención del Estado (II), en *Actualidad Jurídica Aranzadi*, 1994, núm. 133, pág. 3. Este razonamiento lleva al autor, incluso, a tachar de inconstitucional el entonces vigente art. 10.9 de la Ley General de Sanidad (cuyo contenido corresponde con el art. 2.4 de la Ley básica reguladora de la Autonomía del Paciente y Derechos y Obligaciones en materia de información y Documentación clínica), que contempla las excepciones a la exigencia del consentimiento, entre otras, por razones de urgencia.

[351]   BAJO FERNÁNDEZ, "La intervención médica contra la voluntad del paciente (A propósito del Auto de la Sala Segunda del Tribunal Supremo de 14 de marzo de 1979)", en *ADPCP*, 1979, págs. 494 ss; el mismo en "Agresión médica y consentimiento del paciente", en *CPC* 1985, págs. 130 ss. Este autor se plantea una curiosa colisión de derechos en los siguientes términos: "o expulsión de la institución hospitalaria contra la voluntad del enfermo o transfusión de sangre contra la voluntad del enfermo", págs. 137 s., colisión que evidencia en cualquier caso la ausencia de responsabilidad médica por el resultado caso de que el acto médico no se realice por oposición del paciente; el mismo en *CPC* 1993, *ob. cit.*, págs. 719 ss, donde desarrolla sus argumentos. Véase también BACIGALUPO, en *PJ* núm. especial, 1986, *ob. cit.*, págs. 160 s.

to entre dentro del ámbito de elección del paciente y éste esté en condiciones de disponer libremente sobre su salud".

Según este autor, el mismo criterio es aplicable, como línea de principio, a los supuestos de huelgas de hambre reivindicativas, casos para los que también propone respetar como regla general la voluntad del huelguista. No obstante, de inmediato señala que cuando se plantee la duda sobre la capacidad de éste para decidir de forma consciente debe considerarse justificada la alimentación intravenosa[352]. Mayor es la amplitud con la que está dispuesto a apreciar los presupuestos de dicha causa de justificación en las conductas relativas al suicidio. Así, por ejemplo, en el caso del médico de un servicio de urgencias que intenta salvar la vida de quien se acaba de intentar ahorcar, entiende que el posible delito de coacciones habría de entenderse justificado por la concurrencia de un estado de necesidad. Para ello, aparte de razones humanitarias, invoca como argumento la existencia del art. 143, que castiga incluso la comisión por omisión de la cooperación al suicidio, así como del art. 195, que impone la obligación de ayudar a todo el que se encuentre en situación de desamparo y peligro manifiesto y grave.

Entre los autores que restringen los supuestos en los que resulte viable apreciar un estado de necesidad debe citarse también a LUZÓN PEÑA[353]. Punto de partida del razonamiento de este autor es que dicha causa de justificación requiere que amenace producirse un mal, no en sentido natural, sino *jurídico*. Dicho mal, continúa, sólo se produciría cuando el riesgo para la vida procediera del ejercicio de una huelga de hambre, no cuando se trate de un enfermo o accidentado. El razonamiento es el siguiente: en el caso del accidentado o enfermo (en el que habría que incluir el Testigo de Jehová), no puede decirse que el sujeto tenga una actitud suicida, puesto que no se provoca la muerte, sino que se limita a aceptarla como una consecuencia posible ante la concurrencia de causas externas o naturales. Por ello, porque no se trata de un suicidio, no puede valorarse como un *mal* en *sentido jurídico*. Distinta habría de ser la valoración en el caso del huelguista de hambre, donde "no es un proceso externo o natural lo que va a provocar el resultado dañoso, sino la propia negativa del sujeto a ingerir alimentos"[354]. No obstante, aclara el autor, en relación con la huelga de hambre dicha solución habría de limitarse a los supuestos en los que ésta ponga en peligro la vida del sujeto. No se extendería,

---

[352]   MUÑOZ CONDE, *Derecho penal, Parte Especial, ob. cit.*, págs. 69 s.
[353]   LUZÓN PEÑA, en "Estado de necesidad e intervención médica (o funcionarial, o de un tercero) en caso de huelgas de hambre, intentos de suicidio y autolesión: algunas tesis)", en *Estudios de Derecho penal*, Barcelona, 1991, págs. 175 ss.
[354]   LUZÓN PEÑA, *Estudios de Derecho penal, ob. cit.* pág. 183.

por tanto, a aquellos otros en los que la huelga de hambre amenace con causar daños en la salud o integridad física del huelguista. En ellos, al ser atípicas las autolesiones, no podría hablarse de un mal en sentido jurídico y, con ello, decaería la posibilidad de fundamentar un estado de necesidad[355].

Sin desconocer la racionalidad de este tipo de propuestas orientadas a depurar las coordenadas en las que resulte procedente apreciar un estado de necesidad, entiendo que el dato de que el bien jurídico que entra en conflicto con la libertad sea la vida del paciente justifica que en estos casos pueda apreciarse con mayor amplitud dicha causa de justificación que en aquellos otros en los que el bien jurídico afectado es exclusivamente la salud del sujeto[356].

En efecto, a diferencia de cuanto sostuvimos al tratar los casos en los que la negativa del paciente al tratamiento no suponía un riesgo vital, casos en los que negaba la posibilidad de apreciar dicha causa de justificación, entiendo que cuando el bien que se pone en peligro es la vida la respuesta tiene que ser afirmativa. Así lo avalan razones tanto de orden *dogmático* como *político criminal*. Lo primero, porque el dato de que la voluntad del paciente tenga que ser respetada como línea de principio lo único que significa es que la misma representa un interés digno de protección que, justamente por ello, está en condiciones de entrar en colisión con otro valor como es la vida. En otras palabras, el hecho de reconocer el merecimiento de tutela de la voluntad del titular y, con ello, su derecho a decidir exponerse a una situación de riesgo, lo único que determina es que cobre sentido el recurso a los esquemas del estado de necesidad, que conceptualmente requiere reconocer la plena eficacia del otro interés que entra en pugna con la vida: la voluntad del paciente. La cuestión se traslada entonces a comprobar el valor relativo que deba otorgarse a uno y otro.

Según entiendo, la prevalencia de la vida en caso de conflicto puede extraerse sin mayores dificultades del valor superior del que goza en el Ordenamiento jurídico, hasta el punto de que el legislador ha optado por incriminar determinadas conductas que rompen los esquemas tradicionales de la teoría del delito, como sucede con los actos de participación en el suicidio. En este sentido se ha expresado también el Tribunal Supremo, por ejemplo, en el Auto de 14 de marzo de 1979, en el que reconoció que, si bien con la autorización de la transfusión sanguínea se "lesionó un bien jurídico de dicha persona...con

---

[355]   LUZÓN PEÑA, *Estudios de Derecho penal*, ob. cit. págs. 189 ss.
[356]   Véase por ejemplo FRAGA MANDIÁN/LAMAS MEILÁN, *El consentimiento informado (El consentimiento del paciente en la actividad médico-quirúrgica)*, ob. cit., pág. 48.

ello causó un mal menor que el que se trataba de evitar como era la más que posible muerte del querellante"[357].

Más allá de lo anterior, a favor de la posibilidad de apreciar un estado de necesidad en tales casos hablarían las inadmisibles consecuencias *político criminales* a que habría de llegarse en caso contrario. Porque entonces debería castigarse al sanitario que, si bien ha actuado desafiando la voluntad del paciente, lo ha hecho, no movido por intereses personales o pretensiones espurias, sino con el fin altruista de salvaguardar su vida, móvil que la sensibilidad jurídica se resiste a incriminar. No hay mejor prueba de lo indeseable de esta solución que la tendencia casi mecánica del Tribunal Supremo a confirmar sin excepción las autorizaciones judiciales para que el médico pueda practicar la transfusión[358]. Es más, en el capítulo de observaciones político-criminales no pueden dejar de considerarse las consecuencias que habrían de extraerse para el personal auxiliar que ayudase al médico en su labor. De negarse la causa de justificación y admitirse todo lo más una causa de exclusión o atenuación de la culpabilidad, habría de recurrirse a una legitimación adicional de su conducta para evitar la injusta solución de dejar intacta la responsabilidad de aquellos. Este proceder no dejaría de abrir nuevos frentes de dificultad y, sobre todo, de inseguridad jurídica.

b) Supuestos en los que el paciente tiene voluntad de poner fin a su vida

Frente a los casos anteriores, caracterizados porque, pese a que el enfermo no desea la muerte renuncia a la terapia que necesita, se plantea el tratamiento de aquellos otros en los que el propósito del sujeto es poner fin a su vida, negándose por ello a recibir la asistencia médica que precisa. Son, en definitiva, los casos en los que el paciente que se niega al tratamiento delata una actitud *suicida*, ordenada conscientemente a poner fin a su existencia. Baste pensar en el caso paradigmático de quien hubiera fracasado en su intento de causarse la muerte y se negase a recibir asistencia médica.

En Alemania se planteó un supuesto que puede ilustrar esta problemática. Se trataba del caso conocido como "Wittig", sentenciado por el Tribunal Supremo Federal en 1984. Una mujer gravemente enferma y cansada de la vida

---

[357]   De forma crítica a esa línea jurisprudencial, por todos, BAJO FERNÁNDEZ, en *ADPCP* 1979, *ob. cit.*, págs. 491 ss; el mismo en *CPC* 1985, *ob. cit.*, págs. 127 ss.

[358]   Autos del TS de 14 de marzo de 1979, de 22 de diciembre de 1983 y de 25 de enero de 1984.

quiso poner fin a su existencia mediante una sobredosis de morfina y som-
níferos. Para asegurarse de que no sería asistida, dejó escrito un texto donde
constaba lo siguiente: "En pleno uso de mis facultades le pido a mi médico
que no me ingrese en un hospital, residencia o en una unidad de cuidados intensivos, así como que no emplee medicamentos que alarguen mi vida. Quiero
tener una muerte digna". El médico de cabecera llegó cuando estaba aún viva,
aun cuando inconsciente, y omitió internarla en el hospital, esperando hasta
que sobreviniera el fallecimiento. El Tribunal Supremo Federal absolvió al
médico, si bien con el argumento de que si la paciente hubiera sido sometida
a terapias de reanimación, habría quedado dañada de forma grave e irreversible[359].

Dejando a un lado el elemento de dificultad adicional que plantea en este
caso el dato de que la mujer padecía una enfermedad grave e incurable, algo
que arrastra su problemática hacia el específico ámbito de la eutanasia, cuando se trata de valorar penalmente la conducta del médico que no auxilia al
paciente que quiere poner fin a su vida, la primera calificación que pudiera
plantearse es la *intervención en el suicidio en comisión por omisión*, conforme
al art. 143 CP. Como es sabido, este artículo castiga en sus tres primeros apartados, respectivamente, las conductas de inducción, cooperación necesaria y
cooperación ejecutiva al suicidio[360].

Conforme a cuanto sostuve en otro lugar[361], entiendo que salvo la primera
modalidad, la *inducción*, que es conceptualmente incompatible con la comisión omisiva, el resto de las formas típicas de intervención en el suicidio ajeno
pueden cometerse en *comisión por omisión*. De hecho, la conducta de *cooperación necesaria* omisiva está llamada a plantearse con una frecuencia realmente extraordinaria, ya que, como afirmara GIMBERNAT, por regla general,
el que va a matarse, más que de la ayuda activa de nadie, lo que precisa de
verdad es que no le interrumpan el plan que puede realizar perfectamente en
solitario[362]. En realidad, el problema que se plantea en relación con esta figura
es el de precisar sus contornos frente a otra que le es limítrofe: la *complicidad*.

---

[359]   Véase ROXIN, "Tratamiento jurídico penal de la eutanasia", en *Eutanasia y suicidio*,
        Granada, 2001, traducción de Olmedo Cardenete pág. 13.
[360]   Excede al contenido de este trabajo la polémica en torno a la viabilidad e incluso a la
        constitucionalidad de la incriminación de estas conductas. Véase al respecto el detallado
        estudio que realiza TOMÁS-VALIENTE LANUZA, *La disponibilidad de la propia vida en el
        Derecho penal, ob. cit.*, págs. 295 ss.
[361]   GÓMEZ RIVERO, "La intervención omisiva en el suicidio de un tercero", *AP* 1998, margs.
        896 ss.
[362]   GIMBERNAT, "Inducción y auxilio al suicidio", en *Estudios de Derecho Penal*, 1990, pág.
        277.

La cuestión, que ya en general se presenta como una de las más complejas en la teoría de la participación[363], espesa aun más su halo de dificultades en la figura delictiva que ahora interesa, ya que, como es sabido, el art. 143 incrimina exclusivamente las conductas de inducción, cooperación necesaria y cooperación ejecutiva al suicidio, dejando al margen de su ámbito típico la mera complicidad. Resulta así que dependiendo de la forma en que se sopese la contribución el tercero, como complicidad o cooperación necesaria, la consecuencia será la impunidad o la responsabilidad conforme al art. 143 CP.

Admitiendo como parámetro delimitador de una y otra figura el criterio normativo del incremento del riesgo[364], la tarea de fijar la línea divisoria entre uno y otro supuesto requiere valorar exhaustivamente en cada caso si la conducta omisiva del médico se ha limitado simplemente a favorecer la consecución del propósito suicida del enfermo o si, por el contrario, supuso un incremento del riesgo de su producción de tal modo que pudiera decirse que sin el mismo aquél no sería realizable. Con todo, pese a que no es posible formular reglas que con validez general permitan resolver la variedad de supuestos que pueden presentarse en la práctica, entiendo que los propios condicionamientos que están en la base de la relación médico-paciente y en el origen mismo de su posición de garantía, determinan que la mayoría de las veces la contribución omisiva del médico haya de valorarse como una forma de cooperación necesaria y no simplemente de complicidad. Según creo, así fuerza a entenderlo el dato de que cuando el paciente se encuentra en régimen de internamiento es el médico y su personal auxiliar quienes asumen por completo su cuidado, de tal suerte que el enfermo sólo tiene posibilidades de conseguir su propósito suicida cuando consigue "esquivar" la actividad terapéutica y, en general, el cuidado de aquellos. Puede decirse, por tanto, que al menos en estos supuestos de internamiento, en la mayoría de los casos la omisión del médico ha de valorarse como una contribución que, en términos de cuantificación de riesgo, posibilita —y no meramente favorece— la decisión suicida.

Por lo demás, y a propósito todavía de la cooperación necesaria, debe recordarse que en el ámbito médico que aquí interesa la mayoría de las veces no se van a plantear especiales problemas para afirmar la concurrencia de los requisitos que tendremos ocasión de sostener con carácter general en torno a la exigencia de *equivalencia estructural* de la omisión con la realización activa. Porque cuando la vida del paciente pende del comportamiento médico en cuestión, puede identificarse un acto concreto que *de forma directa e inmedia-*

---

[363] Por todos, LÓPEZ PEREGRÍN, *La complicidad en el delito*, Valencia, 1997, págs. 407 ss.
[364] Por todos, LÓPEZ PEREGRÍN, *La complicidad en el delito, ob. cit.*, págs. 225 ss.

ta habría evitado el resultado, de tal modo que nada se opone a afirmar que la pasividad del médico *condiciona, determina o favorece de forma puntual* el acto suicida.

La tercera modalidad que contempla el art. 143 es la *cooperación ejecutiva al suicidio*. Como es sabido, la misma se caracteriza porque la contribución del tercero a la muerte querida por la víctima llega hasta el punto de realizar actos ejecutivos, tratándose por ello, en realidad, de una forma de *coautoría* en el suicidio, en la que ostenta el dominio del hecho tanto el tercero ejecutor como el suicida[365]. A esta modalidad omisiva habrían de reconducirse conductas como la del médico que observa impasible cómo el aparato que proporciona respiración artificial a quien ha sobrevivido a un intento de suicidio tiene defectos de funcionamiento, por ejemplo, porque la bombona está vacía o porque está suministrando otro gas en lugar de oxígeno. Este título de cooperación ejecutiva está llamado también a comprender otros casos que, en puridad, responden a una forma de *autoría mediata* respecto a la conducta de terceros que cooperan a la muerte del suicida.

Valga de ejemplo el caso en el que el médico encomienda a la enfermera que, hasta que él le advierta, suministre al paciente una dosis diaria de un preparado cuyo uso prolongado puede tener efectos letales. El médico se limita a dejar pasar los días sin ordenar a la enfermera que suspenda el suministro.

Dado que el art. 143.3, lejos de configurarse como un delito de *propia mano*, lo único que requiere es que el acto que provoca la muerte del suicida sea atribuible en términos normativos al comportamiento de un tercero, nada se opondría, en principio, a apreciar dicha modalidad en ejemplos como el propuesto en el que, si bien quien *ejecuta* la muerte del paciente es la enfermera, actúa instrumentalizada por el médico[366].

Ahora bien, con lo anterior lo único que hemos afirmado es que en la actividad médica nada se opone a apreciar, en su caso, una conducta que pudiera reconducirse a una modalidad omisiva de las contempladas en los apartados segundo y tercero del artículo 143 CP. De forma paralela a cuanto sostuvimos en el apartado anterior en relación con el delito de homicidio, la especificidad de la relación médico-paciente, así como el alcance que se conceda a la voluntad de éste contraria a seguir viviendo obligan, sin embargo, a poner en tela de juicio la subsistencia del presupuesto mínimo de la comisión impropia, a saber, la *posición de garantía* del médico.

---

[365]   Al respecto, GÓMEZ RIVERO, *AP* 1998, *ob. cit.*, margs. 906 ss.
[366]   GÓMEZ RIVERO, *AP*, 1998, *ob. cit.*, marg. 908 ss.

De este problema volveremos a ocuparnos al tratar de forma genérica las fuentes del deber de garantía del médico. Para evitar reiteraciones, baste anticipar en este punto la conclusión en torno a que, a diferencia de los supuestos en los que el enfermo se limita a aceptar una situación de riesgo, en los casos que ahora interesan en que desea la muerte, decae la posibilidad de descartar con carácter general la posición de garantía del médico a partir del supuesto reconocimiento de un espacio de libertad del paciente[367]. Así vendría a reconocerlo el Código penal al tipificar las conductas de participación en el suicidio[368].

No obstante, con lo anterior lo único que hemos afirmado es que no es la voluntad contraria del paciente de seguir viviendo la que cancela el deber de garantía. Pero ello no impide que éste se cancele en virtud de argumentos relacionados específicamente con el origen de su deber de obrar, normalmente un acto contractual, cuya vigencia, por tanto, se extiende hasta donde lo haga la voluntad de las mismas. De esta forma, cuando decae la voluntad del paciente mediante un *acto por el que se sustrae por completo* al compromiso que en su día demandó, decaen también los pilares que fundamentaban el deber de obrar de la otra parte de la relación, el médico. Para evitar reiteraciones nos remitimos en este punto al capítulo dedicado a la comisión por omisión. Lo único que interesa destacar ahora es que cuando el médico respete en tales casos la voluntad del paciente resultará imposible fundamentar su responsabilidad por el resultado letal. En este sentido pueden reproducirse las palabras de ROXIN cuando comenta el caso Wittig, al que ya nos referimos para presentar este problema:

"*Cuando el Tribunal Supremo Federal advierte que a menudo los suicidas no son responsables y que en caso de que se les salve en buen estado rara vez se arrepienten de ello, sencillamente debe afirmarse, cuando sea reconocible una anomalía psíquica, un deber de tratar y socorre al paciente. Pero no es éste el supuesto o, por lo menos, debe ser descartada con seguridad su similitud con el nuestro, dado que no hay motivo racional alguno que impida respetar la decisión autónoma del paciente también para el caso del suicidio. La desaprobación moral, la mayoría de las veces deducida por motivos religiosos, de una muerte libre que condujo inicialmente al Tribunal Supremo Federal al rechazo de toda decisión de suicidio, no puede acogerse en un Ordenamiento jurídico que no conoce en modo alguno obligaciones morales o religiosas...naturalmente que un paciente puede arrepentirse, independientemente de la resolución al suicidio, de rehusar un tratamiento en el mo-*

---

[367]   En un sentido distinto véase TOMÁS-VALIENTE LANUZA, *La disponibilidad de la propia vida en el Derecho penal, ob. cit.*, págs. 451 ss., con amplias referencias doctrinales, págs. 438 ss.

[368]   Como es sabido, otra cosa sucede en el Derecho alemán, lo que permite a autores como ESER utilizar ese argumento para defender la impunidad del médico que se limita a respetar la voluntad del suicida, en "Sterbewille und ärztliche Verantwortung", en *MedR* 1985, págs. 6 ss.

mento en el que ya es demasiado tarde para salvarlo. Pero ello no afecta en nada a la impunidad de la eutanasia pasiva, por lo que un argumento acerca del suicidio no puede conducir razonablemente a un resultado contrario"[369].

Con lo anterior hemos descartado la posibilidad de fundamentar bajo tales presupuestos la responsabilidad del médico por el resultado lesivo a título de comisión por omisión. Resta todavía plantearse la eventual responsabilidad del mismo por un delito de *omisión propia*, ya sea del art. 195 o 196 CP.

En primer lugar, por lo que se refiere al art. 196 (delito especial del profesional), la respuesta puede obtenerse sin dificultades a partir de la propia redacción del precepto. En efecto, éste contempla una dualidad de conductas cuyos presupuestos en absoluto concurren en los casos que ahora se examinan. La primera modalidad es la denegación de asistencia sanitaria por parte del profesional que esté obligado a ello. Los presupuestos fácticos de la aplicación del tipo son, por tanto, por un lado, que se produzca un acto de requerimiento asistencial al que se niega el médico; por otro, que el mismo estuviera obligado a prestarlo conforme a los márgenes legales que acotan su compromiso de actuar. Según entiendo, la inadecuación de este título de responsabilidad para comprender el injusto de los supuestos que ahora interesan resulta palmaria puesto que en ellos, por definición, no se produce el primer requisito que exige el precepto. Baste pensar que quien se niega a la asistencia no es el médico sino el propio paciente, por lo que hablar en tales condiciones de denegación de asistencia es simplemente absurdo.

Descartada por ello cualquier posibilidad de aplicar el art. 196, resta todavía plantearse si se dan los presupuestos de la omisión genérica del *deber de socorro* contemplada en el art. 195 CP cuando el médico no presta asistencia a la persona que se opone a ello[370]. Ni que decir tiene que la solución aparece condicionada en la doctrina por la postura que previamente se sostenga en torno a la subsistencia de los presupuestos típicos del *deber de obrar*. Así, en función del alcance con que se delimite tal deber, la doctrina se encuentra

---

[369]   ROXIN, "Tratamiento jurídico-penal de la eutanasia", *ob. cit.*, págs. 13 s.

[370]   De estos casos tienen que diferenciarse aquellos otros en los que no conste la oposición al tratamiento tras el intento de suicidio. En este sentido, afirma MARTÍNEZ-CALCERRA-DA que en los casos de urgencia "la regla a seguir será el respeto a la voluntad del paciente siempre que la urgencia del caso no permita -y a la vez imponga- la actuación *ex oficio* del facultativo, supuesto en el que éste podrá prescindir de la voluntad manifiesta del paciente. Piénsese que incluso responsabilidades penales podrán ser exigidas...no puede incumplirse el deber general de socorro que a toda persona afecta simplemente porque 'nuestro suicida', con anterioridad a la ejecución de los actos, hubiese manifestado que tal era su voluntad", *Derecho médico, ob. cit.*, pág. 107.

dividida entre las voces que reclaman en estos casos tal calificación[371], las que la admiten de forma diferenciada atendiendo a que el sujeto esté o no consciente[372], y aquellas otras, mayoritarias, contrarias a la misma. El argumento básico de esta opinión es la imposibilidad de apreciar el presupuesto objetivo del deber de obrar[373], a saber, la situación de una persona *desamparada en peligro manifiesto y grave*[374]. Este presupuesto se cuestiona cuando es la propia víctima no sólo la que acepta, sino la que se ha colocado en dicha situación de desamparo y riesgo[375]. Junto a este argumento, otros autores, si bien llegan a

---

[371]	En la doctrina alemana, por ejemplo, SAPANN/LIEBHARDT/BRAUN, "Ärztliche Hilfeleistungspflicht und Willensfreiheit des Patienten", en Fs. für Bockelmann, München, 1979, págs. 488 ss., manejando como argumento principal la dificultad para conceptuar en tales casos la voluntad como libre, págs. 490 ss. Digna de mención es la postura que sostiene STERNBERG-LIEBEN, Die objektivem Schranken der Einwilligung im Strafrecht, ob. cit., págs. 258 ss., quien fundamenta dicha responsabilidad sobre la base de una presunción en torno a la falta de madurez de la decisión de quien realiza un acto suicida.

[372]	ULSENHEIMER, *Arztstrafrecht in der Praxis, ob. cit.*, págs. 224 ss.

[373]	Si bien en relación con la específica problemática de los Testigos de Jehová, BAJO FERNÁNDEZ maneja un argumento singular al sostener que no puede apreciarse un delito de omisión del deber de socorro con razones que enlazan con la idea de la imposición de un riesgo: "cuando el sujeto se opone a una mediación salvadora que, con intención de socorro, implica, sin embargo, algún riesgo para el periculante, la voluntad contraria al socorro elimina, a mi juicio, sin duda, el deber de socorrer. Y éste es el caso de los Testigos de Jehová", *CPC* 1993, *ob. cit.*, pág. 724.

[374]	Entre otros, DEL ROSAL BLASCO, "La participación y el auxilio ejecutivo al suicidio: un intento de reinterpretación constitucional del art. 409 CP", en *ADPCP* 1987, pág. 97; DÍEZ RIPOLLÉS, "La huelga de hambre ene el ámbito penitenciario", en *CPC* 1986, págs. 644 s; el mismo en *Delitos contra bienes jurídicos fundamentales, ob. cit.*, págs. 249 s; el mismo, en *Comentarios al Código penal, ob. cit.*, pág. 218; HUERTA TOCILDO, "Las posiciones de garantía en el delito de comisión por omisión", en *Problemas fundamentales de los delitos de omisión*, Madrid, 1987, pág. 183; BACIGALUPO ZAPATER, *Estudios sobre la Parte especial del Derecho penal, ob. cit.*, pág. 55; LUZÓN PEÑA, "*Estado de necesidad e intervención médica (o funcionarial, o de terceros) en casos de huelgas de hambre, intentos de suicidio y de autolesión: algunas tesis", ob. cit.*, pág. 58; VALLE MUÑIZ, en *CPC* 1989, ob. cit., pág. 187; ROMEO CASABONA, *El Derecho y la Bioética ante los límites de la vida humana*, Madrid, 1994, págs. 439 s. Pueden encontrarse amplias referencias doctrinales tanto en relación con los casos de tratamientos médicos obligatorios como con las huelgas de hambre, en ARÁUZ ULLOA, *El delito de omisión del deber de socorro*, Valencia, 2006, págs. 319 ss. En la doctrina alemana, se muestran contrarios a apreciar un delito de omisión de socorro, entre otros, BOTTKE, *Suizid und Strafrecht*, Belin, 1982, págs. 272 ss; ESER, "Lebenserhaltungspflicht und Behandlungsabbruch", en AUER/MENZEL/ESER, *Zwischen Heilauftrag und Sterbehilfe. Zum Behandlungsabbruch aus eth., medizin. u. rechtl. Sicht*, Köln, Berlin, Bonn, München, 1977, págs. 110 ss; VON BURSKI, *Die Zeugen Jehovas, die Gewissensfreiheit und das Strafrecht, ob. cit.*, pág. 141.

[375]	Lógicamente, la virtualidad de este argumento requiere constatar que tras la realización de los actos ejecutivos persiste en la víctima el propósito suicida. Los casos más problemáticos son, sin duda, aquéllos en que el suicida se encuentra en estado de coma o inconsciencia,

la misma conclusión de impunidad del omitente, proyectan su razonamiento a una sede sistemática distinta: la *antijuricidad*. En nuestra doctrina es el caso de SILVA SÁNCHEZ, quien considera que es inexigible la prestación de socorro a quien no lo desea[376].

Según entiendo, la determinación de las bases a partir de las cuales discutir la posibilidad de reconducir a la tipicidad de un delito de omisión pura la inactividad ante el suicidio pasa por atender a la razón de ser que ha llevado al legislador a tipificar estas conductas. La respuesta cobra la mayor trascendencia en cuanto condiciona de forma directa la solución que se sostenga. De vincularse el injusto de la omisión del deber de socorro al del tipo delictivo al que se refiere, la consecuencia lógica habría de ser negar en estos casos la aplicación del art. 195 CP. El argumento es fácil de entender: baste pensar que, en puridad, si se interrelacionan ambos injustos, la conducta de no prestar socorro a quien se encuentra en situación grave a consecuencia de un acto suicida no representa sino una forma de *complicidad* en el suicidio. Por ello, si se quiere respetar la filosofía del precepto, la solución tendría que ser sostener también la *atipicidad* de las conductas que ahora se tratan, puesto que si el legislador no ha querido castigar la complicidad a la conducta de quien desea poner fin a su vida, con más razón habrá de concederse la impunidad a la colaboración de quien, por no ser garante, ni siquiera podría calificarse como cómplice por omisión.

Por el contrario, la solución tiene que ser distinta si se parte, como aquí hacemos[377], de que el desvalor del delito de omisión del deber de socorro se

---

en los que no puede expresar su voluntad, casos en los que, a mi juicio, ante dicho estado de duda, no puede seguir operando la presunción de continuidad de la voluntad suicida. Admito así una solución paralela a la sostenida por buena parte de la doctrina en supuestos que, si bien son distintos puesto que no puede hablarse de la voluntad de morir de la víctima, son limítrofes con los que ahora se tratan: aquéllos en que la persona a quien se pretende auxiliar es un huelguista de hambre en estado de inconsciencia (MUÑOZ CONDE, *Derecho penal, Parte Especial, ob. cit.*, págs. 69 s). Obsérvese por ello que la discusión en torno a si es aplicable el delito de omisión del deber de socorro se circunscribe en realidad a los casos en que el suicida actualiza su voluntad de no querer seguir viviendo.

[376] SILVA SÁNCHEZ, en *ADPCP* 1987, *ob. cit.*, págs. 473 s; el mismo en *La responsabilidad penal del médico por omisión, ob. cit.*, págs. 139 s; véase las consideraciones que en torno a la idea de la exigibilidad realiza PÉREZ DEL VALLE, *Conciencia y Derecho penal, ob. cit.*, págs. 138 ss, quien tras negar que la misma sea un elemento de la tipicidad de la omisión del deber de socorro, concluye que "el deber sólo puede desaparecer como tal cuando el interés que protege se encuentra en oposición con un interés de valor esencialmente superior, o cuando simultáneamente confluye con otro deber planteándose entonces un conflicto que debería resolverse con las reglas específicas de esa causa de justificación".

[377] GÓMEZ RIVERO, "La omisión de socorro a víctima de accidente", en *La Ley* 1995; la misma, en "La regulación de los delitos de omisión del deber de socorro en el nuevo Código penal", en *La Ley*, 1996.

desvincula por completo tanto del injusto del que pueda traer causa como del que en un momento posterior pueda dar lugar. En efecto, si se entiende que el contenido de injusto que viene a incriminar el legislador en este delito de omisión pura es única y exclusivamente la infracción del deber de *solidaridad humana* que pesa sobre los miembros de la comunidad cuando objetivamente una persona se encuentra en situación de desamparo —*"peligro manifiesto y grave"*—, haciendo abstracción tanto del origen de la situación de peligro como de la voluntariedad o no de la situación de que trae causa, la consecuencia no puede ser otra que apreciar un delito del art. 195 CP[378].

Con lo anterior, sin embargo, sólo se hemos afirmado que no puede excluirse de entrada, con argumentos basados en los rasgos típicos de la omisión del deber de socorro, la reconducción a este delito de la falta de asistencia al suicidio. Su efectiva aplicación en el caso concreto está todavía necesitada de una comprobación ulterior relativa ahora a la necesidad de respetar los límites que marca el ámbito de otros tipos de la Parte Especial; en concreto, el delito de *coacciones*. En este orden de ideas, la aplicación del tipo de omisión del deber de socorro quedará vedada allí donde, como sucede en los casos que ahora se plantean, la víctima se niegue de forma inequívoca a ser atendida[379]. Por lo demás, según entiendo, estos son los únicos supuestos en los que queda plenamente justificado el argumento que manejan autores como SILVA SÁNCHEZ cuando aluden a la idea de *inexigibilidad*. Así lleva a entenderlo el hecho de que ésta lo único que puede justificar es la no realización de actos salvadores allí donde conste una voluntad seria e inequívoca del suicida. En el resto de los casos, esto es, aquellos en los que la víctima está inconsciente o en condiciones tales que no puede manifestar su voluntad, manejar el argumento de la inexigibilidad atendiendo al origen de la situación de riesgo (acto voluntario del suicida) sólo sería de recibo, una vez más, mediante la fusión o

---

[378]   En este sentido, MUÑOZ CONDE, *Derecho Penal, Parte Especial, ob. cit.,* pág. 140, si bien sin hacer mención expresa al suicidio, pág. 332, cuando afirma que a efectos de la aplicación del art. 195 CP es indiferente "la causa, voluntaria o involuntaria, externa o interna, de la situación peligrosa". Sostiene expresamente la aplicación del delito de omisión del deber de socorro en relación con las conductas suicidas, entre otros, ROMEO CASABONA, "El marco jurídico-penal de la eutanasia en el Derecho español", en Homenaje al Prof. Sainz Cantero, en *RFDUG* 1987, págs. 200 s; el mismo, en *El médico y el Derecho penal, ob. cit.,* pág. 374; GIMBERNAT ORDEIG, *Estudios de Derecho penal,* 1990, *ob. cit.,* págs. 279 ss; ROLDAN BARBERO, "Prevención del suicidio y sanción interna", en *ADPCP* 1987, pág. 629.

[379]   RIZ, *Il tratamento médico e le causa di giustificazione, ob. cit.,* págs. 88 ss., para quien, si bien el médico estaría obligado a prestar el socorro necesario para salvar su vida en un primer momento, dicha obligación decae tan pronto como el paciente muestre su oposición al tratamiento.

contemplación conjunta de dos injustos que, por lo que a los presupuestos de subsunción se refiere, son totalmente independientes.

Cuestión distinta a la posibilidad de reconducir la conducta del médico que actúa sin respetar la voluntad del paciente al ámbito típico de las coacciones es la relativa a los presupuestos bajo los que pueda apreciarse un *estado de necesidad* que excluya en el caso concreto su contenido de antijuricidad. En este punto pueden darse por reproducidas en su totalidad las consideraciones que hacíamos más arriba en torno a la conveniencia tanto *dogmática* como *político criminal* de apreciar en tales supuestos dicha causa de justificación. Baste insistir ahora en la insatisfacción que generaría desde el sentido más básico de justicia la pretensión de castigar al médico que ha actuado despojado de cualquier interés personal y que ha obrado impulsado exclusivamente por el móvil de salvar la vida de un tercero.

2.2.4. *Especial referencia a un supuesto problemático: los casos en que la discordancia entre la voluntad del paciente y el acto que el médico realiza u omite se refiere a una mujer embarazada*

En las páginas precedentes hemos ido acotando las principales dificultades que se plantean en la práctica médica en los casos en que el interés representado por respetar el consentimiento del paciente pudiera entrar en colisión con otros intereses igualmente dignos de tutela.

Objeto del presente apartado es un supuesto específico en el que dicha confrontación de intereses se presenta con tintes especialmente singulares: aquél en que se trata de ponderar la prevalencia que deba tener la voluntad de la mujer embarazada a la hora de decidir sobre su propio cuerpo cuando esa decisión repercute sobre la salud e incluso sobre la vida del feto. Dado que la dificultad de solución que plantean estos casos no es siempre reconducible a la fenomenología propia de la negativa al tratamiento médico, se tratan bajo este epígrafe más amplio de las posibles discordancias entre la voluntad de la embarazada y el tratamiento médico prescrito.

Aunque la variedad de supuestos que pueden presentarse es realmente variada, sus contornos problemáticos pueden sintetizarse en torno a dos grandes grupos de casos: los primeros, aquéllos en que se trata de una mujer embarazada que solicita un tratamiento que pone en peligro la vida o la salud del feto; los segundos, aquéllos en que rechaza una terapia beneficiosa para el mismo. Aquí podrían distinguirse, a su vez, dos grupos de supuestos: por un lado, aquellos en los que la terapia que la mujer rechaza es beneficiosa para su vida o salud y, con ello, de forma indirecta o mediata, para la del feto; por otro lado, los casos en que dicha terapia a la que la embarazada se opone repercute favorablemente de forma exclusiva en la salud o en la vida del feto.

Ejemplo del primer gran grupo de casos citados sería, por ejemplo, aquél en el que, pese a estar desaconsejado por razón del embarazo, la mujer solicita que se la practique una prueba que, como una radiografía, puede conllevar riesgos para el feto. Como ejemplos del segundo grupo de casos valgan los dos siguientes que, respectivamente, responden a los subgrupos problemáticos planteados: por un lado, los supuestos en los que la embarazada necesita una transfusión sanguínea, de tal modo que al rechazarla no sólo pone en peligro su vida o salud, sino también la del feto; por otro, los casos en que el médico aconseja, bien la práctica de una prueba de diagnóstico fetal que la mujer rechaza por incidir sobre su cuerpo, o bien una medida terapéutica orientada a tratar una malformación o enfermedad que, ya de hecho, se ha diagnosticado en aquél. Valga de ejemplo de este último grupo la operación que en noviembre de 2002 saltaba a los medios de comunicación por ser la primera vez que se realiza en España. Se trataba de una intervención de hernia diafragmática en un feto. La operación consistía en taponar con un balón inflable la tráquea del feto, para estimular así el crecimiento pulmonar y evitar que los intestinos invadiesen el espacio destinado a los pulmones. La intervención requería una incidencia en la integridad de la mujer, ya que consistía en introducir un endoscopio a través del abdomen de la madre hasta llegar a la boca del feto[380]

La pregunta común que se plantea en todos los supuestos descritos es la siguiente: ¿conserva la mujer que, conforme a los parámetros que más arriba se señalaron, ha sido suficientemente informada de los riesgos de su petición o renuncia sobre su vida y la del feto, la plena facultad de decidir lo que crea conveniente?, ¿o, por el contrario, dicha capacidad debe encontrar algún límite en argumentos relacionados con la preservación o intangibilidad, si no ya de su vida, sí de la del feto? En lo que sigue, trataremos por separado cada uno de los grupos de supuestos planteados.

2.2.4.1. Casos en que la mujer embarazada solicita la práctica de una prueba que no está médicamente indicada y que puede repercutir de forma negativa sobre la salud o vida del feto

De cara a acotar el genuino ámbito problemático de estos supuestos debe advertirse, en primer lugar, que los casos que aquí interesan son aquellos en

---

[380]   Véase la información aparecida en el Diario *El País* los días 1 y 2 de noviembre de 2002.

los que la intervención no es inocua para la vida o salud del feto. Ello supone expulsar de este ámbito de estudio aquellos supuestos en los que, en realidad, lo único que se ventila es si un paciente —ahora una embarazada—, puede solicitar una práctica asistencial cualquiera pese a no estar indicada. Valga de ejemplo el caso en que la mujer solicita que se le practique una cesárea pese a que el médico no advierte indicación alguna para ello. En la medida en que con la práctica de dicha técnica no se incremente el riesgo para la vida o la salud del feto, el problema se trasladaría simplemente al ámbito propio de los límites de las peticiones del paciente, un tema que trataremos al abordar la relación de la actividad médica con el delito de lesiones y el papel del consentimiento del enfermo como causa excluyente de responsabilidad por dicho título delictivo.

Frente a estos casos, los que ahora interesan son aquellos en que a la voluntad de la mujer se enfrenta un interés relacionado con la preservación de la vida o salud del futuro ser.

Por seguir un orden creciente de complejidad, debe observarse, en primer lugar, que cuando en la práctica médica se plantea la necesidad de someter a la embarazada a un determinado tratamiento pese a que el mismo puede conllevar riesgos para el feto, su indicación médica suele condicionarse a la superación de un juicio ponderativo en torno a su necesidad a partir de una contemplación relativa con el grado de riesgo que comporta para la vida o salud de aquél. El problema se reconduce así, en términos jurídicos, a la solución de un *estado de necesidad* en el que la legitimación de la puesta en peligro de un bien jurídico —la vida o salud del feto— se justifica por la necesidad de salvaguardar la de otro que se estima de mayor calado —la vida o salud de la madre— y que se encuentra seriamente amenazado. De esta forma, cuando conforme a esa ponderación pueda afirmarse que la realización de la prueba resulta justificada por la gravedad del mal que en otro caso pendería sobre la madre, el eventual resultado lesivo que se produjera en el feto quedaría expulsado del ámbito de la antijuricidad conforme a los parámetros generales que inspiran aquella causa de justificación en nuestro Código penal.

A partir de este esquema general, que no plantea problema alguno, las dificultades se presentan en los casos en que el juicio ponderativo que realice el médico entre la necesidad de la prueba para la madre, por un lado, y los eventuales daños que pueda causar al feto, por otro, arroje como resultado que la realización de aquélla deba considerarse desaconsejada para éste y, pese a ello, la madre insista en la práctica de la misma. Para su delimitación con los supuestos tratados más arriba, debe tenerse presente que ahora se hace referencia a aquellos en los que la práctica de la prueba no resulta imprescindible para la vida o salud de la madre, bien porque el peligro que amenaza a la misma no es muy grave, bien porque la práctica de esa prueba puede posponerse sin mayores dificultades a un momento posterior al parto. La pregunta que surge entonces es la siguiente: ¿debe primar también en estos supuestos la autonomía del paciente, en este caso la de la madre, de tal modo que el médico tuviera que respetar su voluntad?, ¿o existe, por el contrario, un límite a la misma representado por una suerte de tutela estatal al feto frente a los actos de la madre que puedan dañarlo o, al menos, ponerlo en peligro? Y derivado de lo anterior, ¿debería responder el médico por los daños que cause al feto a consecuencia de la práctica de una prueba realizada exclusivamente a instancias de la mujer?

Según entiendo, a diferencia de lo que sucede en otros ordenamientos, el Código penal español ofrece de forma indirecta la respuesta a este interrogante. En él, en efecto, se tipifican desde el año 95 en el art. 157 las lesiones que se causen al feto "por cualquier medio o procedimiento" de forma dolosa, castigando el artículo siguiente, el 158, las lesiones que en el mismo se causaren por *imprudencia grave*, artículo que contempla además una pena de inhabilitación cuando pueda apreciarse la imprudencia profesional. A partir de esa previsión, entiendo que no hay dificultades para interpretar la voluntad del legislador en el sentido de reconducir al ámbito penal los casos en los que el profesional realice, a solicitud de la embarazada, la prueba que acabe lesionando al feto. Y ello tanto en los supuestos en los que su realización se deba a una apreciación confiada de que no se producirán los riesgos que penden sobre él, pese a advertir lo desaconsejado de la prueba o terapia de que se trate, como en aquellos otros casos en que consienta o, al menos, acepte el resultado del daño al feto con una actitud de indiferencia propia del dolo eventual. Porque no cabe duda de que cuando de una u otra forma provoca un daño al feto le está causando, en el sentido de los arts. 157 y 158, una lesión. Con esta regulación expresa, el legislador ha evitado la discusión doctrinal que este problema alimenta en otros ordenamientos que, como el alemán, desconocen un precepto de este tipo[381].

Afirmado lo anterior, la pregunta que surge de inmediato es si ese comportamiento del médico pudiese quedar eventualmente justificado por el consentimiento de la embarazada. La negación de esa posibilidad no resulta difícil de fundamentar. Baste pensar que en el precepto la protección penal encara directamente los intereses del feto como tal, sin dejar su protección al albur

---

[381]   Sobre dicha discusión, véase por ejemplo STERNBERG-LIEBEN, *Die objektiven Schranken der Einwilligung im Strafrecht, ob. cit.*, págs. 245 s.

del criterio de la mujer embarazada. No hay mejor prueba de ello que el hecho de que el legislador tipifique los ataques que la propia embarazada realice al feto de forma dolosa.

De forma especialmente clara resulta esa irrelevancia del consentimiento de la mujer en un ámbito distinto, el del aborto, que sin embargo también responde a la misma filosofía de protección del feto que inspira al delito de lesiones, si bien ahora en relación con los ataques que se traducen en su total destrucción. En este delito, de forma más consolidada debido a su mayor tradición, también el Código penal ofrece una solución expresa para los casos en que el resultado que se produzca sea la destrucción del feto. Como es sabido, los artículos 144 ss. CP castigan las conductas de aborto realizadas por tercero tanto de forma dolosa como imprudente, con o sin consentimiento de la mujer embarazada, previendo también una cualificación para los casos en que la negligencia sea reconducible a los esquemas de la imprudencia profesional. De esta forma, nuestro legislador ha despejado cualquier género de dudas sobre la ineficacia del consentimiento de la mujer embarazada en torno a la posible justificación de la conducta, confirmando, en definitiva, que la protección penal del feto se orienta de forma directa al mismo, sin mediatizarse por la eventual voluntad o actitud que demuestre la madre.

Cuestión distinta es que, por razones de política criminal, el legislador haya optado por dejar impune tanto las lesiones al feto imprudentes como el aborto imprudente que fuera imputable a la embarazada, castigando exclusivamente, por lo que a la mujer se refiere, los casos en que en su conducta pueda observarse, al menos, una actitud de indiferencia propia del dolo eventual.

2.2.4.2. Casos en que la embarazada rechaza una prueba que resulta beneficiosa o que, al menos, evita daños o riesgos para el feto

Las dudas en torno a los posibles límites al consentimiento del afectado por el acto médico vuelven a plantearse de la mano de otro grupo de supuestos inversos a los anteriores y que ya enunciábamos líneas más arriba. Se trata de aquellos en los que ahora la embarazada no solicita una prueba, sino que se opone a la práctica de una intervención que, ya sea con carácter diagnóstico o terapéutico, resulta aconsejada para la salud y, en casos extremos, incluso para la continuidad de la vida del feto. Como entonces ya adelantábamos, ello puede deberse a una dualidad de razones: la primera, a que se trate del rechazo a una terapia orientada de forma directa e inmediata a mejorar o salvaguardar la salud del feto; la segunda, a que el rechazo lo sea de una terapia que de forma inmediata incide en la salud de la madre y, con ello, de manera indirecta, en la vida o salud del futuro ser. Vayamos por partes.

a) Casos en que la negativa se refiere a un tratamiento que se orienta de forma directa a evitar riesgos para la vida o salud del feto o a mejorar dicho estado de salud

Las dudas que se plantean en este apartado se refieren a casos como los siguientes:

> *El médico aconseja la práctica de una prueba de amniocentosis como método de diagnosticar una posible enfermedad del feto. La madre se niega a ello.*
>
> *El médico aconseja a la embarazada la toma de un medicamento beneficioso para el feto, algo a lo que la mujer se niega.*
>
> *Los médicos aconsejan una intervención sobre el feto que requiere introducir un endoscopio a través del abdomen de la madre[382].*

De nuevo la pregunta que vuelve a plantearse es la siguiente: ¿puede la madre negarse a lo médicamente prescrito como una manifestación de su libertad de disposición, de tal modo que si el médico no respetase su voluntad pudiera responder, incluso, por un delito de coacciones? Y si por el contrario el médico respetase la voluntad de la mujer, ¿podría hacerse merecedor de un reproche penal como comitente por omisión?

Como puede comprobarse, en realidad, en la solución de estos casos se implican dos tipos de cuestiones que apuntan a los respectivos sujetos que eventualmente pudieran hacerse merecedores de un juicio de reproche penal. En primer lugar, la relativa a la responsabilidad del médico; en segundo lugar, la referente a las posibles implicaciones penales para la madre.

En primer lugar, por lo que se refiere a la eventual responsabilidad del médico, la solución a estos casos no puede perder de vista el rasgo que acuña su genuina fenomenología y que a su vez traza la diferencia con la problemática reseñada líneas más arriba. Ahora, en efecto, la conducta del médico motivada por la consiguiente negativa de la madre se traduce, no en un hacer, sino en una mera pasividad, en la omisión del tratamiento que estaba indicado. De esta forma, el fundamento de la responsabilidad de aquél requeriría demostrar, conforme a las premisas que inspiran con carácter general la responsabilidad en comisión por omisión en la Teoría General del Delito, que se cumplían

---

[382]   Ejemplo que corresponde al que referíamos más arriba en torno a la información aparecida en el Diario *El País* los días 1 y 2 de noviembre de 2002.

los requisitos que se exigen para ese título de responsabilidad; entre ellos, y en primer lugar, que el médico se encontraba en una posición de garantía respecto al bien jurídico lesionado o puesto en peligro; en este caso, la vida o integridad del feto.

Como tendremos ocasión de insistir en el capítulo correspondiente a los presupuestos de la responsabilidad en comisión por omisión, la afirmación de tal premisa puede traer su causa en el ámbito de la medicina de varias fuentes que no son más que la traducción en el mismo de la construcción ensayada con carácter general en torno a las fuentes del deber de obrar. Así, dicha posición de deber puede tener su origen, en primer lugar, en una obligación de actuar impuesta por la ley, como sucede en el caso del médico de guardia y rural respecto a los pacientes de su competencia que le demandan ayuda asistencial. En segundo lugar, dicha posición puede deberse a un previo acto de injerencia, comprendiéndose ahora los casos en los que el médico ha iniciado ya un determinado tratamiento que después interrumpe de forma arbitraria. Pero en tercer lugar, y son los supuestos más frecuentes, el deber de obrar del médico puede tener su origen en una relación contractual que, como tal, conserva su vigencia en tanto persiste la voluntad de las partes. En cualquiera de los casos, la pretensión de mantener la posición de garantía del profesional sanitario pese a la oposición de la embarazada a la práctica de la prueba o tratamiento requeriría descubrir un fundamento supraindividual —más allá de la voluntad contraria de la mujer—, atento a la procura de una suerte de tutela estatal al feto. Ello se traduciría, no ya en el deber de evitar los actos que puedan dañarle, sino en el deber mucho más intenso de obligar a la mujer a realizar todos los actos que pudieran favorecerle desconociendo, si es necesario, la voluntad de ésta.

Bien es verdad que la preocupación del Estado por proteger al feto más allá de los deseos de la mujer encuentra signos inequívocos en la legislación positiva. Baste pensar, una vez más, en los delitos de aborto y lesiones al feto que, como recordábamos líneas más arriba, se orientan de forma indiscutida a tutelarlo pese a la eventual voluntad contraria de la embarazada, delitos que, también sin lugar a dudas, pueden cometerse a título de omisión impropia. Ahora bien, una cosa es que el legislador en el correspondiente tipo delictivo no reconozca con carácter general eficacia eximente alguna a la voluntad de la embarazada, y otra que el deber de obrar del médico subsista por encima de la negativa de la misma al acto médico.

Bien, pues la posición de garantía del profesional, como presupuesto de su responsabilidad omisiva, encuentra su límite allí donde tropieza con la negativa de la mujer a la terapia. A diferencia de cuanto antes sosteníamos en torno al vínculo relacional directo que el legislador ha trazado entre la protección que brinda al feto y la existencia de éste como tal, sin supeditarlo a la voluntad de la embarazada, los límites del deber de obrar del médico se condicionan a la inexistencia de una voluntad contraria de la mujer portadora del mismo. Entender otra cosa supondría que el Estado tuviera que desplegar una labor de gendarmería para asegurarse de que no se omite nada conveniente para una correcta evolución de los embarazos, utilizando como tentáculos de su misión la labor de los profesionales de la medicina. Sobre la inviabilidad e incoherencia misma de esta construcción no creo que haga falta insistir. De hecho, no algo distinto sucede cuando la madre no lleva a su hijo —portador del bien jurídico vida humana independiente—, al profesional que pueda practicarle la prueba o tratamiento que necesite. Con independencia de que en casos extremos pueda fundamentarse el deber del médico de poner los hechos, en su caso, en conocimiento de la autoridad judicial, habría de descartarse cualquier pretensión de fundamentar un deber de obrar del médico por encima de la voluntad de la madre, con la consecuencia de que, de no violentar dicha voluntad, hubiera de responder por un delito de homicidio o lesiones.

Volviendo al ámbito que ahora nos interesa, el de la vida humana en formación, dado que la relación de tutela al feto que pueda provenir de la práctica médica se proyecta de forma mediata sobre la mujer a partir de una relación contractual con el médico, tan pronto como decaiga la voluntad de ésta de continuar la relación, motivada en este caso por la renuncia a la prueba que se le aconseja, lo harán las bases que están en el origen de la misma. Si la mujer rechaza el tratamiento, el médico no está obligado a actuar como gendarme en contra de su voluntad. El médico no es gendarme en general de la vida o salud —en este caso dependiente—; su obligación no es ilimitada, sino que se desenvuelve dentro de los parámetros que marcan los contornos de su deber de actuar. Y éstos desaparecen cuando lo hace la voluntad de quien puede contratar o reclamar una prestación asistencial de él.

Por otra parte, todavía podría manejarse un argumento adicional que resulta especialmente evidente en los casos en los que la negativa de la mujer obedece a una actitud, no dolosa, sino de confianza en torno a que no se producirán daños en el feto. En tales supuestos el intento de fundamentar el deber de obrar por parte del médico desconocería, como señala STERNBERG-LIEBEN en la doctrina alemana, la libertad de la mujer como persona, con la consiguiente reducción de su consideración a la de un mero receptáculo de una vida humana en formación[383]. No creo que haga falta insistir que sobre estas bases el Derecho no reconoce ni puede reconocer ninguna obligación de obrar. Así, por ejemplo, conforme a lo anterior, el médico debería respetar la negativa de la embarazada a someterse a pruebas de diagnóstico prenatal en las que, como es sabido, se trata de detectar las posibles anomalías del ser en formación a efectos de adoptar las medidas pertinentes. Por el contrario, si el médico quisiera forzar en tales casos la voluntad de la embarazada, su conducta, lejos de ser lícita, podría reconducirse a los tipos que tutelan la libertad[384]. Por lo mismo, el médico también debería quedar impune cuando no obligase a la mujer a someterse a una terapia que, ya con carácter curativo, beneficie al feto.

Las afirmaciones anteriores se refieren a la responsabilidad en que pudiera incurrir el médico. Respecto a aquélla que pudiera derivarse para la embarazada resulta conveniente hacer alguna matización que despeje posibles equívocos. Y es que, en efecto, en cuanto madre del ser en formación, su posición de garantía se presta a valorarse en términos más amplios que la que grava al médico que, como ya apuntábamos, a falta de la consagración de un deber específico de actuar, se cancelaría por la desaparición de las bases consensuales que dan vida a la relación médico-paciente. De hecho, éste es un dato que en absoluto adquiere tintes específicos cuando está en juego la vida humana dependiente que ahora se trata, sino que obedece a las directrices que en general inspiran las respectivas posiciones de deber de cara a fundamentar un título de responsabilidad omisiva. Baste pensar que, de hecho, ya en un ámbito distinto, como es el de la protección de los hijos en cuanto portadores del bien jurídico vida humana independiente, aquella posición de garantía encuentra un espectro de protección mucho mayor respecto a las omisiones que provengan de la madre que respecto a las que provengan del médico. En éste ámbito nadie discute, en efecto, que la relevancia penal de éstas últimas queda acotada por los estrictos límites de la prestación asistencial a la que se haya comprometido el profesional.

Por otra parte, no puede perderse de vista el dato positivo de la existencia en el Código penal tanto de las lesiones causadas al feto dolosamente por la mujer como de las conductas que producen el aborto del mismo también con dicha finalidad dolosa, que se convertirían así en el referente de su posible responsabilidad omisiva.

[383]　STERNBERG-LIEBEN, *Die objektiven Schranken der Einwilligung im Strafrecht*, ob. cit., págs. 241 ss.

[384]　Sobre la posibilidad de apreciar en tales casos un estado de necesidad, véase *supra*, II 2.2.3, *La negativa del paciente al tratamiento en los casos de urgencia*.

A partir de la combinación de los dos datos anteriores, esto es, por un lado, la posible fundamentación en términos más amplios del deber de obrar de la madre; por otro, la existencia de aquellos delitos, la pregunta que surge de inmediato es la siguiente: ¿Está la mujer siempre y en todo caso obligada a someterse a las pruebas de diagnóstico o terapéuticas que pudieran beneficiar al feto? Y, caso de no hacerlo, ¿respondería también siempre por el correspondiente delito en comisión por omisión?, ¿o es tan poderoso el argumento relativo a la necesidad de respetar la dignidad y libertad de la mujer a decidir si acepta injerencias o no sobre su propio cuerpo que cualquier voluntad de la misma fundada en el respeto a su incolumidad personal habría de actuar descartando la posibilidad de fundamentar su deber de obrar?

A mi juicio, la línea de solución tiene que encontrarse en la necesidad de depurar en cada caso la problemática conflictual que late bajo estos supuestos. Si bien es verdad que la libertad y dignidad de la mujer son valores que tienen que inspirar cualquier aproximación al problema, la existencia misma de los preceptos relativos al aborto y a las lesiones al feto obliga a deslegitimar, al menos con carácter absoluto, los argumentos relacionados con la misma cuando tras ellos se ocultan móviles orientados al daño de la vida del futuro ser. Así obliga a entenderlo no ya sólo el hecho de que en general el Derecho no puede convertir aquellos argumentos en velo con el que camuflar conductas orientadas a su lesión, sino también que, como decíamos, dicho proceder supondría vaciar de sentido la existencia misma en el Código penal de los delitos de aborto y lesiones al feto que el legislador ha decidido castigar en el caso de la mujer cuando actúe de forma dolosa.

En efecto, si el legislador ha optado por castigar a la mujer que intencionalmente o, al menos con una actitud de indiferencia propia del dolo eventual, comete por acción conductas de destrucción o lesivas para la vida humana en formación, no habría de calificarse sino como arbitraria la pretensión de sostener la licitud de las maniobras de la madre que, ahora por omisión, produjeran el mismo resultado.

Ahora bien, como se desprende de lo anterior, debe advertirse que la efectiva incriminación de la mujer conforme a este título de responsabilidad requiere la superación de dos tipos de límites que afectan, respectivamente, a la tipicidad objetiva y subjetiva de dicho delito. En primer lugar, por lo que se refiere a los requisitos del tipo en el plano objetivo, entiendo que para poder empezar a hablar siquiera de la posibilidad de apreciar dicho delito es necesario que la práctica de la prueba no comporte riesgos para la mujer, o al menos riesgos comparables con los que penden sobre el feto y que se tratan de evitar. La necesidad de respetar su *dignidad* como persona y no forzarla a someterse a riesgos sólo justificables desde una concepción instrumental de la misma como portadora de otro ser, debe llevar en estos casos a excluir cualquier tipo de responsabilidad para la madre ya en el ámbito de tipicidad, sin tener que esperar, por tanto, siquiera a justificar su conducta por el cauce dogmático propio de un *estado de necesidad*. De hecho, del espíritu de la ley puede desprenderse que cuando el legislador describe la conducta de lesiones al feto presupone que para evitarla la madre no tiene que ponerse en peligro. Así puede deducirse de la jerarquía valorativa que reconoce el Código penal entre la vida humana independiente y dependiente, que se verían ahora amenazadas por los riesgos que respectivamente comportan cada una de las alternativas (práctica de la prueba/renuncia a la misma).

En segundo lugar, en los supuestos en que no pueda advertirse esa situación de riesgo para la mujer, la responsabilidad de la misma conforme al delito de lesiones al feto requerirá todavía una restricción en sede de tipicidad subjetiva, que ya referíamos líneas más arriba. Como es sabido, el legislador ha optado por la solución político-criminal de incriminar exclusivamente las conductas dolosas de la mujer que lesionan al feto, dejando extramuros de la órbita penal las que se producen a título de mera imprudencia.

Debe advertirse que si bien esta comprobación relativa a los aspectos subjetivos es claramente diferenciable de la anterior en un plano conceptual, en la práctica la prueba de esa actitud dolosa va a ir frecuentemente unida a la comprobación de que el acto médico indicado no conllevaba riesgos para la mujer o, al menos, que no se trataba de riesgos relevantes. Así, por ejemplo, retomando los casos que proponíamos al principio, cuando la prescripción médica que rechaza la embarazada consista en la práctica de una amniocentosis, el dato de los elevados riesgos que la misma comporta para su salud e incluso para su vida, permite fundamentar la exclusión de una actitud dolosa de ésta respecto a los daños al feto. Al contrario, cuando de la prueba que se trata de realizar no puedan derivarse mayores riesgos para aquella podrá apreciarse con más facilidad su actitud dolosa.

Es cierto que no todos los supuestos se prestan a enjuiciarse en la práctica de modo tan sencillo, y que la mayoría de las veces puede resultar dudoso determinar si la negativa de la mujer obedece exclusivamente al ejercicio de un acto de libertad, de tal modo que los posibles resultados lesivos que se causaran al feto hubieran de calibrarse como imprudentes —con la consiguiente impunidad que se derivaría para la misma—, o si, por el contrario, obedece exclusivamente a su intención de causar lesiones al feto. Pero como sucede cada vez que el juez tiene que enfrentarse con problemas de prueba de elementos subjetivos, en su indagación deberá acudir a los indicadores concurrentes en cada caso, entre los que sin duda están llamados a jugar un papel importante también las ponderaciones de corte objetiva, como la relativa a los posibles riesgos que pudiera tener el tratamiento para la madre así como la entidad de la incidencia de la medida en la incolumidad de la misma.

En resumen, pues, la conducta de la mujer que se opone a la práctica de la prueba sólo podrá castigarse por un delito de lesiones al feto cuando concurran dos presupuestos: en primer lugar, que de aquella no se deriven riesgos considerables para la embarazada; la segunda, que en su negativa pueda descubrirse una actitud dolosa que cumplimente las exigencias de tipicidad subjetiva de aquel delito.

b) Casos en que el rechazo o negativa de la mujer se debe a un tratamiento necesario para la vida o salud de la madre y con ello, de forma indirecta, para el feto

La solución de los casos que se plantean en este apartado no supone más que la aplicación al mismo de las premisas que en general hemos venido sosteniendo. Conforme a ellas, en primer lugar, por lo que se refiere a la responsabilidad en que pudiera incurrir el médico, los casos en los que el riesgo se refiriese de forma exclusiva a la salud de la mujer no presentarían demasiados problemas. Bastaría, en efecto, trasladar los argumentos anteriores relativos tanto a las bases contractuales del deber de obrar del médico como a la necesidad de respetar la voluntad de la mujer, para descartar la subsistencia de cualquier obligación del profesional.

Por lo demás, respeto a la madre, tampoco habría demasiadas dificultades para afirmar su impunidad: porque en la medida en que el rechazo al tratamiento que a ella misma le beneficia responde la mayoría de las veces a una actitud de confianza en la no producción del riesgo, los posibles resultados lesivos que se causaran al feto habrían de imputársele a aquélla a título de imprudencia, título que es impune para la madre tanto con relación a su eventual responsabilidad por un delito de aborto como de lesiones al feto.

Tampoco debe plantear especiales dificultades la solución de los casos en que el rechazo a la terapia indicada se refiere a una intervención asociada a la salud de la mujer que ésta precisa para salvaguardar su vida y, con ello, para continuar la del feto. Como puede observarse, esta problemática no es más que manifestación de otra más amplia que ya tratamos en otro epígrafe: los casos de rechazo del paciente al tratamiento. Tal vez la única dificultad sobreañadida que presentan estos supuestos se refiere a la posibilidad de descubrir la posición de garantía del ginecólogo que atiende a la mujer respecto al feto del que ésta es portadora, con la consecuencia de que si se afirmara esa posición y aquél no interviniera respetando la negativa de la embarazada, pudiera responder por un delito de aborto o, en su caso, de lesiones al feto en comisión por omisión.

Como ya veíamos en el apartado anterior, basta una simple contemplación de los hechos para descartar dicha posibilidad. Y no ya sólo porque de admitirse dicha posición de garantía se extendería sobremanera el ámbito de la intervención penal, sino porque, como también entonces señalábamos, en estrictos términos dogmáticos, a la misma se opondría la imposibilidad de descubrir el presupuesto de la responsabilidad omisiva —la posición de garantía— allí donde la mujer renunciara a ser intervenida, puesto que, por razones lógicas, el contrato médico no se concierta entre el médico y el futuro ser, sino entre aquél y la madre. Dicho de otra forma, la obligación del médico de atender el embarazo se mediatiza por el consentimiento de la embarazada, de tal modo que cuando ésta renuncia a la asistencia se rompen las bases contractuales que generaron la posición de garantía. Cancelada ésta, también se cancela su compromiso asistencial respecto al feto. De hecho, no es sino esta argumentación la que lleva igualmente a rechazar la posibilidad —absurda en el plano lógico— de que el ginecólogo pudiera convertirse en garante indiscriminado de todos los partos que reclamasen su asistencia.

c) Una cuestión común a los dos grupos de casos anteriores: la posibilidad de admitir por la vía de estado de necesidad la práctica de la prueba prescrita

El tratamiento de los dos grupos de casos anteriores ha arrojado como resultado que, al margen de la responsabilidad en que pudiera incurrir la mujer, cuando ésta se opone a la práctica de una prueba que pudiera ser beneficiosa para el feto, se cancelan las bases del deber de obrar del médico y, por ello, éste debe respetar la voluntad de aquélla, con la consecuencia de que si, por el contrario, el médico la obligase a someterse al acto en cuestión podría responder por un atentado a la libertad de la embarazada[385].

---

[385]   En este sentido, ULSENHEIMER, "Ärztliche Aufklärung vor der Geburt", en *Der Gynäkologe*, 1998-9, págs. 799 ss.

La pregunta que ahora se plantea es si, eventualmente, pudiera estar justificada la imposición coactiva de la práctica mediante el expediente propio de un *estado de necesidad* que amparase la intervención orientada a salvar la vida del feto. Las dudas surgen en cuanto que no puede ignorarse que también esta última es un valor digno de tutela que puede entrar en colisión con los intereses propios de la madre. De hecho, así lo reconoce de forma implícita el legislador cuando al regular los casos en los que el aborto está permitido ha optado por un sistema de indicaciones que, como se admite de forma unánime, no responde sino a la lógica estructural propia de un estado de necesidad.

Ahora bien, afirmado lo anterior, esto es, que la preservación de la vida del feto puede entrar en conflicto con los intereses de la embarazada, la solución de la colisión de intereses en el sentido de dar prevalencia a aquélla requeriría la concurrencia de una serie de circunstancias que no son más que el fruto de la conjugación de los requisitos generales del estado de necesidad con las peculiaridades del caso que ahora tratamos. En concreto, presupuesto indispensable para que pueda prosperar esa causa de justificación en el sentido de dar prevalencia a la vida del feto es que la intervención no conlleve riesgos para la madre que pudieran afectar a su vida o incluso a su salud. Para ello pueden aportarse dos tipos de razones de lectura convergente.

La primera, porque conforme a los cánones generales del estado de necesidad, en caso de igualdad en la gravedad del riesgo que pende sobre dos bienes jurídicos, la prevalencia habrá de tenerlo aquél que goza de reconocimiento superior; en este caso, en la confrontación entre el riesgo de pérdida de una vida humana dependiente y otra independiente la prevalencia ha de tenerla esta última. Sobre la corrección de esta premisa no parece necesario insistir; baste recordar que el propio Código penal avala esta afirmación no sólo al proteger de forma diferente los ataques a uno y otro bien, sino al permitir sin ambages el aborto cuando la vida de la mujer esté en peligro. La segunda razón entronca con argumentos que enlazan con cuanto sosteníamos más arriba en torno a la necesidad de respetar la *dignidad* de la mujer. Como ya señalábamos al tratar el ejemplo en el que la prueba prescrita fuera una amniocentosis, la imposición a la mujer de los riesgos que la misma conlleva supondría reducir su consideración a la de una mera portadora o receptáculo de un ser en gestación, desconociendo su dignidad como persona.

Llegados a este punto, puede decirse, a modo de resumen, que la admisión del estado de necesidad habrá de limitarse a los casos en los que la intervención que la mujer rechaza y que sin embargo es beneficiosa para el feto no comporte riesgos para ella o, al menos, éstos sean nimios, tanto en consideración a la entidad de la prueba como a las condiciones personales de la mujer (edad, constitución o patologías previas).

III. EL CONSENTIMIENTO DEL PACIENTE Y EL DELITO DE LESIONES

Los Capítulos I y II de la Primera Parte de este trabajo se dedicaron a precisar el valor del consentimiento del paciente como presupuesto legitimador de la actividad médica. En ellos se acotaron los presupuestos que deben concurrir para que pueda decirse que el acto médico está respaldado por un acto de voluntad válidamente emitido por el enfermo y deba descartarse, por tanto, la aplicación de los tipos delictivos que se orientan a tutelar su libertad. El objeto de este Capítulo es determinar el papel del consentimiento que conforme a aquellos parámetros se ha reputado válido a efectos de excluir la posible responsabilidad del médico por un delito que con alta frecuencia podría venir en consideración: el tipo de lesiones.

Debe advertirse que al margen de las reflexiones que siguen queda la cuestión en torno al papel que pudiera tener el consentimiento del paciente a la hora de excluir la aplicación de otros tipos delictivos, básicamente, los delitos de coacciones, amenazas o detenciones ilegales. La razón es que respecto a ellos no existe dificultad alguna a la hora de reconocer que el presupuesto de su tipicidad es la voluntad contraria de la persona afectada, de tal modo que este elemento se convierte sin ambages en elemento condicionante del tipo.

1. Planteamiento del problema y discusión doctrinal

Cuando se contempla el tratamiento médico desde el punto de vista de su posible relevancia jurídico penal, el tipo delictivo que por antonomasia bordea sus contornos es el de *lesiones*. Las razones por las que esto sea así son fáciles de entender. Ya de entrada, la relación entre dicho tipo y la actividad médica resulta evidente cuando se trata de una prestación sanitaria irregular que determina la producción de un resultado lesivo. Dejando a un lado los casos menos frecuentes de lesiones dolosas[386], ello incluye, en primer lugar, todo el espectro de conductas

---

[386] Si bien tampoco faltan ejemplos de esta fenomenología de casos. Baste de cita el conocido caso "Maeso", relativo a un médico anestesista acusado de contagiar entre 1988 y 1998 la hepatitis C a distintos pacientes a sabiendas de que padecía esa enfermedad. La Au-

que pueden producirse a consecuencia de los comportamientos que en otra parte de este trabajo se califican como imprudentes[387]. Pero en segundo lugar, también la proximidad entre el delito de lesiones y el título de responsabilidad por el que eventualmente responda el médico se explica sin dificultad cuando esa prestación asistencial irregular da paso, no ya a menoscabos en la integridad física producidos a consecuencia de negligencias en la fase de diagnóstico o tratamiento, sino a alteraciones en la salud psíquica del sujeto debidas a irregularidades que puedan detectarse en cualquier fase de la relación médico-paciente.

Para ilustrar este segundo grupo de casos puede servir de ejemplo el supuesto enjuiciado en el orden civil por la Sentencia de la Sección Primera de la Audiencia Provincial de Palma de Mallorca, de 28 de septiembre de 2000. En ella se ventilaba la responsabilidad del sanitario por las lesiones psíquicas producidas a una paciente a la que se diagnosticó incorrectamente una enfermedad grave.Se trataba de una mujer a la que, tras practicársele dos pruebas analíticas, se le diagnosticó ser portadora del virus VIH. Estos primeros resultados fueron confirmados posteriormente por dos nuevas analíticas practicadas por el método Elisa. Ese primer diagnóstico estaba todavía pendiente de confirmación por la técnica denominada Western-Blont, oscilando las posibilidades de que esa segunda prueba arrojase un resultado negativo entre el 0,5 y el 1%. A la paciente no se le informó al respecto. Pese al pequeño margen de posibilidades, esa segunda prueba arrojó un resultado negativo respecto a la existencia del VIH. Durante el tiempo que medió hasta conocer ese resultado la paciente desarrolló un cuadro depresivo y ansioso, motivado por la creencia de que era con seguridad portadora del virus.

Dejando a un lado otras cuestiones técnicas que plantea la Sentencia, el Tribunal reconoció, siquiera implícitamente, que en casos como éste donde se produce una alteración psíquica es posible reconducir su fenomenología

---

diencia Provincial de Valencia, en la Sentencia 229/2007, de 14 de mayo, apreció el dolo, siquiera en la modalidad de eventual, en los doscientos setenta y cinco delitos de lesiones del art. 149.1, ya que el autor "ha obrado conociendo el peligro concreto que se deriva de su actuación y dicho peligro supera claramente el peligro permitido...En el presente supuesto, es innegable que el acusado, dada su condición de médico, era perfectamente consciente de la posibilidad de transmitir cualquier enfermedad infecciosa que padeciese y fuese susceptible de contagio por inoculación percutánea o parenteral, a los pacientes a quienes, ignorándolos éstos, imponía compartir el instrumental y fármacos anestésicos o de uso en la UCI". Sin embargo, le condenó por los cuatro homicidios producidos a título de imprudencia por considerar que no podía concluirse que "previera o se representara como posible que la enfermedad contagiada viniera en última instancia a desencadenar el fallecimiento del infectado".

[387] Véase *infra* Segunda Parte, I 1, *La imprudencia*.

a la responsabilidad por lesiones, si bien luego, empleando argumentos, a mi juicio más que discutibles relacionados con la doctrina de la imputación objetiva, absolvió al médico por dicho resultado lesivo a la vez que excluyó su posible dimensión penal[388/389].

Pero la relación entre la actividad médica y el delito de lesiones no se ciñe a estos casos que pudieran aglutinarse bajo la genérica expresión de funcionamiento o prestación irregular de los servicios sanitarios. Por el contrario,

---

[388] "En primer lugar, porque en modo alguno ha resultado acreditado que el cumplimiento por los doctores acusados de ese deber de informar al paciente, sobre la necesidad de confirmar su diagnóstico, habría evitado en Dolores la aparición del estado depresivo y ansioso...Y en segundo lugar, y siguiendo en este punto a la teoría de la imputación objetiva, porque el fin que persigue la norma que exige a los facultativos informar a los pacientes de forma veraz, detallada y completa de la enfermedad que padecen y su posible tratamiento, es el de permitir la libre determinación de la voluntad de los pacientes con carácter previo a la realización de un determinado acto médico, siempre que, por no encontrarse el enfermo en situación de riesgo vital, se halle en condiciones de autorizar o dar su consentimiento libre y voluntariamente a la intervención terapéutica de que se trate. Y en el caso de autos, el consentimiento que pudiera prestar Dolores S. a la actuación de los facultativos acusados resultaba de todo punto intrascendente e inocuo, puesto que, y como se ha expuesto más arriba, desde el primer momento en que Dolores S. fue diagnosticada como posible portadora del virus del VIH, debía ser tratada como tal aunque los resultados obtenidos por ulteriores análisis no confirmasen ese inicial pronóstico". Lo criticable de este modo de argumentar se debe a que si bien es cierto que la función básica y el sentido mismo del deber de informar es que el paciente pueda tomar una decisión seria y madura, ello no puede hacer perder de vista que también las deficiencias, fallos o errores en la información pueden erigirse en frente de nuevas responsabilidades para el médico ya en lo que se refiere a la fase de diagnóstico. Lo contrario supondría dar luz verde a la impunidad de aquél por cualquier falta de información, incluidas las que se debieran a errores burdos, siempre que no afectasen al comportamiento u opciones del paciente. Con ello se llegaría a la paradójica conclusión de que cuanto más grave fuese la enfermedad sobre la que recayese el diagnóstico falso, más se garantizaría la impunidad del médico, ya que entonces lo único que interesaría comprobar es que, de todas formas, la enfermedad no tenía cura y, con ello, el paciente no tenía opciones de elegir. Conclusión ésta realmente curiosa si se repara en que son justamente los diagnósticos falsos de enfermedades graves los que están en condiciones de producir un estado de depresión. Véase también infra, *Segunda Parte I, 1, La imprudencia*.

[389] Véase también, por ejemplo, el caso enjuiciado por al Sentencia de la Sección 4ª de la Audiencia Provincial de Granada, de 9 de febrero de 2000, en la que se ventilaba la responsabilidad de los médicos que, debido a un diagnóstico erróneo, comunicaron al paciente que era portador del virus del Sida, error que se prolongó durante un período de casi cuatro años. El Tribunal condenó a los facultativos porque "resulta difícil encontrar un caso en el que daño moral pueda ser más acentuado; solamente la reflexión sobre la pendencia de la condena de muerte que supone la enfermedad, durante los casi cuatro años que se mantuvo la equivocada situación, nos lleva a los límites más insospechados del daño moral que pudo padecer el accionante".

dicha relación y las consiguientes zonas contiguas entre aquel título delictivo y la actividad médica bordean constantemente a la misma también cuando se presta de un modo regular o, si se quiere, correcto o conforme a las reglas del buen ejercicio de la medicina. De hecho, puede decirse que el protagonismo de este delito en el marco de la actividad médica normal u ordinaria es doble.

En primer lugar, porque si ésta se contempla como un proceso integrado por una sucesión de actos cuya finalidad última es la curación o mejora de la salud del paciente, entre ellos es posible descubrir algunas actuaciones que, en mayor o menor medida, presentan una semejanza innegable con el comportamiento típico que describe el legislador cuando redacta el delito de lesiones. Así, por ejemplo, es un acto lesivo la punción que supone la inyección de un medicamento, el corte incisivo que realiza el cirujano para intervenir, la amputación de un órgano enfermo, e incluso los efectos secundarios que causa la ingestión de determinados medicamentos. De hecho, esta estrecha relación entre la actividad médica y el delito de lesiones se pone de manifiesto en la definición del *tratamiento médico* que ya ensayara CRESPI a mediados del siglo XIX y que todavía puede seguir considerándose válida: aquélla actividad que se orienta de forma directa a eliminar o paliar una patología del cuerpo o de la mente de una persona, o bien a mejorar el aspecto externo de la misma (intervenciones estéticas) mediante procedimientos que, realizados conforme al conocimiento y estado de la ciencia y de la praxis médica, *influyen de forma relevante en la integridad del cuerpo humano o en el decurso de su proceso biológico*[390].

Todavía en un segundo sentido puede decirse que la actividad médica prestada de forma regular bordea a veces los límites de las conductas que pudieran considerarse constitutivas de un delito de lesiones. Se trata ahora de la perspectiva que atiende, no ya a la sucesión de actos aislados en que puede descomponerse el tratamiento, sino al resultado final del mismo cuando, pese a realizase con el cuidado debido, la pretensión curativa fracasa. Una vez más, si cabe ahora de forma aún más palmaria, resulta evidente el parecido morfológico de la actividad del médico con la conducta constitutiva de un delito de lesiones. De nuevo, en efecto, se trata de una actividad que incide de forma negativa sobre la integridad corporal y la salud del paciente. Y no en otra cosa consiste el delito de lesiones.

---

[390]   CRESPI, *La responsabilità penale nel trattamento medico chirurgico con esito infausto, ob. cit.*, págs. 5 ss.

Lo cierto es, sin embargo, que si bien una primera aproximación a la actividad médica permite asimilar la misma a la incidencia sobre la integridad corporal que toman por base los delitos de lesiones, dicha conclusión se desvanece tan pronto como aquella actividad se contempla a la luz de la óptica más amplia de la finalidad que la inspira. La actividad médica es, al menos en su genuino sentido, una tarea que se orienta a mejorar el estado de salud del paciente, a ofrecerle una mejor calidad de vida sanando su enfermedad o, al menos, paliando sus padecimientos. La valoración como lesiones de la merma que el paciente pueda sufrir en su integridad durante este proceso, e incluso las que finalmente se le causen cuando el tratamiento fracasa, sería demasiado miope si no tuviera en cuenta el contexto más amplio en que se insertan y que acuña su verdadera razón de ser. Desde él, la pretensión de equiparar jurídicamente el tratamiento de dichas lesiones con las que se puedan causar por móviles espurios, como la venganza, no resistiría el juicio del más básico sentido común, en tanto que incluso al sentimiento más profano no escapa que ni el enfermero que inyecta un preparado, ni el médico que abre una herida, ni siquiera el cirujano cuyo paciente muere en la mesa de operaciones por una complicación inesperada, son, ni en sentido vulgar ni jurídico, delincuentes; por decirlo de otro modo, son sujetos que aunque "lesionen" al paciente desde un punto de vista meramente descriptivo, no lo hacen en el sentido jurídico del término.

Esta exigencia mínima, demandada por el más básico sentido común, de separar la actividad del médico de la conducta del delincuente no ha encontrado, sin embargo, un fundamento unitario en el intento de articularla dogmáticamente[391]. Al contrario, la doctrina ha ensayado toda una gama de fórmulas que oscilan desde los que afirman que la actividad médica es siempre subsumible en el delito de lesiones y fundamentan la impunidad del médico en la concurrencia de una *causa de justificación* —bien sea el ejercicio legítimo de un derecho, el cumplimiento de un deber o el consentimiento entendido como causa justificante[392]—, hasta los que consideran que la actividad médica rea-

---

[391]   Sobre cada una de las posibles soluciones, véase SCWALM, "Zu einigen ungelösten Strafrechtsproblemen", *en Fs. Engisch zum 70 Geburstag*, Frankfurt 1969, págs. 548 ss. Véase también MAURACH/SCHROEDER/MAIWALD, *Strafrecht. Besonderer Teil*, Heidelberg, 1988, págs. 95 ss. En la doctrina italiana, con referencias doctrinales, RIZ, *Il trattamento medico e le cause de giustificazione, ob. cit.*, págs. 27 ss; GALANTI, "Liceità dell'ativitá medico-chirurgica: alla ricerca di un fondamento normativo", en *Rivista Penale*, 1995, págs. 1461 ss. En nuestra doctrina, por ejemplo, LÓPEZ BARJA DE QUIROGA, "El consentimiento informado", en *Responsabilidad del personal sanitario, CGPJ 1994*, págs. 299 ss.

[392]   Esta solución es la que siguen los Tribunales alemanes. En la doctrina de aquel país, véase JAKOBS, *Derecho Penal, Parte General, ob. cit.*, pág. 526, nota 9, para quien el tratamiento curativo realizado conforme a las reglas de la lex artis no excluiría ni el tipo objetivo ni subjetivo del delito

lizada conforme a las reglas de la *lex artis* debe considerarse siempre atípica por lo que al delito de lesiones se refiere[393]. Pero ni siquiera todos los autores que defienden esta última postura recurren a un único argumento. Al contrario, unas veces se apunta a criterios relacionados con la contemplación fenoménica del decurso de los hechos[394], otras a consideraciones relativas al bien

---

de lesiones; PFEFFER, *Durchführung von HIV-Test ohne den Willen des Betroffenen, Pflicht und Befugnis zur Befundmitteilung aus der Sicht des Strafrechts, ob. cit*, pág. 54; KNAUER, "Ärztlicher Heileingriff, Einwilligung und Aufklärung -überzogene Anfonderung an den Arzt?" en *Medizinstrafrecht*, In Spannungsfeld von Medizin, Ethik und Strafrecht, Hrsg. ROXIN/SCHROTT, Stuttgart/München/Hannover/Berlin/Weimar/Dresden, 1999, págs. 11 ss, quien sólo excluye del ámbito típico los casos de intervenciones banales que resulten exitosas. En la doctrina italiana véase DEL CORSO, en *Rivista italiana di diritto e procedura penale*, 1987, *ob. cit.*, con referencias doctrinales a cada una de las teorías, págs. 540 ss. Véanse también referencias doctrinales en MANNA, "Le 'nuove frontiere' del trattamento medico-chirurgico nel Diritto Penale", en *L'Indice Penale*, 1996, págs. 147 ss; el mismo *en Profili penalistici del trattamento medico-chirurgico, ob. cit.*, págs. 25 ss; PASSACANTANDO, "Il difetto del consenso del paziente nel trattamento medico-chirurgico e i suoi riflessi sulla responsabillità penale del medico", en *Rivista italiana di medicina legale*, 1993, págs. 104 ss; RIZ, *Il trattamento medico e le causa di justificazione, ob. cit.*, págs. 25 ss. En nuestra doctrina, por ejemplo, BAJO FERNÁNDEZ, *Manual de Derecho Penal, Parte Especial. Delitos contra las personas*, Madrid, 1991, págs. 152 ss.

[393]   En la doctrina alemana, entre otros, BELING, en *ZStW 1924*, págs. 220 ss; KAMPS, *Ärztliche Arbeitsteilung und strafrechtliches Fahrlässigkeit, ob. cit.*, págs. 249 ss; BOCKELMANN en *Strafrecht des Arztes, ob. cit.*, págs. 66 ss; el mismo en «Der ärztliche Heilbegriff in Beiträgen zur Zeitschrift für die gesamte Strafrechtswissenschaft im ersten Jahrhundert ihres Bestehens», en *ZStW* 1981, págs. 105 ss, donde ofrece completas referencias al estado de la cuestión en alemana; HIRSCH, en *FS für Heinz Zipf, ob. cit.*, Heidelberg, 1999, págs. 353 ss., con referencias doctrinales. Véase también la completa exposición con referencias doctrinales en HARTMANN, *Eigenmächtige und fehlerhafte Heilbehandlung, ob. cit.*, págs. 45 ss. Referencias a esta opinión en la doctrina italiana en MANNA, *Profili penalistici del trattamento medico-chirurgico, ob. cit.*, págs. 3 s. En nuestra doctrina, por todos, ROMEO CASABONA, *El médico y el Derecho penal, ob. cit.*, págs. 273 s.

[394]   En la doctrina italiana, MANNA, *Profili penalistici del trattamento medico-chirurgico, ob. cit.*, págs. 11 s., para quien cuando el tratamiento médico fracase, difícilmente podría decirse que el médico es el causante de la enfermedad del paciente, puesto que la misma preexiste a la intervención médica, que se orienta precisamente a su curación. Por lo mismo, concluye, tampoco podría afirmarse la concurrencia de un delito de homicidio, en cuanto que la verdadera causa de la muerte no es la intervención del médico realizada conforme a la lex artis, sino la previa enfermedad que aquél pretendía curar. Por ello, sólo en los casos en los que la intervención médica no tuviera finalidad terapéutica y fracasara, podrá hablarse de lesiones, págs. 138 s., 166 ss; CRESPI, *La responsabilità penale nel trattamento medico-chirurgico con esito infausto*, ob. cit., págs. 9 ss. También entre los autores que articulan su solución a partir de una contemplación fenoménica de los hechos debe citarse a SCHRÖDER, para quien la tipicidad de las lesiones habría de excluirse en los casos en que se tratase de intervenciones de poca entidad, en "Eigenmächtige Heilbehandlung im geltenden Strafrecht und im StGB-Entwurf, *NJW*, 1961, págs. 951 ss.

jurídico afectado[395], y otras se excluye el tipo objetivo o subjetivo del delito de lesiones dependiendo, respectivamente, de que el acto médico resulte exitoso o fracase[396]. No obstante, con harta frecuencia suele apelarse a la ausencia de *desvalor de acción* de la actividad médica *curativa*[397], razonamiento que suele implicarse con la teoría de la *adecuación social*[398].

---

[395] BERDUGO GÓMEZ DE LA TORRE, *El delito de lesiones*, Salamanca, 1982, págs. 15 ss., a partir de la comprensión de que el bien jurídico protegido en el delito de lesiones es la salud personal, integrado por la capacidad de disponer de la propia salud y el soporte material de la misma. Conforme a estas premisas entiende el autor que en los casos en que la intervención resulte exitosa faltaría la adecuación misma de la conducta con la descripción típica; en los casos en que resulte fallida diferencia según concurra o no el consentimiento del paciente, de tal forma que, dependiendo del caso, la exclusión de la tipicidad discurrirá por distintas vías. En el primer supuesto, esto es, de concurrencia de consentimiento del paciente, habría de descartarse la lesión del bien jurídico, pues éste es la suma del objeto de disposición y de la libertad de disposición. En el segundo caso, el de resultado fallido y ausencia del consentimiento del paciente, descarta la tipicidad por ausencia de imputación objetiva cuando el tratamiento se realiza conforme a las reglas de la lex artis. Véase también DÍEZ RIPOLLÉS, en *Cuadernos de Derecho Judicial. Delitos contra la vida e integridad física, ob. cit.*, pág. 137: "hay determinadas actuaciones aparentemente lesivas que en una consideración más detenida y global, acaban considerándose como promotoras de la salud e integridad en lugar de menoscabadoras de ellas: el tratamiento médico o quirúrgico".

[396] BOCKELMANN, *Recht und Medizin, ob. cit.*, págs. 180 ss; el mismo en *Strafrecht des Arztes*, págs. 62 ss.

[397] ENGISCH, en *ZStW* 1939, ob. cit., págs. 5 ss; KAUFMANN Arthur, en *ZStW* 1961, *ob. cit.*, págs. 370 ss. Este autor recurre a la distinción entre tipo de delito y tipo de injusto: en los casos en los que la operación fracasa pese a observarse las reglas de la lex artis, si bien se daría el primero, la adecuación social de la conducta excluiría el segundo, y, con ello, su relevancia penal; KRAUSS, *en Fs. Bockelmann, ob. cit.*, p. 557 ss; RÜNDWALDT, Heilbehandlung und ärztliche Aufklärungspflicht, en Göppinger (Hrg.) *Arzt und Recht*, 1966, pág. 139; SCHMIDT, "Empfiehlt es sich, daß der Gesetzgeber die Fragen der ärztlichen Aufkärungspflicht regelt? Gutachten", en *Verhanlungen des 44 Deutschen Juristentages*, 1962, pág. 150 ss; el mismo en PONSOLD, *Lehrbuch der Gerichtlichen Medizin. Einschliesslich der ärztlichen Rechtskunde und der versicherungsmedizin, ob. cit.*, págs. 34 ss; KAMPS, *Ärztliche Arbeitsteilung und strafrechtliches Fahrlässigkeit, ob. cit.*, págs 108 ss; GRÜNDWALDT, *Heilbehandlung und ärztliche Aufklärungspflicht, ob. cit.*, págs. 134 ss, quien recoge prácticamente todos los argumentos en contra de la subsunción de la actividad médica en el delito de lesiones. En nuestra doctrina, entre otros, JORGE BARREIRO, Agustín, *La imprudencia punible en la actividad médico-quirúrgica, ob. cit.*, págs. 70 ss; el mismo en CPC 1982, pág. 12; OCTAVIO DE TOLEDO Y UBIETO, La reforma del consentimiento en las lesiones (art. 428 del CP), AAVV, *Comentarios a la legislación penal*, V, 2, 1984, pág. 942; ROMEO CASABONA, *El médico y el Derecho penal, ob. cit.*, págs. 164 ss.

[398] Véase al respecto, KRAUSS, en *Fs. Bockelmann zum 70 Geburtstag, ob. cit.*, págs. 557 ss; KAUFMANN Arthur, en *ZStW* 1961, *ob. cit.*, pág 373; HORST, "Die Rechtfertigung ärztlicher Eigenmacht", en *NJW* 1990, pág. 494. En la doctrina italiana, con referencias

Cada una de estas posturas responde a otras tantas concepciones en torno a la forma en que deba tutelarse la voluntad del paciente. Sin perjuicio de que en la Parte Primera de este trabajo ya hiciéramos referencia a las consecuencias penales que puedan derivarse en los casos en que se realiza la intervención sin respetar la voluntad del enfermo, no está de más subrayar ahora la fuerte implicación entre ambas cuestiones[399].

En primer lugar, para los autores que reconducen descriptivamente la actividad médica al tipo objetivo del delito de lesiones, la incidencia del consentimiento del paciente puede ser, bien excluir la tipicidad de la conducta, bien justificarla. A la primera solución suele llegarse a partir de la imbricación del bien jurídico protegido en dicho tipo delictivo con el reconocimiento del derecho de autodeterminación del paciente. Conforme a este razonamiento, al dejar de concebirse el interés tutelado en los tipos de lesiones en términos estrictamente materiales o identificativos con el objeto de la acción, el consentimiento de aquél impediría afirmar que el bien jurídico ha resultado afectado[400] y, a la inversa, la falta de consentimiento impediría excluir la relevancia penal del comportamiento conforme al tipo de lesiones cuando se haya producido el resultado lesivo[401].

---

doctrinales, MANNA, *Profili penalistici del trattamento médico-chirurgico, ob. cit.,* págs. 13 ss; ZIPF, *Problemas del tratamiento curativo realizado sin consentimiento en el Derecho Penal alemán y austriaco. Consideración especial de los trasplantes de órganos, ob. cit.,* pág. 156; FIORE, C, *L'azione socialmente adequata nel diritto penale,* Morano, Napoli, 1966, pág. 126.

[399] Véase *supra,* Primera Parte, II, *Las consecuencias penales por vicios en el consentimiento o ausencia del mismo.*

[400] Sobre la relación entre la protección que se conceda al consentimiento y la forma en que se fundamente la impunidad del médico (por *atipicidad* o por *causa de justificación*), véase DEL CORSO, en *Rivista italiana di diritto e procedura penale,* 1987, *ob. cit.,* págs. 540 ss. Para este autor, de entenderse que el tratamiento con éxito no realiza el tipo del delito de lesiones, la tutela de la voluntad habrá de buscarse de forma directa por otras vías. No obstante reconoce que, paradójicamente, su protección será entonces parcial, puesto que en tanto no se contemple en un tipo expreso el tratamiento médico arbitrario, el consentimiento sólo resultará protegido cuando la intervención no consentida fracase. De fundamentarse la impunidad del médico por la vía de las causas de justificación, el papel que se concede al consentimiento sería superior, por marcar la frontera entre lo lícito e ilícito. No obstante, advierte, esa tutela sería indirecta, basada en la libertad de disposición sobre el bien jurídico representado por la integridad física.

[401] ROXIN, *Derecho Penal, Parte General, ob. cit.,* pág. 511 ss; específicamente en relación con la actividad médica, págs. 523 s., extendiendo esta solución no sólo para los casos de intervenciones curativas, sino con fines distintos como, por ejemplo, una operación cosmética; el mismo en *Dogmática penal y política criminal,* trad. de Abanto Vasquez, Perú, 1998, págs. 147 s; SCHMIDHAÜSER, *Strafrecht, Allgemeiner Teil, Studienbuch,* Tübingen, 1982, págs. 107 ss. En la doctrina italiana véase IADECOLA, *Il médico e la legge penale, ob.*

Esta interpretación, que en nuestro país ha encontrado acogida en algún pronunciamiento jurisprudencial[402], permitiría reconducir al tipo de lesiones los atentados contra la libertad en el ámbito médico. En relación con el Derecho alemán escribe ROXIN que "mientras el StGB no contenga un tipo de tratamiento curativo arbitrario...existe una incontestable necesidad político-criminal de considerar también co-protegido por el §223 el derecho de autodeterminación sobre la propia integridad del cuerpo y, por tanto, de castigar por lesiones caso de no haber consentimiento"[403]. Es más, a partir de este razonamiento algunos autores han concluido incluso que no es necesario incorporar al Código penal tipos relativos al tratamiento médico arbitrario para tutelar la libertad de decisión del paciente[404].

La segunda opción es la de quienes reconducen la actividad médica al delito de lesiones y otorgan al consentimiento el valor de una causa excluyente de la antijuricidad de la conducta, manteniendo, por tanto, el juicio de tipicidad aun en los casos en que el enfermo haya asentido en el acto médico. Tampoco para estos autores sería necesario incriminar de forma expresa los atentados a la libertad del enfermo puesto que, una vez más, cuando la intervención se realice sin mediar el consentimiento de éste, la conducta del médico, lejos de quedar impune, podría reconducirse a un delito de lesiones.

Frente a estos autores, para quienes descartan con carácter general que la actividad médica sea subsumible en los tipos de lesiones, la protección de la libertad del enfermo de decidir si desea someterse a un tratamiento y, en su caso, la índole del mismo, deberá discurrir necesariamente por tipos delictivos autónomos específicamente orientados a la tutela de aquel bien jurídico,

---

cit.; BONELLI/GIANNELLI, "Consenso e attività médico-chirurgica: profili deontologici e responsabilità penale" en *Rivista italiana di medicina legale*, 1991, págs. 24 ss.

[402] Es el caso de la Sentencia del Tribunal Supremo de 26 de octubre de 1995, que condenó a un médico por delito de lesiones -físicas- por haber practicado una ligadura de trompas médicamente indicada (dado el riesgo que podía representar un nuevo embarazo en las condiciones de la mujer) sin el consentimiento informado de la paciente, aprovechando que había sido sometida a una intervención de cesárea. Ciertamente en el supuesto enjuiciado por la Sentencia podría apreciarse una lesión a la mujer; pero la misma sólo podría descubrirse en el sentido de lesiones psíquicas, no físicas como sostuvo la Sentencia.

[403] ROXIN, *Derecho penal, Parte General, ob. cit.*, pág. 524. A propósito de las terapias paliativas del dolor, véase el mismo autor en "Tratamiento jurídico-penal de la eutanasia", en *Eutanasia y suicidio, ob. cit.*, págs. 5 s. Véase también, entre otros, BOCK, Behandlungs-, Aufklärungs- und Organisationsfehler aus der Sicht des Strafrechts, en *Der Gynäkologe*, 1999, págs. 915 ss ; SCHROTH, « Ärtliches Handeln und strafrechtlicher Masstab », en ROXIN/SCHROTH (Hrsg.), *Handbuch des Medizinstrafrechts*, Stuttgart/München/Hannover/Berlin/Weimar/Dresden, 2007, págs. 23 ss.

[404] KRAUSS, en *Fs. Bockelmann, ob. cit.*, pág. 575; KARGL, *GA*, 2001, *ob. cit.*, págs. 539 ss.

como las *coacciones* e incluso las *detenciones ilegales*[405]. Ante las lagunas de punibilidad que pudiera producir la exclusiva aplicación de dichos delitos, la mayoría de estos autores suele defender la incorporación al Código penal de un tipo que incrimine de forma específica la actividad médica realizada sin el consentimiento del paciente[406]. Es esta segunda orientación la que, según apuntábamos en el Capítulo II de este trabajo, ha inspirado la incorporación en algunos Códigos penales del delito de *tratamiento médico arbitrario ("Eigenmächtige Heilbehandlung")*, como el art. 110 del Código penal austriaco o el art. 158 del Código penal portugués[407].

2. Toma de postura

La posición que sostenemos en torno a la relación de la actividad médica con el delito de lesiones pasa por distinguir una dualidad de supuestos que se corresponden, respectivamente, con una fenomenología de casos nítidamente diferenciables. En primer lugar aquellos, la mayoría, en los que el acto

---

[405] En nuestra doctrina, entre otros, JORGE BARREIRO, Agustín, *La imprudencia punible en la actividad médico-quirúrgica, ob. cit.*, págs. 80 ss.

[406] En este segundo sentido, ESER Arthur, en *ZStW* 1985, ob. cit., págs. 8 s., 17 ss, publicado también en *Recht und Medizin*, 1990, págs. 328 ss. Este autor destaca que el papel del consentimiento en el delito de lesiones se funcionaliza a los bienes jurídicos que realmente constituyen su objeto de protección: la salud y la integridad corporal. De ahí deduce que si éstos no resultan mermados no puede apreciarse el delito de lesiones aunque la intervención se realice sin consentimiento del paciente. Por ello, la protección del paciente frente al tratamiento médico arbitrario requeriría un tipo que específicamente lo contemplase, págs. 18 s; el mismo, en "Problemas de justificación y exculpación en la actividad médica", en *Avances de la Medicina y Derecho Penal, ob. cit.*, pág. 15; HIRSCH, en *Gedächtnisschrift für Zipf, ob. cit.*, págs. 353 ss; KAUFMANN Arthur, en *ZStW* 1961, ob. cit., págs 373 ss; SCHMIDT, *"Der Arzt im Strafrecht"*, en PONSOLD, *ob. cit.*, págs. 34 ss; ZIPF, *en Avances de la Medicina y Derecho penal, ob. cit.*, págs. 149 ss., que califica la existencia de dicho tipo como "imprescindible". En relación con la específica problemática de la realización no consentida de pruebas de detección del Sida, HÖPFEL, en *Aids und Strafrecht, ob. cit.*, págs. 106 ss; MICHEL, en *JuS* 1988, ob. cit., págs. 8 ss. En la doctrina italiana, entre otros, MAZZACUVA, «Problemi attuali in materia di responsabilita' penale del sanitario», en *Rivista italiana di medicina legale*, 1984, págs. 415 ss; MANNA, *Profili penalistici del trattamento médico-chirurgico, ob. cit.*, págs. 138 s., quien subraya que el consentimiento no puede justificar un delito contra la vida o integridad física, puesto que su sentido y ámbito de aplicación es bien distinto: tutelar la libertad de autodeterminación del paciente, págs. 149 ss. Por ello, este autor propone introducir en el Código penal italiano tipos delictivos que contemplen de forma autónoma la negligencia médica y el tratamiento realizado sin el consentimiento del paciente, siendo posible, incluso, dada la autonomía del bien jurídico, apreciar un concurso entre ambos tipos, págs. 166 ss.

[407] Véase *supra, Primera Parte II*, 1.

médico persigue una finalidad curativa para el paciente y se realiza conforme a las prescripciones de la *lex artis* (2.1). Son los supuestos que genéricamente pueden agruparse bajo la denominación de *actividad terapéutica* realizada conforme a las reglas de prudencia. Frente a ellos se sitúan los casos en los que la finalidad perseguida con la intervención médica en cuestión no es, o al menos no de forma prioritaria, la curación del sujeto (2.2). Aquí tendrían cabida supuestos como los de trasplantes de órganos (por lo que al donante se refiere) (2.2.2) o los de experimentación científica (2.2.3). A su tratamiento habría de asimilarse el de aquellos otros supuestos en los que si bien la actividad médica persigue una finalidad curativa no se realiza conforme a las reglas de la *lex artis* (2.3), los supuestos en que el paciente se somete a una terapia que ni le beneficia ni perjudica (2.4), así como los casos en los que el médico realiza una intervención que, pese a no estar indicada, es solicitada por el paciente (2.5).

Veamos por separado cada uno de ellos.

2.1. Supuestos en que la actividad médica persigue una finalidad curativa y se realiza conforme a las reglas de la *lex artis*

Se tratan en este apartado los supuestos habituales de la práctica médica diaria; esto es, los casos en los que el médico interviene con la finalidad de restablecer el estado de salud del paciente o, al menos, de paliar sus dolencias. Es, en definitiva, la que se conoce como *actividad médica terapéutica*.

El sentido mismo de esta actividad, orientada a la curación del enfermo, determina que, ya desde el ángulo de la más burda connotación semántica y valorativa, la actividad del profesional que pese a actuar con el cuidado debido empeora el estado del paciente repela su equiparación a la conducta de quien lesiona a otro por motivos espurios. No le falta razón a BOCKELMANN cuando afirma que es inadmisible equiparar la actividad del médico al navajazo de un matón[408], esto es, calificarla como lesiones. El absurdo se hace aún más palmario si se repara en que, de llevar ese planteamiento hasta sus últimas consecuencias, la responsabilidad del médico habría de agravarse por el empleo de instrumentos peligrosos (como lo son una jeringa o un bisturí).

Frente a lo que sostienen los autores que condicionan la atipicidad de la actividad médica realizada conforme a las reglas de la *lex artis*, bien al éxito de la misma, bien a la concurrencia del consentimiento del enfermo, entiendo,

---

[408]   BOCKELMANN, en Ponsold, *Lehrbuch der gerichtlichen Medizin, ob. cit.*, pág. 62.

siguiendo así la línea de solución que ya trazara ENGISCH[409], que la peculiaridad misma de la actividad curativa, normativamente reglamentada y orientada a eliminar una dolencia del paciente, impide contemplarla como *disvaliosa* a efectos de apreciar el tipo de lesiones. El dato, en efecto, de que se trate de una actividad que, si bien implica por definición un riesgo, es hoy día no sólo usual e irrenunciable, sino barómetro distintivo e indicador del progreso de una sociedad, determina que la cuestión en torno a la posible responsabilidad del médico que pese a actuar conforme a las reglas de cuidado causa un resultado lesivo no pueda dejar de analizarse a la luz de los criterios normativos de *relevancia social*; en concreto, los de *adecuación social* y *riesgo permitido* que ya, entre otros, manejara KAUFMANN en el específico ámbito médico[410].

Como es sabido, si bien dichos criterios han recibido en la doctrina diferente contenido e incluso ubicación sistemática[411], se caracterizan por dejar al margen del ámbito penal conductas que, pese al peligro que comportan, no deben ser merecedoras de reproche siempre que se realicen conforme a las *normas de cuidado y experiencia*, bien por ser admitidas socialmente como normales, bien por reportar una utilidad social. Dado que no es éste el lugar adecuado para entrar en la discusión en torno a la operatividad y respectivos ámbitos de aplicación que se reserve a cada uno de estos institutos, me limito a adherirme en este punto a la postura sostenida en la doctrina alemana por ROXIN cuando afirma que, en realidad, la mayoría de los casos que se reconducen al expediente de la *adecuación social* encuentran su ubicación sistemática en la teoría del *riesgo permitido*[412]. Tampoco resulta posible discutir en

---

[409] ENGISGH, "Ärztlicher Eingriff zu Heilzwecken und Einwilligung", en *ZStW* 1939, *ob. cit.*, pág. 9, quien ya subrayaba que, concurriendo el consentimiento del paciente, lo decisivo para calificar como lesiva la conducta médica no puede ser el eventual resultado que efectivamente produzca, sino el que era de esperar, prevaleciendo, por ello, la perspectiva *ex ante* en el enjuiciamiento de la conducta.

[410] KAUFMANN Arthur, en *ZStW* 1961, *ob. cit.*, pág. 373. Véase también KRAUSS, en *Fs. Bockelmann*, *ob. cit.*, págs. 563 ss., para quien, más que la *adecuación social* del comportamiento doloso o imprudente, lo que debe comprobarse como primer paso es la *inadecuación social* del mismo; MAURACH/ZIPF, *Strafrecht. Allgemeiner Teil*, *ob. cit.*, pág. 389, para quien el riesgo permitido actuaría atendiendo subsidiariamente a espacios no cubiertos por la adecuación social: mientras el primero traza líneas generales de *permisibilidad*, el segundo valora si la acción se encamina en el caso concreto a la consecución de un *fin social* valorado positivamente.

[411] Al respecto, véase ÁLVAREZ GARCÍA, *La puesta en peligro de la vida y/o integridad física asumida voluntariamente por su titular*, *ob. cit.*, págs. 369 ss.

[412] ROXIN, *Derecho Penal, Parte General*, *ob. cit.*, págs. 295 s. Véase también págs. 371 ss., con referencia expresa a las intervenciones médicas curativas realizadas en el marco de la *lex artis*. En la línea de reconducir los supuestos de adecuación social al riesgo permitido véase también JAKOBS, *Derecho penal, Parte General, ob. cit.*, págs. 245 ss. Con referencias a

esta sede si dichos expedientes requieren un fondo de *utilidad social*[413], discusión que, al menos en los casos de actividad curativa, resulta intrascendente, en cuanto que en todo caso aquélla está presente. Por ello, considerando como núcleo definitorio mínimo del *riesgo permitido* el dato de que con él se trata de excluir del ámbito penal conductas que, pese a crear un riesgo jurídicamente relevante se consideran permitidas, no existen dificultades para afirmar que uno de los ámbitos en el que de forma indiscutida tales criterios pueden desplegar su operatividad es el del tratamiento médico realizado con finalidad curativa y conforme a las normas de cuidado[414].

Debe observarse que la conclusión anterior relativa a que cuando la finalidad del acto médico es *terapéutica*[415] la observancia de las reglas de la *lex artis* excluye el *desvalor de acción* propio de un delito de lesiones, va a permanecer inalterada con independencia de la forma en que se conjuguen tres variables: el resultado final de la intervención, la intensidad del riesgo que la misma comporte y la concurrencia o no del consentimiento del paciente.

En primer lugar, la irrelevancia penal de la intervención realizada conforme a las normas de cuidado no resulta afectada por el hecho de que la misma, *ex post*, resulte exitosa o fallida. De esta forma, frente a las propuestas de los autores que dan protagonismo al dato de que el bien jurídico resulte o no lesionado, se trata de defender una solución unitaria para todos los casos sin necesidad de introducir criterios diferenciadores para aquellos supuestos en que la operación resulte fallida (para los autores que cifran exclusivamente el bien jurídico en la salud), o bien resulte fallida y además se realice sin contar con el consentimiento del paciente (para los autores que incluyen dentro del bien jurídico salud el ejercicio de la capacidad de disposición sobre el mismo). Ahora, en efecto, al situarse el fundamento de la impunidad en la *permisibilidad social* de la actividad médica realizada conforme a las normas de cuidado, el apoyo argumentativo de su irrelevancia penal se sitúa en un momento que,

---

la doctrina española véase ÁLVAREZ GARCÍA, *La puesta en peligro de la vida y/o integridad física asumida voluntariamente por su titular, ob. cit.*, págs. 369 ss.

[413] Al respecto, véase ÁLVAREZ GARCÍA, *La puesta en peligro de la vida y/o integridad física asumida voluntariamente por su titular, ob. cit.*, págs. 369 ss.

[414] En la doctrina italiana, sobre los márgenes de la adecuación social en relación con el tratamiento médico, véase por todos MANNA, *Profili penalistici del trattamento médico-chirurgico, ob. cit.*, págs. 13 ss.

[415] No así en los casos de actividades experimentales o con finalidad meramente estética, supuestos en los que, como señala MAZZACUVA, puede decirse que la actividad del médico es el origen del riesgo que recae sobre el paciente, y, por tanto, es el responsable por el menoscabo que produzca en la integridad física de éste, en *Rivista italiana di medicina legale*, 1984, *ob. cit.*, pág. 219.

por ser previo al resultado de la intervención y, con ello, a la suerte que, *ex post*, corra el bien jurídico, es único para todos los grupos de casos.

Por otra parte, en segundo lugar, dado que lo que se trata de valorar es la permisibilidad social de la conducta realizada respetando las normas de cuidado, tampoco puede influir en esta calificación la entidad del riesgo que conlleve la intervención: tan permitida puede considerarse una operación de corazón como una de apendicitis si ambas se orientan a la curación del paciente. Bien es verdad que existe una diferencia sustancial entre el riesgo que comporta cada una de ellas, y que esa diferencia puede traducirse en la exigencia de un mayor grado de cuidado para la segunda, que pasa, entre otros extremos, por una mayor especialización y capacidad del cirujano o de mayores medios para realizar la intervención. Pero entonces eso será algo a ponderar exclusivamente en el juicio en torno a si se cumplieron las *reglas de la lex artis* para ese caso concreto[416].

Por último, la conclusión anterior también habrá de permanecer invariable con independencia de que concurra o no el consentimiento del paciente, puesto que el papel del consentimiento en las lesiones es excluir su tipicidad en los casos en que ésta se haya fundamentado previamente, algo que, insistamos una vez más, no sucede cuando se trata de operaciones médicas realizadas conforme a las reglas de cuidado. El valor del consentimiento agota aquí su virtualidad. Esto quiere decir que el mismo nunca puede ser el de fundamentarla por sí sólo, de tal modo que su ausencia sirviera para apreciar el

---

[416] No obstante, según la interpreto, parece sostener una postura distinta ASUA BATARRITA. Cuando esta autora se plantea las repercusiones penales de una intervención realizada sin el consentimiento del paciente diferencia dos grupos de casos: el primero, aquéllos en los que el riesgo de fracaso es despreciable, casos en los que puede predicarse una idoneidad curativa plena, por lo que el único tipo que podría venir en consideración sería el de coacciones; el segundo grupo lo representarían los supuestos en los que la intervención comporte un riesgo alto o considerable. En ellos, "la idoneidad curativa del tratamiento se muestra considerablemente reducida ante ese elevado riesgo, por lo que la asunción de éste por el médico, sin el pertinente consentimiento del paciente, impide aquí negar la peligrosidad lesiva objetiva de la intervención y el dolo eventual referido al resultado posible. La tipificación como delito de lesiones es congruente con las propiedades que reúne la conducta objetivamente peligrosa...por más que fuera la única vía de esperanza para contener la enfermedad o retrasar el desenlace fatal a que abocaría el desarrollo natural de la situación del paciente", en JANO 1995, ob. cit., pág. 616. A mi modo de ver, el riesgo de fracaso no puede incidir ni en la valoración como terapéutica de la intervención, ni en su ponderación como ajustada a las reglas de cuidado, ni menos aun en la apreciación del dolo eventual en la conducta del médico. Dichos aspectos dependerán de que se compruebe que no se adoptaron las medidas oportunas y, en su caso, que ello revelaba que el médico era indiferente ante la eventualidad del resultado lesivo.

tipo de lesiones cuando la operación se haya realizado conforme a las reglas de la *lex artis*.

Bien es verdad que, como afirman BERDUGO GÓMEZ DE LA TORRE o CORCOY BIDASOLO, la irrelevancia penal de cualquier actividad en el ámbito médico requiere en última instancia el consentimiento del paciente y, por tanto, también el acto médico tiene que estar consentido incluso cuando pudiera subsumirse en los esquemas de la *adecuación social* o del *riesgo permitido*[417]. Pero, según entiendo, la consecuencia de esa afirmación tiene que ver con la cuestión más amplia en torno a si la conducta es totalmente irrelevante desde el punto de vista penal; no con la cuestión más restringida en torno a si la misma es subsumible en un tipo de lesiones. Dicho de otro modo, ciertamente el paciente debe prestar su consentimiento a cualquier intervención para que ésta sea legítima, y esta regla también comprende los supuestos en que la misma entra de lleno en los límites del *riesgo permitido*. Ahora bien, la conclusión que se desprende de ello es que cuando media el consentimiento del paciente se excluye por completo la relevancia penal de la conducta (esto es, la responsabilidad también por un delito de coacciones, detenciones ilegales, etc.). A la inversa, de lo anterior no puede deducirse, sin embargo, que cuando el mismo no concurra ese dato suponga afirmar que la intervención médica realizada conforme a las reglas de la *lex artis* sea reconducible al ámbito típico del delito de lesiones. Ciertamente la no concurrencia del consentimiento en una actividad permitida[418] va tener consecuencias penales, pero no en el ámbito de las lesiones, sino a la hora de apreciar, en su caso, un atentado a la libertad del enfermo. Lo contrario, esto es, entreverar el dato de la ausencia del consentimiento con el tipo de lesiones, conduciría en última instancia a resultados que creo que nadie estaría dispuesto a admitir[419].

---

[417]   BERDUGO GÓMEZ DE LA TORRE, *El delito de lesiones*, ob. cit., págs. 81 s; CORCOY BIDASOLO, *Delitos de peligro y protección de bienes jurídico-penales supraindividuales*, Valencia, 1999, págs. 100 s: "La actividad médico-quirúrgica, excepto en casos excepcionales, sólo será riesgo permitido cuando exista consentimiento informado del paciente. Si el facultativo realiza el tratamiento médico-quirúrgico sin el consentimiento del paciente realiza una conducta típica aun cuando el resultado sea 'satisfactorio', desde la perspectiva del pronóstico de vida".

[418]   Insisto, no así en los casos en los que la conducta pueda reconducirse a los límites de lo permitido, en cuyo caso el consentimiento actúa excluyendo la tipicidad del delito de lesiones.

[419]   Sólo la falta de delimitación de estos dos diferentes contenidos de desvalor pudiera justificar la pretensión de reconducir al tipo de lesiones los supuestos de intervenciones realizadas conforme a las reglas de la *lex artis* pero sin contar con el consentimiento del paciente. Es el caso de LAURENZO COPELLO, quien argumenta para sostener su postura que "se

Baste pensar en el ámbito paradigmático en el que se plantean los límites del riesgo tolerado: el tráfico automovilístico. Imaginemos que un conductor lleve a alguien en su vehículo sin su consentimiento pero conduciendo de forma totalmente correcta. Por circunstancias imprevisibles se produce un accidente en el que fallece ese acompañante. De considerarse decisivo el dato del consentimiento en lugar de la comprobación de si la actividad, en sí, es o no irrelevante a efectos de responder penalmente por el resultado, en ejemplos como el propuesto habría de hacerse responsable al conductor por un resultado fortuito, lo que desde luego casa mal con los principios mínimos que desde hace tiempo reconoce la dogmática penal. Cuestión distinta, lógicamente, es que en ese ejemplo pudiera apreciarse, si se dan los requisitos, un atentado a la libertad de quien se obligó a subir en el vehículo.

Con todo, descartada en los términos anteriores la implicación entre la falta de consentimiento y el delito de lesiones en la actividad médica realizada conforme a las reglas de cuidado, hay que reconocer que dicha implicación todavía podría plantearse de otra forma. Es la que formularía su relación no ya en términos de confrontación entre la prioridad que tenga uno u otro expediente, sino en términos de una simbiosis entre ambos. La pregunta sería entonces si entre los presupuestos bajo los que pueda afirmarse que la ac-

---

trata de un comportamiento objetivamente peligroso para la salud -al menos la inmensa mayoría de los actos médicos- que al incumplir uno de sus presupuestos básicos legitimadores de la actividad asistencial supera los límites del riesgo permitido", "Relevancia penal el consentimiento informado en el ámbito sanitario", en *Problemas actuales del Derecho penal y de la criminología", Libro Homenaje a Mª del Mar Díaz Pita*, Valencia, 2008, pág. 432. Resulta sin embargo llamativo que cuando esta autora desarrolla su argumentación haga referencia a que con la ausencia de dicho presupuesto legitimador se desconoce el respeto de la "libertad y dignidad personales" y que el "consentimiento informado cumple el papel de trasladar al usuario la asunción personal de los riesgos inherentes al tratamiento". Desde luego que no le falta razón en esas afirmaciones, pero con ellas implícitamente reconoce la premisa que niega: que lo que está en juego es algo distinto al menoscabo de la integridad física o psíquica que sancionan los tipos de lesiones. Lo anterior tal vez explique no sólo que crea que mis planteamientos lleguen a conceder a los médicos un "derecho a curar" (una conclusión que en absoluto sostengo, puesto que si actuaran sin contar con el consentimiento del enfermo podría apreciarse el correspondiente delito contra la libertad y, en su caso, si éstos no pudieran aplicarse motivaría la formulación de propuestas de *lege ferenda*), sino también que considere que el castigo conforme al delito de lesiones de los supuestos en que no media el consentimiento del enfermo respeta el *principio de intervención mínima,* sin que sea necesario introducir un delito de tratamiento médico arbitrario. Sin embargo, la preocupación por respetar dicho principio parece poco coherente precisamente con la propuesta de ampliar el ámbito de aplicación del delito de lesiones para castigar conforme a él los atentados a la voluntad del paciente.

tuación médica se realiza conforme a las reglas de *lex artis* debe incluirse el consentimiento del paciente.

La respuesta afirmativa ha encontrado acogida tanto en nuestra doctrina[420] y jurisprudencia[421] como en la doctrina alemana de la mano de autores como KRAUSS[422], HIRSCH[423] o, apuntando específicamente a argumentos de índole

---

[420] JORGE BARREIRO, Agustín, *La imprudencia punible en la actividad médico-quirúrgica*, *ob. cit.*, pág. 72. Este autor afirma que cuando el legislador penal tipifica el delito de lesiones no está contemplando la conducta del cirujano que realiza una intervención quirúrgica arriesgada con finalidad curativa, objetivamente indicada y conforme a las reglas de la *lex artis*. Tras afirmar que "el consentimiento del paciente es un presupuesto y elemento integrante de la *lex artis*", concluye reconociendo que cuando el paciente no consiente a una actividad médico quirúrgica curativa, lo único que vendría en consideración sería un atentado o ataque a su libertad, págs. 80 ss. Entre los autores que entienden que el consentimiento forma parte de las reglas de la *lex artis* véase GONZÁLEZ RUS, AAVV, *Curso de Derecho penal español. Parte especial*, Madrid, 1996, pág. 149.

[421] En nuestra jurisprudencia es lo que sucede de forma llamativa en el orden civil, donde es casi mecánica la tendencia a vincular la infracción del deber de información con la violación de las reglas de la *lex artis*, a la vez que asociar su castigo a la producción de un resultado lesivo. Valga de cita la Sentencia de la Sala Civil del Tribunal Supremo de 16 de diciembre de 1997, que consideró que un elemento esencial del contrato de arrendamiento que vincula al médico y paciente "(elemento esencial a su vez de la *lex artis ad hoc*) es la obligación de informar al paciente o en su caso a los familiares del mismo..."; la Sentencia de la Sala Civil del TS de 24 de mayo de 1995, que condenó a un médico y al INSALUD a indemnizar pese a que la operación fue correcta"; o la STS de 15 de noviembre de 2006. Pueden encontrarse otras referencias jurisprudenciales en *Información y Documentación Clínica. Su tratamiento jurisprudencial*, ed. por el Ministerio de Sanidad y Consumo, Madrid, 2000; y con bastante exhaustividad GALÁN CORTÉS, *Responsabilidad médica y consentimiento informado*, *ob. cit.*, págs. 219 ss. Con todo, como ya sosteníamos en el Capítulo correspondiente al título de responsabilidad del médico por la falta de información, *supra*, Primera Parte II.1, pese a que ese modo de razonar parece confundir la responsabilidad del médico por no haber informado al paciente con los daños sufridos, en realidad la responsabilidad resarcitoria obedece exclusivamente a la falta de información, lo que en la doctrina civilista se conoce como *pérdida de oportunidad*; y no a la producción de las lesiones que se deriven del acto médico.

[422] Para este autor, la ausencia del consentimiento, en tanto afecte a la disponibilidad del bien jurídico protegido en las lesiones, a saber, la capacidad y salud de la persona ("*Leistungsfähigkeit*" y "*Wohlbefinden*"), habría de determinar la tipicidad de la conducta médica por aquél delito. Presupuesto de su razonamiento es que el concepto mismo de salud es relativo y, como tal, no puede disociarse de la voluntad del sujeto. Por ello, la decisión del paciente, en tanto afecte a su integridad, debe contemplarse como parte irrenunciable de la *lex artis*, KRAUSS, en *Fs. Bockelmann*, *ob. cit.*, págs. 563 ss; véase también GIESEN, *Arzthaftungsrecht*, *ob. cit.*, pág. 308; LAUFS/UHLENBRUCK, que consecuentemente con su punto de partida exige una relación de riesgo entre la falta de información y la consecuencia lesiva, *Handbuch des Arztrechts*, *ob. cit.*, págs. 494 s.

[423] HIRSCH, en *Gedächtnisschrift für Zipf*, *ob. cit.*, págs. 353 ss.

político-criminal, ROXIN[424]. Frente a este razonamiento entiendo, sin embargo, que el juicio en torno a la conformidad a las reglas de cuidado debe permanecer inalterado con independencia de que concurra o no el consentimiento válido del paciente[425], porque como explica MAZZACUVA en la doctrina italiana, mal puede integrarse la ausencia de consentimiento entre los elementos que determinan la infracción de la norma de cuidado si se tiene presente que los mismos deben incidir en la verificación del resultado lesivo[426]. Como ya tuvimos ocasión de fundamentar más arriba, éste nada tiene que ver con que el paciente haya prestado o no su consentimiento.

La concurrencia o no de la voluntad de la persona afectada, en efecto, sólo incide a la hora de reconocer un acto válido de disposición del bien jurídico por el titular *una vez que previamente se haya comprobado que el mismo ha resultado lesionado*[427]; nunca a la inversa. Baste pensar una vez más en los resultados, como mínimo llamativos, que se producirían de otra forma. Sirva ahora de ejemplo el caso en el que no es la misma la persona sobre la que recae la intervención y la que presta el consentimiento; esto es, los casos en que, debido a la incapacidad del enfermo, asientan por él sus representantes legales. Si la ausencia de consentimiento se elevara a momento integrante del delito de lesiones resultaría que allí donde la intervención realizada correctamente no hubiera estado consentida por los representantes legales, habría que afirmar que la falta de asentimiento de éstos determinaría que hubieran de apreciarse lesiones corporales en un tercero (el enfermo). Sobre lo absurdo de las consecuencias no parece necesario insistir. Todo ello sin desconocer que la pretensión de asignar al consentimiento un papel en la delimitación de la norma de cuidado del delito de lesiones conduciría a conclusiones insostenibles desde un punto de vista *político-criminal*. Baste pensar en el caso del médico que sometiera a una intervención al paciente que resultase beneficiosa para la salud de éste, pero lo hiciera en la creencia errónea de que cuenta con su consentimiento. De mantenerse la tesis que aquí se critica habría que castigarle por un delito de lesiones imprudente, solución que desconocería el contrasentido que ya semánticamente encierra, en cuanto que este proceder

---

[424] Para evitar la impunidad a la que muchas veces conduciría la ausencia de un tipo que contemple de forma autónoma el tratamiento médico arbitrario, ROXIN, *Dogmática penal y política criminal, ob. cit.*, págs. 149 s.

[425] Se incluyen aquí tanto los supuestos en los que no concurre consentimiento alguno como aquéllos otros en los que se encuentra viciado, como sucede, según se veremos, cuando al paciente se le oculta algún extremo relevante de la intervención.

[426] MAZZACUVA, en *Rivista italiana di medicina legale*, 1984, *ob. cit.*, pág. 417; véase también EUSEBI, en *Rivista italiana di medicina legale*, 1995, *ob. cit.*, págs. 727 ss.

[427] LAUFS, *Arztrecht, ob. cit.*, págs. 328 s.

abocaría ahora al absurdo de enviar al médico a prisión con el cargo de haber lesionado a alguien que ha curado.

Llegados a este punto puede decirse, a modo de conclusión, que la actividad médica realizada con finalidad curativa y practicada conforme a las reglas de la *lex artis* queda al margen de los tipos de lesiones por carecer del desvalor de acción propio de estos delitos, sin que en este sentido influya ni el resultado de la intervención ni la existencia o no de consentimiento del paciente, puesto que, insistamos de nuevo, el papel del consentimiento en las lesiones se reduce a delimitar de forma *negativa* su ámbito típico[428], esto es, a permitir al titular renunciar a la protección que le brinda el Derecho cuando concurre el presupuesto objetivo de un menoscabo de la salud; pero su función nunca puede ser la de suplir éste con la constatación de la ausencia de consentimiento[429]. El reverso de lo anterior es que cuando la intervención terapéutica cuidadosa se realice sin contar con la voluntad del enfermo, la protección penal habrá de discurrir, en su caso, por los tipos que se orientan a la tutela de la libertad, básicamente, los delitos de coacciones y detenciones ilegales[430].

Llegados a este punto resta hacer alguna referencia a los supuestos que habrían de comprenderse en el mismo. En primer lugar, claro está, a él corresponden sin ambages todos los casos en los que la actividad del médico se orienta a restablecer el estado de salud del enfermo en términos físicos. Aquí habrían de mencionarse la mayoría de las intervenciones que tienen lugar en la práctica médica ordinaria: desde las operaciones más nimias, como la extracción de un apéndice, hasta las más graves, como la cirugía del corazón. Pero en segundo lugar, y es lo que interesa destaca ahora, dentro de esta fenomenología de casos habrían de comprenderse también aquellos otros en los que la finalidad del acto médico incide, no ya en la salud física, sino psíquica

---

[428]   Por ello, porque su operatividad es meramente negativa, el hecho de que pueda excluir la pena de un delito que no fundamenta no puede contemplarse como una incoherencia, como cree KRAUSS, sino, por el contrario, como una consecuencia lógica, KRAUSS, en *Fs. Bockelmann, ob. cit.*, pág. 569.

[429]   No puede perderse de vista que la pretensión de elevar a momento de la tipicidad el consentimiento ni siquiera se plantea en otros tipos delictivos que, si bien totalmente distintos, responden a la misma lógica estructural. Baste pensar, por ejemplo, en el delito de injurias, cuyos presupuestos objetivos se descartan si el contenido de la expresión no es injurioso, sin que a nadie se le ocurra decir que añada algo el dato de que el destinatario consienta o no en lo que se le dice. Si esto es así con carácter general, no se ven razones para que en relación con las lesiones el "poder" del consentimiento pudiera ser distinto o, lo que es lo mismo, para que la necesidad político-criminal de evitar posibles lagunas de punibilidad debiera tener en estos tipos una expresión positiva más allá de una aspiración de *lege ferenda*.

[430]   Véase *supra, Primera Parte II*, 1.

del paciente. Así obligaría a entenderlo la amplia definición que del concepto de salud ofreciera la Organización Médica Mundial de la Salud en 1947, conforme a la cual, la misma supone, "no sólo la ausencia de enfermedad, sino un estado completo de bienestar físico y mental". En el mismo orden de ideas, ya al principio de este Capítulo manifestábamos nuestra adhesión al concepto de tratamiento médico quirúrgico que ofreciera CRESPI, conforme al cual el mismo comprende los casos de intervenciones orientadas a mejorar el aspecto externo del paciente y, con ello, su *salud psíquica*[431].

Conforme a esta concepción de la salud y a partir de cuanto hemos venido sosteniendo, pocas dificultades habrían de plantearse a la hora de afirmar la atipicidad de los casos en los que la disconformidad del sujeto con un rasgo físico le lleva a someterse a una operación de *cirugía estética*. Porque, en cuanto se trata de una intervención deseada, no puede valorarse más que como beneficiosa para la salud —*psíquica*— de quien la demanda, decayendo así el propio *desvalor de acción* de la conducta. Por las mismas razones, a idéntica conclusión habría de llegarse en los casos en que el paciente se somete a técnicas de reproducción asistida o a tratamientos anticonceptivos que comportan riesgos para su salud. También en ellos puede afirmarse que el consentimiento actúa excluyendo el desvalor de acción de un delito de lesiones, en cuanto contribuye a mejorar el estado de salud —psíquica— del paciente que lo solicita. Sólo cuando no pueda predicarse su consentimiento, bien porque no concurra, bien porque no sea válido[432], la práctica habría de valorarse como constitutiva de un delito relativo ahora, no ya a la salud, sino a la libertad del sujeto.

Con todo, afirmado lo anterior, resulta conveniente hacer una observación relativa a la incidencia que tiene el consentimiento del paciente de cara a sostener que en los casos descritos la solución debe ser excluir la responsabilidad del médico por un delito de lesiones. Y es que, si bien en estos supuestos la concurrencia o no del mismo debe valorarse como un elemento que decide exclusivamente si la intervención atenta contra su *libertad* y resultan aplicables, por tanto, los correspondientes tipos que se orientan a su tutela, la tipología misma de los casos que ahora se tratan determina una estrecha relación entre

---

[431]   Véase también BILANCETTI, "La responsabilità del chirurgico estetico", en *Rivista italiana di medicina legale*, 1997, págs. 511 ss., quien a partir de la plena equiparación de la cirugía estética a la cirugía normal (ya que en ambos casos se trata de mejorar la salud del paciente -psíquica en un caso; física, en otro), rechaza que la misma deba someterse en su régimen a peculiaridad alguna, en concreto, que haya de configurarse como una obligación de resultado o que el paciente deba recibir una información adicional.

[432]   Véanse en este sentido, los arts. 3 y 6 de la Ley 14/2006, de 26 de abril, sobre Técnicas de Reproducción Humana Asistida.

la finalidad terapéutica de mejora de la salud y el consentimiento del paciente. En efecto, allí donde no concurra éste difícilmente podrá decirse que la intervención tenga la finalidad terapéutica de mejorar el estado de salud —*psíquica*— del sujeto; y a la inversa, puede afirmarse que cuando dicha intervención no sea consentida, la misma supone siempre un atentado a la salud, lo que daría luz verde a apreciar un delito de lesiones.

2.2. El papel del consentimiento del enfermo en los casos de intervenciones sin finalidad curativa

Frente a la fenomenología de casos anteriores, se plantea el tratamiento de los supuestos en los que la actividad que realiza el médico, bien por no estar inspirada por una finalidad terapéutica, bien por no ajustarse a las reglas de la *lex artis*, no queda cubierta por los márgenes del *riesgo permitido* y, por ello, resulte reconducible al ámbito típico del delito de lesiones. Este apartado se centra en la fenomenología propia de las intervenciones que no tienen finalidad curativa, ocupándose el epígrafe siguiente del estudio de los supuestos en los que la intervención no se realiza conforme a las reglas de la *lex artis*. En estos ámbitos cobra pleno sentido la pregunta en torno a cuál sea el papel que pueda tener el consentimiento del paciente a efectos de eximir o atenuar la responsabilidad penal del médico por dicho tipo delictivo.

No se dice nada nuevo al afirmar que todo lo relativo a la eficacia del consentimiento en las lesiones es una de las cuestiones que abriga mayores dudas y discusiones doctrinales. No es de extrañar que sea así si se repara en que en nuestro Derecho la primera dificultad, que se erige en buena medida en punto de arranque de las restantes, viene determinada por la ambigua redacción que, si bien con algunas variantes, ha acompañado siempre al diseño de lesiones en el Código penal[433]. Ello contrasta con las declaraciones rotundas

---

[433]   En relación con las distintas opciones en la situación anterior a la Reforma de 1989, véase CASAS BARQUERO, El consentimiento en el Derecho Penal, ob. cit., págs. 27 ss; el mismo en "El consentimiento como causa de exclusión del tipo y como causa de justificación", en Estudios de Derecho penal y Criminología, Universidad Nacional de Educación a Distancia, 1989, págs. 201 ss., inclinándose por considerar el consentimiento en las lesiones como causa de justificación, págs. 208 ss. Especial mención merece la postura sostenida por DÍEZ RIPOLLÉS, quien concede distinta eficacia al consentimiento dependiendo del ámbito de que se trate. En su opinión, excluye el tipo en los supuestos donde la disponibilidad de la salud e integridad personales tiene plena eficacia, lo que sucede en las autolesiones así como en las lesiones dolosas o imprudentes consentidas constitutivas de falta. En las lesiones consentidas constitutivas de delito el consentimiento daría paso, en virtud del art. 155 CP, a un tipo privilegiado. Sólo cuando en las lesiones consentidas

que pueden descubrirse en otros Códigos de nuestro entorno cultural, como el italiano, que de forma tajante atribuye al consentimiento eficacia excluyente de responsabilidad penal[434], o el alemán, cuyo parágrafo 228 concede al consentimiento eficacia justificante con el único límite de que el hecho no resulte contrario a las buenas costumbres[435]. Frente a ellos, nuestro Código penal dedica a la eficacia del consentimiento en las lesiones dos artículos realmente complicados, cuya interpretación, si no se quiere reducir al absurdo, resulta sumamente endiablada.

El primero de los artículos es el 155. Conforme a su apartado 1, "En los delitos de lesiones, si ha mediado el consentimiento válida, libre, espontánea y expresamente emitido del ofendido se impondrá la pena inferior en uno o dos grados". El segundo precepto que el legislador dedica a la eficacia del consentimiento, en el art. 156.1. Conforme al mismo, "No obstante lo dispuesto en el artículo anterior, el consentimiento válida, libre, consciente y expresamente emitido exime de responsabilidad penal en los supuestos de trasplante de órganos efectuados con arreglo a lo dispuesto en la Ley, esterilizaciones y cirugía transexual realizadas por facultativo, salvo que el consentimiento se haya obtenido viciadamente, o mediante precio o recompensa, o el otorgante sea menor de edad o incapaz; en cuyo caso no será válido el prestado por éstos ni por sus representantes legales"[436]. En lo que sigue, trataremos por separado del alcance de las previsiones de los artículos 155 CP (2.2.1) y 156 (2.2.2). Sólo una vez delimitados sus respectivos ámbitos de aplicación puede responderse a la pregunta en torno al tratamiento de otros supuestos no comprendidos expresamente en su ámbito típico, básicamente, de experimentación científica (2.2.3).

---

graves concurra lo que denomina un contexto situacional problemático, como una actividad médica no curativa o una práctica deportiva, la exención de responsabilidad por mediar el consentimiento se movería en el ámbito de la justificación, en *Delitos contra la vida e integridad física, Cuadernos de Derecho Judicial*, ob. cit., págs. 134 ss; el mismo en *Los delitos de lesiones*, Valencia, 1997, págs. 118 ss; el mismo en DÍEZ RIPOLLÉS/GRACIA MARTÍN,(coords.), *Comentarios al Código penal, Parte Especial*, tomo I, Valencia, 1997, págs. 566 ss. En la doctrina alemana véase ESER, en Avances de la medicina y Derecho Penal, ob. cit., págs. 7 ss.

[434]   Dispone el art. 50 CP italiano que "no es punible quien lesiona o pone en peligro un derecho con el consentimiento de la persona que puede disponer validamente de él".

[435]   Dispone dicho artículo que quien lesiona a alguien con el consentimiento de éste sólo actúa antijurídicamente cuando a pesar del consentimiento el hecho resulte contrario a las buenas costumbres.

[436]   En relación con la redacción en Códigos anteriores, véase MUÑOZ CONDE, *Derecho Penal, Parte Especial*, ob. cit., págs. 124 ss; ÁLVAREZ GARCÍA, *La puesta en peligro de la vida y/o integridad física asumida voluntariamente por su titular*, ob. cit., págs. 441 ss.

2.2.1. El alcance del art. 155 CP

El art. 155 CP contempla una cláusula atenuatoria de la pena prevista para las lesiones en los casos en que se realicen con la anuencia del afectado. Para ello, dice el precepto, debe mediar un consentimiento *válida, libre, consciente y expresamente* emitido del ofendido.

Con dicha previsión el legislador parece situarse en una línea intermedia entre las dos posibles opciones extremas en torno a la eficacia del consentimiento: de un lado, la que le negase toda relevancia jurídica en sintonía con una concepción paternalista y tutelar del Estado; de otro, la que le atribuyera efectos plenamente eximentes de pena de acuerdo con las coordenadas de un modelo de Estado liberal. Frente al extremismo de cada una de estas opciones, el legislador parece decantarse por una posición intermedia, híbrida, en cierto modo conciliadora de ambas. Así, por un lado, reconoce un margen de decisión al individuo pero, por otro, no le concede al consentimiento plenos efectos excluyentes de la tipicidad.

Sucede, sin embargo, que justamente por situarse en un estadio intermedio, esta solución prácticamente no resulta satisfactoria para nadie. De entrada, resulta difícilmente conciliable con una premisa que, si bien con diferentes argumentos, la doctrina suele admitir de forma mayoritaria: la *disponibilidad* del bien jurídico protegido en el delito de lesiones, a saber, la salud personal[437]. Sin ser éste el lugar adecuado para exponer las distintas doctrinas al respecto, me adhiero al razonamiento de monografistas como ÁLVAREZ GARCÍA, que apuntan a una comprensión constitucional del bien jurídico protegido en el delito de lesiones. Conforme a dicha comprensión, su límite y contenido están llamados a interpretarse de forma integradora con el reconocimiento constitucional de la *dignidad* y *libre desarrollo de la personalidad,* en cuanto principios integradores que han de regir la interpretación de los derechos fundamentales[438]. Es justamente esa comprensión constitucional del bien jurídico la que determina que el Derecho tenga que atender a la capacidad de decisión del sujeto pasivo, que también resulta plenamente respetable cuando se manifiesta en el sentido de renuncia a la protección penal.

---

[437]   Por todos BERDUGO GÓMEZ DE LA TORRE, *El delito de lesiones, ob. cit.,* págs. 19 ss. Para este autor, la tutela de ese bien jurídico no se limita a la mera garantía del soporte material de la salud sino que comprende también el ejercicio de la capacidad dispositiva sobre el mismo. Así entendido, contempla el bien jurídico salud personal como presupuesto de participación en el sistema social.

[438]   ÁLVAREZ GARCÍA, *La puesta en peligro de la vida y/o integridad física asumida voluntariamente por su titular, ob. cit.,* págs. 464 ss. Sostiene una posición distinta DÍEZ RIPOLLÉS, *Comentarios al Código penal, ob. cit.,* págs. 562 ss.

De admitirse lo anterior, las dudas en torno al alcance de dicha previsión legislativa resultan evidentes, en cuanto que si se reconoce la disponibilidad del bien jurídico protegido en el delito de lesiones, el art. 155 CP sólo se presta a dos interpretaciones alternativas: o bien a entender que el legislador, de *lege lata*, con carácter general, se ha limitado a reconocer de forma restrictiva esa capacidad de decisión del titular, o bien, segunda posibilidad, tratar de encontrar un espacio propio a la misma que no impida la vigencia de la regla general de la plena capacidad dispositiva del titular del bien jurídico.

En la primera línea se orientan propuestas como la de TAMARIT SUMALLA. Este autor, pese a señalar las inconveniencias de esa cláusula desde un punto de vista político-criminal, trata de encontrar un fundamento dogmático a dicha opción legislativa. Este reside, entiende, en el carácter bidimensional de la "incolumidad" como bien jurídico protegido en estos delitos, que se integraría por dos aspectos distintos: por un lado, la salud, indisponible por voluntad legislativa; por otro, la integridad moral, que sí sería plenamente disponible por ser un "bien jurídico espiritualizado, una manifestación directa de la personalidad carente de sustrato físico"[439].

A la segunda dirección responde, como enseguida tendremos ocasión de exponer con más detalle, la propuesta de autores como ÁLVAREZ GARCÍA. No obstante, antes de entrar en su exposición resulta conveniente señalar tanto los presupuestos lógicos que tienen que aceptarse para que cobre sentido formular propuestas de este tipo (2.2.1.1), como el fundamento que quepa atribuir a la atenuación de responsabilidad prevista en el art. 155 (2.2.1.2). Sentado esto, en un apartado posterior se adopta una postura al respecto al hilo de la exposición de la propuesta de esta autora (2.2.1.2).

---

[439] TAMARIT SUMALLA, *La víctima en Derecho penal, ob. cit.*, págs. 70 s.

2.2.1.1. Presupuestos lógicos de una interpretación del art. 155 conforme a la premisa de la disponibilidad del bien jurídico protegido

Se trata en este apartado de sentar las coordenadas lógicas en las que tiene
que incardinarse el intento de dotar de una explicación racional a la cláusula atenuatoria contemplada en el art. 155 desde el ángulo de la disponibilidad del bien
jurídico protegido en el delito de lesiones. Y es que, si se parte de que el consentimiento en las lesiones excluye la tipicidad de las mismas, el gran reto de esta línea
interpretativa pasa por encontrar un equilibrio realmente complicado.

Conforme a su dicción, en efecto, se trata de diseñar un espacio propio para
el art. 155 que habría de comprender supuestos que quedasen a mitad de camino entre dos grupos de casos. Por un lado, habría de tratarse de supuestos en
los que el consentimiento no fuese válido a efectos de excluir la tipicidad de un
delito de lesiones. Porque si lo fuera, esto es, si se afirmase que impide la apreciación del tipo, no tendría sentido decir que es válido a efectos de apreciar luego una cláusula atenuatoria de la pena. En pocas palabras, si la solución fuera
la impunidad, sería absurdo atenuar luego la pena. Por otro lado, afirmado que
el consentimiento adolece de vicios que impiden excluir el tipo, dichos defectos
tampoco podrían ser totalmente invalidantes del mismo. Porque si lo fuesen,
entonces no habría espacio siquiera para una versión atenuada de la eficacia del
consentimiento. De nuevo expresado de forma simple, si el vicio fuese demasiado grave tampoco habría razón de ser para una rebaja de la pena.

Las dificultades se complican porque, según veíamos, el art. 155 exige como
presupuesto de su aplicación que se trate de un consentimiento —además de
libre, espontáneo y expreso—, *válido*. El oscurantismo legal alcanza su cenit
con esta exigencia, en cuanto que el legislador emplea la misma fórmula tanto
a la hora de adjetivar el consentimiento que atenúa la pena (art. 155) como al
describir el consentimiento que la excluye. En efecto, también cuando en el
art. 156 enuncia de forma expresa los supuestos que eximen de pena reproduce prácticamente la misma adjetivación del consentimiento ("válida, libre,
consciente y expresamente emitido"). Y, sin embargo, está claro que el valor
y los caracteres de uno y otro consentimiento no pueden ser idénticos. Por
ello, si se quiere salir de este atolladero habrá que interpretar que pese a que
el legislador emplee un mismo término —validez del consentimiento— tanto
a la hora de excluir la responsabilidad penal como de atenuarla, su significado
tiene que ser distinto en uno y otro caso.

Bien pues, según entiendo, lo que quiere decir en realidad el art. 155 no es
que el consentimiento tenga que ser válido para atenuar la pena. Más bien lo

que quiere decir es que, dándose por sentado que no lo es —y por eso no se excluye el tipo—, tampoco puede decirse que sea totalmente inválido, esto es, con vicios que lo despojen por completo de cualquier relevancia penal; o lo que es lo mismo, que pese a esa invalidez para excluir la tipicidad del delito de lesiones, todavía conserva una parcela de eficacia.

La interpretación que resta atribuir entonces a la "validez" y "libertad" del consentimiento que describe el art. 155 CP sólo puede encontrarse en un espacio en el que, pese a todos los vicios, el consentimiento, al menos en determinados aspectos, todavía resulte atribuible a un reducto de responsabilidad del autor. Sin perjuicio de que volvamos a insistir más adelante al respecto (2.2.1.3), entiendo que ese espacio intermedio sólo es posible descubrirlo allí donde el vicio de la voluntad no impida predicar que el sujeto fue plenamente consciente del *sentido* y *alcance* de su decisión. Sólo cuando, pese a los vicios, quien consiente no actúe de forma mecánica o ciega, es posible encontrar todavía un espacio en el que tenga sentido hablar de la libertad y validez de la voluntad. Antes de entrar en el estudio de la fenomenología de casos en que se da ese presupuesto resulta conveniente abordar la cuestión en torno al fundamento teórico que, a partir de estas premisas, puede respaldar a la previsión de una cláusula atenuatoria de la pena.

2.2.1.2. El fundamento teórico del art. 155 CP conforme al reconocimiento de un ámbito propio de aplicación

La pretensión de atribuir un espacio propio de juego a la cláusula de art. 155 supone reconocer que hay una morfología de casos en la que, si bien el consentimiento no es válido, tampoco es totalmente irrelevante a efectos penales. Ello supone admitir como presupuesto mínimo que los vicios de que adolezca la manifestación de voluntad no impidan que el sujeto siga conociendo el *sentido* y *alcance* de su decisión. Sólo cuando se respete este requisito mínimo puede manejarse una versión, moderada si se quiere, en torno a la *validez* y *libertad* del consentimiento. La pregunta que surge entonces es la relativa a cuáles sean las premisas teóricas que permitan en tales casos atenuar la pena.

Según entiendo, el expediente teórico que respalde esta decisión legislativa sólo puede encontrarse en la atribución de un tanto de "culpa" a la víctima por haber prestado su consentimiento. El punto de partida sería el dato de que, pese a que actuaba en una situación que coartaba su libertad, todavía podía formularse un cierto reproche a la misma por haber asentido en tales circunstancias; en otras palabras, las bases teóricas del art. 155 CP habrían de descubrirse en el reconocimiento de una cierta dosis de *responsabilidad* del sujeto pasivo por haber consentido a la práctica en cuestión. Es eso lo único que cabalmente puede justificar la rebaja de la pena del autor.

Debe llamarse la atención acerca de que este modo de fundamentar la razón de ser del art. 155 supone contemplarlo como la manifestación de una opción que vendría a confirmar el acierto y proyección positiva de las modernas corrientes doctrinales de la *victimodogmática*. Como es sabido, sus defensores parten de que los criterios manejados por la dogmática jurídico-penal para delimitar la responsabilidad del sujeto activo son extrapolables al análisis jurídico-penal de la conducta de la víctima. Con ello se trata de identificar ámbitos de responsabilidad del propio sujeto pasivo, de tal suerte que, conforme a criterios normativos, deba asumir determinadas cuotas de responsabilidad por su comportamiento[440].

A mi juicio, a esa filosofía obedece el art. 155 CP. El mismo parte, en efecto, de que si bien existe un vicio que invalida el consentimiento a efectos de excluir la apreciación del delito de lesiones, la responsabilidad por el mismo no corresponde por completo al autor. Por el contrario, es posible identificar un espacio de "culpa" de la víctima, cifrada en el dato ya destacado de que, pese a todo, cuando quien presta su consentimiento es consciente del *sentido* y *alcance* de acto al que se somete y, en definitiva, de que, pese a las circunstancias, puede valorar los móviles que condicionaban o constreñían su voluntad. Sólo esta atribución parcial de responsabilidad a la víctima permite explicar que el legislador esté dispuesto a atenuar la pena. El reverso de lo anterior es que la *validez* y *libertad* del consentimiento a que alude el art. 155 CP debe entenderse en clave del reconocimiento de un espacio en el que el lesionado consiente porque así lo quiere, porque así lo desea. *Libertad* significa entonces poder decidir pese a todos los condicionamientos; *validez* significa ahora que el sujeto decide a sabiendas de todos los "peros" que rodean a su decisión. La otra cara de la moneda es, justamente, un juicio de imputación y reproche.

2.2.1.3. Toma de postura. La fenomenología de casos a los que resultan aplicables las previsiones del art. 155 CP

Hasta ahora hemos trazado las coordenadas lógicas en las que tiene que moverse la pretensión de encontrar un espacio propio al art. 155 CP partiendo de la plena capacidad dispositiva del titular del bien jurídico, así como el fundamento al que cabe atribuir cabalmente su razón de ser.

---

[440]   Por todos, TAMARIT SUMALLA, *La víctima en Derecho penal*, ob. cit.

Como anticipábamos, en nuestra doctrina no han faltado autores proclives a descubrir ese genuino espacio de juego a dicho artículo, siendo de destacar la propuesta defendida por ÁLVAREZ GARCÍA. En la línea de lo que sostuviera nuestro maestro común, MUÑOZ CONDE[441], esta autora se esfuerza en ofrecer una interpretación restrictiva conforme a la cual dicha previsión ceñiría exclusivamente su ámbito de aplicación a los supuestos en los que, pese a mediar el consentimiento válidamente emitido por el titular del bien jurídico, éste no puede desplegar plena relevancia jurídica por no ser expresión del *libre desarrollo de la personalidad* de quien se manifiesta en tal sentido. El ámbito de aplicación del art. 155 habría de limitarse, entiende, a "las lesiones válidamente consentidas o las puestas en peligro de la salud o integridad física validamente consentidas (en las que el tercero se haya limitado a actuar dentro de lo consentido), que no constituyan la expresión del libre desarrollo de la personalidad del que en tal sentido se manifiesta"[442]. Es lo que sucede cuando quien consiente, por las circunstancias del caso, no es plenamente libre, "por ejemplo, por haber adoptado su decisión por precio o recompensa en una situación de abuso de superioridad...; o porque ha mediado engaño del tercero que ha convertido su decisión lesiva o de puesta en peligro en un sin sentido", incluyendo en estos últimos supuestos los casos de *error en los motivos*[443].

No obstante, de inmediato esta autora matiza que no en todas las lesiones consentidas en las que medie precio, recompensa o promesa puede apreciarse un vicio que justifique la aplicación del art. 155 CP. Esto sólo sucederá cuan-

---

[441] Para quien hay que interpretar el art. 155 CP en el sentido de que el único consentimiento que no puede eximir ni atenuar la pena en el delito de lesiones es el 'viciado', es decir, aquél que por inmadurez de la persona que consiente (menor de edad o incapaz a que se refiere el párrafo segundo del art. 155), por falta de información o por constreñimiento ilícito de su voluntad no puede tener relevancia. Éste será también el caso cuando el sujeto no tenga conciencia exacta del alcance de su consentimiento (porque, por ej., se le ha engañado con respecto a la gravedad de la intervención a la que se le va a someter) o porque se abusa de una situación económica angustiosa para, por ej., a cambio de una sustanciosa cantidad de dinero, conseguir la donación de un riñón", *Derecho Penal. Parte Especial*, ob. cit., pág. 129.

[442] ÁLVAREZ GARCÍA, *La puesta en peligro de la vida y/o integridad física asumida voluntariamente por su titular*, ob, cit., págs. 481 s.

[443] Refiriéndose a los casos de engaño del tercero que haya convertido su decisión en un sinsentido, afirma: "Por ejemplo, una persona acepta donar un riñón diciéndosele que se le va a implantar a otra cuando, en realidad, el órgano extraído está destinado a la experimentación. Si la persona engañada sobre el destino de su riñón donado consiente en su extracción, no podremos afirmar que haya habido un delito de lesiones no consentidas, ya que la extracción se practicó con su consentimiento, si bien con un error en los motivos", *La puesta en peligro de la vida y/o integridad física asumida voluntariamente por su titular*, ob, cit., págs. 480 ss.

do el sujeto acceda a la práctica por precio constreñido por una situación de necesidad y, en definitiva, de abuso de superioridad: "Por lo que quizás, lo que se trate de evitar negándole plena relevancia jurídica a este consentimiento —prestado por precio, promesa o recompensa— sean los abusos de superioridad que pueden tener lugar sobre la base de una desigualdad bien económica bien de cualquier otro tipo. Es decir, parece cuestionable que deba admitirse como plenamente relevante el consentimiento prestado, por ejemplo, a una castración, cuando se supedita la puesta en libertad de un recluso a la aceptación de ésta; o a una conducta de riesgo...especialmente peligrosa, a realizar sin medidas de protección, cuando se supedita la continuidad o admisión de un puesto de trabajo a la realización de ésta es esas condiciones de especial peligrosidad...En caso contrario, es decir, si el consentimiento prestado por precio es libre y, además, no fue prestado en una situación de abuso de superioridad, tendrá plena relevancia jurídica"[444].

A mi juicio, propuestas como las de esta autora, y ya antes, las que elaborase MUÑOZ CONDE, son las únicas que pueden ofrecer la clave con que interpretar el art. 155 CP si se quiere dotar de algún sentido a un precepto que de otra forma llevaría a resultados difíciles de compatibilizar con el fundamento constitucional que se ha reconocido a la facultad dispositiva del bien jurídico tutelado en el delito de lesiones. Sólo así, en efecto, entendiendo que su sentido es el de limitar los efectos del consentimiento allí donde la eficacia de éste también lo está, cobra su razón de ser una previsión como la del art. 155 CP, permitiendo su compatibilidad con los postulados constitucionales en cuanto punto de referencia último de cualquier norma jurídica.

Ahora bien, aun partiendo de esta conformidad básica con la línea argumentativa de ÁLVAREZ GARCÍA, me parece discutible el modo en que en última instancia la concreta. Y ello por la necesidad de mantener el razonamiento dentro de un equilibrio que, según vimos, es el único capaz de dotar de racionalidad a este tipo de interpretaciones. Como entonces decíamos, si se parte de la disponibilidad del bien jurídico tutelado en el delito de lesiones, el espacio que quepa atribuir al art. 155 sólo puede ser una zona intermedia entre el consentimiento plenamente válido y, por tanto, excluyente de la responsabilidad — sin que tenga sentido, por tanto, plantear su atenuación—, y el que esté tan profundamente viciado que ni siquiera quede espacio de juego a una cláusula atenuatoria de la pena. Bien, pues es justamente por la necesi-

---

[444]   ÁLVAREZ GARCÍA, *La puesta en peligro de la vida y/o integridad física asumida voluntariamente por su titular*, ob, cit., págs. 480 s.

dad de mantener ese equilibrio por lo que me parece criticable alguna de las soluciones a las que llega ÁLVAREZ GARCÍA.

Es cierto que un supuesto que de forma indiscutida encajaría en el art. 155 es, como señala esta autora, aquél en el que la relación entre sujetos no se entabla en condiciones de igualdad y esa diferente posición incide en la prestación del consentimiento. Ejemplo claro en este sentido es el caso de quien consiente en un acto lesivo por temor o presión proveniente de un tercero, el de quien se somete a la práctica en cuestión como medio de obtener una cantidad de dinero que necesita, o el del recluso que consiente en su castración porque a ella se condiciona su puesta en libertad.

Con relación a esto último, casi ni que decir tiene que la atenuación de la pena sólo cobra sentido si dicha condición se impone a título particular, por ejemplo, por el vigilante del centro penitenciario que promete al interno escapar si accede a tal práctica. Por el contrario, de preverse dicha posibilidad en la legislación específica, si bien existiría un hecho típico sobre el que en principio pudiera operar el art. 155, la conducta quedaría exenta de pena por exclusión de la antijuricidad. Así, en el Derecho alemán, en el que se contemplan tales medidas, afirma ROXIN, "La justificación de tales medidas, que hoy es posible según la KastrG, se basa no sólo ni en primer lugar en el 'consentimiento' del enfermo, sino en una serie de condiciones afines a la intervención curativa y al estado de necesidad, a las que sólo debe añadirse el consentimiento del sexualmente anormal...no se trata de un verdadero consentimiento, sino de un sucedáneo de consentimiento que hay que englobar en la ponderación sobre la exclusión de la antijuricidad"[445].

Frente a estos supuestos previstos por la ley, se situarían aquéllos en los que la medida se "propone" a título privado con abuso de la situación en que se encuentra el destinatario. Resulta ilustrativo al respecto un caso ya referido más arriba que recogía el Diario *El País*, el 1 de agosto 1999. Se trataba de una sociedad de EEUU que ofrecía 200 dólares a las drogadictas que se esterilizasen. La publicidad consistía en la instalación de anuncios colocados en barriadas deprimidas en los que podía leerse "Si eres adicta a las drogas controla la natalidad y gana §200". Es verdad que en estos casos la decisión seguiría siendo "formalmente" libre. No lo es menos, sin embargo, que quien accede a dicha práctica movida por esa pequeña "recompensa" se encuentra en una evidente situación de necesidad económica (con independencia de que luego el dinero obtenido se emplee para comprar una dosis de droga o para sufragar gastos vitales como el agua o la luz). Esa situación de precariedad,

445 ROXIN, *Derecho Penal, Parte General, ob., cit.*, pág. 525.

si bien no invalida totalmente el consentimiento, impide considerarlo como expresión plena de la libertad del sujeto[446].

Otro ejemplo en el mismo sentido puede ser el de algunos casos denunciados por la Defensoría del Pueblo del Perú en sus Informes de enero de 1998 y agosto de 1999. Según se relata en ellos, uno de los métodos utilizados para que las mujeres accedieran a las campañas gubernamentales de esterilización fue ofrecerles alimentos. Tampoco ahora hace falta insistir en que nadie que no se encuentre en situación de extrema necesidad accedería a esterilizarse a cambio de aquellos por lo que, una vez más, difícilmente podría contemplarse el consentimiento de la mujer así prestado como expresión del libre desarrollo de su personalidad.

Sin embargo, retomando los ejemplos que propone ÁLVAREZ GARCÍA, no estoy de acuerdo con la solución que ofrece para otros casos. Me refiero, en concreto, al ejemplo de quien dona un riñón para conseguir algo a cambio que puede ser, no ya una contraprestación económica, sino un compromiso sentimental que después se frustra. Es lo que sucede en el ejemplo que propone la autora en el que el donante condicionó la voluntad de someterse a la intervención a que el receptor (su cuñado) se mantuviera siempre al lado de su hermana. Sin embargo, apenas recibió el órgano, dio por terminada la relación sentimental con ella[447]. En este caso entiende la autora que el consentimiento del donante debe reputarse válido pero, dado que no puede contemplarse como libre expresión del desarrollo de la personalidad, habría de aplicarse el art. 155 CP.

---

[446]   No obstante, en un sentido distinto parece que se pronuncian otros autores. Es el caso de BEAUCHAMPS/CHILDRESS, quienes proponen el siguiente ejemplo: En 1972 las autoridades de la prisión de Newgate ofrecieron a varios reclusos la posibilidad de ser puestos en libertad en lugar de ahorcarlos si participaban en un experimento consistente en inocularle el virus de la viruela. Para los citados autores, "En principio, puede parecer que los reclusos estaban siendo coaccionados, ya que la oferta constituía una amenaza encubierta: 'Os colgaremos si no participáis en el proyecto de investigación'. En esta situación similar a la manipulación, sin embargo, parece que lo que las autoridades hacen es plantear una oferta apetecible a las personas que se encuentran en una situación desesperada, y que sin dicha oferta serán inevitablemente ahorcadas. Todos los presos consideraron la oferta atractiva, y de hecho todos ellos sobrevivieron y fueron puestos en libertad", BEAUCHAMPS/CHILDRESS, *Principios de ética médica, ob. cit.,*.pág. 159. A mi juicio, sin embargo, una cosa es que una opción como esa fuera preferible a la muerte y otra que efectivamente pueda hablarse de una voluntad libre: ¿o acaso sería también para los autores una oferta atractiva y libre el que le cortasen una pierna, o las dos, antes que morir?

[447]   GARCÍA ÁLVAREZ *La puesta en peligro de la vida y/o integridad física asumida voluntariamente por su titular, ob. cit.*, pág. 483, nota 285.

La problemática propia de este ejemplo ya tuvimos ocasión de referirla en otro lugar de este trabajo al tratar las consecuencias penales de la falta o vicios en la información[448]. Como allí afirmábamos, bien es verdad que en este ejemplo la actuación del donante sólo cobra sentido desde un punto de vista subjetivo cuando se cumple el fin para el que realiza el acto. Entiendo, sin embargo, que no puede equipararse lo que habría sido una decisión tomada en condiciones de falta de libertad o de constreñimiento o, por emplear la terminología de ÁLVAREZ GARCÍA, de abuso de una situación de superioridad, con lo que sea el mero incumplimiento de los móviles a los que mediatamente el sujeto condicionaba subjetivamente su decisión[449]. Sólo este último aspecto resulta frustrado en los ejemplos que ahora se discuten y es el que impide, por tanto, cuestionar que la decisión tomada sea acorde con el libre *desarrollo de la personalidad*. Esta lo único que requiere es que el consentimiento exprese el resultado de una ponderación en la que se valoren, entre otros extremos, las circunstancias, expectativas, deseos, e incluso intenciones que el sujeto pretende conseguir de forma indirecta con la operación. Y al respecto nada influye el dato de que luego aquéllas sean reales o no, se cumplan o queden insatisfechas, o que esto último se deba a una actuación intencional de terceros. Por ello, entiendo que el consentimiento así prestado debe considerarse perfectamente válido, no sólo a efectos de excluir la tipicidad del delito de lesiones, sino también de rechazar la posibilidad de apreciar la cláusula del art. 155 CP[450]. Lo contrario supondría tanto como dotar de relevancia penal a cualquier frustración, *ex post,* de los fines perseguidos mediatamente por el disponente. Este proceder desconocería que el acento de la valoración sólo puede recaer en la contemplación del momento previo en el que el sujeto consiente. En el ejemplo propuesto, en esa secuencia previa el donante cuenta con todos los elementos de juicio necesarios para tomar su decisión en condiciones de libertad; y entre esos elementos de juicio tiene que considerar la eventualidad de que el receptor no cumpla su palabra. Sobre la suerte final de las promesas, y menos aun de las amorosas, no tiene nada que decir el Derecho penal.

---

[448]   Véase *supra*, Primera Parte II, 1.

[449]   Lo mismo habría que decir respecto al ejemplo que pone la misma autora en relación con un ámbito ajeno al de la medicina: el caso de una chica que acepta realizar un número de riesgo en un espectáculo circense tras haber sido convencida de que esa tarde habría entre el público un cazatalentos, lo que era falso. Según la autora, si la chica consintiera en la actividad peligrosa debido a ese engaño y resultara lesionada, habría de apreciarse la cláusula del art. 155 CP, ÁLVAREZ GARCÍA, *La puesta en peligro de la vida y/o integridad física asumida voluntariamente por su titular, ob. cit.*, pág. 483, nota 285.

[450]   En el sentido que aquí se critica se pronuncia GARCÍA ÁLVAREZ *La puesta en peligro de la vida y/o integridad física asumida voluntariamente por su titular, ob. cit.*, págs. 481 ss.

Con lo anterior hemos afirmado que los simples errores en los motivos no tienen entidad suficiente para poner en tela de juicio la validez del consentimiento, ni a efectos de impedir la exclusión de la tipicidad del delito de lesiones ni de apreciar la atenuación de la pena del art. 155. Queda ahora por determinar su ámbito de juego en los casos opuestos; esto es, aquellos en los que el consentimiento adolezca de un vicio tal que impida excluir el tipo. Se trata ahora de acotar la intensidad del vicio que, por un lado, esté en condiciones de excluir la eficacia del consentimiento pero que, por otro, no sea tan grave como para impedir la atenuación de la pena conforme al art. 155 en cuanto que, según veíamos, presupuesto de aplicación de este artículo es, tal como dice el texto legal, que se trate de un consentimiento "válida, libre, espontánea y expresamente emitido".

Según entiendo, la lógica de esta previsión pasa por interpretar que la validez a la que alude el precepto tiene que moverse en el espacio que queda tras haber afirmado que el consentimiento es inválido a efectos de excluir la pena en el art. 156 CP. Por ello, como entonces sostenía, habrá de interpretarse que cuando el art. 155 se refiere a un consentimiento *válido* lo que quiere exigir, en realidad, es que no sea totalmente inválido; esto es, que está en condiciones de desplegar algún efecto. Lo mismo debe entenderse respecto a la exigencia de que sea expresado de forma *libre* y *espontánea*. También ahora, en efecto, se trata de la posibilidad de atribuirle un margen de eficacia; o, si se quiere, que a la víctima le sea imputable un cierto grado de "culpa" por haber consentido.

Bien, pues según entiendo, ese espacio intermedio sólo es posible descubrirlo allí donde, si bien la voluntad que exterioriza el sujeto adolece de un vicio que la invalida a efectos de excluir el delito de lesiones, ese vicio no impide que sea plenamente consciente del *sentido* y *alcance* de su decisión. Es lo que sucede cuando presta el consentimiento movido por una situación de necesidad o presión externa, siendo paradigmáticos al respecto los supuestos de asentimiento a cambio de recibir un precio, recompensa o promesa en situación de necesidad. A mi juicio, sólo en estos casos puede afirmarse que, si bien de una forma limitada, el consentimiento sigue siendo *libre* y *válido*, tal como requiere el 155. *Libre*, en cuanto que a pesar de la situación de necesidad o de constreñimiento, el sujeto tiene un margen para decidir ponderando libremente las circunstancias; *válido*, en cuanto que si opta por someterse al acto pese a tales condicionamientos, puede formularse un cierto juicio de reproche a la víctima que justifique la atenuación de la pena del autor.

Más allá de estos casos, me parece difícil encontrar un margen propio de aplicación a las previsiones del art. 155. La razón no es otra que la necesidad de respetar los requisitos mínimos en que se ha cifrado la exigencia de que se trate de un consentimiento *libre* y *válido*; a saber, que el sujeto consienta estando en conocimiento del *alcance* y *sentido* de su decisión. Así, por ejemplo, entiendo que dichos requisitos mínimos decaen en los casos en los que lo que se frustra es el *fin directo o inmediato* de la intervención, como sucedería en aquellos en los que el engaño afecta a la identidad misma del receptor en atención al cual se realizó la donación o, de forma aun más clara, en los supuestos en los que la misma responde a la ficción de una situación de necesidad del órgano para un pariente o persona cercana. Este aspecto ya tuvimos ocasión de tratarlo al abordar los supuestos en los que el paciente yerra o está informado de forma deficiente sobre algunos extremos de la intervención[451]. Tan sólo conviene recordar ahora que la pretensión de atenuar la pena en ellos supondría desbordar el ámbito de aplicación del art. 155, puesto que entonces su misión no sería ya permitir una rebaja de la pena en los casos en los que el sujeto fuera conocedor del *sentido* y *finalidad* del acto al que consiente aunque lo hiciera condicionado por presiones externas, como sucede en las situaciones de necesidad. Su papel sería ahora el de posibilitar una atenuación de la misma allí donde la voluntad esté de tal forma viciada por el error que no pueda decirse que exista, ni siquiera en la versión más moderada de un consentimiento parcialmente libre.

En estos casos, en efecto, el sujeto, en el momento de su decisión, ni conoce ni puede conocer la finalidad del acto al que se somete. Ahora, a diferencia del ejemplo referido líneas más arriba en el que al donante se le hacía una promesa que resultaba incumplida, el sujeto no tiene datos para manejar como un elemento más de su decisión que la situación de necesidad pueda ser irreal. Se le ha comunicado un diagnóstico y eso en nada se parece a la eventualidad de que una promesa quede incumplida. Seguir hablando en tales supuestos de un consentimiento *válido* y *libre* sólo sería posible a partir de una comprensión meramente formal del mismo, ajena por completo a la realidad. Lo primero, su *validez*, porque si el sujeto no conoce ni puede conocer lo absurdo de su decisión, difícilmente podría formulársele un reproche por haber consentido. Como ya sosteníamos más arriba, en este sentido debe interpretarse el término validez con el que se adjetiva el consentimiento en el art. 155 CP; y no de otra forma puede explicarse que el legislador disponga en ese precepto una atenuación de la pena. Lo segundo, la *libertad*, porque difícilmente puede predicarse este atributo del consentimiento cuando quien lo emite está decidiendo de una forma ciega, sin ver ni poder ver el sentido y alcance real de su decisión. Para evitar reiteraciones pueden darse en este punto por repro-

---

[451] Véase *supra*, Primera parte, II, las consecuencias penales por vicios en el consentimiento del paciente o ausencia del mismo.

ducidas las consideraciones que hicimos en el capítulo relativo a la posible responsabilidad penal por vicios en el consentimiento[452].

Por las mismas razones, por la falta de libertad y validez del consentimiento prestado, entiendo que las previsiones del art. 155 tampoco resultarían aplicables a los supuestos en que el sujeto consiente a una actividad no curativa, por ejemplo experimental[453], bien sin conocer la finalidad de la misma, bien engañado en su gravedad (por ejemplo, porque se le oculten riesgos sensiblemente superiores). Tanto en uno como otro supuesto la entidad del vicio es tal que no puede decirse que el sujeto consienta de forma *libre* y *válida*. Lo único que sabe es que va a ser intervenido. Pero más allá de eso, en el primer caso no conoce el sentido de la intervención; en el segundo desconoce su entidad. En tales condiciones ni siquiera puede decirse que su consentimiento tenga validez a efectos de atenuar la pena del delito de lesiones. En estos casos, en definitiva, el error del vicio determinaría la apreciación de un delito de lesiones sin que procediera rebaja alguna de la pena.

2.2.2. El alcance del art. 156 CP

Dispone el art. 156 CP que el consentimiento *válida*, *libre*, *consciente* y *expresamente emitido* exime de pena en los supuestos de trasplante de órganos efectuados conforme a lo dispuesto en la Ley, esterilizaciones y cirugía transexual realizadas por facultativo. De esta regla excepciona los casos en los que el consentimiento se haya obtenido viciadamente, o mediante precio, recompensa, o el otorgante sea menor de edad o incapaz, en cuyo caso no será válido el prestado por éstos ni por sus representantes legales. Por último, conforme a su inciso final, "no será punible la esterilización de persona incapacitada que adolezca de grave deficiencia psíquica cuando aquélla, tomándose como criterio rector el del mayor interés del incapaz, haya sido autorizada por el Juez, bien en el mismo procedimiento de incapacitación, bien en un expediente de jurisdicción voluntaria, tramitado con posterioridad al mismo, a petición del representante legal del incapaz, oído el dictamen de dos especialistas, el Ministerio Fiscal y previa exploración del incapaz".

---

[452] Véase *supra, Primera Parte, Cap. II, Posibles consecuencias penales por vicios en el consentimiento del paciente o ausencia del mismo.*

[453] Recuérdese una vez más que, conforme al planteamiento que aquí sostenemos, si se tratase de una actividad curativa la exclusión del delito de lesiones se debería a la ausencia del desvalor de acción, no a argumentos relacionados con el papel del consentimiento.

Por ir delimitando cuestiones, debe decirse, en primer lugar, que el inciso último de este artículo, relativo a los casos en los que no es punible la esterilización de incapaces, es una regla en la que se ventila simplemente una cuestión de justificación de tales intervenciones a través de un procedimiento que rodee de determinadas garantías al acto de esterilización. Es, en el fondo, un cauce procedimental para resolver la situación de estado de necesidad que se plantea entre el derecho del incapaz al ejercicio de su propia capacidad reproductora y la posibilidad de ejercerla de un modo responsable[454]. Tal vez sólo convenga recordar ahora que sobre la constitucionalidad de este procedimiento tuvo ocasión de pronunciarse el Tribunal Constitucional en la conocida Sentencia 215/1994, de 14 de julio, pronunciada a raíz de una cuestión de inconstitucionalidad promovida por el Juzgado de Primera Instancia n° 5 de Barcelona respecto al entonces artículo 428 CP, introducido por la LO de 21 de junio de 1989. En dicha Sentencia, el Tribunal Constitucional se pronunció a favor de la justificación y proporcionalidad de tal medida:

> "Lo primero —la justificación— porque la esterilización del incapaz, por supuesto sometida siempre a los requisitos y garantías ya examinados que para su autorización judicial impone el art. 428 del CP, le permite no estar sometido a una vigilancia constante que podría resultar contraria a su dignidad (art. 10.1 CE) y a su integridad moral (art. 15.1 CE), haciendo posible el ejercicio de su sexualidad, si es que intrínsecamente lo permite su padecimiento psíquico, pero sin el riesgo de una posible procreación cuyas consecuencias no puede prever ni asumir conscientemente en razón de su enfermedad psíquica y que, por esa misma causa, no podría disfrutar de las satisfacciones u derechos que la paternidad y maternidad comportan, ni cumplir por sí mismo los deberes (art. 39.3 CE) inherentes a tales situaciones...es claro que entre la finalidad perseguida por el legislador y el medio previsto para conseguirla, hay esa necesaria proporcionalidad, porque el resultado, ciertamente gravoso para el incapaz, no resulta desmedido para alcanzar en condiciones de seguridad y certeza la finalidad que se persigue. Si los fines son legítimos, no puede tacharse de desproporcionada una medida que, como la esterilización, es la más segura para alcanzar el resultado que se pretende..." El límite de esa proporcionalidad lo fija el Tribunal allí donde "la previsión legal pudiera constituir un atentado al derecho fundamental a la vida de los deficientes psíquicos, pero este riesgo, al margen del normal que comporta toda intervención quirúrgica, únicamente podría producirse si la resolución judicial autorizante se adoptara no obstante constar en el dictamen de los especialistas el grave riesgo que para la salud de aquellos habría de significar la esterilización solicitada por sus representantes..."[455].

En realidad, las previsiones relativas al consentimiento se concentran en el primer inciso de ese artículo, que, según ya vimos, establece como regla general la validez del acto de voluntad prestado para tales intervenciones siempre que se haya emitido por una persona capaz, mayor de edad y libre de presiones externas. Conforme a cuanto hemos venido sosteniendo, el valor que resta

---

[454] MUÑOZ CONDE, *Derecho Penal, Parte Especial*, ob. cit., pag. 127.
[455] No obstante, véanse los votos particulares formulados por Gabaldón López, Gimeno Sendra, González Campos y de Mendizábal Allende.

atribuir a dicho artículo sólo puede ser meramente *declarativo*, de tal modo que, de suprimirse, las consecuencias seguirían siendo idénticas[456]. El art. 156, en efecto, se limita a reconocer una exención de pena que ya podía deducirse interpretativamente de otras reglas generales: unas veces, porque la conducta no sería reconducible al delito de lesiones por falta de su *desvalor de acción* —lo que sucederá cuando la actividad pueda considerarse curativa—; otras, porque la admisión de la *disponibilidad* del bien jurídico integridad física determina con carácter general que allí donde el titular renuncie a la protección, decaiga la *necesidad* de la pena.

Al primer supuesto, esto es, aquél en que la actividad consentida, por ser *curativa* y realizarse conforme a las reglas de la *lex artis*, carece ya de *desvalor de acción*, pertenecen los casos de trasplante de órganos (por lo que al receptor se refiere[457]) así como los de esterilizaciones y supuestos de cirugía transexual o intervenciones esterilizadoras. Como ya sostuvimos, se trata de supuestos en que la práctica en cuestión, lejos de representar un menoscabo para la salud del paciente, puede contemplarse como una actividad que repercute positivamente en su salud conforme a la definición que de la misma ofrece la Organización Mundial de la Salud. Por ello, siempre que el resultado de tales intervenciones sea exitoso, difícilmente podría subsumirse en la tipicidad de las lesiones ya desde el plano conceptual más básico. Es más, como ya sostuvimos, incluso si la operación fracasara finalmente, habría de negarse también la tipicidad de la conducta médica por falta de *desvalor de acción*.

No obstante, afirmado lo anterior, esto es, que los casos de actividad médica curativa realizada conforme a las reglas de cuidado no son reconducibles al delito de lesiones aun cuando no existiera el art. 156, resulta conveniente hacer una serie de reflexiones en torno a la valoración que merece esa previsión. Y es que, pese a esa aparente "neutralidad" en los resultados a los que se llega con o sin ella, me parece que hubiera resultado deseable desgajar expresamente estos supuestos de su ámbito de aplicación. La razón no es otra que el peligro que supone la pretensión de interpretar, a *contrario sensu*, que cuando la intervención es curativa y se realiza conforme a las reglas de la *lex artis* pero no concurre el consentimiento del paciente, habría de aplicarse el tipo de lesiones. Como ya tuvimos ocasión de sostener, frente a este proceder el título de responsabilidad tendría que discurrir exclusivamente por los tipos que tutelan la libertad, básicamente el delito de coacciones. Resulta así que en estos casos el art. 156 CP no sólo no viene a añadir

---

[456]   MUÑOZ CONDE, *Derecho Penal, Parte General*, ob. cit., págs. 124 s.
[457]   Siempre, lógicamente, que se trate de trasplantes ya experimentados y no en estado de ensayo, ROMEO CASABONA, *Los trasplantes de órganos*, Barcelona, 1978, págs. 26 ss., el mismo en *El médico y el Derecho penal*, ob. cit., págs. 200 ss.

nada al declarar la impunidad de la conducta por un delito de lesiones, sino que da paso a una doble distorsión. La primera, porque parece confundir la propia razón de ser de esa impunidad, al vincularla a la presencia de un consentimiento que, por lo que a las lesiones se refiere, sólo tiene sentido cuando previamente se ha afirmado que la actividad es, *per se*, lesiva para el sujeto. La segunda, porque encierra el riesgo adicional, ya denunciado, de acabar interpretando que la actividad curativa realizada con el cuidado exigible pero sin contar con el consentimiento del paciente es constitutiva de un delito de lesiones.

Junto a estos supuestos, el art. 156 CP contempla otro en el que, ahora sí, la exención de pena encuentra su origen en el consentimiento prestado por el sujeto pasivo: el caso de la donación de órganos por lo que al *donante* se refiere. Bien es verdad que todavía podría plantearse si el dato de la finalidad terapéutica de la intervención (en relación con el receptor) permite excluir el *desvalor de acción* también desde el punto de vista del donante siempre, claro está, que la intervención se realice conforme a las reglas de cuidado. Sin embargo, el hecho de que aquella finalidad se refiera a una persona distinta y que se trate de una actividad que se encamina *con seguridad* a provocar una alteración de la salud del donante, determina la imposibilidad de reconducirla al expediente del *riesgo permitido*. Como es sabido, dicho expediente está pensado para conductas en las que la *adecuación y utilidad social* hacen que se acepte el *riesgo* de la *eventual* producción de un resultado lesivo, pero no para aquellos casos en los que se plantea la realidad del mismo.

Puede decirse, por ello, que el supuesto que ahora se trata encajaría desde el punto de vista del *desvalor del resultado* en el tipo de lesiones[458], de tal modo que la exención de pena sólo podría venir de la mano de la renuncia a la protección por parte del titular, esto es, de su *consentimiento* válidamente emitido al trasplante[459] a partir de la comprensión de la integridad física como un

---

[458]   JORGE BARREIRO, Agustín, *La imprudencia punible en la actividad médico-quirúrgica*, ob. cit., págs. 74 ss; ROMEO CASABONA, *Los trasplantes de órganos*, ob. cit., págs. 29 ss., quien sostiene la concurrencia de la causa de justificación del ejercicio legítimo de un oficio. En la doctrina alemana, por todos, MAURACH/SCHROEDER/MAIWALD, *Strafrecht. Besonderer Teil*, ob. cit., págs. 99 ss.

[459]   Cuyos requisitos se encuentran en la Ley 30/1979, de 27 de octubre, sobre Extracción y Trasplante de órganos, desarrollada por Real Decreto 2070/1999, de 30 de diciembre, por el que se regulan las actividades de obtención y utilización clínica de órganos humanos y la coordinación territorial en materia de donación y trasplante de órganos y tejidos (BOE nº 3, de 4 de enero de 2000). Este Real Decreto sustituye al RD 426/1980, de 22 de febrero (Sobre los cambios introducidos, véase COMAS DÁRGEMIR CENDRA, "Análisis del Real Decreto 2070/1999, de 30 de diciembre, sobre extracción y trasplante de órganos", en *La Ley*, nº 5015, de 17 de marzo de 2000). Dispone el art. 2 de la Ley que "No se podrá recibir

bien jurídico disponible. Por lo demás, cuando el consentimiento esté *viciado*, así como en los supuestos de entrega de *precio*, que tanto la Ley sobre Extracción y Trasplante de Órganos como el art. 156 excepcionan expresamente de validez, resultarán de aplicación, en su caso, las previsiones del art. 155 CP conforme al alcance ya expuesto.

En resumen, pues, dejando a un lado los casos en los que el consentimiento resulte viciado y sea de aplicación la cláusula del art. 155 CP, en el resto de los supuestos debe entenderse que aquél exonera de responsabilidad al sujeto activo. Conforme a lo sostenido por un importante sector de la doctrina, entiendo que dicha exoneración de responsabilidad tiene que encontrar su encaje sistemático en sede de *tipicidad*; eso es, en la exclusión del tipo de lesiones[460] y no sólo la *justificación de* la conducta[461]. Así lleva a entenderlo la comprensión

---

compensación económica alguna por la donación de órganos". Por lo que se refiere a las exigencias de consentimiento, conforme al art. 4 c) de la Ley, el donante deberá otorgar el mismo "de forma expresa, libre y consciente, debiendo manifestarlo, por escrito, ante la Autoridad Pública que reglamentariamente se determine, tras las explicaciones del médico que ha de efectuar la extracción...A los efectos establecidos en esta Ley, no podrá obtenerse ningún tipo de órganos de personas que, por deficiencias psíquicas o enfermedad mental o por cualquier otra causa, no puedan otorgar su consentimiento expreso, libre y consciente". Por su parte, el art. 2 del Real Decreto que la desarrolla requiere, entre otros, los siguientes requisitos para la obtención de órganos de donantes vivos: "a) que el donante sea persona mayor de edad, goce de plenas facultades mentales y de un estado de salud adecuado para la extracción; b) que se trate de un órgano cuya extracción sea compatible con la vida del donante y que no disminuya gravemente su capacidad funcional; c) que el donante haya sido previamente informado de las consecuencias de su decisión y otorgue su consentimiento de forma expresa, libre, consciente y desinteresada". Conforme al art. 3 del mismo Reglamento, "El estado de salud física y mental del donante que permita la extracción del órgano deberá ser acreditado por un médico distinto del o de los que vayan a efectuar la extracción, el cual informará al interesado sobre las consecuencias previsibles de orden somático, psíquico y psicológico, las eventuales repercusiones que la donación pueda tener sobre su vida personal, familiar y profesional, así como los beneficios que con el trasplante se espera haya de conseguir el receptor".

[460] ROXIN, *Derecho Penal, Parte General, ob. cit.*, págs. 516 ss. En dicha obra, véase las referencias doctrinales en nota 19. En nuestra doctrina, véase TAMARIT SUMALLA, *La víctima en Derecho penal, ob. cit.*, págs. 62 ss; DE LA GÁNDARA VALLEJO, *Consentimiento, bien jurídico e imputación*, Madrid, 1995, pág. 171; ÁLVAREZ GARCÍA, *La puesta en peligro de la vida y/o la integridad física asumida voluntariamente por su titular, ob., cit.*, pág. 472, con referencias doctrinales en nota 259.

[461] En nuestra doctrina es una opinión minoritaria, véase BAJO FERNÁNDEZ, *Manual de Derecho Penal, Parte Especial, Delitos contra las personas, ob. cit.*, págs. 159 ss. Digna de mención específica es la postura sostenida por JAKOBS para quien, en relación con las lesiones, el consentimiento tiene unas veces un efecto excluyente del tipo y otras de la antijuricidad. Lo primero sucederá cuando la disposición pueda contemplarse como medio para que el sujeto se desarrolle libremente, casos en los que el comportamiento no supone

de la integridad física y salud como bienes indisociablemente unidos al libre desarrollo de la personalidad, que determina que sólo se lesionen cuando el sujeto no consienta; en palabras de ROXIN, "el cuerpo es objeto de protección no como conglomerado de carne y huesos, sino sólo en conjunción con el espíritu que vive en él y lo domina"[462]. De hecho, no hay mejor prueba de la forma tan íntima en que se condiciona la *tipicidad* de las lesiones a la voluntad del sujeto pasivo o, si se quiere, de que la ausencia de consentimiento es elemento consustancial de su ataque, que el dato de que cuando aquéllas se aprecian no entren en concurso con el tipo que protege los ataques a la libertad (p. ej., coacciones), ya que entonces se estaría castigando dos veces un mismo contenido de injusto[463].

La problemática en torno a los cauces para legitimar la donación de órganos quedaría incompleta si no se hiciera referencia a la cuestión en torno a si la misma pudiera quedar justificada allí donde, si bien no media el consentimiento del donante, con la extracción de su órgano no vital, por ejemplo, un riñón, consigue salvar la vida de otro enfermo. Es, en definitiva, la cuestión en torno al margen de operatividad que pueda tener en este ámbito el recurso al *estado de necesidad*.

En la línea del sentir doctrinal mayoritario, entiendo que dicha posibilidad debe negarse de forma categórica. Lo contrario sólo sería posible descono-

---

una defraudación de expectativas y, por tanto, no realiza el tipo. Junto a él, es posible hablar de un consentimiento meramente justificante en las lesiones: son los casos en los que el bien afectado no es medio para desarrollar la personalidad, como sucede, afirma el autor, cuando se trata de lesiones graves. Así, "la extirpación de un riñón por parte de un médico para realizar un trasplante, a pesar del consentimiento del donante, se distingue de una mera donación de sangre en que, debido a la importancia del bien, sólo cabe fundamentar una disposición sobre éste en una situación excepcional (contexto)", JAKOBS, *Derecho Penal, Parte General, ob. cit.*, págs. 294 ss. Véase también, págs. 523 ss., donde enumera como supuestos de consentimiento justificante las "intervenciones lesivas en la integridad corporal no sólo de carácter incidental, sobre todo en las operaciones médicas con fines curativos, con vistas a otras alteraciones de funciones corporales (esterilización, castración), con fines estéticos (en la medida en que éstos no sean ya fines curativos) o con vistas a realizar trasplantes, así como consentimiento en lesiones en actividades deportivas, entre las que se encuentran por lo general lesiones no incidentales (boxeo), y el consentimiento en graves lesiones al honor o limitaciones duraderas de la libertad, entre otras", págs. 527 ss.

[462] ROXIN, *Derecho Penal, Parte General, ob. cit.*, pág. 518. A ello añade este autor argumentos relacionados con la dificultad de practicar la distinción propiciada por la doctrina alemana entre los supuestos en los que el consentimiento excluiría el tipo (*"Einverständnis"*) y aquellos otros en los que simplemente eliminaría la antijuricidad de la conducta (*"Einwilligung"*).

[463] ROXIN, *Derecho Penal, Parte General, ob. cit.*, págs. 518 s.

ciendo que esta causa de justificación está preñada de límites inmanentes a su propio sentido, más allá incluso de los que expresamente refiere el legislador, que son los que en última instancia la dotan de racionalidad. La necesidad de atender a estos límites consustanciales no ha pasado inadvertida a algunos autores. Es el caso de MUÑOZ CONDE, quien propone acudir a la exigencia de lo que denomina una *relación de adecuación* entre el mal causado y el que se pretende evitar. Con ella, señala el autor, se trata de garantizar que más allá de la estricta ponderación cuantitativa de intereses, única a la que alude el legislador, se destierren de su amparo supuestos que repelen al más burdo sentido común. Sólo así, continúa, se evita, por ejemplo, que se justifique "extirpar un riñón sin su consentimiento a una persona para trasplantarlo a otra que así salva su vida, o quitar un paraguas a un obrero para evitar que la lluvia dañe el valioso traje del 'play-boy'"[464].

A mi juicio, la relación de adecuación que fundadamente exige este autor se traduce en una dualidad de máximas que dotan de lógica a dicha causa de justificación. La primera, que, en general, cuando se trata de bienes de igual valor la *relación de adecuación* requiere que el bien que se sacrifica a costa de otro se encuentre en una situación de peligro. Dicho en otras palabras, para salvar a un bien no puede recurrirse a la lesión de otro del mismo valor cuando éste se encuentra incólume; porque si uno de ellos está fuera de peligro, su lesión no puede contemplarse como un medio *adecuado* para recuperar el que se encuentra en situación de riesgo. Es lo que explica el absurdo que denuncia MUÑOZ CONDE de quitar el paraguas al obrero para dárselo al play-boy. En la medida en que los bienes jurídicos en conflicto son de igual rango (en el ejemplo que propone el autor la propiedad, aunque el objeto sobre el que recaiga tenga una diferente traducción económica en uno y otro caso), la pretensión de lesionar uno a costa del otro se presenta a los ojos del Derecho como un medio *inadecuado e irracional* de solución del conflicto.

Pero en segundo lugar, y son los casos que ahora interesan, la premisa de que ambos bienes deben encontrarse en una situación de riesgo como requisito para que pueda apreciarse el estado de necesidad es igualmente exigible en los supuestos en que, pese a tener diferente rango, se trata de bienes jurídicos eminentemente personales, como la *vida* o la *salud*. Ello es predicable tanto respecto a los casos en que se pretende salvaguardar la salud de una persona

---

[464]   MUÑOZ CONDE, *Derecho penal, Parte General, ob. cit.*, págs. 373 ss. En el específico ámbito médico ROXIN apunta a la misma incongruencia cuando señala que "no se puede sacrificar al débil mental para salvar al premio Nobel, ni al anciano achacoso para mantener la vida del joven vigoroso, ni al criminal antisocial para conservar una vida valiosa", pág. 334.

a costa de lesionar a otra, como cuando lo que se trata es de salvar la vida de esta última. Lo primero es evidente conforme a la observación anterior a propósito de los bienes jurídicos de igual rango: a nadie se le ocurriría valorar como *adecuada* y, por ello, *justificada*, la conducta del médico que sin su consentimiento amputa un brazo a una persona para trasplantársela a otra, o la del que extirpa la córnea de una para implantársela a quien la necesita. Por mucho que entren en juego dos bienes idénticos (la salud de dos personas) el hecho de que uno de ellos no estuviese afectado por la situación de conflicto priva de cualquier racionalidad a una actuación de tal índole.

Lo mismo debe decirse respecto a los casos en que entra en colisión la vida de una persona con el mal representado en causar una lesión a otro sujeto sano, como sucede en algunos supuestos de trasplantes, por ejemplo, el de médula o de riñón cuando ya no es posible recurrir a terapias alternativas. Pese a que entre ambos bienes puede establecerse una graduación valorativa, su entidad en términos absolutos impide justificar la conducta de quien salva la vida de una persona lesionando la salud de otra contra su voluntad. La razón es que, una vez más, a los ojos del Derecho no puede valorarse más que como inadecuada, por excesiva, la pretensión de salvar uno de ellos a costa de provocar una lesión en otro. Faltaría, en definitiva, la *relación de adecuación* que exige MUÑOZ CONDE. Por ello, puede decirse que cuando se implican bienes jurídicos como la vida y la salud, dicho requisito exige que aunque entre ellos medie una relación jerarquizada, la vida o salud de la persona que vaya a sacrificarse se encuentre en situación de riesgo, esto es, que también se trate de una persona enferma cuyo eventual sacrificio en el conflicto plantado sea el resultado de la tesitura del médico de tener que elegir entre salvarla a ella o a otra persona en sus mismas condiciones. Sólo así puede explicarse la posibilidad que asiste al profesional de optar entre salvar la vida de cualquiera de dos pacientes que precisan con urgencia un hígado cuando sólo se dispone de uno; o la de sacrificar a uno de los siameses cuando la separación le priva de un órgano vital que pasa de esta forma al otro. En todos estos casos pende un mal inminente sobre los dos bienes que entran en conflicto. Y por eso, cualquiera de ellos puede ser sacrificado en beneficio del otro.

Todavía puede descubrirse un argumento adicional que vendría a confirmar cuanto venimos sosteniendo. Y es que a la posibilidad de justificar la lesión de la salud de una persona para salvaguardar la vida o salud de otra no sólo se opondría el rechazo que en términos valorativos comporta la pretensión de causar un mal de tal entidad para evitar otro. A la misma se opondría ya la exigencia básica de respetar un bien cuya tutela se justifica constitucionalmente como uno de los fundamentos del orden político y la paz social: la *dignidad humana*, que sin duda resultaría lesionada si se sometiera a una persona sin su consentimiento a una práctica de donación de órganos.

2.2.3. El tratamiento de otros supuestos de actividad médica no curativa: especial referencia a las intervenciones con finalidad experimental

El art. 156 del Código penal no resuelve expresamente el tratamiento de un caso que pudiera resultar dudoso y cuya solución, por tanto, habrá de deducirse de las premisas más amplias de las que previamente se partan: las intervenciones realizadas con fines de *experimentación científica*.

A efectos metodológicos, antes de abordar su tratamiento, resulta conveniente diferenciar en la línea en que lo hace la mayoría de la literatura penal[465] su genuina estructura frente a otros casos que resultan limítrofes por su parecido morfológico. En primer lugar, debe distinguirse de aquellos en los que la actividad médica, si bien tiene finalidad terapéutica, es aprovechada incidentalmente para un fin experimental. En realidad, en tanto la práctica se realice conforme a métodos de eficacia probada, estos supuestos no demandarían un tratamiento distinto desde el punto de vista penal. En este sentido, el art. 1 del RD 223/2004, de 6 de febrero, por el que se regulan los ensayos clínicos con medicamentos, dispone que "no tendrá la consideración de ensayo clínico la administración de un medicamento en investigación a un solo paciente, en el ámbito de la práctica médica habitual y con el único propósito de conseguir un beneficio terapéutico del paciente, que se regirá por lo dispuesto sobre uso compasivo en el artículo 28"[466]. Por su parte, la Ley 41/2002 en su art. 8.4 consagran entre los derechos del paciente el de "ser advertido sobre la posibilidad de utilizar los procedimientos de pronóstico, diagnóstico y terapéuticos que se le apliquen en función de un proyecto de investigación, que, en ningún caso podrá comportar peligro adicional para su salud".

En segundo lugar, los supuestos de actividad médica con finalidad experimental deben distinguirse de aquellos otros en los que se emplean terapias no convencionales; lo que en la doctrina alemana se conoce como *"Außenmethoden"*, y que se caracterizan porque, si bien la actividad médica se realiza con finalidad terapéutica, se desvía en sus métodos o técnicas de los procedimientos convencionales. Como suele reconocerse de forma prácticamente unánime, tampoco estos supuestos plantean especial dificultad en tanto su empleo

---

[465]   Véase por todos ROMEO CASABONA, C., "Clinical Trials in Medicine in Spanish Law", en *Die klinische Prüfung in der Medizin. Europäische Regelungswerke auf dem Prüfstand.* Germany, 2005, págs. 225 ss.

[466]   Conforme a dicho precepto, por tal se entiende "la utilización en pacientes aislados y al margen de un ensayo clínico de medicamentos en investigación, incluidas especialidades farmacéuticas para condiciones o indicaciones de uso distintas de las autorizadas, cuando el médico bajo su exclusiva responsabilidad considere indispensable su utilización".

no suponga una merma de las probabilidades curativas del paciente frente a los métodos tradicionales, ya que en tal caso su recurso debe valorarse como expresión de la libertad médica de elección entre distintas terapias[467]. En realidad, su única peculiaridad se vincula a las mayores exigencias de información que aseguren la preservación de la voluntad del paciente.

Puede decirse que el propio Código penal reconoce implícitamente la libertad de elección de métodos al incriminar con carácter puntual y, por tanto excepcional, un supuesto en el que interviene la facultad de elección del médico. Es el caso del art. 609, que dispone: "El que, con ocasión de un conflicto armado, maltrate de obra o ponga en grave peligro la vida, la salud o la integridad de cualquier persona protegida, la haga objeto de tortura o tratos inhumanos, incluidos los experimentos biológicos, le cause grandes sufrimientos o la someta a cualquier acto médico que no esté indicado por su estado de salud *ni de acuerdo con las normas médicas generalmente reconocidas que la Parte responsable de la actuación aplicaría, en análogas circunstancias médicas, a sus propios nacionales no privados de libertad,* será castigado con la pena de prisión de cuatro a ocho años, sin perjuicio de la pena que pueda corresponder por los resultados lesivos producidos".

Frente a estos casos, los supuestos de experimentación científica se caracterizan porque, o no tienen finalidad terapéutica o, aun teniéndola, su eficacia no está comprobada. Siguiendo a ESER, es posible distinguir dos grupos de casos que corresponden a otras tantas estructuras problemáticas. Los primeros, los que denomina como *pruebas terapéuticas ("Heilversuch")*: los segundos, los de *experimentación humana ("Humanexperiment")*[468].

Los primeros comprenden aquellas experimentaciones que, si bien se espera que tengan éxito curativo, ni su eficacia ni sus posibles efectos secundarios están demostrados[469]. Dado que los supuestos de pruebas terapéuticas se orientan a la curación de la persona a que se aplican, pueden asimilarse a los de finalidad terapéutica probada en tanto que, al menos probabilísticamente, las

---

467   ESER, en *ZStW* 1985, *ob. cit.*, págs. 11 ss.
468   ESER, *Heilversuch und Humanexperiment, Der Chirurg* 1979, pág. 217; el mismo en *ZStW* 1985, *ob. cit.*, págs 13 ss. Sobre esta distinción véase también LAUFS, en LAUFS/UHLEN-BRUCK, *Handbuch des Arztrechts, ob. cit.*, pág. 481 ss; el mismo, en *NJW* 1978, *ob. cit.*, pág. 1179; SCHROTH, *Zwischen Experiment und Heilbehandlung*, en Kaufmann (Hrsg), Heidelberg, 1989, pág. 54; DEUTSCH, *Arztrecht und Arzneimittelrecht, ob. cit.*, págs. 214 ss; SCHIMIKOWSKI, *Experiment am Menschen*, Stuttgart, 1980, págs. 21 s.
469   Dado que su eficacia terapéutica no es conocida sino sólo esperada, SCHROTH engloba estos supuestos bajo el término *"indicación subjetiva" ("subjektive Indikation"), Zwischen Experimente und Heilbehandlung, ob. cit.*, pág. 54.

posibilidades de curación del tratamiento sean significativas[470]. Aquí habrían de incluirse los casos en los que el empleo del medicamento se oriente de forma *primaria* a la curación del enfermo, si bien responda a la vez a un interés científico, como la prueba de su eficacia. Cuando no existan tratamientos convencionales alternativos, estos casos habrían de equipararse sin dificultades a los genuinos supuestos de actividad terapéutica, en tanto que su empleo esté objetivamente indicado y el interés en la curación del concreto enfermo sea dominante o, al menos, codominante.[471] Siempre que la conducta experimental se realice conforme a las reglas de la *lex artis*, su irrelevancia penal se debe a la ausencia de *desvalor de acción*, de tal modo que incluso cuando finalmente fracase, nada impedirá seguir contemplándola como *socialmente adecuada* y, por tanto, al margen del Derecho penal[472]. Por lo demás, concurriendo el consentimiento del paciente, habrá de descartarse igualmente la posibilidad de apreciar los tipos delictivos que se orientan a tutelar la voluntad de éste.

Si acaso, tan sólo merece algún comentario las reflexiones que en la doctrina alemana hace ESER. Este autor, tras centrar la problemática de estos supuestos en torno a la concurrencia o no de consentimiento, se plantea si no sería necesario, además, argumentar sobre la base de una causa de justificación, en concreto, un *estado de necesidad*. Ello, entiende, porque no es desdeñable el riesgo de que el paciente preste el consentimiento con especial facilidad debido a la situación en que se encuentra[473].

Sin desconocer lo que de cierto tiene la preocupación que manifiesta este autor, me parece que tales temores no pueden merecer mayor atención ni, por tanto, demandar trato distinto respecto a lo que sucede en general a la hora de valorar la eficacia del consentimiento del paciente para cualquier intervención. Ciertamente éste se encuentra normalmente en un estado de angustia o preocupación; pero mientras no concurran circunstancias adicionales que vicien su consentimiento, esa situación no puede valorarse más que como el móvil por el que se decide a someterse al tratamiento, sin que tal situación deba ser, por sí sola, un indicio de sospecha de sus vicios.

---

[470] ESER, en *Avances de la medicina y Derecho penal, ob. cit.*, págs. 16 s. Véase también SAMSON, "Zur Strafbarkeit der klinischen Arzneimittelprüfung", en *NJW* 1978, págs. 1182 ss.

[471] ESER, "Das Humanexperiment", en *Gedächtnisschrift für Schröder*, München, 1978, págs. 198 ss.

[472] No obstante, ESER, *ZStW* 1985, *ob. cit.*, pág. 14, justifica la atipicidad con el argumento de la ausencia de desvalor de resultado en los casos en los que, si bien la medida es dudosa, no existe otra terapia alternativa o, al menos que sea efectiva en el caso en cuestión, o bien cuando sea de temer un empeoramiento si se omite la terapia.

[473] ESER *Nuevos horizontes en la Ciencia penal, ob. cit.* pág. 49.

Frente a estos casos se sitúan los genuinos supuestos de *experimentación humana*, esto es, aquellos que no sólo tienen carácter experimental, sino que su utilidad desenfoca el concreto sujeto al que se aplica, prevaleciendo, por tanto, el interés en la investigación científica[474]. Aquí habrían de incluirse no sólo los casos en los que se somete al paciente a un tratamiento que no necesita o que no está objetivamente indicado, sino también aquellos otros en los que el medio empleado, aun sirviendo a los fines del tratamiento, se utiliza como alternativa a otra terapia eficaz[475].

En el orden internacional, las condiciones y garantías mínimas de su práctica se contemplan en el art. 7 del Pacto Internacional de Derechos Civiles y políticos de 1966[476], en las Diez reglas de Nüremberg de 1946[477], en la declaración de Helsinki, adoptada por la 18ª Asociación Médica mundial en

---

[474] ESER, *Gedächtnisschrift für Schröder, ob. cit.*, págs. 199 ss.

[475] SCHROTH diferencia dentro de este grupo cuatro supuestos distintos: las pruebas clínicas (*"klinischen Versuche"*), los experimentos psicológicos (*"psychologischen Experimenten"*), observaciones sociológicas (*"sozialwissenschaftlichen Observationen"*), y las pruebas biológicas (*"biologischen Versuche"*).

[476] "Nadie será sometido a torturas ni a penas o tratos crueles, inhumanos o degradantes. En particular, nadie será sometido sin su consentimiento a experimentos médicos o científicos".

[477] Elaboradas durante el juicio contra los criminales de guerra celebrado en Nuremberg, y que fueron utilizadas como patrón para juzgar a los médicos y científicos que habían realizado experimentos biomédicos en los campos de concentración. Las reglas son las siguientes: 1. Es esencial el consentimiento del paciente que tenga capacidad legal y total de prestarlo, y que sea dado libre y voluntariamente, y con conocimiento de la naturaleza y de los riesgos de la experimentación; 2. La experimentación debe realizarse con la finalidad de obtener resultados fructíferos a los fines médicos e imposible de realizar por otros procedimientos; 3. Debe siempre estar precedida por la previa experimentación en animales y con un estudio profundo previo de la misma; 4. Debe evitar todo sufrimiento y todo mal innecesario, físico o mental; 5. La experimentación médica no puede realizarse cuando puede presuponer la muerte o invalidez del paciente, salvo el caso de auto-experiencia; 6. Los riesgos no deben exceder de la importancia humanitaria del problema que se orienta solucionar con la experiencia; 7. Se deben tomar todas las precauciones necesarias para proteger al sujeto incluso de los riesgos remotos de lesión, incapacidad o muerte; 8. El experimentador debe ser persona cualificada. En todas las fases del procedimiento se requiere la máxima precaución y capacidad técnica de quienes lo dirigen o toman parte en el mismo; 9. Debe garantizarse la posibilidad de poder interrumpir la experimentación; 10. El experimentador debe estar dispuesto a interrumpir el experimento en caso de un posible peligro para el sujeto sometido a experimentación.

1964[478], en la Declaración de Manila de 1981[479], así como en el Convenio Europeo para la Protección de los Derechos Humanos y la Dignidad del ser humano con respecto a las aplicaciones de la Biología y la Medicina (Convenio relativo a los derechos humanos y la Biomedicina o Convenio de Oviedo)[480].

---

[478] Revisada por la XXIX *Asamblea Médica Mundial* celebrada en Tokio, en 1975, la XXXV Asamblea Médica Mundial, celebrada en Venecia en 1983, modificada en la XLI Asamblea Médica Mundial celebrada en Hon Kong, en 1989, que recoge entre sus principios básicos: "5. Todo proyecto de investigación biomédica en seres humanos debe estar precedido por un cuidadoso cálculo de los riesgos previsibles y de su comparación con los beneficios que puedan derivarse para el sujeto de la investigación y para otros individuos. La preocupación por los intereses de la persona investigada deberá prevalecer siempre sobre los intereses de la ciencia y de la sociedad; 6. Deberá respetarse siempre el derecho del sujeto de investigación a proteger su integridad. Deberán tomarse todas las precauciones para preservar su intimidad y para reducir al mínimo el efecto del estudio sobre su integridad física, mental y sobre su personalidad; 7. Los médicos se abstendrán de participar en proyectos de investigación en seres humanos, a menos que estén persuadidos de que los riesgos inherentes son predecibles. Suspenderán cualquier investigación si encuentran que los riesgos son superiores a los beneficios calculados; 9. En cualquier investigación sobre seres humanos, todo sujeto potencial debe ser informado adecuadamente de los objetivos, los métodos, los beneficios calculados y los riesgos posibles del estudio y de las incomodidades que pueda implicar. Deberá también informársele de que es libre para participar o no en el experimento y para retirar su consentimiento en cualquier momento. El médico obtendrá entonces, preferiblemente por escrito, el consentimiento informado y libremente prestado del sujeto".

[479] Aprobada por el Consejo de Organizaciones Internacionales de Ciencias Médicas, en Manila, 1981.

[480] Cuyo art. 16 requiere como condiciones: "1) que no exista un método alternativo al experimento con seres humanos de eficacia comparable; 2) que los riesgos en que pueda incurrir la persona no sean desproporcionados con respecto a los beneficios potenciales del experimento; 3) que el proyecto haya sido aprobado por la autoridad competente después de haber efectuado un estudio independiente acerca de su pertinencia científica, comprendida una evaluación de la importancia del objeto del experimento, así como un estudio multidisciplinar de su aceptabilidad en el plano ético; 4) que la persona que se preste a un experimento esté informada de sus derechos y las garantías que la Ley prevé para su protección; 5) que el consentimiento (a que se refiere el art. 5) se haya otorgado libre y explícitamente y esté consignado por escrito. Este consentimiento podrá ser libremente retirado en cualquier momento". Por su parte, el art 17 establece las excepciones en las que se podrá realizar el experimento sobre una persona que no tenga capacidad para consentir. Además de los requisitos exigidos en el art. 16 1) a 5) requiere: 1) que los resultados previstos del experimento supongan un beneficio real y directo para la salud del sometido a experimentación; 2) que el experimento no pueda efectuarse con una eficacia comparable con sujetos capaces de prestar su consentimiento al mismo; 3) que la persona no exprese su rechazo al experimento. Por su parte, el apartado 2 contempla la posibilidad de que de modo excepcional se realice la experimentación en personas incapacitadas pese a que la misma no les reporte una utilidad directa cuando, además de darse los requisitos 2,3 y 4, en primer lugar, el experimento tenga por objeto, mediante una mejoría significativa del conocimiento científico del estado de la persona, de su enfermedad o de su tras-

Todo ello sin olvidar otros documentos, como el Informe Belmont, Principios éticos y recomendaciones para la protección de las personas objeto de experimentación, adoptado por la Comisión Nacional para la protección de las personas objeto de la experimentación médica y de la conducta (Estados Unidos 1978)[481].

En nuestro Derecho, dejando al margen las previsiones del Código de Deontología y Ética médica[482], de los ensayos clínicos con medicamentos se ocupa el inciso primero del art. 58.1 de la Ley 29/2006, de 26 de julio, de garantía y uso racional de los medicamentos, conforme al cual, se entiende por ensayo clínico,

"toda investigación efectuada en seres humanos con el fin de determinar o confirmar los efectos clínicos, farmacológicos y/o demás efectos farmacodinámicos, y/o de detectar las reacciones adversas, y/o de estudiar la absorción, distribución, metabolismo y eliminación de uno o varios medicamentos en investigación con el fin de determinar su seguridad y/o eficacia".

---

torno, contribuir a lograr en un determinado plazo resultados que permitan obtener un beneficio para la persona afectada o para otras personas de la misma categoría de edad o que padezcan la misma enfermedad o el mismo trastorno o que presenten las mismas características; y en segundo lugar, que el experimento represente para la persona un riesgo o un inconveniente mínimo. En relación con las investigaciones sobre el genoma humano, debe tenerse presente la Declaración Universal sobre el Genoma humano y los Derechos humanos, aprobada por la XXIX Comisión de la Conferencia General de la UNESCO, en París, el 11 de noviembre de 1997.

[481] Este Informe, tras señalar como principios éticos básicos el respeto por las personas, la beneficencia y la justicia, define las exigencias que debe cumplir el consentimiento informado para que el experimento pueda considerarse voluntario.

[482] Dispone su art. 32 : "1. El avance de la Medicina está fundado en la investigación y por ello no puede prescindir, en muchos casos, de una experimentación sobre seres humanos, siendo la salud de éstos prioritaria para el médico investigador. 2. El protocolo de toda experimentación proyectada sobre seres humanos debe someterse a la aprobación previa por una Comisión de Ética o de Ensayos Clínicos. 3. La investigación biomédica en seres humanos incluirá las garantías exigidas por las Declaraciones de la Asociación Médica Mundial al respecto. Requieren una particular protección en este asunto aquellos seres humanos biológicamente o jurídicamente débiles o vulnerables. 4. Deberá recogerse el libre consentimiento del individuo objeto de la experimentación, o de quien tenga el deber de cuidarlo en caso de que sea menor o incapacitado, tras haberle informado de forma adecuada de los objetivos, métodos y beneficios previstos, así como sobre los riesgos o molestias potenciales. También se le indicará su derecho a no participar en la experimentación y a poder retirarse en cualquier momento, sin que por ello resulte perjudicado. 5. Los riesgos o molestias que conlleven la experimentación sobre las personas no será desproporcionado ni le supondrán merma de su conciencia moral o de su dignidad. 6. El médico está obligado a mantener una clara distinción entre los procedimientos en fase de ensayo y los que ya han sido aceptados como válidos para la práctica correcta de la Medicina del momento. El ensayo clínico de nuevos procedimientos no privará al paciente de recibir un tratamiento válido".

El art. 60 de la misma Ley se ocupa de detallar las garantías que debe respetar:

"1. Los ensayos clínicos deberán realizarse en condiciones de respeto a los derechos fundamentales de la persona y a los postulados éticos que afectan a la investigación biomédica en la que resultan afectados seres humanos, siguiéndose a estos efectos los contenidos en la Declaración de Helsinki.

2. No podrá iniciarse ningún ensayo clínico en tanto no se disponga de suficientes datos científicos y, en particular, ensayos farmacológicos y toxicológicos en animales, que garanticen que los riesgos que implica en la persona en que se realiza son admisibles".

Entre esas exigencias de garantía, juega un papel fundamental el consentimiento de la persona sometida al ensayo. Del mismo se ocupó ya el RD 223/2004, de 6 de febrero, por el que se regulan los ensayos clínicos con medicamentos, y que incorpora la Directiva 2001/20/CE del Parlamento Europeo y del Consejo, de 4 de abril de 2001, relativa a la aproximación de las disposiciones legales, reglamentarias y administrativas de los Estados miembros sobre la aplicación de buenas prácticas clínicas en la realización de ensayos clínicos de medicamentos de uso humano. Tras consagrar en su art. 3 los postulados éticos de la práctica de los ensayos[483], regula detalladamente las condiciones de realización de los mismos en el caso de que tengan por objeto a menores de edad (art. 4)[484] o a adultos incapacitados (art. 5)[485], así como en los supuestos en que no tengan beneficio directo para la salud de los sujetos.[486] Entre esos

---

[483]   Entre ellos se cuenta la necesidad de que el Comité Ético de Investigación Clínica que corresponda y la Agencia Española de Medicamentos y Productos Sanitarios hayan considerado que los beneficios esperados para el sujeto del ensayo y para la sociedad justifican los riesgos. Además en los ensayos deberán respetarse los derechos del sujeto y los postulados éticos que afectan a la investigación biomédica con seres humanos, en particular la intimidad y el consentimiento informado.

[484]   En este caso, exige el cumplimiento de una serie de condiciones: a) que el ensayo tenga interés específico para la población que se investiga y, además, guarde relación directa con alguna enfermedad que padezca el menor, o bien sea de tal naturaleza que sólo pueda ser realizada en menores; b) que el bienestar del sujeto prevalezca siempre sobre los intereses de la ciencia y de la sociedad; c) que concurran los requisitos de consentimiento en los términos que contempla la propia norma; d) que el protocolo sea aprobado por un Comité Ético de Investigación Clínica; e) que se sigan las directrices científicas correspondientes de la Agencia Europea para la Evaluación de Medicamentos.

[485]   Las condiciones que requiere en estos casos son: a) que los ensayos sean de interés específico para la población que se investiga y dicha investigación sea esencial para validar los datos procedentes de ensayos clínicos efectuados en personas capaces de otorgar su consentimiento informado y que, además, guarde relación directa con alguna enfermedad que padezca el adulto incapaz, y que ésta lo debilite o ponga en peligro; b) que el bienestar del sujeto prevalezca siempre sobre los intereses de la ciencia y de la sociedad; c) que concurran los requisitos de consentimiento en los términos que contempla la propia norma; d) que el protocolo sea aprobado por un Comité Ético de Investigación Clínica.

[486]   En estos casos, además de otras previsiones específicas para los menores de edad y sujetos incapacitados, requiere que el riesgo que asume la persona que se somete al ensayo esté

postulados se sitúa la exigencia de contar con el consentimiento de la persona que se somete al ensayo, de lo que se ocupa de forma detallada el art. 8 del Reglamento.

Al margen de otras previsiones en el ámbito sectorial[487], de estas exigencias se ha ocupado con carácter general la Ley 29/2006, de 26 de julio, de garantías y uso racional de los medicamentos y productos sanitarios, que en el art. 60.4 recoge entre las garantías del respeto a los postulados éticos la exigencia del consentimiento del sujeto del ensayo, que habrá de ser "expresado por escrito, tras haber sido informado sobre la naturaleza, importancia, implicaciones y riesgos del ensayo clínico". En los casos de personas que no puedan emitir su consentimiento, "éste deberá ser otorgado por su representante legal previa instrucción y exposición ante el mismo del alcance y riesgos del ensayo. Será necesario, además, la conformidad del representado si sus condiciones le permiten comprender la naturaleza, importancia, alcance y riesgos del ensayo". Por lo demás, la propia Ley precisa que lo anterior se entiende sin perjuicio de lo previsto en el art. 9.2 de la Ley 41/2002.

Ya en el orden penal, el legislador ha previsto expresamente en el Título V del Libro II una serie de tipos relativos a la experimentación científica. Haciendo salvedad de algún precepto en el que lo que se tutela es la libertad de la mujer frente a una actividad que hoy día ya no puede considerarse como experimental, la inseminación artificial[488], así como de la referencia a un concreto empleo de la ingeniería genética[489], los distintos delitos comprendidos en aquel Título tipifican determinadas conductas de experimentación científica[490]. Los artículos que aquí interesan son los siguientes:

---

justificado en razón del beneficio esperado para la comunidad.

[487] Véanse los arts. 19 ss. del RD 414/1996, de 1 de marzo, en los que se regulan los productos sanitarios (BOE n° 99, de 24 de abril de 1996); el art. 3 de la Ley 14/2006, de 26 de mayo, sobre Técnicas de Reproducción Humana asistida (BOE n° 126, de 27 de mayo), así como los arts. 14 ss. de la Ley 14/2007, de 3 de julio, de Investigación biomédica en relación con la investigación con seres humanos, y los art. 34 ss., con relación a la investigación con ovocitos y preembriones. En el ámbito penitenciario, véase el art. 211 del Reglamento Penitenciario.

[488] Art. 162 1. "Quien practique reproducción asistida en una mujer, sin su consentimiento, será castigado con la pena de prisión de dos a seis años, e inhabilitación especial para empleo o cargo público, profesión u oficio por tiempo de uno a cuatro años".

[489] Art. 160. "La utilización de ingeniería genética para producir armas biológicas o exterminadoras de la especie humana será castigada con la pena de prisión de tres a siete años e inhabilitación especial para empleo o cargo público, profesión u oficio por tiempo de siete a diez años".

[490] Al respecto, véase por todos, ROMEO CASABONA, Genética y Derecho Penal: Los delitos de lesiones al feto y relativos a las manipulaciones genéticas, en *Derecho y Salud* Vol. 4,

Art. 159.

1. *Serán castigados con la pena de prisión de dos a seis años e inhabilitación especial para empleo o cargo público, profesión u oficio de siete a diez años los que, con finalidad distinta a la eliminación o disminución de taras o enfermedades graves, manipulen genes humanos de manera que se altere el genotipo.*

2. *Si la alteración del genotipo fuere realizada por imprudencia grave, la pena será de multa de seis a quince meses e inhabilitación especial para empleo o cargo público, profesión u oficio de uno a tres años.*

Art. 161.

1. *"Serán castigados con la pena de prisión de uno a cinco años e inhabilitación especial para empleo o cargo público, profesión u oficio de seis a diez años quienes fecunden óvulos humanos con cualquier fin distinto a la procreación humana.*

2. *Con la misma pena se castigará la creación de seres humanos idénticos por clonación u otros procedimientos dirigidos a la selección de la raza".*

Más allá de la fenomenología de supuestos que se castigan expresamente en estos preceptos, caracterizados por que quien es objeto de la experimentación, por razones obvias, no puede prestar su consentimiento, se plantea ya en ámbitos distintos la posible responsabilidad penal del médico cuando aquél es una persona que, como tal, puede haber consentido en la experimentación o, al menos, estar en condiciones para hacerlo y, sin embargo, no ha manifestado su consentimiento. Al respecto, la primera cuestión que surge es la relativa a los tipos delictivos que pudieran venir en consideración. Ante la ausencia de un tipo específico que contemplara la realización no consentida de ensayos clínicos, habrá de estarse a los tipos generales de la Parte Especial del Código penal que puedan recoger su estructura; en concreto, los delitos de coacciones y lesiones. Dado que la apreciación del primero va a ser limitada por el hecho de que, como es sabido, requiere que concurra el requisito de la violencia o intimidación, lo que no corresponde a la fenomenología normal de los casos en que se plantee dicha práctica, el tipo delictivo que la mayoría de las veces va a venir en consideración será el de lesiones, cuyo punto de referencia puede ser doble. En primer lugar, en los casos en los que la práctica del ensayo comporte, de por sí, una incidencia en la salud o integridad física o psíquica del sujeto (así podría considerarse ya cuando el ensayo consistiera, por ejemplo, en inocular un determinado virus para probar la eficacia de una vacuna), como cuando a consecuencia del ensayo el individuo desarrollara

num. 2, julio-diciembre 1996, págs. 156 ss.

otras enfermedades (si bien no se planteaba el problema del consentimiento, baste recordar el caso que saltaba a la prensa en agosto de 2006 relativo a seis voluntarios que desarrollaron cáncer y lupus tras probar un fármaco en Reino Unido)[491].

Bien, pues tomando como punto de referencia ambos tipos delictivos, debe afirmarse que, descartada la posibilidad de reconducir tales casos al ámbito de la *adecuación social* debido a la ausencia de finalidad terapéutica, su tratamiento debe obtenerse a partir de las mismas premisas manejadas con carácter general para solucionar otros ámbitos de conflicto que comparten con el que ahora interesa la cuestión en torno a la eficacia que deba concederse a la voluntad del paciente.

Así, frente a las propuestas de algunos autores de tener en cuenta el resultado de la experimentación[492], la entidad de las lesiones que pudieran causarse[493], o incluso de realizar una ponderación *científico-objetiva* en términos *beneficios-riesgos*[494], entiendo que la impunidad sólo debe sostenerse con carácter general allí donde pueda apreciarse el consentimiento libre y validamente emitido por el afectado. Es más, la afirmación de que el consentimiento excluye la responsabilidad penal habrá de mantenerse aun cuando la experimentación conlleve un riesgo de lesiones o incluso de muerte para el paciente siempre que, como tendremos ocasión de insistir más adelante, la conducta pudiera reconducirse a los esquemas dogmáticos de las *autopuestas en peligro*[495].

Lo que de momento interesa destacar es que en los casos en que aquel no concurra, la conducta no podría justificarse por la atención a intereses objetivos conforme a los esquemas de una suerte de estado de necesidad frente a

---

[491]   Véase la información aparecida en el Diario *El País*, de 1 de agosto de 2006. Se trataba de un medicamento, destinado a estimular el sistema inmunitario, que cuatro meses después del suministro provocó a quienes lo habían tomado fuertes dolores de cabeza, pérdida de memoria, dolor de espalda y diarrea. Además, están desarrollando de forma temprana enfermedades autoinmunes y distintas modalidades de cáncer linfático.

[492]   Por ejemplo, MANNA, *Profili penalistici del trattamento médico-chirurgico, ob. cit.*, págs. 169 ss.

[493]   VON BAR, "Medizinische Forschung und Strafrecht", en *Recht und Medizin, ob. cit.*, págs. 65 ss.

[494]   ESER, *Das Humanexperiment, ob. cit.*, págs. 207 ss. En la doctrina más antigua ya apuntaban a esta solución OPPENHEIM, *Das ärztliche Recht zu körperlichen Eingriffen an Kranken und Gesunden*, Basel, 1892. Véanse las reflexiones de ESER a la concepción de este autor en "Beobachtungen zum 'Weg der Forschung' im Recht der Medizin", en *Recht und Medizin*, Darmstadt, 1990, págs. 31 s.

[495]   En este sentido véase en nuestra doctrina SILVA SÁNCHEZ, *Medicinas alternativas e imprudencia médica*, Barcelona, 1999, págs. 69 ss.

la voluntad del afectado. Las razones son fáciles de entender[496]. La primera, la necesidad de respetar el límite inmanente a dicha causa de exclusión de la antijuricidad, representado por la exigencia, puesta de manifiesto por MUÑOZ CONDE, de una *relación de adecuación* entre males[497], puesto que la entidad de los bienes afectados determina que dicho requisito del estado de necesidad se descarte ya cuando uno de los bienes en conflicto no se encuentre en situación de peligro. Es lo que sucede en los casos en los que se pretende "sacrificar" o poner en peligro a un bien incólume (en este caso la salud de la persona afectada) para salvar a otro bien que, de hecho, ya está en peligro (ahora un bien jurídico difuso representado por la curación de las personas con enfermedades que hipotéticamente puedan curarse en el futuro).

El segundo argumento apunta a que de seguirse el proceder que aquí se critica, dicha causa de justificación se convertiría en un peligroso expediente con el que dar luz verde a prácticas que habrían de calificarse cuanto menos como atentatorias a un principio constitucional básico: la *dignidad humana*, y de las que desde luego no han faltado muestras en la historia[498]. No parece necesario insistir en que no puede menos que considerarse contrario a la misma someter a alguien a una actividad experimental cuando desconoce por completo, ya su realidad, ya el fin de la prueba a la que se somete. En esas circunstancias es imposible considerar al hombre como un sujeto libre y responsable; en ellas, por el contrario, queda reducido a un mero objeto, a un mero instrumento en manos del investigador que lo utiliza en su interés[499].

---

[496]   No está de más recordar que en nuestro país esta concepción encontró entre sus defensores a profesionales de renombre como Gregorio Marañón, quien escribía: "El enfermo, por prejuicios fútiles y, a veces, en los hospitales, por ese rencor intuitivo del que sufre hacia el médico...suele oponerse a toda prestación de su persona de la que no resulte, o crea él que no resulte, una inmediata utilidad para él. Pues bien, si la investigación que intentamos le supone, como suele ser, una simple molestia, y a cambio de ella se puede esperar un beneficio para él mismo, yo considero lícito, con un leve engaño, convencerle". Y más adelante, tras recordar la justificación del engaño cuando se trata de terapias beneficiosas para el paciente, "Si en estos casos recurrimos por el bien inmediato y seguro del enfermo, a rendir, con arte o con discreta violencia, su voluntad, podremos extender la justificación y la táctica a estos otros casos de resistencia a una fundamentada experimentación", en *Vocación y Ética, ob. cit.*, págs. 81 s.

[497]   MUÑOZ CONDE, *Derecho penal, Parte General, ob. cit.*, págs. 334 s.

[498]   Sobre las atrocidades cometidas en aplicación de métodos experimentales, fundamentalmente durante la Segunda Guerra Mundial, véase por todos VEGA GUTIÉRREZ/VEGA GUTIÉRREZ/MARTÍNEZ BAZA, *Experimentación humana en Europa*, Valladolid, 1997, págs. 11 ss.

[499]   Por ejemplo, HÖFLING/DEMEL, en "Zur Forschung an Nichteinwilligungsfähigen", en *MedR*, 1999, pág. 545.

Es más, la pérdida de dignidad que experimentaría el sujeto en tales casos es tan grave que ni siquiera resultan de recibo las propuestas de acotar su procedencia mediante una serie de restricciones. Es lo que hace, por ejemplo, SCHIMIKOWSKI en la doctrina alemana, quien limita las posibilidades de apreciar el estado de necesidad a dos supuestos: el primero, aquellos casos en los que es necesario experimentar los efectos secundarios de una medicación en terceros sanos antes de administrarla al enfermo; el segundo, aquellos en los que, si bien lo que entra en juego es la salud de pacientes futuros, puede demostrarse que con esa experimentación se salvarán sus vidas y asimismo se constata que no existe ninguna otra alternativa[500]. Como decíamos, ni siquiera dentro de estos límites restringidos podría apreciarse un estado de necesidad, en cuanto que también en estos casos siguen hablando en su contra los mismos argumentos manejados más arriba; a saber, la improcedencia de poner en peligro un bien incólume para salvar a otro en situación de peligro y, sobre todo, la contrariedad de la práctica con el respeto del principio constitucional básico de la *dignidad* humana.

Lo anterior, sin embargo, no supone descartar cualquier posibilidad de apreciar un estado de necesidad que en determinados casos justifique la actividad experimental pese a que el afectado no haya manifestado su conformidad a la misma. Ahora bien, su espacio propio habrá de acotarse a los supuestos en los que, por definición, el afectado no pueda expresar su voluntad. Sirva de ejemplo la experimentación en embriones o fetos. Dejando a un lado los supuestos en los que la finalidad no es terapéutica —a los que, según vimos, se refiere expresamente el Código penal—, la admisibilidad de la experimentación científica habrá de ceñirse en tales casos a la posibilidad de apreciar circunstancias estrictamente objetivas que justificasen la realización de la conducta[501]. En el resto, el presupuesto mínimo legitimador de la intervención habrá de ser el consentimiento del afectado, en cuanto que es sólo la voluntad del mismo de someterse a una situación de riesgo la que puede legitimar la realización de la práctica experimental. No es por ello de extrañar que, como tantas veces se ha señalado, el consentimiento sea el centro de gravedad sobre

---

[500]   SCHIMIKOWSKI, *Experiment am Menschen, ob. cit.*, págs. 37 ss.

[501]   ESER, *Das Humanexperiment, ob. cit.*, págs. 212, quien, sin embargo, propone acudir a una doble vía dependiendo de que se trate de un comportamiento imprudente o doloso -eventual-: mientras el primer caso sería reconducible al instituto del *riesgo permitido*, el segundo lo sería al *estado de necesidad*; véase el mismo autor en *Nuevos horizontes en la Ciencia penal, ob. cit.* págs. 53 ss.

el que giran todos los textos legales nacionales o internacionales relativos a la experimentación científica[502].

Con todo, afirmado lo anterior, esto es, que como regla general el pilar sobre el que descansa la legitimidad de cualquier actividad experimental es el consentimiento del afectado, conviene hacer de inmediato varias precisiones. La primera se refiere al objeto mismo del consentimiento. Como es sabido, éste puede encontrar dos puntos de referencia básicos en cualquier ámbito en que se plantee: bien una situación de peligro o bien, por el contrario, el resultado lesivo. De esos dos posibles puntos de referencia no cabe duda que en los casos que ahora se tratan el objeto de la declaración de voluntad no es otro que una situación de riesgo para la vida o salud del sujeto. El consentimiento no se refiere ahora, en efecto, al resultado lesivo que eventualmente se acabara produciendo, sino al riesgo de que las consecuencias no controlables del experimento lo termine produciendo. Es este dato el que obliga a ubicar su tratamiento en el marco más amplio de las *autopuestas en peligro*. Dado que este aspecto es común a los casos que se citan en el siguiente apartado, remitimos su estudio a las consideraciones que entonces haremos.

La segunda precisión se refiere a los límites con los que pueda admitirse la impunidad del investigador. Casi ni que decir tiene que la misma reclama que el consentimiento prestado por el afectado pueda contemplarse, según el criterio que hemos sostenido con carácter general, como expresión del *libre desarrollo de su personalidad*. Esta exigencia veta, por ejemplo, la posibilidad de que pudiera expresarse por los representantes legales en el caso de menores e incapaces cuando el afectado se opusiera a ello[503]. De hecho, así lo apunta, por ejemplo, en el ámbito internacional el art. 17.IV del Convenio Europeo

---

[502]   Así, el art. 32.2 del Código de Deontología y Ética médica; el art. 5.1 de la Orden de 3 de agosto de 1982 reguladora los ensayos clínicos sobre productos farmacéuticos y preparados medicinales, el art. 60 de la Ley 29/2006, de 26 de julio, de garantías y uso racional de los medicamentos y productos sanitarios; el RD 56/1993, de 19 de abril, por el que se regulan los requisitos para la realización de ensayos clínicos; o ya en el ámbito internacional, las diez reglas de Nuremberg de 1946; el art. 9 de la declaración de Helsinki, adoptada por la 18ª Asociación Médica mundial en 1964 o el art. 16 del Convenio Europeo para la protección de los derechos humanos y la dignidad del ser humano con respecto a las aplicaciones de la Biología y la Medicina.

[503]   Entre otros, HEUBEL, "Forschung mit einwilligungsfähigen und beschränkt einwilligungsfähigen Personen", en *MedR* 1997, pág. 347; HÖFLING/DEMEL, en *MedR*, 1999, *ob. cit.*, págs. 540 ss; VON BAR, en *Recht und Medizin*, *ob. cit.*, págs. 77 ss, exigiendo en todo caso una edad mínima de 18 años, y hasta los 21 el consentimiento del representante legal. No obstante, excepciona determinados casos de esta regla: aquéllos en que con la prueba pueda curarse una de las personas próximas al menor, casos en lo que considera suficiente una mínima capacidad natural para consentir.

para la protección de los derechos humanos y la dignidad del ser humano con respecto a las aplicaciones de la Biología y la Medicina, que tras contemplar los supuestos excepcionales en los que puede someterse a experimentación a personas incapaces, exige en el apartado 1.V que el menor o incapaz no se opongan a la misma.

Por otra parte, y como expresión también de la necesidad de que el consentimiento refleje la libre decisión del sujeto, la exención de pena habrá de ceñirse a los casos en los que su petición esté motivada por el deseo y el convencimiento personal de querer participar en el experimento. Ello supone descartar la impunidad allí donde el asentimiento esté condicionado por móviles que no sólo no son expresión del libre desarrollo de la personalidad del afectado, sino que incluso atentan a la *dignidad* del ser humano. Es lo que sucede en los genuinos supuestos de cobayismo, en los que el sujeto consiente en someterse a la actividad experimental para obtener un precio a cambio, planteando la cuestión en torno a si tales vicios impiden incluso que pueda concederse eficacia a la cláusula atenuatoria del art. 155 CP. Dado que la problemática también es común a los supuestos que trataremos a continuación, baste remitir este punto a cuanto sostendremos en el apartado siguiente a propósito de los casos en que la intervención no se ajusta a las reglas de la *lex artis*. Tan sólo conviene apuntar ahora que el carácter denigrante que para la dignidad humana supone tal práctica abre la posibilidad de apreciar en tales casos un delito contra la *integridad moral*[504].

2.3. El tratamiento de los casos en los que el paciente presta su consentimiento para una intervención que no se ajusta a las reglas de la *lex artis*

Se tratan ahora los supuestos en los que, por no cumplirse las reglas de la *lex artis*, la intervención médica no puede reconducirse al ámbito del riesgo permitido. Son, sin embargo, supuestos en los que concurren el resto de los requisitos que legitiman la práctica médica: por un lado, el dato de perseguirse una finalidad curativa; por otro, que la intervención se realiza con el consentimiento del paciente. Baste pensar, por ejemplo, en el caso en que éste prefiere ser operado en un lugar que le resulta más cómodo por razones de proximidad geográfica pese a que el centro en cuestión no cuente con todas las condicio-

---

[504] Sobre sus presupuestos, véase por todos, DÍAZ PITA, "El bien jurídico protegido en los nuevos delitos de tortura y atentado contra la integridad moral", en *Estudios Penales y Criminológicos*, XX, Universidad de Santiago de Compostela, 1997, págs. 59 ss.

nes necesarias para el tipo de operación de que se trate, o el supuesto en el que el sujeto desea ser intervenido por un médico que no está cualificado para la intervención pero que, sin embargo, le merece tanta confianza al paciente que quiere que sea él quien le intervenga.

Se trata, en definitiva, de supuestos que se caracterizan porque la irregularidad de la actividad médica es propiciada, o al menos favorecida, por la actuación negligente de quien luego resulta dañado. No obstante, para evitar equívocos, resulta conveniente subrayar su diferencia con los supuestos de *concurrencia de culpas* en sentido propio. En concreto, a diferencia de lo que ocurre en éstos, en los casos que ahora interesan la imprudencia de la víctima no añade un plus o multiplica la peligrosidad de la conducta del primer agente, sino que se limita simplemente a posibilitar la existencia de aquélla. Ahora, en efecto, lo que se ventila no es la forma en que la conducta de la víctima o de terceros dispara la peligrosidad insita en la actuación negligente del médico, sino hasta qué punto el asentimiento o incluso la propuesta del paciente para que el médico intervenga contrariando las reglas de cuidado puede modular o incluso excluir la responsabilidad del médico.

Antes de abordar su tratamiento no está de más insistir en un punto de partida básico que no puede perderse de vista en las consideraciones que siguen; a saber, el dato que de nuevo aquí la conformidad que presta el sujeto pasivo no se refiere a la lesión que *ex post* se produzca, sino a la actividad de riesgo implícita al tratamiento en cuestión; en otras palabras, el consentimiento que presta el paciente no recae sobre una conducta lesiva, sino sobre el *riesgo de lesión*, tanto mayor cuando más se aleje la actividad médica consentida de los cánones convencionales de la *lex artis*. El desplazamiento del punto de referencia del consentimiento desde la lesión a una mera situación de peligrosidad vuelve a ubicar la genuina problemática de estos supuestos en un ámbito previo al que analiza la eficacia del consentimiento como expediente para excluir la tipicidad objetiva del delito de lesiones. El dato de que el sujeto se limite a aceptar una situación de riesgo, en efecto, traslada de nuevo la problemática al ámbito propio de las *autopuestas en peligro*[505].

---

[505]   Véanse las referencias doctrinales tanto en nuestra doctrina como en la alemana, en ÁLVAREZ GARCÍA, *La puesta en peligro de la vida y/o integridad física asumida voluntariamente por su titular, ob. cit.*, págs. 410 ss., nota 106, y págs. 428 ss., notas 151, 152, 153. Sobre las distintas formas de fundamentar la impunidad de las conductas de puestas en peligro, véase la misma autora, págs. 405 ss. (Segunda Parte, Capítulo Segundo). Para referencias doctrinales, véase igualmente, entre otros, CEREZO MIR, "El consentimiento como causa de exclusión del tipo y como causa de justificación", en *Estudios de Derecho Penal y Criminología en homenaje al Profesor Rodríguez Devesa*, Madrid, 1989, tomo I pág. 233 s; ROMEO CASABONA, en *CPC* 1982, *ob. cit*, págs. 288 ss; PORTILLA CONTRERAS,

Sin ser éste el lugar adecuado para exponer el fundamento de dicho expediente[506] ni presentar en todas sus variantes su formulación teórica, baste decir que pueden identificarse al respecto dos grandes posicionamientos teóricos. El primero de ellos es el de los autores que parten de la distinción, propiciada fundamentalmente por la doctrina alemana, entre las *autopuestas en peligro* y las *puestas en peligro consentidas*. Si bien con serias discrepancias en torno al modo de delimitar uno y otro supuesto[507], los defensores de esta distinción

---

"Tratamiento dogmático penal de los supuestos de puesta en peligro imprudente por un tercero con aceptación de la víctima de la situación de riesgo", en *CPC* 1991, págs. 711 ss.

[506] Como es sabido, sólo en los últimos años la doctrina ha centrado su atención en la elaboración teórica de esta figura, tal vez porque no ha sido inusual el desplazamiento de la ubicación sistemática de la mayoría de los supuestos que pueden reconducirse a la misma al instituto del consentimiento en el resultado. Sin embargo, con este proceder no sólo se ignora el genuino espacio de las autopuestas en peligro, sino que se confunden los respectivos anclajes dogmáticos que están en la base de cada una de los expedientes. En efecto, mientras que con el consentimiento en las lesiones se pretende encontrar un criterio con el que excluir la tipicidad del comportamiento que objetivamente es reconducible al delito de lesiones, la moderna doctrina penal encuentra en la teoría de las autopuestas en peligro un expediente con el que dejar al margen de la imputación objetiva, por la falta misma de la relevancia típica de la conducta, los casos en que es la victima la que de forma voluntaria y consciente asume una actividad de riesgo. Dicha ubicación sistemática del problema en el ámbito de las *actuaciones a riesgo propio* y, no en el de la eficacia del consentimiento, en absoluto es baladí. Bien es verdad que en un buen número de supuestos la reconducción a una u otra línea argumentativa no altera el sentido final de la solución. Baste pensar tanto en los casos en que no llega a producirse resultado alguno como en aquéllos otros en los que éste se traduce simplemente en unas lesiones. Por una u otra vía, esto es, por la de negar los presupuestos de la *imputación objetiva (autopuestas en peligro)* o la de excluir la tipicidad de un comportamiento que previamente se ha reconducido en términos de atribución normativa a un desvalor de acción *(consentimiento)*, la solución sería la misma: la impunidad del médico. Frente a estos supuestos, el rendimiento de la ubicación de esta problemática en la fase previa de *imputación objetiva* se pone de manifiesto en aquellos otros en los que el punto de referencia de la actividad riesgosa y, en su caso, el resultado de la misma, es la muerte del paciente. En ellos, en efecto, el instituto del consentimiento se muestra incapaz para despojar de relevancia penal a la conducta del médico que actúa respetando la libre decisión del paciente. No puede ser de otra forma debido al carácter indisponible que, como es sabido, suele predicarse del bien jurídico vida. La solución sería distinta, sin embargo, si el problema se enfocase como un supuesto de asunción de una situación de riesgo que finalmente aboca a un resultado letal. En ese caso habría de reconocerse la impunidad del médico, en cuanto que estas conductas no diferirían ahora de aquéllas otras en las que el sujeto asume de forma voluntaria y responsable la práctica de una actividad que puede poner en peligro su vida. Baste pensar, entre otros muchos ejemplos, en el caso del acompañante que acepta viajar a bordo de un vehículo conducido por quien no está capacitado para hacerlo.

[507] Por todos, GARCÍA ÁLVAREZ, *La puesta en peligro de la vida y/o integridad física asumida voluntariamente por su titular, ob. cit.*, págs. 110 ss.

suelen coincidir al afirmar la atipicidad de las autopuestas en peligro. No obstante, el fundamento de la impunidad de las puestas en peligro por tercero consentidas suele remitirse a un momento posterior al de la relevancia penal del riesgo creado como presupuesto del juicio de imputación objetiva. Así, por ejemplo, mientras que en nuestra doctrina MIR PUIG[508] y GARCÍA ÁLVAREZ[509] remiten el tratamiento de estos casos a la problemática propia del consentimiento en una actividad de riesgo en cuanto expresión del libre desarrollo de la personalidad del individuo, ROXIN en la doctrina alemana reconduce su tratamiento al último de los criterios de imputación que maneja: el del ámbito de protección de la norma[510].

Frente a esta primera gran línea de solución, una segunda, prescindiendo en la mayoría de los casos de la distinción entre autopuestas en peligro y puestas en peligro consentidas, analiza su tratamiento en una sede previa a la que decide el juicio de atribución normativa del hecho al autor, y a partir de ahí niega, bajo determinadas circunstancias, la relevancia penal de la conducta en cuanto juicio previo al de imputación objetiva. Si bien con notables discrepancias en la elaboración teórica, en esta línea se insertan en nuestra doctrina autores como TAMARIT SUMALLA, CANCIO MELIÁ o FEIJOÓ SÁNCHEZ,

---

[508]   MIR PUIG, "Sobre el consentimiento en el homicidio imprudente", en *ADPCP* 1991, págs. 259 ss., para quien en una sociedad basada en la libertad resulta "positivo y obligado incluso constitucionalmente no obstaculizar la posibilidad de elegir libremente poner en peligro la propia vida, aunque sea exponiéndose a la conducta imprudente de otra persona: conduce a admitir la eficacia eximente del consentimiento verdaderamente libre en una acción imprudente" (pág. 267).

[509]   GARCÍA ÁLVAREZ, La puesta en peligro de la vida y/o integridad física asumida voluntariamente por su titular, ob. cit., págs. 315 ss; págs. 512 ss., quien fundamenta la impunidad de estos casos con el argumento de la falta de relevancia típica de la conducta en tanto el consentimiento sea expresión de una voluntad responsable y madura: "Las conductas de riesgo, aunque puedan afectar a la vida, amplían los horizontes de la propia realización personal...puede afirmarse (el) libre desarrollo de la personalidad en las conductas con las que este bien jurídico es, simplemente, puesto en peligro por su titular, quien dispone de él arriesgándolo". Véase también la completa exposición que hace esta autora en torno a la polémica sobre la aceptación de la impunidad de las autopuestas en peligro cuando el referente del mismo es la vida, págs. 410 ss.

[510]   ROXIN, *Derecho penal, Parte General, ob. cit.*, pág. 393 ss., si bien identifica determinados supuestos en los que considera que la puesta en peligro aceptada por el titular equivale a una autopuesta en peligro. Es lo que sucede, entiende, cuando concurren dos circunstancias: en primer lugar, que el daño sea consecuencia del riesgo asumido y no de otros datos provisionales, y el sujeto puesto en peligro tenga la misma responsabilidad por la actuación común que quien lo pone en peligro. En segundo lugar, que el sujeto puesto en peligro sea consciente del riesgo en la misma medida que quien lo pone en peligro (pág. 395).

quienes con diferentes criterios intentan acotar las respectivas esferas de responsabilidad en el decurso delictivo[511].

Descartando de entrada cualquier pretensión de profundizar en estas páginas en el debate al respecto, lo que interesa destacar es que, con una u otra ubicación sistemática, la afirmación en torno a que el asentimiento de la víctima en la conducta de riesgo puede determinar que se excluya la responsabilidad del agente[512] mantiene intacta la pregunta en torno a las condiciones con las que el consentimiento puede hacer decaer la responsabilidad penal del autor.

---

[511] Así, TAMARIT SUMALLA, si bien en un plano diferente al propio de las tesis victimológicas, propone la elaboración de una dogmática de la víctima. A partir de la premisa de que los criterios manejados por la dogmática jurídico-penal para delimitar la responsabilidad del sujeto activo son extrapolables al análisis jurídico-penal de la conducta de la víctima, este autor maneja como presupuesto de la imputación objetiva lo que denomina "ámbitos de responsabilidad", que vendrían a dar cumplimiento al mandato del principio de personalidad de la responsabilidad penal o responsabilidad por el hecho propio. Con la delimitación de esos "ámbitos de responsabilidad" pretende trazar un criterio normativo con el que atribuir a cada interviniente el hecho como propio con la consecuencia de que, en determinados casos, las conductas de terceros habrán de reconducirse al ámbito de responsabilidad de la propia víctima. A dicho ámbito, concluye el autor, pertenecerían los casos de autopuestas en peligro cuando el sujeto es plenamente consciente y responsable del sentido de su decisión, TAMARIT SUMALLA, *La víctima en Derecho penal*, ob. cit., págs. 92 ss., 99 ss. Es de interés la exposición y crítica que hace el autor de las principales concepciones en torno a las autopuestas en peligro, págs. 75 ss. Por su parte, CANCIO MELIÁ, *Conducta de la víctima e imputación objetiva*, Barcelona, 2001; y en comentario a la STS 26 de febrero de 2000, en *Revista de Derecho y proceso penal*, nº 4, 2000, págs. 168 ss., propone como criterio para asignar la atribución de responsabilidad a la esfera del actuar de la víctima que la actividad permanezca en el ámbito de lo organizado conjuntamente por autor y víctima, así como que la conducta de ésta no haya sido instrumentalizada por el autor. Por último, FEIJOÓ SÁNCHEZ, "Actuación de la víctima e imputación objetiva", en *Revista de Derecho penal y Criminología*, nª 5, 2000, págs. 265 ss., sostiene que el riesgo ha de imputarse a la víctima cuando haya tomado una decisión libre sobre el inicio del riesgo o la situación de peligro, aunque ésta pierda posteriormente el control por causas imputables sólo a ella misma y no al tercero.

[512] Con todo, a efectos aclaratorios quisiera destacar, aunque sea marginalmente, que la premisa de que aquí se parte en torno a la impunidad de las conductas de riesgo asumidas voluntariamente por el titular encuentra su límite lógico allí donde la aceptación de riesgo se traduzca en una situación tal que aboque indefectiblemente a la pérdida de la vida; esto es, allí donde no se trate ya de una situación de incertidumbre en torno a su pérdida, sino de la certeza de la misma. Es lo que sucede, según ya vimos, en casos como los del huelguista de hambre o testigo de Jehová a quienes su persistencia en la renuncia al tratamiento lleva a un estado terminal. En estos supuestos su negativa no se traduciría ya en una situación de riesgo de pérdida de la vida, sino que encararía directamente la actitud del enfermo con la aceptación de su muerte, algo que entonces tropezaría frontalmente con el dogma de la indisponibilidad de la vida, véase *supra*, *Primera Parte, II, 2.2.3, La negativa del paciente al tratamiento en los casos de urgencia*.

Porque, como es sabido, el recurso al esquema de las *autopuestas en peligro* presupone que el afectado se exponga de forma voluntaria y responsable a una actividad riesgosa. Sólo cuando pueda afirmarse que actúa a riesgo propio decaen los presupuestos de la protección penal. El punto de partida del retroceso del Derecho penal en estos ámbitos es, en otras palabras, la existencia de una voluntad libre de vicios y presiones externas. Si aquélla está seriamente viciada, por ejemplo, porque el médico engaña al paciente sobre las condiciones de la intervención haciéndole creer que se cumplen todos los requisitos que prescribe la práctica médica, no puede decirse que sea el enfermo quien se exponga a una situación peligrosa. Al contrario, habría de contemplarse como un mero instrumento en manos del médico, quien, por ello, sería responsable en exclusiva del resultado lesivo que llegara a producirse.

Más complejas se presentan las cosas allí donde, si bien el consentimiento no puede considerarse totalmente libre, los vicios de los que adolece no llegan a invalidarlo por completo. Es lo que sucede, en concreto, respecto a aquellos que dan paso a la aplicación del art. 155 CP. Baste pensar, por ejemplo, en los casos en que el paciente presta su consentimiento por temor o presión proveniente de un tercero, o cuando se somete a la práctica en cuestión como medio de obtener una cantidad de dinero que necesita. ¿Puede decirse que también en estos supuestos se excluye cualquier responsabilidad del médico por valorarse la conducta como expresión de una *autopuesta en peligro* de la víctima? Y caso de ser la respuesta negativa, esto es, de sostenerse la aplicación del delito de lesiones, ¿tendría algún margen de juego la cláusula del art. 155 CP a efectos de atenuar la pena?

Según entiendo, la concurrencia de estos vicios de "menor entidad" impide reconducir la conducta del paciente a los márgenes de las *autopuestas en peligro*. Bien es verdad que, al menos en principio, la enunciación de dicha causa de exclusión del juicio de imputación no se opone conceptualmente a expulsar de su ámbito dichos supuestos. En efecto, si de lo que se trata es de asegurar que el consentimiento sea manifestación del libre desarrollo de la personalidad del afectado (en la terminología de GARCÍA ÁLVAREZ), o de trazar ámbitos de responsabilidad como presupuesto de la imputación objetiva (ahora en la terminología propia del razonamiento de TAMARIT), en el caso de que el vicio en el consentimiento no revista suficiente gravedad para anularlo parece que nada se opondría a apreciar el presupuesto de las respectivas construcciones.

Entiendo, sin embargo, que existen razones vinculadas al Derecho positivo que se opondrían a admitir tal posibilidad. En concreto, porque si cuando el legislador ha valorado el alcance del consentimiento viciado como circunstancia que pueda influir en el delito de lesiones no le ha concedido el valor de una causa excluyente de la tipicidad sino sólo un alcance atenuatorio de la pena, resultaría incongruente atribuirle ahora plenos efectos eximentes, máxime para quienes asignan a la voluntad del sujeto pasivo nada menos que el valor de negar los presupuestos de la imputación objetiva.

Es cierto que todavía podría objetarse que esa consecuencia no tendría por qué resultar incoherente, porque mientras en un caso se trata del consentimiento a una actividad de riesgo, en el otro el punto de referencia de la manifestación de voluntad es un resultado lesivo. Esta aparente relación de proporcionalidad, sin embargo, desaparece tan pronto como se repara en que el referente de las *autopuestas en peligro* puede ser no sólo una lesión, sino también la pérdida de la vida del paciente. Baste pensar que entonces cuando éste consintiera mediante precio en ser operado por un médico que no tiene la cualificación necesaria poniendo así en peligro su vida, dicho vicio en su voluntad tendría que ser irrelevante para el Derecho pese a la importancia del bien jurídico que resulta implicado; sin embargo, cuando ese mismo vicio se refiriese al consentimiento en la producción de una lesión, el mismo no sería suficiente para excluir la pena del autor, sino sólo para atenuarla.

Ahora bien, al descartarse la posibilidad de recurrir en tales casos al expediente de las actuaciones a riesgo propio lo único que se está diciendo es que no es posible excluir los presupuestos mismos de la imputación. Las dudas surgen en torno a si, afirmada ésta, todavía pudiera concederse eficacia al consentimiento viciado a efectos de aplicar el art. 155 CP cuando llegara a producirse un resultado lesivo; esto es, si este artículo encontraría aplicación a efectos de atenuar la pena de una conducta que previamente se ha atribuido objetiva y subjetivamente en términos normativos al agente. La pregunta, en definitiva, no es otra que la de si las previsiones del art. 155 son también aplicables a los casos en que el punto de referencia del consentimiento no sea el resultado lesivo, sino una conducta de peligro que finalmente se acabara materializando en éste.

Frente a lo que sostiene cierto sector doctrinal[513], entiendo que no sólo no deben encontrarse obstáculos a la aplicación de dicha cláusula en este ámbito,

---

[513] En nuestra doctrina MUÑOZ CONDE se ha pronunciado recientemente en el sentido de negar eficacia al consentimiento, y con ello, al art. 155 CP, en las conductas de riesgo por entender que es un problema que afecta al ámbito de la imputación objetiva del delito imprudente, *Derecho Penal, Parte General, ob., cit.*, pág. 353; el mismo en MUÑOZ CONDE, "Una nueva imagen del Derecho Penal Español", en *Revista de Derecho Penal y Criminología*, 1998, págs. 376 s. Muestra sus dudas, ÁLVAREZ GARCÍA, *La puesta en peligro de la vida y/o integridad física asumida voluntariamente por su titular, ob. cit.*, págs. 485 s.

sino que la misma es la única que conduce a resultados satisfactorios desde un punto de vista político-criminal. En primer lugar, porque de letra de la ley no sólo no se deducen razones para no admitir la operatividad del art. 155 en el ámbito de las lesiones causadas a consecuencia de conductas de riesgo; al contrario, de su lectura parece desprenderse justamente que también es aplicable a ellas. En efecto, el art. 155 se refiere a los "delitos de lesiones", entre los que junto a los dolosos también se incluyen, por remisión al art. 152, los realizados a título de imprudencia. Resulta así que lo único que arroja el texto de la ley es que el art. 155 no es aplicable cuando la lesión sea constitutiva de una falta —dolosa o imprudente—[514].

En segundo lugar, porque la pretensión de excluir el art. 155 del ámbito de las lesiones producidas como consecuencia de actividades de riesgo acabaría introduciendo un criterio arbitrario en el ámbito de aplicación de dicho artículo. Baste pensar que si bien la realización del riesgo será imputable la mayoría de las veces a título de imprudencia, también es perfectamente posible que el sujeto realice la actividad peligrosa con una actitud tal de indiferencia hacia la producción del resultado que pudiera apreciarse una forma de dolo eventual. Negar en estos casos la aplicación del art. 155 llevaría a la paradoja de que cuando finalmente se realizara el riesgo en un resultado lesivo, se introduciría un sesgo en el que siempre ha sido el ámbito indiscutible de aplicación de dicho precepto, a saber, el de las lesiones dolosas —ahora entre las producidas con dolo directo y eventual—, tratamiento que, por arbitrario, resultaría inaceptable.

Es más, incluso al margen de estos casos tampoco resultaría comprensible desde un punto de vista *políticocriminal* la inoperatividad del art. 155 CP en los supuestos en los que únicamente pudiera apreciarse la imprudencia respecto al resultado lesivo. Baste pensar en aquellos en los que el paciente prestase el consentimiento para ser intervenido conforme a una técnica que no respetase las reglas de la *lex artis*, que se realizara con fin exclusivamente experimental a cambio de obtener la contraprestación que el sujeto necesita o, simplemente, en una situación de presión condicionada por su relación personal con el médico. Si en casos como éstos se ignorase el vicio de la voluntad se estaría introduciendo un régimen discriminatorio respecto a los supuestos en los que, sin embargo, concurren las mismas razones valorativas que aconsejan su aplicación cuando el consentimiento se refiere a unas lesiones dolosas.

Junto a los casos anteriores, en lo que sigue haremos referencia a dos supuestos que comparten buena parte del razonamiento argumental que ha es-

[514]   Entre otros, DÍEZ RIPOLLÉS, *Comentarios al Código penal, ob. cit.*, págs. 549 ss; SILVA SÁNCHEZ, *El nuevo Código penal: cinco cuestiones fundamentales*, Barcelona, 1997, págs. 110 ss.

tado en la base de los anteriores: el primero, el más simple, el caso en que el médico somete al paciente a una terapia que, si bien no le beneficia, tampoco le causa perjuicio alguno; el segundo, aquél en el que realiza una intervención que, pese a no estar indicada, es solicitada por el paciente.

2.4. Casos en que el médico somete al paciente a una terapia que ni le beneficia ni perjudica su salud

La solución de este primer supuesto no plantea especiales dificultades. Conforme a cuanto hemos venido sosteniendo, la ausencia de cualquier finalidad terapéutica hace decaer la posibilidad de subsumir la conducta en el instituto del *riesgo permitido*. Una vez más, en tales casos la exención de responsabilidad sólo podría venir de la mano del consentimiento del paciente; y caso de faltar éste, habría de apreciarse el correspondiente tipo de lesiones.

A este supuesto corresponde el caso denunciado ante un Juzgado de Madrid de un médico que, movido por intereses económicos y de vinculación con un laboratorio, prescribía la inyección de sustancias elaboradas por aquél que en ocasiones eran meras "mezclas de líquidos inocuos", que en nada ayudaban a la curación de supuestos casos de alergias. Es más, según constaba en las diligencias, a veces prescribía dichos tratamientos durante años, ocultando al paciente que no padecía alergia alguna[515]. En estos casos nada impediría apreciar una falta de lesiones[516] por lo que se refiere a la punción. En primer lugar, porque, como decíamos, al desaparecer la finalidad terapéutica decae igualmente la posibilidad de subsumir la conducta en el instituto del *riesgo permitido*. En segundo lugar porque, según ya vimos, al recaer el error del paciente sobre un aspecto esencial, cual es la utilidad misma de la medicación, no podría otorgarse eficacia alguna al consentimiento prestado. Todo ello, lógicamente, con independencia de la posibilidad de apreciar un delito de estafa, e incluso un delito contra la salud pública en el caso de que el suministro de tales medicamentos pusiera en peligro la vida o salud de las personas a las que se le administrarse. Como tendremos ocasión de subrayar en otro apartado[517], la exigencia de dicho peligro no debe limitarse a los casos en que el preparado tiene dicha potencialidad lesiva, sino que también es común a los

---

[515]   Información aparecida en el Diario *El País*, 17 de abril de 1999.
[516]   La responsabilidad por un delito de lesiones habría de reservarse para los casos en que, por ejemplo, se asegura al paciente que va a ser intervenido de un quiste que en realidad no existe.
[517]   Véase *infra, Cuarta Parte, IV, Otros títulos de responsabilidad penal del médico.*

supuestos en que dicho riesgo está causalmente vinculado al suministro del preparado, como sucede allí donde la prescripción del mismo determine que el sujeto renuncie a los fármacos que necesitaba su enfermedad.

2.5. Casos en los que el médico realiza una intervención que, pese a no estar indicada, es solicitada por el paciente

Mayor comentario merece este grupo de casos. Su genuina problemática ya fue introducida más arriba al enunciar los distintos ámbitos de conflicto en los que la regla general de exigencia de consentimiento del paciente como presupuesto de la actividad médica podía entrar en colisión con otros intereses[518].

Para ilustrar la problemática propia de los casos que ahora se tratan pueden servir algunos de los ejemplos que propone JUNG en la doctrina alemana[519]:

1. Pese a no existir motivo para ello, la embarazada solicita que se le practique la cesárea, algo que, por lo demás, tampoco supone un aumento de riesgo para el niño.

2. Una paciente que desde hace años sufre fuertes dolores de cabeza, tras haber recurrido infructuosamente a los más variados tratamientos médicos, acude a un dentista con la pretensión de que le extraiga toda la dentadura por estar convencida de que es el origen de su mal. Aquél, pese a reconocerla y tratar de persuadirla de que dicha medida no es apropiada, accede a su petición[520].

3. Un paciente pide al cirujano que le ampute el antebrazo porque se imagina que en la muñeca tiene un tumor maligno.

Lógicamente, la fenomenología de casos en que pudiera plantearse el problema puede expandirse a los más variados ámbitos. Baste pensar, por ejemplo, en el de la donación de órganos en tanto la misma no presuponga la muerte del paciente[521]: ¿debería, o más exactamente, podría el médico seguir la petición, por ejemplo, del padre del enfermo, de donar su riñón a éste pese a

---

[518]   Véase *supra*, Primera Parte, I, *El presupuesto de la actividad médica: el consentimiento del paciente*.

[519]   JUNG, en *ZStW* 1985, *ob. cit.*, pág. 60.

[520]   Caso enjuiciado por el Bundesgerichtshof, *NJW* 1978, 1206.

[521]   Ya que en este caso el problema se trasladaría entonces al ámbito de las conductas de colaboración en el suicidio.

que el médico considerase que el estado de la enfermedad del hijo no demanda todavía dicha medida terapéutica tan drástica?

El tratamiento de estos supuestos suele vincularse en la doctrina alemana a las previsiones del parágrafo 228 del Código penal alemán, relativas a la invalidez del consentimiento cuando el hecho es contrario a las *buenas costumbres*[522]. En los casos que ahora se plantean, se dice en aquél país, si bien nada se opondría en línea de principio a admitir la eficacia del consentimiento, a esa solución se opondría frontalmente la regulación positiva que, de forma expresa, opta por incriminar las lesiones que valorativamente resulten contrarias a la ética. Ello traslada el problema a la tarea de trazar los límites de las prácticas que puedan considerarse como contrarias a las buenas costumbres, algo que, lógicamente, requiere una labor interpretativa por parte del juez no exenta de dificultades. Pero lo que interesa destacar ahora es que cuando finalmente llegue a considerarse que la petición del paciente contradice esas reglas de ética mínima, quedaría vedada al médico cualquier autorización para proceder. Es más, en estos casos buena parte de la doctrina alemana niega incluso la posibilidad de admitir la eficacia del consentimiento siquiera como causa de justificación[523].

En nuestro Derecho no existe un precepto de tenor semejante al que contempla el Código penal alemán. Tal vez la única semejanza o paralelismo que pudiera encontrarse con él es la cláusula que se contiene en la Ley 30/1979, de 27 de octubre, sobre extracción y trasplante de órganos, así como en el RD 2070/1999, de 30 de diciembre que regula las actividades de obtención y utilización clínica de órganos humanos, relativa a que en ningún caso podrá admitirse cualquier tipo de remuneración o recompensa. Pero al margen de que se trata de cláusulas con un ámbito de aplicación sectorial, su sentido tiene que ver, antes que con razones de orden público, con la preocupación de evitar posibles abusos en personas necesitadas y, con ello, con asegurar la libertad del consentimiento en los términos que señalamos más arriba.

Sin entrar a valorar la conveniencia o no de este tipo de previsiones, lo cierto es que, al menos en principio, parece que su ausencia en nuestro Derecho pudiera enturbiar la solución del problema que ahora se trata. Entiendo, sin embargo, que su tratamiento puede extraerse sin dificultades de las premisas

---

[522]   ESER, en *ZStW 1985, ob. cit.,* pág. 24; ULSENHEIMER, *Arztstrafrecht in der Praxis, ob. cit.,* pág. 58.

[523]   ULSENHEIMER, *Arztstrafrecht in der Praxis, ob. cit.,* pág. 58. En un sentido contrario, véase HRUSCHKA, Anmerkung zum Urteil des BGH v. 22.2.1978, en *JR* 1978, págs, 521 s; STERNBERG-LIEBEN, *Die objeltiven Schranken der Einwilligung im Strafrecht, ob. cit.,* págs. 191 ss.

generales que se han ido trazando en torno al sentido mismo del consentimiento. En efecto, la ausencia en nuestro Código penal de una cláusula de un tenor parecida a la alemana sólo significa que nuestro Ordenamiento no reconoce ningún tipo de límite vinculado a razones de corte *supraindividual* y orientado a la preservación de una suerte de ética mínima del orden público. Pero la inexistencia de ese límite de cariz supraindividual lo único que viene a confirmar es que en estos casos también sigue teniendo vigencia la elaboración teórica del consentimiento enunciada con carácter general a partir de la óptica *individual* del sujeto afectado. Ello quiere decir que si el poder excluyente de responsabilidad que se asigna a la voluntad del sujeto se vincula al dato de considerarse expresión del *libre desarrollo de la personalidad* del individuo[524], también en los casos que ahora se plantean se darán las premisas para admitir su validez en orden a expulsar el juicio de tipicidad que de otra forma pudiera fundamentarse. Cuestión distinta es que ahora la concurrencia de dicha premisa haya de adaptarse a la luz de las particularidades del caso concreto. Así, por ejemplo, el respeto a dicho desarrollo de la personalidad requerirá, en el ejemplo propuesto del trasplante de órganos que aún no era médicamente indicado, que tanto el padre como el hijo receptor suscribiesen la petición tras haber sido informados de todos los riesgos que comporta.

A mi juicio, en tanto puedan apreciarse todos los requisitos para considerar el consentimiento como emanación del libre desarrollo de la personalidad del individuo, habrá de concedérsele plenos efectos eximentes de pena. Allí donde concurra aquel presupuesto mínimo, la insensatez de la decisión en absoluto puede invalidar el consentimiento del enfermo. Así obliga a entenderlo el hecho de que, de calibrarse las consecuencias penales conforme a un hipotético juicio valorativo en torno a la sensatez, se estaría dando entrada a consideraciones que toman como punto de referencia, no ya la perspectiva de la autodeterminación del paciente, sino la valoración de terceros, elemento éste conceptualmente ajeno al libre desarrollo de la personalidad del individuo. Por ello, todo lo más, el papel que pudiera tener el dato de la insensatez o irrazonabilidad de la decisión habría de reservarse al ámbito que le asigna AMELUNG; a saber, el de comprobar que, en general, el sujeto está en condiciones de ponderar los *pros y contras* de su decisión personal y formar una voluntad acorde con su escala de valores. Se trataría, en definitiva, de asegurar que el sujeto contaba con capacidad suficiente para adoptar una resolución cualquiera, también la razonable conforme a baremos objetivos, con

---

[524] Lo que no sucede cuando el enfermo sigue creyendo que concurre la indicación, casos en los que el error del paciente determinaría la invalidez del consentimiento así prestado.

independencia de que finalmente la adopte o no[525]. Desde estas premisas, debe insistirse en que entonces el valor que habría de tener el dato de la contradicción del contenido de voluntad con los parámetros propios de lo que ordena el sentido común, sería exclusivamente el de poner en la pista de la necesidad de comprobar con especial cuidado la capacidad decisoria del individuo, pero nunca presumir su incapacidad con base en ello[526]. No le falta por ello razón a ROXIN cuando afirma que también las declaraciones de voluntad 'insensatas' son eficaces, "pues la libertad de acción en la que se basa el consentimiento garantiza en la misma medida...la libertad para acciones sensatas e insensatas", si "está admitido que las intervenciones médicas no deben llevarse tampoco a cabo aunque la negativa del paciente sea insensata; entonces, *a sensu contrario*, debe ser admisible de la misma manera una intervención cuando se base en una decisión objetivamente insensata del paciente"[527].

Ahora bien, con lo anterior sólo hemos afirmado que en tanto pueda descubrirse un consentimiento del paciente emitido en condiciones de libertad y con todas las garantías que permitan comprenderlo como expresión del libre desarrollo de su personalidad, nada se opondrá a concedérsele el mismo valor excluyente de pena que se le reconoce en general en otros ámbitos. De ahí, sin embargo, no puede deducirse que la petición que plantee el enfermo pueda convertirse en expediente con el que exigir del profesional sanitario la prestación de que se trate cuando contradiga las reglas de la *lex artis*. Sobre ello ya tuvimos ocasión de ocuparnos al tratar la responsabilidad del médico en comisión por omisión. Baste recordar por ahora que así obliga a entenderlo ya

---

[525] AMELUNG, "Einwilligungsfähigkeit und Rationalität", en *JR* 1999, págs. 45 ss., quien define la capacidad de decisión como la facultad (en general) de adoptar una decisión sensata. Concurriendo dicha capacidad, debe respetarse la decisión del enfermo, con independencia de que en el caso en concreto resulte contraria a los cánones externos que definirían su sensatez.

[526] Como sin embargo consideró el BGH alemán en el caso de la petición por parte del paciente de la extracción de toda la dentadura.

[527] ROXIN, Derecho Penal, Parte General, ob. cit., pág. 539. Llega a la misma solución ROGALL, "Comentario a la Sentencia del BGH de 22 de febrero de 1978", en *NJW* 1978, págs. 2344 s. Véase también AMELUNG, en JuS 2001, *ob. cit.*, págs. 941 s., quien insiste en la necesidad de valorar lo que sea sensato conforme a los cánones subjetivos del que decide con plena capacidad, sin importar lo que sea "sensato" para un tercero desde un punto de vista objetivo. En un sentido distinto véase BICHLMEIER, "Die Wirksamkeit der Einwilligung in einen medizinich nicht indizierten ärztlichen Eingriff", en *JZ* 1980, págs. 53 ss., si bien a partir de considerar que en esos casos concurre un error relevante que impide considerar la voluntad como libre. En relación con la específica problemática de los trasplantes de órganos, véase SCHROTH, "Die strafrechtliche Grenzen der Lebenspende", en ROXIN/SCHROTH, *Medizinstrafrecht, ob. cit.*, págs. 247 ss; el mismo en ROXIN/SCHROTH (Hrsg.), *Handbuch des Medizinstrafrechts, ob. cit.*, 2007, págs. 374 ss.

la propia Ley General de Sanidad cuando en su art. 11.3 consagra como una de las obligaciones del paciente la de responsabilizarse del uso *adecuado* de las prestaciones ofrecidas por el sistema sanitario, término con el que, según entiendo, hace clara alusión a los casos en los que el paciente pretendiera una intervención que, por no estar indicada, no es necesaria[528].

Llegados a este punto, el tratamiento de las distintas variantes imaginables podría resumirse del siguiente modo:

I. Supuestos en los que la actividad médica tiene finalidad terapéutica.

1. Casos en que el sujeto emite su consentimiento en condiciones de validez:

   a) de resultar un éxito la intervención, ya se realice o no conforme a las reglas de la *lex artis*, ni siquiera se plantea la subsunción en un delito de lesiones, puesto que falta el resultado final consistente en la lesión del bien jurídico salud. Tampoco podrían valorarse como tales los pequeños actos que se realizan durante el curso del mismo y que pueden incidir sobre el paciente, como incisiones, puntos de sutura, etc. Lo contrario supondría desconocer la valoración global de los hechos para descomponerlos en secuencias que pierden su sentido real en una contemplación aislada.

   b) de resultar un fracaso, habría que distinguir a su vez:

      1´. casos en los que el consentimiento se refirió de forma amplia a una intervención realizada sin las reglas de prudencia: al no poderse encuadrar estos supuestos en los límites del *riesgo permitido* la conducta podría subsumirse en principio en un delito de lesiones. No obstante, por quedar cubierto por el consentimiento en tanto se trata de un bien jurídico disponible, habría de excluirse la propia tipicidad objetiva de aquel delito.

      2´. casos en los que la actividad médica se realiza conforme a la *lex artis*, tal como consintió el paciente: con independencia del resultado exitoso o fallido, se trata de conductas impunes, por quedar comprendidas en el ámbito del riesgo permitido.

---

[528] En el ámbito deontológico véase el art. 9.3 del Código de Ética y Deontología: "Si el paciente exigiera del médico un procedimiento que éste, por razones científicas o éticas, juzga inadecuado o inaceptable, el médico, tras informarle debidamente, queda dispensado de actuar".

3´ casos en los que la actividad médica no se adecua a las indicaciones de la *lex artis* a la que se ciñó el consentimiento del paciente: al realizarse sin observar las reglas de prudencia, no podría ampararse por el *riesgo permitido*, pudiendo dar paso, por tanto, a un delito de lesiones. Por lo que a su tipicidad subjetiva se refiere, podría apreciarse, según los casos, la imprudencia e incluso el dolo —eventual o directo—.

2. Casos en los que la actividad médica tiene lugar sin contar con el consentimiento válido del paciente.

a) de resultar un éxito, no podría hablarse de delito de lesiones, pero sí sería posible apreciar el correspondiente delito contra la libertad, coacciones, detenciones ilegales o, en su caso, un delito de aborto practicado sin consentimiento, e incluso un delito contra la integridad moral.

b) de resultar un fracaso, si la actividad se realizó conforme a las reglas de la *lex artis*, tampoco podría hablarse de lesiones, puesto que la ausencia de consentimiento impide desvirtuar la consideración de la actividad como *permitida*. Los delitos a aplicar serían, una vez más, los que se orientan a tutelar la libertad del sujeto. Tanto para este ámbito como para el señalado en la letra anterior, cobraría sentido la propuesta de incorporar un tipo que incriminase las conductas de tratamiento médico arbitrario.

c) de resultar un fracaso, y haberse desarrollado sin seguir las reglas de prudencia y experiencia, se darían los presupuestos del delito de lesiones —dolosas o imprudentes, según los casos—.

II. Casos en los que la intervención no tenga finalidad terapéutica:

a) Supuestos en los que la actividad médica se oriente con seguridad a producir un daño en la salud del enfermo (ej., donación de órganos): la ausencia de responsabilidad por un delito de lesiones sólo podría venir de la mano del consentimiento del afectado (art. 156 CP).

b) Supuestos en los que la actividad médica se limite a poner en peligro la salud del paciente (caso de actividades experimentales): la impunidad por un delito de lesiones habrá de fundamentarse en la ausencia de los presupuestos de imputación del delito de lesiones por tratarse de una autopuesta en peligro. Cuando el consentimiento que presta el paciente adolezca de algún vicio que no determine su nulidad, sólo podrá atenuarse la pena conforme a las previsiones del art. 155 CP.

El mismo tratamiento merecerían los supuestos en los que el médico practicase una intervención solicitada por el paciente que no resultase conforme a las reglas de la *lex artis* o, simplemente, fuera inocua para el mismo.

SEGUNDA PARTE

DELITOS CONTRA LA INTEGRIDAD FÍSICA Y VIDA

I. LA RESPONSABILIDAD PENAL MÉDICA POR LA PRODUCCIÓN DE UN RESULTADO LESIVO

El objeto de esta Segunda Parte del trabajo es el estudio de algunas cuestiones relativas a la responsabilidad penal del médico por los delitos relativos a la vida e integridad física a los que eventualmente pudiera dar paso el ejercicio de su actividad. Por razones lógicas, no se ocupan estas páginas del análisis de los elementos típicos de los delitos de homicidio y lesiones. Sería ésa una tarea que no sólo desbordaría el objeto del presente trabajo, sino que acabaría desenfocando la problemática estrictamente médica que le interesa. Por ello, las consideraciones que siguen se centran en el estudio de dos cuestiones dogmáticas básicas que constantemente bordean la aplicación de tales tipos delictivos en el ámbito médico. La primera de ellas es la elaboración teórica de la impudencia. Su análisis resulta obligado desde el momento en que se repara en que, salvo contadas excepciones, los resultados lesivos que lleguen a producirse en el ejercicio de la medicina y por los que el profesional deba responder, le son imputables subjetivamente a título de imprudencia. La segunda es la referencia a las bases teóricas del expediente de la comisión impropia. La razón que justifica detenerse en la misma en el marco de este trabajo también es fácil de comprender, puesto que como se deduce de un recorrido por algunos ámbitos conflictivos en el ejercicio de la medicina que ya referimos en la Primera Parte, los presupuestos de su apreciación bordean con frecuencia la actividad del médico. Baste recordar ahora la problemática propia de la negativa del paciente al tratamiento, supuestos en los que se plantea la duda en torno a si cuando aquél respeta la voluntad de éste puede hacerse acreedor de un juicio de responsabilidad a título de omisión impropia.

1. La imprudencia

1.1. La infracción de las reglas de la *lex artis*: la imprudencia médica

El paciente no puede esperar, ni mucho menos exigir del médico, la garantía de la curación de su dolencia. Lo único que puede esperar y exigir de él es que, conforme a los conocimientos del momento y las posibilidades a su alcance, haga todo lo que objetivamente está indicado para su curación. El médico no puede hacer nada más ni puede exigírsele que haga nada más, porque si ninguna ciencia puede presumir por entero de su exactitud, menos aún puede hacerlo la medicina, en la que la eficacia de cada técnica o método terapéutico se condiciona por toda una gama de circunstancias que escapan al control de ésta y, mucho más aún, al del médico. Lo único que la ciencia puede ofrecer, y lo único que al médico se le puede exigir es que realice de forma cuidadosa todos los actos terapéuticos y ponga en práctica todo el arsenal de medios y posibilidades de que dispone en un determinado momento. Si pese a actuar agotando las mismas no consigue curar al paciente, o incluso si éste finalmente empeora, el Derecho no tiene nada que decir al respecto. Con independencia del resultado que se acabe produciendo, el médico habrá realizado una conducta amparada por los márgenes del *riesgo permitido* y el resultado negativo no será entonces más que fruto de la mala fortuna, del puro azar o, incluso, de la impotencia de la ciencia en su grado de evolución actual. Pero de eso ni es ni puede hacerse responsable al médico.

El ámbito de comportamientos frente a los que puede formularse una pretensión jurídica de responsabilidad sólo empieza allí donde el médico contraviene las pautas mínimas de conducta que le son exigibles, lo que se conoce como las reglas de la *lex artis*. Dejando a un lado contadas excepciones, lo normal es que dicha contravención obedezca a una actitud de descuido, de dejadez del médico en la realización de sus tareas: unas veces por el efecto mismo de la rutina; otras, por circunstancias puntuales que merman su capacidad, como el cansancio o la falta de concentración, o por circunstancias tan variadas como la confianza en la actuación de otros, la sobrevaloración de sus capacidades, etc. Es, en definitiva, el espectro de conductas que pueden reconducirse de forma amplia al ámbito de la actuación que se adjetiva como *imprudente* o *descuidada*.

No se descubre nada nuevo al afirmar el grado de dificultad que rodea a todo lo relacionado con la delimitación tanto de los presupuestos como de los límites de las conductas descuidadas contrarias a Derecho. No es por ello de extrañar que la elaboración conceptual de la imprudencia y el trazo de sus perfiles jurídico-penales haya sido tradicionalmente uno de los ámbitos que ha acaparado gran parte de las energías de la doctrina así como que el abanico de dudas interpretativas que plantea haya salpicado plenamente a su interpretación jurisprudencial. Por lo mismo, tampoco es de extrañar que su elaboración dogmática haya sido desde siempre privilegiado banco de pruebas no sólo a propósito de la racionalidad de las distintas formas de ensayar la construcción de la teoría del delito, sino de los principales problemas que recorren su estructura. Valga de cita cuestiones como el peso que deba darse a las posibles perspectivas —ex ante o ex post— desde las que el jurista pueda acercarse a la valoración del hecho penal, o la forma de acotar normativamente el desmesurado ámbito que arroja una comprobación meramente causal del vínculo relacional entre un evento y un resultado lesivo, por sólo mencionar algunos aspectos.

Lógicamente, no es ni puede ser objeto de este trabajo el estudio de la elaboración dogmática de la imprudencia. Objeto del mismo es, exclusivamente, la específica plasmación en el ámbito médico de la construcción que en general se ha ensayado en la doctrina penal para calibrar la relevancia en este orden de las conductas realizadas sin el cuidado debido. Ello supone que, si bien en las páginas que siguen va a resultar ineludible una referencia a aquella elaboración teórica general, de lo que se trata es de resaltar las peculiaridades que acuña en ella la práctica médica y las consiguientes dificultades valorativas o teóricas que añade la realidad contextual propia del ejercicio de la medicina.

Lo primero que debe tenerse en cuenta es que cualquier aproximación al ámbito de las imprudencias médicas tiene que tener presente dos aspectos que, respectivamente, están llamados a agudizar el halo de problemas de los delitos imprudentes. El primero de ellos es de índole *cuantitativo*, en cuanto que no puede olvidarse que la medicina representa uno de los ámbitos paradigmáticos en el que las irregularidades imputables al agente encuentran su acomodo en el ejercicio descuidado o negligente de la actividad que le es propia. Como en parte ya observábamos, van a ser realmente aislados los supuestos en los que el juicio de reproche al personal sanitario pueda reconducirse a una actuación intencional. La frecuencia con que las irregularidades en este sector están llamadas a ventilarse a la luz del juicio de infracción del deber de cuidado hace que se multiplique en la misma proporción la presencia de los distintos aspectos problemáticos del delito imprudente que desde siempre han ocupado a los penalistas, hasta el punto de convertirlo en banco de pruebas de prácticamente todas las cuestiones relacionadas con su elaboración teórica.

El segundo factor es de orden *cualitativo*. Es el que apunta ahora, no ya a la apreciación de la imprudencia como tal, sino a la dificultad que genera la variedad de ópticas con las que, desde un punto de vista *valorativo*, puede enfocarse el problema de la imprudencia sanitaria. Y es que, en efecto, a diferencia lo que sucede en otros sectores de actividades de riesgo en los que son mínimas las dificultades para traducir desde un punto de vista político criminal de oportunidad el juicio de reproche al que conduce un análisis estrictamente dogmático, la realidad contextual en la que se desenvuelve la *praxis* médica propicia toda una escala valorativa a la hora de traducir en términos penales el comportamiento imprudente. Así, las posturas oscilan desde los que dan prioridad, respectivamente, al componente humano de la actividad médica hasta aquellos otros que, por el contrario, ponen el acento en los especiales niveles de exigencia al profesional a partir del singular valor de los bienes jurídicos que pueden resultar lesionados.

La postura más radical entre los defensores de esta segunda óptica viene representada por la opción de quienes, bajo el argumento de la especial trascendencia de los bienes implicados —vida y salud— postulan la necesidad de medir conforme a rígidos baremos la negligencia del sanitario[1]. Porque, dicen quienes así piensan, el alto rango de los intereses que pueden lesionarse determina que el ejercicio mismo de la profesión sólo se legitime cuando se extreman las medidas de cuidado, de tal forma que, en principio, cualquier descuido de las mismas podría dar paso a la responsabilidad del sanitario. No estamos ante intereses de índole económico, patrimonial, ni siquiera ante bienes que aun siendo inherentes al individuo, no condicionan su existencia, como pudiera ser el honor. Estamos, por el contrario, ante bienes cuya lesión afecta al soporte mismo que materializa la existencia y realidad del ser humano. Y sobre ellos, dicen los defensores de esta forma de pensar, está legitimada la reacción más enérgica ante el riesgo de su pérdida o lesión.

Como decíamos, en el extremo opuesto de la escala valorativa se sitúan quienes proponen una especial condescendencia cuando se trata de ponderar los límites de la responsabilidad del médico, de tal modo que el juicio de reproche por imprudencia habría de ceñirse a los casos en los que la misma revistiera especial gravedad[2]. Los argumentos manejados por los defensores de esta postura no sólo apuntan a la especial proclividad con que es posible apreciar en este ámbito una actuación negligente debido a la incerteza misma de los factores que rodean a la ciencia médica. Baste pensar que siempre es posible exigir al médico que hubiese ponderado más y más variables que no tuvo en cuenta y que habrían impedido la lesión del bien jurídico. Los precursores de esta forma de razonar apuntan también a la necesidad de respetar una premisa que, más que jurídica, es humana. Es la que enfoca la preocupación por impedir que el médico realice su actividad presionado por el temor de acabar ante los Tribunales, temor que, por otra parte, desembocaría en la tan denostada *medicina defensiva*. La razón es que si se extremaran las posibilidades de la reaccionar penalmente, el médico, guiado por una suerte de

---

[1]   Por todos, ESER, en *Avances de la Medicina y del Derecho Penal, ob. cit.*, pág. 1, quien sale al paso de la posible objeción de que entonces la *praxis* médica se condicionaría por el temor a una sanción: "si se quiere conseguir que el facultativo no se sienta inseguro ante el temor de una posible responsabilidad penal, con la consiguiente paralización de su actividad, la solución no debe buscarse tanto en el relajamiento de la medida de cuidado exigido, sino en la aplicación de la causa de justificación del 'riesgo permitido'.

[2]   ULSENHEIMER, *Arztstrafrecht in der Praxis, ob., cit.*, pág. 5.

"instinto de supervivencia", tendría que dar prioridad a su interés en no ser demandado frente a la efectiva atención y cuidado del paciente. Eso le llevaría a deshumanizar el ejercicio de la medicina así como a disparar la práctica de pruebas que de otra forma habría suprimido por ser desproporcionadas y costosas, no sólo en sentido económico sino también humano. Pero desde la óptica de la medicina defensiva esos aspectos no habrían entonces de preocupar al médico. Su única —y comprensible— preocupación habría de ser, en exclusiva, la garantía de su incolumidad jurídica.

Los argumentos que están en la base de este razonamiento no sólo han encontrado voces doctrinales que los avalan[3]. También parecen, incluso, haber inspirado la forma en que algunos Códigos penales encaran la responsabilidad del profesional sanitario. Es el caso del Código penal austriaco. Conforme al § 88 Österr. StGB de 1974, el médico que en el ejercicio de su profesión cause lesiones por imprudencia, quedará exento de pena de no concurrir culpabilidad grave, siempre que no resulte una lesión de la salud ni una incapacidad laboral superior a 14 días.

Lógicamente, no es el Código penal austriaco el único que expresa una opción en torno al modo de valorar la entidad de los errores que cometa el profesional de la sanidad. Todos los Códigos penales, de alguna manera, son reflejo de una forma de valorar la imprudencia médica; también los Códigos que no contemplan preceptos especiales. En efecto, también éstos, siquiera de forma implícita, están acogiendo de esa forma una opción valorativa: la de baremar conforme a las reglas generales de la imprudencia las irregularidades que pueda cometer el sanitario. Esos Códigos, reconocen así, por esa vía implícita, que el profesional ni merece mayor condescendencia ni un trato más severo, relegando a la labor de los Tribunales la cuantificación de la gravedad de su actuación imprudente.

Nuestro Código penal no ha seguido ni una ni otra vía. En él, en efecto, ni es posible encontrar una cláusula al estilo de la del Código penal austriaco, ni es posible tampoco afirmar que el legislador haya pasado por alto completamente las peculiaridades valorativas que despierte la imprudencia del sanitario. Nuestro Código, al menos en principio, parece insertarse en las filas de la opción propia de quienes propugnan reaccionar de forma más enérgica frente

---

[3]   Véase por ejemplo en la doctrina alemana, DEUTSCH, *Arztrecht und Arzneimittelrecht, ob. cit.*, págs. 125 s. En Italia dicha opinión ha encontrado eco doctrinal y jurisprudencial a partir de la regulación de la imprudencia en el art. 2236 CC. Sobre dicha tendencia véase por ejemplo, GRASSO, "La responsabilitá penale nell'atttività medico-chirurgica: orientamenti giurisprudenziali sul "grado" de la colpa", en *Rivista italiana di medizina legale,* 1979, págs. 80 ss.

a la imprudencia del profesional que frente a la negligencia de quien no ostenta dicha condición. Así lo hace pensar el hecho de que la única regla especial que el Código incorpora parezca tener, al menos a primera vista, un sentido claramente agravatorio. Es lo que sucede con la cláusula de la *imprudencia profesional*, que en los tipos relativos al homicidio (art. 142.3), las lesiones (152.3), el aborto (art. 146.2) y las lesiones al feto (158.2 CP), se traduce en la imposición de una pena adicional a la de prisión que correspondería a los supuestos normales de imprudencia. Así, respecto a las lesiones, el art. 142 apartado 3 prevé la pena de *inhabilitación especial* para el ejercicio de profesión, oficio o cargo por un período de tres a seis años; el art. 153.3, a propósito del homicidio, establece la misma pena por tiempo de uno a cuatro años; el art. 146 extiende la misma pena a un período de uno a tres años y, finalmente, el art. 158 fija su marco en un período de seis meses a dos años.

Pero, lógicamente, el sentir en torno a la forma de baremar la imprudencia del médico no lo acuña sólo la regulación positiva. Desde luego que la misma traza indefectiblemente el marco en que ha de desenvolverse la actividad de los restantes agentes del sistema jurídico, cuyos límites no pueden éstos traspasar sin violar el viejo principio de *legalidad*. Pero cierto es también que dentro de ese círculo trazado por el legislador queda aún espacio para una valoración que corresponde ahora a la labor jurisprudencial. Serán los Tribunales los que, dentro de ese espacio legal, tengan en última instancia que corroborar la presunta exasperación de responsabilidad que, al menos *a priori*, se ha achacado a nuestro Código o, por el contrario, sin traspasar los límites de la ley, realizar una labor hermenéutica que atempere las cotas de responsabilidad a que podría llegarse con una severa aplicación de aquélla.

Sin embargo, puede decirse que también la orientación práctica parece cada vez más decidida a exigir con mayor rigor responsabilidad al sanitario. Así lleva a entenderlo el hecho de que, a diferencia de lo que sucede en otros ámbitos en los que las previsiones legales y su efectiva aplicación práctica desfilan por derroteros totalmente opuestos, la previsión de la imprudencia profesional ha encontrado en nuestros Tribunales una aplicación nada desdeñable. Y ello hasta el punto de que, como tendremos ocasión de insistir más adelante, la tendencia de aquellos es aplicar dicha previsión incluso en casos en los que dudosamente debería apreciarse conforme al diseño teórico que inspira, o al menos cabalmente debiera inspirar, su razón de ser en el plano positivo.

Todo ello sin olvidar la tendencia más básica y primaria a arrastrar hacia el ámbito de la jurisdicción penal los supuestos de imprudencia médica, en lugar de relegarlos a otros órdenes menos severos, como el civil o administrativo. No hay mejor prueba de ello que el dato de que, si hasta hace poco más de una década eran extrañas las reclamaciones y, en su caso, las condenas en el orden penal, hoy día las mismas tienden a convivir sin complejos junto a las de otros órdenes sancionadores. Bien es cierto que en este mayor protagonismo de la vía penal han incidido razones de índole procesal, en cuanto que, como es sabido, aquélla se utiliza con frecuencia como medio de conseguir con mayor celeridad la reclamación resarcitoria que se pretende. Es más, dicha tendencia se propicia en la Ley 29/1998, de 13 de julio, reguladora de la jurisdicción contencioso-administrativa, que dispone la competencia de dicho orden para conocer las cuestiones relacionadas con la "responsabilidad patrimonial de las Administraciones públicas"[4], previsión que permite augurar el aumento de las demandas por faltas en el orden penal para así evitar recurrir a aquella vía[5]. La condena penal por falta sólo acarrea para el médico una multa, pero permite declarar la indemnización para el paciente como si se tratase de un juicio civil.

Sin embargo, a pesar del indudable condicionamiento que suponen las razones de índole procesal en la reconducción al orden jurídico más severo de las negligencias médicas, no son ellas las únicas que la justifican explicativamente. En su base se halla también, sin duda, la progresiva toma de conciencia social y la sensibilización en torno a la gravedad de los defectos o fallos en el ejercicio de la profesión, algo que de nuevo vuelve a encarar el ejercicio de la actividad médica y la baremación de la imprudencia que en ella se produzca hacia la óptica del reproche jurídico más severo. Si como señala GARCÍA RIVAS, el incremento de denuncias contra los profesionales de la medicina "no significa en absoluto que estos se comporten hoy de manera menos cuidadosa que antaño, sino más bien que los instrumentos procesales al alcance del usuario cuentan con una credibilidad de la que carecían entonces"[6], por la misma razón puede decirse que el aumento de las demandas y, en su caso, condenas penales, no se debe a que los fallos en que siempre pudieron incurrir los profesionales de la medicina fueran menos graves antes que ahora; simplemente ocurre que ahora es mayor la sensibilidad respecto a la gravedad de los mismos.

Con lo anterior, sin embargo, sólo hemos afirmado que uno de los indicadores que en nuestro Derecho delata de forma inequívoca la tendencia a bare-

---

[4]   "cualquiera que sea la naturaleza de la actividad o el tipo de relación del que se derive, no pudiendo ser demandadas aquéllas por este motivo ante los órdenes civil o social"
[5]   Véase al respecto *Diario Médico*, entre otros, los Boletines correspondientes a los días 29 de mayo de 2000, 6 de junio de 2000 y 20 de junio de 2000.
[6]   GARCÍA RIVAS, "La imprudencia 'profesional': una especie a extinguir", en *Revista de Derecho Social*, 1999, pág. 79.

mar con rigor la imprudencia profesional es su reconducción al orden penal y que, a su vez, ya dentro de ese orden, dicha tendencia se confirma no sólo por la previsión legal de la cláusula de la imprudencia profesional, sino por el uso que de la misma hacen los Tribunales de Justicia. Pero lógicamente, la admisibilidad de este fenómeno que hasta ahora hemos presentado en términos meramente descriptivos pasa por comprobar que allí donde se manifiesta esta tendencia, no se desbordan los límites, las posibilidades y la racionalidad misma de la reacción jurídica. Ello requiere plantear, al menos, dos cuestiones: por un lado, la relativa a si en los casos en que la demanda se ventila en el orden penal y termina finalmente con una sentencia condenatoria concurren las exigencias que justifican el recurso al Derecho penal conforme a su carácter de *ultima ratio*; por otro, si cuando además se aprecie la cualificación de la imprudencia profesional en cuanto reproche agravado por la especial gravedad de la actuación profesional, no se desbordan los límites que cabalmente pudieran dotar de sentido a su existencia, algo que, lógicamente, también requerirá como presupuesto una reflexión en torno a la necesidad y a la racionalidad misma de la presencia de esa cláusula en el Código penal.

Para ello, en lo que sigue, tataremos en primer lugar de acotar las coordenadas con las que apreciar la imprudencia médica en el ámbito penal, abordando en epígrafes posteriores los aspectos que en el mismo adquieren especial trascendencia (los conocimientos y capacidades especiales o los específicos problemas de la responsabilidad por trabajo en equipo). Igualmente, un epígrafe independiente se ocupa de la cuestión ya anunciada en torno a la racionalidad misma de la presencia en el Código penal de la cláusula de la imprudencia profesional, así como de valorar la aplicación que de la misma hacen los Tribunales de Justicia. Si el recurso por parte de los mismos a esa previsión se mantiene dentro de las coordenadas que marcan su caracterización positiva, lo único que cabrá es estar conforme o no con ésta; pero nunca denunciarla como ilícita. Si, por el contrario, pudiera apreciarse que la línea jurisprudencial excede aquellos límites y desorbita el marco de racionalidad que inspiró su incorporación positiva, no cabrá más que denunciarla como contraria a Derecho.

1.2. Los presupuestos para apreciar la imprudencia en el ámbito de la medicina

Dejando a un lado la previsión específica antes mencionada relativa a la pena a imponer en los casos de imprudencia profesional, el Código penal no contempla regla especial alguna en torno a los presupuestos en los que surja la responsabilidad del médico por su actuación negligente. Ello determina que, a diferencia de lo que sucede en otros Códigos de Derecho comparado, las premisas de su exigencia se remitan en última instancia a las establecidas con carácter general en la elaboración dogmática de la imprudencia, que simplemente habrá de adaptarse a las peculiaridades de la *praxis médica*.

Como es sabido, si bien con discrepancias, suele ser mayoritario en la doctrina el reconocimiento de que el contenido de injusto del delito imprudente pivota sobre la *infracción del deber de cuidado*[7], y que sólo a partir de la ponderación de todas las circunstancias del caso concreto puede procederse a realizar un juicio en torno a la probabilidad objetiva de la lesión del bien jurídico como presupuesto del deber objetivo de cuidado[8], probabilidad que, como también suele admitirse sin dificultades, habrá de limitarse por la *cognoscibilidad* del autor[9]. No es otra variable la que, como tendremos ocasión de insistir, está llamada a limitar la operatividad de criterios que, como el de *confianza*, se orientan a trazar con carácter general el marco de la discusión

---

[7]   Debe advertirse, no obstante, que el protagonismo e incluso la operatividad de dicho criterio ha sido a veces puesta en tela de juicio. Es el caso de autores como ROXIN o JAKOBS. Sostiene el primero que el tipo de los delitos imprudentes se colma en realidad mediante la teoría de la imputación objetiva: "El elemento de la infracción del deber de cuidado no conduce más allá que los criterios generales de imputación. Es más vago que éstos y por tanto prescindible. En rigor es incluso 'erróneo desde el punto de vista de la lógica de la norma', pues produce la impresión de que el delito comisivo imprudente consistiría en la omisión del cuidado debido, lo que sugiere su interpretación errónea como delito de omisión. Sin embargo, al sujeto no se le reprocha haber omitido algo, sino el haber creado un peligro no amparado por el riesgo permitido y sí abarcado por el fin de protección del tipo, que se ha realizado en un resultado típico" (*Derecho penal, Parte General*, ob. cit., pág. 1000). Por su parte JAKOBS niega que exista un deber de cuidado: "lo que se suele decir de que el autor ha dejado de observar el cuidado prescrito es falso desde el punto de vista de la lógica de las normas: En el delito de comisión el autor no es que deba obrar cuidadosamente, sino que debe omitir el comportamiento descuidado. Ejemplo: en el ámbito de la comisión no se prescribe manejar las cerillas con cuidado, sino que se prohíbe el manejo descuidado; no existe un deber de manejar" (*Derecho penal, Parte General*, ob. cit., pág. 384). Por ello, entiende, en realidad todo se reduce a la idea de la evitabilidad: "la imprudencia es, pues, aquella forma de evitabilidad en la que falta el conocimiento actual de lo que ha de evitarse" (pág. 382). No obstante, añade, "las limitaciones del tipo objetivo que se efectúan por medio de la imputación objetiva afectan también a la imprudencia: penalmente relevante es sólo la *previsibilidad de aquel riesgo que sobrepasa el riesgo permitido y que además es objetivamente imputable*" (págs. 384 s.).

[8]   Aunque sólo sea marginalmente, quisiera indicar que el elemento de la previsibilidad como módulo de concreción de la contrariedad a cuidado se ha puesto en tela de juicio por un importante sector de la doctrina alemana. Para una exposición y crítica de estas tendencias véase KAMINSKI, *Der objektiven Maßstab im Tatbestand des Fahrlässigkeitsdelikts. Struktur und Inhalt*, Berlin, 1990, págs. 14 ss.

[9]   CORCOY BIDASOLO, *El delito imprudente*, Barcelona, 1989, págs. 192 ss.

de la responsabilidad médica por negligencias cometidas en el marco de la realización de tareas en equipo[10].

De la misma unanimidad goza la afirmación en torno a que los presupuestos de la responsabilidad del médico por su actuación negligente están decisivamente condicionados por la nota de la *circunstancialidad* y la consiguiente imposibilidad de plasmar en reglas fijas e inamovibles la relatividad de los aspectos que debe observar a la hora de realizar su actividad[11]. Por otra parte, no puede olvidarse que un rasgo inherente a la ciencia médica es su constante evolución, lo que a su vez conlleva dos dificultades adicionales de lectura convergente. La primera, la relativa velocidad con la que cualquier intento de formulación apriorística de reglas técnicas podría quedar obsoleta, en cuanto que las técnicas que en principio pudieran describir el espectro de la actuación médica cuidadosa pronto podrían verse superadas por la aparición de nuevas terapias que, aun con carácter experimental, ofrecieran fundadas expectativas de curación hasta entonces valoradas como excesivamente riesgosas y, por tanto, fuera de los límites de lo permitido. La segunda, consecuencia de la anterior, es que no sería admisible concluir que cualquier variación de lo prefijado por las reglas generales suponga un comportamiento imprudente. Baste pensar que, de otra forma, esa afirmación y la consiguiente exigencia de que el médico respetase siempre los métodos de eficacia ya comprobada, habría de llevar a la paralización de los avances científicos[12].

A partir de lo anterior, no es de extrañar que tanto la jurisprudencia como la doctrina coincidan al afirmar que en la constatación de si se ha infringido el deber objetivo de cuidado no puede ser decisiva la contravención de una *regla técnica*[13/14],

---

[10]   SCHROEDER, "Die Farhlässigkeit als Erkennbarkeit der Tatbestandsverwirklichung", *JZ* 1989, pág. 780.

[11]   Por todos, ULSENHEIMER, *Arztstrafrecht in der Praxis, ob. cit.*, págs. 22 ss.

[12]   HAVA GARCÍA, *La imprudencia médica*, Valencia, 2001, págs. 57 s.

[13]   En el ámbito jurisprudencial debe destacarse la conocida STS de 18 de noviembre de 1991, relativa a las transfusiones de sangre contaminadas practicadas en el Hospital "Príncipes de España" de Bellvitge, en Barcelona, sin someterse a las pruebas de detección de anticuerpos del VIH. El Tribunal Supremo apreció la imprudencia, no sólo respecto a las transfusiones practicadas sin someterse a control con posterioridad a la Orden 10 de octubre de 1986 de la Generalitat de Cataluña y que provocaron el contagio. También la apreció respecto al contagio de un paciente con anterioridad a la entrada en vigor de aquélla, por entender que aun sin la existencia de dicha norma también se vulneraba la lex artis: "La Orden de la Generalitat no condiciona necesariamente las conductas imprudentes acaecidas con anterioridad, ni es en ningún caso constitutiva «per se» de la actividad culposa incardinada en el texto articulado del 565, vigente entonces, por hechos posteriores...la imprudencia temeraria no es infracción en blanco, no depende de norma reglamentaria alguna, que puede existir pero que no es de concurrencia inexcusable para

o las prescripciones de deontología médica[15]; ni siquiera el cumplimiento de los protocolos o guías médicas de actuación en los que se plasman las directrices o re-

---

el tipo. La valoración de la culpa está por encima del cumplimiento o incumplimiento de la susodicha Orden, aunque, se repite, su contenido en algún caso sirva para aseverar las características y requisitos del delito en sí".

No obstante, distinta debe ser la valoración en los casos en los que la existencia del virus fuera desconocida y, por tanto, no pudiera valorarse como contraria a cuidado la ausencia de prácticas de pruebas para detectarlo. Valga de cita el auto de archivo de querella dictado por Juzgado de Instrucción de Málaga, con fecha de 27 de agosto de 1991. En él se resolvía la querella presentada contra dos doctores por practicar una transfusión de sangre a un Testigo de Jehová que se había opuesto a la misma, contrayendo a consecuencia de la transfusión el virus de hepatitis C. Dejando de momento al lado las cuestiones relativas a un posible atentado a la libertad religiosa, el Juzgado desestimó la querella en lo que se refiere a la responsabilidad por lesiones imprudentes, ya que dicho virus "fue descubierto con posterioridad a ser realizada la transfusión, por lo que difícilmente pudo ser detectado en los análisis de sangre correspondientes. Y buena prueba de ello es que el Real Decreto 1945/1985, de 9 de octubre, por el que se regulan la hemodonación y los bancos de sangre, han sido completados mediante la Orden Ministerial de 30 de octubre de 1990, sobre pruebas de detección de anticuerpos del virus de la hepatitis C en las donaciones de sangre. Además, y como se resalta en el informe médico, actualmente puede detectarse el virus C, pero se siguen produciendo hepatitis NO A, NO B, NO C, seguramente producidas por uno o varios virus que en el estado actual de la ciencia y la técnica no se pueden detectar".

[14] En la doctrina, entre otros, CORCOY BIDASOLO, *El delito imprudente, ob, cit.*, págs. 101 ss., quien destaca su carácter meramente indiciario, de tal modo que la infracción de una regla general de cuidado no determina *"per se"* la infracción del deber objetivo de cuidado y a *"sensu contrario"*, la observancia de la regla general de cuidado no impide la posibilidad de infringir, pese a todo, el deber objetivo de cuidado"; CHOCLÁN MONTALVO, *Deber de cuidado y delito imprudente*, Barcelona, 1998, págs. 92 ss. En relación con el específico ámbito médico, ROMEO CASABONA, *El médico ante el Derecho*, Madrid, 1985, pág. 70 "hay que dejar sentado que *lex artis* y cuidado objetivamente debido no son conceptos coincidentes y, si bien su estrecha relación permite mantener la anterior afirmación (actuación conforme a la *lex artis* supone la observancia del cuidado objetivamente debido), no puede ser siempre cierta la inversa: la no sujeción a la *lex artis* no implica necesariamente la inobservancia del cuidado objetivamente debido"; el mismo en "Prevención médico-sanitaria de la transmisión del Sida", en *JANO* n° 1032, págs. 92 ss., comentando la Sentencia de 18 de noviembre de 1991; JORGE BARREIRO, Alberto, "Jurisprudencia penal y lex artis médica", en *Responsabilidad del personal sanitario*, CGPJ 1994, págs. 71 ss; SILVA SÁNCHEZ, quien matiza que la apreciación de la imprudencia pese a cumplir en el momento de la conducta con la normativa administrativa debe reservarse para los casos en que exista "un claro 'standard' objetivo de conducta en la comunidad científica o técnica que resulta más exigente que la normativa administrativa", en *Medicinas alternativas e imprudencia médica, ob. cit.*, pág. 19; HAVA GARCÍA, *La imprudencia médica, ob. cit.*, págs. 54 s.

[15] Sobre las referencias jurisprudenciales a las concretas exigencias deontológicas como baremo con el que mensurar el cumplimiento de las reglas de cuidado, véase GONZÁLEZ MORÁN, "Bioética y responsabilidad", en *Bioética Práctica. Legislación y Jurisprudencia, ob. cit.*, págs. 89 ss.

comendaciones actualizadas establecidas por expertos cualificados para orientar la labor diaria de los profesionales[16]. Por encima de todo eso habrá de atenderse a las circunstancias concurrentes, de tal forma que sólo a través de su ponderación conjunta puede emitirse un juicio en torno a la corrección del acto médico.

La pregunta se traslada entonces a delimitar cuáles son esos extremos que el juez habrá de tener presentes para llegar a la convicción en torno a la conformidad o no a las reglas de prudencia del acto médico. Al respecto suele admitirse sin dificultades que en su ponderación habrán de tenerse en cuenta aspectos como la relevancia del bien jurídico afectado en comparación con las posibilidades de éxito del tratamiento[17], la comprobación en torno a la necesidad del empleo de métodos que se alejaran de los cánones convencionales de la *lex artis*, la *urgencia* de la intervención, su grado de complejidad, las circunstancias de *lugar* y *tiempo* en que se realiza[18], los medios disponibles

---

[16]   Si bien, de nuevo, su cumplimiento puede manejarse como un indicio de la conformidad de la actuación médica con las reglas de la lex artis. Al respecto puede citarse la Sentencia de la Audiencia Provincial de Toledo de 25 de mayo de 2000, que absolvió al ginecólogo por la rotura uterina asintomática padecida por una mujer durante un parto por dehiscencia de la cicatriz de una cesárea anterior. El argumento manejado por la sentencia fue el seguimiento del protocolo por parte del facultativo justificado por los datos derivados de la experiencia estadística que revelan que en un alto porcentaje de casos el antecedente de una cesárea no impide que el siguiente parto tenga lugar por vía vaginal. Véase también la Sentencia del Juzgado de lo Penal de Sevilla, de 31 de octubre de 2001 a propósito de la responsabilidad de un ginecólogo que no diagnosticó el estado de sufrimiento fetal, que ofrecía además otros indicadores para calibrar la negligencia médica: "En el ámbito médico tienen una gran importancia los protocolos y las guías de práctica clínica o guías médicas...que se pueden equiparar a los instrumentos de autorregulación profesionales, sobre todo los protocolos, que suelen reflejar de forma fidedigna el estado de la ciencia médica. Podemos decir que si en una situación estándar se utiliza alguno de los remedios, técnicas o principios admitidos como lex artis el facultativo se habrá comportado de forma prudente...Para determinar si existe o no una infracción de la lex artis resultan útiles, asimismo, tener en cuenta las técnicas o terapias utilizadas anteriormente por el facultativo o su equipo en el mismo tipo de casos o el que se utiliza en centros médicos de carácter similar..."

[17]   CORCOY BIDASOLO, *El delito imprudente*, ob. cit., págs. 207 ss. Al respecto, véase también CHOCLAN MONTALVO, en *Deber de cuidado y delito imprudente*, ob., cit., págs. 79 ss; el mismo en "Sobre la evolución dogmática de la imprudencia", *Actualidad Penal* 1998, VII.

[18]   Entre otros, LAUFS, *Arztrecht*, ob. cit., pág. 132; MATZ, "Der ärztliche Kunstfehler und sein Beweiss", en *Moderne Medizin un Strafrecht*, Kaufmann (Hrsg.), Heidelberg, 1989, págs. 37 ss; GRÜNDWALD, "Heilbehandlung und ärztliche Aufklärungspflicht", *ob. cit.*, págs. 171 ss.
ULSENHEIMER, *Arztstrafrecht in der Praxis*, ob, cit., págs. 12 ss.
En la doctrina italiana, RIZ, "Colpa penale per imperizia del medico: Nuovi orientamenti", en *L'Indice Penale*, 1985, págs. 273 ss; CRESPI, Comentario jurisprudencial, en *Rivista ita-*

al alcance del profesional —dato especialmente relevante en los daños ocasionados por los retrasos en las listas de espera[19]—, el grado de *especialización* que exige el acto médico en relación con su cualificación[20], los *conocimientos y capacidades especiales*[21] y, en definitiva, cuantos extremos pudieran venir a modular el grado de exigibilidad de una conducta diferente.

Sólo la conjugación de todos los aspectos anteriores, en su relatividad[22], viene a modular la medida del *cuidado debido*[23] y a definir, por tanto, la imprudencia en relación con los caracteres que reviste acción, no la entidad del resultado producido[24]. No es por ello de extrañar que se haya llegado a afirmar que en el ámbito médico se haga realidad la regla *"cada acto, una ley"*, hasta el punto de que "es el mismo acto el que genera, por una especie de mecanis-

---

liana di diritto e procedura penale, 1973, págs. 255 ss; el mismo en *La responsabilità penale nel trattamento medico-chirurgico con esito infausto, ob. cit.*, págs. 21 ss., 115 ss; CONTI, "Comentario jurisprudencial", en *Rivista italiana di medicina legale*, 1998, pág. 1174; BILANCETTI, *La responsabilità penale e civile del medico, ob. cit.*, págs. 223 ss.
En nuestra doctrina, JORGE BARREIRO, Agustín, *La imprudencia punible en la actividad médico-quirúrgica, ob. cit.*, págs. 48 ss. Referencias jurisprudenciales, en MOYA HURTADO DE MENDOZA, en *Cuadernos de Derecho Judicial, Delitos contra la vida y la integridad física, ob. cit.*, págs. 179 ss.

[19]   HAVA GARCÍA, *La imprudencia médica, ob. cit.*, págs. 14 s.

[20]   Referencias a esta doctrina en RIZ, *L'Indice penale*, 1985, *ob. cit.*, pág. 271, nota 21.
En nuestra jurisprudencia es interesante en este sentido la Sentencia de la Audiencia Provincial de Granada de 10 de octubre de 2001, en la que se planteaba si podía apreciarse una infracción de la *lex artis ad hoc* en la práctica de una endoscopia por quien no tenía la especialidad correspondiente para tal operación (especialista en aparato digestivo), a consecuencia de la que se produjo una perforación intestinal. La Sentencia descartó dicha infracción con el argumento de que la intervención se realizó en presencia de un especialista en aparato digestivo así como de que no existe una norma específica que determine que dicho tipo de intervenciones sólo la pueden realizar los especialistas en aquella rama.

[21]   Véase *infra* 1.3, *Los conocimientos y capacidades especiales del autor*.

[22]   MARTÍNEZ-CALCERRADA habla por ello, siguiendo la terminología jurisprudencial, de una *lex artis ad hoc*, enfocada a las circunstancias del caso concreto, que, por lo que a sus concreción axiológica se refiere, define en función de: "a) autor: circunstancias especiales y profesionales -especialidad- del médico; b) del objeto sobre el que recae: especie de acto (clase de intervención, gravedad o no, dificultad de ejecución); c) factores endógenos: tanto en la intervención o en sus consecuencias, pueden haber influido el estado del enfermo -grave o no, con consentimiento expreso o no, con receptividad de cooperación o no-, así como sus familiares -tensión suplicante por la enfermedad- y la misma organización sanitaria -deber de actuar o no, con medios o instrumentos adecuados o no-, etc", en *Derecho Médico, vol. I. Derecho médico general y especial, ob. cit.*, págs. 30, 188, 211 ss, 275 s.

[23]   Sobre los aspectos que inciden en el límite inferior de la imprudencia, véase SILVA SÁNCHEZ, "Aspectos de la responsabilidad penal por imprudencia del médico anestesista", *Derecho y Salud*, 1994, pág. 60.

[24]   En relación específica con el diagnóstico y con la doctrina jurisprudencial desarrollada al respecto, véase SILVA SÁNCHEZ, *Derecho y Salud*, 1994, *ob. cit.*, págs. 61 ss.

mo de autorregulación, su propia ley, con la que, indefectiblemente, habrá de enjuiciarlo"[25].

Es más, la relatividad en torno a la forma de barajar todos esos aspectos no se agota en la atención a los múltiples indicadores que pueden delatar una actuación imprudente. Tanto la doctrina como la jurisprudencia suelen ser unánimes al afirmar que la ponderación de la diligencia exigible a la conducta del médico se modula adicionalmente por la fase del tratamiento sobre la que recaiga. En concreto, suele reconocerse el carácter eminentemente restrictivo con el que debe apreciarse la imprudencia en la fase de diagnóstico. Porque como explica ULSENHEIMER[26], la dificultad que a veces plantea identificar con certeza la enfermedad pese a realizarse las pruebas que normalmente se estiman apropiadas así como la consiguiente necesidad de admitir un margen razonable de error, hacen que el diagnóstico erróneo que no puede calificarse como burdo escape con facilidad a la calificación del acto médico como imprudente. Si esto es así para los casos en los que el error de diagnóstico se traduce en que al paciente no se le diagnostica la enfermedad que padece y, por ello, se ve afectada su salud *física*, lo mismo debe regir, *a contrario sensu*, para los casos inversos en los que el paciente no padece la enfermedad que se le ha diagnosticado, de tal modo que el posible daño se proyecta a su salud *psíquica* debido a la angustia o temor que puede causarle el diagnóstico, planteándose el correspondiente delito de lesiones[27]. Tanto en uno como otro caso suele admitirse que sólo cuando el error de diagnóstico pueda calificarse como extremadamente burdo, podrá apreciarse un delito de lesiones[28].

---

[25] MARTÍNEZ-CALCERRADA, *Derecho Médico, Volumen primero, Derecho médico general y especial, ob. cit.*, pág. 31.

[26] ULSENHEIMER, *Arztstrafrecht in der Praxis, ob, cit.*, págs. 37 ss; véase también, por ejemplo, LAUF/UHLENBRUCRUCK, *Handbuch des Arztrechts, ob. cit.* págs 861 ss.

[27] A este supuesto pertenece el caso al que ya hicimos referencia en la Primera parte del trabajo, en el que a una paciente se le comunicó como confirmado un diagnóstico de seropositividad cuando en realidad el mismo estaba todavía pendiente de verificación por pruebas posteriores que, contradiciendo la lógica de las probabilidades, arrojaron un resultado negativo. Si bien el Tribunal reconoció en este caso que la situación de depresión y angustia que produjo dicha comunicación podría tener la intensidad suficiente para apreciar un delito de lesiones, absolvió sin embargo a los procesados con el argumento, a mi juicio, criticable, de que el fin de protección de la norma que obliga al médico a informar no comprende ese resultado. Para evitar reiteraciones nos remitimos a las críticas que ya formulamos entonces a este modo de argumentar.

[28] Este es el punto de partida de la doctrina sentada por el Tribunal Supremo, que recuerda que "el simple error de diagnóstico o en la terapia no constituye delito, salvo que por su entidad o categoría cualitativa o cuantitativa resulte de extrema gravedad". Entre otras, véanse las SSTS de 17 de julio de 1982, de 24 de noviembre de 1984, o de 22 de diciembre de 1986 y más recientemente, la STS de 6 de julio de 2006, que apreció la imprudencia leve

Con todo, debe observarse que los problemas que plantea determinar la responsabilidad penal del médico por diagnósticos erróneos tiende a superar el ámbito conflictivo antes descrito y, debido a los avances en materia de investigación genética, a situarse en un ámbito tan novedoso como el de la posible responsabilidad del médico por la emisión de diagnósticos preconceptivos o prenatales erróneos. Ni que decir tiene que la consecuencia que puede tener la emisión de tales diagnósticos errados puede ser doble, dependiendo de que se trate de los que se ha dado en llamar "falsos positivos" o "falsos negativos". Como la propia denominación ya sugiere, con el primer término se hace referencia a los casos en que se diagnostica de forma errónea una predisposición genética en los progenitores que pudiera determinar anomalías de mayor o menor entidad en el hijo que lleguen a concebir; con la segunda denominación se hace referencia a los casos inversos, esto es, aquellos en los que el médico no detecta la predisposición genética que finalmente acaba provocando las malformaciones en el recién nacido. Las consecuencias que puede acarrear cada uno de estos errores son bien distintas. En el primer caso, esto es, en el de falsos positivos, puede consistir, bien en la esterilización de los padres cuando el error se refiere a una prueba preconceptiva, bien en la provocación de un aborto cuando el diagnóstico recae ya sea en una fase posterior a la concepción. En el segundo caso, en el de los "falsos negativos", la consecuencia normal será que los padres no se planteen la posibilidad de practicar un aborto por desconocer las taras que presenta el feto.

Debe advertirse que la posible responsabilidad penal por imprudencia en estos supuestos sólo se plantea en relación con la primera de las modalidades descritas, esto es, la de los "falsos positivos". La imposibilidad de derivar responsabilidad penal de la segunda se debe ya a la dificultad misma de identificar un tipo delictivo que se convirtiera en referente de la actuación negligente del médico, en cuanto que el nacimiento de seres con deficiencias o anomalías más o menos graves en modo alguno puede considerarse, *per se*, constitutivo de delito. En realidad, como la novedosa *praxis* demuestra, estos supuestos suelen ventilarse por la vía civil, vía en la que se plantean demandas indemnizatorias, ya en nombre de los padres o del propio niño a través de sus representantes, reclamando indemnizaciones por el hecho del nacimiento

---

con resultado de muerte en la conducta del médico que atendió a un paciente apuñalado sin advertir, hasta que no era ya demasiado tarde, que padecía una lesión hepática con hemorragia que le provocó el fallecimiento. En aplicación de este criterio, la Sentencia de la AP de Albacete apreció tan solo una imprudencia leve causante de lesión en la conducta del médico que diagnosticó a un paciente una orquitis en lugar de una torsión testicular, lo que le provocó la pérdida de un testículo.

o por los padecimientos de todo tipo que ello supone a través de las fórmulas conocidas, respectivamente, como la *wrongful life* o *wrongful birth*[29]. Por

---

[29] Sin duda, el caso más conocido fue el que enjuició el Tribunal de Casación francés en la Sentencia de 17 de noviembre de 2000. Se trataba de un niño con graves deficiencias debido a que la madre había padecido una rubéola durante el embarazo sin que el médico hubiera detectado anomalías en el feto. Ya más recientemente, el 29 de noviembre de 2001 el máximo Tribunal Civil de Francia confirmó el derecho a la indemnización de un niño con el síndrome de Down, porque el ginecólogo que atendió a la madre no le advirtió de la posible malformación en el feto, impidiéndole así ejercer su derecho al aborto terapéutico.

También en nuestro país la cuestión se ha planteado ante los Tribunales en lo que se refiere a la pretensión indemnizatoria de los padres. Valga de cita la STS de 6 de junio de 1997, de la Sala de lo Civil, en la que se planteaba la reclamación presentada por una gestante a la que, ante una situación derivada de un diagnóstico de alto riesgo tanto para ella como para el feto, se le prescribió la realización de una prueba de amniocentesis. Dicha prueba fracasó, resultado que no se le comunicó a la gestante hasta dos meses después, cuando ya habían transcurrido los plazos legales para interrumpir el embarazo. La madre dio a luz a un niño afectado por el síndrome de Down. Revocando las sentencias dictadas en primera instancia, el TS condenó al médico y al Servicio Valenciano de Salud a abonar a la actora 50 millones de pesetas, reconociendo que si bien el daño producido no era patrimonial "para su valoración, siempre evanescente, dada la dificultad de fijar parámetros económicos a una tara como la derivada del síndrome de Down, hay que tener en cuenta varios aspectos, como es el impacto psíquico de crear un ser discapacitado que nunca previsiblemente podrá valerse por sí mismo y que puede llegar a alcanzar edades medianas; lo que precisa, a su vez, una atención fija permanente y, por lo común, asalariada".

Véase también la STS de 4 de febrero de 1999 de la Sala de lo Civil, en la que se ventilaba tanto la posible responsabilidad de la ginecóloga como del INSALUD por el nacimiento de una niña con serias malformaciones congénitas, pese a que se observaron los protocolos establecidos para la condición de ese embarazo calificado como normal o de bajo riesgo. Frente a la sentencia dictada por el Juez de primera instancia de Salamanca, y confirmando la de la Audiencia Provincial de Salamanca, el TS absolvió a ambos por entender que se habían cumplido las reglas de la *lex artis*, que no se había demostrado la relación de causa a efecto entre la actuación médica y el hecho del nacimiento de una niña con malformaciones, así como por considerar como mera hipótesis el que en caso de ser informada la madre gestante, habría optado por interrumpir el embarazo. Es especialmente interesante el razonamiento de la sentencia cuando afirma: "la doctrina predominantemente rechaza que el nacimiento en estas circunstancias sea un daño 'per se', y los que defienden que el daño es la privación del derecho a optar, no hacen más que sostener de modo más o menos indirecto, que el daño es el nacimiento". Véase el comentario a esta sentencia de BERCOVITZ RODRÍGUEZ CANO, "Comentario a la Sentencia de 4 de febrero de 1999. Responsabilidad sanitaria derivada del nacimiento de una niña con malformaciones", *CCJC*, abril-agosto, 1999, págs. 841 ss; EMALDI CIRIÓN, "La responsabilidad jurídica derivada de diagnósticos genéticos erróneos", en *La Ley*, 15 de junio de 2000; DE ÁNGEL YAGÜEZ, "La segunda sentencia dictada por la Sala Primera del Tribunal Supremo en un caso de wrongful birth (4 de febrero de 1999), ¿Está en contradicción con lo resuelto en la sentencia de 6 de junio de 1997 sobre el mismo problema?", en *Revista de Derecho y Genoma Humano*, 1999, págs. 117 ss .

ello, en realidad, la posible responsabilidad penal del médico por su actuación negligente se ciñe por razones lógicas a la primera modalidad de supuestos, esto es, a los que se han calificado como "falsos positivos". Según entiendo, en ellos dicha responsabilidad puede discurrir, bien por un delito imprudente de aborto, bien por un delito de lesiones, en los casos en que se practique una esterilización consentida en la falsa creencia de la certeza del diagnóstico.

Sobre la problemática general de estos casos, véase el recorrido por la doctrina jurisprudencial que ofrece GALÁN CORTÉS, *Responsabilidad médica y consentimiento informado, ob. cit.*, págs. 327 ss. En relación con la jurisprudencia norteamericana, véase DE ÁNGEL YAGÜEZ, "Diagnósticos genéticos prenatales y responsabilidad, Parte I", en *Revista de Derecho y Genoma Humano*, 1996, págs. 105 ss, y bajo el mismo título, Parte II, publicado en el mismo número, págs. 141 ss. Un completo estudio al respecto en MACÍA MORILLO, *La responsabilidad médica por los diagnósticos preconceptivos y prenatales (las llamadas acciones de wrongful birth y wrongful life)*, Valencia, 2005.

Debe advertirse que la frecuencia con la que pueden presentarse demandas indemnizatorias frente a los médicos por este tipo de comportamientos ha determinado tanto la formulación de declaraciones que advierten el riesgo del reconocimiento generalizado del derecho a este tipo de indemnización como la adopción de iniciativas orientadas a restringir la procedencia de esas reclamaciones. Muestra de lo primero es la argumentación manejada por el Dictamen del Consejo Nacional Consultivo de Ética francés sobre el derecho a nacer sin taras, emitido el 29 de mayo de 2001. Tras hacer un recorrido por las distintas posibilidades que pueden presentarse, el Consejo Nacional Consultivo entendió que el reconocimiento de un derecho del sujeto nacido con minusvalías que pueda exteriorizar su voluntad a dirigir una acción de responsabilidad contra los padres y médicos, supondría una presión para los mismos, en cuanto que, dado que sería difícil fijar normativamente los casos que den derecho a indemnización, por depender de criterios eminentemente subjetivos, los padres optarían siempre por evitar el nacimiento para así evitar posibles reclamaciones. Véase igualmente los argumentos manejados por el voto disidente. Por lo que a lo segundo se refiere, esto es, la adopción de iniciativas orientadas a restringir la procedencia de este tipo de reclamaciones, sin duda la más importante de las habidas hasta la fecha fue la presentada en enero de 2002 por el Gobierno francés a raíz de las jornadas de huelgas protagonizadas por los médicos especializados en ecografías que protestaban contra la grave responsabilidad que para ellos supondría la generalización de la jurisprudencia del derecho a no nacer. En ella se pretendía que fuera necesario probar la relación de causa a efecto entre el diagnóstico médico y la malformación que se produzca tras el nacimiento. Conforme a esa propuesta, la responsabilidad sólo prosperaría "cuando el acto fallido haya provocado directamente el hándicap, lo haya agravado o no haya permitido tomar las medidas para atenuarlo". Según entiendo, un ejemplo paradigmático que resultaría comprendido de prosperar esta propuesta sería, por ejemplo, aquél en que se practicasen técnicas de reproducción asistida en una mujer sin informarle de que, debido a su avanzada edad para la maternidad o los problemas de salud que padece, el niño podría sufrir malformaciones.

Sobre el estado de la discusión en la doctrina alemana, véase RADAU, "Wrongful birth' und 'wrongful life' Probleme der rechtlichen Bewältigung ärztlicher Pflichtverletzung bei der menschlicher Reproduktion", en *Ethik in der Medizin*, págs. 30 ss., quien se muestra crítico frente a la jurisprudencia que niega la pretensión indemnizatoria en los casos de wrongful life.

Las afirmaciones anteriores en torno a la amplia dosis de relatividad que acompaña a la tarea de comprobar la infracción de la norma de cuidado, no suponen, sin embargo, renunciar a cualquier intento de formular con carácter general los deberes mínimos que debe observar el médico para ser respetuoso con las reglas de la *lex artis*. Así, por ejemplo, es común enunciar entre esas exigencias de conducta del médico la de actualizar sus conocimientos, observar la evolución del enfermo, prever los efectos secundarios o contraindicaciones de los fármacos que prescribe, estudiar las condiciones orgánicas del paciente, comunicarle con prudencia su diagnóstico en caso de enfermedades graves[30], la exigencia de remitirle a otros especialistas cuando el tratamiento de la enfermedad así lo aconseje, la obligación de comunicar las instrucciones oportunas a sus colaboradores[31], así como de ponderar de forma exhaustiva los *pros y contras* de la terapia que va a aconsejar al paciente. En este sentido suele considerarse por regla general conforme a la *lex artis* la libre elección de terapia por parte del médico[32], si bien respetando unas exigencias mínimas cuya trasgresión resultaría contraria a las normas de cuidado, y que básicamente se concretan en el aseguramiento de que el método elegido no conlleve riesgos desproporcionados para el paciente[33].

---

[30]   De otra forma se plantearía la posibilidad de hacer responder al médico por un delito de lesiones psíquicas imprudente. En el sentido de considerar que el exceso de información puede determinar la responsabilidad del médico por imprudencia véase por ejemplo BOCKELMANN, *Strafrecht des Arztes, ob. cit.*, pág. 89.

[31]   KAMPS, *Ärztliche Arbeitsteilung und strafrechtliches Fahrlässigkeit, ob. cit.*, págs. 146 s; LAUF/UHLENBRUCRUCK, *Handbuch des Arztrechts, ob. cit.*págs. 863 ss; DEUTSCH, *Medizinrecht, Arztrecht, Arzneimittelrecht und Medizinprodukterecht, ob. cit.*, págs. 184 ss.

[32]   SIEBERT, en *MedR* 1983, *ob. cit.*, págs. 216 ss; SCHMIDT, "Der Arzt im Strafrecht", en PONSOLD, *ob. cit.*, págs. 46 ss. En la doctrina italiana, véase entre otros, BILANCETTI, *La responsabilità penale e civile del medico, ob. cit.*, págs. 230 ss; CRESPI, *La responsabilità penale nel trattamento medico-chirurgico con esito infausto, ob. cit.*, págs. 76 ss.

[33]   Así por ejemplo, en la doctrina alemana, SIEBER, tras reconocer al médico un ámbito de libre ponderación (*"Beurteilungsspielraum"*), incluye entre esas exigencias mínimas la garantía de que con dicho método no se descarte un resultado curativo o, en todo caso, que éste se condicione a factores casuales o incluso a la sugestión del paciente; que antes de su aplicación en personas haya sido suficientemente experimentado; que los riesgos que puedan derivar del mismo no sean desproporcionadamente elevados; o que el médico esté convencido de su utilidad y que su empleo no resulte inmoral, en *MedR*, 1983, *ob. cit.*, págs. 218 ss; en términos parecidos, KLINGER, *Strafrechtliche Kontrolle medizinischer Außenseiter*, Stuttgart, 1995.
En nuestra doctrina se ha ocupado con detalle del tema SILVA SÁNCHEZ, quien tras reconocer plenamente la libertad del médico en los casos de duda irresoluble, se plantea la extensión de esta máxima a otros casos en los que el procedimiento que el médico pretende emplear no se halla en condiciones de igualdad con el método dominante. Según entiende, el deber de cuidado obliga al médico a inclinarse, aun contra su convicción personal, por el método que, según el estado de la ciencia y los niveles de constatación alcanzados, ofrece un

También entre los aspectos mínimos respecto a los que pueden enunciarse reglas de carácter general puede citarse el *deber de información*. Ante todo, debe quedar claro que cuando hablamos en esta sede del deber de informar hacemos exclusiva referencia a la comunicación de los datos que, de alguna forma, pueden afectar al éxito de la terapia. Fuera del mismo quedan aquellos otros que el paciente debe conocer para que pueda emitir un consentimiento válido y cuya omisión pudiera dar paso, en su caso, a los delitos contra la libertad[34]. Frente a esa información, a efectos de la posible infracción de las reglas de prudencia sólo interesa la comunicación de los aspectos que integran la que se conoce como *información terapéutica*. Con ella se trata de proporcionar al enfermo todos los datos necesarios para mejorar su estado de salud, como los hábitos de vida que debe seguir, la conveniencia o no de la práctica de deporte, la dieta recomendada, o bien, en relación ya con el tratamiento, la dosis de medicamento que debe tomar, sus interacciones, etc., aspectos todos ellos en los que la omisión de la información médica puede influir en el fracaso de la terapia o, en general, en el empeoramiento del estado de salud del enfermo[35].

Sin duda, uno de los aspectos más discutidos en torno a la responsabilidad del médico por deficiencias en la información terapéutica es el relativo al de su posible exoneración alegando que el enfermo tenía acceso a las indicaciones ya contenidas en el correspondiente prospecto que acompañan los laboratorios. Sin embargo, la posición de garantía que grava al médico, quien en virtud de la ley o contractualmente está obligado a atender al paciente, impide exonerarle de responsabilidad por defectos de la información aun cuando el paciente hubiera podido "intuir" los riesgos mediante una lectura de aquél[36]. Así lleva a entenderlo no sólo el lenguaje técnico de este tipo de instrucciones, sino también el hecho de que las interacciones y posibles efectos del medicamento están

---

pronóstico claramente más favorable, en cuanto que sólo así está justificado su empleo y, con él, la asunción de los riesgos que comporta. No obstante, reconoce una excepción a esta regla allí donde la elección del método menos reconocido tenga lugar por una valoración superior del facultativo acerca de sus posibilidades diagnósticas o terapéuticas y lo emplee siguiendo las reglas propias de la experimentación terapéutica (Heilversuch, therapeutic research), en *Medicinas alternativas e imprudencia médica, ob. cit.*, págs. 45 ss. Véase también CORCOY BIDASOLO, en AAVV, *Bioética, Derecho y sociedad, ob. cit.* págs. 117 ss.

[34] Véase *supra*, Primera parte, II, *Consecuencias penales por vicios en el consentimiento o ausencia del mismo.*

[35] Por todos, GLATZ, *Der Artz zwischen Aufklärung und Beratung. Eine Untersuchung über ärztliche Hinweispflichten in Deutschland und den Vereinigten Staaten, ob. cit.*, págs. 231 ss.

[36] En la doctrina alemana, en este sentido, LAUFS, en LAUF/UHLENBRUCK, *Handbuch des Arztrechts, ob. cit.*, pág. 348.

siempre condicionados por múltiples causas que un prospecto ni puede detallar ni, en sentido inverso, excepcionar de la regla general, ni mucho menos el enfermo está en condiciones de interpretar. Por ello, incluso aun cuando el paciente leyese el mismo podría seguir confiando en la prescripción médica[37].

Hasta aquí hemos tratado de acotar las coordenadas desde las que puede surgir la responsabilidad penal del médico por imprudencia. Antes de abordar las cuestiones más conflictivas en torno a la misma en el ámbito médico (los conocimientos y capacidades especiales del autor, la cláusula de la imprudencia profesional y la responsabilidad por el trabajo en equipo), resulta conveniente hacer un breve recorrido sobre algunos aspectos básicos de la teoría del delito imprudente que, con pretensión meramente recordatoria de ciertas cuestiones generales de su elaboración dogmática, contribuyan a clarificar los presupuestos de su apreciación en el ámbito del ejercicio de la medicina que ahora interesa. Para ello, en lo que sigue trataremos en primer lugar la cuestión relativa a las directrices con las que depurar los casos en los que la responsabilidad del médico deba discurrir conforme a los esquemas de un delito de acción o, por el contrario, de omisión (1.2.1); en un segundo apartado nos ocuparemos de recordar algunas cuestiones básicas de la relación de imputación entre la acción imprudente y el resultado lesivo (1.2.2); y, por último, en un último epígrafe realizaremos un breve recorrido por los criterios con los que baremar la gravedad de la imprudencia (1.2.3).

1.2.1. El componente omisivo de la imprudencia

Como recordábamos líneas más arriba, el momento normativo de la imprudencia descansa en la infracción del deber de cuidado, infracción que se

---

[37] Véase por ejemplo la Sentencia de la Sala de lo Contencioso-Administrativo del TS de 22 de noviembre de 1991, que condenó a la Administración sanitaria en un caso en que se suministró al paciente una vacuna antirrábica por la Jefatura Provincial de Sanidad de Cádiz en un centro de la Seguridad Social y posteriormente se le recetó un medicamento común en un centro dependiente del Insalud. En ninguno de los servicios médicos se advirtió a la paciente de las contraindicaciones que podía tener la vacuna, cuya interacción con el otro medicamento le provocó un estado de invalidez.
Véase también la Sentencia de la Sala de lo civil de la Audiencia Provincial de Valencia de 22 de noviembre de 1997. Ciertamente esta sentencia absolvió al médico, pero lo hizo porque en el prospecto no se contenía tampoco indicación alguna respecto a un riesgo remoto pero posible, el Síndrome Neuroléptico Maligno. Por ello, condenó exclusivamente al laboratorio. Véase la referencia de estas sentencias en *Información y Documentación clínica. Su tratamiento jurisprudencial* (Emaldi Cirión/Martín Uranga/de la Mata Barranco/Nicolás Jiménez/ Romeo Casabona -coord-), Madrid, 2000, págs. 31 ss.

traduce a la postre en el desconocimiento, en la ignorancia y, en definitiva, en la omisión de las pautas de comportamiento que exige la *lex artis*. Justamente por ello, porque a la estructura conceptual de la imprudencia es implícita un momento de dejación de lo exigible y, en definitiva, un momento omisivo, no es de extrañar que no pocas veces se planteen supuestos limítrofes entre la acción imprudente y la omisión impropia, de tal suerte que dependiendo de cómo se enuncie la ilicitud del comportamiento, la infracción de la norma de cuidado se presta a reconducirse a una u otra posibilidad. Es, en definitiva, la expresión en el ámbito de la imprudencia de la vieja polémica en torno a los criterios para delimitar la acción y omisión[38].

Bien es verdad que si realmente existiera una escrupulosa equivalencia entre los presupuestos de la responsabilidad activa y omisiva la trascendencia de la discusión orientada a depurar uno y otro supuesto no pasaría de su interés teórico. Sin embargo, es lo cierto que tanto los distintos métodos de comprobación de la relación de causalidad entre la conducta y el resultado en una y otra tipología de delitos, así como la forma en que se delimite la posición de garantía como presupuesto del juicio de responsabilidad por omisión, determina la conveniencia de depurar, también a efectos prácticos, el injusto reconducible, respectivamente, a una conducta activa u omisiva.

Sin ser éste el lugar adecuado para abordar en su extensión los criterios para delimitar la acción y la omisión[39], entiendo que, frente a otras propues-

---

[38] De hecho, puede decirse incluso que la dificultad para identificar una conducta activa u omisiva a partir del dato de la infracción del deber de cuidado se ha manejado como argumento por parte de los autores que proponen sustituir dicho criterio por los de imputación objetiva, ROXIN, *Derecho penal, Parte General, ob. cit.*, pág. 1000.

[39] Sobre los criterios de delimitación de la acción y omisión véase en la doctrina alemana, STRUENSEE, quien se muestra partidario de sostener un concurso de normas entre la acción y la omisión cuando en ésta se da lo que WELZEL denomina "situación típica", *"Actuar y omitir. Delitos de comisión por omisión"*, Universidad Externado de Colombia, 1996 (trad. de Patricia S. Ziffer), págs. 39 ss; JAKOBS, *Derecho penal, Parte General, ob., cit.*, págs. 942 ss, quien considera que, salvo que la conducta sea debida, existirá un delito de acción cuando el autor realiza un comportamiento que, sin embargo, sería inocuo si acometiera posteriormente otra conducta, ya que, en definitiva, lo que no debió realizar fue la acción sin ese comportamiento adicional. Véase también el criterio sostenido por KAMPS, *Ärztliche Arbeitsteilung und strafrechtliches Fahrlässigkeit, ob. cit.*, págs. 86 ss. Este autor propone atender al que llama criterio de la energía (*"Energiekriteruim"*) a partir del reconocimiento de que en los delitos omisivos el legislador exige el empleo de energía, mientras en los activos prescribe la omisión de la energía (delictiva). Véase también el criterio de ULSENHEIMER, *Arztstrafrecht in der Praxis, ob, cit.*, págs. 32 s., que apunta a la necesidad de manejar módulos normativos que atiendan al sentido social de la conducta (*"sozialen Sinnhaftigkeit"*).

tas[40], la línea de solución que se maneje requiere tener presente, como señala JORGE BARREIRO, que el injusto omisivo de la imprudencia no puede hallarse en el dato del incumplimiento o inobservancia del cuidado debido, puesto que el mismo "no es una acción sino algo que se predica de ésta". Si una acción se valora como imprudente es justamente porque *omite* las pautas de conductas que imponen las reglas de cuidado. En todo comportamiento activo imprudente hay un momento omisivo que no es más que el soporte de su adjetivación como negligente. Así, por ejemplo, cuando el conductor atraviesa un cruce sin percatarse de que vienen vehículos que tienen preferencia de paso, omite observar tanto la señal de ceda el paso como la aproximación de otros vehículos en el cruce. Pero esa omisión no es el fundamento de un supuesto título de responsabilidad como comitente omisivo; esa omisión es sólo el momento de pasividad que cualifica su hacer como imprudente. Por lo mismo, ya en el ámbito médico, cuando el cirujano olvida una gasa en el abdomen del enfermo recién intervenido esa dejación de un hacer no es el fundamento de su eventual responsabilidad por un delito de omisión impropia; es, simplemente, el aspecto omisivo de una infracción de deber más amplia que tacha como imprudente la contemplación global de la maniobra activa que representa la intervención.

Ya en nuestra doctrina véase por ejemplo SILVA SÁNCHEZ, quien aprecia en los supuestos de imprudencia un concurso de leyes entre la realización activa y la comisión por omisión. Así, refiriéndose al conocido caso de los pelos de cabra, sostiene: "la concurrencia de una imputación omisiva junto a la comisiva. En efecto, se trata en ellos de una conducta peligrosa base (entrega de materiales de cierta toxicidad) que sólo se permite si se realizan, a su vez, por el sujeto conductas de mantenimiento del peligro en el marco autorizado (desinfección)", concluyendo que en tales casos es preferente la comisión activa conforme a las reglas del concurso de leyes, en *Cuadernos de Derecho Judicial. La comisión por omisión, ob. cit.*, págs. 25 ss. Merece especial mención también el criterio propuesto por GIMBERNAT, para quien cuando en la conducta se aprecien tanto elementos activos como omisivos, si la acción ha precedido a la omisión, ésta prevalecerá sobre aquélla cuando el comportamiento activo no haya sido típico porque al tiempo de ejecutarlo falte el dolo o la imprudencia. Caso contrario prevalecerá el comportamiento (activo o pasivo) más grave, concurriendo ambos cuando sean igualmente graves. Todo ello salvo que la acción que precede a la omisión venga exigida por el Ordenamiento jurídico, en cuyo caso prevalecerá siempre la omisión, en *Causalidad, omisión e imprudencia*, en *ADPCP* 1994, págs. 16 ss.

[40]   Como la que propone atender a los aspectos subjetivos de la actuación del facultativo. Véase por ejemplo MARTÍNEZ-PEREDA RODRÍGUEZ, *Responsabilidad penal del médico y del sanitario*, Madrid, 1997, pág. 250: "Si el médico al comenzar su intervención tenía intención de dejar desangrarse al 'operado', estaríamos ante un hacer positivo, pero si la intención surgió después de haber practicado la incisión estaríamos ante comisión por omisión".

Sólo cuando a partir de una contemplación objetiva[41] de los hechos pueda predicarse desde un punto de vista valorativo la autonomía de la omisión frente a la conducta activa y situarse en un momento secuencialmente distinto del inicial comportamiento activo del agente, tiene sentido plantearse las bases de responsabilidad conforme a los esquemas de un delito de omisión impropia[42]. Lo contrario supondría convertir todas las imprudencias activas en omisiones, con la consiguiente limitación de la responsabilidad por hechos imprudentes a las personas que se encontrasen en situación de garantía[43].

Así, por ejemplo, en cuanto la irregularidad es insita a la actuación en que consiste la conducta activa, habrá de apreciarse un supuesto de responsabilidad por acción en el conocido caso enjuiciado por el Tribunal Supremo en la Sentencia de 18 de noviembre de 1991. En ella el Alto Tribunal condenó al Director de un Hospital y a la jefa del Servicio de hematología por autorizar la realización de transfusiones de sangre sin someterla a las pruebas de detección de anticuerpos del SIDA. También ahora la omisión del control de la sangre no es sino el aspecto que justamente cualifica a la acción como imprudente. Como señala GIMBERNAT, en este caso, en realidad, la omisión en sí misma contemplada, "no integra ningún tipo delictivo, por lo que, al aparecer como única conducta típica una activa (imprudente) es a ella a la que hay necesariamente que vincular la imputación del resultado...El comportamiento *se convierte* en jurídicopenalmente relevante *sólo* mediante la *acción*: cuando el médico *transfunde*...Es entonces cuando se consuma el delito imprudente por acción, ya que aquellas carencias de los medios con los que materialmente se causan los resultados imprudentes no son sino faltas de medidas de precaución que, por sí solas y *sin un comportamiento activo*, son inidóneas para

---

[41]   Lo que supone apartarse de propuestas como la de GIMBERNAT, quien, según veíamos, maneja como criterio indagar si el comportamiento activo fue doloso o imprudente. Creo, sin embargo, que al focalizar el problema en los elementos subjetivos se olvida en realidad la cuestión principal en torno a si antes de comprobar el tipo subjetivo concurre el tipo objetivo por contrariedad a cuidado de la *acción* realizada, o si, por el contrario, la misma es conforme a Derecho, con lo que entonces el título de responsabilidad sería necesariamente la omisión.

[42]   En la doctrina alemana véase por ejemplo ULSENHEIMER en LAUF/UHLENBRUCK, *Handbuch des Arztrechts, ob. cit.*, pág. 840, quien propone atender a una contemplación normativa que atienda al sentido social del comportamiento.

[43]   JORGE BARREIRO, Agustín, en *Cuadernos de Derecho Judicial, La comisión por omisión, ob. cit.*, pág. 231. Con carácter general, sobre la distinción entre infracción del deber de cuidado y el delito omisivo, CORCOY BIDASOLO, *El delito imprudente, ob. cit.*, págs. 64 ss, 187 ss.

ponerlas en relación con un resultado"[44]. Por lo mismo, habrá de apreciarse un supuesto de acción en la conducta del médico que firma el alta hospitalaria pese a ser necesaria la continuidad del ingreso y omite, con ello, la observación debida. También en estos casos la conducta imprudente radica en la omisión de dicho deber de seguimiento[45].

Con todo, debe advertirse que la confusión entre lo que sea la responsabilidad por un delito de omisión y el momento omisivo de la imprudencia en un comportamiento activo no ha resultado ajena a la práctica jurisprudencial. Valga de cita la STS de 4 de septiembre de 1991, en la que el Alto Tribunal condenó por homicidio imprudente en comisión por omisión al cirujano que consintió que el anestesista se ausentara del quirófano durante el curso de la intervención. Si bien es de aplaudir que la Sentencia dejase claro que "no se trata de reprochar culpabilísticamente al recurrente por una conducta ajena... sino por una conducta propia", consideró que dicha responsabilidad era de carácter omisivo[46]. Sin embargo, una vez más, dicha responsabilidad debió reconducirse a los esquemas de un delito de acción, no de omisión, en cuanto que también ahora lo que convierte en contraria a Derecho la conducta del médico es ya su propia actuación en condiciones que no garantizan la seguridad del enfermo; en otras palabras, el injusto de su conducta consiste en que actúa en condiciones en las que le está vetado hacerlo. Y en esto consiste precisamente el injusto de un delito de acción.

La misma valoración crítica entiendo que merece la STS de 22 de enero de 1999, a propósito de un error en el diagnóstico. En ella se enjuiciaba la conducta de un médico ginecológico que atendió a una embarazada aquejada de fuertes dolores lumbares que diagnosticó como propios de un cólico nefrítico. Según consta en relato fáctico de los hechos, "aunque además de un análisis de orina y sangre se le practicó una ecografía obstétrica (indicativa

---

[44]   GIMBERNAT ORDEIG, "Causalidad, omisión e imprudencia, en la comisión por omisión", en *Cuadernos de Derecho Judicial, ob. cit.*, págs. 176 s (publicado también en *ADPCP*, 1994).

[45]   Véase al respecto, por ejemplo, el supuesto de hecho enjuiciado en la STS de 13 de noviembre de 2003, relativo a una ginecóloga que al practicar una interrupción voluntaria del embarazo a una paciente considerada de alto riesgo le seccionó la arteria uterina sin darse cuenta de ello, lo que motivó una hemorragia interna. La ginecóloga dio el alta a la paciente sin someterla al preceptivo control prolongado por medio de la monotorización de las constantes durante el tiempo requerido en los protocolos, lo que le habría permitido percatarse de la existencia de dicha hemorragia que finalmente causó la muerte de la paciente.

[46]   Se muestra conforme con esta construcción GIMBERNAT, en *ADPCP* 1994, *ob. cit.*, págs. 23 s.

de una marcada disminución de líquido amniótico) y otra abdominal y de gestación (indicativa de 'trabajo de parto'), el doctor...insistió en su inicial diagnóstico y no le practicó reconocimiento ginecológico alguno, lo que sí le realizó, a instancias de la señora M, una matrona de la clínica, sobre una hora después, comprobando que aquélla se hallaba ya en una avanzada dilatación, por lo que la envió enseguida al paritorio de la clínica, donde se produjo...el expresado parto en apenas media hora..." El Tribunal de instancia absolvió al procesado. El TS casó la Sentencia y condenó al médico como autor de un delito de lesiones en comisión por omisión.

Dejando a un lado el razonamiento por el que el Tribunal consideró que debían reconducirse a los tipos de lesiones la negligencia del profesional que repercute sobre la salud del niño aún no nacido en el momento de la conducta, lo que ahora interesa destacar es que apreció una forma de comisión impropia al entender que "el acusado omitió varias acciones que le eran debidas; así, en primer lugar, prescindió de consultar con un urólogo u otro especialista respecto a las molestias de que se quejaba la embarazada y ello le llevó, por dos veces, a hacer un diagnóstico equivocado, atribuyendo a un inexistente cólico nefrítico lo que eran dolores lumbares propios del 'trabajo de parto'; igualmente omitió el deber que le era inexcusable de reconocer ginecológica-mente a la embarazada, especialmente ante los resultados que presentaban los análisis y la ecografía practicada; y en definitiva, omitió atender un parto en el momento en el que todos los síntomas lo hacían necesario". Por todo ello concluyó que "el resultado producido en el niño, consistente en el padecimien-to de una encefalopatía crónica, con retraso en los patrones de maduración psicomotriz, es concreción de la situación de peligro para la producción de ese resultado que supuso la omisión por parte del recurrente de los deberes de cuidado que le incumbían respecto a la asistencia ginecológica a la embaraza-da...Resultado que no se hubiese producido si el acusado se hubiese ajustado al deber de cuidado que le era exigible y hubiese realizado las consultas perti-nentes, el inexcusable reconocimiento ginecológico y, en definitiva, atendido el parto en el momento oportuno".

El razonamiento del Alto Tribunal es, en definitiva, el siguiente: en el diagnóstico el médico no ha actuado conforme a las reglas de la *lex artis*; su infracción de cuidado se debe a que ha omitido la diligencia debida; ésta de-mandaba la realización de pruebas que no tuvieron lugar. Por eso, porque ha omitido una conducta que debió realizar, su responsabilidad por las lesiones que ha causado tiene que discurrir conforme al expediente de la comisión por omisión. Sin embargo, según entiendo, con este modo de razonar, el Tri-bunal Supremo entrevera dos aspectos que, sin embargo, son por completo diferentes a partir de la doble lectura que hace de un dato común: la falta de realización de las pruebas pertinentes. Dicha ausencia de pruebas, en efecto, cobra relevancia en el razonamiento del Alto Tribunal tanto a la hora de determinar la infracción de las reglas de cuidado como de calificar dicha infracción conforme a los esquemas de la omisión impropia. Pero entonces, una vez más, de ser coherentes, dicho razonamiento debería llevar a apreciar siempre una forma de comisión impropia en la imprudencia, algo que, sin embargo, nadie estaría dispuesto a reconocer salvo que prácticamente pretendiera desterrarse la posibilidad de apreciar la imprudencia por acción.

Conforme a lo anterior, si se analiza de nuevo el supuesto de hecho enjuiciado por la referida Sentencia, puede decirse que el momento omisivo que el Tribunal destaca como fundamento de la comisión por omisión no es más que una secuencia propia de la conducta más amplia —activa— consistente en realizar un diagnóstico erróneo. El médico, en efecto, confunde los dolores de un parto con los de un cólico nefrítico; y por ello, porque ha errado en esa calificación, omite realizar pruebas ulteriores que estarían indicadas si sus sospechas fuesen de otro diagnóstico. Resulta de esta forma que esa omisión no es más que la consecuencia lógica de una actuación negligente previa más amplia que le lleva a confundir un parto con los síntomas de un simple cólico. Y desde luego, una vez que lo confunde, la no verificación de las pruebas que habrían de confirmar un diagnóstico distinto no es más que la consecuencia lógica del error previo o, si se quiere, no es más que la proyección del diagnóstico erróneo que el médico realiza de forma activa. Exigirle que actúe correctamente es pedirle que no se confunda en el diagnóstico. Y esa confusión representa un comportamiento activo, no omisivo.

De hecho, en otros pronunciamientos que responden a supuestos de hecho similares, el Tribunal Supremo no ha recurrido al expediente de la omisión impropia. Valga de cita la STS de 25 de mayo de 1999. En ella se enjuiciaba la conducta del médico que atendió a una embarazada que presentaba síntomas de apatía, cansancio y tos. En una primera asistencia el facultativo le diagnosticó faringitis aguda y, posteriormente, ya en régimen de urgencia, intolerancia alimentaria por ingesta de una pizza. Pocos días la mujer después ingresó en el Hospital en estado de coma tras haber sufrido una parada cardiorespiratoria en un cuadro de meningitis tuberculosa. A consecuencia de ello hubo de practicársele una cesárea, sin que pudiera salvarse la vida del niño. La paciente tuvo que ser sometida a maniobras de mantenimiento artificial de la vida, necesitando posteriormente someterse a técnicas de rehabilitación. Tras ello le quedaron secuelas físicas de carácter neurológico así como psíquicas. Conforme al dictamen de los peritos que admitió el Tribunal, ante la persistencia de la fiebre y la presencia de adenopatías deberían haberse practicados estudios serológicos para detectar la posible existencia de infecciones que cursan con síndrome adenopático febril y un análisis de esputos de la enferma. El dictamen, tras recordar la frecuencia en la localidad valenciana donde residía ésta de infecciones tuberculosas, concluía afirmando que no se llevaron a cabo las exploraciones complementarias cuando había transcurrido más de un mes desde el inicio del padecimiento.

Una vez más, la imprudencia que deduce el Tribunal se vincula a la omisión de pruebas en fase de diagnóstico. Sin embargo, no por ello dicha omisión puede reconducirse a un delito de lesiones en comisión por omisión en cuanto que, insistamos una vez más, la omisión consistente en la no prescripción de las comprobaciones que hubieran revelado la enfermedad que realmente sufría la paciente no es más que la consecuencia de un diagnóstico activo negligente. En efecto, pertenece a la lógica misma de las cosas que cuando se diagnostica una enfermedad se omitan pruebas para avanzar en el diagnóstico de otra distinta.

Lo mismo debe decirse respecto al caso enjuiciado por la STS de 3 de marzo de 2000. Se trataba de un médico que atendió a un paciente que padecía asma bronquial, y que había sido internado trece años antes en un Hospital por una crisis aguda de la enfermedad producida a consecuencia de su intolerancia al ácido acetilsalicílico. Si bien el médico preguntó al enfermo si era alérgico a algún medicamento, no le formuló pregunta alguna sobre su posible intolerancia al preparado médico que en concreto le prescribió. Si se quisiera llevar hasta sus últimas consecuencias el razonamiento que aquí venimos criticando, también ahora habría que reconducir la imprudencia del médico a los esquemas de la comisión por omisión, en cuanto que también ahora, en efecto, puede identificarse la omisión de una pregunta que habría resultado fundamental para evitar la muerte del paciente. Pero dicho proceder, una vez más, llevaría a vaciar de contenido a la imprudencia por acción, algo que está claro que tampoco el Alto Tribunal está dispuesto a admitir[47].

---

[47] Por las mismas razones me parece igualmente digna de crítica la Sentencia del Juzgado de lo Penal de Sevilla, de 31 de octubre de 2001. En ella se enjuiciaba la conducta del ginecólogo que omitió la práctica de pruebas que le habrían permitido diagnosticar el estado de sufrimiento fetal pese a que existían signos para su sospecha (como un episodio de contracciones con pérdida del tapón mucoso y expulsión de sangre por la vagina). A consecuencia de ese sufrimiento, el niño padeció parálisis cerebral tipo tetraparesia espástica severa, asociada a retraso psicomotor grave. El Juzgado de lo Penal condenó al ginecólogo por un delito de lesiones en comisión por omisión: "El médico acusado generó una situación de riesgo...mediante la omisión de lo que la *lex artis* o las normas objetivas de cuidado le exigían en el seguimiento del embarazo de la gestante, existiendo una obligación contractual de actuar (apartados 1 y b del art. 11 del CP...)...En relación con lo anterior, el resultado le es imputable por omisión, al no haber evitado el mismo, con infracción de

Frente a lo anterior, la calificación del comportamiento como omisivo debe reservarse para los casos en que dicha omisión no se inserte en el contexto más amplio de una conducta activa, esto es, aquellos supuestos en que la dejación de la conducta exigible no se corresponda con la pasividad propia de la falta del deber de cuidado de un comportamiento activo. A mi juicio, es lo que sucede en el caso enjuiciado por la STS de 18 de noviembre de 1998 en relación con la conducta del médico de prisiones que atendió a un recluso al que diagnosticó un cuadro de intoxicación por drogas. Para contrarrestar los efectos de los opiáceos le inyectó una serie de antídotos indicando que procedía un control evolutivo. Sin embargo, pese a reconocer esa necesidad de control, ni le trasladó a un Centro Hospitalario, ni a la clínica o enfermería del centro penitenciario, ni siquiera lo visitó en su celda. El interno fue hallado muerto al día siguiente. El diagnóstico anatómico forense determinó que la causa fue una hemorragia gástrica aguda. Frente a la Sentencia de la Audiencia que absolvió al acusado, el Tribunal Supremo le condenó por un homicidio por imprudencia grave en comisión por omisión: "Pese a la persistencia de su estado, su paulatina agravación, la peligrosidad de los cuadros de sobredosis politoxicológica, la necesidad de observación de los efectos de los potentes antídotos administrados repetidamente y la propia indicación del acusado de que el enfermo precisaba 'control evolutivo', el procesado no procedió al ingreso del enfermo en un Centro Hospitalario ni a su mantenimiento en la enfermería del Centro, sino que lo remitió a su celda, sin observación de ningún tipo, y no le visitó a lo largo de toda la noche, siendo hallado muerto, en su camastro, a la mañana siguiente".

Como el Alto Tribunal afirmó, en este caso la vulneración de las reglas de la *lex artis* sí resulta reconducible a los esquemas del art. 11 CP, en cuanto que a diferencia de los casos antes citados, ahora la omisión representa un momento perfectamente diferenciable de la actuación —positiva— en que se traduce el primer acto de asistencia. Ahora, en efecto, la primera asistencia, consistente en la administración del antídoto para compensar la intoxicación que padece el recluso, es conforme a la *lex artis*; como conforme a cuidado es también que el propio médico reconociera la necesidad de practicar un seguimiento del paciente. Puede decirse, por ello, que la *acción* del médico es ajena al reproche de imprudencia. Esta comienza en una fase posterior, que si bien trae su causa de aquélla, es secuencialmente separable de la misma: la fase de control o seguimiento del paciente y su remisión, caso de ser necesario, a un Centro hospitalario. Es una omisión,

---

las normas de cuidado ya expuestas, lo que era claramente previsible, siendo equivalente la omisión a su causación..."

en definitiva, distinta al momento omisivo en que siempre se traduce la infracción del deber de cuidado propia de cualquier actuación positiva imprudente y que, por ello, adquiere entidad autónoma para fundamentar la responsabilidad del facultativo conforme a los expedientes de la comisión por omisión. Dicho en otras palabras, en este segundo momento no es que el facultativo haya actuado infringiendo las normas de cuidado, sino, simplemente, que no actuó.

Debe observarse que el criterio que aquí se propone para apreciar la responsabilidad omisiva del médico pasa por comprobar que previamente existió una conducta activa realizada conforme a la *lex artis* y claramente diferenciable de la omisión posterior. Distintas habrían de ser las cosas en la variante en que el estado del paciente fuese tan pésimo que incluso resultara desaconsejada la medida mínima de prescripción de un seguimiento en la celda; esto es, el caso en el que el único tratamiento conforme a las reglas de cuidado fuese la remisión inmediata y urgente a un Centro Hospitalario. Según entiendo, en esta variante sería la asistencia prestada la que resultaría contraria a Derecho, de tal forma que respecto al dato de la remisión del paciente a la celda no cabría hablar ya de una actuación conforme a Derecho previa a una conducta ilícita subsiguiente; al contrario, esa atención, como tal, resultaría ya contraria a las reglas de cuidado.

Es justamente lo anterior lo que sucede en la STS de 5 de abril de 1995. En ella se enjuiciaba un supuesto en el que la comadrona practicó un primer reconocimiento a una parturienta que presentaba complicaciones. Tras esa primera asistencia, sin pasar aviso al médico de guardia ni dar explicación alguna sobre el estado de la parturienta a sus compañeras, abandonó el hospital al finalizar su turno de trabajo. El TS casó la Sentencia dictada por la Audiencia Provincial que la había absuelto y la condenó por un delito de imprudencia temeraria, ya que "infringió las normas reglamentarias..., no por haber realizado una exploración que ciertamente no estaba dentro de sus atribuciones pero a la que venía comprometida por una práctica habitual en el centro, sino por haber omitido poner en conocimiento del ginecólogo de guardia la situación de la parturienta con señales latentes de sufrimiento fetal". A mi juicio, partiendo como lo hace el Tribunal de que la primera asistencia, como tal, era un acto perfectamente asumido en la *praxis* médica del hospital, fue esa primera prestación activa consistente en una exploración la que infringió el cuidado debido, de tal forma que la omisión de dar aviso al médico que habría de atenderla no sería más que el momento que la adjetiva como contraria al cuidado debido. En otras palabras, lo que resulta contrario a la *praxis* médica es ya el contenido de ese primer acto de asistencia, que no remite a la embarazada a quien debía atenderla de modo urgente. Y en esto precisamente consiste la contrariedad a cuidado de ese primer acto de asistencia.

1.2.2. Algunos aspectos relativos a la relación de imputación entre la acción imprudente y el resultado lesivo

La cuestión en torno a cuáles sean los requisitos de imputación para reconducir normativamente un resultado lesivo a una conducta médica imprudente requiere el traslado a éste ámbito específico de los criterios elaborados con carácter general en la dogmática jurídico penal para afirmar dicho nexo de causalidad jurídica. Dado que abordar con detenimiento su problemática desbordaría los límites del presente trabajo, las consideraciones que siguen se limitan simplemente a recordar algunos aspectos de la teoría de la imputación cuyas dificultades están singularmente presentes o se agudizan en el ámbito médico.

Como es sabido, hace ya tiempo que la doctrina y la jurisprudencia se muestran unánimes al reconocer que el juicio de responsabilidad penal desborda la mera comprobación causal entre una acción y un resultado. De hecho, las principales críticas de las que se hicieron acreedoras las teorías causales revelan sus deficiencias de forma especialmente contundente en el ámbito de la medicina. Baste pensar que las más fundadas objeciones que se opusieron a la fórmula de la *conditio sine qua non* como complementaria a la indagación de la relación causal podrían encontrar su mejor caldo de cultivo en no pocos supuestos que se plantean a menudo en este ámbito. Porque si la actuación del médico presupone, dejando al lado ciertos supuestos como las operaciones de cirugía estética, que la persona que acude al mismo se halla en un estado de enfermedad, no sería difícil afirmar que aunque aquél no hubiese intervenido el resultado se habría producido de todas formas, lo que en la formulación tradicional de aquella teoría habría de llevar a la impunidad. Es por ello por lo que, si bien cuando esa relación naturalística no puede constatarse conforme a los distintos enunciados de las leyes causales se descartan ya las bases de la responsabilidad penal[48], cuando aquélla concurre la emisión de un juicio final

---

[48]   Véase en este sentido, por ejemplo, la Sentencia del Tribunal Supremo de 21 de abril de 1992. En ella se enjuiciaba la responsabilidad de un médico oftalmólogo que atendió en su consulta a un paciente que había recibido un impacto en el ojo derecho cuando desempeñaba su trabajo. El médico le detectó una esquirla metálica en la córnea que le fue extraída sin apreciarle otra lesión. Cuatro días más tarde, ante la persistencia de las molestias el enfermo volvió a acudir a la consulta, donde fue atendido por el sustituto que le diagnosticó queratiris postraumática. Días más tarde fue atendido de nuevo por el titular, quien le

en torno a la relevancia típica de los hechos está necesitada todavía de una comprobación ulterior: la propia de la óptica valorativa insita a los criterios de *imputación objetiva*. Recordando cosas por todos conocidas, esos criterios se concretan en la necesidad de que la acción no cubierta por el riesgo permitido incremente de forma relevante el riesgo de producción del resultado, que el mismo represente la realización del peligro contenido en la acción y que pertenezca en el ámbito de protección de la norma.

Como tantas veces se ha dicho, el terreno de la medicina es, ante todo, un buen caldo de cultivo de muchas de las dificultades que se presentan a la hora de constatar esos requisitos de la teoría de la imputación. Así, en relación con el primero de ellos, a saber, que el comportamiento realizado incremente de forma relevante el riesgo de producción del resultado, valga de ejemplo la discusión suscitada a propósito del valor que deba atribuirse a los *comportamientos alternativos adecuados a Derecho*.

Como es sabido, bajo esa denominación se hace referencia al modo en que deba valorarse la incidencia en el resultado final de la hipotética conducta ajustada a Derecho que el autor debió realizar. Es, en definitiva, una tarea que descansa en la reconstrucción hipotética de cuál habría sido la evolución de los hechos de haberse realizado la actuación jurídicamente correcta. Si ese juicio arrojase como resultado que en tal caso el riesgo no habría sido inferior y, por tanto, el suceso habría permanecido idéntico o prácticamente invariable, habría de negarse el juicio de imputación por faltar del criterio que exige que la conducta incremente las posibilidades de producción del resultado.

Bien es cierto que las dudas no se plantean allí donde pueda constatarse con seguridad que el resultado no se habría verificado de realizarse el comportamiento conforme a las normas de cuidado. Ejemplo paradigmático al

---

detectó una pústula conjuntival. Doce días más tarde fue examinado en otro centro, donde se le diagnosticó desprendimiento de retina y se le sometió a intervención quirúrgica que determinó finalmente la enucleación del ojo. El TS absolvió al médico por entender que "es dudosa la relación causal que puede existir entre la primera lesión ocular detectada y las gravísimas consecuencias que después se apreciaron, ya que la lesión intraocular no puede afirmarse, con la seguridad que estos casos requieren, tuviera su causa directa en el primer accidente laboral producido y no en otro posterior, y ello lo podemos deducir de dos circunstancias que han de tenerse en cuenta: en primer lugar, el tiempo tan dilatado transcurrido entre el primer acto médico y la extirpación del ojo; en segundo término, y sobre todo, el hecho de que el lesionado pudo dedicarse a sus ocupaciones habituales hasta bastante después del primer diagnóstico". No obstante, como afirma GÓMEZ TOMILLO en el comentario a esa Sentencia, en realidad la comprobación causal no debía plantearse entre la primera lesión ocular y las consecuencias producidas, sino entre éstas y la actuación del médico. Véase el comentario de este autor en http://www.oftalmo.com.

respecto es el conocido caso en el que el médico inyecta indebidamente co-caína al paciente, produciendo su muerte, pero la misma se habría producido igual de haberle inyectado la novocaína, que era la sustancia indicada. Dado que de todas formas el resultado se habría producido, no podría decirse que la acción incorrecta incrementara el riesgo, con lo que decaerían las bases del juicio normativo de imputación. Sin embargo, la realidad misma de la activi-dad médica, caracterizada por la dificultad de demostrar a ciencia cierta qué habría sucedido caso de no haberse practicado el tratamiento o haberlo hecho de forma correcta, reaviva en este ámbito el interrogante que ya en general se plantea en la teoría de la imputación objetiva a la hora de determinar el modo en que hayan de valorarse dichos comportamientos alternativos ajustados a Derecho.

Resulta interesante al respecto el supuesto enjuiciado por la Audiencia Provincial de Toledo en la Sentencia de 17 de abril de 2000. Según consta en los antecedentes de hecho, el 26 de febrero de 1997 M.J, fue reconocida en el Servicio de Urgencias del Hospital Virgen de la Salud y atendida por la docto-ra VP, a quien refirió un cuadro de aproximadamente un mes de evolución de malestar general, con astenia, pérdida de apetito, náuseas, vómitos, pérdida de peso y cefalea. La doctora le diagnosticó hipertensión arterial, cefaleas de características tensionales y síndrome constitucional, prescribiéndole Nolotil y dieta sin sal blanda y remitiéndola a su médico de atención primaria. El 10 de marzo fue nuevamente explorada en el servicio de urgencias y atendida por la doctora LS, quien le diagnosticó síndrome constitucional a estudio, acordando su ingreso en el servicio de Medicina interna a fin de realizar un estudio con detenimiento. Allí fue visitada por el doctor CGT, quien no le efec-tuó un examen correcto de fondo de ojo. Sí le solicitó una analítica general y una ecografía abdominal, en la que se apreció una imagen de masa sólida que, en opinión del radiólogo, podía corresponder a un angioma. El día 12 de marzo, el doctor CGT solicitó interconsulta con el Servicio de Psiquiatría del Hospital, que dio como diagnóstico "trastorno depresivo mayor episodio único grave sin sintomatología psicótica". Desde los días 13 a 20 el doctor CGT no realizó nuevas exploraciones, emitiendo el día 13 un informe en el que indicaba que no existían datos exploratorios ni analíticos que hicieran sospechar patologías orgánicas causantes del cuadro del paciente, conside-rando por ello que no procedía realizar otras exploraciones. Los días 13,14 y 17 la paciente fue explorada por el doctor M. El día 20 fue dada de alta en el Servicio de Medicina Interna del Hospital Virgen de la Salud, y trasladada al Hospital Provincial de Toledo. Poco después fue explorada por el doctor ABC, quien tras diagnosticarle un estado confusional la remitió de nuevo al Hospital Virgen de la Salud para que fuese explorada de posibles patologías neurológicas o digestivas. Por la noche el médico de guardia, JMV, le prescribió medicación y suministro de alimentos, pero tampoco realizó examen de fondo del ojo. Más tarde, la paciente sufrió parada cardiorespiratoria, siendo trasladada a la UCI. Allí se le practicó la exploración de fondo del ojo, donde se le detectaron patologías que motivaron la realización de un TAC que arrojó como probable una tumoración. Al día siguiente la paciente falleció a causa de un tumor cerebral de tipo no acreditado.

El Juzgado de Instrucción de Toledo condenó a CGT como autor de una falta de imprudencia leve con resultado de muerte. La Audiencia Provincial de Toledo dictó una nueva sentencia en la que absolvía al acusado de dicha falta de imprudencia. La argumentación de la Audiencia se basaba en la falta de la necesaria relación de imputación objetiva, ya que la producción del resultado habría tenido lugar de todas formas: "en el delito imprudente de comisión por omisión, a los criterios de imputación objetivos expuestos se antepone el de la evitabilidad del resultado...como en los delitos de comisión por omisión y también en la imprudencia omisiva, no cabe establecer una relación de causalidad en sentido estricto entre omisión y resultado...lo que determina la imputación del resultado a una conducta omisiva es que la omisión, esto es 'la no evitación' del resultado, equivalga, según el sentido de la Ley, a su 'causación' (art. 11 CP), mediante la constatación de una causalidad hipotética. Esta relación de causalidad hipotética entre la omisión y el resultado se dará, de acuerdo con la tesis doctrinal dominante, cuando se compruebe, con una absoluta seguridad, o al menos con una probabilidad rayana en la certeza, que si el sujeto hubiera realizado la acción esperada el resultado no se habría producido, permitiendo a su vez este criterio de evitabilidad, negar la imputación objetiva del resultado al omitente siempre que no se pruebe, con esa probabilidad rayana en la seguridad, que el comportamiento debido y omitido habría evitado dicho resultado"[49].

En realidad, las dudas en torno a las posibilidades de hacer responder al médico se plantean en los supuestos en los que no puede constatarse con seguridad la desaparición del resultado caso de que hubiese actuado con prudencia. Bien es verdad que para cierto sector doctrinal estos supuestos tampoco

---

[49] Véase también, por ejemplo, el caso enjuiciado por la Sección Tercera de Audiencia Provincial de Barcelona en la Sentencia de 2 de julio de 1999. La Audiencia absolvió a la médico que no comprobó el estado del feto cuando atendió a la paciente, ni se cercioró de que la comadrona de guardia lo hubiera hecho: "pues no se cuenta con datos objetivos que nos permitan asegurar que las graves lesiones del feto se hubieran evitado de comprobar desde el inicio cuál era la situación del mismo, mediante la adopción de las medidas que el deber de cuidado exigía adoptar".

plantearían mayores problemas. Así lo entiende la doctrina —minoritaria— que parte de la irrelevancia total de lo que hipotéticamente habría ocurrido para determinar la imputación objetiva de la conducta[50]. Pero dejando al margen esta doctrina que dista de tener reconocimiento mayoritario, la solución de estos casos ha dado paso a una vieja polémica en la doctrina y jurisprudencia[51]. Es la que enfrenta a los partidarios de exigir para fundamentar la imputación que pueda comprobarse con seguridad que la actuación cuidadosa habría evitado el resultado lesivo[52] frente a aquellos otros partidarios de una interpretación más restrictiva de las causas de exclusión de la imputación objetiva que consideran suficiente para el juicio de imputación que se constate un incremento del riesgo respecto al que habría existido de obrar de forma prudente.

---

[50]   Así, GIMBERNAT ORDEIG, *Delitos cualificados por el resultado y causalidad*, Madrid, 1990, págs. 140 ss. Se adhiere a esta postura MARTÍNEZ ESCAMILLA, *La imputación objetiva del resultado, ob. cit.*, págs. 234 ss: "podrá afirmarse que el resultado es la realización del deber de diligencia a pesar de que en el caso concreto el comportamiento correcto no habría evitado la lesión o habría generado un riesgo igual al que el comportamiento imprudente creó. Lo contrario también es posible: puede excluirse la imputación objetiva a pesar de la constatación de la evitabilidad o aumento del riesgo. Lo decisivo será si el resultado es de aquellos cuya producción la norma de cuidado infringida tenía por misión evitar o reducir", pág. 236.

[51]   En este sentido, al menos para los supuestos de omisión, puede citarse la ya referida sentencia de 17 de abril de 2000, de la Audiencia Provincial de Toledo, en la que después de afirmar que la causalidad hipotética propia de la omisión requiere comprobar con absoluta seguridad que el resultado no se habría producido si el sujeto hubiera realizado la acción esperada, añade: "Y no es suficiente a estos efectos constatar que la acción esperada hubiese simplemente disminuido el peligro de lesión del bien jurídico, pues ello conllevaría una inaceptable transposición del criterio del aumento del riesgo, aplicable al delito imprudente de acción, a las imprudencias en comisión por omisión, susceptible de convertir 'contra legem' a todos los delitos de lesión en delitos de peligro, y procesalmente incompatible con el principio 'in dubio pro reo'".
Véase también la Sentencia de la sección Primera de la Audiencia Provincial de Mallorca de 28 de septiembre de 2000, relativa a un caso en el que el médico comunicó a una paciente que era portador del virus del Sida cuando en realidad no era así y aun había un porcentaje mínimo -entre el 0,5 y el 10 %- de que las pruebas posteriores desacreditaran el diagnóstico que arrojaron las primeras. A la paciente no se le informó de que, siquiera dentro de dichos márgenes, era posible que no estuviera afectada, como efectivamente fue el caso. Se planteaba la responsabilidad del médico por esa falta de información que provocó a aquélla un estado depresivo y de ansiedad. El Tribunal absolvió a los acusados por entender que "en modo alguno resulta acreditado que el cumplimiento por los doctores acusados de ese deber de informar a la paciente, sobre la necesidad de confirmar su diagnóstico, habría evitado...la aparición de un estado depresivo y ansioso, cuyo surgimiento resulta consecuente con la gravedad del diagnóstico y anunciada muerte de la enferma".

[52]   Por todos, UMBREIT, *Die Verantwortlichkeit des Arztes für fahrlässiges Verhalten anderer Medizinalpersonen*, Frankfurt/Berlin/Bern/New York/Paris/Wien, 1992, págs. 17 ss.

Sin ser éste el lugar para profundizar en esta discusión o en los pros y contras de cada una de las opciones[53], entiendo que las razones que avalan la corrección de la segunda solución, cuyo precursor puede considerarse a ROXIN[54], resultan evidentes en el ámbito médico que aquí interesa. Porque el amplio cúmulo de circunstancias que condicionan el resultado de la actividad terapéutica, en especial las relativas a la propia constitución orgánica del paciente, hacen prácticamente inviable afirmar en la mayoría de los casos que si se hubiera actuado de forma correcta habría desaparecido el resultado lesivo. Ello abocaría a un ámbito de impunidad que incluso el sentido común rechaza. Así, por ejemplo, como observa ROXIN, habría de excluirse la imputación en el caso en que en una operación arriesgada pero médicamente indicada el cirujano provocase la muerte del paciente por burdos errores técnicos y no pudiera descartarse la posibilidad de que, de haber realizado la operación conforme a las reglas de la *lex artis*, se excluiría el riesgo del desenlace mortal[55]. Por otra parte, esta solución del incremento de riesgo se muestra también como una opción intermedia frente a aquellas otras que, partiendo de la exigencia de una probabilidad rayana en la certeza, tienden a incriminar excesivamente la práctica médica. Es lo que sucede con la variante de aquella teoría que convierte en punto de referencia del juicio de responsabilidad, no ya la evitación del resultado, sino la prolongación de la vida. Como señala en la doctrina alemana ULSENHEIMER, dicha opción desconocería el principio básico *"in dubio pro reo"*, resultando, por ello, igualmente inadmisible[56].

Con lo anterior, sin embargo, no hemos hecho referencia más que a uno de los aspectos del primer requisito de imputación: el de incremento del riesgo. Junto a él, también en el ámbito de la medicina habrán de comprobarse el resto de los criterios de atribución normativa. Así, por ejemplo, habrá de excluirse el requisito de la *realización de riesgo* en el resultado en casos como el de la operación en la que, si bien es cierto que el médico no desinfectó adecuadamente el bisturí, la causa de la muerte del enfermo fue un paro cardíaco motivado por una reacción a la anestesia[57]. Por último, a la exclusión de la imputación por caer el resultado fuera del *ámbito de protección de la norma* pueden reconducirse los supuestos en los que el mismo trae su causa de una *autopuesta en peligro* del afectado. Serían, por ejemplo, los casos en los que

---

[53] Véase una exposición detallada al respecto en MARTÍNEZ ESCAMILLA, *La imputación objetiva del resultado, ob. cit.*, págs. 193 ss.
[54] Véase también, por ejemplo, KAMPS, *Ärztliche Arbeitsteilung und strafrechtliches Fahrlässigkeit, ob. cit.* págs. 115 ss.
[55] ROXIN, *Derecho Penal, Parte General, ob. cit.*, págs. 379 ss.
[56] ULSENHEIMER, *Arztstrafrecht in der Praxis, ob. cit.*, págs. 169 ss.
[57] Por todos, ULSENHEIMER, *Arztstrafrecht in der Praxis, ob. cit.*, págs. 177 ss.

el médico trata al paciente conforme a un método que, pese a no ser el más adecuado, es el demandado por éste[58].

Antes de cerrar el capítulo de aspectos relacionados con el juicio de imputación resulta conveniente hacer referencia a dos cuestiones que cobran especial interés en el ámbito médico. La primera, la relativa a la incidencia de la actividad médica en una lesión previa (1.2.2.1); la segunda los problemas de imputación que en éste ámbito están llamados a plantear los casos en que se produce una dilación entre la negligencia médica y el resultado lesivo (1.2.2.2).

1.2.2.1. La incidencia de la actividad médica en una lesión previa

Se tratan en este apartado los supuestos en los que la negligencia médica tiene lugar, no ya en el curso de una intervención dirigida a curar al paciente de la enfermedad que padece, sino a restablecerle de las lesiones causadas —dolosa o imprudentemente— por la previa conducta de un tercero.

Para la ilustración de estos casos puede servirnos el enjuiciado por la STS 786/2006, de 6 de julio: cuando "A", una chica joven, caminaba por la calle se le acercó un hombre. Sin que pueda acreditarse siquiera si llegaron a mediar palabra, el desconocido extrajo de entre su ropa un cuchillo de unos 2 cms de ancho de hoja y más de 13 cm de longitud y acto seguido le asestó a "A" una puñalada en la zona lumbar posterior, causándole una herida que le afectó al riñón derecho, hígado y vena porta. "A" regresó a su casa y ya con sus familiares fue trasladada al hospital. La paciente fue asignada al Dr. "JR", quien tras explorarla ordenó su ingreso en el "box" de urgencias y que se le practicara un TAC, analítica de sangre y control periódico de la presión arterial. A la espera de los resultados de tales pruebas decidió adoptar un tratamiento conservador no quirúrgico, que después confirmó a la vista de los resultados, si bien ordenando que se le practicara una transfusión de hematíes.

Es misma tarde la paciente sufrió un vómito bilioso y una progresiva palidez facial, con hipotensión y taquicardia. El Dr. se limitó a ordenar que se aumentase la aportación de volumen (hemoce) a la paciente. Ante la persistencia de la taquicardia ordenó posteriormente otra transfusión de hematíes. Dado que no mejoraba decidió a última hora de la tarde preparar el quirófano para practicarle una laparotomía. Durante la intervención se constató que junto con la lesión renal detectada por el TAC existía una segunda lesión asociada, consistente en laceración del hígado, con abundante hemorragia interna de sangre al existir un vaso (la vena porta) perforada por el impacto con el arma blanca. Pese a las maniobras para cortar dicha hemorragia, la paciente sufrió un shock hipovolémico con parada cardiorrespiratoria irreversible que le produjo la muerte.

El TS condenó al Dr. "JR" como autor de una falta de imprudencia profesional médica con resultado de muerte. El Tribunal no se pronunció sobre la responsabilidad de la persona que causó la herida, puesto que no existían suficientes pruebas de cargo contra el detenido.

Casi ni que decir tiene que el problema no es exclusivo del ámbito médico que aquí interesa. Al contrario, se presenta con carácter general en todos los

---

[58]   ROXIN, *Derecho penal, Parte General, ob. cit.*, págs. 386 ss.

casos en que el curso causal inicial se interrumpe por un segundo proceso que junto a aquél acaba produciendo el resultado lesivo. La pregunta que surge entonces es la relativa a qué sujeto es imputable el resultado final: ¿sólo al primer causante doloso?, ¿al médico cuya negligencia aumenta las posibilidades de producción del resultado?, ¿o a ambos, en cuanto que los dos aportan respectivas cuotas para la producción del mismo?

En la doctrina alemana, que con más detenimiento se ha ocupado del tema, se han ensayado distintas fórmulas para reconducir normativamente el resultado final a uno u otro interviniente. Así, por ejemplo, RUDOLPHI propone atender a si el peligro que se realiza en el daño posterior supera los límites del riesgo general de la vida, siendo por ello previsible para el agente inicial la producción de su comportamiento ilícito, en cuyo caso habría de responder por el mismo[59]. Por su parte, autores como FRISCH o WOLTER proponen fórmulas que reconducen el problema a la comprobación de la tipicidad misma del comportamiento.

El primero de los autores, FRISCH, a partir de la comprensión que sostiene de las exigencias mínimas para que pueda hablarse de comportamiento típico[60], exige para afirmar el juicio de imputación penal que el peligro creado por el autor supere la medida del riesgo tolerado. Cuando los baremos para la comprobación no se encuentren fijados normativamente, continúa FRISCH, habrá de atenderse a si, desde una perspectiva *ex ante*, se trata de riesgos que sensatamente se tienden a evitar (*"man vernünftigerweise zu vermeiden trachtet"*)[61]. Refiriéndose a la responsabilidad del primer causante por el resultado lesivo final a cuya producción ha contribuido una negligencia médica afirma: "Sólo se puede hablar de un comportamiento típico cuando en el momento de realizar la acción, además de la creación del riesgo desaprobado de cara a producir el resultado lesivo, podía constatarse el riesgo de producción de un resultado lesivo adicional o incluso de la muerte a consecuencia de un

---

[59]   RUDOLPHI, "Vorhersehbarkeit und Schutzzweck der norm in der strafrechtlichen Fahrlässigkeitslehre", en *Jus* 1969, págs. 549 ss.

[60]   Premisa de su razonamiento es que la intervención penal sólo está legitimada allí donde, además de verificarse la creación de un riesgo desaprobado (*"mißbilligte Risikoschaffung"*) concurran adicionalmente una serie de requisitos que permitan su cualificación como comportamiento típico (*"Tatbestandsmäßiges Verhalten"*). Para ello requiere no sólo la desaprobación de la conducta, sino que la reacción frente a la misma con una pena aparezca como un medio adecuado, necesario y apto para la protección del bien jurídico, justificándose así la respuesta penal como *ultima ratio*, FRISCH, *Tatbestandsmäßiges Verhalten und Zurechnung des Erfolgs*, Heidelberg, 1988, págs. 70 ss.

[61]   FRISCH, *Tatbestandsmäßiges Verhalten und Zurechnung des Erfolgs*, ob. cit., págs. 388 ss.

tratamiento médico incorrecto"[62]. Sólo en esos casos podría valorarse la intervención penal como medio adecuado y necesario de reacción[63].

Por su parte, WOLTER, tras sentar como línea de principio que la concurrencia de imprudencia leve no tiene capacidad por sí misma para desvirtuar la relación de imputación entre el daño ulterior y la conducta del primer causante, excluye la responsabilidad de éste por dicho resultado más grave a partir de la negación de la propia tipicidad objetiva de la conducta. El apoyo argumentativo de su razonamiento lo encuentra en la idea de que al tiempo de verificarse el primer curso causal no podía hablarse de un riesgo jurídicamente relevante de producción del resultado ulterior[64].

Atención especial merece la postura sostenida por ROXIN. Este autor acude a la fórmula de comprobar si el resultado pertenece a la esfera de responsabilidad del primer o segundo interviniente. Para ello, propone como criterio atender a si "si la conducta médica...desplaza el peligro creado por el autor o no evita su realización"[65]. Pues si la víctima no muere por las lesiones que se le han inferido, sino sólo por un peligro añadido por el fallo médico, entonces el médico habrá sustituido ('desplazado') el riesgo originario por otro que entra exclusivamente en su esfera de responsabilidad; y no se le puede imputar en ningún caso al primer causante, tanto si el médico ha obrado con imprudencia temeraria como con imprudencia leve"[66]. No obstante, ROXIN matiza esta regla en los casos en los que la víctima falleciera de la lesión porque el médico no la tratase, casos en los que propone diferenciar según que la imprudencia médica pueda calificarse o no como temeraria. Sólo caso afirmativo, entiende, habrá de excluirse la imputación al primer causante, puesto que en él "la conducta médica defectuosa adquiere una preponderancia tal que político-criminalmente no existe ninguna necesidad de 'imputar adicionalmente' el resultado final 'también al autor del delito inicial; ello rige tanto desde puntos de vista de prevención general como especial'. Ese juicio según los fines de la pena debería ser lo decisivo"[67]. Cuando, por el contrario, continúa el autor, la imprudencia médica no alcance las cotas de lo temerario, habrá de afirmarse

---

[62]   FRISCH, *Tatbestandsmäßiges Verhalten und Zurechnung des Erfolgs, ob. cit.*, pág. 426.
[63]   FRISCH, *Tatbestandsmäßiges Verhalten und Zurechnung des Erfolgs, ob. cit.*, pág. 390.
[64]   WOLTER, *Objektive und personale Zurechnung von Verhalten, Gefahr und Verleztung in einem funktionalen Straftatsystem*, Berlin, 1981, pág. 347.
[65]   Transcripción por ROXIN de las palabras de FRISCH, *Derecho Penal, Parte General, ob. cit.* pág. 401, nota 177.
[66]   ROXIN, *Derecho Penal, Parte General, ob. cit.*, pág. 401.
[67]   ROXIN, *Derecho Penal. Parte General, ob. cit.*, págs. 401 s.

que se han realizado dos conductas imprudentes del mismo peso y ambas se han verificado en el resultado[68].

De cara a tomar una posición al respecto, entiendo que es conveniente diferenciar, como hace en la doctrina italiana DONINI[69] a partir de la clasificación que ya trazara FRISCH entre cuatro grandes grupos de casos:

a) Supuestos en los que el error del médico pone en marcha un nuevo curso causal que conduce a la muerte. Son los casos en los que dicho curso causal, si bien interfiere en la lesión inicial, puede considerarse creado *ex novo* por el médico, ya que la lesión inicial no tenía, de por sí, capacidad lesiva para evolucionar hasta el resultado de muerte. Sería el caso, por ejemplo, en el que el paciente que ha sufrido una lesión de pronóstico favorable en una pierna sufre una complicación de la misma debido a la infección que le provoca una deficiente esterilización del bisturí. Ello le ocasiona una gangrena que le causa la muerte.

b) Casos en los que se omite el tratamiento sanitario necesario. Sirva de ejemplo el supuesto en el que la víctima de un delito es llevada al hospital donde se le niega asistencia sanitaria, a consecuencia de lo cual fallece.

c) Casos en los que la culpa del sanitario da paso a un curso causal autónomo, si bien tiene lugar en el marco de un tratamiento orientado de forma directa a eliminar el peligro de muerte creado por la lesión inicial. La diferencia con el supuesto enunciado en la letra a) habría de verse ahora en que se trata de una lesión que tiene, por sí misma, capacidad para evolucionar hasta la muerte. Baste pensar, por ejemplo, en el sujeto lesionado con peligro de muerte que fallece a consecuencia de una reacción alérgica a la anestesia, que se le suministra sin realizar previamente las pruebas oportunas.

d) Casos en los que la culpa del médico, si bien tiene lugar con ocasión del tratamiento orientado a evitar la lesión, se verifica con posterioridad a la peligrosidad específica de la misma.

De la mera exposición de esta distinta tipología de supuestos puede advertirse ya el distinto grado de dificultad inherente a cada uno de ellos, en cuanto que también es distinta la forma en la que en cada uno se imbrica la conducta del agente de la lesión inicial y la negligencia médica posterior. Con todo, pese a esa diversidad, entiendo que es posible trazar un criterio que con carácter

---

[68]   ROXIN, *Derecho Penal. Parte General*, ob. cit., págs. 401 s.
[69]   DONINI, *Illecito e colpavolezza nell'imputazione del reato*, Milano, 1991, pág. 372.

general sirva de apoyo argumentativo común a la solución de estos supuestos. Como tuve ocasión de sostener en otro lugar, creo que dicho criterio debe encontrarse en la línea solución propuesta por ROXIN; esto es, en la atención a si el segundo riesgo desplaza o no al primero, con independencia del grado de reprochabilidad subjetiva con el que actúe el segundo interviniente. En este sentido proponía manejar como baremo la atención a si el resultado final podría seguir imputándose al causante inicial por poderse reconducirse explicativamente a la *misma dimensión de riesgo* generada por la conducta de aquél, esto es, si el mismo podía seguir explicándose normativamente a partir del contenido de peligrosidad generado inicialmente por la conducta del primer agente. Ello se traduce en comprobar que las posteriores condiciones que influyen en el resultado (la imprudencia médica) pueden contemplarse como una *unidad de sentido* respecto a la primera conducta tomando por base tanto las circunstancias objetivamente concurrentes como los especiales conocimientos del autor[70]. La aplicación de este criterio a los diferentes supuestos enunciados al principio conduce necesariamente a resultados distintos.

Por seguir un orden creciente de complejidad, ninguna dificultad plantean, en primer lugar, los supuestos en los que puede establecerse un salto *cuantitativo o cualitativo* entre el riesgo generado por el agente inicial y la imprudencia posterior del médico. Es lo que sucede en los supuestos a) y d): en el primero, en efecto, la potencialidad lesiva del curso causal interpuesto por el primer agente se agota en la producción de un resultado lesivo, de tal forma que la muerte que finalmente tiene lugar sólo resulta explicable a partir de la irrupción de un nuevo curso causal generado por la conducta médica. En tales casos, es imposible seguir hablando de una misma dimensión explicativa de imputación. Lo mismo puede decirse respecto al caso d). En él, una vez más, el resultado final sólo resulta explicable por la incidencia de un nuevo curso causal ajeno al interpuesto por el agente de la primera lesión, cuya eficacia se manifiesta incluso en un momento secuencialmente ajeno a la realización del riesgo contenido en la lesión inicial.

Mayor dificultad presentan los supuestos recogidos en los apartados b) y c). En este último, la negligencia médica incide en un curso causal que, ya de por sí, tenía capacidad para producir el resultado muerte, lo que plantea la dificultad de determinar si el resultado final es reconducible al riesgo generado por el primer agente o si lo es, por el contrario, a la incidencia en el mismo de la negligencia médica.

---

[70]　GÓMEZ RIVERO, *La imputación de los resultados producidos a largo plazo*, Valencia, 1998, págs. 54 s.

En la doctrina que se ha ocupado de este problema suele gozar de predicamento mayoritario el criterio que atiende a la gravedad de la negligencia del médico. Así, por ejemplo, escribe en la doctrina italiana DONINI que mientras en los casos de culpa grave del sanitario (que, por ejemplo, olvida una venda en el vientre del enfermo) resultaría del todo improcedente atribuir el resultado final al primer causante, en los casos en los que la negligencia del médico se califique simplemente como leve o no grave, no puede excluirse la imputación a aquél del resultado letal. Porque aquí no se realiza en el resultado solamente un riesgo "nuevo" y de competencia exclusiva del aparato sanitario, puesto que el riesgo desencadenado por el comportamiento del reo comprende ya la posibilidad de una imprudencia no grave por parte del médico[71].

A mi modo de ver, sin negar toda validez a esta distinción que atiende a la gravedad de la negligencia del médico, entiendo que el valor de la misma debe relegarse al de un mero indicio que, junto a otros extremos, dote de contenido al criterio propuesto en torno a la reconducción normativa del resultado al riesgo generado por una u otra conducta. Conforme a dicho valor indiciario, si la imprudencia en que incurre el médico es *leve*, lo normal será que el peso de la explicación normativa del suceso recaiga sobre la actuación del primer agente, quien por ello deba responder por el resultado lesivo; por el contrario, si la imprudencia de aquél se califica como *grave*, normalmente no será difícil afirmar que la misma introduce un salto lógico en la explicación normativa del suceso, de tal suerte que el resultado final deba atribuirse en exclusiva a la actuación médica.

En este valor meramente indiciario de la reconducción normativa de responsabilidad debe agotarse el dato de la gravedad de la imprudencia del sanitario. El mismo nunca puede extremarse hasta el punto de dar paso a un aserto absoluto en torno a la exclusión de responsabilidad del primer causante. En este sentido, ni siquiera la calificación como grave de la imprudencia médica puede en todos los casos exonerar de responsabilidad al primer causante. La validez absoluta de este enunciado sólo sería posible manejando en este ámbito una singular versión del *principio de confianza* en la actuación posterior de terceros. Conforme a la misma, dicho principio se leería ahora en el sentido de que quien causa una lesión tiene que confiar en la correcta actuación médica —al menos en la no producción de errores burdos— por parte de los profesionales, de tal modo que le sería lícito suponer que los daños que cause serán atendidos correctamente por otros profesionales.

---

[71]   DONINI, *Illecito e colpavolezza nell'imputazione del reato*, ob. cit., pág. 376.

Según entiendo, la invalidez de dicha regla como criterio general puede apoyarse en argumentos que enlazan tanto con el diseño teórico a que obedece su formulación como a las insostenibles consecuencias a que conduciría de otra forma. Respecto a lo primero, baste recordar que dicho principio surgió con la finalidad de perfilar los trazos del *deber de cuidado* de cada uno de los intervinientes en una actividad peligrosa. Su origen fue, en definitiva, la necesidad de acotar y parcelar los deberes de cuidado que gravan a cada interviniente en la realización de una tarea común. De este breve enunciado del principio se deduce que su ámbito de aplicación se basa en la concurrencia de dos premisas. La primera, que su punto de referencia es una situación de riesgo, esto es, que se invoque en el momento *ex ante* de realizar la actividad. La segunda, que lo que se trata de matizar con él son los perfiles de una conducta imprudente a partir de los deberes que incumben al resto de los participantes en la misma. Bien, pues ni el primer presupuesto ni en muchos casos el segundo, concurren en el ámbito que ahora interesa.

El primero porque ahora no se trata ya de matizar los deberes que gravaban al sujeto a la hora de realizar una actividad peligrosa. Ahora, en efecto, se trata de calibrar el alcance de una actuación que ya se ha definido previamente como contraria a las reglas de cuidado y que ha desembocado en un resultado lesivo. Su punto de referencia no es ya, por tanto, una situación de riesgo en la que intervienen varios participantes. Se parte de que existe un resultado lesivo que es imputable al agente y lo que se plantea es si una actuación posterior al agotamiento de la actividad peligrosa puede actuar excluyendo el juicio de imputación. No es para estos casos para los que surge el principio de confianza. Dicho principio está diseñado para aquellos otros en los que la conformidad a Derecho de una *actividad de riesgo* depende de la correcta actuación de varios sujetos. Y ello para nada tiene que ver con aquellos otros en los que interfiere una conducta negligente *una vez que el resultado (lesivo) se ha producido.* Por decirlo de otro modo, el sentido del principio de confianza en absoluto es el de anular las imprudencias ya cometidas, sino el de modular el cuidado debido a la hora de emprender una acción peligrosa[72].

Pero en segundo lugar, ni siquiera concurre siempre el requisito básico de que se trate de actuaciones imprudentes del primer agente. Este requisito faltará en los supuestos en los que la primera lesión haya sido provocada de forma intencional y se plantee el incremento de su gravedad a consecuencia de la negligencia médica ulterior.

---

[72] Al respecto, véase MARTÍNEZ ESCAMILLA, *La imputación objetiva del resultado, ob. cit.*, págs. 333 ss.

No sólo en los presupuestos conceptuales es ajeno el principio de confianza a los casos que aquí se plantean. Su ineptitud para ofrecer una respuesta a los mismos se evidencia igualmente cuando se repasan los resultados a que conduciría su aplicación en la práctica. Baste pensar, por ejemplo, en que entonces habría que exonerar de responsabilidad al causante —incluso doloso— de un incendio que puede demostrar que los bomberos incurrieron en fallos que, de no cometerse, habrían permitido la salvación del fallecido.

Entiendo, por ello, que el dato de la intensidad de la negligencia del médico en absoluto puede manejarse como criterio decisivo de la exclusión de la responsabilidad del primer causante por el resultado final más grave. A ésta conclusión sólo podrá llegarse cuando, a partir de otras circunstancias del caso, pudiera afirmarse que el mismo es reconducible única y exclusivamente a la negligencia del médico, y no a una acumulación de culpas de los distintos participantes. Ello requeriría la formulación de un juicio en torno a la incapacidad del primer curso causal para evolucionar hacia ese resultado más grave. Sólo cuando pudiera afirmarse que el resultado último es explicable porque interfiere la negligencia del segundo profesional, estaría justificada la exclusión de la responsabilidad del primer agente.

Cuestión distinta es que cuando se trata de actuaciones médicas el juicio en torno a lo que habría sucedido sólo puede realizarse en términos de *probabilidad*. Si en tales casos la mera posibilidad de la subsistencia del resultado se valorase como elemento suficiente para excluir la imputación, habría de llegarse, como señala ROXIN, a descartar la responsabilidad si "en una operación arriesgada pero médicamente indicada el cirujano provoca la muerte del paciente por burdos errores técnicos...porque aunque se hubiera llevado a cabo una operación *lege artis*, tampoco se podría excluir la posibilidad de un desenlace mortal"[73]. Por ello, allí donde no sea posible descartar con certeza el incremento del riesgo en la actuación negligente habrá de afirmarse la responsabilidad por el resultado más grave tanto del causante de la lesión como del médico que actúa de forma imprudente[74].

La aplicación del criterio que aquí se propone en torno a que la imputación al primer agente del resultado más grave requiere que el mismo sea reconducible explicativamente al riesgo generado por su conducta obliga a introducir una serie de matices en otros casos. Me refiero a aquellos en los que se plantea la incidencia en el resultado final, no de una acción, sino de la *omisión* de asistencia médica por parte del profesional que estaba obligado a prestarla.

[73] ROXIN, *Derecho Penal, Parte General, ob, cit.*, págs. 381.
[74] Véase ULSENHEIMER, *Arztstrafrecht in der Praxis, ob. cit.*, pág. 39.

Casi ni decir tiene que el problema sólo surge allí donde dicha omisión de asistencia traiga su causa de un comportamiento imprudente o incluso doloso del médico requerido a prestar asistencia. Cuando la falta de asistencia se deba simplemente a la imposibilidad de recabar asistencia sanitaria (por ejemplo, porque la agresión se produce en un lugar despoblado), no se plantean dudas para imputar en exclusiva el resultado final al agente, por mucho que pudiera demostrarse que una adecuada intervención habría evitado la producción del resultado letal. Porque al riesgo por él creado pertenece también la eventualidad de que, por el lugar, sea imposible recabar asistencia médica, en cuanto condición preexistente o simultánea a su actuación que, como suele afirmar la doctrina mayoritaria, impide excluir la imputación.

Según entiendo, en estos supuestos de omisión la reconducción del resultado final al riesgo más grave generado por la conducta del agente ni siquiera podría excluirse si se demostrase que una intervención médica a tiempo habría evitado la producción del resultado lesivo. Porque ahora no se trata de calibrar la incidencia de una negligencia profesional que pudiera "desviar", incrementándola, la potencialidad lesiva del curso causal inicial. Ahora, por el contrario, se trata de la mera pasividad de una conducta que lo que hace es, justamente, dejar que aquella potencialidad lesiva llegue hasta el final. En tales casos la pretensión de atribuir el resultado a la dimensión de riesgo generada por el agente inicial resulta difícilmente discutible. Todo ello sin desconocer que, una vez más, lo contrario sólo sería sostenible concediendo implícitamente relevancia al *principio de confianza*, no sólo en el ámbito de las actividades de riesgo, sino también respecto a los resultados lesivos. Pero como decíamos más arriba, ello desbordaría no sólo las posibilidades de aplicación de este principio, sino el sentido mismo de su razón de ser.

Por lo demás, no está de más subrayar que las premisas que criticamos llevarían a resultados difícilmente admisibles. Baste pensar en los casos en los que la falta de asistencia médica se debiera a que es la propia víctima la que decide no acudir al Hospital, por ejemplo, para no alertar a su familia. Si a consecuencia de dicha falta de atención médica llegara a producirse un resultado lesivo más grave, a nadie se le ocurriría imputarlo a la víctima, sino a la conducta del agente. No otra cosa distinta debe sostenerse cuando la causa de dicha omisión se vincula al incumplimiento por el profesional de su deber.

Con lo anterior, sin embargo, sólo hemos afirmado que en tales casos el causante de la lesión inicial no puede exonerarse de responsabilidad. Queda todavía pendiente de resolver la cuestión en torno al posible reproche de que se haga merecedor el médico por no interponer el curso causal salvador que hubiese impedido la producción del resultado lesivo.

Cuando se plantea el posible título de imputación por el que debiera responder el profesional en tales casos, son dos las calificaciones imaginables. La primera, el delito de omisión del deber dc socorro por parte del profesional (art. 196); la segunda, el correspondiente delito de homicidio o lesiones en comisión por omisión. La apreciación del art. 196 en la fenomenología de casos que ahora tratamos no debe plantear mayores dificultades allí donde el médico deniegue o abandone los servicios sanitarios en los términos previstos en el art. 196, esto es, siempre que se trate de un profesional obligado a la prestación y cuya conducta provoque un riesgo grave[75]. Pero como es sabido, con éste título de responsabilidad no se atiende al desvalor del resultado que llegue a producirse. Como sucede en general con el resto de los delitos de omisión propia, con el art. 196 sólo se trata de incriminar al médico por el desvalor de su conducta omisiva o denegatoria de asistencia.

La pregunta que surge es la de si, más allá de ese juicio de reproche, es posible fundamentar la responsabilidad del profesional por el resultado lesivo que finalmente se acabe produciendo; esto es, si puede ser hecho responsable por el homicidio o las lesiones que se produzcan como comitente omisivo. La respuesta a esta cuestión remite, lógicamente, al estudio de los presupuestos de la responsabilidad por omisión impropia, entre ellos, a las bases para afirmar la posición de garantía del omitente como presupuesto de su responsabilidad. De ello nos ocupamos en otro Capítulo de este trabajo[76]. Para evitar reiteraciones nos remitimos a cuanto entonces tendremos ocasión de sostener a propósito de los presupuestos del deber de obrar del médico. Tan sólo conviene anticipar ahora que el mismo habrá de afirmarse en casos como los del médico de guardia o urgencias que está al frente de los servicios sanitarios, de tal modo que siempre que se den el resto de los requisitos de equivalencia estructural y pueda afirmarse que su omisión ha aumentado el riesgo de producción del resultado, no habrían de encontrarse dificultades para fundamentar los presupuestos de un juicio de responsabilidad por omisión impropia imprudente.

1.2.2.2. La responsabilidad médica por los daños producidos a largo plazo

Sin duda, la actividad médica es uno de los sectores en el que cobra mayor relevancia práctica la problemática de la producción de resultados a largo

---

[75] Véase *infra* Cuarta Parte I, *La omisión de asistencia sanitaria (art. 196 CP)*.
[76] Véase *infra* 2, *La responsabilidad del médico en comisión por omisión*.

plazo, esto es, lo supuestos en los que entre la realización de la conducta y la producción del resultado lesivo media un lapso temporal importante. Es más, en tales casos a menudo dicha dilación temporal se asocia a un estado de desconocimiento o incertidumbre científica en el momento de realizar la conducta respecto a los riesgos asociados a la misma. Baste pensar, a título de ejemplo, en los supuestos en los que se somete al paciente a un tratamiento que sólo trascurrido un amplio margen temporal revela sus efectos lesivos e incluso letales. Buen ejemplo al respecto es el conocido caso de la Talidomida, en el que a la dificultad de individualizar el factor causante de las lesiones se sumó la dilación temporal de su producción[77].

Sin embargo, no es ésta la única fenomenología de casos en que se presenta el problema. Junto a estos supuestos en los que la incidencia lesiva del medicamento se proyecta a largo plazo, la peculiar complejidad de los procesos causales dilatados en el tiempo está presente en un ámbito de especial actualidad: la transmisión del virus del SIDA. Aún no está lejos en la memoria el conocido caso del Hospital de Barcelona, en el que varias personas resultaron infectadas por el virus tras someterse a transfusiones de sangre contaminadas por el VIH[78], caso en el que, más allá de la responsabilidad médica por el contagio, se planteó la cuestión en torno a si era posible fundamentar también la responsabilidad del médico por el resultado muerte que, en su caso, llegara a producirse varios años después.

Probablemente porque se trata de problemas propios de un paradigma distinto al de la *inmediación temporal* que clásicamente ha estado en la base de los procesos causales lesivos, el Código penal no conoce ningún mecanismo de limitación de la posibilidad de hacer responder penalmente al autor en estos casos de dilación temporal entre la realización de la acción y la producción del resultado. En ellos, además, resulta evidente la incapacidad de los clásicos criterios de imputación para limitar la responsabilidad penal, puesto que el dato del transcurso del tiempo en absoluto afecta, de por sí, a los criterios normativos en que se resume: creación de un riesgo no permitido, que aumen-

---

[77] De la genuina problemática de estos casos me ocupé en "Causalidad, incertidumbre científica y resultados a largo plazo", *en prensa. Actas del seminario Derecho penal, Ciencia, Tecnología e Innovación Tecnológica (I)*, edita la Cátedra Interuniversitaria Fundación BBVA- Diputación Foral de Bizkaia de Derecho y Genoma Humano. Universidad de Deusto. Universidad del País Vasco, en coedición con Ed. Comares. En él trataba tanto las peculiaridades que el estado de desconocimiento sobre esos resultados tardíos obliga a introducir en la determinación de la conducta prohibida, como los específicos problemas causales que surgen en los casos en que previamente se haya fundamentado dicho desvalor de acción.
[78] Enjuiciado por la STS de 18 de noviembre de 1991.

ta las posibilidades de producción del resultado, que éste es realización del peligro contenido en la conducta y que el resultado final pertenece al ámbito de protección de la norma. También, en efecto, cuando se produce un efecto nocivo muchos años después de la acción no existen razones dogmáticas ni para fundamentar la quiebra de la relación de causalidad ni de imputación objetiva[79]. En realidad, la única previsión relativa al transcurso del tiempo que puede descubrirse en el Código penal es la *prescripción* que, sin embargo, como es sabido, comienza el cómputo de su plazo desde el momento en que se produce el resultado.

Ante esta situación, cualquier intento de introducir límites en este sentido no habría de valorarse más que como una propuesta *de lege ferenda*, sin traducción actual en el Derecho positivo[80]. Esos criterios deberían tener en cuenta no sólo las menores exigencias de prevención general que suelen demandar este tipo de casos[81], sino también el hecho de que la dilación del resultado puede posibilitar la interferencia de los cursos causales salvadores que antes referíamos.

A la conveniencia de introducir este tipo de previsiones apuntan también razones de seguridad jurídica, que aconsejan limitar el periodo de tiempo al que se extiende la amenaza de que el autor resulte condenado. No es por ello de extrañar que en algunos ordenamientos de Derecho comparado los plazos de prescripción se computen desde el momento de la realización de la acción, como es el caso del Código penal suizo, e incluso que en otros, como el Código penal austriaco, si bien se parta como regla general del cómputo de la prescripción desde el momento de la producción del resultado, sin embargo, prevean determinadas excepciones precisamente para estos supuestos de dila-

---

[79] Véase al respecto por todos ROMEO CASABONA, *"Causalidad, determinismo e incertidumbre científica"*, en *Revista General de Derecho penal (http://www.iustel.com)*, núm. 8, noviembre de 2007, así como su trabajo previo *El Sida en las prisiones. Transmisión del Sida entre reclusos*, en "VII Jornadas Penitenciarias Andaluzas", Sevilla, 1991, págs. 49 ss.

[80] En este sentido de introducir en el futuro restricciones me pronuncié en *La imputación de los resultados producidos a largo plazo*, ob. cit., págs. 80 ss., donde proponía una serie de criterios tanto restrictivos como excluyentes de responsabilidad penal.

[81] No comparto por completo los argumentos de quienes proponen la atenuación de la pena en estos supuestos argumentando que determinan un acortamiento de las expectativas de vida y no su eliminación. Porque como sostenía en aquel trabajo, si bien es verdad que dicha consideración pudiera ser correcta en términos exclusivamente de medición *cuantitativa* de la vida, esa valoración no resiste a menudo una contemplación de los hechos desde el punto de vista *cualitativo*. Es más, en determinados supuestos nada se opondrá a apreciar precisamente una circunstancia agravante, como pueda ser el ensañamiento respecto al medio de conseguir el resultado letal cuando la prolongación del curso causal letal comporte sufrimientos para la persona que han sido así buscados por el autor.

ción temporal en el sentido de que, si bien con plazos más largos, el cómputo de aquella tenga lugar desde el momento de la realización de la acción[82].

Dichos criterios, sin embargo, sólo pueden contemplarse como una propuesta de *lege ferenda*. En tanto el problema de la dilación temporal no encuentre una regulación específica en el Código penal, serán, la mayoría de las veces, argumentos de índole procesal los que de hecho veden la posibilidad de perseguir penalmente los resultados producidos a largo plazo. Baste pensar que lo normal es que el resultado tardío más grave (p. ej., la muerte) haya estado precedido de una consecuencia lesiva intermedia (p. ej., lesiones) que haya sido o esté siendo enjuiciada. La persecución de aquel resultado más grave estará condicionada por la limitación procesal relativa al momento en que por última vez se puede modificar la calificación de los hechos, que habrá de tener lugar antes de dictarse sentencia, en el momento de las conclusiones definitivas. Conforme al art. 788.4 LECr, en la redacción dada por la Ley 38/2002, de 24 de octubre, "Cuando en sus conclusiones definitivas la acusación cambie la tipificación penal de los hechos o se aprecien un mayor grado de participación o ejecución o circunstancias de agravación de la pena, el juez o Tribunal podrá conceder un aplazamiento de la sesión...Tras la práctica de una nueva prueba, que puede solicitar la defensa, las partes acusadoras podrán, a su vez, modificar sus conclusiones definitivas".

Una vez exista sentencia firme, por imperativo del principio de cosa juzgada, la celebración de un nuevo juicio solamente sería posible, en su caso, con la interposición de un recurso de revisión, algo que la mayoría de las veces, sin embargo, resultará inviable por dos tipos de razones. La primera, porque los motivos que permiten su presentación se vinculan mayoritariamente a la aparición de nuevos hechos, lo que no ocurre cuando se trata de apreciar las consecuencias de una misma conducta; la segunda, porque reabrir un nuevo proceso por la producción de un resultado tardío supone siempre ir en contra

---

[82]   Sobre todos estos aspectos, véase GLESS, "Zeitliche Differenz zwischen Handlung und Erfolg- insbesondere als Herausforderung für das Verjärungsrecht", en *GA*, 10/2006, págs. 689 ss. En relación con la responsabilidad por el producto, véase KUHLEN, Necesidad y límites de la responsabilidad penal por el producto", en *ADPCP* 2002, *ADPCP* 2002, pág. 88, quien destaca la incoherencia de las posibilidades de exigir responsabilidad en el ámbito penal frente a los límites que impondría la prescripción en el orden civil conforme al Derecho alemán, ya que según el § 199.2 BGH las acciones de indemnización por lesiones a la vida, integridad corporal y salud o a la libertad, prescriben a los treinta años de la realización de la acción, sin tener en cuenta el momento de su surgimiento.

del reo, lo que no es posible en dicho recurso como garantía estatuida en beneficio de éste[83].

1.2.3. La graduación de la imprudencia: la baremación de la infracción de las reglas de cuidado como grave o leve

Como es sabido, el Código penal del 95 gradúa la imprudencia en torno a dos categorías: la *grave* y *leve*, distinción que básicamente se corresponde con la que contemplaba el anterior Código penal de imprudencia *temeraria* y *simple*[84], por lo que en líneas generales puede seguir considerándose válida la elaboración doctrinal desarrollada para ésta[85]. De acuerdo con la misma, la calificación de la imprudencia conforme a uno u otro concepto habrá de hacerse atendiendo al contenido del *desvalor de la acción*, no del resultado que produzca[86], teniendo en cuenta las circunstancias concurrentes en el caso concreto,

---

[83] Conforme al art. 954.4 LECr, habrá lugar a la revisión cuando "después de la sentencia sobrevenga el conocimiento de nuevos hechos o nuevos elementos de prueba, de tal naturaleza que evidencien la inocencia del condenado".

[84] Sobre la regulación anterior, véase por todos, MUÑOZ CONDE, *Derecho Penal, Parte General, ob. cit.*, pág. 267. Sobre la correlación de los conceptos de imprudencia grave y leve con los de temeraria y simple, entre otros, SILVA SÁNCHEZ, *El nuevo Código penal: cinco cuestiones fundamentales, ob. cit.*, pág. 113; CEREZO MIR, *Curso de Derecho Penal español, Parte General, II, Teoría jurídica del delito*, Madrid, 1997, págs. 164 s; MORALES PRATS, *Comentarios al nuevo Código penal*, Pamplona, 1996 (dir. Quintero), pág. 98.

[85] Véase al respecto, entre otros, RUY HUIDOBRO, "La imprudencia médica en el ámbito del Derecho penal", en *Estudios Penales y Jurídicos en Homenaje al Prof. Casas Barquero*, Córdoba, 1996, págs. 711 ss; MOYA HURTADO DE MENDOZA, en *Cuadernos de Derecho Judicial, Delitos contra la vida y la integridad física, ob. cit.*, págs. 169 ss; MARTÍNEZ PEREDA RODRÍGUEZ, *La responsabilidad civil y penal del anestesista*, Granada, 1995, págs. 101 ss; MARTÍNEZ-CALCERRADA, *Derecho Médico, Volumen primero. Derecho médico general y especial, ob. cit.*, págs. 163 ss.

[86] Conforme a este punto de partida la doctrina ha criticado, no sin razón, el proceder jurisprudencial que en los casos llamados de "concurrencia de culpas" procedía a una atenuación e incluso a una exclusión de la responsabilidad penal argumentando que la causación del resultado había estado influida por la conducta de la víctima. Entre otras, por ejemplo, las SSTS de 25 de septiembre de 1986, de 27 de julio de 1987, 8 de marzo de 1990 o de 25 de febrero de 1991.
Ya en el ámbito de la crítica general a la tendencia a conceder prioridad al valor del resultado para a partir de él derivar responsabilidad por imprudencia, véase SILVA SÁNCHEZ. Este autor, recogiendo los planteamientos de KUHLEN en la doctrina alemana, denuncia las distorsiones a que conduce esta inversión del razonamiento en la comprobación de la imprudencia: "en primer lugar, el que enjuicia no se coloca en el lugar del agente; en segundo lugar, se aumentan las exigencias de diligencia en el comportamiento al conocerse ya, obviamente, las consecuencias del hecho; y, en fin, que en ocasiones se afirma la infracción

condensadas en indicadores como la importancia de los bienes afectados, la *utilidad social* de la conducta[87], la proporción estadística entre la acción realizada y el resultado producido[88], el grado de previsibilidad del riesgo[89], o para quienes, como aquí hacemos, parten de una concepción individualizadora del injusto, los conocimientos y capacidades especiales del autor, aspectos todos ellos que en el ámbito médico habrán de conjugarse, además, con la relatividad misma de la ciencia médica[90] y con las circunstancias de tiempo, lugar o urgencia con que se practica la intervención.

No obstante, con carácter general, puede considerarse válida la definición que formulara RUIZ VADILLO, conforme a la cual, incurre en la forma de imprudencia más *grave* el que "actuando con olvido de los más elementales criterios de prudencia; es decir, de sensatez y de equilibrio, haciendo caso omiso de los deberes de cuidado que ha de observar, atendidas las circunstancias de tiempo, de lugar, de situaciones y de personas, ejecuta un hecho que de mediar dolo, constituiría delito"[91]; se trata, en definitiva, de la falta de cuidado que puede exigirse a la persona menos diligente y que se concreta en

---

o no del deber expresado en la norma en función de la gravedad de las consecuencias resultantes", en *Medicinas alternativas e imprudencia médica, ob. cit.,pág. 15.*

[87]   Es interesante en este sentido la Sentencia del Tribunal Supremo de 23 de abril de 1992, relativa al conocido caso de la Colza: "la intensidad de los deberes de cuidado relativos a la vida y salud de las personas es alta, pues tales bienes tienen una importancia superlativa. la utilidad social de los bienes perseguidos por el recurrente es, por el contrario, bajísima, toda vez que consiste en obtener ventajas económicas burlando la prohibición oficial de comercializar una especie determinada de aceite...la desproporción entre la utilidad el fin perseguido y la magnitud del peligro generado es, por tanto, de tal intensidad que no cabe discutir la temeridad".

[88]   Como admite la STS de 9 de marzo de 2000: "cuando el resultado acaecido guarda una cierta desproporción estadística entre la conducta realizada y lo que habitualmente ocurre, la gravedad de la imprudencia debe ser degradada".

[89]   Véase por ejemplo la STS de 23 de octubre de 2001 en relación con la conducta del cirujano y anestesista que no se dieron cuenta de la hemorragia que sufría la embarazada a la que acababan de practicar una cesárea, lo que le provocó la muerte: "La gravedad de la imprudencia en que incurrieron los recurrentes es indudable porque para los dos era fácilmente previsible el riesgo, para los dos tenía una gran importancia la norma de cuidado que respectivamente les incumbía y por los dos debió ser ponderado el inestimable valor del bien jurídico que dependía de su actuación".

[90]   Como afirma la STS de 8 de junio de 1994, "La exigencia de responsabilidad al médico presenta siempre graves dificultades porque la ciencia que profesan es inexacta por definición, confluyen en ella factores y variables totalmente imprevisibles que provocan serias dudas sobre la causa determinante del daño, y a ello se añade la necesaria libertad del médico que nunca debe caer en audacia o aventura".

[91]   RUIZ VADILLO, "Responsabilidad civil y penal de los profesionales de la medicina", en *Actualidad Penal*, 1994, marg. 509.

"la omisión de las más elementales precauciones"[92], "omitiéndose totalmente la debida diligencia, evidenciando el infractor, la ilícita infraestimación del bien jurídico violado y la flagrante antisocialidad, no previendo lo que era fácilmente previsible, prevenible y evitable"[93]. Frente a ella, la imprudencia *simple* se define como aquélla en que puede incurrir cualquier persona normal, esto es, la que por contraposición a la anterior, sería propia de una persona no gravemente descuidada[94].

En concreto, el Alto Tribunal, sentando como doctrina que, salvo casos de extrema gravedad, el error en el diagnóstico no puede considerarse delito[95], ha apreciado la imprudencia *temeraria,* por ejemplo[96], en la Sentencia ya citada de 22 de enero de 1999. En ella se enjuiciaba un supuesto en el que pese a que las pruebas analíticas y la ecografía evidenciaban una disminución del líquido amniótico, el médico no realizó reconocimiento ginecológico alguno. A la misma conclusión llegó el Tribunal Supremo en la ya también citada Sentencia de 25 de mayo de 1999 en la que la embarazada, aquejada de una meningitis tuberculosa, le fue diagnosticada, primero una faringitis y después intolerancia alimentaria por ingesta de una pizza. El razonamiento que llevó al Tribunal a tal calificación es que se trataba de "un caso en que los síntomas de las adenopatías eran ya evidentes en el cuello de la paciente y de la relevante significación en relación con todos los otros datos de sintomatología que se ofrecían...en un lugar en el que era conocido entre el personal médico la concurrencia, antes desusada, de casos de tuberculosis".

Ya fuera de la fase de diagnóstico, el Tribunal Supremo ha apreciado la imprudencia grave, entre otras, en la Sentencia de 11 de junio de 1982, en la que se ventilaba la responsabilidad del analista y del anestesista por la transfusión al paciente de sangre de un grupo incompatible; de 24 de noviembre

---

[92] Sentencias de 4 febrero de 1993 y de 21 de julio de 1995.

[93] Véase la STS de 4 de septiembre de1991, citando a su vez a las sentencias de 8 de noviembre de 1985, 25 de septiembre de 1986; 17 de noviembre de 1987 y 22 de abril de 1988.

[94] FEIJOO SÁNCHEZ, en ""La imprudencia en el Código penal de 1995", en *CPC* 1997, págs. 330 ss.

[95] Entre otras, las Sentencias de 30 de abril de 1979, de 26 de octubre de 1981; de 17 de julio de 1982; de 26 de octubre de 1983; de 24 de noviembre de 1984; de 22 de diciembre de 1986; de 7 de octubre de 1986; de 22 de diciembre de 1986; de 29 de marzo y de 27 de mayo de 1988; de 5 de mayo y de 5 de julio de 1989; de 13 de marzo de 1990; de 4 de octubre de 1990; de 20 de diciembre de 1990; de 4 de septiembre de 1991; de 21 de abril de 1992; o de 28 de septiembre de 1992.

[96] Véase la amplia exposición que de la doctrina jurisprudencial más antigua realiza MARTÍNEZ-PEREDA RODRÍGUEZ, *La imprudencia punible en la profesión sanitaria según la jurisprudencia del Tribunal Supremo*, Madrid, 1985, págs. 64.

de 1984, respecto a la conducta del cirujano que extirpó erróneamente un riñón; de 5 de febrero de 1990, que condenó al facultativo que extirpó a dedo las agmídalas de un niño sin comprobar si existía hemorragia ni realizar exploración alguna que la advirtiese; la Sentencia de 18 de noviembre de 1991, que condenó al Director de un Hospital de Cataluña y a la Jefa del Servicio de Hematología por transfundir sangre sin practicar previamente el correspondiente test antisida, lo que provocó el contagio del virus a un enfermo; la de 4 de septiembre de 1991, respecto a la conducta del cirujano que consintió que se ausentase el anestesista en la intervención quirúrgica para atender a otra operación realizada en planta diferente del centro hospitalario pese a que no había conectado el aparato monitor del control electrocardiográfico, lo que produjo la muerte del enfermo por hipoxia; la Sentencia de 7 de julio de 1993, en relación con la conducta del anestesista que abandonó el quirófano durante la intervención de un paciente no motorizado, por lo que no fue advertida la falta de oxigenación cerebral; o en la de 21 de octubre de 2001, en la que se enjuiciaba a un ginecólogo y a un anestesista que no se apercibieron de la hemorragia que padecía la embarazada tras la práctica de la cesárea, basando esa cualificación de la imprudencia tanto en la facilidad para prever el riesgo como en la importancia del bien jurídico: "La gravedad de la imprudencia en que incurrieron los recurrentes es indudable porque para los dos era fácilmente previsible el riesgo, para los dos tenía una gran importancia la norma de cuidado que respectivamente les incumbía y por los dos debió ser ponderado el inestimable valor del bien jurídico que dependía de su actuación".

Por el contrario, el Tribunal Supremo ha valorado la imprudencia como *simple*, entre otras, en la Sentencia de 26 de febrero de 1990, respecto a la conducta de un médico que tras diagnosticar correctamente en el domicilio del enfermo un infarto, omitió cualquier masaje cardíaco u otro tipo de ayuda, limitándose a pedir una ambulancia; o en la de 7 de diciembre de 1993, respecto al anestesista que practicó a una niña una amigdalectomía y, al necesitar ésta una transfusión, procedió a la práctica de la misma sin comprobar la existencia de anemia, el grupo sanguíneo de la niña y la realidad de la etiquetación de la bolsa de sangre transfundida, lo que provocó la muerte de aquélla[97]. De forma más reciente, ya tras la entrada en vigor del Código penal del 95, el Tribunal Supremo ha calificado la imprudencia como leve atendiendo a la desproporción estadística entre la conducta y el resultado. Es el caso de la STS de 9 de marzo de 2000 ya citada. En ella se enjuiciaba la conducta del médico que atendió a un paciente aquejado de asma bronquial, y que había sido inter-

---

[97]   Véase también, entre otras, las Sentencias de 5 de mayo de 1989, 18 septiembre de 1992 y de 26 de abril de 1994.

nado trece años antes en un Hospital por una crisis aguda de la enfermedad producida a consecuencia de su intolerancia al ácido acetilsalicílico. Si bien el médico preguntó al enfermo si era alérgico a algún medicamento, no le realizó pregunta alguna sobre su posible intolerancia al preparado médico que en concreto le prescribió. La ingesta de dicho medicamento le produjo la muerte pocos momentos después. En el razonamiento que llevó al Tribunal a apreciar un homicidio por imprudencia leve se mezclaba una dualidad de argumentos. El primero, que si bien el médico no formuló todas las preguntas que debía, se informó de que el enfermo padecía asma bronquial y le preguntó sobre sus posibles alergias a medicamentos. El segundo argumento se orientaba a relajar el grado de imprudencia del facultativo atendiendo la escasa probabilidad de este tipo de reacciones: "cuando el resultado acaecido guarda una cierta desproporción estadística entre la conducta realizada y lo que habitualmente ocurre, la gravedad de la imprudencia debe ser degradada".

Más allá de esta baremación de la negligencia médica conforme a criterios *gravedad*, que, como apuntábamos, se corresponde en esencia con la elaboración general del delito imprudente, la responsabilidad del médico por la infracción culposa de la *lex artis* plantea singularidades o matices especiales en determinados ámbitos que justifican una referencia expresa. Es lo que sucede con la responsabilidad por el *trabajo en equipo* o con los límites de la *imprudencia profesional*. Otras veces, las peculiaridades de la actividad médica hacen que ésta se convierta en singular banco de prueba de algunos aspectos especialmente problemáticos de la elaboración del injusto imprudente, como sucede respecto al tratamiento que deban recibir los *conocimientos y capacidades especiales* del profesional. En lo que sigue trataremos por separado de cada uno de estos aspectos.

1.3.   Los conocimientos y capacidades especiales del autor

1.3.1. Planteamiento del problema

El hecho de dedicar un epígrafe a esta problemática en relación con el ámbito médico se justifica por sí sólo si de repara en la especial intensidad con que está llamada a plantease en el mismo. Ello no es de extrañar teniendo en cuenta que, ya de entrada, el ejercicio de la actividad sanitaria requiere como presupuesto de su permisibilidad una especial capacitación por parte del profesional, cifrada, en sus límites mínimos, en la obtención del correspondiente título que le habilite para el ejercicio de la actividad en cuestión. A ello viene a sumarse un aspecto no ya de orden *cuantitativo*, sino *cualitativo*, que contribuye a espesar las dificultades que en general rodean a todo lo relacionado con el valor que deba darse a los conocimientos y capacidades especiales. Es el dato de que en el ejercicio de la profesión médica a veces resulta imposible delimitar lo que pertenezca al ámbito de los conocimientos, por un lado, y a las capacidades especiales, por otro[98]. Así por ejemplo, el hecho de que el cirujano haya estudiado el manejo de una técnica especial, ¿es algo que debe valorarse entre sus conocimientos especiales, y, con ello, un elemento a ponderar a la hora de afirmar la infracción del deber de cuidado o afecta, por el contrario, a su capacidad de actuar?

A diferencia de lo que sucede en el orden civil[99], el Código penal no contiene declaración alguna sobre si las especiales circunstancias del autor deben baremarse en la determinación del deber de cuidado. No es por ello de extrañar que en la doctrina se haya defendido toda una gama de soluciones que oscilan entre dos posiciones extremas. La primera, que puede considerarse mayoritaria, es la que se conoce como la "teoría de los dos peldaños". Conforme a la misma, el tipo del delito imprudente se completa con la contravención de baremos objetivos, relegando el estudio de los poderes individuales del autor, al menos por lo que a sus capacidades especiales se refiere, al ámbito de la culpabilidad[100]. Debe advertirse, no obstante, que para esta primera postura

---

[98]   Al respecto, CORCOY BIDASOLO, *El delito imprudente, ob. cit*, págs. 132 ss.
[99]   Dispone el art. 1104 CC: "la culpa o negligencia del deudor consiste en la omisión de aquélla diligencia que exija la naturaleza de la obligación y *corresponda a las circunstancias de las personas*, del tiempo y del lugar".
[100]   KAUFMANN Armin, en "Zum Stande der Lehre vom personalen Unrecht", en *Fs. Welzel zum 70 Geburtstag*, Berlin, 1974, págs. 404 ss: BURGASTALLER, *Das Fahrlässigkeitsdelikt im Strafrecht unter besonderer Berücksichtigung der Praxis in Verkehrsachen*, Wien, 1974, pág. 54; HERZBERG, *Die Schuld beim Fahrlässigkeitsdelikt*, en *Jura* 1984, pág. 405; WOLTER, "Adäquanz- und Relevanztheorie. Zugleich ein Beitrag zur objektiven Erkennbarkeit beim Fahrlässigkeitsdelikt", en *GA* 1977, pág. 270: SCHÜNEMANN, "Moderne Tendenzen in der Dogmatik der Fahrlässigkeits- und Gefährdungsdelikte", *JA* 1975, págs. 512 ss; JESCHECK, *Tratado de Derecho Penal, ob. cit.*, págs. 811 ss; MAURACH, *Tratado de Derecho Penal*, Trad. y notas de Derecho español por Córdoba Roda, Barcelona, 1962, págs. 228 s; GÖSEL, en MAURACH/GÖSEL/ZIPF, *Strafrecht, Allgemeiner Teil, Grundlehren des Strafrechts und Aufbau der Straftat. Ein Lehrbuch*, 5 Auf., Heidelberg/Karlsruhe, 1977, págs. 28 ss; HIRSCH, "Der Streit um Handlungs- und Unrechtslehre, insbesondere im Spiegel der Zeirschrift für die gesamte Straferchtswissenschaft", ZStW 1981, 1982, pág. 273.
En nuestra doctrina, entre otros, GIMBERNAT ORDEIG, *Introducción a la parte general del Derecho Penal español*, Madrid, 1979, págs. 126 s; TORIO LÓPEZ, "El conocimiento de la antijuricidad en los delitos culposos", en *ADPCP*, 1980, pág. 85; ROMEO CASABONA, *El médico y el Derecho penal. La actividad curativa, ob. cit.*, págs. 211 ss; el mismo en *El médico ante el Derecho*, Madrid, 1985, págs. 64 ss; JORGE BARREIRO, Alberto, *Jurisprudencia penal y lex artis médica, en Responsabilidad del personal sanitario, ob. cit.* págs. 79 ss; JORGE BARREIRO, Agustín, *La imprudencia punible en la actividad médico-quirúrgica*,

ello no significa que la consideración de los aspectos subjetivos quede totalmente desterrada de la delimitación del deber de cuidado. Pero la consideración de dichos aspectos se supedita a que pueda reconducirse a fórmulas que reflejen, a modo de un baremo estándar, las exigencias que deben cumplir determinados individuos que pertenecen a ciertas profesiones. De esta forma, la atención a las circunstancias personales del autor no tiene lugar de forma individual, sino en cuanto miembro de una generalidad o colectivo cuya pertenencia obliga a determinadas formas de comportamiento.

Frente a esta postura, la segunda viene representada por aquellos autores que conceden relevancia a dichos aspectos a la hora de configurar el injusto de la conducta[101]. Esta segunda concepción, que cuenta entre sus exponentes en la doctrina alemana con autores como JAKOBS[102],

---

ob. cit., págs. 40 ss. En relación con los tipos de actividad, CEREZO MIR, *Curso de Derecho penal español, ob. cit.*, págs. 160 s: "La medida de cuidado debido es independiente de la capacidad del individuo...El deber de cuidado es, por tanto, un deber objetivo. No es posible que su contenido se determine en función de la capacidad individual. Si cada persona estuviera obligada únicamente a prestar el cuidado o diligencia que le fuera posible, según su capacidad y estuviera facultado, con esa condición, para realizar cualquier tipo de actividad en la vida social, se produciría el caos más absoluto"; el mismo en "El tipo de injusto de los delitos de acción culposos", en *ADPCP* 1983, págs. 471 ss.

[101] En nuestra doctrina, véase ZUGALDÍA ESPINAR, "La infracción del deber individual de cuidado en el sistema del delito culposo", en *ADPCP* 1984, págs 327 ss; CORCOY BIDASOLO, *El delito imprudente. Criterios de imputación del resultado, ob. cit.*, págs. 145 ss; MIR PUIG, *Derecho Penal, Parte General, ob. cit.*, págs. 274 ss, si bien proponiendo una concepción peculiar, según la cual las capacidades inferiores del sujeto no imaginables en una persona normal no podrían excluir o disminuir la antijuricidad, sino sólo la imputación personal de la misma; BACIGALUPO, *Principios de Derecho penal*, 4ª ed., Madrid, 1997, pág. 244.

[102] JAKOBS, Vermeidbares Verhalten und Strafrechtssystem", en *Festschrift für Welzel zum 70 Geburtstag*, Berlin/New York, 1974, págs. 307 ss; *Studien zum fahrlässigen Erfolgsdelikt*, Berlin, 1972, págs. 65 ss. Esta conclusión resulta obligada desde el punto de partida de este autor, conforme al cual la única pretensión del Derecho penal es garantizar que el respeto a las normas jurídicas sea el motivo central de la realización de un comportamiento ("*dominantes Motiv*"), y la expectativa de motivación requiere atender a las capacidades individuales del autor.

No obstante, a partir de una concepción funcionalista, conforme a la cual el individuo se contempla en cuanto miembro de la sociedad, propone limitar la relevancia de las facultades individuales a los casos que incidan en el rol que desempeña el sujeto, JAKOBS, "Tätervorstellung und objektive Zurechnung", en *Gedächtnisschrift für Kaufmann*, München, 1989, págs. 275 ss; el mismo, en *Derecho Penal, Parte General, ob. cit.*, págs. 251 ss. Así, por ejemplo, según el autor, el vendedor de productos cuyo abuso es peligroso, como p. ej., el alcohol, no responde de su venta aun cuando tenga conocimiento del abuso que de él hará el adquirente; o el ingeniero, que a título particular prueba un coche para adquirirlo y tiene conocimiento del mal estado de los frenos, sólo responderá del resultado que pueda provo-

OTTO[103], STRATENWERTH[104] o STRUENSEE[105] [106], puede contemplarse en realidad como una fase más en la evolución de la *concepción personal de lo injusto*[107]. Si bien es verdad que esta concepción es defendida con diferentes matices, puede señalarse a JAKOBS como el exponente de la radicalización de tales planteamientos, hasta el punto de llegar incluso a tildar de superficial el concepto de *previsibilidad objetiva* por entender que, en último término, todo se reduce a comprobar si el sujeto individualmente considerado estaba en condiciones de evitar el resultado lesivo[108].

car como usuario, no así del accidente que pueda tener el propietario del coche cuando se lo devuelve sin advertirle de su estado. En el ámbito sanitario, el médico de cabecera que, por su intensiva investigación, tiene conocimiento de un método más moderno y sofisticado y, pese a ello, emplea el tradicional, no tendrá responsabilidad alguna, puesto que en su papel como médico de cabecera no le compete emplear tales conocimientos especiales, en *Gedächtnisschrift für Kaufmann*, pág. 287.

No obstante en *Derecho Penal, Parte General, ob. cit.*, págs. 250 ss., desarrolla su teoría de que la influencia de los conocimientos especiales del autor en el riesgo permitido depende del origen del que traiga causa su responsabilidad. Si ésta es por *organización*, más allá de donde se extienda la misma, no es exigible al autor que active las capacidades especiales que excedan de su rol; son los casos en los que el autor no acarrea a la víctima ningún riesgo especial. Así, por ejemplo "un estudiante de una Escuela Politécnica que realiza labores auxiliares en una empresa constructora no responde por las consecuencias si lleva a cabo la mezcla de hormigón para un encofrado conforme a las instrucciones recibidas, habiéndose dado cuenta de que se ha calculado incorrectamente la resistencia del material". Dicha responsabilidad habrá de ampliarse cuando el autor sea garante de un riesgo especial, casos en los que debe realizar todo lo necesario para evitar el resultado, puesto que responde de la anulación del riesgo (págs. 252 s; 539 ss). Cuando la responsabilidad sea *institucional*, el rol del autor se define a través de un espectro de interacciones, al que también puede pertenecer la activación de la capacidades especiales, si bien, señala, por regla general, los deberes institucionales apuntan a un rendimiento estándar, pág. 252, 540 s.

[103] OTTO, "Grenzen der Fahrlässigkeitshaftung im Strafrecht", *JuS* 1974, pág. 707.

[104] STRATENWERTH, *Strafrecht, Allgemeiner Teil, ob. cit.*, num 1096 ss; el mismo en "Zur Individualisierung des Sorgfaltsmaßstabes beim Fahrlässigkeitdelikt", en *Fs. für Jescheck zum 70 Geburtstag*, I, 1985, págs. 285 ss. Este autor fundamenta su postura a partir de un paralelismo con lo que sucede en el delito de omisión impropia, cuyos contornos son imposibles de definir si no se atiende a la capacidad individual de obrar del autor.

[105] STRUENSEE, "Der subjektive Tatbestand des fahrlässiges Delikts", en *JZ* 1987, págs. 53 ss.

[106] Véase también, por ejemplo, UMBREIT, *Die Verantwortlichkeit des Arztes für fahrlässiges Verhalten anderer Medizinalpersonen, ob. cit.*

[107] Ya que la comprobación de los aspectos que WELZEL reconrujera bajo el concepto de *previsibilidad subjetiva* al ámbito de la *culpabilidad* (WELZEL, *Fahrlässigkeit und Verkhersdelikte -Zur Dogmatik der fahrlässigen delikte-*, Karlsruhe, 1961, págs. 30 ss.) se desplazan ahora a la primera categoría del delito para pasar a definir el ámbito del *injusto típico*. Así, el propio JAKOBS, *Festschrift für Welzel zum 70 Geburtstag, ob. cit.*, pág. 308.

[108] Así, el propio JAKOBS, *Derecho Penal, Parte General, ob. cit.*, págs. 385 ss.

En cualquier caso, no deja de resultar llamativo el hecho de que cuando los defensores de una y otra postura intentan justificar sus planteamientos incidan en los mismos aspectos que, según la concepción que se defienda, se presentan como motivo de crítica de las posturas adversas o como apoyo de la propia concepción[109]. Valga de ejemplo el argumento relativo a la *justicia* de la solución: mientras el principal punto de apoyo de los partidarios de relegar al ámbito de la culpabilidad los poderes individuales del autor suelen apelar a los insatisfactorios resultados a que habría de llegarse caso contrario, ya que entonces, allí donde el sujeto tuviera una capacidad inferior a la media habría de quedar impune y, con ello, absurdamente privilegiado[110], el argumento principalmente esgrimido por los defensores de incluir en el injusto los poderes individuales del autor es justamente el de las insatisfactorias consecuencias a que, según estos autores, conduciría manejar el baremo del hombre medio cuando el sujeto en cuestión tiene mayor capacidad. Porque entonces habría de quedar injustamente impune cuando no hace uso de las mismas[111]. Al paso de esta objeción salen los defensores de aquella doctrina, bien negando simplemente que una concepción objetiva de la norma de cuidado conduzca indefectiblemente a tales resultados[112], bien ensayando expedientes alternativos, como el que apunta a que en tales casos "podrá apreciarse que su conducta infringe la norma de cuidado y es encuadrable, en comisión por omisión, en un homicidio imprudente o, incluso, en un homicidio doloso"[113].

Frente a estos argumentos repetitivos, y como superación en cierta forma de los inconvenientes que plantean las opciones extremas, no han faltado propuestas que podrían calificarse como *intermedias*. Entre ellas destaca la que propone un tratamiento diferenciado según las capacidades del autor sean inferiores o superiores a la media. Es la tesis sostenida por ROXIN, para quien mientras la valoración de las *capacidades inferiores* a lo que se tiene por normal debe hacerse en sede de *culpabilidad*, las *capacidades especiales* habrían de valorarse en sede de *injusto*. Para justificar lo primero ejemplifica con el

---

[109]   Véase una completa exposición de los distintos argumentos en KAMINSKI, *Der objektive Maßstab im Tatbestand des Fahrlässigkeitsdelikts*, ob. cit., págs. 11 ss.

[110]   Por ello, entienden estos autores que el deber de cuidado debe fijarse a partir de un baremo de validez general, con independencia, por tanto, de la capacidad concreta del sujeto que se enjuicie. Dicho baremo, establecido a partir del criterio *standard* del hombre medio, ha de tener en cuenta las circunstancias objetivas del caso cognoscibles así como las que efectivamente conocía el autor.

[111]   Por todos, JAKOBS, *Studien zum fahrlässigen Erfolgsdelikt*, ob. cit., págs. 55 s.

[112]   KAMINSKI, *Der objektiven Maßstab im Tatbestand des Fahrlässigkeitsdelikts*, ob. cit., págs. 86 ss.

[113]   JORGE BARREIRO, Agustín, *La imprudencia punible en la actividad médico-quirúrgica*, ob. cit., pág. 42.

caso del conductor que padece problemas de visión o está ebrio. Si en tal supuesto, afirma, dichas circunstancias anómalas se examinaran en sede de injusto típico, decaería cualquier pretensión de castigar al conductor por imprudencia. El apoyo de la segunda premisa lo encuentra ROXIN en la convicción de que es la única solución que permite castigar por imprudencia a quien no utiliza las capacidades especiales que posee: "un cirujano de primerísisma calidad, respecto de cuyas técnicas y destreza no existe competencia posible en el plano internacional, puede operar a su paciente con resultado mortal, por rendir en la medida —muy por debajo de su nivel— correspondiente al estándar mínimo vigente para cirujanos medios. No puede suceder aquí algo distinto a lo que ocurre en los delitos de omisión: un campeón del mundo de natación, que trabaja además como socorrista y puede nadar el doble de rápido que sus colegas, no puede dejar ahogarse a un accidentado por ir sólo a la velocidad de los demás"[114].

1.3.2. Toma de postura

A la hora de adoptar una posición respecto a la forma en que deban ponderarse los conocimientos y capacidades especiales debe tenerse presente que no todos los supuestos presentan idéntica complejidad. Así, en primer lugar, puede decirse que la forma en que deban influir los conocimientos del autor no se presenta como algo especialmente conflictivo. Como es sabido, suele manejarse como baremo de determinación del *deber objetivo de cuidado*, ubicado desde ENGISCH en el tipo de injusto del delito imprudente[115], la referencia a la que habría sido la actuación de un hombre medio, si bien teniendo en cuenta los *conocimientos* que le sean propios al autor en función de las circunstancias del caso[116]. Esto quiere decir, por ejemplo, que si a la hora de realizar un ade-

---

[114]   ROXIN, *Derecho penal, Parte General, ob. cit.*, págs. 1015 ss.
En nuestra doctrina, sostiene una solución diferenciadora MIR PUIG, *Derecho Penal, Parte General, ob. cit*, págs. 274 ss, para quien, si bien como línea de principio los conocimientos y capacidades deben valorarse en sede de injusto, cuando se trata de capacidades inferiores del sujeto no imaginables en una persona normal las mismas no pueden excluir o disminuir la antijuricidad, sino sólo la imputación personal. El hombre normal, "por definición no puede suponerse privado de las facultades que como mínimo exige la normalidad. Esto no significa que personalmente pueda exigirse el mismo grado de cuidado (de esfuerzo) al que se halla por debajo de la normalidad, sino que su conducta no puede considerarse prudente desde el prisma de un hombre diligente. La inferioridad anormal del sujeto determinará, no obstante, la exclusión o atenuación de la imputación personal de la objetiva norma de cuidado".
[115]   ENGISCH, *Untersuchungen über Vorsatz und Fahrlässigkeit im Strafrecht*, Berlin, 1930.
[116]   BURGSTALLER, *Das Fahrlässigkeitsdelikt im Strafrecht, ob. cit.*, pág. 57.

lantamiento en un tramo permitido pero de visibilidad limitada, el conductor, por sus conocimientos especiales (ej., por conducir un autocar de gran altura que le permite mayor visibilidad), tiene constancia de que viene un vehículo en dirección contraria, su conducta habrá de considerarse como infractora de la norma de cuidado pese a que, de realizarse la misma maniobra por el conductor de cualquier otro vehículo, se habría considerado conforme a Derecho y, el resultado, por tanto, valorado como fortuito. Ello es lógico si se repara en que dichos conocimientos especiales resultan ya indispensables en el ámbito previo de la imputación, viniendo a delimitar el espectro de conductas sobre las que tiene sentido plantearse los perfiles del deber de cuidado[117].

Trasladando lo anterior al ámbito de la actividad médica que aquí interesa, puede decirse que al *deber objetivo de cuidado* pertenecen de forma indiscutida aspectos como el conocimiento de la especial debilidad del paciente —p. ej., hipotensión— o su estado físico —p. ej., embarazo—, circunstancias que pueden convertir en peligroso un tratamiento que en otro caso estaría perfectamente indicado. Pero también, según entiendo, en el capítulo de conocimientos especiales deben comprenderse no sólo los casos en los que éstos se refieren a un dato fáctico, perceptible por el sujeto en el mundo exterior, sino también a conocimientos proporcionados por la experiencia. Así lo admitió la Audiencia Provincial de Zaragoza en la Sentencia de 21 de septiembre de 1998, que condenó al acusado por una falta simple de imprudencia con resultado de lesiones del art. 621.3[118]. La Sentencia consideró que, si bien es cierto que el error del médico al no diagnosticar una gangrena podía considerarse fuera del ámbito penal con carácter general debido a la rareza de casos como los enjuiciados, en el supuesto en concreto la valoración tenía que ser distinta a partir de los especiales conocimientos del autor, por haber tenido el médico una experiencia similar anterior con otro paciente que debía hacerle sospe-

---

[117] En este sentido, GARCÍA RIVAS: "desde que la teoría de la equivalencia de las condiciones dejara paso a la teoría de la adecuación, los conocimientos del autor son un dato ineludible para establecer la imputación penal. La fórmula de la prognosis póstuma, tal y como la describiera TRÄGER, mantiene pleno vigor; dicha fórmula se sustancia en un análisis *ex ante* sobre la previsibilidad del resultado que tiene en cuenta el conjunto de datos cognoscibles por cualquier persona razonable en la posición del autor y, además, los que posea excepcionalmente. Se considera que estos conocimientos excepcionales del autor son relevantes para determinar el grado de previsibilidad del resultado. De ahí que no sea necesario extenderse en mayores explicaciones sobre la inclusión de los conocimientos del autor en la valoración que se efectúa al especificar el deber de cuidado exigible a alguien en una situación concreta", en *Revista de Derecho social, ob. cit.*, marg. 91.

[118] No obstante, con posterioridad el Tribunal Supremo dictó otra sentencia absolviendo al procesado por la falta de lesiones, por entender que su actuación fue objetivamente conforme con la *lex artis*.

char de la patología y desarrollo de la enfermedad. Por ello si, pese a dichos conocimientos, el profesional actúa de la misma forma que lo habría hecho de carecer de ellos, su conducta habrá de valorarse como infractora del deber de cuidado.

Pero también en el caso inverso en el que el médico emprende el acto médico en cuestión pese a no tener de los conocimientos que le eran exigibles, el reproche que por ello se le formule incide de lleno en el ámbito de la infracción del deber de cuidado. Baste pensar en el ejemplo del anestesista que antes de proceder a la anestesia del paciente no mide su presión arterial, o en el médico que no se asegura de que la enferma a la que prescribe un tratamiento contraindicado en caso de embarazo no se halla en tal estado. En ninguno de estos casos encontraría el Tribunal dificultad alguna tachar la conducta como negligente.

Cuestión distinta de la anterior es que la concepción de la *previsibilidad* —comprensiva de los conocimientos especiales— como elemento genuino o propio del delito imprudente haya sido, con razón, puesta en entredicho por cierto sector doctrinal. Esto resulta comprensible si se repara en que dicho elemento desempeña ya un papel en una secuencia previa a la hora de depurar las conductas penalmente relevantes: la de la *imputación objetiva*. En efecto, cuando se trata de valorar, en sede de tipicidad objetiva, si la actuación del autor representa un peligro relevante de producción del resultado es común tener en cuenta los conocimientos especiales de aquél[119]. No le falta por ello razón a ROXIN cuando escribe que en los casos en que "un resultado no era previsible, o bien falta ya, como en el ejemplo del meteorito[120] la creación de un peligro jurídicamente relevante, o bien falta la realización del peligro creado, cuando p. ej. el herido no muere debido a las consecuencias del accidente, sino debido a un incendio en el hospital"[121]. Por eso concluye afirmando que "para constatar la realización imprudente de un tipo no se precisa de criterios que se extiendan más allá de la teoría de la imputación objetiva"[122].

---

[119]   Por todos, ROXIN, *Derecho Penal, Parte General, ob. cit.*, págs. 366 ss.
[120]   Se refiere al ejemplo en el que un joven cita a su novia para encontrarse en un lugar donde la misma resulta casualmente muerta por el golpe de un meteorito.
[121]   ROXIN, *Derecho Penal, Parte General, ob. cit.*, págs. 1000 s. Este autor hace extensible su razonamiento al resto de los elementos del tipo imprudente, hasta el punto de afirmar que "el tipo de los delitos imprudentes, en la medida en que no contenga una descripción adicional de la conducta, se colma mediante la teoría de la imputación objetiva", pág. 999 ss.
[122]   ROXIN, *Derecho Penal, Parte General, ob. cit.*, pág. 1001.

Más discutida es la cuestión en torno a la sede sistemática en la que deban adquirir relevancia las *capacidades singulares* del autor. Con todo, de nuevo debe advertirse que el grado de complejidad va a ser sensiblemente distinto dependiendo de que aquélla sea superior o inferior a la media. Cuando sea éste el caso, ya antes de entrar a comprobar si la acción realizada en tales circunstancias es contraria a la medida de cuidado debido, la solución va a vincularse con el instituto del *riesgo permitido* y, en definitiva, con la contemplación objetiva de la conducta.

Como es sabido, si bien no puede hablarse de unanimidad a la hora de caracterizar el instituto del riesgo permitido, la doctrina reconoce de forma mayoritaria, si bien con diferentes argumentos, que la *permisibilidad* del riesgo actúa excluyendo la *tipicidad* de la conducta en atención a ponderaciones relacionadas con la idea de *utilidad social*[123]. Más allá de esta afirmación de principio, sin embargo, no puede hablarse de unanimidad a la hora de trazar sus perfiles. Así, mientras algunos autores consideran que el riesgo permitido es el ejercicio cuidadoso de una actividad peligrosa, otros, como CORCOY BIDASOLO, parten de una concepción de la permisibilidad del riesgo que permita diferenciarla de lo que sea el ámbito propio del deber objetivo de cuidado, hasta el punto de sostener que entre ambos media una relación de *exclusividad*: el riesgo permitido vendría a tolerar aquellos riesgos que son inevitables en el desarrollo de la actividad de que se trate, por lo que al no poder ser previstos en el caso concreto, no pueden ser objeto de atención por la norma de cuidado[124].

---

[123]   Sobre las distintas formas de caracterizar del riesgo permitido véase también CORCOY BIDASOLO en *Delitos de peligro y protección de bienes jurídico-penales supraindividuales, ob. cit.*, págs. 71 ss., donde matiza su postura inicial en torno a su comprensión como un principio regulativo general, por entender que se trata de un criterio de restricción del tipo situado en el juicio sobre el peligro objetivo idóneo.

[124]   CORCOY BIDASOLO, *El delito imprudente. Criterios de imputación del resultado, ob. cit.*, págs. 317 ss. Para la autora, el riesgo permitido despliega su eficacia en el delito imprudente en dos momentos distintos. El primero, que denomina *negativo*, tiene lugar a la hora de determinar el deber objetivo de cuidado, en cuanto que mientras mayor sea el peligro de la conducta, mayores serán las medidas de seguridad que hayan de adoptarse. No obstante, en estas actividades, aun cumpliendo el deber objetivo de cuidado seguirá existiendo un resto de riesgo inevitable que es el que viene a tolerar el *riesgo permitido*, de tal modo que "Lo que ha de valorarse como riesgo permitido no es el 'ejercicio cuidadoso de una actividad peligrosa', sino el riesgo existente que no resulta abarcado por el deber objetivo de cuidado y que se justifica por la utilidad social de la actividad"..."el riesgo permitido y el deber objetivo de cuidado no se superponen, sino que se contraponen. El deber objetivo de cuidado tiene como finalidad evitar riesgos previsibles individualmente y, por tanto, penalmente relevantes; mientras que el riesgo permitido justifica, en base a la utilidad social, los riesgos 'no previsibles' o mejor dicho, inevitables '*ex ante*'" (p. 324).

Dejando a un lado esta discusión, lo que aquí interesa destacar es que, por encima de la misma, la realización de cualquier juicio en torno a la permisibilidad del riesgo sólo es posible si se tienen en cuenta las circunstancias del caso concreto, entre las que, como advierte JAKOBS a partir de su elaboración de la imputación objetiva[125], se encuentran los *conocimientos y las capacidades mínimas* del autor. Porque sólo si éste posee un nivel mínimo de aptitudes y conocimientos puede decirse que la conducta que realiza está *permitida* y que, entonces, los riesgos que eventualmente emanen de la misma serán, en sentido penal, inevitables.

Trasladado lo anterior al ámbito médico, supone que si por las circunstancias personales, por ejemplo, edad avanzada, embriaguez, enfermedad que repercute en la habilidad —como p. ej., parkinson—, el médico está por debajo de las capacidades mínimas para realizar la operación de que se trate, tales deficiencias, antes ya que en el deber objetivo de cuidado, esto es, a efectos de deducir la responsabilidad por imprudencia, influyen en la *permisibilidad* misma del riesgo emprendido. Dichas circunstancias, en efecto, determinan que haya de valorarse ya como no permitido el hecho mismo de *emprender* la actividad, porque tales condiciones, por seguir manejando la concepción de CORCOY, impiden considerar que los riesgos que deriven de aquélla sean *inevitables*[126]. Se trata, en definitiva, de la que se ha dado en llamar *"culpa por asunción"* de la actividad, cuyo fundamento dogmático se vincula a la doctrina de la *"actio libera in causa"*[127].

A partir de lo anterior, entiende que el aspecto *positivo* del riesgo permitido se orienta a decidir si el riesgo creado por la conducta es consecuencia de la infracción del deber objetivo de cuidado o entra dentro del ámbito de los riesgos inevitables, y, por ello, permitidos. (p. 325).

[125] JAKOBS, *Derecho penal, Parte general, ob. cit.*, págs. 250 ss.

[126] Obsérvese que con ello decaen las objeciones formuladas a la concepción individualizadora en los casos en los que la capacidad del sujeto es inferior a la normal. Dichas críticas se centran, según vimos, en que de analizarse la misma en el injusto, éste habría de negarse.

[127] KAUFMANN Arthur, *Das Schuldprinzip. Eine strafrechtslichrechtsphilosophische Untersuchung*, 1976, págs. 156. En palabras de ROXIN, "quien se dispone a realizar una conducta cuyo riesgo para bienes jurídicopenalmente protegidos no puede valorar, debe informarse; si no es posible o parece que no servirá para nada informarse, se debe abstener de la conducta. Y quien pretende emprender algo que probablemente ponga en peligro bienes jurídicos y no es capaz de hacer frente a los peligros debido a insuficiencias físicas o por falta de práctica o habilidad, debe omitir la conducta; en caso contrario existe ya en el emprendimiento o asunción de la actividad una imprudencia (la llamada provocación culpable por emprendimiento o asunción). Brevemente resumido: quien no sabe algo, debe informarse; quien no puede hacer algo, debe dejarlo", en *Derecho penal, Parte General, ob.*

En realidad, las dificultades se concentran a la hora de determinar la forma en que deban valorarse los casos en que, pese a que el autor —el médico—, posee una *capacidad superior* a la media no la actualiza en el caso concreto. Las dudas se disparan debido a dualidad de sentidos en que dicho término puede manejarse, fáctico y normativo, aspectos que además sólo en un plano teórico pueden delimitarse de forma nítida.

En efecto, el término capacidad del autor puede emplearse en una primera acepción con un valor meramente *fáctico*. En el ámbito médico que aquí tratamos, el núcleo indiscutible se corresponde con lo que pudiera denominarse como el *"médico medio"* en el sector en cuestión; esto es, se trataría de valorar la *capacidad mínima* que es exigible al profesional para realizar la actividad de que se trate, entendiendo por tal el conjunto irrenunciable de condiciones físicas y psíquicas (estado sobrio, tranquilidad anímica, normalidad física y mental) que sitúen a la intervención en los límites de normalidad e impidan, por tanto, valorarla como negligente. Más allá de este baremo de normalidad, condiciones como la especial capacidad de reacción ante imprevistos o la firmeza del pulso que excede de lo habitual vendrían a engrosar la lista de las *capacidades fácticas superiores*. Junto a las capacidades especiales en sentido fáctico se sitúan las que lo son en sentido *técnico*. Entre ellas habría que citar, más allá de las que se refieren al nivel de cualificación requerida, las habilidades técnicas especiales que posea el profesional gracias a su preparación adicional y que de igual forma engrosarían la lista de sus mayores habilidades[128].

A mi juicio, si bien con algunas precisiones, tienen razón los autores que proponen valorar la capacidad especial del autor en sede de injusto del delito

---

cit., págs. 1009 ss; en relación especifica al ámbito médico, ULSENHEIMER, *Arztstrafrecht in der Praxis, ob. cit.*, pág. 26 ss.

[128] Con todo, como decía, esta aparente delimitación teórica se empaña de inmediato en su aplicación práctica. La primera dificultad viene propiciada por la complejidad que comporta a veces delimitar lo que sean los *conocimientos técnicos* respecto a las *capacidades del autor*, en cuanto que el conocimiento de un método especial y, en definitiva, la formación técnica del médico, influye a su vez en su capacidad de actuación.

imprudente[129]. Para ello me parecen decisivos tres tipos de argumentos[130]. En primer lugar, la coherencia misma de la solución con la sostenida respecto al tratamiento propuesto para los supuestos en los que el autor tiene conocimientos especiales: si tanto éstos como su especial capacidad pertenecen al ámbito situacional subjetivo del agente, no se entiende muy bien la pretensión de diferenciar la solución para uno y otro supuesto. Me parece, en efecto, que sería cuando menos incongruente reservar un tratamiento distinto para cada uno de estos casos, máxime cuando la delimitación entre ambos resulta en no pocas ocasiones no sólo realmente difícil de practicar, sino sobre todo artificial. Ello hasta el punto de que la ubicación de una concreta habilidad superior en el marco de los conocimientos o de las capacidades especiales no es a veces más que el fruto de la perspectiva que se adopte. Y, desde luego, casaría mal con el sentido más básico de igualdad que, dependiendo de la óptica con la que se aborde, un mismo supuesto mereciera una valoración distinta.

En segundo lugar, a favor de valorar la especial capacidad del autor en el marco del injusto hablaría un argumento relacionado con la concepción *motivadora* de la norma penal[131]. Esta, en efecto, se orienta a motivar a los ciudadanos a hacer todo lo posible para evitar la producción del resultado lesivo, lo que incluye la actualización de su eventual capacidad superior[132]. Pero es que además, y es algo que daría paso a un razonamiento ulterior, sólo así se asegura la justicia de la solución, por ser respetuosa con el principio básico de *igualdad*. Como es sabido, dicho principio no proclama la igualdad genérica y abstracta entre todos los ciudadanos ni, por tanto, el mismo nivel de exigibilidad para todos. Lo que reclama dicho principio es que el nivel de exigencia se gradúe conforme a las circunstancias del autor, algo que sólo se garantiza

---

[129]   Entre otros, CORCOY BIDASOLO, *El delito imprudente, ob. cit.*, págs. 126 ss; GARCÍA RIVAS: "No se trata, por tanto, de un deber genérico u objetivo (aunque sí objetivable), sino de una obligación que nace de una norma (de cuidado) cuyo alcance depende necesariamente del ámbito de riesgo generado por el sujeto; esto es, se trata de una norma concreta y personal, en el sentido de norma individualizada para el caso concreto". De ahí deduce el mismo autor que no es que "a esa persona concreta se le exija más que a otras, sino de algo mucho más aceptable: que se le exige lo mismo, en función de su especial capacidad", en *Revista de Derecho Social*, núm, 6, 1999, *ob. cit.*, pág. 93. Véase también, CHOCLÁN MONTALVO, *Deber de cuidado y delito imprudente, ob. cit.*; el mismo en *AP* 1998, *ob. cit.*, con referencias doctrinales.

[130]   Para una exposición de los argumentos principalmente manejados en la doctrina, véase por todos, ZUGALDÍA ESPINAR, *ADPCP* 1984, *ob. cit.*, págs. 321 ss.

[131]   Por todos, JAKOBS, *Studien zum fahrlässigen Erfolgsdelikt*, Berlin, 1972, pág. 69.

[132]   En palabras de CORCOY BIDASOLO, "la norma de cuidado, en cuanto norma penal, obliga a *todos los ciudadanos* a hacer todo lo posible para no crear un peligro típicamente relevante" en *El delito imprudente, ob. cit.*, págs. 129 s.

cuando se tiene presente su especial capacidad[133]. Porque sólo entonces, la respuesta penal se centra desde el prisma de la individualidad del sujeto, olvidando generalizaciones poco incompatibles con aquel principio básico.

Con lo anterior, sin embargo, tan solo hemos sostenido la ubicación de la capacidad superior del autor en sede de *injusto del delito imprudente*. Queda por resolver todavía otra cuestión que condiciona la forma de imputación de estos supuestos: la relativa a la determinación de cuál sea el comportamiento al que dicho injusto debe imputarse; en concreto, si al desvalor de un delito de acción o, por el contrario, al de uno de omisión impropia.

En la doctrina que se ha ocupado del tema no es infrecuente encontrar una ecuación casi mecánica entre la afirmación de que la sede valorativa de la capacidad superior sea el injusto típico, por un lado, y de que dicho injusto sea el de un delito activo, por otro. Este razonamiento aboca a entender que si dichas capacidades no se valoran en la acción que el sujeto realiza habría que expulsarlas del injusto imprudente. No hay mejor exponente de este modo de razonar que el hecho de que algún partidario de incluir los poderes especiales en la valoración del injusto de la acción realizada maneje como argumento que algunos Códigos de Derecho comparado, como el suizo o el austriaco, disponen que para la determinación de la imprudencia hay que atender a las capacidades especiales del sujeto, lo que, según estos autores, vendría a confirmar en tales Ordenamientos que dichos poderes deben valorarse para calibrar el *injusto* de la acción realizada[134].

Frente a este razonamiento, me parece, sin embargo, que una y otra cuestión son perfectamente diferenciables y que, por tanto, sus respectivas soluciones en absoluto se condicionan. De hecho, incluso en los Ordenamientos que contienen una cláusula del tipo de la indicada, el valor que cabría atribuir a la misma sería tan solo de confirmar una premisa que aquí en absoluto se cuestiona; a saber, que el lugar sistemático en el que ubicar tales capacidades debe ser el *injusto*, no la *culpabilidad*. Dicha afirmación, sin embargo, en absoluto prejuzga que el tipo de injusto en el que se analice tenga que ser el de un delito imprudente de *acción*, y no uno de *omisión*. Y es que cuando se analizan los supuestos en los que el sujeto no hace uso de todos los conocimientos y capacidades que posee, es posible diferenciar una dualidad de secuencias o, si se quiere de comportamientos, que se entrelazan en la morfología de estos supuestos y que teóricamente se

---

[133] En este sentido, GARCÍA RIVAS, en *Revista de Derecho social, ob. cit.*, marg. 92 ss: "No se trata, por tanto, de que a esa persona concreta se le exija más que a otras, sino de algo mucho más aceptable: que se le exige lo mismo, en función de su especial capacidad".

[134] CORCOY BIDASOLO, *El delito imprudente, ob. cit.*, pág. 146.

prestan a que las capacidades especiales del autor se valoren en relación con su respectivo injusto imprudente: por un lado, una *acción* —la realizada conforme a los cánones de la media—; por otro, una *omisión* —representada ahora por el *plus* de destreza que, pudiendo emplear, el sujeto omite—.

En primer lugar, resulta evidente que cuando se plantea el tema de la responsabilidad del sujeto que no emplea la totalidad de los poderes y capacidades a su alcance, el objeto de valoración es de forma directa e indiscutible el comportamiento *activo* realizado; esto es, la conformidad a cuidado de la *acción* que el sujeto emprende. Sólo cuando en la actuación médica efectivamente *realizada* concurran unos requisitos mínimos de cualificación y habilidad puede decirse que se cumplen las reglas de cuidado. Para tal examen, según entiendo, deben manejarse exclusivamente los aspectos que valoran la conformidad a Derecho de dicha acción, entre los que no encuentra cabida el poder superior que podía haber actualizado el autor. Éste habrá de valorarse desde los parámetros más estrictos del comportamiento no realizado pese a ser *exigible*; más exactamente, a la hora de apreciar el tipo de injusto imprudente de un delito de omisión impropio[135].

Debe advertirse que esta solución evita las consecuencias a que se llegaría de otra forma. Baste pensar que entonces, esto es, si se afirmase que por el sólo dato de que el sujeto tenga una capacidad superior la acción que realiza debe estimarse como contraria al cuidado debido, no sólo se acabarían trastocando los respectivos puntos de referencia de dos comportamientos que, pese a estar estrechamente interrelacionados, responden a diferentes contenidos de desvalor. Este razonamiento también encerraría el riesgo, lo que es aún más grave, de expandir la intervención penal a sectores que, paradójicamente, hace tiempo que la doctrina se afana por limitar. En efecto, dejando a un lado modernos planteamientos funcionalistas que en cualquier caso distan de contar con un consenso generalizado, la estructura del delito de acción, a diferencia del omisivo, no necesita respaldarse en la comprobación de una especial posición de garantía del sujeto activo, sino que basta verificar que se ha realizado una conducta que se ajusta a un tipo de la Parte Especial y que

---

[135]   CEREZO MIR, *Curso de Derecho penal español, ob. cit.*, págs. 162 s: "Si un cirujano extraordinariamente capacitado, por su inteligencia, experiencia y habilidad, en una operación peligrosa, se limita a hacer uso de la pericia y habilidad imprescindible para poder llevar a cabo este tipo de operación, su conducta responderá al cuidado objetivamente debido y no estará comprendida en el tipo de lo injusto de los delitos de acción imprudentes...Esto no quiere decir, sin embargo, que sea necesariamente impune. Si el cirujano no hace uso de su capacidad excepcional a pesar de haber previsto la posibilidad de la muerte del paciente y de evitarla mediante el uso de sus facultades excepcionales, estaremos ante un delito de homicidio doloso por omisión".

la misma es reconducible, en términos de atribución normativa, al agente. Resulta así que de incluirse los aspectos omisivos de la contemplación fenoménica del suceso, no ya en el juicio que haya de dar paso, en su caso, a un delito de comisión por omisión, sino a un delito cometido por acción, bastaría con apreciar que el sujeto contaba con una capacidad o con un conocimiento técnico especial del que no ha hecho uso en el supuesto concreto.

Imaginemos el caso de un paciente que acude a un ATS con la petición de que le inyecte un medicamento por vía intramuscular. El ATS, por sus especiales conocimientos técnicos, advierte que la forma de administrar el preparado puede provocar complicaciones cardíacas en pacientes de edad avanzada y con historial de hipertensión, como es el caso. Pese a ello, el ATS se limita a realizar la labor que hubiese hecho cualquier otro ATS menos cualificado, sin realizar ningún tipo de advertencia. A consecuencia de la misma, se produce la temida reacción, que provoca la muerte del anciano.

De afirmarse que la conducta que realiza el profesional sin atenerse a sus conocimientos especiales infringe la norma de cuidado de un delito de *acción*, en el ejemplo propuesto habría de condenarse al ATS por un delito imprudente. Por el contrario, de remitirse el estudio de aquella a un tipo *omisivo*[136] la conclusión habría de ser radicalmente distinta; a saber, la exclusión de responsabilidad, puesto que faltaría en el ATS la posición de garante, algo que las modernas doctrinas formulan en términos restrictivos, esto es, conforme a *posiciones materiales de deber*. Y desde luego no deja de resultar, más que llamativo distorsionante, que tanto empeño por limitar la responsabilidad penal en el ámbito de la omisión impropia se disipe con tan pasmosa facilidad por esta "vía falsa" de reconducir los elementos omisivos a una conducta activa. Y todo porque dicha omisión se vincule en su origen a un comportamiento activo[137].

---

[136]   Debe tenerse en cuenta que, como señala MIR PUIG, la incidencia en la norma de cuidado de la no actualización de las capacidades especiales sólo resulta relevante cuando el sujeto deja de usarlas conscientemente -aunque sin intención de causar el resultado lesivo-, no así cuando por circunstancias excepcionales no consigue, pese a pretenderlo, estar a la altura de sus capacidades, MIR PUIG, *Derecho Penal, Parte General*, ob., cit., págs. 278 s.

[137]   En este sentido de apreciar la responsabilidad por omisión, WOLTER, en *GA*, ob. cit., 1977, págs. 271, quien con relación a las capacidades especiales no estandarizadas en el ámbito profesional entiende que el hecho de que el sujeto no emplee los conocimientos superiores que posee contraviene el imperativo de impedir la lesión del respectivo bien jurídico. Dicho autor cita en este sentido a KAUFMANN Armin, en *Fs. Welzel*, ob. cit., págs. 405 s; SCHMIDHÄUSER, "Fahrlässige Straftat ohne Sorgaltspflichtverletzung", en *Fs. Schaffstein*, Göttingen, 1975, pág. 154.

Pero no sería la expansión de la responsabilidad penal el único efecto distorsionador que produciría esta concepción. Vinculado a lo anterior, entiendo que acabaría vulnerando uno de los principios que, paradójicamente, la doctrina proclive a valorar las capacidades especiales en el injusto de la acción realizada suele convertir en uno de los ejes centrales de su razonamiento: los argumentos que enlazan con la necesidad de salvaguardar el principio de *igualdad* y la consiguiente necesidad de garantizar un trato desigual para los desiguales[138]. Baste pensar que si las capacidades superiores hubieran de medirse en el injusto de la acción realizada se estaría tratando por igual a todos los sujetos que, pese a tenerlas, no las emplean (siempre habrían de responder por un delito imprudente de acción), sin tener en cuenta si en el caso concreto estaban *obligados* o no a actualizarlas. Este tratamiento diferenciado se garantiza, por el contrario, desde la concepción que aquí sostenemos, puesto que dichas capacidades especiales sólo van a resultar más gravosas para el sujeto cuando en el caso concreto le sea *exigible* actualizarlas.

En este sentido, según expusimos al tratar los presupuestos de la comisión por omisión en el ámbito médico[139], allí donde efectivamente se afirme que la capacidad y los conocimientos técnicos del sujeto son superiores a la actividad que finalmente desarrolla, el núcleo de la cuestión se trasladará a comprobar la existencia y, en su caso, alcance del *ámbito de compromiso* por él asumido. Así, puede afirmarse en línea de principio que, salvo en el extraño supuesto en el que paciente y profesional hayan renunciado contractualmente a que éste ponga en práctica sus capacidades especiales, es implícito al compromiso de prestación sanitaria la actualización de las mismas, puesto que el médico se compromete a garantizar al paciente un tratamiento adecuado de la dolencia en cuestión, lo que requiere poner todos los medios necesarios a su alcance[140]

---

[138]   Por todos, CORCOY BIDASOLO, *El delito imprudente, ob. cit.*, pág. 137.

[139]   Véase *infra, 2, La responsabilidad del médico en comisión por omisión.*

[140]   La doctrina es prácticamente unánime al reconocer que, por regla general, la naturaleza de la obligación que asume el médico es de actividad, no de resultado. Entre otros, con referencias a la doctrina civilista, FERNÁNDEZ HIERRO, *Sistema de responsabilidad médica*, Granada, 1997, págs. 48 ss. Véase también ATAZ LÓPEZ, *Los médicos y la responsabilidad civil, ob. cit.*, págs. 167 ss. Me parece muy interesante el razonamiento de este autor en los casos discutidos de operaciones, frecuentemente de cirugía estética, en las que el médico se compromete a garantizar el resultado. Entiende ATAZ LÓPEZ que, más que un problema en torno a si puede hablarse de una excepción de la regla general de que el compromiso médico es de medios, lo que ocurre es que tal asunción de riesgos por parte del médico es una consecuencia de la incorrecta información suministrada al paciente, ya que, por definición, cualquier actividad médica está sometida a riesgos y desconocerlos, garantizando un resultado, es desconocer la propia naturaleza de las cosas, págs. 173 s.

[141]. Con más facilidad se fundamenta aún la posición de garantía del médico y su responsabilidad como comitente omisivo allí donde se trate de intervenciones especialmente complicadas cuya realización sólo está permitida en atención a la especial capacidad de quien la practica, supuestos reconducibles al esquema general de la *injerencia*.

Debe advertirse que la concepción que aquí sostenemos elimina una de las críticas que con frecuencia se ha dirigido a la postura que propone excluir las capacidades especiales del ámbito del injusto de la acción realizada; a saber, la de medir por diferentes baremos la determinación del cuidado en los delitos dolosos e imprudentes[142]. Conforme a dicha crítica, "mientras en los delitos comisivos el deber de cuidado se establece según el baremo del hombre medio, en los supuestos omisivos el sujeto está obligado a hacer todo lo posible de acuerdo con su capacidad"[143]. Esta objeción perdería cualquier sentido en relación con la postura que aquí se defiende. Y ello respecto a la dualidad de premisas que encierra: porque ni cuando concurre una omisión el sujeto está obligado *siempre* a hacer todo lo posible de acuerdo con su capacidad, ni sus condiciones son indiferentes para el injusto del delito comisivo. La razón de lo primero reside en que la propuesta de relegar el estudio de las capacidades superiores al tipo de injusto del delito de omisión en absoluto conduce de forma automática a la conclusión de que *siempre* que el omitente tenga capacidades superiores esté *obligado* a hacer todo lo posible de acuerdo con ellas; ésto sólo sucederá allí donde el alcance de su deber de obrar fundamente tal obligación. Pero en segundo lugar, aceptar esta posición tampoco implica desterrar del injusto de la conducta *activa* los poderes especiales del autor. Nada más lejos de lo aquí sostenemos. Dichos poderes subjetivos deben estar presentes tanto en el injusto de un delito

---

141   Obsérvese que de lo anterior se deduce, por ejemplo, que el médico que, sin mediar dicho vínculo de compromiso presta asistencia en la calle a una persona que casualmente la necesita sin emplear todos los conocimientos a su alcance, nunca responderá por un delito de omisión del deber de socorro. Por el contrario, de reclamarse la misma asistencia en el marco de una relación hospitalaria en la que el profesional está obligado a actuar, por ejemplo, por estar en el servicio de urgencias, podría fundamentarse su responsabilidad en *comisión por omisión* respecto al *plus* de capacidad que no presta.

142   SILVA SÁNCHEZ, *El delito de omisión. Concepto y sistema*, ob. cit., págs. 208 ss., 215: la "imprudencia omisiva expresa la infracción de un deber de cuidado, cuyo objeto es coincidente con el deber de garante e incorpora, por tanto, la referencia a las capacidades individuales del sujeto. Reconocer esto y negar que el deber de cuidado en la comisión activa deba constituirse del mismo modo implica afirmar que los criterios del cuidado son distintos para una y otra clase de realización típica. En definitiva, que el concepto de imprudencia es diferente para la comisión que para la omisión, lo que parece de muy difícil, si no imposible, explicación".

143   CORCOY BIDASOLO, *El delito imprudente*, ob. cit., pág. 133.

de acción como de omisión. Lo que ocurre es que los aspectos que interesan en uno y otro delito son distintos: mientras que en el injusto del delito imprudente de acción sólo interesan las capacidades inferiores del sujeto, en cuanto son las que determinan la contrariedad a Derecho de la conducta realizada, las capacidades superiores cobran protagonismo a la hora de comprobar si se dan las condiciones para apreciar el tipo de injusto de un delito imprudente omisivo. Es lo que sucederá cuando el sujeto, pese a haber asumido el compromiso de actualizar una especial capacidad, la omite pudiendo hacerlo.

Antes de concluir este apartado debe hacerse una última precisión, relativa a que la tesis que sostenemos de incorporar las especiales capacidades del sujeto al tipo de injusto del delito —omisivo- imprudente, determina que sean ellas las que en última instancia acuñen el genuino signo de identidad al mismo, en el sentido de añadir un *plus* a lo que resulta de aplicar los criterios de imputación objetiva. Bien es verdad que el hecho de que el sujeto tenga una capacidad superior a la media es lo que determina muchas veces que se amplíe el ámbito de lo *permitido* (y, por tanto, tampoco añadiría nada propio al injusto del delito imprudente)[144]. Pero la capacidad, como genuino elemento del deber de cuidado, se va a manifestar en los casos en los que, estando el sujeto en posesión de la aptitud que permite emprender la conducta, no la actualiza ya en su *desarrollo*. En tales supuestos, la capacidad superior del médico habría de valorarse a la hora de constatar el deber objetivo de cuidado y, por tanto, como sostienen los defensores de la *teoría individualizadora*, dentro del injusto típico del delito imprudente.

1.4.   La responsabilidad por el trabajo en equipo

1.4.1. Planteamiento del problema

La complejidad, variedad y especialización de fases por las que atraviesa el tratamiento médico hacen aconsejable, tanto por razones operativas como de

---

[144]   Imaginemos que se trata de realizar una operación de complejidad extrema, en la que las posibilidades de éxito son mínimas, de tal modo que, de practicarla un cirujano "normal", la impunidad de la conducta sólo podría basarse en la apreciación de un *estado de necesidad* entre la inminencia del mal que amenaza y la ínfima esperanza de éxito de la intervención. Según entiendo, distintas habrían de valorarse las cosas en el supuesto en el que, por su especial capacidad y conocimientos, el cirujano en cuestión pudiera realizar la intervención con especial habilidad y técnicas desconocidas para el resto. En este caso dichas cualidades permitirían extender los límites del *riesgo permitido* a la intervención realizada en tales condiciones sin tener que recurrir a un estado de necesidad.

garantía para el paciente, un reparto de funciones entre los distintos faculta-tivos y colaboradores que participan en una misma actividad terapéutica. Si bien la superación de estos esquemas encuentra ya explicativamente su ori-gen en la básica distinción entre las actividades propias del anestesista y del cirujano[145], se ha extendido después a prácticamente cualquier momento de la actividad sanitaria al compás de la progresiva especialización de conocimien-tos, hasta el punto de que hoy en día puede afirmarse que la prestación sani-taria descansa decididamente sobre los esquemas de *la división de funciones* o *trabajo en equipo* entre los diferentes profesionales. Resulta así que en las intervenciones médicas de mayor envergadura, normalmente las operaciones quirúrgicas, dicho reparto de funciones haya llegado a convertirse en práctica habitual, hasta el punto de que en la medicina actual resulta impensable que sea un sólo médico el que asuma en solitario las distintas fases de la interven-ción[146].

A esta necesidad operativa del reparto de funciones se suma el dato de que el propio avance tecnológico condiciona en una doble dirección la especializa-ción de tareas y conocimientos. En primer lugar, porque la moderna medicina se sirve de aparatos y técnicas antes desconocidos cuya complejidad requiere una cualificación y conocimientos que escapan al saber del médico internista; en segundo lugar, porque la investigación de nuevos ámbitos hasta entonces inexplorados da paso a nuevas ramas dentro de la medicina que igualmente demandan un grado de conocimiento especializado. No es por ello de extrañar que el legislador se haya hecho eco de esta dinámica prestacional ordinaria en la Ley 44/2003, de 21 de noviembre, de *ordenación de las profesiones sanita-rias*, cuyo art. 9.1 establece que: "La atención sanitaria integral supone la co-operación multidisciplinaria, la integración de los procesos y la continuidad asistencial, y evita el fraccionamiento y la simple superposición entre proce-sos asistenciales atendidos por distintos titulados o especialistas".

La principal consecuencia de esta ramificación de conocimientos y la con-siguiente parcelación de tareas es, sin duda, la necesidad de una coordinación entre los distintos profesionales de la medicina, de tal modo que la actividad de cada uno de ellos se articule a la perfección con la del resto, funcionando como los distintos engranajes de un único proceso terapéutico. Sólo cuando cada acto se realiza de forma correcta y además se hilvana a la perfección con

---

[145]   Véase al respecto, por ejemplo BARRIOS FLORES, "La responsabilidad profesional del médico interno residente", *en Derecho y Salud, vol. 11, enero-junio, 2003*.

[146]   Entre otros, puede verse ROMEO CASABONA, *Conducta peligrosa e imprudencia en la sociedad de riesgo*, Granada, 2005, págs. 198 s.

los que realizan el resto de los profesionales puede garantizarse, si no la curación del enfermo, sí la conformidad de la terapia con las reglas de la *lex artis*.

En la doctrina que se ha ocupado del modo en que se estructura la división
de funciones propia del trabajo en equipo, suele distinguirse entre el reparto
horizontal y *vertical* de tareas. El primero tiene lugar entre profesionales que
poseen un mismo nivel de cualificación en sus respectivas ramas y, por tanto, asumen con el mismo grado de responsabilidad las respectivas fases del
tratamiento; el segundo, por el contrario, está inspirado por el principio de
delegación de funciones a una o varias personas que actúan subordinadas je-
rárquicamente respecto a la figura del jefe del equipo[147]. Entre las previsiones
legislativas, a esta distinta estructuración de tareas se refiere la ya citada la
Ley 44/2003, de 21 de noviembre, de *ordenación de las profesiones sanitarias*,
cuando dispone en el apartado tercero de su artículo 9 que: "Cuando una
actuación sanitaria se realice por un equipo de profesionales, se articulará de
forma jerarquizada o colegiada, en su caso, atendiendo a los criterios de conocimientos y competencia, y en su caso, al de titulación, de los profesionales
que integran el equipo, en función de la actividad concreta a desarrollar, de
la confianza y conocimiento recíproco de las capacidades de sus miembros,
y de los principios de accesibilidad y continuidad asistencial de las personas
atendidas".

Elemento común en la elaboración teórica de esta diferente dirección en
que pueden articularse las relaciones entre profesionales y, en definitiva, del
entramado de interacciones vertical y horizontal propio del trabajo en equipo, es la progresiva tendencia hacia la *normativización* de los criterios que le
sirven de base. Buena prueba de ello es la propia comprensión que ofrecen
los distintos autores del que sin duda es el punto neurálgico de la reflexión
teórica: el llamado *principio de confianza ("Vertrauensgrundsatz")*, o de forma
más específica, en la terminología de KAMPS, *el principio de confianza en la
organización ("Prinzip des Organisationsvertrauens")*[148]. Conforme a este enunciado, cada participante en una actividad puede y tiene que confiar en que la
actuación del resto de los intervinientes será correcta, de tal modo que sólo
cuando existan motivos fundados para desconfiar en la conformidad a cuidado de la actuación de los terceros, podrá dejar de invocarse dicha presunción
por el resto de los intervinientes[149].

---

[147]   Sobre esta diferencia, por todos, ULSENHEIMER, *Arztstrafrecht in der Praxis, ob. cit.*, pág.
        93.
[148]   KAMPS, *Ärztliche Arbeitsteilung und strafrechtliches Fahrlässigkeit, ob. cit.*, págs. 184 ss.
[149]   Entre otros, FRISCH, *Das Fahrlässigkeitsdelikt und das Verhalten des Verletzen*, Berlin,
        1973, págs. 99 ss; WILHELM, Verantwortung und Vertrauen bei der *Arbeitsteilung in der*

El principio de confianza, que empleara por primera vez GÜLDE en el ámbito automovilístico[150], ha ido evolucionando tanto en relación con los ámbitos en los que resulta aplicable como en su comprensión misma. Lo primero porque, más allá del ámbito del tráfico vial en el que surgió, se ha ido expandiendo a todos los sectores en los que concurren varios participantes en la realización de una tarea o actividad, encontrando así aplicación no sólo en el campo de la medicina, sino también a la hora de afrontar los nuevos problemas que se plantean en Derecho penal, como la responsabilidad en la empresa[151]; lo segundo, y es el aspecto que ahora interesa, porque su comprensión ha evolucionado desde su estricto entendimiento en términos de previsibilidad de la negligencia en la conducta del tercero, como hacía SCHMIDT[152], hasta su formulación en clave normativa. Si bien con encuadramientos dogmáticos diversos que oscilan desde su reconducción a los criterios de *riesgo permitido*[153]

[ ] *Medizin*, Stuttgart, 1984, pág. 91; KAMPS, *Ärztliche Arbeitsteilung und strafrechtliches Fahrässigkeitsdelikte, ob, cit.,*, pág. 168, 185; SCHUMANN, a partir del desarrollo del principio de responsabilidad propia, en *Strafrechtliches Handlungsunrecht und das Prinzip der Selbstverantwortung*, Tübingen, 1986, pág. 6; BERGANN, *Arbeitsteilung und Vertrauensgrundsatz im Arztstrafrecht*, Berlin/Heidelberg/New York, 2000, págs. 37 ss; véase también JAKOBS, quien concibe este principio como un desarrollo coherente de sus premisas funcionalistas, en *La imputación objetiva en Derecho penal, ob. cit.*, pág. 28 s.

[150] GÜLDE, "Der Vertrauensgrundsatz als Leitgedanke des Straßenverkehrsrecht", *JW* 1938, pág. 2785.

[151] Por todos, NEUDECKER, *Die strafrechtliche Verantwortlichkeit der Mitglieder von Kollegialorganen. Dargestellt am Beispiel der Geschäftsleistungsgremien von Wirtschaftsunternehmen*, Paris/Wien, 1995, págs. 58 ss; véase en este trabajo las referencias doctrinales a los autores que proponen ceñir el ámbito de operatividad de este principio a determinados ámbitos, págs. 60 ss.
Sobre esta evolución puede verse en nuestra doctrina a VILLACAMPA ESTIARTE, *Responsabilidad penal del personal sanitario. Atribución de responsabilidad penal en tratamientos médicos efectuados por distintos profesionales*, Navarra, 2003, págs. 139 ss.

[152] Este autor, tras descartar la responsabilidad de un médico por la actuación de aquél al que remite cuando éste se incardina dentro de la estructura hospitalaria del sector público, limita dicha responsabilidad en el ámbito privado a los supuestos en los que mantenga su vigencia el *principio de confianza*, entendiendo por tal que no sea previsible la actuación negligente del otro. Este principio, según el mismo autor, es el que ha de regir con carácter general en el ámbito de la *distribución horizontal* de funciones; por el contrario, en el ámbito de las relaciones verticales traslada la cuestión a comprobar si la persona auxiliar podía considerarse suficientemente instruida y experimentada, SCHMIDT, *Der Arzt im Strafrecht*, 1939, págs. 191 ss., 193; el mismo en *Der Arzt im Strafrecht*, en PONSOLD, *ob. cit.*, págs. 64 ss. En la doctrina italiana, vincula el principio de confianza a la noción de previsibilidad CRESPI, *La responsabilità penale nel trattamento medico-chirurgivo con esito infausto, ob. cit.*, págs. 154 ss.

[153] Si bien de forma implícita, ese planteamiento estaba ya presente en las primeras formulaciones de este principio. Así, cuando EXNER a principios de siglo pasado se planteó los supuestos en los que estuviera justificado conceder relevancia a la confianza en la correcta

o al *principio de autorresponsabilidad*[154] hasta la búsqueda de fundamentos teóricos autónomos[155], el presupuesto de su aplicación y, con ello, su núcleo definitorio, tiende a situarse no ya en la noción de lo previsible, sino en torno a la idea de *deber*. En esta línea, de la que puede considerarse precursor a ENGISCH al destacar la implicación del alcance del deber del cirujano y el principio de confianza[156], merecen especial atención, entre otras[157], las aportaciones de STRATENWERTH y ROXIN.

Punto de partida de la concepción del primero es la distinción entre *deberes de cuidado primarios y secundarios*. STRATENWERTH maneja esta distinción a partir del criterio mayoritariamente aceptado en la doctrina en orden a diferenciar las categorías de autoría y participación. Conforme al mismo, mientras la autoría en el delito doloso viene determinada por el criterio

---

actuación de terceros entendía que ésto tendría lugar allí donde los riesgos que pudieran derivar de la misma no fuesen otros que aquéllos que normalmente se producen en la vida cotidiana, en "Fahrlässiges Zussamenwirken", *Festgabe für Frank*, Tübingen, 1930, págs. 569 ss.

En la doctrina más moderna véase por ejemplo, UMBREIT, *Die Verantwortlichkeit des Arztes für fahrlässiges Verhalten anderer Medizinalpersonen*, ob. cit. págs. 63 ss; WILHELM, *Verantwortung und Vertrauen bei Arbeitsteilung in der Medizin*, ob. cit., pág. 59.

[154] Por ejemplo, PETER, sostiene una combinación de estos principios *Arbeitsteilung im Krankenhaus aus strafrechtlicher Sicht*, Baden-Baden, 1992, págs. 12 ss.

En nuestra doctrina véase FEIJOÓ SÁNCHEZ, "El principio de confianza como criterio normativo de imputación en el Derecho penal: fundamento y consecuencias dogmáticas", en *Revista de Derecho Penal y Criminología*, 2000, págs. 105 s: "el fundamento del principio de confianza no se encuentra en la existencia de riesgos asumidos por el ordenamiento jurídico y en el carácter de *ultima ratio* del Derecho penal. En los supuestos en los que es preciso acudir al principio de confianza el cuidado necesario en el tráfico no está relacionado con un riesgo natural, sino con el comportamiento de una persona libre y responsable, por tanto, entra en juego en el fundamento de la atipicidad de la conducta el *principio de autorresponsabilidad*".

[155] Por ejemplo, PUPPE, "Die Lehre von der objektiven Zurechnung", en *Jura* 1998, págs. 21 ss. Sobre la exposición y crítica de las distintas fundamentaciones del principio de confianza, véase MANTOVANI, Marco, *Il principio di affidamento nella teoria del reato colposo*, Milano, 1997, págs. 65 ss; NEUDECKER, *Die strafrechtliche Verantwortung der Mitglieder von Kollegialorganen*, ob. cit., págs. 63 ss.

En nuestra doctrina es de destacar la concepción de TAMARIT SUMALLA, para quien dicho principio es consecuencia de lo que denomina "ámbitos de responsabilidad", como criterio que en el nivel de imputación objetiva determina el espectro de las conductas típicamente relevantes, TAMARIT SUMALLA, *La víctima en el Derecho penal*, ob. cit., págs. 160 ss.

[156] ENGISCH, "Die Haftung des operierendum Chirurgen nach den § 220, 230 StGB für Fehler der Operationsschwester", in *Langenbecks Archiv für Klinische Chirurgie/ Deutschen Zeitschrift für Chirurgie*, 1958 Bd. 288, págs. 573 ss.

[157] Véase por ejemplo, WILHELM, "Probleme der medizinischen Arbeitsteilung aus strafrechtlicher Sicht", en *MedR* 1983, págs. 45 ss.

del *dominio efectivo ("Beherrschung"),* en el ámbito de la imprudencia dicha situación de predominio se concreta en torno a la noción de *dominabilidad ("Beherrschbarkeit")*[158]. A partir de esta distinción STRATENWERTH traza la diferencia entre *deberes de cuidado primarios y secundarios.* Conforme a su planteamiento, el contenido del deber de cuidado *primario* recae sobre la conducta que de forma inmediata realiza el sujeto que ostenta la dominabilidad sobre el curso causal. Tal deber, que está presidido por los criterios de *previsibilidad* y *evitabilidad,* decae tan pronto como es otra persona la que a partir de un determinado momento asume la dominabilidad del suceso. Frente a él, el ámbito de la responsabilidad *secundaria* surgiría en relación con la actuación de terceros, encontrando su ámbito propio allí donde intervenga otro sujeto con plena dominabilidad del hecho, que asume así la responsabilidad primaria por el mismo. No obstante, de inmediato advierte STRATENWERTH que dicho deber secundario no surge de modo automático, a modo de regla general[159]. Dicho deber sólo habrá de apreciarse allí donde en el caso concreto, bien por circunstancias objetivas o subjetivas, existan razones para cuestionar una actuación correcta por parte de quien tiene encomendada una determinada tarea[160].

Aun cuando en buena medida llega a la misma conclusión, ROXIN propone un diseño teórico diferente para explicar las bases de la responsabilidad por la realización de tareas en equipo. Para este autor, si bien el ámbito de responsabilidad debe estar inspirado por la noción de *deber,* el mismo es previo a la calificación de los hechos como forma de autoría o participación. Punto de partida de su razonamiento es la distinción entre dos tipos de deber: el *diviso*

---

[158] STRATENWERTH, "Arbeitsteilung und ärztliche Sorgfaltspflicht", en *Festschrift für Schmidt* (hrsg. von Bockelmann y Gallas), Göttingen, 1961 págs. 390 s. Véase también al respecto, entre otros, WASTL, "Die Problematik der Arbeitsteilung im Krankenhaus", en *Moderne Medizin und Strafrecht,* Kaufmann (Hrsg.), Heidelberg, 1989 pags. 244 s.

[159] STRATENWERTH, en *Festschrift für Schmidt, ob. cit.,* pág. 390.

[160] STRATENWERTH, en *Festschrift für Schmidt, ob. cit.,* págs. 384 ss, 392.
Sobre las críticas a esta concepción véase WILHELM. Las objeciones de este autor apuntan a lo dudoso que puede resultar acudir al criterio de la dominabilidad como medio de delimitar lo que sean los deberes secundarios o por actuación de otros: porque si el ámbito de responsabilidad secundaria aparece determinado por la ausencia del criterio de la dominabilidad no se entiende cómo se puede derivar responsabilidad justamente de esos comportamientos que no se dominan, en *MedR* 1983, *ob. cit.* págs. 47 s. También en un sentido crítico véase en la doctrina italiana a Marco MANTOVANI, quien pone el acento en la limitada operatividad de la construcción de STRATENWERTH, en la medida en que su teoría parece ceñirse a los casos en que un sujeto revela a otro en la dominabilidad del curso causal, dejando fuera, por tanto, los casos en que, como sucede con frecuencia en el ámbito de la circulación, confluyen varios cursos causales, *Il principio di affidamento nella teoria del reato culposo, ob. cit.,* págs. 91 ss.

y el *común*. La infracción de este último se corresponde en la construcción de este autor con la categoría de la *coautoría* en el ámbito de la imprudencia. Con él se designarían los supuestos en los que sobre distintos sujetos pesa un mismo deber instituido para reforzar la tutela de un bien jurídico. Como ejemplo en este sentido propone ROXIN el caso en que se encarga a dos personas la custodia de un prisionero, de tal modo que su fuga sólo es posible cuando ambos violan el deber de vigilancia que les grava. En estos supuestos, entiende, ninguno de los sujetos podría aducir como motivo de exculpación la imprevisibilidad de la negligencia del otro.

Sin embargo, lo anterior no es, aclara ROXIN, lo que ocurre en el ámbito de la actividad médica. En ella la intervención de varios sujetos no tiene como finalidad duplicar la protección del bien jurídico sino posibilitar el reparto de funciones. Por eso en este ámbito la responsabilidad por la negligencia en que pueda incurrir el otro profesional requerirá atender a las circunstancias del caso concreto, de tal modo que allí donde su descuido fuera imprevisible, no podría fundamentarse deber de control alguno. No obstante, de inmediato advierte que incluso cuando aquélla fuese previsible el reproche que por la misma pudiera hacerse a un tercero tiene que girar en torno a la noción de *deber*, lo que requiere atender a la posición relativa de los intervinientes[161].

Esta concepción propuesta por ROXIN sería retomada en la doctrina italiana por BELFIORE[162]. Según este autor, en la división jerárquica del trabajo médico el principio del reparto de funciones tiene que matizarse por los de *deber de control* y *coordinación* de la actividad del resto de profesionales. No obstante, advierte, tales deberes no pueden adjetivarse como comunes en el sentido que manejara ROXIN, esto es, como deberes instituidos para crear una doble garantía del bien jurídico protegido, con la consecuencia de que caso de producirse un resultado lesivo el sujeto no pudiera alegar en su defensa la imprevisibilidad de la negligencia del otro. El contenido tanto del deber de control como del de coordinación habría de trazarse de forma mucho más limitada. Así, el primero se agota en constatar que, por las circunstancias del caso, no existen especiales indicios para sospechar que la actuación del tercero pudiera ser negligente. Se trata, en definitiva, de comprobar la aparente normalidad externa en la actuación de los colaboradores así como sus facultades psíquicas y físicas. Por su parte, el segundo, el deber de *coordinación*, se orienta a verificar la presencia de todos los colaboradores y la normalidad

---

[161] ROXIN, *Täterschaft und Tatherrschaft*, Hamburg, 1963, no así ya a partir de 1975 (3ª ed.), págs. 550 ss.

[162] BELFIORE, "Profili penali dell'attivitá medico-chirurgica in équipe", en *Archivio Penale*, 1986, págs. 294 ss.

o continuidad en el reparto de las tareas previstas. De lo anterior deduce que, al contrario, allí donde el jefe del equipo observe o sea informado de la concurrencia de circunstancias que hagan sospechar la producción de una actuación negligente por parte de un tercero, podrá fundamentarse un específico *deber de control*, que además de revestir carácter *positivo* -en cuanto tiene como contenido preceptivo desempeñar una actividad de vigilancia en la correcta intervención del tercero-, no tendría ya naturaleza divisa, sino *común*, puesto que, ahora sí, su finalidad sería crear una doble garantía para el bien jurídico protegido. Por ello, caso de producirse el evento lesivo, el titular de dicho deber no podría defenderse alegando la imprevisibilidad de la negligencia del tercero[163].

En general puede decirse que la normativización del principio de confianza y su formulación a partir de la idea de deber ha sido la línea común que, si bien con distintas variantes, ha inspirado la teorización moderna de dicho principio[164]. No es otro el punto de partida que está en la base de las concreciones más distintas de dicho enunciado. De hecho, puede decirse que la discusión actual en torno a su vigencia en cuanto limite de la responsabilidad penal no es más que la discusión en torno al alcance de los deberes que pesan sobre cada uno de los participantes en la actividad. En efecto, es la forma en que se concreten tales deberes lo que separa la postura de tres autores que, respectivamente, son exponentes de la concepción más amplias, intermedia y más restrictiva en torno al ámbito de juego del principio de confianza: KAMPS, WILHELM y UMBREIT. El primero, si bien se esfuerza en trazar los respectivos deberes de los participantes en una actividad común, suaviza considerablemente su alcance al atribuir un generoso margen de confianza a la correcta realización de la actividad del otro participante. Ello hasta el punto de sostener, incluso, la vigencia de dicho principio allí donde el que pretende confiar en la correcta actuación del otro haya incurrido en un fallo, algo que la doctrina niega de forma casi unánime[165]. Conforme a estas premi-

---

[163]   BELFIORE, en *Archivio Penale*, 1986, *ob. cit.*, págs. 299 s.

[164]   Además de los autores que se citan en el texto, véase OTTO, quien a la hora de derivar responsabilidad en el marco de una actuación conjunta de varios sujetos acude a la identificación de posiciones de responsabilidad que determinen cuándo pueda decirse que aquél ostente la controlabilidad del resultado y, por ello, que cree o eleve el riesgo de su producción, OTTO, en *JuS*, 1974, *ob. cit.* págs. 702 ss.

[165]   Por ejemplo, UMBREIT, *Die Verantwortlichkeit des Arztes für fahrlässiges Verhalten anderer Medizinalpersonen, ob. cit.* págs. 120 ss., con expresas críticas a KAMPS. No obstante hay que decir que algún autor, como ROXIN, admite en determinados supuestos que pueda seguir invocándose el principio de confianza por parte de quien se comporta de forma antijurídica; en concreto, cuando la infracción no haya repercutido en el resultado lesivo. Lo contrario, entiende, supondría una sanción inadmisible del *versari in re illicita*, ROXIN,

sas, la lesión de tales deberes queda reducida a los supuestos más burdos de su infracción[166]. Más moderada es la postura de WILHELM, al menos por lo que al ámbito de la división vertical del trabajo se refiere. Este autor acota los deberes que gravan al superior en función de una serie de variables entre las que cuenta la índole de la tarea que realiza el inferior o la cualificación del superior. Mientras mayor sea esta última, afirma, estará en mejores condiciones de prever y evitar los posibles riesgos derivados de la división del trabajo. Frente a ello, en el ámbito de la división horizontal del trabajo, entiende que el principio de confianza se manifiesta con toda su fuerza, ya que por entre profesionales con la misma cualificación no existe un deber de velar por el correcto cumplimiento de las tareas que corresponden a otros colegas[167].

La concepción más restrictiva en torno al principio de confianza es la que sostiene en la doctrina alemana UMBREIT. Una vez más, esa conclusión no es sino la consecuencia de la amplitud con la que concibe los deberes que gravan a cada uno de los participantes en el trabajo en equipo. En el ámbito de división vertical del trabajo este autor llega incluso al extremo de invertir la regla general de la vigencia del principio de confianza para condicionar su operatividad a un momento ulterior en que se haya verificado el cumplimiento de estrictos deberes de organización, instrucción y comunicación[168].

1.4.2. Toma de postura

En la línea de las concepciones actuales en torno a la comprensión del principio de confianza, la propuesta de solución que sostenemos en estas líneas está condicionada por diferentes variables que en última instancia pretenden trazar un módulo normativo a partir de las nociones de *competencia* y *deber*. Conforme a esta orientación, en lo que sigue trataremos de dotar a dicho principio de un contenido que, además de ser respetuoso con la realidad fenomenológica de la *praxis médica*, ofrezca un punto de equilibrio entre los dos intereses contrapuestos que están en la base de la responsabilidad del trabajo en equipo: por un lado, evitar que la misma, bien se diluya en una disputa cruzada sobre los ámbitos de competencia, bien se focalice sobre el concreto ejecutor ignorando las coordenadas más amplias propias de la red de interre-

---

Derecho penal, Parte General, ob. cit., pág. 1005. En nuestra doctrina véase FEIJOÓ SÁNCHEZ, en *Revista de Derecho Penal y Criminología, ob. cit.,* págs. 116 ss.

[166]   KAMPS, *Ärztliche Arbeitsteilung und strafrechtliches Fahrlässigkeit, ob. cit.,* págs. 210 s.

[167]   WILHELM, *MedR* 1983, *ob. cit.,* págs. 45 ss.

[168]   UMBREIT, *Die Verantwortlichkeit des Arztes für fahrlässiges Verhalten anderer Medizinalpersonen, ob. cit.* págs. 93 ss.

laciones que genera la división de tareas; por otro, respetar la exigencia de no vaciar de contenido el sentido mismo del reparto de funciones, que no es otro que permitir la especialización, garantizando que cada uno de los participantes se centre en el respectivo ámbito que tiene encomendado.

Antes de entrar a exponer dicha solución resulta conveniente realizar algunas precisiones aclaratorias. En primer lugar, que punto de partida de las consideraciones que siguen es que previamente están perfectamente acotados los respectivos ámbitos competenciales de cada uno de los participantes en la actividad médica. Sólo entonces cobra sentido plantearse cuál pueda ser la responsabilidad de cada uno de ellos por las posibles negligencias en que incurran los demás en el desempeño de su actividad. Los criterios conforme a los cuales deban delimitarse esos ámbitos es una tarea que excede de lo que aquí interesa, en cuanto que, en realidad, cuando los límites son difusos lo que se ventila es un problema interpretativo previo que habrá de resolverse con ayuda de criterios como la práctica usual en el Hospital o, en su caso, recurriendo a los acuerdos que eventualmente existan entre los participantes, válidos todos ellos en tanto respeten las líneas competenciales básicas y no resulten contrarios a las reglas de la *lex artis*[169].

Esa tarea previa de indagar los respectivos deberes de cada uno de los participantes puede arrojar como resultado un deber compartido respecto a un mismo comportamiento, casos en los que, en realidad, no se plantea un problema distinto al de una coautoría en un delito imprudente. Valga de cita el supuesto enjuiciado por la STS de 23 de octubre de 2001. Se trataba de una mujer que al finalizar la cesárea que se le estaba practicando sufrió una pérdida de caudal sanguíneo de tal magnitud que le provocó un shock hipovolémico, una parada cardio-respiratoria, una asistolia y la muerte. Según se declaró probado, dicha hemorragia se produjo como consecuencia de la grave desatención tanto del ginecólogo como del anestesista que atendían la operación: "Probablemente el primero que debió advertir la situación que se estaba creando fue el ginecólogo, más directamente obligado a controlar esta incidencia mediante la cuantificación de la sangre aspirada mecánicamente o de la empapada por las compresas. Pero, simultáneamente, el anestesista debió apercibirse, al menos, de los efectos que la pérdida de sangre estaba produciendo en las constantes vitales de la paciente. El incumplimiento del mencionado deber de cuidado por ambos facultativos determinó que la si-

---

[169] Al respecto, PETER, *Arbeitsteilung im Krankenhaus aus strafrechtlicher Sicht, ob. cit.*, págs. 43 ss. Véase también
UMBREIT, *Die Verantwortlichkeit des Arztes für fahrlässiges Verhalten anderer Medizinalpersonen, ob. cit.* págs. 94 ss.

tuación llegara a ser irreversible cuando la alarma del monitor los sacó de su inadvertencia e intentaron, ya sin éxito, la reanimación de la paciente cuyo fallecimiento, en definitiva, guarda con la desatenta conducta de los acusados una clara relación de causalidad".

En segundo lugar, debe hacerse una acotación adicional respecto a los supuestos que se tratan en este apartado. En él se hace referencia exclusiva a los casos en los que sea posible advertir en el reparto médico de funciones la actuación *imprudente* de uno o varios profesionales. Con ello quedan al margen de las consideraciones que siguen los supuestos en los que, pese a existir responsabilidad por parte de varios sujetos, los títulos de atribución subjetiva sean distintos. Es lo que sucedería, por ejemplo, en casos como el de la enfermera que, por error, confundiera el preparado que debe entregar al médico, quien a su vez, siendo consciente de la confusión, lo suministrase al paciente con la intención de matarle. En ellos, lo que en realidad se ventila es una manifestación del viejo problema que FRANK propusiera solucionar con la fórmula de la *prohibición de regreso*. Como es sabido, si bien en su enunciación original esa fórmula venía a excluir la responsabilidad del primer causante imprudente cuando el segundo actuase de forma dolosa[170], sería extendida por autores como LAMPE[171] o, más recientemente por DIEL[172], a todas las combinaciones posibles sin tener en cuenta, por tanto, el título subjetivo de imputación con el que interviniera el primer o segundo agente[173].

Todavía debe hacerse una advertencia ulterior relativa ahora a la postura que previamente se mantenga en torno a la teoría de la participación. Conforme al planteamiento del que partimos, cuando en las líneas que siguen afirmemos la responsabilidad conjunta por imprudencia de distintos profesionales sanitarios, habrá de entenderse que la misma debe discurrir conforme a los esquemas de la *autoría accesoria*. Partimos, en definitiva, de la imposibilidad de diferenciar las categorías de autoría y participación en el delito imprudente, un postulado que ya sostuviera WELZEL[174] como consecuencia lógica de la estructura final de la acción y que ha llegado, si bien de forma matizada, al

[170]   FRANK, *Strafgesetzbuch für Deutsche Reich*, Tübingen, 1924, §1,16.
[171]   LAMPE, "Täterschaft bei fahrlässiger Straftat", en *ZStW* 1959, págs. 579 ss.
[172]   DIEL, *Das Regreßverbot als allgemeine Tatbestandsgrenze im Strafrecht*, Frankfurt/Berlin/Berna/New York/Paris/Viena, 1997, pags. 315 ss.
[173]   Véase al respecto la monografía de FEIJÓO SÁNCHEZ, *Límites de la participación criminal. ¿Existe una prohibición de regreso como límite general del tipo en Derecho penal?*, Granada, 1999.
[174]   WELZEL, "Studiem zum System des Strafrecht", en *ZStW* 1939, págs. 492 ss.

pensamiento de autores como HERZBERG[175], BOTTKE[176] o incluso JAKOBS[177]. Me remito en este punto a los argumentos que manejase en otro trabajo para llegar a esta solución[178].

Una última precisión se orienta a delimitar el ámbito de las consideraciones que siguen, dejando al margen de las mismas algunos supuestos que, si bien guardan un parecido innegable, no responden a la lógica estructural que está en la base de la responsabilidad por trabajo en equipo. Si, como venimos insistiendo, ésta se caracteriza por surgir a partir de una distribución de funciones entre distintos participantes en la actividad, al margen de la misma deben quedar ya supuestos como el de la intervención de médicos en período de aprendizaje. Es lo que sucede, por ejemplo, con las eventuales colaboraciones que en la práctica hospitalaria realicen estudiantes de medicina. En efecto, en tanto la persona que comienza a enfrentarse con la *praxis* médica no esté habilitada para asumir por sí sola, con plena autonomía, la parcela de actividad de que se trate, la eventual responsabilidad en que puedan incurrir los profesionales que la tutelan no puede ventilarse conforme a la estructura conceptual propia de la división de funciones, sino conforme a las coordenadas más estrictas que derivan de un específico deber de seguimiento por parte de quien le encomendó la tarea en cuestión. De ello se sigue que la problemática de esta fenomenología de casos entronca con el incumplimiento de la obligación de control que indefectiblemente pesa sobre aquél, sin que quede ámbito de juego alguno al principio de confianza, principio que sin embargo, como venimos sosteniendo, es la espina dorsal del tratamiento de los supuestos que aquí interesan. Por ello, la problemática y los cauces mismos para ventilar eventuales responsabilidades en estos supuestos habría de discurrir por una lógica ajena a la que ahora se estudia[179].

A una relación similar obedece la estructura propia de los médicos residentes (MIR), quienes si bien han completado su formación teórica, se encuentran en un período de consolidación de sus conocimientos, desarrollando la práctica asistencial bajo la tutela de un médico principal. Si bien puede

---

[175]   HERZBERG, *Täterschaft und Teilnahme*, München, 1977, págs. 99 ss, si bien mantiene dicho concepto extensivo de autor en relación con los delitos imprudentes que denomina de *mera causación*.

[176]   BOTTKE, *Täterschaft und Gestaltungsherreschaft*, Heidelberg, 1992, págs. 22 ss.

[177]   Si bien con importantes matices que derivan de su peculiar concepción funcional del sistema, JAKOBS, *La imputación objetiva en Derecho penal, ob. cit.*, págs. 65 ss.

[178]   GÓMEZ RIVERO, *La inducción a cometer el delito, ob. cit.*, págs. 346 ss.

[179]   No obstante, debe advertirse que a veces la doctrina incluye el tratamiento de estos casos en la problemática propia de la división del trabajo en equipo. Es el caso, por ejemplo de PETER, *Arbeitsteilung im Krankenhaus aus strafrechtlicher Sicht, ob. cit.*, págs. 73 ss.

presumirse una capacidad superior de esos médicos, también ahora su falta de experiencia da paso a especiales deberes de vigilancia y supervisión que desplazan de forma singular el protagonismo del principio de confianza. En su lugar, emerge a primer plano el deber del médico tutor de programar y controlar las labores que realice el médico residente a su cargo, lo que, una vez más, expulsa su estructura de la genuina problemática de la responsabilidad por trabajo en equipo. A su actividad se refiere el art. 20 de la Ley 44/2003, de 21 de noviembre, de ordenación de las profesiones sanitarias, que si bien dispone la plena integración de los médicos residentes en el funcionamiento ordinario del centro hospitalario, establece una asunción progresiva de sus funciones y responsabilidad[180].

Mucho más sutil es la delimitación de los casos de responsabilidad por división de trabajo en equipo respecto a los supuestos de colaboración sucesiva por distintos profesionales. Dada su extraordinaria similitud, nos referimos a continuación brevemente a los mismos.

1.4.2.1. La colaboración sucesiva de diferentes profesionales: la relación entre médico general-especialista-cirujano

Se tratan en este apartado los supuestos en los que el médico remite al paciente a otro profesional en régimen de consultas externas, de tal modo que si bien puede decirse que existe una continuidad entre las respectivas tareas de los facultativos, no puede hablarse, sin embargo, de una colaboración directa entre ambos. Imaginemos que el enfermo que acude a un médico de medicina general es remitido sucesivamente a un especialista y a un cirujano. Cuando el primero le envía al segundo, y éste a su vez al tercero, la actuación de aquél aparece como un eslabón independiente de la tarea que posteriormente realicen éstos. El tratamiento del paciente se diseña así a partir de una cadena de intervenciones en la que cada eslabón corresponde a un profesional que tiene un cometido y una responsabilidad específica y plenamente diferenciable de la del resto. No es por ello de extrañar que sea en este tipo de relaciones donde despliegue toda su eficacia el *principio de confianza* en la actuación del otro, de tal forma que, en general, puede decirse que ninguno de ellos debe responder por la negligencia en que incurra el otro.

---

[180] Conforme al apartado d) del citado precepto, "Los residentes deberán desarrollar, de forma programada y tutelada, las actividades previstas en el programa, asumiendo de forma progresiva, según avancen en su formación, las actividades y responsabilidad propia del ejercicio autónomo de la especialidad".

Los límites de esta regla general habrán de trazarse allí donde existan motivos para descartar en el caso concreto la vigencia de dicho *principio de confianza*. Es lo que sucederá en casos extremos, como cuando uno de ellos constate la incapacidad del otro para asumir el tratamiento del enfermo, bien por deficiencias físicas o psíquicas, bien por tener conocimiento de que está sometiendo al paciente a una terapia contraindicada[181]. En la doctrina alemana algún autor, como KAMPS, ha fundamentado en tales casos un deber de comunicación de las sospechas a la persona responsable del Hospital, de tal forma que si no lo hiciera y el primer profesional se limitase a remitir al enfermo al especialista en cuestión, pudiera responder por el resultado lesivo que llegara a producirse[182].

A nadie escapa que la posibilidad de exigir en estos supuestos responsabilidad a quien permanece impasible pese a constatar tales anomalías se vincula a los presupuestos a los que se condicione la posición de garantía del médico y, en definitiva, al alcance con que se delimite su obligación de actuar. En este sentido, el compromiso que el mismo asume, si bien viene delimitado por los aspectos que se encuentren en relación directa e inmediata con la dolencia que se compromete a tratar, se extiende a garantizar al paciente el correcto seguimiento de la misma[183]. Por ello, en los casos que ahora tratamos en los que uno de los profesionales esté al corriente de las irregularidades en que incurre el colega al que reenvía el paciente y, pese a ello, no haga nada para evitar los daños, podría fundamentarse su posición de garantía[184].

Lo anterior, sin embargo, no significa concluir automáticamente afirmando su responsabilidad como comitente omisivo. Como veremos al tratar los presupuestos de la responsabilidad por un delito de omisión impropia, la mis-

---

[181]   Entre otros, PETER, *Arbeitsteilung im Krankenhaus aus strafrechtlicher Sicht, ob. cit.*, pág. 29; BROSE, "Aufgabenteilung im Gesundheitswesen Horizontale und vertikale Arbeitsteilung auf klinischer und präktischer Ebene", en *Medizinstrafrecht. In Spannungsfeld von Medizin, Ethik und Strafrecht*, Hrsg. ROXIN/SCHROTT, Stuttgart/München/Hannover/Berlin/Weimar/Dresden, 1999 pág. 59; ULSENHEIMER, *Arztstrafrecht in der Praxis, ob, cit.*, págs. 122 ss.

[182]   KAMPS, *Ärztliche Arbeitsteilung und strafrechtliches Fahrlässigkeit, ob. cit.*, págs. 220 ss.

[183]   Véase *infra*, 2.

[184]   De estos casos habrán de diferenciarse aquellos otros en los que un facultativo se limita a tener conocimiento por cualquier medio de la negligencia cometida por otro distinto respecto a un paciente que él no trata: al faltar en ellos el previo compromiso o asunción de la curación del enfermo, el intento de fundamentar una posición de garantía sólo sería posible a partir de la contemplación meramente formal de las fuentes de deber. Por ello, en estos supuestos su responsabilidad penal surgiría, todo lo más, por un delito de omisión pura: bien el deber de impedir determinados delitos, bien el de omisión del deber de socorro.

ma requiere que se den los requisitos de equivalencia estructural que garantizan la plena identidad valorativa entre la comisión activa y omisiva. Ese juicio pasa por la constatación de dos requisitos. El primero, la comprobación de que la pasividad del omitente tenía capacidad para condicionar, determinar o favorecer mediante la omisión de una contribución concreta la lesión del bien jurídico. El segundo, la verificación de que el acto concreto que omite el garante tenga capacidad para incidir de forma directa e inmediata en la evitación del resultado, sin necesidad de interponer eslabones intermedios. Bien pues, según entiendo, la ausencia de esta última exigencia hace quebrar la posibilidad de fundamentar la responsabilidad en comisión por omisión en los casos que ahora se tratan.

En efecto, si bien en ellos es posible identificar un acto concreto que omite el primer profesional (no advertir de la negligencia), la realización del mismo no incide de forma directa e inmediata en la evitación del resultado lesivo. Éste necesita todavía de la interposición de un factor causal adicional (la corrección del error o fallo) que ya no depende del primer facultativo, sino de aquél que incurre en la negligencia, lo que a menudo requiere incluso la actuación intermedia del superior o responsable del centro sanitario cuya instrucción, ahora sí, puede evitar de forma directa e inmediata la producción del resultado[185]. Esa falta de inmediación de la actividad del primero en la evitación del resultado entiendo que impide fundamentar un juicio de equivalencia estructural que identifique a todos los efectos la conducta omisiva de no advertir la

---

[185] Valga de ejemplo el caso enjuiciado por la ya referida Sentencia del Tribunal Supremo de 18 de noviembre de 1991, en la que se ventilaba la responsabilidad por el contagio del virus del Sida a dos pacientes a consecuencia de transfusiones sanguíneas en las que no se realizaron las pruebas de control oportunas. Entre los acusados se encontraba el Gerente del Área de Gestión de la "Costa de Ponent" del Instituto Catalán de la Salud, uno de cuyos centros, del que también ostentaba el cargo referido área el Hospital "Príncipes de España". El Tribunal Supremo consideró que se desentendió de su obligación de velar por el cumplimiento de la orden referida, a pesar de que desde el 17 de agosto de 1985 conocía la importancia del tema, y, con ello, se daban los presupuestos de la comisión por omisión en relación con los anteriores arts. 343 y 343 bis (expendición de medicamentos deteriorados y sin cumplir las formalidades vigentes). En palabras del Tribunal: "el acusado tenía el deber de actuar, vigilando el material médico, la sangre donada, y la sangre transfundida, deber que nacía de la relación contractual por él asumida con un cúmulo importante de obligaciones para dirigir, desde su cargo, toda la infraestructura del centro médico. Al no hacerlo así, al permitir que no se llevaran a cabo las instrucciones que la Orden de 10-10-86 le marcaba para el cribado y las demás pruebas tendentes al control riguroso del síndrome, y al permitir también, en último caso, que el acopio de ese 'medicamento' se realizara prescindiendo de la referida orden, haciendo caso omiso de lo que ya en distintos hospitales se realizaba al respecto, vino a crear el daño potencial, dio vida al peligro en cuestión".

negligencia con la realización de la misma de forma activa. Por ello, en tales casos la responsabilidad del primer profesional por su conducta omisiva habrá de reconducirse, todo lo más, a un delito de *omisión propia*: el de no impedir la comisión de un delito (imprudente) por parte del otro profesional.

Debe observarse, con todo, que la cuestión anterior en torno a las posibilidades de apreciar la responsabilidad del primer profesional por vía omisiva se ciñe a los casos en los que su actuación no pueda calificarse de por sí como una acción imprudente. Es lo que sucedería cuando la conducta misma de remitir al paciente a otro profesional pueda valorarse como contraria a cuidado. Baste pensar en los casos de remisión a un facultativo respecto al que conoce la carencia absoluta de capacidad y cualificación necesaria para desarrollar la actividad en cuestión (p, ej., porque la prueba que solicita excede de las competencias de éste o bien, simplemente, porque el reenvío es a una persona que ni siquiera está en posesión del título profesional correspondiente). Dado que la remisión a un especialista distinto puede contemplarse como parte de la actuación del médico general, nada se opondrá a apreciar en tales casos una actitud de imprudencia e incluso de dolo eventual respecto al resultado lesivo que eventualmente acaeciera debido a la incompetencia manifiesta de la persona a que remite. Debe observarse que con este razonamiento en absoluto se hace responder a uno de los profesionales por la conducta del otro. Así impide entenderlo el hecho de que la responsabilidad del primer facultativo lo sería por la conducta propia de remitir al paciente a otro médico que no está capacitado para atenderle, actuando así como un *cooperador necesario* a la negligencia de éste.

Fuera de estos casos extremos, los principios generales que presiden la distribución competencial por la actuación de otro impiden derivar responsabilidad para el primer facultativo. Lo contrario supondría tanto como obligarle a cuestionar continuamente la cualificación y habilitación profesional de otros colegas, lo que es competencia de la Administración que concede y habilita al profesional en cuestión para el ejercicio de la actividad de que se trate mediante el régimen de las correspondientes licencias. Bien es verdad que, pese a cumplirse los requisitos necesarios para ejercer la profesión, el médico general puede desconfiar subjetivamente de la destreza personal del especialista en concreto. Pero la máxima obligación que puede gravarle en tal caso será la de informar al paciente sobre tales extremos así como de la existencia de otros profesionales que le inspiren mayor confianza. Lo que nunca podrá exigírsele es que cuestione la habilitación del colega ni que despliegue una labor de control y seguimiento directo de cada uno de sus actos, lo que supondría no sólo entorpecer el básico reparto funcional de tareas entre cada uno de ellos, sino convertir indiscriminadamente a cada profesional en garante por la actuación del resto. Lo anterior resulta especialmente evidente en los supuestos, propios de la estructura pública, en los que el médico general tiene que limitarse a remitir al paciente al especialista que le corresponde, aun cuando pueda sospechar su probable impericia y deficiente destreza[186]. Hacerle responsable por la misma no sólo contradiría las premisas que inspiran la responsabilidad en Derecho penal, sino el más básico sentido común.

Delimitados los supuestos anteriores, es el momento de abordar la fenomenología propia y los genuinos problemas de la responsabilidad por el trabajo en equipo, caracterizados, según apuntábamos, porque los distintos profesionales entran en contacto directo en el ejercicio de una misma actividad mediante la distribución de sus funciones.

1.4.2.2. La específica problemática de la responsabilidad por el trabajo en equipo

Dado que el sentido de la red de interrelaciones que genera la realización del trabajo en equipo es notoriamente diverso según se contemple en dirección horizontal o vertical, en lo que sigue analizaremos por separado las relaciones y, con ello, los respectivos ámbitos de responsabilidad que delimitan una y otra forma de distribución de tareas.

a) División horizontal de funciones

Bajo el concepto de división horizontal de funciones, o en terminología de la ya citada Ley 44/2003, de 21 de noviembre, de *ordenación de las profesiones sanitarias*, la actuación sanitaria *"colegiada"*, se designan los supuestos en los que la actuación de los distintos intervinientes tiene lugar en un plano de igualdad, siendo la relación paradigmática la que media entre el anestesista y cirujano. En principio, dada la lógica que inspira la distribución horizontal de tareas, no se plantea dificultad alguna a la hora de negar como regla general la responsabilidad de cada uno de ellos por la actuación incorrecta del otro. Así obliga a entenderlo el hecho de que sus respectivas actuaciones se trazan, al menos en principio, como compartimentos estancos, independientes y ajenos a cualquier imbricación de competencias y, con ello, de responsabilidad[187]. Por ello, como señala de forma mayoritaria la doctrina y la jurispru-

---

[186]   Reclama un tratamiento diferente para los casos de actuación en el sector público y privado, SCHMIDT, en PONSOLD, *Lehrbuch der Gerichtlichen Medizin ob. cit.*, págs. 64 ss.

[187]   Por todos, KAMPS, *Ärztliche Arbeitsteilung und strafrechtliches Fahrlässigkeit, ob,. cit.*, págs. 217 ss.

dencia[188], en estos supuestos se erige en regla básica el *principio de confianza* *("Vertrauensgrundsatz")*[189], en cuanto que cada uno de los intervinientes puede y debe confiar en la correcta realización de las funciones por parte del otro; todo ello, una vez más, siempre que la confianza se estime fundada en razón de las circunstancias del caso[190]. Es más, como ya veíamos, el dato de que se trate de una relación entre especialistas de diferentes ámbitos ha llevado a algún autor, como WILHELM, a defender en este ámbito la protección ilimitada de la confianza en la correcta actuación del colega.

Esta exasperación de la vigencia indiscriminada del principio de confianza, a modo de una presunción *iuris et de iure* acerca de la corrección del comportamiento del otro profesional, no puede decirse, sin embargo, que sea la solución que cuente con un predicamento mayoritario en la doctrina. Al contrario, no sin razón, ésta se esfuerza en trazar límites que de forma más o menos nítida acoten los márgenes de validez de dicho principio en el ámbito de la división horizontal del trabajo. Porque si bien es verdad que la lógica estructural de la división de funciones descansa en la delimitación de ámbitos competenciales marcados por las respectivas especialidades, no puede olvidarse la filosofía misma que está en la base del reconocimiento del principio de confianza. Si éste se admite es porque se trata de una exigencia mínima para permitir el correcto desenvolvimiento de la división de funciones; en otras palabras, la confianza se protege porque, si bien es verdad que lo contrario do-

---

[188]   Véase por ejemplo la Sentencia de la Audiencia Provincial de Barcelona de 12 de mayo de 2000, que absolvió al cirujano por no detectar una imprudencia burda del anestesista, en concreto, éste cerró el suministro de oxígeno y de protóxido de nitrógeno hasta el momento suministrados en mezcla del 50%, abriendo a continuación el grifo correspondiente a este segundo gas: "la división del trabajo...genera una confianza en el actuar diligente de los demás profesionales de manera que a cada uno de los miembros del equipo no se les puede responsabilizar de los fallos de otro, salvo que la confianza en su actuación sea estimada infundada en atención a la entidad del error, o a la ausencia de cualificación o fiabilidad del directamente responsable".

[189]   Entre otros, FIESER, *Das Strafrecht des Anästhesisten*, München, 1975, págs. 189 ss; STRATENWERTH," Arbeitsteilung und ärztliche Sorgfaltspflicht", en *FS. Schmidt, ob. cit.*, págs. 338 ss; ROXIN, *Derecho penal, Parte General, ob. cit.*, págs. 1005 s; LAUFS, en *NJW 1984, ob. cit.*, págs. 1386 s; el mismo en *Arztrecht, ob. cit.*, págs. 131 s. En la doctrina italiana, FORTI, *Colpa ed evento nel diritto penale*, Milano, 1990, págs. 284 ss; MANTOVANI, Marco, "Alcune puntualizzazioni sul principio di affidamento", en *Rivista italiana di diritto e procedura penale*, 1997, págs. 1051 ss.

[190]   Véase por ejemplo la STS de 11 de octubre de 1979 que condenó al cirujano que no se percató del estado cianótico de la enferma que estaba siendo operada por él, pese a que al anestesista incumbía estar pendiente de la sintomatología de la enferma "pues el procesado...debió tener presente que el anestesista atendía simultáneamente a dos pacientes que estaban siendo operados en quirófanos distintos".

taría de mayores garantías a la realización de una labor conjunta, se considera no sólo admisible sino también conveniente confiar en la correcta actuación de los otros colegas para así agilizar la práctica médica y permitir que cada profesional se centre sólo en su tarea.

Ahora bien, como ya afirmara EXNER a comienzos del pasado siglo cuando formulase una de las primeras versiones del principio de confianza, su vigencia se extiende exclusivamente a los casos en que se trate de los riesgos que normalmente se producen en la vida cotidiana[191]. A la inversa, cuando falten las bases de esa normalidad que *permite* confiar en la correcta actuación de terceros, habrá de negarse cualquier espacio de juego a dicho principio. Dicho de otro modo, éste encuentra su límite allí donde existan motivos fundados para desconfiar en la correcta actuación del tercero[192] o, si se quiere, indicios evidentes *("offensichtlich")*[193] para advertir la incorrecta actuación del colega, como sucede en los casos en que manifiesta agotamiento o evidencia la ausencia de las condiciones físicas mínimas para practicar la intervención. No está de más hacer notar que esta quiebra del principio de confianza no quiere decir, como advierte CEREZO MIR, que sus límites se sitúen allí donde el resultado sea *objetivamente previsible*. Porque previsible es siempre el comportamiento imprudente de un tercero, con lo que la operatividad de este principio quedaría reducida prácticamente a la nada. "El principio de confianza sirve para determinar precisamente el cuidado objetivamente debido en los casos en que la producción del resultado es objetivamente previsible; sirve para determinar la conducta que seguiría en esa situación una persona inteligente y sensata"[194]. Y esa persona inteligente y sensata no puede confiar cuando no hay condiciones "normales" para hacerlo; porque lo que entonces hay son motivos para sospechar, no para invocar la confianza.

La relación entre las condiciones de normalidad y la vigencia del principio de confianza resulta meridiana cuando se vuelve la vista al ámbito que motivó la formulación de dicho principio: el tráfico viario. Se confía en la destreza y correcta actuación de cada participante en el tráfico allí donde no hay motivos para desconfiar; por el contrario, difícilmente podrá alegar un participante

---

[191] EXNER, "Fahrlässiges Zussamenwirken", *Festgabe für Frank*, Tübingen, 1930, págs. 569 ss.
[192] Por ejemplo DEUTSCH, *Medizinrecht, Arztrecht, Arzneimittelrecht und Medizinprodukterecht, ob. cit.*, pág. 161. En la doctrina italiana, entre otros, BILANCETTI, *La responsabilità penale e civile del medico, ob. cit.*, págs. 235 ss; BELFIORE, "Sulla responsabilità colposa nell'ambito dell'attività medico-chirurgica in "équipe", en *Foro italiano*, 1983, págs. 167 ss.
[193] PETER, *Arbeitsteilung im Krankenhaus aus strafrechtlicher Sicht, ob. cit.*, págs. 29 ss, 32.
[194] CEREZO MIR, *Curso de Derecho penal español, Parte General, ob. cit.*, pág. 171.

que confió en la correcta actuación del otro conductor cuando advirtiese que el mismo daba cabezadas al volante, que presentaba síntomas de embriaguez o, simplemente, que continuaba mirando un plano de carreteras al llegar a un cruce. La confianza en estas condiciones ni existe ni puede jurídicamente existir.

Con todo, de inmediato debe advertirse que estas premisas, que pueden considerarse mínimas para fundamentar el principio de confianza en cualquier ámbito, deben valorarse en el campo de la medicina a la luz de un dato fenomenológico inherente a la actividad médica en equipo y que necesariamente condiciona su comprensión. Y es que, en efecto, a diferencia de lo que sucede en otros sectores como pueda ser, según acabamos de ver, el del tráfico automovilístico, en el que los participantes se desconocen entre sí por completo y en el que, por tanto, la presunción acerca de la correcta actuación del tercero puede sostenerse con más rigor, en el ámbito médico concurren una serie de peculiaridades que bien pudieran matizar la vigencia de las reglas que se consideran válidas en aquel ámbito. Baste pensar que cuando se trata del desempeño de una actividad por un grupo acotado de personas lo normal es que concurra el dato de la reiteración conjunta de intervenciones por los mismos sujetos y, en definitiva, su conocimiento recíproco. Esto puede determinar que, en su caso, el principio de confianza quiebre tendencialmente con más facilidad, puesto que no puede ser igual la presunción de confianza respecto al manejo de un automóvil por una persona a la que nunca antes se ha visto y que se cruza en el camino sin que se sepa ni se vuelva a saber nada más de ella, que la confianza subjetiva que puede existir respecto a la correcta realización de funciones en el seno de un equipo médico. En él, el conocimiento intersubjetivo sobre la capacidad y habilidad del resto de los intervinientes puede ofrecer indicios para desconfiar en la actuación conforme a las reglas de cuidado por parte del tercero[195].

La pregunta que surge entonces es hasta qué punto esta diferencia *fenomenológica* entre la actividad del tráfico viario y la realización de tareas en equipo debe influir, *jurídicamente,* en la delimitación de ámbitos de responsabilidad de cada uno de los participantes. El hecho de que el cirujano tenga conocimiento de los reiterados fallos que ha cometido el anestesista en intervenciones anteriores, ¿impide que aquél pueda confiar en la correcta actuación de éste?, ¿y si sus sospechas surgen por conocer la alteración anímica que, por la razón que sea, tiene su colaborador el día de la intervención? Y aún con

---

[195]   Sobre esta y otras diferencias, véase UMBREIT, *Die Verantwortlichkeit des Arztes für fahrlässiges Verhalten anderer Medizinalpersonen, ob. cit.* págs. 70 ss.

carácter previo, ¿avala la confianza el conocimiento recíproco fundado en la reiteración de intervenciones o, por el contrario, es suficiente el no saber nada del otro colaborador y, por tanto, la ausencia de indicios tanto en favor como en contra de su correcta actuación?

Según entiendo, la respuesta a estos interrogantes sólo puede obtenerse a partir del punto metodológico que está en la base de la elaboración teórica del principio de confianza: la *idea de deber* o, lo que es lo mismo, a partir del análisis del contenido del compromiso asumido por cada uno de ellos o, si se quiere, de la contemplación de la posición relativa del sujeto que respectivamente se juzga. Sólo la noción de deber puede ofrecer la clave con la que fundamentar la obligación de cada interviniente de comprobar las circunstancias que fundamentan la situación de normalidad, presupuesto, según hemos visto, de la vigencia del principio de confianza, así como de verificar hasta qué punto puede fundamentarse su deber de obrar de forma distinta una vez comprobada la concurrencia de extremos que desvirtúan los presupuestos de dicha normalidad.

En lo que sigue, para concretar el contenido del deber de las relaciones entre profesionales en el ámbito horizontal tomaremos como referencia el modelo paradigmático de relación entre cirujano y anestesista. Dado que se trata de contemplar las posiciones relativas de deber de cada uno de ellos, resulta conveniente estudiar por separado sus respectivas situaciones. Así obliga a hacerlo el hecho de que, si bien se trata de un reparto de funciones "entre iguales" el espectro de sus respectivos deberes es distinto. No puede pasarse por alto, en efecto, que el ámbito del compromiso que asume el cirujano es más amplio que el del anestesista, o por decirlo de otro modo, la labor de éste, si bien diferenciable, no deja de estar funcionalmente supeditada a la que realiza aquél. Así, mientras el cometido del anestesista consiste en valorar el riesgo de la anestesia, situar al paciente en condiciones de ser operado, garantizando al mismo tiempo sus constantes vitales durante el trascurso de la operación y la reanimación tras la misma, el cirujano asume el compromiso más amplio y primario del tratamiento del paciente por lo que a la dolencia confiada se refiere, extremo que impide que pueda desentenderse por completo de su colaborador inmediato. Es más, como en su momento veremos, en la medida en la que la actividad del anestesista es preparatoria y orientada funcionalmente a la del cirujano, cuando éste observe irregularidades en la actuación de aquél y pese a ello realice impasible su tarea, dicha pasividad habrá de valorarse como una manifestación más de su propia imprudencia, por emprender o consentir el desarrollo de una operación con un colaborador negligente.

Lo anterior se confirma cuando se tienen presentes los poderes decisorios de los que goza cada uno de los especialistas. Baste pensar que mientras los reparos que pueda oponer el anestesista se ciñen necesariamente a los riesgos dimanantes de la anestesia, los elementos que ha de sopesar el cirujano en su decisión son más amplios, puesto que su resolución final no es sólo fruto de la ponderación de los riesgos de la intervención, sino del juicio que aporta el anestesista en torno al peligro que, por la situación del paciente, supone la anestesia. De hecho, la actuación de este último profesional está condicionada a que aquél decida la procedencia de la operación[196]. No sucede lo mismo a la inversa[197], ya que el poder decisorio del anestesista no alcanza a impedirla, sino todo lo más a negarse a anestesiar al paciente cuando valore como muy elevado el riesgo de la anestesia[198]. Pero incluso en ese caso se trataría de una decisión que en absoluto representa un obstáculo insalvable para el cirujano, a quien siempre quedaría la posibilidad de recurrir a la ayuda de otro colaborador.

a.1) Responsabilidad del anestesista por la actuación negligente del cirujano

No suelen existir dificultades a la hora de afirmar que el ámbito de competencias que asume el anestesista se limita a garantizar la correcta anestesia del paciente, sus constantes vitales así como su reanimación. Esa acotación de funciones permite contemplar su actividad como un compartimento perfectamente diferenciable de la del cirujano. Aquél no está ni tiene por qué estar en posesión de los conocimientos de éste. Basta con que se limite a realizar de forma correcta su parcela competencial y *confíe* en que por su parte su colega realizará de forma correcta la intervención *para* la cual anestesia al paciente. Esta premisa básica determina que, como regla general, haya de negarse cualquier responsabilidad del anestesista por la actuación incorrecta del cirujano; o por decirlo de otro modo, que no pese sobre él deber alguno de comprobar la correcta labor de éste.

Casi ni que decir tiene que si el anestesista no está obligado a comprobar la correcta actuación del cirujano, con más razón está exento del deber

---

[196] Por todos, ULSENHEIMER, *Arztstrafrecht in der Praxis, ob. cit.*, pág. 96.

[197] MARINUCCI-MARRUBINI, *Profili penalistici del lavoro medico-chirurgico im equipe*, Temi, 1968, quien distingue atendiendo a que se trate o no de una intervención urgente, págs. 231 s.

[198] En la doctrina italiana, MARINUCCI-MARRUBINI, *Profili penalistici del lavoro medico-chirurgico in equipe, ob. cit,,* pág. 232. En la doctrina alemana, LAUFS, *Artzrecht, ob. cit.,* pág. 131. Entre nosotros, por todos, JORGE BARREIRO, Agustín, *La imprudencia punible en la actividad médico quirúrgica, ob. cit,* pág. 141.

de comprobar en general la cualificación y habilidad de éste. Bien es verdad que, según veíamos, la reiteración de intervenciones por un mismo equipo de profesionales da paso inevitablemente a un conocimiento recíproco en torno a la capacidad y habilidad de cada uno de ellos y, por consiguiente, permite aventurar un juicio en torno a la probabilidad de una actuación irregular. Así, por ejemplo, es posible que al anestesista le conste que su colega ha cometido errores en otras intervenciones o incluso conozca aspectos de su personalidad que pueden influir en su comisión, como su nerviosismo o incluso su despiste.

Sin embargo, tampoco estos conocimientos podrían fundamentar un especial deber del anestesista que le obligase a "velar" por lo que hace el cirujano. Y no sólo porque no posee ni tiene por qué estar en posesión de conocimientos relativos a la actividad que éste realiza y en la que pudiera proyectarse su error. También porque el origen de sus posibles sospechas —su cualificación o capacidades personales— se refiere a un momento previo a la actividad que realizan y que le es ajeno por completo: la habilitación del cirujano para realizar las tareas que le son propias. El anestesista, en efecto, se limita a colaborar con un sujeto cuya capacidad, o bien está avalada por un sistema de elección pública o bien, en el ámbito privado, se garantiza por haber superado un proceso de selección para integrar la plantilla. Todo ello sin olvidar que, al menos en el marco de la estructura privada, es frecuente incluso que haya sido éste quien le ha elegido. La pretensión de derivar responsabilidad para el anestesista como comitente omisivo cuando pese a dudar de la cualificación del cirujano no supervisa todos sus actos sólo sería posible desde la premisa de atribuir a aquél una posición de garantía respecto al paciente, no ya por la intervención que asume, sino por la genérica protección del bien jurídico vida, algo que, según ya vimos, resulta inadmisible.

De forma diferente a estos supuestos en los que, pese a todo, sigue subsistiendo el principio de confianza, deben valorarse aquellos otros en los que el anestesista comprueba ya en el caso concreto, como *dato fáctico*, bien la incapacidad manifiesta del cirujano —p. ej., por enfermedad o embriaguez—, bien una concreta actuación incorrecta, también manifiesta e indiscutible, que puede tener consecuencias lesivas para el paciente. A diferencia de los supuestos anteriores, ahora el anestesista no podría exonerarse de responsabilidad alegando el requerimiento de su colaboración por el cirujano[199]. Si

---

[199]   Véase MARINUCCI-MARRUBINI, para quienes incluso en caso de urgencia de la intervención podría imputársele al anestesista el no haber controlado adecuadamente la existencia real de la indicación.

pese a constatar tal situación aquel prestase impasible su ayuda, su conducta habría de valorarse como una forma de *cooperación necesaria* y, por tanto, de *coautoría imprudente* —e incluso con dolo eventual— junto con el cirujano[200]. Debe observarse de inmediato que dicha responsabilidad habría de discurrir entonces, no por los esquemas de un delito de *comisión por omisión*, sino por los de uno de acción que apunta, por tanto, a su propia actividad, en cuanto que el injusto que se le imputa no es otro que el de prestar una colaboración esencial para que se realice una conducta contraria a las reglas de la *lex artis*. Es lo que permitiría apreciar en tales casos una forma de *cooperación necesaria* y, con ello, de *coautoría* junto a la conducta negligente del cirujano[201].

Por lo demás, allí donde tal advertencia y consiguiente negativa tenga lugar en un momento previo a la intervención, la oposición del anestesista determinará la mayoría de las veces la imposibilidad temporal de realizar aquélla, con lo que concluye la cuestión. Es posible, no obstante, que pese a dicha negativa el cirujano pueda aún llevar a cabo la operación, bien porque asuma personalmente las tareas del anestesista, bien porque logre reemplazar al que se niega por otro profesional. Si en tal caso el primer anestesista se limita a denegar su ayuda pero en ningún momento trata de impedir el hecho, su responsabilidad nunca podrá discurrir por los esquemas de un delito de *omisión impropia*, puesto que, insistamos, en tales casos faltaría ya el presupuesto mismo de dicho expediente de responsabilidad: su *posición de garantía* respecto a la conducta del cirujano. En tales supuestos su responsabilidad habría de discurrir, todo lo más, por un delito de *omisión del deber de impedir el delito* (imprudente) que pudiera cometer el principal.

Estos genuinos supuestos de imputación de resultados en el marco del trabajo en equipo deben diferenciarse de aquellos otros en los que, en realidad, lo que sucede es que la conducta incorrecta del anestesista se proyecta en la fase de actuación del cirujano. Ejemplo paradigmático podría ser el caso en el que aquél no advierte a éste de las posibles complicaciones que pudieran producirse a consecuencia de su intervención previa. Baste pensar, por ejemplo, en el caso en que no le informa de que el paciente ha sufrido una fuerte bajada

---

[200]   Si en tales casos el anestesista se niega a prestar su colaboración, quedará exento de pena en lo que a la responsabilidad por el hecho principal se refiere. Por todos, MAJUNKE, *Anästhesie und Strafrecht*, Stuttgart, 1988, págs. 132 s.

[201]   En relación con otros supuestos en los que, si bien la imprudencia presenta un momento omisivo la responsabilidad debe ser por un delito de acción, véase SILVA SÁNCHEZ, *Derecho y Salud*, 1994, *ob. cit* pág. 63. En concreto este autor se refiere a los hechos enjuiciados por la Sentencias de 19 de febrero de 1982 y de 18 de marzo de 1993. En la primera se trataba de un anestesista que no comprobó los datos relativos al grupo sanguíneo del paciente; en la segunda de un anestesista que no realizó pruebas alérgicas.

de tensión al suministrarle la anestesia. A diferencia de lo que ocurre en los casos en los que se plantea la responsabilidad del anestesista por errores que son exclusivamente imputables al cirujano, entiendo que ahora si no advierte a éste del mal estado en que se encuentra el paciente se darían las bases de una autoría mediata en *comisión por omisión*[202]. La posición de garante del anestesista habría de descubrirse ahora en la idea de *injerencia*, esto es, en haber realizado una actuación incorrecta o, si se quiere, en haber interpuesto una condición en el curso causal del suceso cuyos efectos nocivos luego no se ocupa de eliminar. Con todo, debe advertirse que dicha responsabilidad habrá de reservarse para los casos en los que la proyección de la negligencia no traiga su causa de una conducta activa, en cuyo caso el título de responsabilidad discurriría, lógicamente, por un delito de acción.

En este sentido puede citarse la Sentencia del Tribunal Supremo de 26 de junio de 1980. En ella se enjuiciaba un supuesto en el que a consecuencia de una dosis incorrecta de anestesia sobrevino al paciente un paro cardíaco que se prolongó durante quince minutos. A pesar de ello, el anestesista entendió que el enfermo ya se había recuperado e indicó al cirujano que podía comenzar la intervención quirúrgica, consistente en la extracción de un cálculo en el eréter izquierdo. El enfermo hubo de ser trasladado al servicio de urgencias de otro Hospital, donde se le diagnosticó un cuadro de coma cerebral con evidentes síntomas de descerebración, falleciendo en el referido centro.

a.2) Responsabilidad del cirujano

Como en parte ya apuntábamos, el ámbito de responsabilidad en que pueda incurrir el cirujano tiene que medirse conforme a parámetros específicos y distintos a los del anestesista. Por un lado, porque el compromiso que asume no se limita a la práctica de un acto puntual como es el caso de éste. Por el contrario, su actividad comprende implícitamente la garantía de prestar un tratamiento adecuado al paciente respecto a la dolencia en cuestión. Por otro lado, porque en tanto que la intervención del anestesista se orienta a crear y mantener las condiciones necesarias para la actuación del cirujano, la negligencia en la que incurra aquél, en tanto genere condiciones desfavorables a la intervención, puede determinar que la actividad de éste se realice bajo presupuestos que la valoren como contraria a las reglas de la *lex artis*, convirtiéndose por ello en factor condicionante de su propia responsabilidad.

---

[202]   JORGE BARREIRO, Agustín, *La imprudencia punible en la actividad médico-quirúrgica*, *ob. cit.*, pág. 145; SILVA SÁNCHEZ, *Derecho y Salud*, 1994, *ob. cit.*, 62.

Teniendo presentes estas premisas, la determinación de las bases de la responsabilidad del cirujano por la posible negligencia del anestesista tiene que obtenerse, una vez más, a partir de la conjugación del ámbito de responsabilidad de cada interviniente con el principio general de confianza. Ello aconseja diferenciar los distintos momentos secuenciales en los que puede plantearse dicha responsabilidad, así como la intensidad con la que quiebre el principio de confianza para el cirujano. Por ello, trataremos por separado los casos en que dicha quiebra se base solamente en la sospecha en torno a la posible actuación negligente del anestesista (i), y aquellos otros en los que por las circunstancias del caso concreto no pueda seguir operando a favor del cirujano el principio de confianza (ii).

i. Casos en los que existe una sospecha en torno a la actuación negligente del anestesista

Se tratan en este apartado los casos en los que, si bien el cirujano aún no ha constatado ningún error en la actuación del anestesista, tiene indicios para sospechar la alta probabilidad de que lo cometa y, pese a ello, realiza su actividad sin atender para nada a dicha eventualidad. Esta sospecha puede propiciarse, según tantas veces hemos subrayado, por el hecho de que forman parte de un mismo equipo que opera de manera habitual y en el que, por tanto, los distintos intervinientes tienen elementos de juicio para calibrar la capacidad y habilidad de los otros colegas.

A mi juicio, la solución de estos supuestos requiere tener presente la distinción que ya propiciara SCHMIDT en la doctrina alemana entre el tratamiento de la responsabilidad del superior en el sector público y privado[203] en cuanto factor que suele condicionar el procedimiento de elección del anestesista. Así, en el sector privado no es inusual que la elección del personal que haya de integrar el equipo médico corresponda a quien realiza la intervención. En este contexto, cuando el cirujano procede al nombramiento de su colaborador *pese a que conoce que se trata de un profesional con escasa capacidad* podría fundamentarse un especial compromiso del mismo traducido en el deber de supervisar cada uno de los actos que realice, en el sentido de un seguimiento *directo*, sin que pueda bastar al respecto el mero control externo de apariencia de normalidad[204]. De no hacerlo y producirse un resultado lesivo que pudiera

---

[203] SCHMIDT, *Der Arzt im Strafrecht, ob. cit.*, págs. 193 ss; el mismo en "Der Arzt im Strafrecht", en PONSOLD, *ob. cit.*, págs. 64 ss.

[204] JORGE BARREIRO, Agustín, *La imprudencia punible en la actividad médico-quirúrgica, ob. cit.*, págs. 149 ss., pág. 155, cuando "se pone en duda la fiabilidad del personal sanitario auxiliar, el médico está obligado a cumplir con los correspondientes deberes de diligencia secundarios (de control, instrucción y vigilancia del personal sanitario auxiliar),

reconducirse explicativamente a la inexperiencia o ineptitud de la persona designada, su omisión podría vincularse a un previo acto de *injerencia*, dándose así las bases para apreciar un delito de omisión impropia[205]. En efecto, más allá de la posición de garantía por injerencia, sería posible fundamentar los requisitos que aseguran la identidad estructural de la conducta con la comisión activa. En primer lugar, porque es perfectamente posible identificar la omisión de un acto concreto que incide de modo específico en la producción del resultado: la omisión de la vigilancia de la persona de la que habría de responsabilizarse; en segundo lugar, porque la realización de dicha conducta habría incidido de forma directa e inmediata en la evitación del resultado. De haber ejercido dicho control, en efecto, habría detectado la negligencia del colaborador y, con ello, evitado la producción del resultado lesivo.

No obstante, llegados a este punto deben hacer de inmediato varias precisiones. La primera, que cuando en el caso concreto pudiera fundamentarse por esta vía la posición de garante del cirujano y, lógicamente, concurrieran además el resto de los requisitos de equivalencia estructural, la responsabilidad de aquél como comitente omisivo discurriría a título de *autoría accesoria imprudente* con aquélla en que pueda incurrir el inferior.

En segundo lugar, y de cara a evitar posibles equívocos, debe advertirse que la responsabilidad que se predica del cirujano como comitente omisivo se refiere a los posibles resultados lesivos que de forma directa o inmediata provoque la inexperiencia o ineptitud *del anestesista* por él elegido. Dicho de otro modo, se trata de determinar la responsabilidad en que pueda incurrir el cirujano por las negligencias de su colega. Del tratamiento de estos supuestos habría de diferenciarse el de aquellos otros en los que lo que se ventila es directamente la conformidad o no a Derecho de la conducta propia del cirujano que actúa sobre la base de un previo error de su colaborador. Es lo que sucedería, por ejemplo, cuando éste hubiera inyectado al paciente una dosis inadecuada de anestesia que le provoque una fuerte bajada de tensión y, pese a que debido a las circunstancias del caso existieran razones para que quebrase el principio de confianza, el cirujano emprendiera la intervención sin realizar control alguno de normalidad. En supuestos como éste lo que se ventila no sería ya su posible responsabilidad como comitente omisivo por la

---

pues de lo contrario el cirujano puede incurrir en responsabilidad penal por la conducta incorrecta de sus colaboradores (enfermeras o ATS)", y en pág. 162, "el deber de vigilancia e instrucción del médico ha de neutralizar los peligros derivados de la falta de cualificación del personal auxiliar sanitario".

[205] Por todos, HANACK, "Die Arbeitstellung zwischen Arzt un Schwester im Strafrecht", *ÄM*, 1959, pág. 500.

negligencia del otro. Lo que entraría en juego sería su responsabilidad por la acción que emprende pese a que debió haber advertido factores de riesgo. El título de responsabilidad sería ahora, en definitiva, no un delito de omisión impropia, sino uno comisivo.

En el mismo orden de ideas, debe advertirse que la calificación de la responsabilidad del cirujano conforme a los esquemas de la comisión impropia encuentra su ámbito de aplicación allí donde la persona elegida tuviera la suficiente cualificación para realizar la actividad, pero por razones de inexperiencia o por su falta de habilidad existieran motivos para desconfiar de su plena capacidad. Al margen de estos supuestos deben quedar aquellos otros en los que la persona elegida para practicar la anestesia sea por completo incompetente debido a su falta de cualificación[206], puesto que de ser este el caso, la responsabilidad de quien le nombra habría de derivarse, no ya de una conducta omisiva, sino directamente del propio acto del nombramiento. Así, por ejemplo, la responsabilidad en que pudiera incurrir quien encarga a un ATS tareas que requieren la cualificación de un médico anestesista habría de canalizarse, no ya por la vía omisiva de no controlar sus actos, sino por el hecho mismo del nombramiento. En estos supuestos, en realidad, se trataría de una forma de colaboración necesaria a la actuación imprudente del colega elegido, lo que determinaría su responsabilidad como *coautor accesorio* imprudente.

Todavía debe hacerse una precisión adicional relativa a los casos en los que se plantee la responsabilidad del cirujano cuando fue él quien designó a su colaborador. Porque el hecho del nombramiento no puede concebirse como una carta blanca con la que responsabilizar en puros términos *versaristas* al cirujano por cualquier resultado —muerte o lesiones— que derivasen de la actuación del anestesista. Esta conclusión no sólo sería inaceptable desde las premisas básicas de la moderna dogmática jurídico penal, sino que también resultaría insostenible desde las reglas que inspiran la elaboración teórica del principio de confianza. Baste recordar que suele reconocerse sin ambages que cuando el primer interviniente incurre en una falta de cuidado no puede esperar, a partir de un hipotético deber de confianza, que el segundo advierta su

---

[206] El RD 127/1984, de 11 de enero, por el que se regula la formación médica especializada y la obtención del Título de Médico Especialista contempla los requisitos para ejercer la profesión con este carácter y para ocupar un puesto de trabajo en establecimientos o instituciones públicas y privadas, incluyendo la especialidad de anestesiología y reanimación en el Anexo I del Real Decreto como una de las que requiere básicamente formación hospitalaria sometida a los controles reglamentariamente establecidos. Véase también el RD 139/2003, de 7 de febrero, por el que se actualiza la regulación de la formación médica especializada.

error, desplazando así su ámbito de responsabilidad al de éste[207]. Por ello, el alcance de la responsabilidad del cirujano habría de ceñirse de forma exclusiva a los casos en los que el fallo pudiera reconducirse explicativamente de forma directa a la inexperiencia o ineptitud de la persona designada. Fuera de estos supuestos decaería cualquier pretensión de responsabilizar al cirujano por fallos que cometa el anestesista y que se deban, no a sus deficiencias profesionales, sino al descuido en las tareas que es competente y está preparado para realizar.

Bien es cierto que la necesidad de atender al origen del descuido introduce un elemento valorativo que obliga al juez a calibrar y ponderar en términos explicativos la negligencia no controlada por el cirujano que le eligió. Pero a la hora de definir ese criterio valorativo podría servir como módulo, siquiera orientativo, la definición que, según veíamos, suele ofrecer la propia jurisprudencia en torno al concepto de *imprudencia profesional*. Como apuntábamos entonces, la misma suele entenderse como la violación de la diligencia y de los conocimientos mínimos e inexcusables que son exigibles a cualquier profesional. Bien, pues esta misma elaboración sería perfectamente trasladable, insistamos, como criterio orientativo, al ámbito que ahora interesa en orden indagar cuándo la negligencia se debió a la improcedencia misma de la elección. Sólo cuando la misma encontrase su origen en la carencia de las habilidades que son indispensables para actuar como anestesista se daría el presupuesto mínimo para hacer responder a quien le nombró por no realizar un seguimiento directo de sus actividades, en cuanto que respecto a este control de las negligencias más graves que se vinculan a su falta de competencia puede fundamentarse un juicio de responsabilidad al cirujano por la elección de su colaborador.

Hasta ahora hemos afirmado que cuando el cirujano elige a un anestesista y por cualquier circunstancia quiebra la confianza respecto a la corrección de su actividad, el acto del nombramiento puede contemplarse como un supuesto de injerencia que fundamentaría el deber de realizar un seguimiento directo de la actuación de aquél. De estos supuestos especiales debe diferenciarse el tratamiento del resto; esto es, tanto aquellos en los que elige a un anestesista respecto al que no había motivo alguno para sospechar su falta de actitud, así como aquellos otros en los que no correspondía al cirujano la elección de su colega. En ellos, la combinación de los principios antitéticos a

---

[207] Al respecto, véase PETER, *Arbeitsteilung im Krankenhaus aus strafrechtlicher Sicht*, ob. cit., págs. 33 ss; UMBREIT, *Die Verantwortlichkeit des Arztes für fahrlässiges Verhalten anderer Medizinalpersonen*, ob. cit. págs. 120 ss.

los que antes nos referíamos impide fundamentar cualquier deber de control o seguimiento continuado. Baste recordar ahora que lo contrario supondría vaciar de contenido el principio de confianza y, con él, la premisa operativa básica de la distribución de tareas, orientada a permitir la concentración de funciones en cada especialista.

Lo anterior no significa, sin embargo, que en tales casos el cirujano sea ajeno por completo a la actuación de su colaborador, de tal modo que en absoluto tenga que percibir o incluso pueda ignorar los posibles fallos de éste. A esa desconexión absoluta se opondría el compromiso por él asumido de lograr la curación del paciente sin poder desentenderse, por tanto, de los posibles riesgos que pudieran provenir de la conducta de su colaborador. Pero ese deber de vigilar la conducta del otro sólo puede referirse ahora a la ausencia de signos externos o aparentes de anormalidad como, por ejemplo, a la ausencia de síntomas que revelen de forma manifiesta la ineptitud del otro interviniente, por enfermedad o por circunstancias puntuales y, en general, a verificar la ausencia de indicios externos que pronostiquen de forma evidente su imprudencia. Así, si el cirujano tiene, por las circunstancias concurrentes del caso, serios motivos para dudar de la capacidad del anestesista que él no ha elegido, cuando, por ejemplo, éste proceda a suministrar la anestesia al paciente no estará obligado a comprobar la corrección del preparado en el sentido de que tuviera que verificar, por ejemplo, la cuantificación exacta de la dosis, pero sí a asegurarse que, ya específicamente con relación a esa actividad, al menos en apariencia, su actuación no sea incorrecta y que, por tanto, las constantes vitales del paciente que luego va a intervenir no se encuentren alteradas. Se trata, en definitiva, del deber que pudiera denominarse un *control negativo de apariencia de normalidad*.

De lo anterior se deriva, en sentido contrario, que en ningún caso puede hacerse responder al cirujano cuando la negligencia del anestesista sólo pudiera haber sido detectada y evitada mediante una labor de control y seguimiento, en sentido propio, de la actividad de éste, algo que sólo sería posible si se invirtiera la regla general y se convirtiese en excepcional el principio de confianza, con el consiguiente vaciamiento y pérdida de sentido de la distribución de tareas.

Resulta ilustrativa al respecto la cita de la Sentencia 1351/2002, de 19 de julio, de la Sala penal del Tribunal Supremo, que condenó como autora de un delito de homicidio por imprudencia profesional grave a una médico generalista que actuó en una intervención quirúrgica como anestesista y, por error, cerró indebidamente el suministro de oxígeno al paciente entubado, inconsciente e incapaz de respirar por sí mismo. Pese a la intervención de otro anestesista que advirtió lo sucedido y abrió de nuevo el grifo de oxígeno, la paciente sufrió un déficit de oxigenación cerebral, efecto directo del paro cardíaco sufrido, que le produjo una lesión cerebral irreversible que a su vez derivó en una encefalopatía postanóxica y coma neurológico, que motivó su fallecimiento. Pese al dato constatable de la falta de cualificación como anestesista de la autora, que era un médico generalista, el Tribunal Supremo eximió de cualquier responsabilidad al cirujano por entender que no entraba dentro de sus competencias la corrección de lo sucedido.

Así delimitado el alcance del deber de control negativo que pesaría sobre el cirujano es el momento de precisar el posible título de responsabilidad al que pueda dar paso su infracción. Salvo cuanto enseguida tendremos ocasión de sostener a propósito de los supuestos en los que el cirujano, *de facto*, detecte la anomalía y pese a ello permanezca impasible, dicha responsabilidad entiendo que habrá de reconducirse a su propia actividad, en cuanto que, en este contexto, la infracción de dicho deber afecta a los presupuestos que calibran como imprudente su propia conducta activa. Ahora, en efecto, la cuestión no es ya la de si debe responder por las negligencias que sufra el paciente debido a la escasa capacidad de la persona elegida. Ahora se trata simplemente de la obligación mínima de detectar las circunstancias que puedan convertir en peligrosa su propia actividad posterior. Por decirlo de otro modo, la omisión de esta comprobación mínima afecta a la imprudencia en que pueda incurrir el cirujano, *no por omitir un seguimiento de la labor de su colega* e impedir las irregularidades de éste, algo que en absoluto le compete. El reproche de imprudencia surge para el cirujano de *su propia actuación*, esto es, por realizar la intervención sin precauciones adicionales pese a tener motivos para sospechar que el paciente pudiera sufrir un empeoramiento en el curso de la intervención.

Resulta así que el deber de control descrito no se traduce en realidad en una fuente de responsabilidad por la falta de seguimiento de la actividad de un tercero. Dicho deber de control se traduce en una ampliación de las exigencias a las que se supedita la corrección de la actuación propia, o lo que es lo mismo, en una ampliación del elenco de cuidados del que depende la conformidad de su actuación con las reglas de la *lex artis*.

Hasta aquí el tratamiento de los casos en los que existen indicios que desvirtúan el principio de confianza, esto es, los supuestos en los que es imaginable un riesgo superior al normal de que el colega incurra en algún tipo de negligencia. De ellos habrán de diferenciarse aquellos otros en los que la anomalía registrada es de tal magnitud que desvirtúa por completo el principio de confianza. De ello se ocupa el siguiente epígrafe.

ii. Supuestos en los que por las circunstancias del caso concreto no pude seguir operando a favor del cirujano el principio de confianza

Se tratan en este apartado tanto los casos en los que se constata la genérica incapacidad de actuar de anestesista —por ejemplo, por encontrarse ebrio o porque, por cualquier circunstancia, tenga sus facultades físicas o mentales sensiblemente mermadas—, como a aquellos en los que el cirujano advierta, ya de hecho, un concreto error en su actuación. Se trata, en definitiva, de supuestos en los que, por constatarse ya una situación anómala, no queda espacio alguno para el *principio de confianza*. Como tantas veces hemos recordado, dicho principio está pensado para situaciones de normalidad, esto es, para un contexto en el que es lícito suponer que no hay factores que induzcan a la desconfianza y, mucho menos que evidencien, ya *de facto*, una situación anómala[208]. Cuando sea ese el caso, el único criterio subsistente para valorar la posible responsabilidad del cirujano sería el que atiende al *ámbito competencial* por él asumido, que, según ya vimos, no es otro que el compromiso de tratar adecuadamente al paciente por la dolencia en cuestión.

La conjugación de estos dos factores, esto es, la derogación del principio de confianza, de un lado, y la atención a su ámbito competencial, de otro, arroja como resultado un doble frente de responsabilidad para el cirujano. El primero de ellos se refiere a los casos en los que pese a que se niegue a practicar la intervención tras haber constatado el error del colaborador, no haga nada para evitar el resultado lesivo.

Sería, por ejemplo, el supuesto en el que advirtiese que el anestesista ha suministrado al paciente una dosis superior de anestesia provocándole la alte-

---

[208] En nuestra doctrina, JORGE BARREIRO, Agustín, parece limitar las quiebras al principio de confianza en el ámbito de la división horizontal de funciones a los casos en que se perciban indicios que la defrauden: "sólo se podrá excluir su operatividad (del principio de confianza) en casos excepcionales: cuando en el caso concreto se perciba un fallo grave de otro colega -infracción de cuidado escandalosa- o existan dudas sobre su cualificación o fiabilidad, que justifiquen la pérdida de confianza en la conducta correcta del colega o anule la confianza -digna de protección- en el otro colega, lo cual fundamentaría un especial deber de cuidado mediato ('secundario') -de 'vigilancia' (y de evitación del resultado lesivo que pueda producirse)- y la posible imputación de la infracción del mismo y sus consecuencias al médico que ha confiado indebidamente en la conducta diligente del colega", *La imprudencia punible en la actividad médico-quirúrgica*, ob. cit., pág. 138; el mismo en "Nuevos aspectos de la imprudencia jurídico-penal en la actividad médica: la culpa en el equipo médico-quirúrgico", en *Responsabilidad del personal sanitario*, Madrid, 1994, págs. 368 ss; véase también el mismo autor en *La comisión por omisión*, Cuadernos de Derecho Judicial, *ob. cit.*, págs. 241 ss.

ración de sus constantes vitales. Sin embargo, se limitara a descartar la intervención sin hacer nada por asegurar una actuación inmediata.

Como anunciábamos, la solución de estos casos requiere tener presente el alcance del compromiso que contrae aquél; en concreto, que cuando el cirujano asume el tratamiento del paciente se compromete a realizar todo lo necesario para restablecer el estado de salud del mismo. Esa prestación de asistencia comprende tratarle no sólo ante el empeoramiento natural de su enfermedad, sino también ante el agravamiento de su estado a consecuencia de errores o maniobras negligentes en el curso del tratamiento. Dicho compromiso asistencial determina que cuando el cirujano constata el error de su colega su pasividad deba reconducirse, no ya a los cauces de un delito de omisión propia sino al expediente de la *omisión impropia*[209]. Ahora, en efecto, además de la posición de garantía fundamentada en dicho compromiso asistencial sería posible atribuir a la actuación salvadora que omite los requisitos que fundamentan el juicio de equivalencia estructural: la omisión de una contribución concreta que favorece la lesión del bien jurídico y que condiciona de forma directa e inmediata la producción del resultado.

En segundo lugar, el dato de que el cirujano advierta un error en la actuación de su colaborador puede dar paso a un segundo frente de responsabilidad. Es lo que sucedería en los casos en los que, constatada la negligencia del anestesista, el cirujano no ya es que permanezca impasible, sino que decidiera emprender la intervención sin valorar para nada el empeoramiento, por ejemplo, de las constantes vitales del enfermo. En tal supuesto, la negligencia del colaborador actuaría como presupuesto de la valoración de su propia conducta activa como *infractora de las reglas de cuidado*.

En este sentido puede citarse la Sentencia del Tribunal Supremo de 4 de septiembre de 1991. Los hechos enjuiciados eran los siguientes:

Para la intervención quirúrgica consistente en la extirpación de un quiste sinovial en cara externa de la rodilla izquierda el anestesista administró al paciente anestesia general con intubación olotraqueal y respiración asistida, marchándose para atender a otro paciente sin haber conectado el aparato del control electrocardiográfico. El enfermo sufrió una falta de aireación que le produjo hipoxia, lo cual fue advertido tardíamente por el cirujano al observar el oscurecimiento de la sangre que fluía de la herida quirúrgica, ordenando que se llamara al anestesista, que al acudir encontró el enfermo en estado de parada cardiaca, siendo inútiles los intentos para reanimarle.

---

[209]   En cuanto a la naturaleza de esta responsabilidad, siguiendo la terminología propuesta en la doctrina italiana por BELFIORE a partir de la construcción de ROXIN, habría de contemplarse como un supuesto de infracción de un *deber común*, que grava *conjuntamente* a ambos sujetos. El deber no sería otro que el de asumir el tratamiento y curación del paciente por la dolencia en cuestión, BELFIORI, *Archivio Penale, ob. cit.*, 1986, pág. 300.

El Tribunal Supremo confirmó la Sentencia de instancia que condenó al cirujano por imprudencia al entender que, "aunque tenga un cometido de actuación en su campo operativo y no vigile directamente las incidencias que refleje el monitor, debió ordenar su conexión, y si era al anestesista a quien tal cometido incumbía, no permitir que se ausentara del quirófano, una vez iniciada la operación. La imprudencia no surge únicamente de la falta de vigilancia de dicho aparato, que consta no se conectó, sino que teniendo el deber de ordenar y exigir que tal conexión se efectuara, lo que no comprobó, autoriza la salida del anestesista para atender otra intervención quirúrgica en distinta planta del Hospital...debió percibir el peligro que el acto médico y las negativas condiciones implicaba para la vida del paciente. La conducta imprudente... comienza por no controlar la conexión del monitor al inicio de la operación y en su tolerancia o consentimiento a que el anestesista abandonase el quirófano. No podía desconocer por su condición de experto cirujano los riesgos que se producen en las intervenciones quirúrgicas efectuadas con anestesia general...".

En este caso la responsabilidad del cirujano surge, conforme a cuanto hemos venido sosteniendo, no porque omitiese un control exhaustivo de la actividad del anestesista, algo que no le competía, sino por haber advertido una falta evidente de cuidado y, pese a ello, continuar la intervención[210]. En palabras del Tribunal Supremo, el cirujano no está obligado a un seguimiento de la labor del anestesista pero sí a "que la anestesia se efectúe con el control y la vigilancia precisos". Al no adoptar medidas de cuidado frente a esa comprobación su responsabilidad nace, no ya del hecho ajeno, sino del propio. De nuevo, en palabras de Alto Tribunal, no se trata de "reprochar culpabilísticamente al recurrente por una conducta ajena", sino por la suya propia, al efectuar la operación sin contar con los medios adecuados. Consecuencia de lo anterior, como se deduce de la STS de 11 de noviembre de 1979 que enjuiciaba un supuesto parecido, es que se responsabilice al cirujano por el espectro de conductas imprudentes que de otra forma se habrían imputado al anestesista que, de esta forma, se convierten en imprudencias propias —no ajenas— de aquél[211].

---

[210]   No obstante, critican el razonamiento de la Sentencia SILVA/BALDÓ/CORCOY, en *Casos de jurisprudencia penal con comentarios doctrinales, Parte General*, Barcelona, 1997, pág. 217.

[211]   Véase la ya citada STS de 11 de octubre de 1979 que condenó al cirujano que no se percató del estado cianótico de la enferma que estaba siendo operada por él, pese a que al anestesista incumbía estar pendiente de la sintomatología de la enferma. Para ello entendió que, al consentir que aquél se ausentara del quirófano, debió asumir las funciones que en otro

En la misma línea puede citarse, entre otras[212], la Sentencia de 7 de julio de 1993, en la que se enjuiciaban los siguientes hechos:

Un cirujano oftalmológico intervino a un niño para corregirle un estrabismo convergente, contando con un ayudante, un ATS, la anestesista, su ayudante, dos ATS, y damas de la Cruz Roja. Tras entender la anestesista que no era necesaria la monitorización del niño e inducirle la anestesia, abandonó la sala de operaciones, con conocimiento y consentimiento del cirujano jefe, con el motivo de preparar así la siguiente operación. Pasados unos minutos y realizando las labores propias de la anestesista, la ATS abandonó asimismo la sala de operaciones para atender a una llamada telefónica, sin que el cirujano se opusiera. Momentos después se apercibió el cirujano del oscurecimiento de la sangre, por lo que requirió la intervención de la ATS y la anestesista. El niño sufrió una falta de oxigenación que le produjo lesión cerebral, produciéndose a consecuencia de ella la muerte. La Audiencia Provincial condenó a la anestesista, a su ayudante, al cirujano y al director del Hospital como autores de un delito de homicidio con imprudencia temeraria. El TS precisó que no se trataba de un fenómeno de coparticipación, sino de culpas plurales coincidentes que confluyen en un resultado, añadiendo en relación con la conducta del anestesista una afirmación que ponía de relieve la responsabilidad que por sus *propios* actos asume cada interviniente: "Ni el conocimiento y consentimiento del cirujano-jefe de su ausencia sirve de causa exculpadora porque el anestesista asume, dentro del equipo médico de que forma parte, con plena autonomía y responsabilidad, todas las funciones que son de su competencia y atinentes a su especialidad..."

b) La responsabilidad de los distintos profesionales en los supuestos de división vertical del trabajo

Bajo el nombre de distribución vertical del trabajo se designan los supuestos en los que el sentido de la red de interrelaciones que se genera entre los diversos participantes apunta a una relación jerárquica, esto es, a una relación entre médicos que se encuentran en diferente posición. De forma correlativa, bajo el nombre de responsabilidad por división vertical del trabajo se hace referencia a aquélla en que pueda incurrir el superior por la incorrecta actuación de su subordinado.

---

caso habrían correspondido al anestesista, y el abandono de las mismas le convertía, por tanto, en responsable por su propia imprudencia.

[212] Véase también la STS de 10 de octubre de 1997, relativa a un cirujano que realizó una operación de cesárea con la colaboración de un anestesista que asistía simultáneamente a dos quirófanos y durante su ausencia se presentó un cuadro cianótico en la enferma que le produjo la muerte.

Ni que decir tienen que, al igual que sucede en el plano de la división horizontal de funciones, el hecho mismo de plantear dicha responsabilidad requiere delimitar previamente las respectivas parcelas competenciales que corresponden al subordinado, atendiendo para ello tanto a las reglamentaciones correspondientes, como a la asunción de tareas por vía de un acto de delegación expresa. Esta es una cuestión previa cuya concreción casuística excede de lo que aquí interesa. Baste recordar que pueden diferenciarse hasta tres clases de profesionales de enfermería: los *enfermeros circulantes o volantes*[213]; los *enfermeros de anestesia*[214] y los instrumentistas[215].

La nota que acuña el genuino signo de identidad a estos supuestos de actuación subordinada es que las tareas que se reparten los distintos profesionales no son fragmentos yuxtapuestos del tratamiento del paciente, sino aspectos o facetas de un mismo acto cuya realización ha asumido globalmente el principal; con otras palabras, cada acto de los subordinados no es sino una parcela delegada de la actividad asumida por el jefe del equipo y, en definitiva, segmentos de su propia actividad. Este diferente plano de actuaciones suele estar en la base del reconocimiento, prácticamente unánime, de una serie de deberes de control del superior respecto a la actividad de su subordinado, deberes que comprenderían desde la garantía de su elección o la selección de las tareas que le sean delegables, hasta la supervisión de sus actividades, pasando por los deberes intermedios de instrucción, información o comunicación de todos los aspectos relevantes para evitar sus errores[216]. Es más, según ya vimos, el reconocimiento de tales deberes ha determinado que algún autor, como UMBREIT, haya llegado incluso a desvirtuar en este ámbito la vigencia

---

[213] Se conoce por enfermeros *"circulantes o volantes"* los encargados de supervisar las condiciones del quirófano, en especial que esté limpio y en orden, así como de preparar el material quirúrgico. Entre sus funciones figura también la recepción del paciente, supervisando que llegue al quirófano en las condiciones higiénicas necesarias. Realiza además funciones auxiliares respecto al enfermero instrumentista, ayudándole a vestirse, a ponerse los guantes así como a entregarle cualquier material que necesite. Al finalizar la intervención controlará todo lo relativo al traslado del paciente, así como a la recogida del material instrumental utilizado, preparando de nuevo y reponiendo el material.

[214] Los llamados *"enfermeros de anestesia"* están igualmente encargados de preparar, supervisar y reponer todo el material necesario. Deberán realizar el registro de las constantes vitales del paciente y administrar la medicación que le indique el anestesista. Sus funciones se extienden también a colaborar en las maniobras anestésicas intraoperatorias que se le soliciten así como al despertar del paciente.

[215] Los llamados *"enfermeros instrumentistas"* deben estar preparados para colaborar en todos los pasos quirúrgicos. Entre sus funciones se cuenta la entrega del material solicitado por los cirujanos y/o ayudantes, la conservación de las mesas limpias y ordenadas, así como el control y recuento riguroso de las gasas o compresas que se utilicen.

[216] Véase por todos, ULSENHEIMER, *Arztstrafrecht in der Praxis, ob. cit.*, págs. 142 ss.

general del principio de confianza para afirmarlo sólo cuando se constate que el superior ha cumplido exhaustivamente dichas obligaciones[217].

Sin embargo, no sin razón, esta concepción extrema no es admitida por la doctrina mayoritaria, que también en este ámbito de la división vertical de tareas se muestra proclive a seguir manteniendo como regla general la vigencia del principio de confianza aunque, eso sí, reconociendo ahora mayores quiebras al mismo que cuando se trata de la división horizontal de tareas[218].

La razón de ser de lo primero, esto es, del mantenimiento de la vigencia del principio de confianza en el ámbito de la división vertical de tareas, se justifica una vez más sin mayores dificultades por la necesidad de no vaciar de contenido al sentido de la distribución de funciones. Porque si el superior, por el hecho de serlo, tuviera que comprobar personalmente todas y cada una de las actividades encomendadas a sus subordinados le sería imposible concentrarse en la realización de la actividad principal que le es propia y con ello, a la postre, resultaría tanto o más gravado que si tuviera que afrontarlas por sí sólo directamente.

Sentada la premisa anterior, sin embargo, la razón por la que la debilitación de la vigencia del principio de confianza sea sensiblemente superior que en el marco de las relaciones horizontales también se comprende sin dificultades[219] atendiendo a varias razones. En primer lugar, porque ahora no puede predicarse la existencia de conocimientos especializados paralelos entre los distintos intervinientes, sino que la mayor cualificación del superior implica que no sea ajeno a los conocimientos que respaldan las actuaciones de sus inferiores. En segundo lugar, porque la posición del superior se erige en punto

---

[217]   UMBREIT, *Die Verantwortlichkeit des Arztes für fahrlässiges Verhalten anderer Medizinalpersonen, ob. cit.* págs. 79 ss. Para afirmar el principio de confianza este autor requiere la concurrencia de lo que llama bases objetivas y subjetivas de confianza. Dentro de la primeras incluye los deberes organizativos, de instrucción y comunicación del superior; dentro de las segundas incluye el deber de aseguramiento de que el subordinado cuenta con los conocimientos teóricos y prácticos necesarios, así como la que denomina *"charakterliche Qualification"*, en la que incluye cualidades de la personalidad del subordinado, esto es, datos como ser una persona cuidadosa o descuidada. Consecuencia de lo anterior es que la confianza no sea un principio del que pueda partirse, sino algo que tiene que asegurar el superior: *"Vertrauen entsteht nicht von sich selbst. Vielmehr muß erst erwoben werden, um sich darauf berufen zu dürfen"*, pág. 246.

[218]   En la doctrina italiana, por todos, RIZ, en *L´Indice Penale*, 1985, *ob. cit.*, pág. 275.
En la doctrina alemana, por ejemplo, KAMPS, *Ärztliche Arbeitsteilung und strafrechtliches Fahrlässigkeit, ob. cit.*, págs. 170 ss; WILHELM, *MedR* 1983, *ob. cit.*, págs. 45 ss; ULSEN-HEIMER, *Arztstrafrecht in der Praxis, ob. cit.*, pág. 138.

[219]   Sobre esta debilitación véase por ejemplo FEIJOÓ SÁNCHEZ, en *Revista de Derecho Penal y Criminología, 2000, ob. cit.*, págs. 113 ss.

de partida de nuevos deberes y responsabilidades que exceden ya del genérico deber de vigilancia o control del transcurso de la actividad ajena, y que en última instancia pueden reconducirse a la idea general de *coordinación*. Baste pensar en el deber de delimitar las funciones de sus colaboradores en los casos en que pudieran plantearse conflictos —positivos o negativos— de competencia, así como de informar detenidamente al inferior de la actividad que debe realizar cuando le delega una tarea cuya ejecución puede resultar dudosa para él o, simplemente, en el deber de despejar cualquier duda que al respecto pudiera planteársele.

Estos deberes, en efecto, introducen ya un primer elemento de complejidad frente a lo que sucede con la división de trabajo en el ámbito horizontal. En ella, según veíamos, el contenido de la discusión a propósito de la vigencia del principio de confianza se ha centrado en torno a la existencia y, en su caso, alcance de un hipotético deber de cada profesional de vigilar a su colega en la realización de los actos que le fueran propios. Frente a ellos, ahora en el ámbito de la distribución de tareas en sentido vertical, se plantea con carácter previo la responsabilidad del superior por la correcta *preparación e instrucción* de sus ayudantes. Con todo, la delimitación de estos deberes *previos al de control* propiamente dicho puede resolverse sin dificultades especiales a partir de dos premisas: por un lado, a partir de la exigencia básica de atender al alcance del compromiso de los distintos intervinientes que participan en la tarea; por otro, conforme a los fundamentos dogmáticos de la teoría de la comisión por omisión.

En la tarea de delimitar los respectivos ámbitos de responsabilidad resulta ante todo necesario diferenciar los supuestos en los que sea el superior el encargado de la elección de sus colaboradores, por un lado, y aquellos otros en que se limite a atribuir tareas a los subordinados que previamente han sido puestos a su disposición, por otro. En el primer caso dicha labor de supervisión e instrucción adquiere una intensidad notoriamente superior. En efecto, al haber realizado una previa tarea de injerencia representada por el acto mismo del nombramiento de personas que, pese a estar en posesión del correspondiente título tiene una corta experiencia o falta de destreza, sería posible fundamentar un *deber de instrucción y formación continuada* en torno a las actividades que tiene encomendada el inferior, de tal modo que si lo omite y el resultado lesivo guarda una relación de riesgo con las irregularidades en que haya incurrido por dicha actuación previa, podría fundamentarse la responsabilidad del superior como comitente omisivo.

Frente a los supuestos de elección del personal cualificado por parte del superior se sitúan aquellos otros en los que, como es propio del sector público, *la elección del subordinado no corresponde al principal.* En ellos, la garantía que supone el proceso de selección exonera al superior de la obligación de comprobar en general la capacidad y destreza de sus ayudantes y, con ello, de tener que realizar una labor de preparación o instrucción de sus tareas. Conforme a lo anterior, el superior cumple con su deber de informar y dar instrucciones al resto del personal cuando lo hace suponiendo la preparación y la habilidad normal o media que se espera de personas de la cualificación de que se trate, sin que tenga que cerciorarse, por tanto, de que el personal puesto a su disposición esté en condiciones de acatar dichas órdenes[220]. Así, cuando no concurren circunstancias que alteren la normal presunción de capacidad que es lícito suponer en las personas puestas a su orden, el superior puede confiar en la cualificación de éstas.

A la inversa, los límites de la protección de su confianza en la correcta preparación del personal auxiliar habrán de trazarse allí donde existan indicios que alteren aquella situación de normalidad. Es lo que sucederá en los casos en que el inferior muestre su incapacidad para cumplir las órdenes que se le imparten. En ellos, dada la posición de garantía que asume el superior respecto al paciente, estará obligado a asegurarse de que en el caso concreto el inferior ha comprendido el sentido de las instrucciones que recibe así como su capacidad para ejecutarlas, realizando, si es preciso, las indicaciones e instrucciones complementarias que aseguren la correcta ejecución de la tarea.

Pero sin duda, el verdadero punto neurálgico que condiciona la vigencia del principio de confianza en el marco de las relaciones verticales de división del trabajo se concentra en torno al alcance que se conceda al que se conoce como *deber de vigilancia* de la actuación de los inferiores. El alcance de dicho deber, según veíamos, guarda una relación de proporción inversa al del principio de confianza: cuanto mayor sea la confianza que cabe depositar en el ayudante, menor será el deber de vigilancia que habrá de desplegarse respecto a su actividad. Ahora bien, sentada esta premisa de validez general la pregunta que surge entonces es la siguiente: ¿hasta dónde se extiende el deber de control y, en definitiva, la responsabilidad del superior por los errores de sus subordinados?, o planteado a la inversa, ¿hasta dónde le es lícito exonerarse de responsabilidad por los fallos de sus inferiores invocando la confianza en

---

[220] En un sentido distinto UMBREIT, quien para conceder operatividad al principio de confianza exige incluso que la misma se base, no ya sólo en la comprobación de la cualificación teórica actualizada del superior, sino también práctica. Ello le lleva incluso a exigir que la persona que colabora con él ya haya realizado correctamente en ocasiones anteriores la misma actividad en el mismo equipo, en *Die Verantwortlichkeit des Arztes für fahrlässiges Verhalten anderer Medizinalpersonen, ob. cit.* págs. 119 ss.

la correcta actuación de éstos?, ¿basta para desvirtuar la misma la sospecha de que los subordinados puedan incurrir en un error o, por el contrario, es necesario que, de hecho, el superior haya constatado la concurrencia de circunstancias que desvirtúan las condiciones de normalidad y, con ello, el contexto de permisibilidad de la confianza en terceros?

Tal vez el único punto respecto al que existe consenso doctrinal sea en la afirmación de que sobre el superior pesa un deber de control respecto a la actividad de sus subordinados. La divergencia de opiniones surge a la hora de determinar cuál sea el alcance de tal deber, hasta el punto de que es posible encontrar las concreciones más dispares del mismo. La concepción más estricta es la defendida en la doctrina alemana por UMBREIT, quien, según veíamos, extrema hasta tal punto los deberes de vigilancia del superior que llega a negar con carácter general la vigencia del principio de confianza. Para este autor, sólo cuando aquél haya vigilado rigurosamente la correcta actuación del inferior estará justificado invocar dicho principio[221].

A mi juicio, la delimitación del alcance de tal deber no puede perder de vista, una vez más, la necesidad de que su formulación resulte respetuosa con el sentido de la división de funciones y la consiguiente exigencia de no despojar de contenido al principio de confianza. Para ello entiendo que, de forma paralela a cuanto sostuvimos en relación con la división horizontal de funciones, se hace necesario diferenciar en su tratamiento dos supuestos distintos: por un lado, aquellos en los que el superior haya procedido a la designación del subordinado; por otro, los casos en los que la designación de los colaboradores inferiores corresponda a otras instancias. Al igual que entonces sosteníamos, cuando quiebra el principio de confianza la responsabilidad del superior por las negligencias que cometan sus subordinados puede discurrir por una doble vía.

En efecto, en primer lugar la responsabilidad del superior puede traer su causa del acto mismo del nombramiento, entendiendo por tal no sólo los casos en que designa a un médico de forma permanente para realizar tareas para las que no está cualificado, sino también en los supuestos de *delegación*, cuando dicha designación para realizar puntualmente una tarea recae sobre una persona totalmente incompetente o carente de la cualificación necesaria. De hecho, a la exigencia de que la delegación recaiga sobre personas cualificadas se refiere ya en el ámbito legislativo el art. 9.4 de la Ley 44/2003, de 21 de noviembre, de ordenación de las profesiones sanitarias: "Dentro de un

---

[221] En el mismo sentido, véase en la doctrina italiana CRESPI, *La responsabilità penale nel trattamento medico-chirurgivo con esito infausto, ob. cit.*, págs. 154 ss.

equipo de profesionales, será posible la delegación de actuaciones, siempre y cuando estén previamente establecidas dentro del equipo las condiciones conforme a las cuales dicha delegación o distribución de actuaciones pueda producirse. Condición necesaria para la delegación o distribución del trabajo es la capacidad para realizarlo por parte de quien recibe la delegación, capacidad que deberá ser objetivable, siempre que fuere posible, con la oportuna acreditación".

Sirva de ejemplo el caso en que designa a una persona totalmente incompetente o carente de la cualificación necesaria para realizar la tarea de que se trate[222]. Antes que de responsabilidad por la negligencia del inferior, debe hablarse de la contrariedad a las reglas de cuidado de la acción misma de ordenar la tarea. Se trataría, en realidad, de un supuesto de prestación de una colaboración necesaria para la imprudencia del inferior que, por tanto, se traduce en una forma de *coautoría accesoria imprudente* junto a la responsabilidad en que incurra el subordinado.

Como ejemplo en este sentido puede manejarse la STS de 11 de diciembre de 1993 que, confirmando la sentencia de la Audiencia, apreció imprudencia temeraria profesional en la conducta del médico que, tras diagnosticar a la paciente una verruga palatar en la planta del pie le prescribió algunas sesiones de radioterapia que, salvo las primeras, fueron practicadas por personal no facultativo. Ante el empeoramiento, en lugar de recibir asistencia directa por el médico, fue atendida por un auxiliar que actuaba como intermediario, y en otras ocasiones, telefónicamente por aquél. Debido a la incorrección del tratamiento recibido, a la paciente tuvo que serle amputada la zona distal del pie.

En el mismo sentido puede citarse la STS de 14 de septiembre de 1990, en la que se enjuiciaba al médico que para realizar una arteriografía, sometió a una paciente a anestesia general pese a que, por ser diabética y arterioesclerótica, presentaba alto riesgo de que se le desprendiese un trombo que ocluyese la arteria. Para realizar tal intervención acudió a la ayuda de un radiólogo, un ayudante, y en calidad de anestesista, una persona que sólo poseía los títulos de Practicante y Ayudante Técnico Sanitario, que suministró la anestesia, sin realizar las procedentes pruebas analíticas. Tras la intervención, la paciente fue enviada a su domicilio, pese a no haberse despertado aún y estar en es-

---

[222]   En este sentido, MARINUCCI-MARRUBINI, *Profili penalistici dellavoro medico-chirurgico in equipe*, ob. cit., pág. 225; HANACK, *ÄM* 1959, ob. cit., pág. 500. Obsérvese que en estos casos la responsabilidad por el resultado lesivo puede entrar en concurso con un delito de intrusismo en el que el inferior sería autor y el superior partícipe o cooperador necesario.

tado de coma, falleciendo a consecuencia de una obstrucción de la arteria cerebral.

En segundo lugar, la responsabilidad del superior puede surgir de la omisión del deber de seguimiento de la actividad del subordinado. Es lo que sucederá en los casos en los que, si bien la persona designada está cualificada para realizar la actividad de que se trate, debido a circunstancias personales, como su inexperiencia o falta de destreza, existan motivos fundados para desconfiar de la corrección de su trabajo. En estos casos, al quebrar el principio de confianza, por un lado, y al haber realizado el superior una previa tarea de injerencia representada por el acto mismo del nombramiento, por otro, sería posible fundamentar un deber de control y vigilancia continuada en torno a las actividades que tiene encomendada el inferior. La consecuencia de lo anterior es que si el superior omite ese deber y el resultado lesivo guarda una relación de riesgo con las irregularidades en que haya incurrido por dicha actuación previa, podría fundamentarse su responsabilidad como *comitente omisivo*.

Fuera de los supuestos anteriormente descritos, esto es, tanto en los casos en los que el nombramiento recaiga sobre personas plenamente competentes y respecto a las que, por tanto, no haya motivos para dudar de su cualificación, así como en aquellos otros casos en los que el nombramiento no corresponda al superior, el principio básico habrá de ser el de *confianza*. Porque, como señala WILHELM, en la medida en que el personal subordinado realice las tareas que le son específicas, debe considerarse incluso más competente y cualificado que el superior[223]. Por ello, al igual que afirmábamos respecto a la división horizontal en la relación del cirujano y anestesista, el deber del superior habrá de limitarse entonces a ejercer lo que denominábamos *control externo de normalidad* en torno a la competencia y capacidad *externa o aparente* de sus subordinados para realizar la actividad asignada, sin que en ningún caso tenga que comprobar de forma minuciosa la corrección de cada acto.

Los argumentos que respaldan esa solución son fáciles de entender. En primer lugar, porque de otra forma se incurriría en el tan repetido riesgo de vaciar de contenido la distribución de funciones[224]. Sería absurdo, por ejemplo, que el superior tuviera que supervisar las actividades que globalmente puedan desarrollar los subordinados con preparación inferior cuando realizan tareas básicas de su especialidad, como la correcta inyección por parte del ATS de

---

[223]   WILHELM, *MedR* 1983, *ob, cit.*, pág. 51.
[224]   MARINUCCI/MARRABINI, *Profili penalistici del lavoro medico-chirurgico in equipe, ob. cit.*, pág. 217; ULSENHEIMER, *Arztstrafrecht in der Praxis, ob, cit.*, pág. 116.

una sustancia al paciente. Exigir al superior que compruebe que el auxiliar utiliza una jeringa adecuada, selecciona sin errores la sustancia, su dosis, inyecta correctamente el producto, elimina el oxígeno de la jeringa, etc., supondría tanto como dar al traste con el sentido mismo de la delegación de tareas. No puede perderse de vista, además, que la comprensión de dicho deber en términos tan amplios llevaría a hacer coincidir sus límites con el vasto ámbito de lo *previsible*. Sin embargo, dado que todo puede ser previsible, existe unanimidad en torno a que la idea de la previsibilidad no puede ser suficiente para fundamentar la responsabilidad en ningún ámbito de la teoría del delito imprudente ni, por tanto, para quebrar el principio de confianza[225].

En segundo lugar, para avalar aquella solución, puede manejarse un argumento específicamente vinculado a los casos en que fuese el superior el competente para realizar el nombramiento y el mismo hubiese recaído en una persona sobre cuya competencia y cualificación no había motivos para sospechar. La pretensión de exigir en tales casos un deber de control y seguimiento sólo podría fundamentarse en un curioso sistema de *responsabilidad objetiva* por una actuación anterior, que no sólo rememoraría el trasnochado principio del *versari in re illicita* sino, más allá incluso, tendría que ver con un hipotético principio, aun más inadmisible, que pudiera expresarse como una especie de *versari in re licita*: la idea de fundamentar la responsabilidad del superior por el hecho de haberle encomendado una concreta tarea al subordinado. Sobre lo insostenible que resultaría este proceder no parece necesario insistir.

Es más, las razones anteriores entiendo que se oponen incluso a admitir el criterio de distinción que maneja UMBREIT según que el fallo que comete el colaborador repercuta en el enfermo a través de una nueva actuación del superior. Conforme a este criterio, el autor diferencia, en primer lugar, los casos en que, por ejemplo, el superior ordene a la enfermera que en su ausencia inyecte al paciente la anestesia. En ellos entiende que, dado que en dicha actividad el superior no está presente, no puede controlar su corrección ni tampoco tendría el deber de hacerlo. Junto a estos supuestos distingue otros en los que, en función de las circunstancias, el error del colaborador incide en el paciente mediante una nueva intervención del superior, como cuando aquél prepara la inyección y posteriormente se la entrega a éste. En ellos, afirma, el superior cuenta con posibilidades muy altas de incidir en el suceso, lo que refuerza su obligación de verificar la correcta labor del subordinado[226].

---

[225] CEREZO MIR, *Curso de Derecho penal español*, ob. cit., pág. 171.
[226] UMBREIT, *Die Verantwortlichkeit des Arztes für fahrlässiges Verhalten anderer Medizinalpersonen*, ob. cit., págs. 126 ss.

Esta restricción al principio de confianza me parece inadmisible. Y no ya sólo porque, como el mismo autor reconoce, ese razonamiento hace depender la extensión del deber de vigilancia de un dato que es ajeno e incluso casual en la realización de las tareas en equipo. También porque, una vez más, sólo podría admitirse si se trastocase el punto de partida de la división de tareas y se partiese de la desconfianza como regla general, también en los casos en que no se dan circunstancias externas que desvirtúen las condiciones de normalidad.

Distintos habrán de valorarse los supuestos en los que el superior advierte, ya *de facto*, que el subordinado, por las circunstancias que sean (desconocimiento de la forma de realizar la tarea que se le encomienda, incapacidad física, etc.), no esté en condiciones de realizar la actividad en cuestión. Pero entonces, una vez más, si en estos casos se maximaliza el deber de vigilancia del superior con la consiguiente merma de la confianza que es lícito concederle, eso será por la aparición de condiciones que eliminan la situación de normalidad y, con ello, los presupuestos del principio de confianza. En estos casos podría fundamentarse el deber del superior de supervisar cada uno de los actos que realice el subordinado, entendiendo por tal la obligación de realizar un seguimiento *directo*, sin que pueda bastar al respecto el mero control externo de apariencia de normalidad[227]. De no hacerlo y producirse el resultado lesivo, se darían, a mi juicio, las bases de la responsabilidad omisiva, puesto que el compromiso de tratar al paciente se extiende también a asistirle por el empeoramiento del estado de salud que, por la causa que sea, pueda sufrir en cualquier momento de la terapia[228]. A este respecto no está de más recordar que la responsabilidad del superior por el resultado lesivo presupone que el mismo haya asumido de forma directa el tratamiento del paciente, de tal modo que la actuación de los inferiores no sea sino una prolongación de la actividad que él mismo se ha comprometido a realizar.

Distintos habrán de valorarse los casos en los que el responsable de los servicios se limite a tener conocimiento de las irregularidades del departamento

---

[227] Aun cuando con carácter general, esto es, haciendo abstracción de a quién corresponda la elección, afirma JORGE BARREIRO, Agustín, que cuando "se pone en duda la fiabilidad del personal sanitario auxiliar, el médico está obligado a cumplir con los correspondientes deberes de diligencia secundarios (de control, instrucción y vigilancia del personal sanitario auxiliar), pues de lo contrario el cirujano puede incurrir en responsabilidad penal por la conducta incorrecta de sus colaboradores (enfermeras o ATS)", y en pág. 162, "el deber de vigilancia e instrucción del médico ha de neutralizar los peligros derivados de la falta de cualificación del personal auxiliar sanitario", *La imprudencia punible en la actividad médico-quirúrgica, ob. cit.*, págs. 149 ss., pág. 155.

[228] Por todos, HANACK, *ÄM*, 1959, *ob. cit.*, pág. 500.

que dirige. Según entiendo, en ellos su responsabilidad habrá de discurrir por títulos distintos, la mayoría de las veces por una forma de participación, inducción, complicidad o cooperación necesaria al delito de intrusismo que comete el subordinado.

Sirva de ejemplo el caso denunciado hace unos años por la Fiscalía de Barcelona en relación con un diplomado de enfermería que practicaba intervenciones quirúrgicas a los pacientes con conocimiento del responsable del servicio de Oftalmología de la Clínica Platón de Barcelona[229]. Aun en el hipotético supuesto de que hubiera llegado a producirse un resultado lesivo, la falta de asunción del tratamiento del paciente por parte del jefe del servicio impediría fundamentar su responsabilidad por el mismo.

Por otro lado, debe tenerse presente que, al igual que sosteníamos respecto a la relación cirujano-anestesista, la responsabilidad del superior por un delito de *omisión impropia* sólo encuentra su genuino espacio allí donde no pueda descubrirse una conducta *activa* del mismo que se preste a calificarse, ya de por sí, como contraria a las reglas de cuidado. Es lo que sucederá cuando el superior se percate o debiera percatarse de una irregularidad en la actuación del subordinado que repercuta en el estado del paciente, de tal modo que en tales condiciones resultase desaconsejable la práctica de la intervención. Si pese a ello aquél la emprendiese, sería su propia conducta la que habría de valorarse como contraria a las reglas de la *lex artis*. Baste pensar, por ejemplo, en el caso en que el cirujano decidiera realizar la intervención pese a que el paciente tuviera alteradas sus constantes vitales debido a la negligencia cometida por un miembro de su equipo.

En las páginas precedentes hemos tratado la responsabilidad del superior por la actuación negligente de sus subordinados o ayudantes. Este apartado relativo a la responsabilidad penal en el marco de la distribución vertical de funciones quedaría incompleto si no hiciéramos referencia a dos cuestiones. La primera, el tratamiento de los casos justamente inversos a los referidos hasta ahora, esto es, aquellos en los que sea el inferior quien advierta la negligencia en que pueda incurrir el jefe del equipo y, pese a ello, no haga nada por impedirla e incluso continúe realizando la colaboración que aquél le requiere. La segunda, a la aplicación del diseño teórico trazado al marco de las estructuras hospitalarias.

---

[229]   Véase el Diario *El País*, 17 octubre de 1998.

Excurso 1. La posible responsabilidad del inferior por las negligencias que advierte en el superior

Para ilustrar la problemática propia de estos supuestos valga de cita el siguiente ejemplo: Imaginemos que el ayudante advierte impasible, bien el estado de incapacidad física —por enfermedad o embriaguez del superior—, bien un error en la actuación del mismo que pueda perjudicar al paciente.

En la línea de lo que apunta en la doctrina alemana WILHELM[230] o en la italiana MARINUCCI-MARRUBINI[231] o IADECOLA[232], entiendo que el inferior no puede eximirse de responsabilidad alegando su posición subordinada en el equipo. A mi juicio, dicha exención requeriría que el subordinado que advierte la actuación irregular del jefe del equipo se abstuviera de colaborar, sin que ni siquiera bastase, como sin embargo propone BILANCETTI[233], el hecho de manifestar al superior su disenso respecto a la forma en que éste actúa.

Ahora bien, afirmado lo anterior, de inmediato debe matizarse el alcance de la eventual responsabilidad en que pueda incurrir el inferior. De forma paralela a cuanto sosteníamos respecto a la relación entre el anestesista y el cirujano, dado que el ámbito del compromiso de aquél se extiende, no a garantizar el correcto tratamiento del paciente sino a realizar una tarea de ayuda a la labor del principal, debe descartarse la posibilidad de fundamentar una posición de garantía que le hiciera responder de la negligencia del tercero. Por ello, allí donde pese a concurrir las circunstancias descritas prestase su colaboración, habría de considerarse *cooperador necesario* a la actuación del principal y, en definitiva, *coautor accesorio imprudente* con éste[234].

Esto quiere decir, a la inversa, que habrá de excluirse la responsabilidad del subordinado respecto al resultado lesivo allí donde se niegue a la colabo-

---

[230]   WILHELM, *MedR* 1983, *ob. cit.*, pág. 51.
[231]   MARINUCCI-MARRUBINI, *Profili penalistici del lavoro medico-chirurgico in equipe*, *ob. cit.*, págs. 229 s.
[232]   IADECOLA, *Il medico e la legge penale*, *ob. cit.*, págs. 81 s., condicionando en todo caso el deber del subordinado de no ejecutar la orden a que la ilegalidad de la misma resulte evidente; con referencias jurisprudenciales véase también PARODI/NIZZA, *La responsabilità penale del personale medico e paramedico. Giurisprudenza sistematica di diritto penale*, Torino, 1996, págs. 136 ss.
[233]   BILANCETTI, *La responsabilità penale e civile del medico*, *ob. cit.*, pág. 235.
[234]   Obsérvese que se parte de que la contribución pueda calificarse como autoría por dominio -funcional- del hecho. Sobre la imposibilidad de castigar, como tal, al partícipe imprudente en un delito imprudente, GÓMEZ RIVERO, *La inducción a cometer el delito*, *ob.*, *cit.*, págs. 346 ss.

ración que el superior le solicita[235]. Todo ello sin perjuicio de que si en tales casos se limitase a negarse a seguir colaborando pero sin adoptar ninguna medida para intentar impedir el resultado lesivo pudiera incurrir en responsabilidad por un tipo de la Parte Especial: el de *no impedir* la comisión de un delito imprudente.

Excurso 2. La aplicación de los criterios anteriores en el marco de las estructuras hospitalarias. Especial referencia al caso enjuiciado por el Tribunal Supremo en Sentencia de 18 de noviembre de 1991

Hasta ahora hemos hecho referencia a los casos en que la división vertical de funciones tiene lugar entre diferentes profesionales que atienden de forma simultánea o, si se quiere, presencial, a un paciente en concreto. Las consideraciones de las páginas anteriores quedarían incompletas si no se advirtiera que los mismos principios inspiradores que han presidido la solución de estos supuestos, a saber, los de competencia y confianza, deben ser también aplicables a la diversificación de funciones que en general tiene lugar en la estructura hospitalaria, en la que suele existir un organigrama que determina con carácter general para todas las actividades que se realicen en el hospital la competencia y estructuración jerárquica de todo el personal hospitalario.

Sin lugar a dudas, el caso paradigmático que puede servir para aplicar las reflexiones anteriores a la realidad a la que ahora se hace referencia es el supuesto enjuiciado por el Tribunal Supremo en la ya referida sentencia de 18 de noviembre de 1991. En ella se trataba de enjuiciar la conducta de los distintos profesionales de la estructura hospitalaria que, de una forma u otra, pudieron contribuir a la producción del resultado. En concreto, se planteó la responsabilidad de los siguientes sujetos: el Director Gerente del Hospital, el Director Médico del Hospital, la Jefa del Servicio de Hematología y Hemoterapia y, por último, de los médicos que practicaron materialmente las transfusiones. El Tribunal Supremo condenó al Director Médico del Hospital por un delito de lesiones por imprudencia temeraria y a la Jefa del Servicio de Hematología y Hemoterapia por una falta de lesiones por imprudencia simple. Sin embargo, absolvió al Director Gerente no sólo respecto a las lesiones sino a los delitos de expendición ilegal de medicamentos, sin plantearse ni siquiera la responsabilidad de los ejecutores inmediatos.

[235] WILHELM, *MedR* 1983, *ob. cit.*, pág. 51; MARINUCCI-MARRUBINI, *Profili penalistici del lavoro medico-chirurgico in equipe*, *ob. cit.*, págs. 230.

Como señala SILVA SÁNCHEZ en su comentario a esta sentencia[236], la ausencia de responsabilidad de estos últimos se explica por su falta de competencia para adoptar decisiones en la materia, ya que no era de su incumbencia el vigilar el correcto tratamiento de la sangre. A ello entiendo que debe añadirse el principio tantas veces referido que vertebra el juicio de responsabilidad de los distintos intervinientes; a saber, el principio de confianza. Porque los inferiores ni conocen ni tienen por qué conocer las condiciones en que se encuentra la sangre que transfunden; al contrario, están perfectamente respaldados por la confianza en la corrección de la actividad de los superiores encargados de esas tareas. Ahora bien, justamente porque una de las premisas que llevan a esta conclusión es el principio de confianza, que como tantas veces hemos subrayado, no es absoluto sino limitado, resulta cuestionable la afirmación que hace este autor en el sentido de que la conclusión debe ser la misma aun cuando supieran que la sangre que utilizaban no había sido sometida a la prueba de los reactivos correspondientes.

Bien es verdad que, como señala SILVA SÁNCHEZ, cuando la producción del resultado tiene lugar por la ausencia de medios conocida por el delegante, la responsabilidad debe imputarse a éste último[237]. Lo que ocurre, según entiendo, es que ello determina que si pese a tales circunstancias el inferior sigue colaborando, no responda como *autor* del delito contra la vida o salud que en su caso llegara a producirse, sino como *cooperador necesario* en la conducta del principal obligado; en otras palabras, el ámbito competencial ciertamente actúa excluyendo la responsabilidad del no competente, pero sólo en cuanto *autor* directo de la conducta, no en cuanto *cooperador* al injusto que cometa el principal y, desde luego, menos aún impide la exigencia de responsabilidad por un delito de *omisión pura*.

Por las mismas razones, comparto las afirmaciones de SILVA SÁNCHEZ, si bien de nuevo con matices, en lo que se refiere a la crítica que formula a la Sentencia del Tribunal Supremo cuando condena a la Jefa del Servicio de Hematología y Hemoterapia por una falta de lesiones por imprudencia simple. La adopción de esta vía intermedia, a medio camino entre la impunidad y la condena por un delito de lesiones se basa, según la Sentencia, en que aquélla dirigió una carta al Director Médico del Hospital en la que le advertía el incumplimiento que se estaba produciendo, comunicándole el contenido de la Orden de 10 de octubre. Sin embargo, si bien demostró esta preocupación, no

---

[236]   SILVA SÁNCHEZ, *Medicinas alternativas e imprudencia médica, ob. cit.*, págs. 29 ss.
[237]   SILVA SÁNCHEZ, *Medicinas alternativas e imprudencia médica, ob. cit.*, pág. 34.

se dirigió a otros centros hospitalarios que contaban con técnicas para realizar las detecciones ni recurrió a otros bancos de sangre.

No obstante, como señala SILVA SÁNCHEZ, esta vía intermedia no puede
satisfacer. Porque, o se considera que su conducta fue contraria al cuidado
debido, en cuyo caso no debería responder por una falta de lesiones; o se
entiende, por el contrario, que efectivamente infringió la norma de cuidado,
en cuyo caso, continúa el autor, contribuyó de forma directa a la realización
de las transfusiones, por lo que no habría motivo para una responsabilidad
inferior.

Si bien comparto que el sentido de la Sentencia es digno de crítica, discrepo de las razones que aquél autor maneja, y en definitiva, del sentido de su
crítica. En primer lugar, me parece, ciertamente, que la solución del Tribunal
no puede considerarse satisfactoria. Pero ello sólo porque si se entiende que
su conducta no infringió el deber de cuidado conforme a los criterios de competencia y confianza, no hay lugar a apreciar responsabilidad alguna por las
lesiones producidas. Ahora bien, si su actuación no fue conforme a las reglas
de cuidado, en cuanto advirtió que se estaban practicando transfusiones sin
los controles oportunos y, si bien hizo algunas advertencias no llegó a tomar
serias medidas al respecto, su responsabilidad debería de haberse canalizado
por títulos distintos de los que le hace responder la sentencia. En concreto,
una vez más, conforme a las premisas que venimos sosteniendo, por una forma de participación o cooperación necesaria en la conducta que realiza el
competente u obligado principal y, en su caso, por un delito de omisión propia
o pura. Para evitar reiteraciones basta remitirnos en este punto a los argumentos ya manejados con carácter general en las páginas anteriores.

Nada hay que objetar, por último, a la fundamentación que ofrece SILVA
SÁNCHEZ de cara a justificar la ausencia de responsabilidad penal por parte
del Director Gerente, razones que básicamente tienen que ver con las competencias que le incumbían, fundamentalmente desde el punto de vista de su
posición relativa con el Director Médico, obligado principal[238].

1.5. La cláusula de la imprudencia profesional

En relación con los delitos de homicidio, lesiones, aborto y lesiones al feto,
los arts. 142.3, 152.3, 146 y 158 CP contemplan, respectivamente, una cualificación para los casos en que sean cometidos por *imprudencia profesional*. Así,

---

[238] SILVA SÁNCHEZ, *Medicinas alternativas e imprudencia médica, ob. cit.*, págs. 42 ss.

respecto al homicidio, el apartado 3 del art. 142 prevé la pena de inhabilitación especial para el ejercicio de profesión, oficio o cargo por un período de tres a seis años; el art. 152.3, respecto a las lesiones, establece la misma pena por tiempo de uno a cuatro años; el art. 146.2 prevé la misma pena respecto al aborto por un período de uno a tres años y, finalmente, el art. 158.2 fija su marco en un período de seis meses a dos años cuando se trata de las lesiones al feto. El Código penal del 95 viene así a continuar la tradición de una regulación que, si bien se remonta en sus orígenes al Código penal de 1944[239], encuentra su precedente inmediato en la reforma de 1989. En ella el legislador, tras tipificar la imprudencia temeraria, añadía, como una forma de la misma, que "Cuando se produjere muerte o lesiones con los resultados previstos en los artículos 418, 419 ó 421.2, a consecuencia de impericia o negligencia profesional, se impondrán en su grado máximo las penas señaladas en este artículo. Dichas penas se podrán elevar en uno o dos grados, a juicio del Tribunal, cuando el mal causado fuere de extrema gravedad".

Si bien el Código penal del 95 continuó la tradición de incluir la cláusula de la imprudencia profesional, introdujo en ella varias modificaciones. Bien es cierto que alguna estuvo motivada por la razón lógica de acompasar su regulación a la nueva forma con la que el legislador afrontaba en general la tipificación de la imprudencia. Es lo que sucede con el cambio de ubicación desde una cláusula que la contemplaba con carácter general hasta los concretos tipos delictivos en que el legislador la quiere castigar, un cambio, en definitiva, que no es más que la consecuencia de la nueva incriminación de la imprudencia conforme al sistema de *numerus clausus*.

Pero más allá de las adaptaciones lógicas de la imprudencia profesional al nuevo sistema del Código penal, el legislador del 95 introdujo otras novedades con las que reflejaba claramente el talante con el que ha querido aproximarse a la misma. En concreto, dos son, básicamente, los rasgos que acuñan su signo de identidad a la nueva regulación de la imprudencia profesional. El primero, que conforme al sistema de *numerus clausus*, la cláusula del castigo de la imprudencia profesional no se ciñe sólo a los delitos de homicidio y lesiones, a los que se refería en exclusiva el anterior art. 565. Por el contrario, el Código penal del 95 ha extendido dicha agravación al delito de aborto así como al nuevo delito de lesiones al feto, manifestando de esta forma no sólo el propósito de no expulsar dicha cláusula del Código penal, sino de extenderla a ámbitos que antes resultaban ajenos a la misma. En segundo lugar, el otro signo distintivo de la nueva regulación es el dato de que, a diferencia de lo que

---

[239]   HAVA GARCÍA, *La imprudencia médica, ob. cit.*, págs.18 s.

sucedía hasta entonces, la consecuencia de la apreciación de la imprudencia profesional no se traduce ya en el aumento de las penas de prisión, sino en la imposición de las penas de inhabilitación reseñadas.

Sobre estos nuevos rasgos y la forma en que deban valorarse tendremos ocasión de volver a insistir más adelante. Antes de profundizar en los cambios operados en la vieja cláusula de la imprudencia profesional interesa detenerse en el dato de su existencia misma así como en la elaboración jurisprudencial que desde su primera plasmación legislativa se ha orientado a dejar sentados los presupuestos de su apreciación práctica.

La tradición relativamente larga de la imprudencia profesional en el Código penal permite hablar de un cuerpo jurisprudencial que, en la tarea de delimitar los presupuestos de su apreciación, ha plasmado a lo largo de décadas tanto la razón de ser de la existencia de esa cláusula como las coordenadas que dotan de racionalidad a su apreciación por parte de los Tribunales de Justicia. Así, dejando a un lado las sentencias más antiguas[240], es digna de mención la Sentencia de 29 de diciembre de 1975. En ella se formularon los requisitos básicos de la imprudencia profesional que, con variantes y mayor o menos grado de precisión, han sido recogidos prácticamente por todos los pronunciamientos posteriores en los que el Supremo ha tenido que enfrentarse a la tarea de definir los límites de esta agravación. Conforme a la citada Sentencia, los requisitos de la imprudencia profesional son los siguientes: 1º. Los actos negligentes debe realizarlos un sujeto en el ejercicio de su profesión, de la cual hace su medio de vida ordinario y de dedicación laboral. 2.º La conducta tiene que encuadrarse en la serie de actos que de manera habitual se exigen y practican por los profesionales del ramo. 3.º Se requiere la producción de un resultado, de muerte o lesiones graves. 4.º Dicho resultado tiene que producirse a consecuencia de impericia o negligencia profesional, incompatibles con la profesión, lo que supone una manifiesta peligrosidad, caracterizada por un plus de culpa sobre la temeraria. 5.º La apreciación de tales factores ha de realizarse con criterios de relatividad, ponderando en todo caso circunstancias, personas y actividad profesional desarrollada.

De la doctrina jurisprudencial recogida en esta sentencia se deducen dos aspectos básicos. El primero, que sujeto activo de esta cualificación puede serlo, en principio, cualquier persona que desarrolle de forma continuada una actividad laboral haciendo de ello su medio de vida. Esto quiere decir que no es necesario que el profesional sea un sujeto que esté en posesión de una titulación específica, bastando con que, de hecho, ejerza una actividad profesio-

---

[240]   Véase al respecto HAVA GARCÍA, *La imprudencia médica, ob. cit.*, págs. 21 s.

nal. Con ello se trata de asegurar resultados admisibles en la aplicación de esta cláusula desde un punto de vista político criminal. Baste pensar que de otra forma el profesional no titulado o habilitado que ejerciera la profesión se vería absurdamente privilegiado justamente por ejercerla de forma irregular[241].

En segundo lugar, la caracterización de la imprudencia profesional que ofrece esa sentencia descansa en el recurso a una línea divisoria más que sutil para depurar los casos comprendidos en la agravante[242]. Así, la jurisprudencia ha entendido que, frente a la «*culpa del profesional*» que no es más que la imprudencia común cometida por el profesional, "la «*culpa profesional*» descansa en la impericia, que tanto puede encontrar su fundamento en la ignorancia, como en la ejecución defectuosa del acto requerido profesionalmente"[243]. A partir de la distinción anterior, por ejemplo, la Sentencia del Tribunal Supremo de 8 de junio de 1994, afirma que "La profesión en sí misma no constituye en materia de imprudencia un elemento agravatorio ni cualificativo —no quita ni pone imprudencia se ha dicho—, pero sí puede influir, y de hecho influye, para determinar no pocas veces la culpa o para graduar su intensidad. La primera modalidad surge cuando se produjere muerte o lesiones a consecuencia de impericia o negligencia profesional, equivalente al desconocimiento inadmisible de aquello que profesionalmente ha de saberse; esta 'imprudencia profesional', caracterizada por la transgresión de deberes de la técnica médica, por evidente inepcia, constituye un subtipo agravado caracterizado por un 'plus' de culpa y no una cualificación por la condición profesional del sujeto, de suerte que a su lado conviven las modalidades comunes de imprudencia, la 'culpa profesional sin impericia' en las categorías de temeraria y simple, por el orden de su respectiva gravedad"[244]. Precisamente este razonamiento ha

---

[241]   CORCOY BIDASOLO, *El delito imprudente, ob. cit.*, págs. 165 s. En un sentido contrario, véase HAVA GARCÍA, *La imprudencia médica, ob. cit.*, págs. 42 ss., quien llega a esta conclusión incluso en los supuestos en los que la calificación por delito de intrusismo encuentre su origen sólo en la falta de titulación específica, lo que, a mi juicio, acentuaría aún más la objeción denunciada en el texto de beneficiar a quien se encuentra en situación irregular.

[242]   Que por ello no ha dejado de despertar críticas doctrinales. Por todos, COBO GÓMEZ DE LINARES, "El problema de las lagunas 'conscientes' y la jurisprudencia 'creativa' a través de un ejemplo: la distinción culpa profesional y culpa del profesional", en *PJ* 1990, págs 114 ss., 125.

[243]   Entre otras, las Sentencias de 3 de octubre de 1997, de 23 de julio de 1987, de 27 de octubre de 1987, de 28 de noviembre de 1987, de 27 de mayo de 1988, de 27 de junio de 1988, de 1 de diciembre de 1989, de 24 de enero 1990, de 24 de enero de 1990, de 14 de septiembre de 1990, o de 4 de septiembre de 1991.

[244]   Véase también, por ejemplo, la STS 24 de abril de 1988: "La negligencia o impericia profesional cometida por un profesional, es decir, por persona especializada en la técnica y

determinado que en algunas Sentencias el Tribunal Supremo se haya pronunciado a favor de admitir la responsabilidad del profesional conforme a la falta común del correspondiente tipo contra la vida o salud[245].

Resulta, sin embargo, que la aparente coherencia y simplicidad de este diseño teórico de la imprudencia profesional se empaña de inmediato cuando se trata de su aplicación práctica[246], hasta el punto de que no es extraño

en los entresijos de una profesión, arte u oficio, incurriendo el infractor en un «*plus*» de antijuridicidad consecutivo a la inobservancia de la «*lex artis*» y de las precauciones y cautelas más elementales, siendo totalmente imperdonable e indisculpable que una persona que pertenece a la profesión o actividad de que se trate y a la que se presumen especiales conocimientos y el dominio de la técnica propia de las mismas, proceda de un modo innato e indocto, mostrando ignorancia suma de las reglas fundamentales del ejercicio profesional o conduciéndose con singulares descuidos, abandono o ligereza, impropios de las normas deontológicas que rigen el ejercicio de su profesión, arte u oficio"; en el mismo sentido, véase la STS de 8 de noviembre de 1999 así como la de 23 de octubre de 2001, que recordando las sentencias 81/1999, 1606/1999 y 308/2001, afirma que la imprudencia profesional sólo supone un "plus de antijuricidad consecutivo a la infracción de la *lex artis* y de las precauciones y cautelas más elementales, imperdonables e indisculpables a las personas que, perteneciendo a una actividad profesional, debe tener unos conocimientos propios de la actividad profesional'. Quiere esto decir que la imprudencia profesional -sobre la base naturalmente de que la misma sea grave porque si no lo fuese desaparecería la misma entidad del delito- no debe sugerir una diferencia cualitativa sino sólo cuantitativa con respecto a la imprudencia que podríamos llamar común...".

[245] Dicha posibilidad había sido discutida doctrinalmente por algún autor como MOURE GONZÁLEZ, "¿Existe una falta de imprudencia profesional grave?", en *La Ley* 1999, quien sostiene la impunidad de las faltas por imprudencia que se lleven a cabo en el ámbito profesional, al no referirse a ellas el art. 621 CP. Contra esta interpretación, que ya había sido contestada por la doctrina (SILVA SÁNCHEZ, *Medicinas alternativas e imprudencia médica, ob. cit.*, pág. 27, nota 27, GARCÍA RIVAS, en *Revista de Derecho Social, ob. cit.*, nota 10) ha tenido ocasión de pronunciarse expresamente el Tribunal Supremo en la Sentencia de 8 de noviembre de 1999, que tras vincular la pretensión de considerar impune la falta del profesional al razonamiento de que los integrantes de la profesión sólo pueden cometer ese tipo de imprudencia, afirma: "esta Sala ha conceptuado la imprudencia profesional como un plus de antijuricidad consecutivo a la infracción de la 'lex artis' y de las precauciones y cautelas más elementales, imperdonables e indisculpables a personas que, perteneciendo a una actividad profesional, deben tener unos conocimientos especiales propios de una actividad profesional. Es por ello que la consideración de profesional supone un mayor reproche penal en relación a bienes jurídicos afectados por actividades que requieren un cuidado especial en su ejercicio. No es, por tanto, la determinación de la imprudencia del profesional, sino una graduación de la imprudencia en función de la mayor exigencia a determinados profesionales cuya omisión del deber objetivo de cuidado es más patente precisamente por disponer de una cualificación técnica sobre su actividad".

[246] Así, aprecia la imprudencia profesional, entre otras, la STS de 20 de febrero de 1991, que enjuiciaba a un cirujano que en lugar de seccionar por ligadura el conducto cístico, hizo la ligadura en la salida teórica del conducto hepático, amputando el mismo y provocando una ictericia yatrogénica; la STS de 1 de diciembre de 1989 que enjuiciaba la conducta

del anestesista que entubó al paciente por conducto nasotraqueal motorizado, conociendo que la alarma del aparato de anestesia no era audible y que no era visible el tubo anestésico respiratorio. Pese a ello, abandonó el quirófano en repetidas ocasiones sin dar cuenta a nadie, siendo requerido incluso varias veces por el ATS. Al finalizar la operación, vio en la pantalla del monitor que la señal electrocardiográfica daba plana, comprobando entonces que el tubo nasotraqueal que suministraba oxígeno al paciente estaba desconectado; la STS de 18 de noviembre de 1998 con relación a un médico de un centro penitenciario que no ordenó el traslado al hospital del interno posteriormente fallecido, el cual estaba aquejado de una intoxicación farmacológica y visitó la enfermería en tres ocasiones, cada vez en peor estado, siendo enviado a su celda sin hacerse un seguimiento de su estado; la STS de 27 de mayo de 1988: tras examinar por rayos X a un niño con un cuadro de 39° de fiebre y fuerte dolor en una pierna, el médico le prescribió los fármacos que estimó oportunos. Al no acusar mejoría, la madre llamó al procesado por teléfono para que pasara a visitarle, lo que no hizo, limitándose a decir que continuara aplicando la medicación y que incrementase la dosis. Ante el empeoramiento del niño, la madre volvió a llamar al médico, pidiéndole que fuera a verle, lo que tampoco hizo. Finalmente acudió tras un requerimiento posterior, si bien ciñó el reconocimiento a una mirada rápida y superficial de la garganta, sin comprobar siquiera la temperatura, y limitándose a prescribir otra medicación. Poco después, el niño entró en estado de pérdida de conciencia y crispación de manos así como convulsiones tonicoclónicas, compareciendo el procesado al ser requerido para ello y sólo por la observación de las convulsiones citadas pero sin fundamento científico alguno. Le diagnosticó epilepsia, y le recetó media ampolla de valium 10, colocando una cuchara en la lengua para evitar que se la mordiera y sin esperar la evolución de estos síntomas, se marchó a su consultorio privado que estaba lleno de clientes. Ante la insistencia de los referidos familiares sobre qué habrían de hacer en caso contrario manifestó que lo llevasen a Valencia y, a instancias de la madre, rellenó un volante de ingreso en una Clínica de esta última capital, procediendo a los 15 ó 20 minutos los padres a trasladarlo en una ambulancia a dicha Ciudad, estando ya el niño en estado de coma profundo, sin respuesta alguna del sistema nervioso frente a cualquier estímulo. El fallecimiento se produjo poco después. En dicha Sentencia, el Tribunal Supremo consideró que "es perfectamente distinguible la culpa del profesional en el ejercicio normal de su actividad y la llamada culpa profesional, tan debatida desde el punto de vista científico, que se refiere a una imprudencia, ineptitud o ignorancia de las reglas de la profesión bien sea porque tales conocimientos no se poseen, o porque poseyéndose no se actualizan o porque la actuación choca frontalmente con un actuar correspondiente adecuado a la actividad de que se trate...Esta nota añadida a la imprudencia es el plus que caracteriza a la imprudencia profesional que en definitiva supone como acaba de decirse un actuar incompatible con el normal ejercicio de la concreta actividad profesional en función de la impericia, ignorancia, o inadecuación con las reglas profesionales correspondientes... En resumen...la llamada imprudencia por impericia o negligencia profesional...descansa en un obrar con ausencia del conocimiento o inaplicación de las reglas que rigen la actividad que se realiza, es decir, con vulneración de la «lex artis» e infracción de los deberes inherentes a la profesión de que se trate, «lex funtionis» distinguiéndose así entre la culpa del profesional que es una imprudencia o negligencia cometida por un profesional en el específico ejercicio de su arte, ciencia u oficio y la culpa profesional que descansa en la impericia que no implica ni en este caso ni en otros muchos, que el procesado desconozca o conozca mal o deficientemente su cometido, sino mucho más concretamente que en el caso específico de

encontrar pronunciamientos en los que la apreciación de la cláusula de la imprudencia profesional se vincula, no ya a la concurrencia de un *plus* de cul-

---

que se trata no actuó conforme era esperable y exigible de su profesionalidad"; la STS de 13 de noviembre de 2003, que enjuiciaba a una ginecóloga que al practicar una interrupción voluntaria del embarazo a una paciente considerada de alto riesgo le seccionó sin percatarse de ello la arteria uterina, lo que motivó una hemorragia interna. La ginecóloga dio el alta a la paciente sin someterla al preceptivo control prolongado por medio de la monotorización de las constantes durante el tiempo requerido en los protocolos, lo que le habría permitido percatarse de la existencia de dicha hemorragia que finalmente le causó la muerte.

Debe advertirse que la apreciación de esta forma de imprudencia no sólo puede derivarse de que el profesional incurra en errores que se consideran especialmente graves, sino también del hecho de no advertir, de manera también burda, el error previamente cometido. Sirva de ejemplo la Sentencia de la Audiencia Provincial de Barcelona de 12 de mayo de 2000, que condenó por imprudencia profesional grave al anestesista que después de cerrar el suministro de oxígeno y protóxido de nitrógeno suministrado hasta entonces al 50% abrió el grifo correspondiente a éste último gas, y ante el empeoramiento del estado del enfermo no fue siquiera capaz de advertir la causa del mismo pese a que el monitor no reflejaba el nivel de saturación de oxígeno de la paciente.

Por el contrario, a título de ejemplo, no aprecian la imprudencia profesional la STS de 24 de noviembre de 1984, que condenó por imprudencia temeraria al cirujano que extirpó al paciente erróneamente un riñón. Al advertir este error el médico anestesista, el cirujano procedió a su reimplantación, falleciendo la enferma poco después; la STS de 24 de noviembre de 1989 respecto a la conducta del médico que prescribió, en un tratamiento no urgente, una inyección endovenosa de pentotal sódico sin cerciorarse de la no presencia de la fase digestiva, y sin tener a mano un equipo mecánico de reanimación incluyendo el necesario para la intubación endotraqueal; la Sentencia de 5 de febrero de 1990, que también consideró como temeraria la conducta del médico que extirpó a dedo la amígdalas de un niño, sin observar si éste sangraba, ni hacer nada para detectar la hemorragia que ya estaba obstruyendo las vías respiratorias del niño, que falleció por asfixia en la unidad de cuidados intensivos; la STS de 14 de septiembre de 1990, que sometió al paciente a una arteriografía sin practicarle pruebas analíticas, pese a que dado las enfermedades que padecía era probable el desprendimiento de un trombo que ocluyese la arteria. Antes de que se despertase de la anestesia, y sin percatarse del estado de coma en que se encontraba la paciente, fue remitida a su domicilio, donde falleció a consecuencia de la obstrucción de la arteria cerebral; la STS de 4 de septiembre de 1991, en relación con la conducta del anestesista que no conectó el aparato de control electrocardiográfico del paciente, produciéndose su fallecimiento cuando aquél estaba ausente; la conocida STS de 18 de noviembre de 1991, en relación con la transfusión de sangre sin realizar las oportunas pruebas, resultando infectados de Sida tres pacientes; la STS de 8 de junio de 1994, que frente a la calificación de la Audiencia, negó que concurriera imprudencia profesional en la conducta del médico que pese a la existencia de un traumatismo craneoencefálico no completó los datos necesarios para el diagnóstico, limitándose a calificar de leve el traumatismo y disponiendo el alta hospitalaria, omitiendo la práctica de otras pruebas que hubiesen delatado el edema y hemorragia cerebral que determinó el fallecimiento del paciente; véase también la referencias a la jurisprudencia más antigua en MARTÍNEZ-PEREDA RODRÍGUEZ, *La imprudencia punible en la profesión sanitaria según la jurisprudencia del Tribunal Supremo*, ob. cit., págs. 54 ss.

pa, sino a la mera condición de profesional del sujeto activo. Valga de cita la STS de 20 de febrero de 1991, que enjuiciaba la conducta del facultativo que dio de alta a la enferma después de extirparle la vesícula biliar, pese a que se encontraba todavía en estado grave. En palabras del Alto Tribunal: fue "una conducta profesional, tan lamentable por la desatención, que incidió directa y eficientemente en la causa determinante de las lesiones o del proceso evolutivo de la intervención primera, precisamente en la que intervino el procesado... La impericia profesional aporta el plus de antijuricidad que la norma exige si los dictados de aquella 'ley del arte'... no se acataron, no se respetaron o no se supieron observar".

Otras veces, el Tribunal Supremo parece vincular la imprudencia profesional, no ya sólo de forma directa a la condición profesional del agente, sino, indirectamente, a la especificidad de la norma por él infringida. Es el caso de la STS 5 de julio de 1989: Se trataba de la conducta del médico de cabecera que, avisado del mal estado de un paciente, en lugar de visitarle y reconocerle personalmente, se limitó a tener una conversación telefónica con la madre de aquél y a extender un parte de baja por cólico nefrítico y un volante de análisis de orina, a darle unas inyecciones y supositorios «antiespasmódicos» y prescribir la toma de agua, aconsejando que si no mejoraba avisaran al servicio de urgencia o procedieran a ingresar directamente al enfermo en el Hospital. Un día después, ante el estado que presentaba el enfermo, el padre lo trasladó a la Residencia Sanitaria «La Paz» donde ingresó cadáver. La muerte se produjo a causa de una peritonitis, debida a la perforación de 0,4 centímetros de diámetro de una úlcera duodenal.

El Tribunal Supremo consideró que "conforme a las normas más elementales, la situación del enfermo obligaba a una visita personal al mismo para constatar los datos también más elementales e indispensables para llevar a cabo un prediagnóstico, previo a la toma de ulteriores decisiones, a pesar de lo cual se conforma con una información imprecisa y falta del necesario rigor técnico, faltando así a una norma no sólo perteneciente a la profesión médica, sino también a los aspectos más primarios socio-culturales que exigen un modo de actuar preciso y determinado que en este caso consistía en algo tan elemental y sencillo, según ya se ha dicho, como visitar al enfermo. La falta de esta apreciación fue inequívocamente imperita porque no puede pasar desapercibida al facultativo que podemos considerar de diligencia médica normal, y de ahí la corrección del tribunal en orden a la calificación de culpa profesional". Tras esa afirmación, el Tribunal Supremo ofreció una definición de la imprudencia profesional que, si bien partía del reconocimiento de la condición del sujeto como tal, vinculaba su fundamento a la especificidad del deber infringido: *"la culpa profesional es la imprudencia del profesional en el ejercicio de su específica actividad técnica o facultativa y en la que el soporte está constituido precisamente por lo específico de la profesión. Este plus punitivo, en cuanto a la actividad imprudente o negligente del profesional, tiene su asiento en el incumplimiento de los deberes propios de determinadas actividades o profesiones que presupone, sin duda, un evidente incremento de culpabilidad".*

Si bien es verdad que esta construcción tiene el mérito de aportar un criterio que pudiera servir para desligar la imprudencia profesional de la común sobre la base de indicadores que no descansan exclusivamente en la condición del sujeto activo, tampoco consigue satisfacer. Como no ha pasado por alto a la doctrina, esa identificación entre la imprudencia profesional y la condición de tal llevaría en sus últimas consecuencias a convertir en inaplicable la cláusula en los casos en los que, como sucede con el tráfico viario, no pueda establecerse un deber de cuidado adicional o específico que debiera cumplir el profesional frente a las exigencias generales de cualquier participante en el mismo[247]. Y, a la inversa, en puro rigor lógico dicha interpretación debería llevar a convertir siempre en profesional la imprudencia cuando tiene lugar en ámbitos altamente profesionalizados como la medicina, en los que prácticamente todos los incumplimientos son de "deberes propios" de la profesión —parafraseando la Sentencia citada—, algo que sin embargo, el propio Tribunal Supremo está claro que no está dispuesto a admitir[248].

Ante esta confusión no es de extrañar que hayan sido aisladas las voces doctrinales que propongan una interpretación extensiva de la cláusula de la imprudencia profesional[249]; y, por el contrario, mayoritarias aquellas otras

---

[247] Sobre esta crítica véase por todos GARCÍA RIVAS, "La imprudencia 'profesional': una especie a extinguir", en *Revista de Derecho Social*, n°, 1999, núm. 83 ss., con referencias jurisprudenciales.

[248] Véase por ejemplo la STS de 26 de abril de 1994, que enjuiciaba al médico anestesista que al término de una primera operación intervino en otra sin esperar a que la primera paciente recobrase la conciencia. Esta permaneció todo el tiempo de la segunda operación en estado de coma, quedando en situación de vida vegetativa. El Tribunal, pese a calificar los hechos como imprudencia temeraria, desligó de inmediato esta calificación de la apreciación de la imprudencia profesional aunque el sujeto activo tuviera tal condición: "Ha habido negligencia, no consta, sin embargo, que los agentes anestésicos suministrados, ni los fármacos de reanimación utilizados no fuesen los adecuados. La culpa de un profesional anestesista no entraña por sí sola la impericia o negligencia profesional que como agravante específica se recoge en el párrafo segundo del artículo 565 del Código penal".

[249] Véase por ejemplo CÓRDOBA RODA, "El juez y el perito en la determinación de la norma de cuidado en los delitos de imprudencia en el ejercicio de la actividad médica", en *La Ley*, número especial sobre responsabilidad médica, 9 de enero 2002, pág. 3., para quien toda imprudencia profesional grave cometida por un profesional de la medicina debe dar lugar a estimar la existencia de una imprudencia profesional.

que, más allá incluso de proponer una depuración de los presupuestos de aplicación de dicha cláusula[250] cuestionen su procedencia misma[251], destacando entre los argumentos manejados en este sentido aquellos que apuntan a que su presencia en el Código penal supone tanto como incriminar dos veces un mismo contenido de injusto. El punto de partida de ese razonamiento suele vincularse a una concepción individualizadora del injusto, en la que los conocimientos y capacidades del autor, y, en definitiva, todos los aspectos que rodean su actuación, se calibran ya a la hora de apreciar la imprudencia, de tal modo que, según estos autores, manejar la condición profesional del sujeto para agravar la pena supondría contradecir el principio básico conforme al cual un mismo elemento no puede ser valorado dos veces. En palabras de GARCÍA RIVAS, "El dato de la actividad profesional servirá, tan sólo, para configurar el deber de cuidado exigible en torno a la *lex artis ad hoc* que define la corrección del acto profesional en cuestión, pero el ordenamiento no le exige más que al resto de los ciudadanos cuando realizan cualquier actividad peligrosa, sino lo mismo: preservar los bienes jurídicos en peligro mediante una conducta diestra que aminore o anule por completo los inevitables riesgos a los que se enfrenta"[252].

Es cierto que las premisas de este razonamiento crítico resultan impecables desde un punto de vista jurídico. De hecho, aquí hemos sostenido que las especiales circunstancias del autor tienen que valorarse en el ámbito de injusto y es algo que no necesita de mayor fundamento que un mismo elemento del hecho no puede ser objeto de una valoración sucesiva. Ahora bien, la conclusión que a partir de ahí se pretende extraer, esto es, que en la regulación

---

[250] MIR PUIG, en *Adiciones al Tratado de Derecho Penal de Jescheck*, Barcelona, 1981, pág. 808.

[251] Entre otros, CEREZO MIR, *Curso de Derecho Penal español, Parte General, ob. cit.*, pág. 168; GRACIA MARTÍN, *Delitos contra bienes jurídicos fundamentales, ob. cit.*, págs. 62 s; SOLA RECHE/HERNÁNDEZ PLASENCIA/ROMEO CASABONA, *La responsabilidad profesional del médico en el Derecho español. Responsabilidad penal y civil de los profesionales*, Universidad de la Laguna, 1993, pág. 111; GARCÍA ANDRADE, *Reflexiones sobre la responsabilidad médica, ob. cit.*, págs. 17 s., argumentando básicamente sobre la especial severidad que tiene para el profesional la pena de inhabilitación.

[252] GARCÍA RIVAS, en *Revista de Derecho social, ob. cit.*pág. 95. Véase también, por ejemplo, AGUADO LÓPEZ, "Algunas cuestiones sobre la imprudencia profesional en el Código penal de 1995 a raíz de la sentencia del Tribunal Supremo de 8 de noviembre de 1999", en *Actualidad Penal*, marzo de 2001. Sin embargo, curiosamente, esta autora sostiene que de *lege lata* no es posible diferenciar la culpa profesional y del profesional, sino que al referirse ahora el Código a la "imprudencia profesional" en lugar de a la "impericia o negligencia profesional" como hacía el Código anterior, entiende que toda imprudencia del profesional en el ejercicio de la profesión ha de considerarse imprudencia profesional.

actual de la imprudencia profesional se vulneran estos principios básicos, ya no me parece tan evidente. Bien es verdad que dicha vulneración resultaba palmaria en la regulación anterior en la que, como es sabido, el legislador preveía para la imprudencia profesional una pena de prisión superior a la que correspondería en otro caso[253]. Sucedía de esta forma que el nivel superior de exigibilidad al profesional se computaba en dos momentos sucesivos: en primer lugar, en el de la calificación del hecho como imprudente; en segundo lugar, en el de la elevación de la pena de prisión respecto a los supuestos normales. No es esto, sin embargo, lo que sucede en el Código penal del 95, donde el *plus* de sanción de la imprudencia profesional se reduce a imponer una pena de *inhabilitación*.

Según entiendo, la naturaleza de esta pena pone en la pista de que lo que con ella se viene a valorar, no es ya el desvalor de la concreta imprudencia en sí, sino la *peligrosidad* que con ella revela el profesional que la comete al ejercer su actividad sin atender a las normas mínimas de cuidado. Con otras palabras, mientras que la correspondiente pena privativa de libertad vendría a sancionar la puntual infracción de las reglas de cuidado que se materializa en el concreto resultado lesivo, la inhabilitación, aunque formalmente se presenta como una pena[254], tiene desde un punto de vista material la naturaleza de una *medida* atenta a la *peligrosidad* que revela el autor y, por tanto, al riesgo que comporta tal actitud de dejadez en el ejercicio de la profesión[255], rayana en el incumplimiento de la *aptitud mínima* requerida para su práctica. Es eso

---

[253]   En relación con la regulación anterior, SILVA SÁNCHEZ, *Derecho y Salud*, 1994, *ob. cit.*, págs. 67 ss. No obstante, este autor no descartaba totalmente su posible justificación: "la asunción cualificada propia del ejercicio de una actividad profesional -cuando además, se trata de los más importantes bienes jurídicos- se dan elementos que pueden abonar en mayor medida la apreciación de una imprudencia temeraria o, en todo caso, una agravación de la pena frente a otras imprudencias temerarias. Ello puede parecer un retorno a la vieja doctrina de la 'imprudencia profesional'. Y, ciertamente, la misma no me parece rechazable por completo si se entiende que su fundamento no es ser el 'ser profesional', sino la confianza cualificada de terceros (y la consiguiente confianza reforzada del profesional) en los casos en que el sujeto asume efectivamente el cuidado de una determinada actividad que afecta de modo sustancial a la vida y salud de las personas", pág. 69.

[254]   FEIJOO SÁNCHEZ, en *CPC* 1997, *ob. cit.*, pág. 340, argumentando sobre la base del carácter obligatorio con el que se impone la medida.

[255]   En este sentido parece inclinarse SILVA SÁNCHEZ, "En cualquier caso, y sobre todo ahora con la inclusión de la pena de inhabilitación, surge la duda de si lo decisivo en la imprudencia profesional es la mayor gravedad del hecho o simplemente la existencia de un foco específico de peligrosidad al que se pretende hacer frente mediante una intervención preventivo-especial inocuizadora. Lo que quizá podría tener algún efecto en la propia interpretación de la expresión", en *El nuevo Código penal: cinco cuestiones fundamentales*, *ob. cit.*, pág. 115; el mismo en *Medicinas alternativas e imprudencia médica*, *ob. cit.*, págs.

lo que la convierte, ya de por sí, en peligrosa. Todo ello con independencia de que, dado que la pena de inhabilitación se contempla como un elemento agravante que va necesariamente unido a la apreciación del concreto acto negligente, el castigo del peligro que ya de por sí representa la práctica de la actividad en tales condiciones sólo tenga lugar en la medida en que vaya seguida de un resultado lesivo, algo lógico por lo demás en tanto que excede a la filosofía que inspira el Derecho penal establecer medidas de prevención antes de que la peligrosidad de la conducta se haya materializado en un resultado concreto.

De hecho, el establecimiento de esta medida adicional no es algo distinto a lo que se prevé en otros sectores en los que, sin embargo, curiosamente, ni siquiera se plantea un debate en torno a su corrección pese a que la medida se aplica *eo ipso* y de forma generalizada. Baste pensar, por ejemplo, en relación con el tipo de homicidio imprudente, en la medida que contempla el art. 142.2 para los supuestos en los que haya sido cometido por un vehículo a motor o ciclomotor o un arma de fuego, en cuyo caso "se impondrá asimismo y respectivamente, la pena de privación del derecho a conducir vehículos a motor y ciclomotores o la privación del derecho a la tenencia o porte de armas de uno a seis años"[256]. Lo mismo debe decirse respecto a la restricción de derechos que contempla el art. 152.2 a propósito de las lesiones. Tanto en uno como en otro supuesto la imposición de esta medida adicional no se agota en un tinte aflictivo, sino que con ella se valora la peligrosidad que supone la continuidad del manejo de vehículos o armas por parte de quien ha mostrado una actitud de imprudencia grave. Si en estos ámbitos la imposición de dichas medidas resulta justificada, no hay razón alguna para valorar de otra forma las penas de inhabilitación cuando se trate de un profesional.

Así concebida la inhabilitación, esto es, como una consecuencia que desde un punto de vista sustantivo viene a cumplir la función de una *medida*, cuestión distinta es lo criticable que pueda resultar el *quantum* con que se contempla en la Ley. Baste pensar que el marco de la pena privativa de libertad en el homicidio imprudente es, conforme al art. 142, de uno a cuatro años, previendo su apartado 3 la pena de inhabilitación de tres a seis años cuando el Tribunal aprecie la imprudencia profesional. Resulta así que cuando se imponga el límite mínimo de la pena de prisión (un año), la inhabilitación tiene *necesariamente* que triplicar dicha duración. Más allá de esto, y como

---

26 s. De forma clara, en el sentido del texto, véase HAVA GARCÍA, *La imprudencia médica, ob. cit.*, págs. 36 ss.

[256] En relación con las lesiones, las mismas medidas se contemplan en el art. 152.2, si bien por una duración de uno a tres años.

muestra adicional de lo desproporcionada que puede resultar su duración, no deja de ser llamativo que, ya en relación con las lesiones, mientras que todas las penas de prisión que contempla el art. 142 sean, conforme al art. 33 CP, leves, la pena de inhabilitación pueda llegar hasta los cuatro años y, por tanto, ser *grave*. Todo ello sin olvidar lo llamativo que resulta el hecho de que de los cuatro supuestos en que el legislador contempla la inhabilitación para el ejercicio profesional, sólo en dos (homicidio y lesiones) la misma pueda superar el límite de los tres años que determina su consideración como grave. En cualquier caso, insistamos una vez más, ésta es una crítica que nada tiene ya que ver con aquella otra que subraya que con la agravación de la imprudencia se estaría valorando dos veces la situación profesional en la que se contextualiza la imprudencia[257].

Al margen de estas consideraciones de *lege ferenda*, volviendo a la regulación de la imprudencia en el Código penal, casi ni que decir tiene que la búsqueda de racionalidad al precepto a partir de la interpretación propuesta requeriría que los Tribunales ciñesen su aplicación práctica a los supuestos que realmente revelan una especial peligrosidad del sujeto para el ejercicio de la profesión, lo que contrasta con la falta de uniformidad que hasta ahora ha presidido en general su aplicación y, sobre todo, con la ya denunciada facilidad con la que el Tribunal Supremo tiende a vincular dicha imprudencia, no ya con la especial gravedad de la culpa sino con la cualidad del autor. Sin embargo, es esta una cuestión que nada tiene que ver ni con la admisibilidad teórica de dicha cláusula ni con su compatibilidad con los principios básicos del Derecho penal, sino con una *praxis* jurisprudencial que para nada afecta a los presupuestos de validez de la cláusula de la imprudencia profesional en su diseño teórico.

---

[257]   Con relación a la doctrina que aquí se critica, véase FEIJOO SÁNCHEZ, quien al afirmar que hubiese sido suficiente acudir a las reglas del art. 56 CP vincula las razones para prescindir de la específica pena de inhabilitación a argumentos que tienen que ver con el deber de cuidado y, por tanto, con una supuesta agravación injustificada de la pena por lo que se refiere a la valoración de la imprudencia, "Si la infracción de la norma de cuidado realizada por el profesional es valorativamente equivalente a la infracción de la norma de cuidado realizada por cualquier persona, ¿por qué al profesional que no cumple con los deberes de cuidado propios de su profesión se le aplica una pena que no se le aplica a otras personas que incurren igualmente en una imprudencia grave?", *CPC* 1997, *ob. cit.*, págs. 340 s.

2. La Responsabilidad del Médico en Comsión por Omisión

Cualquier aproximación a los presupuestos de la responsabilidad del médico en comisión por omisión requiere, lógicamente, tener presentes las bases teóricas que en general inspiran su diseño dogmático. Sin embargo, dada la imposibilidad de abordar en este apartado su estudio, en lo que sigue tan sólo haremos una referencia a su problemática, realizando un breve recorrido por las formas de entender dicho expediente como punto de partida para adoptar un posicionamiento previo a la cuestión que aquí interesa en torno a los presupuestos y límites de la responsabilidad omisiva del médico.

Cuando en la doctrina se plantea con carácter general los requisitos a los que se condiciona la apreciación de la comisión por omisión, es posible descubrir toda una gama de posiciones doctrinales que, sin embargo, pueden reagruparse, básicamente[258], en torno a dos grandes grupos. El primero de ellos, que puede considerarse mayoritario, exige como premisa que se constate una posición de garantía en el omitente, que las modernas corrientes suelen concretar conforme a una *teoría funcional*, atenta a posiciones materiales de deber[259]. A este presupuesto mínimo, cuya función es depurar el círculo de posibles sujetos activos, añade esta primera doctrina la exigencia de una estricta *identidad estructural* entre el comportamiento activo y la comisión omisiva[260]. Frente a esta comprensión, consideran otros autores que lo único importante es que pueda apreciarse el referido juicio de *identidad estructural*, al margen,

---

[258] Hoy día puede considerarse minoritaria la opinión doctrinal que considera suficiente para apreciar la omisión impropia que se constate una posición de garantía. Referencias doctrinales en HUERTA TOCILDO, en *Problemas fundamentales de los delitos de omisión, ob. cit.*, págs. 75 ss.

[259] Véase por todos BACIGALUPO, "La comisión por omisión", en *Revista Canaria de Ciencias penales*, n° O, 1997, págs. 20 ss.
    Especialmente interesante es la clasificación que hace JAKOBS de las distintas fuentes de deber, distinguiendo entre obligaciones que provienen de la *organización* y aquellas otras que encuentran su origen en la posición *institucional* del sujeto. Dentro de las primeras, que se corresponden con los mandatos de evitar peligros para bienes jurídicos que provengan del propio ámbito de organización, diferencia a su vez los institutos que fundamentan la responsabilidad (deberes de tráfico, injerencia y asunción), y los que la excluyen (riesgo permitido, responsabilidad de otro e infortunio). Entre las posiciones institucionales sitúa los deberes estatales, así como las relaciones paterno-filiales y basadas en una especial confianza, JAKOBS, *Derecho penal, Parte General, ob. cit.*, págs. 968 ss; el mismo en *La imputación penal de la acción y la omisión* (trad. de Sánchez-Vera Gómez-Trelles), Universidad Externado de Colombia, 1996, págs. 31 ss.

[260] Referencias doctrinales en GRACIA MARTÍN, "La comisión por omisión en el Derecho penal español", en *Cuadernos de Derecho Judicial*, Madrid, 1994, págs. 57 ss.

por tanto, de que el omitente se califique o no como garante[261]. Denominador común a ambas concepciones es, en cualquier caso, la necesidad de verificar la equivalencia estructural con la comisión activa, requisito que viene a recoger de modo expreso el art. 11 del Código penal[262]. Ello suele basarse en dos argumentos de lectura convergente: el primero que, de no exigirse, se incurriría en el riesgo de desenfocar el genuino contenido de injusto que posibilita el castigo de la omisión como si de una conducta activa se tratase; el segundo, vinculado a lo anterior, el desmesurado ámbito de punibilidad que de otro modo resultaría, en cuanto sería suficiente apreciar la posición de garante —para los que exigen este requisito— o una omisión que de algún modo contribuye al resultado —para los que no exigen dicha posición de garantía— para atribuir al omitente, con independencia de la índole de su contribución al suceso y la proximidad con el peligro que se acaba materializando en el resultado, responsabilidad por el mismo[263].

Más allá de lo anterior todo parece ser discutible a la hora de concretar la forma en que en última instancia tenga lugar dicho juicio de adscripción. Así, por ejemplo, escribe LUZÓN PEÑA que con independencia de que exista o no la posición de garante, deberá apreciarse la comisión impropia cuando sea la omisión la que cree o desencadene el peligro o, al menos, aumente de forma considerable un riesgo preexistente[264]; GIMBERNAT, que existe comisión

---

[261] Es la postura sostenida en nuestra doctrina por LUZÓN PEÑA, "La participación por omisión en la jurisprudencia reciente del TS", en *Poder Judicial* 1986, págs. 234 ss.

[262] El art. 11 CP dispone que para apreciar la omisión impropia, junto a la posición de garantía (infracción de *"un especial deber jurídico del autor"*) es necesario que la no evitación del resultado, *"al infringir un especial deber jurídico el autor, equivalga, según el sentido de la Ley, a su causación activa"*.

[263] En nuestra doctrina, entre otros, BACIGALUPO, "Conducta precedente y posición de garante en Derecho penal", en *ADPCP* 1970, págs. 35 ss; GIMBERNAT, "Recensión a la obra de Bacigalupo 'Delitos impropios de omisión', Buenos Aires, 1970", en *ADPCP* 1970, pág. 726; LUZÓN PEÑA, en *Poder Judicial* 1986, *ob. cit.*, págs. 225 ss; el mismo, "Autoría e imputación objetiva en el delito imprudente: valoración de las aportaciones causales", en *Revista de Derecho de la Circulación* 1974, págs. 269 ss; SILVA SÁNCHEZ, *El delito de omisión. Concepto y sistema, ob. cit.*, págs. 369 ss; el mismo en "Aspectos de la comisión por omisión: Fundamento y formas de intervención. El ejemplo del funcionario penitenciario", en *CPC* 1989, págs. 388 ss. En la doctrina alemana, entre otros, RUDOLPHI, *Die Gleichstellungsproblematik der unechten Unterlassungsdelikte und der Gedanke der Ingerenz*, Göttingen, 1966, págs. 98 ss; SCHÜNEMANN, "Zur Kritik der Ingerenz-Garantenstellung", en *GA* 1974, págs. 231 ss; ROXIN, *Política criminal y sistema de Derecho penal*, Trad. de Muñoz Conde, 1972, págs. 46 s.

[264] Conforme a ello afirma que sólo existe omisión del deber de socorro en casos como el del cónyuge o de quien convive con otro, que no socorre a su pareja que se pone gravemente enferma o que ha sufrido un accidente, dejándola morir "pues, por mucho que sea garante, como se ha limitado a dejar que siga su curso un peligro de muerte de origen natural,

por omisión cuando el encargado de vigilar un foco de peligro preexistente mediante la ausencia de una medida de precaución que le incumbe, lo desestabiliza, y *"consta* igualmente que ese foco de peligro (ilícito ya) ha causado materialmente el resultado"[265]; o BACIGALUPO que, más allá de la infracción del deber de evitar el resultado, lo importante es "si el daño que amenaza producirse se ha desprendido de la fuente de peligro que debe custodiar o encauzar el autor y tiene lugar en su ámbito espacial de dominio de peligro"[266], del tal modo que pueda constatarse la seguridad de que "como consecuencia normativa de la desestabilización, por inactividad de un foco de peligro, éste haya desembocado con *seguridad*...en un resultado típico"[267].

Frente a estas fórmulas, otros autores, enlazando con el fundamento que de forma mayoritaria tiende a reconocerse a la omisión impropia[268], renuncian

---

el omitente no ha matado al otro, sino que el origen de la muerte (lo que le ha 'matado') ha sido la enfermedad o el accidente", "Participación por omisión y omisión de impedir determinados delitos", en *La Ley* 1996, pág. 4.

[265] GIMBERNAT, "Causalidad, omisión e imprudencia, en la comisión por omisión", en *Cuadernos de Derecho Judicial, La comisión por omisión*, Madrid, 1994, publicado también en *ADPCP*, 1994, págs. 246.

[266] BACIGALUPO, en *ADPCP* 1970, *ob. cit.*, págs. 38 ss.

[267] BACIGALUPO, en *ADPCP* 1970, *ob. cit.*, pág. 57.

[268] Hoy día pueden considerarse superadas las concepciones que sitúan el fundamento de la omisión impropia en la previa compresión de los tipos omisivos de resultado como tipos causales -aun cuando en sentido no material, sino normativo- y, por tanto, como normas exclusivamente prohibitivas del resultado. Conforme a las mismas, la única posibilidad de reconducir a ellos el injusto de la omisión sería descubrir también una forma de causación del riesgo -con las matizaciones que se quiera- en idénticos términos que cuando se trata de una conducta activa. Véase al respecto la exposición de SILVA SÁNCHEZ, *El delito de omisión, ob. cit.*, págs. 360 ss; así como la exposición y crítica de estas doctrinas en HUERTA TOCILDO, *Las posiciones de garantía en el tipo de comisión por omisión, ob. cit.*, págs. 31 ss. Frente a esta concepción, son mayoría los defensores de las premisas teóricas que consideran que el castigo de la omisión impropia reside en la configuración de tipos preceptivos basados en un mandato al garante. Esta concepción encuentra su fundamento, bien en los esquemas de la teoría de los tipos preceptivos de garante (*"Garantengebotstatbestände"*), conforme a la cual, junto a las causaciones activas de resultados habrían de admitirse formas de comisión típica no escritas que infringen normas preceptivas y que dan paso a injustos que, si bien no pueden valorarse causales de aquél, sí equivalen en merecimiento de pena al mismo, bien de aquéllas otras que, con la pretensión de ser más respetuosas con el principio de legalidad y salvar el escollo que representaría admitir que la omisión encuentra su base en tipos no escritos, parten de que en los enunciados típicos es posible advertir la presencia de dos normas primarias: una de *prohibición*, basada en la idea de causalidad, y otra de *mandato*, basada en un juicio axiológico sobre la base de la adscripción de responsabilidad propia de los esquemas de la filosofía analítica. En definitiva, esta concepción fundamenta el castigo de la omisión impropia en un juicio de atribución normativa, de tal modo que lo único importante es que sea la ausencia de una

a cualquier exigencia de causalidad entre la omisión y el riesgo que genera el resultado[269] Es el caso, por ejemplo, de SILVA SÁNCHEZ, para quien rasgo definitorio de la comisión por omisión es que el garante se comprometa de forma expresa o concluyente a actuar como barrera de contención[270]. Para este autor, la omisión impropia "no crea un curso causal activo que genere la producción del resultado: dicho curso causal, generado por otra instancia, natural o humana, se le imputa al sujeto en virtud del compromiso de contención incumplido"[271].

En la misma línea puede citarse a GRACIA MARTÍN. Este autor propone como fórmula de identidad comprobar si en el omitente concurre, junto a lo

---

acción esperada y exigida la que se convierta, *desde el punto de vista de un juicio normativo de adscripción*, en factor de riesgo.

[269] En este sentido crítico véase BACIGALUPO, "En la medida en que las omisiones no son causales (doctrina absolutamente mayoritaria) es claro que no pueden crear ningún riesgo de lesión", en *Revista Canaria de Ciencias Penales* nº O, 1997, *ob. cit.*, pág. 25. Este autor extiende su crítica a la pretensión misma de buscar las bases de un estricto juicio de identidad estructural. Así, refiriéndose a la fórmula propuesta por LUZÓN PEÑA, afirma: "El fundamento de la tesis consiste en postular la necesidad de una 'equivalencia exacta o identidad estructural y material con la comisión activa'. Pero, es evidente que como demostró Radbruch: 'la omisión no sólo tiene con la acción en común los elementos voluntad, hecho y causalidad, sino que ella se agota en la negación de los mismos'. Por otra parte, exigir identidad para afirmar la equivalencia exigida para la imputación del resultado a la omisión es tanto como negar la posibilidad de la Comisión por omisión, dado que, según el principio de identidad (ontológico o lógico), un objeto sólo es idéntico a sí mismo, o dicho de otra manera: una acción sólo es estructural y materialmente lógica a otra acción, pero no lo será nunca de su negación", págs. 26 s. También en un sentido crítico a la fórmula de LUZÓN, SÁNCHEZ-VERA Y GÓMEZ TRELLES, *Intervención omisiva, posición de garante y prohibición de sobrevaloración del aporte*, Colección de Estudios nº 4, Universidad Externado de Colombia, 1995, págs. 57 ss., nota 85, quien critica, entre otros aspectos, el naturalismo que encierra descartar la comisión por omisión en el ejemplo del bañista que no se lanza a salvar a otra persona con el argumento de que no 'mata' puesto que el origen de la muerte es un corte de digestión.

[270] SILVA SÁNCHEZ, *El delito de omisión, ob. cit.*, págs. 369 s; el mismo en *CPC 1989, ob. cit.* Este autor exige un dominio del acontecer típico, un control del riesgo que muestre identidad estructural en el plano normativo con la comisión activa. Así, afirma, "la comisión por omisión requiere que el sujeto eventualmente en una posición de responsabilidad agravada...haya aceptado el compromiso específico y efectivo de actuar a modo de barrera de contención del riesgo o riesgos de que se trate...El sujeto que se ha comprometido domina, pues, el acontecer típico. Ello hasta el punto de que si en un determinado momento deja de actuar como barrera de contención...la identidad estructural en lo normativo de este supuesto con aquel en que se crea, por la interposición e factores causales, un riesgo... es total"; el mismo en "Comisión y omisión. Criterios de distinción", en *Cuadernos de Derecho Judicial*, Madrid, 1994, págs. 13 ss. Véase también el mismo autor en "La comisión por omisión", en *Revista Canaria de Ciencias Penales*, num. 1, 1998, págs. 38 ss.

[271] SILVA SÁNCHEZ, en *Cuadernos de Derecho Judicial 1994, ob. cit.*, pág. 14.

que denomina el dominio social[272], un acto personal de asunción del dominio sobre esa situación, es decir, propone verificar "que mediante un acto voluntario establezca la relación de dominio social sobre el bien jurídico", dando así paso a lo que denomina "posición de garante específica"[273]; o a MIR PUIG, quien tras requerir una creación o aumento del riesgo *atribuible* al autor —en el sentido que no sea ajeno al omitente— eleva a criterio central que el peligro "determine una situación de dependencia personal del bien jurídico respecto a su causante"[274].

No es éste el lugar adecuado para entrar en el estudio particularizado de cada una de estas fórmulas. Asumiendo globalmente su orientación normativa por encima de la forma en que la concreta cada autor, debe llamarse la atención sobre el modo en que tales criterios están llamados a conjugarse en la construcción de las bases de la responsabilidad por omisión impropia para, a partir de ahí, determinar los casos en que deba afirmarse en el ámbito médico. Para ello, resulta necesario distinguir la dualidad de momentos en los que, con distinto alcance y función, se proyecta la exigencia de equivalencia estructural. El primero de ellos, que está llamado a operar en cuanto presupuesto del juicio de imputación, toma como punto de partida la determinación de las condiciones bajo las que la omisión del sujeto dé paso a un juicio normativo de desvalor *por estar en condiciones de incidir de forma penalmente relevante* en la verificación del resultado. Sólo entonces cobra sentido plantearse si, de forma paralela a lo que sucede en la acción, la no realización de la conducta debida crea un *riesgo* o contribuye de otra forma a que un riesgo externo se realice en un resultado, acrecentando así el peligro de su producción. Junto a este primer momento, la segunda secuencia en que se actualiza el juicio de identidad estructural tendría lugar a la hora de imputar el resultado producido a la omisión del garante —previamente calificada como riesgo jurídicamente relevante—. Es en este segundo juicio en el que operan los criterios de *realización del riesgo* en el resultado y en el que igualmente habría de valorarse si el alcance de la contribución lo es a título de *autoría o participación*. A cada una de dichas secuencias y al modo en que condicionan la responsabilidad en el ámbito que aquí interesa nos referimos por separado en las páginas que siguen.

---

[272]   Dicha situación la define como "el conjunto de condiciones que permiten al sujeto que se encuentra en esa relación concreta, y sólo a él, tomar la decisión, y posteriormente actualizarla mediante un acto concreto de dominio, de realizar la lesión del bien jurídico en una forma típica, que es, por cierto, el acto supremo de dominio personal sobre el bien jurídico", *La comisión por omisión en el Derecho penal español, ob. cit.*, pág. 84.

[273]   GRACIA MARTÍN, en *Cuadernos de Derecho Judicial* 1994, *ob. cit.*, pág. 86.

[274]   MIR PUIG, *Derecho Penal, Parte General, ob. cit.*, págs. 334 s.

2.1. Equivalencia estructural como presupuesto de la imputación

Esta primera fase se orienta a identificar los presupuestos bajo los que la omisión puede contemplarse con relevancia penal de forma paralela a lo que sucede en las conductas activas. Se trata, en definitiva, de comprobar que aquélla representa desde un punto de vista, no ontológico sino *normativo*, un *incremento relevante del riesgo* de que se produzca el resultado y, con ello, de fundamentar el *desvalor* de la conducta omisiva. Es, por tanto, un juicio previo al que decide tanto si el resultado es finalmente imputable a la omisión, como el título bajo el que deba discurrir la responsabilidad del omitente.

Este primer juicio requiere determinar, como punto de partida, los presupuestos bajo los cuales la omisión adquiere relevancia penal por estar el omitente *en condiciones de responder* por el resultado desde un punto de vista normativo. No a otra cosa se refiere el legislador cuando exige en el art. 11 CP que la omisión del garante equivalga a su causación activa. Y esto, vendría a decir el precepto, sucede cuando existe obligación legal o contractual de actuar o se da un supuesto de injerencia, criterios que las modernas doctrinas concretan conforme a baremos *materiales*, exigiendo, según ya vimos más arriba, una situación de proximidad jurídica —y no sólo moral— entre la omisión y el resultado[275]. De la forma de determinar sus presupuestos en el ámbito médico nos ocupamos en el siguiente epígrafe.

2.1.1. Presupuestos de la posición de garantía del médico

En el ámbito de la responsabilidad médica que aquí se trata, puede afirmarse, en primer lugar, que pocas dificultades plantea afirmar la posición de garantía del profesional en aquellos supuestos en los que se ha comprometido expresamente a tratar al paciente. De hecho, es éste el presupuesto mínimo en el que coinciden tanto las concepciones amplias como las que proponen introducir criterios restrictivos que acoten la posición de garantía del médico. Así,

---

[275] SILVA SÁNCHEZ conecta expresamente estos criterios con la noción de riesgo como presupuesto de la responsabilidad omisiva: "Una omisión que pretendiera ser plenamente equiparada a la comisión activa habría de contener asimismo un elemento de creación del riesgo...es lo cierto que de la combinación de la adopción de un compromiso de protección y su posterior incumplimiento (esencia de la comisión por omisión) sí cabe extraer la idea de que *surge*, en términos normativos, una situación de riesgo susceptible de realizarse en el resultado", "La comisión por omisión", en *Jornadas sobre el nuevo Código penal de 1995*, Universidad del País Vasco, 1998, págs. 38 s.

en nuestra doctrina SILVA SÁNCHEZ, siguiendo la línea de una importante corriente doctrinal alemana[276], propone limitar aquélla a los casos en que el médico haya asumido expresamente el tratamiento[277]. De esta forma sitúa su fundamento en la creación de un momento de peligro para el bien jurídico. Este consistiría en que el *acto de asunción* genera una confianza en el paciente que provoca el abandono de otras medidas de protección.

Este mismo fundamento, mínimo e indiscutible, está también en la base del amplio consenso doctrinal en torno a la posición de garantía del médico cuando previamente realiza un acto de injerencia. Como señala SILVA SÁN-CHEZ, en el fondo, se trata de supuestos perfectamente encuadrables en el grupo anterior de la asunción efectiva. Baste pensar, por ejemplo, en el caso del cirujano que comienza una intervención que luego abandona, o del médico de urgencia que abandona al enfermo tras comenzar a realizar los pri-

---

[276]   Entre otros, KAMPS, *Ärztliche Arbeitstellung und strafrechtliches Fahrlässigkeitsdelikt*, Berlin, 1981, págs. 99 ss., lo que le lleva a excluir, por ejemplo, dicha posición en los casos en que el médico haya atendido al paciente ocasionalmente en una situación de urgencia, págs. 103 ss; BOCKELMANN, *Strafrecht des Arztes*, *ob. cit.*, pág. 19; el mismo en "Strafrecht des Arztes", en PONSOLD, *Lehrbuch der gerichtlichen Medizin, ob. cit.*, pág. 19; ULSENHEIMER, *Arztstrafrecht in der Praxis, ob. cit.*, págs 38 ss; BRÜGMANN, *NJW* 1977, *ob. cit.*, pág. 1474; LAUFS, *Artzrecht, ob. cit.,*, págs. 36 ss.
No obstante, propone una concepción amplia de la posición de garante del médico, entre otros SCHMIDT, en PONSOLD, *Lehrbuch der gerichtlichen Medizin, ob. cit.*, págs. 6 s., a partir de la función social que desempeña el médico, de tal forma que dicha posición de garantía sólo habría de excluirse en los casos en que la negativa obedezca a razones de necesidad (atención de otro paciente en situación de riesgo vital); que exista otro médico al que competencialmente pertenece el paciente; o bien porque la demanda de auxilio no sea vital (pág. 7). En cualquier caso, dicha obligación de prestar asistencia allí donde sea reclamado, no alcanzaría al médico especialista que presta sus servicios en una consulta o a los que desempeñan sus servicios dentro de establecimientos, que, por ello, no están obligados a actuar fuera de los mismos; véase el mismo en "Die Beruchtspflicht des Arztes unter strafrechtlichen Gesichtspunkten", en *Beihefte zur Monatschrift für deutsches Recht*, 1949, págs. 17 ss.
En la doctrina italiana, DEL CORSO, *Rivista italiana di diritto e procedura penale*, 1987, *ob. cit.*, págs. 567 ss. Para este autor, en la mayoría de los casos, la fuente del deber de obrar del médico será derivada, en cuanto nacida de un previo acto negocial por el que el paciente se dirige a él solicitando sus servicios. No obstante, afirma, en los casos en los que exista un peligro para la vida, el especial valor de ésta hace desaparecer la autonomía negocial del médico, por lo que asume siempre una posición de garantía originaria. Esta posición la deriva tanto del reconocimiento constitucional de la salud como derecho fundamental del individuo, como de aspectos tales como la autorización, disciplina y financiación de la actividad médica, o la institución de un Servicio Sanitario Nacional, págs. 567 s.

[277]   SILVA SÁNCHEZ, "La responsabilidad penal del médico por omisión", en *La Ley*, 1987-1 págs. 955 ss; publicado también en *Avances de la medicina y Derecho penal*, Barcelona, 1988, págs. 127 ss.

meros auxilios o, simplemente, que no le presta la asistencia que precisa tras realizar la intervención.

A esta fenomenología de casos responde el enjuiciado por la STS de 27 de noviembre de 2001 en relación con la conducta de un cirujano y un anestesista que habían intervenido a una mujer de una mamoplastia para aumento de los pechos, así como del médico de guardia en funciones que la atendió. Según el relato fáctico, a las pocas horas de la operación, la mujer comenzó a referir un cuadro de opresión torácica que desembocó en disnea. El médico de guardia comunicó al coordinador de la clínica, también acusado, la necesidad de trasladar a la paciente a un centro hospitalario suficientemente dotado de medios de diagnósticos y tratamiento. El traslado, sin embargo, no se efectuó de forma inmediata porque no existía una ambulancia disponible en la empresa concertada de ambulancias, sin que los tres facultativos hicieran nada durante horas para hacer el traslado efectivo al centro hospitalario. Sólo cuando la situación alcanzó extrema gravedad se les ocurrió llamar a una ambulancia UVI móvil. Frente a la Sentencia dictada en primera instancia por la Audiencia Provincial de Madrid, el Tribunal Supremo condenó a los cuatro acusados como autores de una falta de homicidio por imprudencia leve en comisión por omisión, afirmando, por lo que a la posición de garantía se refiere, que la misma se presentaba incuestionable respecto a los cuatro acusados "en cuanto les incumbía atender a la salud de la paciente y estaban en posición de dominio sobre lo que había que decidir para atajar, con los medios precisos, una progresiva y negativa evolución de su estado físico".

Pero, sin duda, los supuestos más discutidos en torno a si existe posición de garantía son los del *médico de guardia y rural*, respecto a los que se plantea si su respectiva condición les convierte, de por sí y con carácter general, en garantes de los posibles pacientes que pudieran demandar su auxilio, de tal modo que bastara comprobar dicha condición para afirmar el presupuesto básico de un título de responsabilidad en comisión por omisión.

Frente a lo sostenido por cierto sector doctrinal[278], entiendo que es posible fundamentar en estos casos la posición de garantía del médico con relación a los enfermos que pudieran demandar sus servicios, sin abandonar por ello

---

[278]   En la doctrina alemana, por todos, SCHÜNEMANN, *Grund und Grenzen der unechten Unterlassungsdelikte*, 1971, págs 231 ss. En nuestra doctrina, SILVA SÁNCHEZ, *La Ley*, *1987, ob. cit.*, págs 130 ss; en el mismo sentido parece decantarse JORGE BARREIRO, "Omisión e imprudencia. Comisión por omisión en la imprudencia: en la construcción y en la medicina en equipo", en *Cuadernos de Derecho Judicial, La comisión por omisión*, Madrid, 1994, págs. 239 s.

un criterio restrictivo en torno a las fuentes del deber de obrar[279]. Porque si el fundamento último de la contemplación del médico como garante obedece en los casos normales a la confianza que genera en el paciente la asunción de un compromiso voluntario de actuación, con el consiguiente riesgo que supone la renuncia a otras medidas protectoras, dicho fundamento también está presente sin lugar a dudas en los casos que ahora se discuten. En efecto, tanto respecto a la vida en el ámbito rural como en los puntos asistenciales en régimen de urgencias puede decirse que los potenciales demandantes de esos servicios confían en la atención de sus requerimientos con el sólo hecho de acudir a los médicos de guardia y rurales. No tienen, por ello, que preocuparse por asegurar su demanda de asistencia en otros puntos ni concertar para ello ninguna otra clase de medidas asegurativas. Pueden confiar en que la existencia de aquellos médicos elimina la necesidad de cualquier esfuerzo por procurarse otro tipo de asistencia. Ellos generan, en definitiva, una confianza que determina que los pacientes renuncien a otras medidas protectoras.

Es cierto que en estos casos puede trazarse una diferencia respecto a los supuestos normales. Porque mientras en éstos la situación de riesgo se origina porque de forma voluntaria el paciente renuncia a otros facultativos, en los que ahora se tratan la "elección" es obligatoria debido a la imposibilidad misma de recurrir a otros profesionales. Pero lo importante es que tanto un caso como otro responden a un denominador común: la relación de dependencia en que se encuentra el enfermo frente al médico y el consiguiente riesgo que deriva de dicha relación de exclusividad. No me parece por ello fundada la objeción que formula a esta postura SILVA SÁNCHEZ, quien afirma que entonces "la equivalencia comisiva de la omisión de tratamiento por el médico rural no le alcanzaría sólo a él. También alcanzaría al médico que, en un caso cualquiera, dispone de técnicas de salvación o medios terapéuticos de los que los demás carecen. Y no sólo eso. Llegaría a hacer responsables en comisión por omisión a todas aquellas personas que, ante una situación de peligro para un bien jurídico, dispusieran del único medio para resolverla: así, el único nadador, el único poseedor del bote, etc. Sobre lo inaceptable de tal tesis, que ni siquiera acogió la jurisprudencia alemana en su época más extensiva, no parece necesario insistir"[280]. En estos casos, continúa SILVA SÁNCHEZ, la especial situación del médico debería dar paso, de *lege ferenda*, a tipos cualificados de omisión del deber de socorro.

---

[279] Entre otros, KAMPS, *Ärztliche Arbeitstellung, ob. cit.*, pág. 105; BRAMMSEN, *Die Entstehungsvorausetzungen der Garantenpflichten*, Berlín, 1986, págs. 41 ss.
[280] SILVA SÁNCHEZ, *La responsabilidad penal del médico por omisión, ob. cit.*, pág. 131.

Bien es verdad que tiene razón este autor cuando afirma que en esos otros ejemplos que cita resultaría inaceptable admitir la responsabilidad del médico por un delito de omisión impropia. Lo que ocurre es que, según entiendo, la fenomenología de esos casos no se corresponde con la que ahora interesa. En él, no sólo existe un deber legal de actuar sino que la razón de ser del mismo está específicamente concebida para los casos de necesidad —médico de urgencia— o de carencia de otros profesionales alternativos —médico rural—. Por expresarlo en otros términos, la situación de riesgo que origina el médico cuando se niega a atender al paciente que demanda su auxilio dentro de las coordenadas de la asunción voluntaria es consustancial a las situaciones de monopolio y urgencia en la prestación médica, esto es, se mantiene con independencia de un específico acto de asunción. Para evitar equívocos debe subrayarse de inmediato que esta conclusión se refiere a los casos en que tanto la situación de urgencia como de monopolio de la asistencia la asume el médico con base en una obligación legal, esto es, los supuestos en que se trata de un médico destinado a ocupar la plaza correspondiente en un centro público y que por ello está, *ope legis*, obligado a asumir el tratamiento de las personas que demanden su auxilio dentro de los límites *temporales y espaciales* que acotan su ámbito competencial.

Por el contrario, habría de valorarse como una simple *omisión del deber de socorro* el supuesto en el que un médico a título particular decidiera poner su consulta en un paraje perdido de la sierra, caso que en nada diferiría de aquél en que, por ejemplo, el médico que viaja como particular en un avión omite atender a quien de repente sufre un infarto en pleno vuelo[281]. A mi juicio, estos son los únicos supuestos que serían equiparables a los ejemplos que propone SILVA SÁNCHEZ para negar con carácter general la posición de garantía del médico de guardia o de urgencias: el único nadador, "el único poseedor de un bote", el único médico presente —en el supuesto que nos interesa—. Porque en ellos sí podría decirse que, de fundamentarse la posición de garantía, se gravaría más a quien posee una especial cualidad o aptitud sin que haya mediado un acto de asunción previa.

Por lo demás, debe insistirse en algo ya apuntado más arriba; a saber, que delimitada la obligación de actuar al médico que desempeña un servicio público, la misma no le grava de forma ilimitada o absoluta, sino que aparece esencialmente acotada por los márgenes no sólo *espaciales* sino también *tem-*

---

[281] Obsérvese que conforme a cuanto venimos sosteniendo habría de valorarse de un modo diferente la variante en la que el médico que omite la asistencia fuese el contratado expresamente por la compañía para prestar asistencia médica a los pasajeros.

porales de su obligación actualizada en cada demanda de auxilio. Esto quiere decir, por ejemplo, que no cabría atribuir ninguna responsabilidad derivada de una posición de garantía al médico que no socorre al paciente fuera de los horarios o de los días en que desempeña su actividad. Baste recordar que no es su condición de médico de guardia o rural la que le inviste del deber de actuar, sino que éste surge exclusivamente de las coordenadas temporales y espaciales en que está obligado a ejercer su función.

Por lo que se refiere a la acotación de la extensión *temporal* en la que rige la posición de garantía del médico debe observarse que, en tanto que la misma surja de una relación contractual, sus límites sólo se extenderán hasta donde lo haga ésta. Por decirlo en otros términos, tan pronto como cualquiera de las partes renuncie a su compromiso decaerá dicha obligación. Si el deber de obrar surge del contrato, la misma habrá de cancelarse allí donde lo haga éste. Y eso sucederá, en principio, cuando así lo quiera cualquiera de las dos partes.

Con todo, esta afirmación inicial, aparentemente tan simple que incluso pudiera parecer tautológica, está necesitada de algunas precisiones que delimiten las posibilidades de renuncia tanto cuando la misma proviene del enfermo como cuando encuentra su origen en la voluntad del médico. En primer lugar, por lo que se refiere a la renuncia que proviene del profesional sanitario, los límites dentro de los que la misma resulta admisible habrán de acotarse en función de dos premisas. La primera, que el presupuesto lógico de la renuncia a la obligación de actuar es que la misma se base en una relación contractual propia del ámbito privado. La libertad del médico de elegir a su arbitrio si asume o no el tratamiento de un determinado paciente habrá de negarse, al menos con tanta generosidad, allí donde su actividad se desarrolle en centros públicos. En segundo lugar, los límites dentro de los que resulte admisible la ruptura de la relación contractual requiere que la negativa del médico a prestar asistencia no suponga una situación de riesgo para la vida o salud del paciente. Dicha situación de riesgo se daría, por ejemplo cuando no existe un médico que pueda continuar la terapia ya iniciada por aquél. Ahora bien, debe observarse entonces que cuando el médico renuncia a su compromiso contractual en condiciones tales que su actitud puede suponer un riesgo para el enfermo, la razón de ser de la continuidad de su posición de garantía habrá de verse, no ya en el contrato médico, que también en estos casos finaliza con la renuncia de una de las partes a continuarlo, sino en su previa injerencia, nacida de un compromiso asistencial anterior que genera la obligación de mantenerlo en tanto otro facultativo no se comprometa a asumir su continuidad.

En segundo lugar, también en los casos en los que la voluntad de poner fin al compromiso provenga del paciente deben hacerse algunas matizaciones. Es cierto que la mayoría de las veces no van a surgir especiales problemas. Baste pensar en los supuestos de tratamiento en régimen de consulta, en los que, por ejemplo, para tratar una infección, el médico prescribe un medicamento así como unas nuevas pruebas de sangre y el enfermo de forma implícita, no acudiendo más a la consulta, expresa su renuncia a continuar la relación. Los problemas se plantean allí donde la renuncia del enfermo surge en un contexto hospitalario o de internamiento y la misma representa una situación de riesgo para su vida. ¿Cuándo se cancela en este contexto la obligación de actuar del médico de tal modo que quede libre de cualquier responsabilidad por el resultado cuando no actúe?

El caso paradigmático en el que se concentran las dificultades es el de la renuncia a las transfusiones de sangre por parte de los Testigos de Jehová. Si un paciente adulto y en pleno uso de sus facultades rechaza la terapia que necesita pese a que se le advierte de que no existe tratamiento alternativo y que la negativa a la transfusión puede determinar su muerte, ¿sigue el médico conservando su posición de garantía, de tal forma que si se limita a respetar la voluntad del paciente tendría que responder como comitente omisivo por el resultado lesivo que se acabara produciendo?

La solución de estos casos puede obtenerse a partir de la distinción que ya trazamos más arriba al tratar los casos de renuncia al tratamiento en situación de peligro para el paciente, diferenciando según aquél tenga o no voluntad de morir. Como entonces decíamos, es a esta segunda fenomenología a la que responde la problemática propia de los Testigos de Jehová así como los casos de renuncia a la alimentación por parte del huelguista de hambre, supuestos en los que el título por el que eventualmente pudiera responder el médico sería, no un delito de colaboración al suicidio, sino uno de homicidio. A cada uno de ellos se nos referimos por separado en las páginas que siguen.

2.1.1.1. Supuestos en los que el sujeto que se opone al tratamiento tiene voluntad de poner fin a su vida

Se tratan en este apartado los casos en que la actitud del paciente de rechazar la terapia se traduce, en términos objetivos y subjetivos, en un acto que de forma inminente representa una situación de riesgo para su vida. Valga de cita el supuesto de un suicida que ha fracasado en su intento y es trasladado contra su voluntad a un centro hospitalario. ¿Exoneraría tal actitud al médico de su deber de obrar con la consecuencia, incluso, de que si sometiera al así lesionado contra su voluntad a la terapia que precisa para salvar su vida pudiera responder por un delito de coacciones?

Según entiendo, la respuesta a esta pregunta puede extraerse directamente de la opción que ha acogido el legislador de tipificar las conductas de inducción y auxilio al suicidio. Como es sabido, con ella trasluce la decisión político criminal de considerar punibles los actos de colaboración a una conducta que, en sí, por necesidades lógicas, es impune. Precisamente ese punto de partida impide cancelar la obligación de garantía del médico en los casos en los que el paciente quiere poner en práctica su decisión suicida. Porque, como sostuve en otro lugar, si se admitiese que es la voluntad de morir del suicida la que, sin más, cancela la obligación de actuar de aquél, se acabaría concediendo a los comportamientos omisivos un ámbito de impunidad del que carecen las conductas activas cuando, justamente, si alguna razón de ser tiene la incriminación de la omisión impropia es asegurar una absoluta identidad estructural y valorativa entre ambas modalidades de conducta[282]. Dicho presupuesto desaparecería si en un tipo como el del suicidio, que se configura en torno a la voluntad de morir, se afirmase, sin más, que la misma impide apreciar la comisión por omisión, algo que resulta impensable cuando se trata de la modalidad comisiva.

Por ello, por la necesidad de respetar una estricta identidad entre el ámbito del suicidio por acción y omisión, no me parece admisible trasladar a este ámbito un argumento que, sin embargo, puede aplicarse a los casos en que la negativa del sujeto al tratamiento determina simplemente una lesión. Es el que apunta a la necesidad de admitir un espacio de responsabilidad a la propia víctima que atraería hacia sí el suceso, con la consecuencia de que cuando con su conducta decida poner fin a su vida se cancele cualquier obligación de garantía por parte del facultativo[283]. Porque de admitirse dicha cancelación con el único argumento de respetar la voluntad del paciente o, como apunta TAMARIT SUMALLA, de que "la idea de suicidio, que presupone la de libertad, es contradictoria con la idea de garante"[284], se reconocería al suicida un espacio de libertad que el Código no ha querido concederle en relación con los

[282] GÓMEZ RIVERO, *AP* 1998, *ob. cit.*, marg. 898.
[283] TAMARIT SUMALLA, *La víctima en el Derecho penal, ob. cit.*, pág. 112 ss: "al exigir el Código que el omitente *haya creado* una ocasión de riesgo para el bien jurídicamente protegido, se excluye ya de entrada el deber específico del autor cuando, aun habiendo contribuido a la producción del riesgo, sea más relevante la propia intervención previa de la persona cuyo bien ha sido puesto en peligro. Por esta vía debe excluirse en todo caso la posición de garantía en caso de una conducta suicida o autolesiva de la víctima (la idea de suicidio, que presupone la de libertad, es contradictoria con la idea de garante)".
[284] TAMARIT SUMALLA, *La víctima en el Derecho penal, ob. cit.*, pág. 112 s.

comportamientos activos de ayuda. De hecho, a nadie se le ocurriría negar, de *lege lata,* la aplicación del art. 143 CP con el argumento de que la idea de suicidio, que presupone la libertad, es contradictoria con que se castigue a los terceros que ayudan a quien hace uso de la misma.

Con lo anterior, sin embargo, lo único que hemos afirmado es que la voluntad de morir del suicida no cancela, de por sí, la posición de garantía del médico. Pero, lógicamente, para que ésta continúe subsistiendo pese a la negativa del enfermo, su presupuesto tautológico es que aquélla existiera con anterioridad. Dado que, según ya vimos más arriba, dicha posición decae como regla general cuando lo hace el compromiso de cualquiera de las partes, allí donde el suicida persista en su deseo de morir, dicha posición de garantía del médico habrá de considerarse cancelada. En este sentido debe entenderse el art. 21 de la Ley 41/2002, conforme al cual:

1.   *"En caso de no aceptar la aplicación del tratamiento prescrito, se le propondrá al paciente o usuario la firma del alta voluntaria. Si no la firmara, la dirección del centro sanitario, a propuesta del médico responsable, podrá disponer el alta forzosa en las condiciones reguladas por la ley", excep-tuando de esta regla los casos en que existan tratamientos alternativos, "aunque tengan carácter paliativo, siempre que los preste el centro sanitario y el paciente acepte recibirlos. Estas circunstancias quedarán documentadas".*

2.   *En el caso de que el paciente no acepte el alta, la dirección del centro, previa comprobación del informe clínico correspondiente, oirá al paciente y, si persiste en su negativa, lo pondrá en conocimiento del juez para que confirme o revoque la decisión".*

Ahora bien, admitido lo anterior como regla general, entiendo que es posible descubrir algunos supuestos en los que, pese a la negativa del paciente, se mantenga la posición de garantía del médico. Es lo que sucederá allí donde se trate de situaciones especiales, como las que tienen lugar en el marco de las relaciones penitenciarias, caracterizadas por el dato de que la sola voluntad del enfermo no puede poner fin al deber de obrar del médico. Dado que la problemática es común a los casos que trataremos en el siguiente epígrafe, nos remitimos al mismo para evita reiteraciones.

2.1.1.2. Supuestos en los que la negativa al tratamiento no está motivada por la voluntad de morir

Se tratan ahora los supuestos en los que la renuncia a la terapia no obedece a la decisión del paciente de poner fin a la vida, sino que con la misma sólo pretende ser fiel a sus convicciones religiosas, políticas o de cualquier otra índole.

La respuesta a la cuestión en torno al mantenimiento o cancelación de la obligación de actuar del médico en tales casos requiere diferenciar dos situaciones claramente separables en el decurso evolutivo de la enfermedad o huelga de hambre que, respectivamente, trasladan su tratamiento dogmático a sedes distintas. En primer lugar, es posible descubrir un primer tramo en el que la situación del paciente está marcada por la aceptación en términos objetivos y subjetivos de una situación de riesgo inminente para su salud y, de forma mediata, para su vida. Son, en definitiva, los casos en los que la renuncia a la terapia o a la alimentación determina un empeoramiento del estado de salud pero sin abocar todavía a una situación inminente de pérdida de la vida.

Como ya sosteníamos en la Primera Parte del trabajo, este dato determina que su solución deba reconducirse la mayoría de las veces a la problemática más amplia de las *autopuestas en peligro*, expediente que, como es sabido, determina la falta de relevancia típica de la conducta[285] y, con ello, la impunidad de las colaboraciones de terceros. No está de más recordar en este punto la elaboración de algún autor, como TAMARIT SUMALLA, que en tales casos pone el acento en la valoración que merece la conducta de la víctima. Este autor parte de la delimitación de lo que denomina "ámbitos de responsabilidad", esto es, de una distribución de responsabilidades entre los protagonistas del delito, autor y víctima. La admisión de un espacio de responsabilidad de la víctima lleva a TAMARIT a afirmar que cuando es ella la que renuncia a su protección el hecho deba imputarse en exclusiva a ésta, no al autor, con la consiguiente imposibilidad de fundamentar cualquier posición de garantía[286].

Esta orientación debe ser, a mi juicio, la que trace la línea de solución de los supuestos que ahora se tratan. Porque una vez que se reconoce un espacio de impunidad a las autopuestas en peligro que se realizan mediante comportamientos activos y, con ello, a los actos de colaboración de terceras personas en las mismas, no existen razones para alterar la solución cuando lo que se contempla no es una conducta activa sino omisiva. Lo contrario supondría una vez más desenfocar la razón de ser que está en la base del diseño legal de la posición de garantía y, con ella, su genuina función. No puede olvidarse, en efecto, que la formulación de las fuentes del deber de obrar surge con una finalidad inequívoca: la de trazar los presupuestos a partir de los cuales pueda formularse un juicio de equivalencia entre un comportamiento activo y otro

---

[285]   TAMARIT SUMALLA, *La víctima en Derecho penal*, ob. cit., págs. 92 ss.

[286]   "El garante sería aquel sujeto a quien la comunidad jurídica tiene por responsable de una determinada situación, lo cual permitirá que le sea atribuido a su esfera de responsabilidad aquel resultado típico que debiera haber evitado. Tal atribución no será posible cuando el hecho se haya desarrollado exclusivamente (o de modo predominante) dentro del ámbito de responsabilidad de la víctima a proteger, TAMARIT SUMALLA, *La víctima en Derecho penal*, ob. cit., pág. 111.

omisivo; no la de exigir más al omitente garante que al que causa el resultado mediante un comportamiento activo.

En segundo lugar, y como consecuencia de lo anterior, la tesis de mantener la vigencia de la posición de garantía cuando el afectado consiente en el riesgo de que se produzca un resultado lesivo encerraría potencialmente el peligro de convertirla en instrumento con el que llegar de forma indirecta a resultados difícilmente aceptables tanto desde los principios *garantistas* como *dogmáticos* que inspiran el moderno Derecho Penal. Baste pensar que de esta forma la responsabilidad del omitente surgiría, no ya por no prestar asistencia, sino por algo tan alejado y distinto a la lesión del bien jurídico que se le imputa como es el no haber desplegado una labor persuasiva para superar la voluntad contraria del afectado. Esto sólo sería admisible de conjugarse dos presupuestos que desde hace tiempo la doctrina penal se muestra contraria a aceptar: el primero, una concepción *naturalista*, si no incluso *versarista*[287], de las condiciones que influyen en la producción del resultado; el segundo y, como presupuesto de su plasmación en el ámbito de la omisión impropia, una concepción meramente formal de las fuentes del deber de obrar. No podría explicarse de otra forma que el omitente pudiera responder del resultado lesivo como su auténtico causante por no remover una causa que no surge de su omisión, sino que trae su origen de la voluntad del afectado y, con ello, que el médico hubiera de responder por no eliminar los obstáculos de conciencia del enfermo.

Por otra parte, además, no puede desconocerse que una pretensión de este tipo daría al traste con la razón de ser del derecho de información del paciente. Como ya sosteníamos en la Primera Parte de este trabajo, su sentido no es otro que asegurar que aquél cuenta con todo el arsenal de datos necesarios para adoptar una decisión en torno a si desea someterse o no a un tratamiento y, en su caso, el tipo del mismo. Si se garantiza esa información al enfermo es, justamente, para que pueda adoptar como una de las opciones posibles una actitud de renuncia a la terapia pese a que se le haya informado de que con ello empeorará su estado de salud. Casaría mal con esa libertad de elección del paciente la persistencia de mantener la posición de garantía del médico cuando aquél renuncie a la terapia. En este sentido debe interpretarse la declaración que en el plano deontológico formula el Código de Ética y Deontología médica de 1990 al disponer en su art. 10: "Si el paciente, debidamente in-

---

[287] Tal vez con el argumento de que si los padres han educado a su hijo en una religión que prohíbe las transfusiones sanguíneas, tienen que responder por las consecuencias que de tal actuación deriven.

formado, no accediera a someterse a un examen o tratamiento que el médico considerase necesario, o si exigiera del médico un procedimiento que éste, por razones científicas o éticas, juzga inadecuado o inaceptable, el médico quedará dispensado de su obligación de asistencia"; ya en el ámbito normativo en el mismo sentido se pronuncia el ya citado art. 21.1 de la Ley 41/2002.

Las consideraciones anteriores se referían a los casos en que el enfermo que rechaza el tratamiento sin voluntad de morir no haya entrado aún en una situación de riesgo inminente para su vida. Junto a esta primera fase, es posible descubrir una segunda en el decurso de los hechos marcada por la aparición de una situación irreversible o de inconsciencia, en la que el supuesto respeto de la voluntad de aquél de persistir en su actitud no se traduciría ya en la aceptación de una situación de riesgo para la salud, sino que encararía directamente su problemática con la cuestión de la disponibilidad de la propia vida. En esta fase, en efecto, la gravedad de la situación no se traduce ya en la eventualidad de que sobrevenga una lesión o un daño al estado de salud del paciente con riesgo remoto de su vida, sino en un peligro inminente de pérdida de la misma.

Bien es verdad que en favor de atribuir al paciente un espacio libre de decisión para poner fin a su existencia parece que hablaría en primer lugar el reconocimiento mayoritariamente aceptado de que la protección constitucional del derecho a la vida no supone la obligación de vivir[288]. Porque si bien es cierto que no se reconoce un derecho a la muerte, a partir de una lectura integradora del derecho a la vida con otros igualmente reconocidos por la Constitución, suele admitirse, según ya tuvimos ocasión de sostener en la Primera Parte del trabajo, la facultad del titular para ejercitar actos de libertad también cuando éstos puedan conducirle a la muerte. A ello alude la ya citada Sentencia del Tribunal Constitucional 120/1990, de 26 de junio, como expre-

---

[288]   Entre otros, CARBONELL MATEU, "Libre desarrollo de la personalidad y los delitos contra la vida. Dos cuestiones: suicidio y aborto", en *CPC* 1991, págs. 661 ss; 664: "sólo la vida libremente deseada por su titular puede merecer el calificativo de bien jurídico protegido. En otras palabras, la vida es un derecho, no un deber"; COBO DEL ROSAL/CARBONELL MATEU, "Conductas relacionadas con el suicidio. Derecho vigente y alternativas político-criminales", en *RFDUG*, n° 12, 1987, págs. 64 ss., quien a partir de una interpretación de los derechos fundamentales de la persona como emanación del derecho al libre desarrollo de la personalidad y de la dignidad, afirma: "No se trata, es verdad, de que deba prevalecer la libertad sobre la vida en caso de conflicto: es que no hay conflicto posible, pues sólo la vida compatible con la libertad es objeto de reconocimiento constitucional"; DEL ROSAL BLASCO, en *ADPCP* 1987, *ob. cit.*, págs. 74 ss., con amplias referencias doctrinales. Si bien en relación con la eutanasia, MUÑAGORRI LAGUÍA, *Eutanasia y Derecho Penal*, Madrid, 1994.

sión de un *agere licere*. Ahora bien, con esto lo único que estaríamos afirmando es que la decisión del paciente de llevar hasta sus últimas consecuencias la negativa al tratamiento, como tal, no es contraria a Derecho. A partir de este presupuesto, sin embargo, como declarase el propio Tribunal Constitucional, no podría darse un paso más y deducirse que el médico está legitimado para dejar de tratar al paciente en tanto dicha pasividad pueda entenderse como una forma de colaboración en su muerte.

Al margen de argumentos constitucionales, también pueden extraerse del Código penal puntos de apoyo a favor de esta opción. En concreto, podría manejarse el argumento relativo a la opción del legislador de tipificar las conductas relacionadas con el suicidio. Porque si bien es cierto que, como venimos reiteradamente afirmando, los móviles o convicciones que laten en última instancia bajo la actitud de estos sujetos destierran las posibles colaboraciones de terceros del ámbito típico de la ayuda al suicidio para reconducirlos a la tipología del homicidio, no puede desconocerse que el resultado último que trata de impedir el legislador es el mismo que también ahora está presente: la muerte de una persona a consecuencia de su negativa a la terapia. Desde estas premisas, el interés que trasluce la opción legislativa de preservar la vida incluso en los casos en que el propio interesado tiene voluntad de morir se convierte en argumento con el que sostener, con más contundencia aún, que la posición de garantía del médico no puede ceder ante la persistencia de una actitud del paciente que ni siquiera tiene el propósito de morir, sino sólo de ser fiel, hasta el final, a sus creencias y convicciones, de la índole que sean.

Como resumen de lo anterior puede decirse que la cancelación de la obligación de garantía del médico en los casos de renuncia por parte del paciente al tratamiento encuentra su límite allí donde su decisión comporte, de forma intencional o no, un acto de disposición de su vida. Cuando sea este el caso, esto es, cuando su decisión se traduzca en una situación de riesgo inminente de pérdida de la misma, el médico bajo cuyo cuidado se encuentra estará obligado a actuar, de tal forma que si no lo hace y concurren los requisitos de equivalencia estructural a los que enseguida tendremos ocasión de referirnos, se situará en condiciones de responder por un homicidio —o suicidio— en comisión por omisión.

Para evitar posibles equívocos conviene advertir de inmediato la necesidad de interpretar en sus justos términos la conclusión anterior. En concreto, debe aclararse que la continuidad de la posición de garantía del médico en las condiciones así acotadas presupone, al igual que decíamos en relación con la tipología de casos anterior en la que el paciente tenía voluntad de morir, que no se haya sustraído totalmente al compromiso del que trae su origen la asistencia médica, ya sea porque no pueda o simplemente porque no quiera hacerlo. Lo primero es lo que sucede, por ejemplo, en el ámbito de las relaciones penitenciarias. En él, en efecto, como declarase la STC 120/1990, de 27 de junio, el recluso no puede sustraerse al control médico debido a la especial relación de sujeción que le vincula con la Administración penitenciaria. Por ello, aun cuando quisiera cancelar cualquier compromiso de prestación asistencial se vería imposibilitado para hacerlo. Desde estos esquemas resulta imposible decir que quiebran los presupuestos que fundamentan dicha relación asistencial y, con ello, la posición de garantía del médico.

Dentro de este primer grupo de casos en los que el paciente no es libre para sustraerse de la prestación asistencial no está de más hacer mención a los supuestos en los que se trata de un paciente menor de edad o incapaz que no está en condiciones de decidir por sí, de tal forma que son sus padres o representantes legales los que se oponen a que reciba la terapia que necesita. El tratamiento de estos casos ya fue abordado en el Capítulo Primero. Baste recordar ahora que en ellos la obligación del médico se ceñiría a poner en conocimiento de la autoridad judicial tales circunstancias, de tal modo que ésta, en su caso, pueda autorizar la terapia.

Lo segundo, esto es, el hecho de que el enfermo no desee sustraerse totalmente al compromiso médico inicial, suele ser frecuente en los supuestos de negativa a la transfusión por parte de los Testigos de Jehová. En ellos, en efecto, lo normal es que el paciente siga demandando asistencia sanitaria, si bien supeditada a la condición de que no se le practique una transfusión sanguínea. Esa actitud se traduce en que el paciente no rompa ni desee romper la relación de compromiso asistencial que está en la base de la posición de garantía del médico. Al contrario, el Testigo de Jehová quiere ser curado y, por ello, sigue solicitando asistencia y los servicios de un profesional. De esta forma, el enfermo acepta aún mantenerse dentro del círculo de acción de la asistencia, sin que, por tanto, puedan considerarse canceladas las bases que fundamentan el deber de obrar del médico. Precisamente en este supuesto está pensando el art. 21.1 de la Ley 41/2002 cuando afirma que "El hecho de no aceptar el tratamiento prescrito no dará lugar al alta forzosa cuando existan tratamientos alternativos, aunque tengan carácter paliativo, siempre que los preste el centro y el paciente acepte recibirlos".

Debe observarse que lo anterior ha de entenderse condicionado al dato de la existencia de prestaciones alternativas. Fuera de esta regla han de quedar, por el contrario, los casos en los que lo único que existe es la posibilidad de prestar el mismo acto médico en condiciones distintas a las que exigen las reglas de la *lex artis*. De hecho, al respecto tuvo ocasión de pronunciarse el Tribunal Constitucional en la Sentencia 166/1996, de 28 de octubre. En ella se planteaba la reclamación de un Testigo de Jehová ante la Seguridad Social para conseguir el reintegro de las cantidades abonadas en un centro privado en el que se le realizó la operación que necesitaba con la garantía de que no se le transfundiría sangre, algo que no había logrado en el sistema público de salud. El Alto Tribunal desestimó el recurso por entender que la petición del recurrente consistía en que se le dispensara una prestación "prescindiendo de un remedio cuya utilización, por pertenecer a la *lex artis* del ejercicio de la profesión médica, sólo puede decidirse por quienes la ejercen y de acuerdo con las exigencias técnicas que en cada caso se presenten y se consideren necesarias para solventarlo. Las causas ajenas a la medicina, por respetables que sean —como lo son en este caso—, no pueden interferir o condicionar las exigencias técnicas de la actuación médica". De esta forma, el Alto Tribunal confirmó la corrección del acto por el que se le concedió el alta al Testigo de Jehová con el consiguiente desentendimiento del sistema público de salud de las pretensiones de aquél.

En el mismo sentido, si bien ya en el ámbito de jurisdicción ordinaria, es digno de mención un auto de la Sala Civil de la Audiencia Provincial de Salamanca, de 8 de octubre de 1998. Dicho Auto desestimó la petición formulada por una paciente al juez para que autorizase la intervención quirúrgica de histerectomía a la que tenía que ser sometida, pero sin que en ningún momento se le transfundiera sangre, aun cuando fuese necesario para salvar su vida. El Auto declaró que "si resulta cierto que no puede imponerse tratamiento médico o quirúrgico concreto a un ciudadano que se encuentra en el pleno uso y ejercicio de sus derechos civiles, tras expresar su negativa al mismo de modo libre, consciente e informado, de igual modo lo es...que tampoco puede imponerse a ningún facultativo la aplicación o ejecución de actos encaminados a salvaguardar la vida o salud del enfermo de manera contraria a lo que la '*lex artis*' y sus conocimientos médicos exigen e imponen".

Estos son los únicos supuestos en los que, a mi juicio, la renuncia al tratamiento impide cancelar la obligación de actuar del médico. Fuera de estos casos, allí donde el paciente pueda y quiera sustraerse por completo a recibir cualquier tipo de prestación sanitaria, anulando totalmente los vínculos que en su día fundamentaron una relación contractual, decaería cualquier responsabilidad del médico como comitente omisivo[289]. Dentro de estas coorde-

---

[289] Es lo que sucedería, por ejemplo, en el caso en el que el Testigo de Jehová llegase en situación de inconsciencia al servicio de urgencias y portase un documento o medalla inscrita en la que expresara su negativa a recibir transfusión sanguínea en tal caso. En este supuesto faltaría un acto de asunción voluntaria de la prestación asistencial por parte del paciente y, con ello, la manifestación de voluntad contraria a la transfusión actuaría

nadas de una ruptura o renuncia absoluta a la prestación sanitaria adquiere racionalidad la afirmación de que la posición de garantía del médico se basa en la relación de compromiso asumida voluntariamente por ambas partes. Igualmente, dentro de este contexto tiene sentido afirmar, como ya lo hiciera VON BURKI en la doctrina alemana[290], que el hecho de que la obligación de obrar del médico surja de una relación contractual cuya vigencia se extiende hasta donde lo haga la voluntad negocial de las partes, determina que cuando el paciente renuncie a recibir el tratamiento médico en cuestión se cancele la *obligación de obrar* de aquél. Sólo desde este régimen de renuncia libre y absoluta puede decirse que, en tanto su decisión no afecte a terceros, el paciente puede optar libremente entre renunciar a su vida o demandar asistencia médica, de tal forma que sólo si lo hace se fundamenta la posición de garantía del médico. A la inversa, tan pronto como aquella voluntad decaiga, habrá de hacerlo ésta[291]; y ello con independencia de la sensatez o insensatez de la decisión desde el punto de vista médico[292]. En este ámbito adquieren pleno sentido las afirmaciones que con carácter general formula en la doctrina alemana STERNBERG-LIEBEN cuando afirma que dicha pretensión sería contraria al derecho fundamental a la dignidad humana, "en cuanto que el enfermo sería obligado a continuar una vida que para él ha devenido insoportable"[293].

Desconocer la validez de esta regla dentro de los márgenes así acotados sólo podría sostenerse desde la premisa, ya tantas veces criticada, de atribuir al médico una suerte de función tutelar genérica o de gendarme de la vida de las personas en general que en absoluto le es propia. De la misma manera

---

cancelando cualquier posición de garantía del médico. Sólo por los cauces más estrechos del estado de necesidad podría justificarse la actuación de éste, véase *supra* Primera Parte II, 2.2.3, *La negativa del paciente al tratamiento en los casos de urgencia.*

[290] VON BURKI, *Die Zeugen Jehovas, die Gewissensfreiheit und das Strafrecht, ob. cit.,* pág. 144.

[291] SILVA SÁNCHEZ, en *Avances de la Medicina y Derecho Penal, ob. cit.,* pág. 138. En la doctrina alemana, por todos, ESER, "Neues Recht des Sterbens? Einige grundsätzliche Betrachtungen", en Eser (ed.), *Suizid und Euthanasie,* Stuttgart, 1976 págs. 392 ss., 400 s.

[292] En este contexto entiendo que deben valorarse las afirmaciones de GRACIA GUILLÉN, exponente de la tendencia a hacer prevalecer la voluntad del paciente sobre su vida. Este autor justifica su postura, entre otros, con el siguiente argumento: "Es probable que en ciertas ocasiones el paciente se equivoque al decidir sobre su cuerpo o su vida, pero no tenemos ninguna garantía de que los demás no se equivoquen aún con mayor frecuencia, precisamente porque están disponiendo de algo que no es suyo, y tomando decisiones en las que en última instancia no se hallan directamente implicados", *Fundamentos de Bioética, ob. cit.,* pág. 580.

[293] STERNBERG-LIEBEN, *Die objektiven Schranken der Einwilligung im Strafrecht, ob. cit.,* pág. 256.

que el profesional no puede responder por los supuestos en los que tiene conocimiento de que un enfermo grave no acude a la consulta, tampoco puede
obligársele al seguimiento de un paciente que, consciente de su gravedad, decida marcharse del Hospital. La pretensión contraria no sólo escaparía a los
esquemas más básicos del sentido común, sino a lo que puede considerarse
razonable o exigible en términos penales.

Estos son los únicos casos en los que podría entenderse cancelada la posición de garantía del médico. En el resto, la determinación de su responsabilidad como comitente omisivo requerirá responder previamente a dos cuestiones. La primera, la de los límites asistenciales a los que se entiende la posición
de garantía; esto es, su *ámbito* o *extensión*. La segunda, la de determinar los
presupuestos de la relevancia penal de la omisión como presupuesto del juicio
de atribución normativa.

2.1.2. *Los límites hasta los que se extiende la posición de garantía del médico*

Conforme a los criterios anteriores, en los casos en lo que previamente
se haya fundamentado la existencia de la posición de garantía del médico se
plantea la cuestión en torno a los límites hasta los que se extiende. La respuesta debe tener presente que el objeto del compromiso que el médico asume no
es la hipotética salvaguarda genérica de la vida y salud del paciente, sino que
se refiere por definición a una dolencia concreta respecto a la que asume una
obligación de medios[294]: intentar la curación o mejora de dicho padecimiento. Este aspecto a su vez acota la extensión de su deber, en cuanto que en la
medida en que se compromete a realizar una actividad curativa debe poner
todos los medios necesarios a su alcance para garantizar, si no un resultado,
sí la corrección del tratamiento y la paliación, en la medida de los posible, del
sufrimiento que al paciente ocasiona la dolencia por la que acudió en busca
de ayuda sanitaria.

---

[294]   Sobre la naturaleza de la obligación, entre otros, YUNGANO/LÓPEZ BOLADO/POGGI/
BRUNO, *Responsabilidad profesional de los médicos*, Buenos Aires, 1986, si bien, por las
peculiaridades de la actividad, proponen denominarla "contrato de asistencia médica",
págs. 94 ss., 107 ss. En la doctrina italiana, PRINCIGALLI, *La responsabilità del médico*,
ob. cit., págs. 37 ss., con especial referencia a los supuestos de cirugía estética, págs. 41
ss; véase también CRESPI, *La responsabilità penale nel trattamento médico-chirurgico con
esito infausto, ob. cit.*, págs. 11 ss.

De lo anterior derivan varias consecuencias prácticas. La primera, que el médico no está obligado a realizar aquellas intervenciones que, pese a ser solicitadas por el paciente, no respondan a una finalidad curativa o no estén indicadas conforme a las reglas de la *lex artis*[295].

Es lo que sucede, por ejemplo, en casos como el de la embarazada que solicite al médico que le practique una cesárea pese a no presentar dificultades para un parto natural, o en aquel otro en el que el paciente solicite al dentista que le extraiga toda la dentadura por estar convencido de que así le desaparecerán los dolores de cabeza[296].

Una segunda consecuencia que se desprende de la afirmación anterior es que, por ejemplo, el especialista que ha asumido el tratamiento del paciente de una afección concreta responde de las omisiones relativas a la misma, no así respecto a otras posibles patologías ajenas a aquélla que en el curso del tratamiento pudieran aparecer o descubrirse.

Baste pensar en el especialista de aparato digestivo que ni trata ni advierte al paciente, por ej., de un posible tumor de pulmón que pudiera padecer. Lo contrario supondría convertir al médico en garante, no ya por razón de lo que asume, sino de la genérica protección de un bien jurídico, lo que por definición es ajeno a la actividad médica.

En tercer lugar, en tanto que el compromiso del médico se extiende al correcto tratamiento de la dolencia en cuestión, dicha posición de garantía no puede ceñirse sólo a los actos que a él corresponda realizar de forma inmediata y personal, sino también a todos lo que de forma *indirecta* forman parte del tratamiento que prescribe. Este último aspecto cobra suma importancia a la hora de delimitar la responsabilidad de un facultativo respecto a la actuación de otros miembros de su equipo[297]. Según entiendo, en tanto que el compromiso del médico se extiende a garantizar al paciente un tratamiento adecuado de la dolencia en cuestión, no puede exonerarse incondicionalmente de la suerte que pueda correr el mismo al entrar en contacto con la actuación de otros pro-

---

[295]   Como ya apuntábamos en la Primera Parte del trabajo, esta interpretación se deduce del art. 11 de la Ley General de Sanidad cuando consagra entre las obligaciones del paciente la de responsabilizarse por el uso *adecuado* de las prestaciones sanitarias.

[296]   Cuestión diferente es, lógicamente, que en estos supuestos también pese sobre el médico la obligación de manifestar la verdad al paciente. Así, por ejemplo, en el caso de la embarazada, deberá informarle que no le va a practicar la cesárea y no mantenerla engañada hasta el momento del parto.

[297]   Véase *supra*, Segunda Parte 1.4.

fesionales a los que, por razones de división del trabajo, bien le remite, bien realizan tareas delegadas de aquél[298].

Por último, tal vez no esté de más reparar en que en tanto que el compromiso de actuar del médico se refiere no sólo a *curar o sanar* la dolencia que se le ha confiado sino que se extiende también a *paliar los sufrimientos* del paciente derivados de la misma, su responsabilidad como comitente omisivo puede surgir no sólo en los casos en los que omite la terapia curativa indicada sino también en aquellos otros en los que no dispensa al enfermo los medicamentos que aliviarían o eliminarían su sufrimiento[299]. Es, en definitiva, una omisión que abre el capítulo de la eventual responsabilidad del médico por el dolor que no evita que sufra el paciente.

A la hora de delimitar la posible responsabilidad del médico en tales casos es conveniente hacer varias observaciones. La primera de ellas se orienta a depurar los casos en los que pueda decirse que concurre el presupuesto mínimo común para apreciar tanto un delito como una falta de lesiones; a saber, que la lesión requiera objetivamente para su sanidad una primera asistencia facultativa. Según entiendo, en el ámbito que ahora se trata, el mismo habrá de identificarse justamente con el acto paliativo del dolor que el médico omite, ya que es precisamente el hecho de no proporcionar el medicamento lo que hace que persista aquél, lo que a su vez demanda realizar una asistencia médica que precisamente consiste en practicar el tratamiento que el médico omitió. Una segunda observación se refiere al dato de que esa primera lesión representada por el mantenimiento del dolor puede a su vez dar lugar a una responsabilidad adicional. Baste pensar en los casos, sin duda extremos, en los que a consecuencia de un dolor agudo se produzca un resultado adicional, como puede ser que el paciente entre en estado de coma.

Por lo demás, para la articulación dogmática de la responsabilidad por dicho resultado habría de atenderse, conforme a las reglas generales, a si la no eliminación del dolor fue dolosa o imprudente. En el primer caso la responsabilidad por el resultado más grave habría de discurrir conforme a las reglas de la preterintencionalidad —suponiendo, claro está, que el resultado ulterior fuese imprudente—; en el segundo caso habría de apreciarse un concurso entre las distintas lesiones imprudentes. Por último, casi ni que decir tiene que la responsabilidad del médico por no mitigar el dolor puede entrar en concurso

---

[298] Véase *supra*, Segunda Parte, 1.4.
[299] En este sentido, ROXIN, "Tratamiento jurídico-penal de la eutanasia", *ob. cit.*, pág. 6, quien apunta incluso a la posibilidad de apreciar un delito de omisión del deber de socorro en los casos en que no concurra la posición de garante.

real de delitos con otro resultado cuando éste no provenga de aquella omisión sino de una actuación independiente. Sirva de ejemplo el caso en el que se intervienne al paciente sin anestesia y adicionalmente en el curso de la operación se produce un fallo médico que le provoca lesiones o incluso la muerte.

Hasta aquí los criterios que delimitan el contenido y alcance de la obligación de garantía del médico. Junto a ella, queda abierta, lógicamente, la posibilidad de fundamentar la posición de garante de otros sujetos. A ello se dedica el siguiente excurso.

* Excurso: Límites hasta los que se extiende la posición de garantía de otros sujetos ajenos a la profesión sanitaria: el caso de los padres

De forma paralela a lo que sucede respecto a los médicos, se plantea la pregunta de hasta dónde se extiende la posición de garantía de los *padres* respecto a la vida y salud de sus hijos. El caso paradigmático se suscita respecto a los hijos menores de edad que tienen a su cargo cuando omiten el tratamiento médico que el menor necesita, normalmente, con una actitud de imprudencia respecto al resultado e impulsados por creencias religiosas, como sucede con los Testigos de Jehová.

A un caso de este tipo tuvo ocasión de enfrentarse el Tribunal Constitucional en la Sentencia de 18 de julio de 2002, a la que ya nos referimos tanto al tratar los problemas relacionados con la capacidad de consentir de los menores de edad como al estudiar el régimen de los casos en que el paciente se niega al tratamiento que precisa. Se trataba de un menor que necesitaba una transfusión sanguínea a la que se oponía, concurriendo el asentimiento de sus padres respecto a dicha negativa. Cuando tras un largo peregrinaje por distintos hospitales el Juzgado de Guardia autorizó la práctica de la transfusión, el pronóstico ya era irreversible, falleciendo el menor al día siguiente de la misma.

La Audiencia Provincial de Huesca que conoció el caso en primera instancia consideró, en la Sentencia de 20 de noviembre de 1996, que no podía fundamentarse en términos jurídicos el deber de obrar de los padres. Además de entender que no les era exigible una labor persuasiva para que su hijo accediera a la transfusión, consideró que los padres habían perdido la condición de garantes al solicitar asistencia médica: una vez se da a la sociedad la oportunidad efectiva de sustituir a los padres a tal fin, mediante la reclamación de asistencia médica por los cauces convencionales, aquellos "pierden ya la condición de garantes, aunque no aprueben testimonialmente, en un acto de fe, sin tratar de impedirla, una transfusión de sangre".

Recurrida la Sentencia, el Tribunal Supremo la casó y condenó a los padres como autores de un delito de homicidio en comisión por omisión. Para ello, el Tribunal consideró que, pese a concurrir también la oposición a la transfusión por parte del menor, la condición de éste impedía que los progenitores pudieran abstenerse de actuar: "Resulta evidente que los padres, que se encontraban en el ejercicio de la patria potestad, estaban en posición de garantes de la salud de su hijo, correspondiéndoles el deber moral y legal de hacer todo lo que fuere preciso para hacer efectivo dicho deber". Dicha posición de garantía "no se ve afectada por el hecho de que el hijo, miembro de la misma confesión religiosa, también se opusiera a la transfusión de sangre". De hecho, entiende la Sentencia, los padres continuaron ejerciendo las funciones y deberes propios de la patria potestad "en los momentos y tiempos que fueron cruciales para la vida del hijo como lo evidencia su negativa a la transfusión...hechos que confirman su posición de garantes en momentos que podían salvar la vida de su hijo y que igualmente ejercieron cuando trasladaron a su hijo a su domicilio..."

Contra dicho fallo se presentó recurso de amparo ante el Tribunal Constitucional. En la Sentencia de 18 de julio de 2002 el Alto Tribunal se pronunció en el sentido de negar tanto el deber de los padres de persuadir a su hijo para que se sometiese a la transfusión, como de autorizarla. Lo primero, porque ello supondría exigir "una actuación que es contradictoria, desde la perspectiva de su destinatario, con las enseñanzas que le fueron transmitidas a lo largo de sus trece años de vida". Lo segundo porque eso también supondría "la exigencia de una concreta y específica actuación radicalmente contraria a sus convicciones religiosas, además de ser también contraria a la voluntad —claramente manifestada del menor—".

No es éste el lugar adecuado para abordar la cuestión relativa al reconocimiento de la facultad de disponer del menor cuando el mismo posee capacidad natural. Este aspecto ya fue tratado en otro capítulo al que ahora baste con remitirnos[300]. En este lugar sólo nos interesa detenernos en las afirmaciones que realizan las Sentencias referidas; en concreto, en primer lugar, la del Tribunal Supremo en torno a que la posición de garantía de los padres se mantiene inalterada pese a la renuncia a la intervención del menor[301].

---

[300]   Véase *supra*, Primera Parte, II 2.2.2, *El consentimiento en casos de pacientes menores de edad e incapaces.*

[301]   Dicha afirmación es compartida por un autorizado sector de la doctrina. Véase por ejemplo ROMEO CASABONA, *Revista de Derecho Penal y criminología 1998, ob. cit.*, págs. 335 s. Este autor mantiene su postura no sólo en relación con el caso que se comenta, sino en general en relación con cualquier sujeto menor de edad, págs. 338 ss. Diferente es la solu-

La corrección de dicha solución no sólo se debe a que, como apunta el Alto Tribunal, el dato de que los padres acudieran a un centro sanitario no les hace perder su posición de garantes[302], puesto que con su actitud obstaculizaron continuamente la práctica de la intervención, tal y como lo demuestra el hecho de que tuvieron al hijo en la casa hasta que perdió el conocimiento[303]. La razón fundamental debe encontrarse, ya antes, en el punto de referencia de la situación de riesgo que motiva la negativa al tratamiento. En efecto, aun reconociendo al menor en el caso concreto capacidad para decidir, esto es, aun equiparando la madurez de su actitud a la de un mayor de edad, resultarían trasladables los mismos argumentos que manejamos más arriba para fundamentar la posición de garantía del médico cuando el paciente mayor de edad entra en una situación de peligro inminente para su vida y no se ha sustraído por completo a la prestación asistencial. Ahora, en efecto, la subsistencia de la obligación de actuar de los padres habría de descubrirse en el dato de que tienen a su cargo un menor de edad y, como tales, están obligados a velar por su vida sin que la voluntad de ninguna de las partes pueda cancelar ese compromiso.

Por otra parte, no puede perderse de vista el dato de que no se trata de una situación de riesgo para la salud, lo que podría reconducir el tratamiento de estos casos al espacio propio de las *autopuestas en peligro* por parte de quien tiene suficiente juicio. Por el contrario, se trata de la persistencia en una actitud que le lleva a una situación de riesgo inminente de pérdida de la vida, cosa que finalmente sucede.

Desde estos esquemas, la pretensión de cancelar la posición de garantía de los padres tropezaría con los mismos argumentos que manejábamos más

---

ción que propone para los casos en los que sea un sujeto mayor de edad el que renuncie al tratamiento, en los que entiende que se cancelaría la posición de garantía, pág. 349.

[302] Para algunos autores, la solución de castigar a los padres conforme al expediente de la comisión por omisión debe reservarse para los casos en que los que ni siquiera demandan ayuda sanitaria, al entender que, de otra forma, se pondrían en marcha los mecanismos legales de sustitución. Véase al respecto, por ejemplo, PÉREZ DEL VALLE, *Conciencia y Derecho penal, ob. cit.*, pág. 135, 196.

[303] No comparto la afirmación de la Audiencia Provincial en torno a que la posición de garantía de los padres queda cancelada desde el momento en el que reclaman asistencia médica. El Tribunal Supremo, con razón, no sigue este criterio, puesto que ello requeriría que los padres hubiesen encomendado de forma genérica la curación del hijo a los médicos, lo que es evidente que no sucedió en el caso enjuiciado. Véase al respecto ROMEO CASABONA, en *Revista de Derecho Penal y Criminología*, 1998, *ob. cit.*, págs. 334 s; TAMARIT SUMALLA, "Responsabilidad penal de terceros ante la negativa a la transfusión de sangre de testigo de Jehová menor de edad con resultado de muerte", en *AJA*, 1998, nº 325, pág. 3; el mismo en *La víctima en Derecho penal, ob. cit.*, págs. 137 ss.

arriba a propósito del médico. Para evitar reiteraciones, a ellos nos remitimos. Tan sólo conviene recordar aquí las inadmisibles consecuencias a las que de otra forma se llegaría. Sería absurdo, en efecto, admitir que los padres pudieran responder como comitentes omisivos a un suicidio cuando cooperan con su pasividad a la muerte del menor que tuviera voluntad de poner fin a su vida y, sin embargo, descartar cualquier responsabilidad por el resultado en los supuestos en los que aquél ni siquiera tiene dicho propósito.

Ahora bien, afirmado lo anterior, cuestión distinta es que en el caso concreto que enjuiciaba el Alto Tribunal fuese exigible la actuación de los padres. Sobre este punto se pronunció expresamente el Tribunal Constitucional en la referida Sentencia, a partir del reconocimiento de que "Los derechos y obligaciones que surgen en el ámbito de las relaciones humanas...son válidos y eficaces en la medida en que su contenido no rebasa el marco constitucional, respetando los límites propios de los derechos fundamentales"; en este caso, la libertad religiosa de los padres que les motivaba a actuar en sentido contrario a la prestación de asistencia. Por ello, como correctamente afirmó, el reconocimiento de la misma cancela las bases de la exigibilidad de una demanda asistencial por parte de aquellos. Lo contrario supondría partir de una exigencia que escapa a los parámetros de racionalidad en cuanto obliga a los destinatarios a contravenir sus propias creencias.

Es importante subrayar que, aunque no lo explicite la Sentencia del Tribunal Constitucional, la razón por la que en el caso que enjuiciaba los padres no estaban obligados a actuar no se debía a que se cancelaran las bases de su posición de garantía, como sin embargo entendió la Sentencia de la Audiencia Provincial. Por el contrario, la razón obedeció simplemente a que no les era *exigible* un comportamiento distinto. En realidad, puede decirse que la única diferencia entre la Sentencia del Supremo y la del Tribunal Constitucional reside en que mientras en la primera aquellas circunstancias sólo se valoraron para apreciar una atenuante muy cualificada de obcecación o estado pasional, en la fundamentación de la solución a que llegó el Tribunal Constitucional se concedió un valor eximente de responsabilidad a las razones vinculadas con la idea de *inexigibilidad*. En otras palabras, el razonamiento del Alto Tribunal no debe valorarse en términos de inexistencia de la posición de garantía, sino en términos de que la misma, aun existiendo, cede por razones basadas en la idea de inexigibilidad ante el derecho fundamental a la libertad religiosa reconocido en el art. 16.1 CE.

Con lo anterior tan sólo hemos trazado los casos en que, por su situación, el omitente se encuentra en condiciones de responder por el resultado; esto es, los supuestos en los que tiene posición de garante y la misma no se ha cancelado por una situación especial. Ello no supone todavía concluir afirmando que finalmente deba responder por el mismo. Frente a lo que sostendrían los defensores de las concepciones puramente formales de las fuentes del deber de actuar, a este primer presupuesto habrá de añadirse todavía la comprobación de que la omisión del garante, por las circunstancias del caso concreto, cree un *riesgo no permitido* o contribuya de modo relevante a su *producción*, de tal forma que, al igual que sucede con las conductas activas, pueda predicarse un juicio de *desvalor* en términos penales.

2.1.3. *La comprobación de que el comportamiento del garante representa una omisión no cubierta por el riesgo permitido y que incrementa las posibilidades de producción del resultado*

En la tarea de seguir indagando la equivalencia estructural de la conducta del garante con la comisión activa de cara a fundamentar su responsabilidad como omitente, el primero de los requisitos que habrá de comprobarse, en cuanto que es el más básico, es si puede identificarse una *omisión concreta* que debió realizar y que sirva de base a los posteriores juicios de desvalor, de la misma forma que en los comportamientos activos el punto de arranque de aquellos es siempre una acción concreta e identificada. Se trata, en definitiva, de comprobar que su pasividad tenía capacidad para condicionar, determinar o favorecer *mediante la omisión de una contribución concreta* la lesión del bien jurídico; esto es, se trata de exigir que, más allá de la posibilidad de que el garante pueda influir con su omisión de forma genérica en la evitación del hecho, la misma se haya identificado como una de aquéllas que *está, al menos a priori, en condiciones de incidir de modo específico y determinado* en la realización del resultado, de forma paralela a cómo en la conducta activa es siempre un acto concreto —ahora el realizado, no el omitido— el que la facilita y el que, por tanto, configura la situación de peligrosidad.

A partir de este diseño teórico debe advertirse que en el ámbito médico la apreciación de esta exigencia va a plantear pocas dificultades, en cuanto que la mayoría de las veces es posible identificar un acto concreto —de diagnóstico, curativo o de tratamiento— que, debiendo realizar, el profesional omite. Sólo cuando se haya identificado un acto médico concreto cuya omisión pueda ponerse en relación con el resultado tiene sentido seguir indagando si el mismo puede servir de soporte a los sucesivos juicios de desvalor; en concreto, y una vez más de forma paralela a lo que sucede con los comportamientos activos, habrá de comprobarse tanto que la omisión no puede contemplarse dentro del ámbito del riesgo permitido como que la acción omitida representa, en términos hipotéticos, un incremento relevante del riesgo de producción del resultado.

Como es sabido, con el primero de los requisitos se trata de exigir que la conducta —ahora la omisión de la acción debida— desborde los límites generales de permisibilidad acotados por el margen de los comportamientos adecuados.

Baste pensar, por ejemplo, en las medidas que fuesen exigibles a los responsables de centros de enfermos mentales para evitar que éstos lleven a cabo conductas suicidas. Evidentemente, como señala GROPP en la doctrina alemana, para lograrlo podría recurrirse a una anulación extrema de la libertad de tales enfermos dentro del centro hospitalario, y no cabe duda de que con esa medida se evitarían los suicidios. Pero el Derecho penal no puede desconocer que también en el ámbito de las omisiones, y de cara a respetar otros valores dignos igualmente de tutela como el reconocimiento de un necesario espacio de libertad de los enfermos mentales, hay que admitir que la omisión de determinadas medidas —extremas— de precaución debe contemplarse dentro de los márgenes del riesgo permitido, con la consiguiente impunidad para los responsables de centro cuando no evitan los suicidios que se cometan en los mismos[304].

Con la segunda de las exigencias, la de comprobar que la omisión representa un incremento relevante del riesgo de producción del resultado se trata, en definitiva, de atender, desde una perspectiva hipotética, a la relevancia de la conducta en términos de cuantificación normativa de su incidencia en orden a impedir el resultado final. Sólo cuando pueda predicarse que la omisión aumenta desde una perspectiva *ex ante* de forma relevante las posibilidades de producción del resultado se dan las bases para la exigencia de responsabilidad penal.

Para evitar equívocos respecto a cuanto sostendremos más adelante a propósito de los criterios de atribución normativa del resultado producido a la omisión penalmente relevante, conviene insistir en que con dicha exigencia lo único que se reclama es que aquélla represente un peligro de producción del resultado como presupuesto del juicio de imputación. Esa comprobación requerirá verificar, dependiendo de las teorías de las que se parta, que la acción omitida hubiese evitado el resultado con una *probabilidad rayana en la certeza* o que la acción omitida hubiera supuesto una disminución del riesgo de lesión

---

[304] GROPP, "Zur rechtlichen Verantwortlichkeit des Klinikpersonals bei suizidhandlungen hospitalisierter Psychiatriepatienten", en *MedR* 1994, págs. 127 ss.

del bien jurídico. La confusión entre lo que sean las bases o el presupuesto de la imputación con la comprobación de la misma desde una perspectiva *ex post* podría provenir de que para los defensores de esta segunda opción la verificación de dicho momento se satisfaría con la misma fórmula del incremento del riesgo.

No es sino la imposibilidad de superar este primer juicio lo que llevó al Tribunal Supremo en la Sentencia de 13 de febrero de 1997 a desestimar el recurso interpuesto contra la Sentencia de la Audiencia Provincial de Madrid que absolvió a tres médicos por los resultados de lesiones y muerte de los que fueron acusados por no haber tratado de forma adecuada a un paciente que previamente había sido contagiado por el virus del SIDA a consecuencia de una transfusión sanguínea:

> *"la causa material y eficiente de la muerte de la mujer ha sido el contagio del SIDA por transfusión de sangre y no existe prueba alguna en toda la causa que acredite que por la conducta de los acusados hubieran tenido que realizarse intervenciones quirúrgicas, que en otro caso no se hubieran realizado a la enferma terminal, ni que a causa de la conducta de los ahora recurridos hubiera padecido dolores añadidos a su dolencia y menos aún que con los cuidados que se reputan omitidos a la paciente hubiera alargado la vida y en cuánto tiempo...la causa desencadenante y determinante del fallecimiento con sus dañosos prolegómenos de esta doliente mujer ha sido la inoculación transfusional del SIDA...mientras que las otras actuaciones concurrentes, ni han determinado tal resultado, ni tan siquiera puede precisarse cómo agravan o modifican el curso causal, por falta de precisión en el caso concreto de cómo se hubiera encontrado la enferma con tales tratamientos no realizados".*

Según entiendo, más allá de casos como el expuesto en los que se descarta cualquier incremento de riesgo, esta exigencia de verificar un aumento relevante de las posibilidades de lesión reclama que el acto concreto que omite el garante tuviera capacidad para incidir —bajo el título que sea— *de forma directa e inmediata en la evitación del resultado, sin necesidad de interponer eslabones intermedios*. De lo contrario, si la eficacia salvadora de la acción que omite hubiera de mediatizarse por la interposición de otros cursos causales, la contribución que representa su conducta omisiva quedaría tan debilitada —y, con ello, el incremento de riesgo que representa—, que difícilmente podría dar paso a un juicio de desvalor penal conforme al expediente de la comisión por omisión.

Así, por falta de esta exigencia, al margen de la responsabilidad por omisión impropia van a quedar los casos en los que, por ej., el médico remitiese al paciente a un especialista que no está bajo su dirección sino que pertenece a un Hospital público y, por cualquier medio, tuviera noticia de que los aparatos de rayos que éste emplea presentan defectos que pueden resultar nocivos para el paciente. En tanto que no es él quien tiene competencia para ordenar la paralización del uso de tales aparatos en el Hospital, su único deber será el de informar a la Dirección del mismo así como al paciente de la irregularidad advertida y, de no hacerlo, todo lo más podrá responder de un delito de omisión pura, nunca del resultado a título de comisión por omisión. Este título de responsabilidad habrá de reservarse para los responsables del hospital en el que se producen tales irregularidades y que, ahora sí, están obligados a realizar una acción que de forma directa e inmediata evite el resultado. Lo contrario, esto es, la pretensión de responsabilizar al médico como comitente omisivo pese a que no está en condiciones de impedir de forma inmediata la producción del resultado lesivo, supondría exacerbar la eficacia salvadora de la acción que omite, desenfocando con ello el genuino sentido del expediente de la comisión por omisión y la necesidad de respetar de forma escrupulosa los requisitos básicos de la comisión activa[305].

Sólo cuando se dieran todos estos requisitos concurrirían los presupuestos que permiten hablar en el ámbito omisivo del desvalor de la conducta penalmente relevante como presupuesto del juicio de atribución normativa del resultado que finalmente se produzca.

2.2. Exigencia de equiparación valorativa como juicio de imputación del resultado producido

Junto al primer juicio de identidad estructural relativo al desvalor de la conducta, la atribución del resultado al omitente requiere realizar adicionalmente una doble comprobación. En primer lugar, de forma paralela a lo que sucede en las conductas activas, verificar que aquél es imputable normativamente al comportamiento omisivo; en segundo lugar, dependiendo de cuál haya sido la índole de la contribución en el mismo, atribuirlo a título de *autoría o participación*.

Lo primero habrá de afirmarse allí donde, conforme a un juicio de pronóstico, el resultado sea reconducible en términos normativos a la no realización de la conducta esperada. Así, una vez comprobado que la omisión representa una conducta no permitida que incrementa las posibilidades de producción

---

[305]   Si bien la apreciación de un delito de comisión impropia fracasa ya por la ausencia de los presupuestos de la posición de garantía, también este criterio está presente en casos como el siguiente: el médico, al que acude el paciente para ser tratado de una determinada afección, detecta en la exploración indicios de una enfermedad que en absoluto tiene que ver con el objeto de la consulta ni con su especialidad, omitiendo aconsejarle acudir al especialista de que se trate. Según entiendo, más allá de razones derivadas del ámbito competencial del sujeto que impedirían ya fundamentar su posición de garantía, a su responsabilidad omisiva se opondría la necesidad de interponer eslabones intermedios para evitar la producción del resultado.

del resultado (desvalor de acción), se trata de constatar que efectivamente la lesión producida es imputable a la misma (desvalor de resultado) a partir de la fórmula manejada mayoritariamente por la doctrina, conforme a la cual debe examinarse si la acción omitida habría evitado el resultado con una *probabilidad rayana en la certeza*[306], y que es justamente su ausencia la que determina que se acabe realizando en aquél. Adicionalmente, de forma paralela a lo que sucede en la acción, habrá de verificarse que el resultado producido es uno de los que la norma pretendía *evitar* al consagrar la específica posición de garantía[307].

La segunda comprobación, esto es, la relativa a si la conducta omisiva puede reconducirse a un título de autoría o participación, requiere atender a su concreta incidencia en el resultado. Así, la calificación del omitente como autor ejecutivo tendrá lugar allí donde sea la propia omisión la que, bien por crear *ex novo* un riesgo, bien por *desestabilizar* un peligro existente[308], se

---

[306]   JESCHECK, *Tratado de Derecho penal, ob. cit.*, págs. 563 s. A este aspecto del juicio de imputación se refiere en nuestra doctrina, entre otros, HUERTA TOCILDO, quien tras afirmar que la posición de garante es el primer requisito de la imputación objetiva del resultado, añade la necesidad de verificar "la llamada 'causalidad hipotética' de la acción omitida, afirmable sólo cuando se pueda decir que la misma ha evitado, con un 100% de seguridad, el advenimiento del resultado muerte o lesiones", en "Las posiciones de garantía en el tipo del delito de comisión por omisión", *ob. cit.*, págs. 173 s., véase también pág. 47; MIR PUIG, *Derecho penal, Parte General, ob. cit*; GIMBERNAT, *Cuadernos de Derecho Judicial* 1994, *ob. cit.*, págs. 214 ss; BACIGALUPO, *Revista Canaria de Ciencias Penales*, nº 0, 1997, *ob. cit.*, pág. 25.
No obstante, un importante sector doctrinal considera suficiente constatar que la acción omitida hubiese supuesto una disminución del riesgo de lesión del bien jurídico. Como apuntaba más arriba, para estos autores coincidiría la exigencia de la relevancia penal de la conducta con este requisito de atribución normativa del resultado a la misma. De esta opinión en la doctrina alemana, OTTO, "Risikoerhöhungsprinzip statt Kausalitätsgrundsatz als Zurechnungskriterien bei Erfolgsdelikten", en *NJW* 1980, págs. 417 ss; STRATENWERTH, *Strafrecht, Allgemeiner Teil*, Köln/Berlin/Bonn/München, 1981, n. 1028; SCHAFFSTEIN, "Die Risikoerhöhung als objektives Zurechnungsprinzip im Strafrecht, insbesondere bei Beihilfe", en *Honig Festschrift*, Göttingen, 1970, pág. 172; BRAMMSEN, "Erfolgszurechnung bei unterlassener Gefahrverminderung durch einen Garanten", en *MDR* 1989, págs. 123 ss; RUDOLPHI/SAMSON/GÜNTHER, *Systematischer Kommentar zum Strafgesetzbuch*, Luchterhand, Neuwied-Kriftel-Berlín, 6 ed. 1995, vor §13.16.

[307]   La comprobación de este requisito como último criterio sólo será admisible si se parte de que el mismo no resulta ya comprendido en el del incremento del riesgo. En relación con los comportamientos activos, es la postura sostenida en nuestra doctrina, entre otros, por MARTÍNEZ ESCAMILLA, *La imputación objetiva del resultado*, Madrid, 1992, págs. 365 ss.

[308]   Se transcribe una de las fórmulas más repetidas a la hora de concretar las posiciones materiales de garantía.

convierte en causa normativa de la producción del resultado[309]. Es lo que sucederá en ejemplos, paradigmáticos por lo demás de la teoría de la comisión por omisión, como el de la madre que no alimenta al hijo recién nacido o el del jefe de estación que no da las órdenes oportunas para evitar un accidente. En el resto de los casos, el título participativo por el que discurra la pasividad del garante dependerá del alcance del acto concreto que omite realizar. Así, por ejemplo, habrá de apreciarse una forma de *cooperación necesaria*[310] allí donde la omisión de la conducta concreta a la que estaba obligado, y que de forma directa e inmediata incide en la producción del resultado, se traduzca en un favorecimiento tal del mismo que, conforme a un juicio de pronóstico, pueda afirmarse que sin ella no habría tenido lugar. Será éste el caso tanto cuando la omisión posibilite la aparición de un curso causal externo, como cuando, una vez actualizado el riesgo, el garante no impida su verificación en el resultado (omisiones posteriores a la realización del curso causal externo). Nada se opondrá, conforme a esas mismas reglas, a apreciar una forma de *autoría mediata*, por dominio de la voluntad, allí donde concurran los mismos requisitos requeridos para apreciar la instrumentalización mediante una conducta activa[311]; son los casos en los que el garante deja que un tercero, que

---

[309] De este modo discrepo de los autores que admiten de forma amplia que las posiciones estables de garantía fundamenten siempre la autoría en comisión por omisión. Es, por ejemplo, la postura sostenida en la doctrina alemana por ROXIN, quien califica los delitos de comisión por omisión como de infracción de un deber que, por ello, salvo excepciones, sólo admiten la autoría como forma comisiva, *Täterschaft und Tatherrschaft*, 6 ed. Berlin-New York, 1994 págs. 459 ss. Más matizada es la postura de HERZBERG *Die Unterlassung im Strafrecht und das Garantenprinzip*, Berlín-New York, 1972, págs. 260 ss, para quien el garante por razón del bien jurídico es siempre autor del delito de omisión. En el mismo sentido, entre otros, GEILEN, "Suizid und Mitverantwortung", en *JZ* 1974, págs. 145 ss. Véase también JAKOBS, quien sólo admite la diferencia entre autoría y participación allí donde la posición de garantía se base en lo que denomina *competencia por organización*, no así en la *competencia por institución*. Mientras en la primera aprecia la autoría cuando la competencia del omitente se fundamenta en último lugar, en los casos de *competencia institucional* (padres, cónyuges o receptores de una confianza especial) niega cualquier relevancia a la diferencia entre autoría y participación, por entender esos conceptos como el reverso de los delitos de infracción de un deber: "todo sujeto especialmente obligado está inmediatamente, esto es, sin accesoriedad, sometido al deber y es por ello autor si no le falta otra cualificación para la autoría", *La competencia por organización en el delito omisivo*, Universidad Externado de Colombia, 1994, págs. 38 ss. En el mismo sentido, SÁNCHEZ-VERA Y GÓMEZ-TRELLES, *Intervención omisiva, posición de garante y prohibición de sobrevaloración del aporte, ob. cit.*, pág. 51, 54, 125 ss.

[310] Que supondría una forma de autoría en tanto la colaboración se actualice en fase ejecutiva, GÓMEZ RIVERO, "Regulación de las formas de participación intentadas, de la autoría y participación", *La Ley, 1996*, págs 1624 ss.

[311] Dado que no es este el lugar adecuado para entrar en la discusión acerca de la viabilidad dogmática de la autoría mediata en comisión por omisión, me limito a indicar dos tipos

nada sabe, realice una acción lesiva de un bien jurídico que él estaba obligado a controlar.

Trasladado lo anterior al ámbito médico, entiendo que la responsabilidad del facultativo como comitente omisivo habrá de valorarse por regla general como una forma de *autoría ejecutiva*, siendo excepcionales los casos de *complicidad*, *cooperación necesaria*, e incluso de *autoría mediata*. La razón por la que esto sea así resulta de la propia morfología de supuestos en los que se contextualizan las conductas médicas omisivas, caracterizados porque el deber de actuar del médico encuentra su origen directo en la contención de los riesgos —naturales, como son las enfermedades— que afecten al paciente respecto al que ha asumido un compromiso de asistencia —de forma individualizada o global (casos de monopolio de asistencia)—.

---

de argumentos que, a mi juicio, respaldan dicha posibilidad: el primero, el fundamento mismo del que parto a la hora de justificar el castigo de la omisión impropia, a saber, que, más allá del origen del riesgo, lo importante es que sea la ausencia de una acción esperada y exigida la que se convierta, *desde el punto de vista de un juicio normativo de adscripción*, en factor de riesgo; el segundo, el sentido mismo de la exigencia de identidad estructural, que no es otro que lograr un ortodoxo juicio de equivalencia con los supuestos de comisión activa. Y si también son punibles a título de autoría, conforme a la teoría del dominio del hecho, las conductas activas que no generan de forma directa e inmediata el riesgo de producción del resultado, no parece coherente limitar el ámbito de aquélla cuando de la omisión impropia se trata. Baste pensar que si lo que de concurrir una actuación positiva -el engaño acerca del objeto de la acción- hubiera dado lugar a la responsabilidad por autoría mediata, no se entiende que deba quedar impune la conducta de quien, estando obligado a hacerlo, no saca a un tercero de su error.

Debe observarse que parece ser implícito al planteamiento de algunos autores el rechazo de la posibilidad de apreciar formas de autoría por omisión que no sea la ejecutiva. Según lo entiendo, es éste el caso de LUZÓN PEÑA, que a la hora de concretar cuándo pueda conceptuarse como autor al responsable de un delito omisivo impropio parece requerir que sea de la propia omisión de la que surja el peligro, y, en definitiva, que pueda descubrirse un binomio en términos de relación de causalidad normativa entre la omisión y el riesgo. Y así, afirma, allí donde la conducta consiste en "no actuar frente a un peligro existente de origen diverso a la propia omisión...esa omisión no equivale ni puede equivaler sin más a producir la lesión -creando el peligro- por el simple hecho de que el sujeto tenga un específico deber de garantía...y, por tanto, no se puede decir que ha matado, lesionado o dañado, es decir, que la conducta no es directamente subsumible en el tipo y por ello no es comisión por omisión del delito correspondiente", en *La Ley* 1986, *ob. cit.*, pág. 4. A mi juicio, si se admite la postura mayoritaria en torno al fundamento de la omisión impropia, resulta injustificado limitar su morfología a los casos en que es la conducta omisiva la que genera el riesgo; por ello, la operatividad de la fórmula que maneja este autor se limita, a mi juicio, a decidir el título por el que discurra la responsabilidad omisiva (autoría ejecutiva, cuando el riesgo emane de la omisión misma).

En este sentido se pronunció la STS de 26 de febrero de 1990. Los hechos enjuiciados eran los siguientes: W.L, médico, acudió a la vivienda de A.M a requerimientos de la esposa de éste, C.L., al sufrir aquél un dolor en la parte izquierda del pecho que le irradiaba hacia el hombro y brazo del mismo lado, de lo que fue diagnosticado por el procesado como infarto de miocardio, aconsejando su traslado a una Clínica, para lo que requirió de Labor Médica S.A. un servicio de ambulancia, y sin medicar al paciente abandonó la casa para atender a otras urgencias sin calificar. Ante el retraso en la llegada de la ambulancia, C.L, después de recordarlo con reiteración, tuvo que recurrir al servicio municipal que procedió al traslado del enfermo, falleciendo éste durante el mismo.

Frente a la calificación de los hechos por la Audiencia de Instancia como un delito de omisión del deber de socorro, el Tribunal Supremo condenó al médico como autor de un delito de homicidio en comisión en omisión imprudente. El Alto Tribunal consideró que la conducta del médico de abandonar el lugar donde se reclamaban sus auxilios así como de omitir realizar cualquier otra actividad terapéutica, como un masaje cardíaco, debía valorarse como una forma de imprudencia cometida por omisión, puesto que, además de la posición de garante, concurre "la omisión de un deber jurídico que imponía actuar de otra forma y se deduce sobre bases y datos naturalísticos que esa omisión actuó sobre el nexo causal, convirtiéndose en un factor coadyuvante del resultado final. Para que un resultado típico sea objetivamente imputable al sujeto no es necesario que éste lo cause física y materialmente, siendo suficiente, desde una perspectiva social y jurídica, que no haya puesto todos los medios para precaverlo, cuando le corresponde una específica función de evitarlo"[312].

Por su parte, habrá de apreciarse una forma de *complicidad* o de *cooperación necesaria* allí donde la pasividad del garante sea meramente favorecedora de la conducta de un tercero.

---

[312] Según entiendo, la tesis sostenida por el Tribunal Supremo, frente a lo que interpreta algún autor, no supone adoptar una comprensión amplia de la omisión impropia conforme a la que bastase constatar la posición de garante. Porque en casos como los enjuiciados por la sentencia, si bien es verdad que el foco de peligro es ajeno al garante, al tratarse de una enfermedad sobrevenida, la equivalencia estructural con los supuestos de creación de un peligro por acción se basa en la previa asunción o compromiso de tratar al paciente. Considera que el TS adoptó una comprensión amplia de la comisión por omisión, MOYA HURTADO DE MENDOZA, en *Cuadernos del Poder Judicial, Delitos contra la vida e integridad física, ob. cit.*, pág. 161.

A este respecto puede citarse la conocida STS de 18 de noviembre de 1991, en la que se ventilaba la responsabilidad por contagio del virus del SIDA a dos pacientes a consecuencia de habérsele transfundido sangre sin haber realizado las pruebas de control oportunas. Entre los acusados estaban el Director Gerente del Área de Gestión de la «Costa de Ponent» del Instituto Catalán de la Salud, uno de cuyos centros, del que también ostentaba el cargo referido, era el Hospital «Príncipes de España». El Tribunal Supremo consideró que "se desentendió de su obligación de velar por el cumplimiento de la orden referida, a pesar de que desde el 17 de agosto de 1985, conocía la importancia del tema, determinando esa falta de vigilancia, respecto al cumplimiento de dicha normativa, que se verificaran las 6.226 donaciones, así como las 2.284 transfusiones con inobservancia de aquélla" y que, aunque por razones distintas finalmente no los apreció, concurrían los presupuestos de la comisión por omisión en relación con los anteriores art. 343 y 343 bis (expendición de medicamentos deteriorados y sin cumplir las formalidades legales), ya que "el acusado tenía el deber de actuar, vigilando el material médico, la sangre donada, y la sangre transfundida, deber que nacía de la relación contractual por él asumida con un cúmulo importante de obligaciones y facultades para dirigir, desde su cargo, toda la infraestructura del centro médico. Al no hacerlo así, al permitir que no se llevaran a cabo las instrucciones que la Orden de 10 de octubre de 1986 le marcaba para el cribado y las demás pruebas tendentes al control riguroso del síndrome, y al permitir también, en último caso, que el acopio de ese «medicamento» se realizara, prescindiendo de la referida orden, haciendo caso omiso de lo que ya en distintos hospitales se realizaba al respecto, vino a crear el daño potencial, dio vida al peligro en cuestión".

II. LA ACTIVIDAD MÉDICA EN LAS FASES INICIALES Y FINALES DE LA VIDA

La evolución de la Ciencia médica y, en general, de los conocimientos científicos relacionados con la medicina, no ha dado paso en exclusiva a la perfección o al descubrimiento de nuevos métodos terapéuticos en las fases, por así llamarlas, intermedias o indiscutibles de la vida humana, como pueda ser el desarrollo de nuevos tratamientos para enfermedades graves, como el cáncer o el SIDA. Los avances de la medicina en los últimos años han tenido también una proyección espectacular en las posibilidades de intervenir en las fases iniciales y finales de la existencia, con fines que se apartan, muchas veces, de aquellos que escrupulosamente pudieran adjetivarse como diagnósticos o terapéuticos.

Por un lado, en efecto, los últimos años han sido testigos del desarrollo de nuevas técnicas y métodos experimentales que tienen por objeto el ser humano en los comienzos más remotos de su vida. De todos es sabido que los avances registrados en este sector permiten realizar, en estrictos términos científicos, desde conductas como la selección del sexo o de determinados rasgos genéticos del futuro ser, dando paso a lo que se ha dado en llamar "bebés de diseño", hasta la clonación de seres humanos, pasando por toda una gama de posibilidades de actuar, como la detección genética de enfermedades o la experimentación con embriones y fetos humanos. Por otro lado, tampoco se han quedado atrás las posibilidades de incidir en los términos finales de la vida, ahora con el efecto, principalmente, de asegurar su prolongación mediante el uso de nuevos medios técnicos capaces de mantener la vida humana, aunque sea en estrictos términos vegetativos.

Como tendremos ocasión de insistir a lo largo de este capítulo, casi ni que decir tiene que en estos nuevos horizontes el principal reto con el que se enfrenta el Derecho es el de trazar una serie de límites mínimos fuera de los cuales la práctica científica, por su extrema reprochabilidad ética, también sea censurable en términos jurídicos. Sólo los comportamientos que, conforme a una moral de mínimos, puedan calificarse como inadmisibles y así considerarse de forma consensuada por los distintos sectores del grupo social, pueden ser merecedores de un reproche jurídico y, como corolario del mismo, en su caso, de un reproche en el orden penal.

Valga de cita un caso sacado a la luz hace unos años por los medios de comunicación que reabre el debate en torno al respeto de esa ética de mínimos. Se trataba de una pareja de lesbianas sordas que hicieron todo lo posible por encontrar un donante que cumpliera sus deseos de procrear un hijo sordo. Para ello seleccionaron a un amigo sordo congénito, con un árbol genealógico de al menos cinco generaciones sin capacidad auditiva. El resultado de ese embarazo fue un bebé que presentaba una profunda sordera en el oído izquierdo y solamente un rastro de habilidad para detectar sonidos en el derecho.

No se agotan, sin embargo, en esta tarea de fijación normativa de los límites de permisibilidad científica, las dudas y dificultades en este ámbito. Si en general la norma, en el terreno que sea, casi nunca puede agotar las posibilidades que se presentan en la realidad o, al menos, no en toda la riqueza de sus matices, mucho menos puede hacerlo cuando se trata de estos nuevos ámbitos en los que confluyen, por un lado, toda la conflictividad en general inmanente a las cuestiones relacionadas con los límites de la protección inicial y final de la vida, y, por otro, las crecientes posibilidades de la experimentación científica cuyo avance se presenta imparable. Resulta así que en este terreno los problemas que surgen en la práctica están llamados a ir la mayoría de las veces por delante, en términos cronológicos, de las previsiones y de las posibilidades de solución que pueda ofrecer el ordenamiento jurídico.

Precisamente, a la conflictividad inmanente de los avances científicos obedece el creciente desarrollo de la Ciencia que se ha dado en denominar "Bioética", término introducido en 1971 por POTTER, profesor de oncología de la Universidad de Wisconsin, quien tituló su libro: *"Bioethics, bridge to the future" ("Bioética: un puente hacia el futuro")*. En él definía esta disciplina como aquélla encargada del estudio sistemático de la conducta humana en el área de las ciencias humanas y de la atención sanitaria, en cuanto se examina esta conducta a la luz de valores y principios humanos; en sus palabras: "Una ciencia de la supervivencia debe ser más que ciencia sola; por lo tanto yo propongo el término bioética en orden a enfatizar los dos más importantes ingredientes en procura de la nueva sabiduría tan desesperadamente necesaria: los conocimientos biológicos y los valores humanos"[313].

Justamente esa preocupación por conciliar las posibilidades de progreso de la ciencia con la aceptación de unos principios de ética mínima que garanticen la racionalidad de su empleo ha dado paso en los últimos años a la elaboración de Códigos éticos tanto en el ámbito nacional como internacional, siendo el más ambicioso la *Declaración Universal sobre el Genoma Humano y los Derechos Humanos*, aprobada por la 29° Conferencia General de la UNESCO el 11 de noviembre de 1997, declaración que posteriormente fue ratificada y hecha a su vez suya íntegra por la Asamblea General de las Naciones Unidas el 9 de diciembre de 1998[314]. Dignas de mención son, igualmente, las *Declaraciones de la Asamblea Médica Mundial*, adoptadas por la Asamblea Médica, o el *Protocolo sobre la prohibición de clonar seres humanos, Protocolo Adicional al Convenio sobre los Derechos Humanos y la Biomedicina*, aprobado por el Comité de Ministros del Consejo de Europa el 6 de noviembre de 1997, y sometido en París a la firma de 19 Estados miembros el 12 de enero de 1998,

---

[313]   Entre la abundante producción bibliográfica véase sobre su concepto y problemática el estudio multidisciplinar *Estudios de Bioética y Derecho*, Valencia, 2000; también *Bioética Práctica. Legislación y Jurisprudencia*, Madrid, 2000, págs. 17 ss., 89 ss; también SÁNCHEZ TORRES, "Ética médica y bioética", en *Ética y responsabilidad en medicina*, Santa Fe de Bogotá, 1994, págs. 45 s; MARCIANO VIDAL, *Bioética*, Madrid, 1999; BLÁZQUEZ, *Bioética. La nueva ciencia de la vida*, Madrid, 2000, págs. 5 ss.

[314]   Véase GARCÍA RAMÍREZ, *La responsabilidad penal del médico*, México, 2001, págs. 32 ss.

la Directiva 98/44/CE del Parlamento Europeo y del Consejo, de 6 de julio de 1998, relativa a la *protección jurídica de las intervenciones biotecnológicas*, o el Dictamen n° 9 del Grupo de Asesores sobre *implicaciones éticas de la Biotecnología de la Comisión Europea*, de 28 de mayo de 1997, solicitado por la Comisión Europea el 28 de febrero de 1997. Junto a esas Declaraciones internacionales, mención especial merece, ya en el plano de los Convenios, el relativo a la *protección de los derechos humanos y la dignidad del ser humano con respecto a las aplicaciones de la biología y la medicina, Convenio relativo a los derechos humanos y la biomedicina* de 1997[315][316], así como el primer Protocolo a este Convenio, relativo a la prohibición de la clonación humana reproductiva de 12 de enero de 1998[317].

Esa misma preocupación por perfilar los principios mínimos que deban orientar la actividad médica en ámbitos conflictivos ha dado paso a la proliferación de distintos Comités nacionales e internacionales dirigidos a asesorar a los legisladores y a solventar en la práctica las cuestiones en las que se implican aspectos de contenido ético y moral o, al menos a intentar trazar las directrices en las que pueda delinearse su solución[318]. En el Orden Internacional valga de cita, entre otros[319], el *Comité Internacional de Bioética* (CIB), cuyos Estatutos fueron adoptados por el Consejo Ejecutivo de la UNESCO en su 154ª Reunión[320]. Conforme a su art. 2, tiene asignada, entre otras funciones, la misión de propiciar la reflexión acerca de las cuestiones éticas y jurídicas que plantea la investigación sobre las ciencias de la vida y sus aplicaciones, y fomentar el intercambio de ideas e información, en particular mediante la educación, así como alentar las actividades encaminadas a suscitar una mayor conciencia del público en general, de los grupos especializados y de los

---

[315] Aprobado por el Comité de Ministros del Consejo de Europa, el 19 de noviembre de 1996, y firmado en Oviedo el 4 de abril de 1997.

[316] Sobre los distintos instrumentos internacionales véase la completa exposición de ROMEO CASABONA "Genética y Derecho", en *Biotecnología y Derecho. Perspectivas de Derecho comparado*, AAVV, Romeo Casabona (ed), Granada, 1998, págs. 34 ss.

[317] Ratificado por España por Instrumento 24 de enero de 2000 (BOE 1 de marzo de 2001).

[318] Una exposición detallada sobre su origen, función y su funcionamiento desde la experiencia del Derecho nacional y comparado, puede verse en CAMBRÓN INFANTE, "Funciones y limitaciones de las Comisiones nacionales de Bioética", en *AAVV, Bioética, Derecho y Sociedad*, María Casado (coord)., *ob. cit.*, págs. 75 ss.

[319] Por ejemplo, a nivel comunitario, el Comité Director de la Bioética del Consejo de Europa y el Comité Ético de la Unión Europea.

[320] El Estatuto del CIB contempla en su art. 11 la creación de un Comité Intergubernamental, cuya función será examinar los dictámenes y recomendaciones del CIB, comunicando al mismo sus observaciones, así como a los Estados Miembros, al Consejo Ejecutivo y a la Conferencia General.

encargados de adoptar decisiones en materias relacionadas con la bioética, tanto en la esfera pública como en la privada[321].

Como no podía ser de otra forma, nuestro país no ha sido ajeno a la necesidad de instaurar esos Comités. Valgan de cita los distintos Comités Regionales, como el Comité de ética asistencial de Cataluña[322], del País Vasco[323], los Comités de Investigación clínica del Principado de Asturias[324], o ya en el ámbito sectorial, los previstos en normativas especiales, como el *Comité Ético de Investigación Clínica*, previsto ya en el art. 10 del Real Decreto 561/1993, de 16 de abril, derogado por el RD 223/2004, que mantiene su existencia; así como la *Comisión Nacional de Reproducción Asistida*, prevista ya en la Ley 35/1988, de 22 de noviembre, hoy derogada, sobre Técnicas de Reproducción Asistida[325]. Actualmente, el objeto, composición y funciones de esta Comisión

---

[321]   Otras misiones que prevé el Estatuto son las de cooperar con las organizaciones internacionales gubernamentales y no gubernamentales interesadas en las cuestiones que se planteen en el ámbito de la bioética, así como con los comités nacionales y regionales de bioética y entidades similares, contribuir a difundir los principios anunciados en la Declaración Universal sobre el Genoma Humano y los Derechos Humanos y profundizar en el examen de las cuestiones planteadas por su aplicación y por la evolución de las tecnologías en cuestión, organizar consultas apropiadas con las partes interesadas, como por ejemplo los grupos vulnerables, así como presentar, de conformidad con los procedimientos reglamentarios de la UNESCO, recomendaciones a la Conferencia General y prestar asesoramiento en lo referente al seguimiento de la Declaración, e identificar las prácticas que pueden ir en contra de la dignidad humana.

[322]   Creado por Orden de 14 de diciembre de 1993

[323]   Creado por Decreto 143/1995, de 7 de febrero, BOPV, n° 43.

[324]   BOPA, n° 292, de 20 diciembre de 1994. Véase también la Resolución de 30 de mayo de 1997, de la Consejería de Servicios del Principado de Asturias, por la que se crea la *Comisión Asesora de Bioética de Asturias*, BOPA n° 160, de 11 de julio de 1997, así como la Resolución de 9 de junio de 1998, de la Consejería de Servicios Sociales del Principado de Asturias, por la que se crea la *Comisión Regional de Análisis y Evaluación asistencial*, BOPA, n° 148, de 27 de junio de 1998.

[325]   Véase el Real Decreto 415/1997, de 21 de marzo, por el que se crea la *Comisión Nacional de Reproducción Humana Asistida*. Desde su constitución en 1998, esta Comisión se ha reunido en distintas ocasiones, elaborando sus informes en los años 1998 (sobre crioconservación de semen, de ovocitos y de embriones, la clonación humana y la retribución económica a los donantes de gametos), y 2000 (sobre investigación en embriones). No obstante, es una denuncia de sus miembros el hecho de que durante años la Comisión no haya vuelto a convocarse ni se haya difundido el contenido del segundo informe. Véanse los artículos publicados en el Diario *El País* por dos de sus miembros: Ana Veiga "¿Cuál es el fin de la comisión de reproducción asistida?", de 30 de abril de 2002 y el artículo de Manual Atienza "Investigación con preembriones y arbitrariedad", con fecha 20 de mayo de 2002. Véase también la referencia en dichos artículos a la creación del nuevo Comité de Ética bajo los auspicios de la Fundación Española para la Ciencia y Tecnología, dependiente del Ministerio de Ciencia y Tecnología.

se regulan en el art. 20 de la Ley 14/2006, de 26 de mayo, sobre Técnicas de Reproducción Humana Asistida[326]. Especial interés tiene la previsión en la Ley 14/2007, de 3 de julio, de Investigación Biomédica, de los llamados "Comités Éticos de Investigación", que conforme a su art. 12 deberán existir en los centros que realicen investigaciones biomédicas que impliquen intervenciones en humanos o la utilización de muestras biológicas de origen humano, cuyas funciones enumera el apartado 2 del mismo artículo.

En los apartados que siguen se tratan por separado los principales problemas que plantean las actividades médicas relacionadas con las fases iniciales y finales de la vida, así como las líneas de solución que al respecto ofrece el ordenamiento jurídico.

1. La actividad médica en las fases iniciales de la vida: el comienzo de su protección penal

Las posibilidades de intervenir con fines terapéuticos o experimentales en las fases iniciales de la vida han aumentando vertiginosamente al compás del desarrollo científico. Atrás han quedado definitivamente los tiempos en los que las prácticas relacionadas con la ingeniería genética y, en general, con las posibilidades de incidir en los embriones y fetos humanos no eran sino futuribles más propios de la ficción que de la realidad.

Este crecimiento de las posibilidades científicas ha llevado consigo, paralelamente, la necesidad de articular los instrumentos jurídicos necesarios para garantizar que dicha práctica no desborde el ámbito trazado por los marcos éticos mínimos, planteándose como corolario de aquellos la necesidad de calibrar las posibilidades, la utilidad y la racionalidad misma de la intervención penal en estos nuevos ámbitos. Lógicamente, los problemas en torno a las posibilidades de hacer responder al médico por las maniobras previas al nacimiento no se agotan en estos primeros momentos tan alejados del comienzo de la vida humana independiente. De hecho, no puede olvidarse que uno de los ámbitos en los que tradicionalmente se ha planteado la responsabilidad del sanitario es tanto el relacionado con las prácticas abortivas como el relati-

---

[326]　Conforme a su apartado primero: "La Comisión Nacional de Reproducción Humana Asistida es el órgano colegiado, de carácter permanente y consultivo, dirigido a asesorar y orientar sobre la utilización de las técnicas de reproducción humana asistida, a contribuir a la actualización y difusión de los conocimientos científicos y técnicos en esta materia, así como a la elaboración de criterios funcionales y estructurales de los centros y servicios donde aquéllas se realizan".

vo a las lesiones causadas al feto a consecuencia de las maniobras realizadas sobre la mujer embarazada, bien sea con carácter previo al parto, bien durante el mismo.

Ni que decir tiene que en cualquiera de las cuestiones que se plantean en este terreno sería una falacia el intento de presentar soluciones fundamentadas exclusivamente en puros argumentos de corte dogmático. Por el contrario, en todos estos supuestos relacionados con los inicios de la protección de la vida cobra especial protagonismo el punto de partida que se adopte en cuestiones eminentemente valorativas y asentadas en principios morales, ya sean de corte laico o religioso. No puede ser de otra forma si se repara en que la cuestión en torno a la fijación del momento a partir del cual la vida merece protección y, paralelamente, en torno a la tarea de delimitar los espacios en los que, por la lejanía con la vida humana independiente, el Derecho deba abstenerse de actuar, está indisolublemente ligada a valoraciones en las que no pueden desconocerse los respectivos puntos de partida ideológicos desde los que se enfoque. Evidentemente, no es la pretensión de este epígrafe describir los distintos presupuestos filosóficos que condicionan las soluciones que se sostengan. Siendo consciente de estas premisas y, en definitiva, de los prejuicios valorativos que indefectiblemente tiñen la defensa de cualquier solución, lo único que pretenden las líneas que siguen es hacer un recorrido por las principales dificultades que ofrece la sanción de estos supuestos así como por las soluciones que el Derecho articula al respecto.

1.1. La protección de los momentos previos a la vida humana independiente

Las posibilidades, cada vez mayores, que ofrece la ciencia para incidir en la genética humana, ya sea con fines de experimentación científica o terapéutica, así como para actuar sobre los embriones y fetos con cualquiera de aquellos fines, ha generado un clima de creciente preocupación en torno a la necesidad de fijar determinados límites éticos que, a modo de mínimos, se respeten como valores comunes a la sociedad, válidos por encima de la diversidad de creencias, confesiones u orientaciones ideológicas de sus miembros[327]. Como

---

[327] Véase al respecto, entre otros, CUERDA RIEZU, "Límites jurídicopenales de las nuevas técnicas genéticas", en *ADPCP* 1988, págs. 413 ss; el mismo en "Otra vez sobre nuevas técnicas genéticas y Derecho penal", en *ADPCP* 1988, págs. 703 ss.
En la doctrina italiana, véase ROLAND RIZ, quien a partir del reconocimiento de que también las fases más alejadas del comienzo de la vida están necesitadas de protección, en cuanto fase inicial de la persona humana, defiende la necesidad de una regulación penal

ya recordábamos más arriba, fruto de esta preocupación son los distintos documentos, tanto nacionales como supranacionales, que en los últimos años han proliferado como exponente del esfuerzo por trazar los límites más allá de los cuales la dignidad del ser humano así como el respeto de sus derechos fundamentales deba hacer retroceder a las posibilidades de la ciencia. Así, por ejemplo, en el último orden referido, el propio del ámbito internacional, el ya citado Convenio para la protección de los derechos humanos y la dignidad del ser humano con respecto a las aplicaciones de la biología y medicina de 1997, dispone en su art. 1 que los Estados firmantes se comprometen a proteger al ser humano en su dignidad e identidad, plasmando en su art. 2 la primacía del interés y bienestar del ser humano sobre el de la sociedad o de la ciencia. A partir de ese reconocimiento, ya en concreto prohíbe, entre otras conductas, los análisis genéticos predictivos con carácter general (art. 12)[328], las intervenciones dirigidas a modificar el genoma humano, salvo que obedezcan a razones preventivas, diagnósticas o terapéuticas y no modifiquen el genoma de la descendencia (art. 13)[329], así como la utilización de las técnicas de asistencia médica a la reproducción asistida para la selección del sexo salvo con

---

en estos ámbitos, "Bioetica-Fivet-Clonazione. Tutela della persona e della viva" en *L'indice penale*, mayo-agosto 2000, págs. 453 ss. Véase también CANESTRARI, advirtiendo, no obstante, la necesidad de mantener el carácter de *ultima ratio* del Derecho penal, en "Verso una disciplina penale delle tecniche di procreazione medicalmente assistita? Alla ricerca del bene giuridico tra valori ideali e opzione ideologiche", en *L'Indice penale*, septiembre-noviembre 2000, págs. 1091 ss.

En relación con la problemática específica de las posibilidades de destruir embriones en función de los resultados que arrojen las técnicas de diagnóstico prenatal, véase, por ejemplo, como muestras de la discusión en la doctrina alemana, DUTTGE, "Die Präimplantationsdiagnostik zwischen Skylla und Charybdis", en *GA*, 2002, págs. 241 ss; RENZIKOWSKI, Die Strafrechtliche Beurteilung der Präimplantationsdiagnostik, en *NJW* 2001, págs. 2753 ss.

[328] "Sólo podrán hacerse pruebas predictivas de enfermedades genéticas o que permitan identificar al sujeto como portador de un gen responsable de una enfermedad, o detectar una predisposición genética o una susceptibilidad genética o una enfermedad, con fines médicos o de investigación médica y con un asesoramiento genético adecuado".

[329] "Únicamente podrá efectuarse una intervención que tenga por objeto modificar el genoma humano por razones preventivas, diagnósticas o terapéuticas y sólo cuando no tenga por finalidad la introducción de una modificación en el genoma de la descendencia".

fines terapéuticos (art. 14)[330], y la creación de embriones humanos con fines de investigación (art. 18)[331] [332].

Al margen de los instrumentos internacionales que ya citábamos más arriba, debe mencionarse la Recomendación 1100 de 1989, del Consejo de Europa, sobre embriones y fetos humanos, la Recomendación 1046, de 1989 sobre la *utilización de embriones y fetos humanos con fines diagnósticos, terapéuticos, científicos, industriales y comerciales*, y el Informe del Parlamento Europeo de 8 de noviembre de 2001, sobre las *repercusiones éticas, jurídicas, económicas y sociales de la genética humana*[333]. Todo ello sin olvidar que la consagración de límites éticos a la actividad científica encuentra ya su anclaje en textos de carácter general, como la *Carta de los Derechos Fundamentales de la Unión Europea*[334], que establecía en su art. 3, como límites de la medicina y biología, entre otras, la prohibición de prácticas eugenésicas y, en particular, la que tiene por objeto la selección de las personas, la prohibición de que el cuerpo humano o partes del mismo se conviertan en objeto de lucro, así como la clonación reproductora —no así la terapéutica— de seres humanos.

En el ámbito nacional, la protección administrativa que brinda el legislador en los momentos iniciales del comienzo de la vida se articula en torno a los conceptos de *preembrión, embrión y feto*. Así lo aclara la propia Ley 14/2006, de 26 de mayo sobre Técnicas de Reproducción Humana Asistida, que dispone en su art. 1.2 que, a los efectos de la ley, se entiende por *preembrión*, el "embrión in vitro constituido por el grupo de células resultantes de la división progresiva del óvulo desde que es fecundado hasta catorce días más tarde". La misma definición ofrece el art. 3 de la Ley de Investigación Biomédica, de 3 de julio de 2007, que define además al *embrión* como "la fase del desarrollo embrionario que abarca desde el momento en que el ovocito fecundado se encuentra en el útero de la mujer hasta que se produce el inicio de la organogenesis, y que finaliza a los 56 días a partir del momento de la fecundación, exceptuando del cómputo aquellos días en los que el desarrollo se hubiera

---

[330]   "No se admitirá la utilización de técnicas de asistencia médica a la procreación para elegir el sexo de la persona que va a nacer, salvo en los casos en que sea preciso para evitar una enfermedad hereditaria grave vinculada al sexo".

[331]   "1. Cuando la experimentación con embriones 'in vitro' esté admitida por la ley, ésta deberá garantizar una protección adecuada del embrión. 2. Se prohíbe la constitución de embriones humanos con fines de experimentación".

[332]   Véase el comentario al Convenio de ROMEO CASABONA, "Protección jurídica del genoma humano en el Derecho Internacional: el Convenio Europeo sobre derechos humanos y biomedicina", en *Genética y Derecho*, 2001, págs. 297 ss.

[333]   Ponente, Francisco Fiori, A5-0391/2001 final.

[334]   2000/C 364/01

podido detener". Finalmente, por *feto* entiende el mismo texto "el embrión con apariencia humana y órganos formados, que va madurando desde los 57 días a partir del momento de la fecundación, exceptuando del cómputo aquellos días en los que el desarrollo se hubiera podido detener, hasta el momento del parto".

Partiendo de dichos conceptos, la Ley de Investigación Biomédica se ocupa de la obtención, utilización, almacenaje y cesión de las muestras biológicas, con fines de diagnóstico y de investigación, así como de la investigación con gametos, embriones o células embrionarias. Conforme a su art. 1 es objeto de la Ley, entre otras prácticas, "la donación y utilización de ovocitos, preembriones, embriones y fetos humanos o de sus células, tejidos u órganos con fines de investigación biomédica y sus posibles aplicaciones clínicas" (aptd. b), "el tratamiento de muestras biológicas" (apdo c), o el "almacenamiento y movimiento de muestras biológicas (apdo. d). Sin poder entrar en el detalle de las conductas que permite o prohíbe, baste destacar que entre estas últimas se encuentra la creación de preembriones y embriones humanos con fines exclusivamente de experimentación, si bien permite la utilización de cualquier técnica de obtención de células troncales embrionarias humanas con fines terapéuticos o de investigación que no comporte la creación de un preembrión o de un embrión con ese exclusivo fin. En esto reside precisamente la principal novedad de la norma, en la medida en que con determinadas condiciones permite por primera vez en nuestro país[335] la *clonación terapéutica* o *transferencia*

---

[335]   En el ámbito comunitario el Gobierno andaluz aprobó en septiembre de 2006 un Proyecto de ley que regulaba la clonación terapéutica, que ha dado lugar a la Ley por la que se regula la investigación en reprogramación celular con finalidad exclusivamente terapéutica, aprobada por el Parlamento de Andalucía en la sesión celebrada los días 7 y 8 de marzo de 2007 (7-06/PL-000010) (BOPA nº 628, de 22 de marzo de 2007).
El texto establece que cada proyecto de investigación requerirá la autorización del Comité de Investigación de Reprogramación Celular (art. 3.2), así como que "sólo se autorizará la investigación mediante el uso de las técnicas de reprogramación en células somáticas humanas para los fines expresamente previstos en la Ley, debiendo destruirse el preembrión somático en el plazo de catorce días desde la aplicación de la citada técnica" (art. 3.3). Conforme a su art. 4 "De acuerdo con el Protocolo Adicional al Convenio de 4 de abril de 1997 para la protección de los derechos humanos y la dignidad del ser humano con respecto a las aplicaciones de la Biología y la Medicina, por el que se prohíbe la clonación de seres humanos, se prohíbe la investigación mediante el uso de técnicas de reprogramación celular con células somáticas humanas para originar preembriones con fines reproductivos. Igualmente se prohíbe la investigación mediante el uso de las mencionadas técnicas con cualesquiera otros fines distintos a los regulados en la presente ley". La Ley contempla en su art. 8 la creación de un Comité de Investigación de Reprogramación Celular, adscrito a la Consejería de Salud e integrado por personalidades de reconocido prestigio en Biomedicina, Derecho y Bioética, con las funciones, entre otras, de autorizar

nuclear[336], en su denominación científica. Conforme al apartado 2 del art. 33, "Se permite la utilización de cualquier técnica de obtención de células troncales humanas con fines terapéuticos o de investigación, que no comporte la creación de un preembrión o de un embrión exclusivamente con este fin, en los términos definidos en esta Ley, incluida la *activación de ovocitos mediante la transferencia nuclear*". Conforme al art. 35.2, estas prácticas requerirán en cada caso informe previo favorable de la Comisión de Garantías para la Donación y Utilización de Células y Tejidos Humanos.

Dado que la Ley de Investigación Biomédica regula los distintos aspectos relacionados con los embriones y fetos, su Disposición Derogatoria Única derogó la Ley 42/1988, de 28 de diciembre, de *donación y utilización de embriones y fetos humanos o de sus células, tejidos u órganos*, que se ocupaba de las conductas relacionadas con los gametos humanos y óvulos fecundados una vez transcurridos catorce días desde la fecundación[337].

Por su parte, el objeto de la Ley 14/2006 es, conforme dispone su artículo 1: "a) regular la aplicación de las técnicas de reproducción humana asistida acreditadas científicamente y clínicamente indicadas; b) regular la aplicación de las técnicas de reproducción humana asistidas en la prevención y tratamiento de origen genético", así como "c) la regulación de los supuestos y requisitos de utilización de gametos y preembriones humanos crioconservados"[338].

Además de las condiciones de aplicación, requisitos y límites de estas técnicas[339], contempla entre sus previsiones en el art. 20, el objeto, composición y

---

los proyectos de investigación mediante el uso de técnicas de reprogramación celular de células somáticas humanas para su transformación en células troncales pluripotenciales y mantener un registro público de las iniciativas autorizadas.

[336] La clonación terapéutica consiste en tomar el genoma de un paciente, introducirlo en un óvulo privado de su propio genoma, dejar que el embrión resultante se desarrolle durante dos semanas y extraerle células madre, que serán genéticamente idénticas a las del paciente. Sobre su concepto, véase ampliamente ROMEO MALANDA, S., *Intervenciones genéticas sobre el ser humano y Derecho penal",* Bilbao-Granada, 2006, págs. 20 ss.

[337] Véase un estudio de la Ley, por ejemplo, en HIGUERA GUIMERÁ, *El Derecho penal y la genética, ob. cit.,* págs. 81 ss.

[338] Sobre la anterior Ley 35/1988, véase la primera edición de esta obra.

[339] Al respecto debe tenerse en cuenta que esta Ley no sólo derogó la Ley 34/1988, sino también la Ley 45/2003, de 21 de noviembre, por la que se modificaba la Ley anterior. Esta Ley autorizó la utilización con fines de investigación de los preembriones que se encontraban crioconservados con anterioridad a su entrada en vigor, siempre que se cumplieran determinados requisitos realmente restrictivos. De esta forma, dispensaba distinto tratamiento a los preembriones crioconservados o congelados según cual fuera la fecha de su generación: los anteriores a noviembre de 2003 podrían ser dedicados, además de a otros fines, a la investigación, mientras que los generados con posterioridad solo podrían destinarse a fines reproductivos de la pareja generadora o a la donación a otras mujeres. Frente a ello, la Ley 14/2006, entre otros aspectos (como suprimir la limitación de producir un máximo de tres ovocitos en cada ciclo reproductivo, que había introducido la Ley 45/2003), eliminó

funciones de la Comisión Nacional de Reproducción Asistida, un órgano que ya preveía el art. 21 de la Ley 35/1988[340]. El art. 20.4 relaciona los supuestos para los que será preceptivo su informe, entre los que figuran, junto con otros, los casos de autorización de una técnica de reproducción humana asistida con carácter experimental, no recogida en el anexo (a), la autorización de los proyectos de investigación en materia de reproducción asistida (d), o el procedimiento de elaboración de disposiciones generales que versen sobre materias previstas en la ley, o directamente relacionadas con la reproducción asistida (e).

─────────────

esa diferencia, si bien supeditando en todo caso su destino a la voluntad de los progenitores y, en el caso de la investigación, a estrictas condiciones de autorización, seguimiento y control por parte de las autoridades sanitarias correspondientes (véanse los arts. 14 y 15 de la Ley). El art. 11 establece los diferentes destinos posibles que podrán darse a los preembriones crioconservados, así como, en los casos que proceda, al semen, ovocitos y tejido ovárico crioconservados, que son: a) Su utilización por la propia mujer o su cónyuge. b) La donación con fines reproductivos. c) La donación con fines de investigación. d) El cese de su conservación sin otra utilización. En el caso de los preembriones y los ovocitos crioconservados, esta última opción sólo será aplicable una vez finalizado el plazo máximo de conservación establecido en la Ley sin que se haya optado por alguno de los destinos mencionados en los apartados anteriores. Puede verse un estudio de las modificaciones introducidas por esta Ley en LANZAROTE MARTÍNEZ, "Algunos apuntes en torno al tratamiento del derecho constitucional a la vida en la nueva Ley sobre técnicas de reproducción humana asistida de 26 de mayo de 2006", en *La Ley*, miércoles 26 de julio de 2006. Este autor plantea sus dudas sobre la posible inconstitucionalidad de la Ley 14/2006 por permitir la investigación y experimentación con embriones viables.

Por otra parte, merece destacarse la crítica formulada en la doctrina en relación con el hecho de que no se contemplen determinadas previsiones acordes con las últimas reformas legales en nuestro país en materia de matrimonio por la Ley 13/2005, de 1 de julio, por la que se modifica el Código Civil en materia del derecho a contraer matrimonio. Conforme a la misma, se señala que la determinación de la filiación en las parejas homosexuales debería equipararse a la realizada entre parejas heterosexuales siempre que la naturaleza lo permita. En este sentido se denuncia en la doctrina que la Ley 14/2006 debió tener en cuenta la filiación por naturaleza en el caso de parejas de mujeres cuando una de ellas se haya sometido a un procedimiento de reproducción asistida con semen de donante. En su lugar, en los arts. 6.3 y 8.1 la Ley se refiere al "marido", sin contemplar estas situaciones. Véase al respecto ROMEO MALANDA, S., "Luces y sombras de la nueva Ley de Técnicas de Reproducción Asistida", en *Perespectivas en Derecho y Genoma Humano*, núm. 8, diciembre 2006.

[340]   Su creación tuvo lugar el 21 de marzo de 1997, y comenzó sus trabajos el 11 de noviembre del mismo año (BOE 22 de marzo de 1997). Conforme señalaba su Exposición de Motivos, con la creación de dicha Comisión Nacional se pretende, no sólo la definición de los límites éticos de la investigación y aplicación de estas técnicas a la luz de los avances científicos contemplados desde el pluralismo social, sino también lograr la mejor utilización de las técnicas de reproducción asistida y su adecuación a las necesidades de la sociedad. Sus funciones se contemplaban en el art. 4 del Real Decreto.

Si bien es verdad que, ya en general la cuestión relativa a la intervención del ordenamiento jurídico en estos nuevos campos que abre la ciencia cobra cada vez mayor protagonismo en cuanto subraya el abismo entre el agotamiento de las posibilidades científicas y su permisibilidad, tampoco el debate en torno a la conveniencia de intervenir penalmente podía ignorar los nuevos problemas derivados del desarrollo científico. De hecho, también en el orden de la respuesta penal puede decirse que los términos de la discusión se han planteado en torno a la necesidad de establecer un contenido mínimo infranqueable a la ciencia, esto es, de fijar un reducto indiscutible representado por valores fundamentales, como la *dignidad* del ser humano, que impidan el avance incontrolado del potencial científico. De esta forma, en el debate en torno a la punibilidad de las conductas relacionadas con los albores de la vida, la tarea del Derecho penal ha sido, una vez más, la de aplicar la lógica que en general inspira siempre su intervención, estrechando aún más el círculo de aquellos sobre el que la normativa administrativa acota su campo de actuación.

De hecho, ni esa tarea de selección de comportamientos penalmente relevantes ni su consiguiente implicación con los distintos puntos de partida valorativos es algo privativo de las conductas relativas a la manipulación genética. Al contrario, la misma dificultad se ha planteado en todas las cuestiones relacionadas con la conveniencia de la intervención penal en los albores de la vida humana. No hay mejor prueba de ello que la veterana discusión en torno al ámbito de permisibilidad de las conductas abortivas.

La búsqueda de los límites mínimos en el que en todos estos ámbitos se considere legítima la intervención punitiva requiere, como tarea previa, la identificación de un bien jurídico que sirva de referente a aquélla y a partir del cual se seleccionen las conductas atentatorias a dicho interés que, por su especial gravedad, justifiquen la intervención penal. Por ello, antes de exponer la forma en la que el legislador penal ha trazado los contornos de las conductas prohibidas, resulta conveniente hacer algunas reflexiones en torno al bien jurídico protegido en estas conductas.

1.2.   El bien jurídico protegido en los albores de la vida humana

Si se quisiera plasmar en una secuencia el recorrido de la vida humana en formación desde sus primeros momentos hasta su devenir en una vida humana independiente, podrían identificarse tres grandes fases que pergeñan el posible referente de su protección penal. Las dos primeras son las que marcan su evolución hasta su conversión en feto. Es la realidad que corresponde a los conceptos de preembrión o embrión preimplantarorio y embrión, que definidos por las Ley 14/2007, marcan la génesis misma del ser humano desde la fecundación del óvulo hasta 56 días después, cuando puede hablarse de un feto, entendiendo por tal un embrión con apariencia humana y con sus órganos formados que va madurando desde los 57 días desde el momento de la fecundación hasta el del parto.

En cualquiera de esas fases se plantea la cuestión previa en torno a si su tutela penal puede extraerse del reconocimiento constitucional del derecho a la vida o si, por el contrario, su eventual demanda de protección penal habría de encontrar otros anclajes distintos al reconocimiento de aquel derecho.

Bien es verdad que en relación con determinadas prácticas que afectan a esas fases iniciales de la vida, la tarea de identificar cuál sea el bien jurídico protegido se simplifica sensiblemente. Es lo que sucede con las prácticas de manipulación genética, en cuanto que lo que se ventila con su sanción es el interés en que no se altere el patrimonio genético de lo que luego será una vida humana independiente. En este sentido, como afirma ROMEO CASABONA, no existen dificultades para descubrir una dualidad de bienes jurídicos que se implican y conjugan entre sí y que dotan sin ambages de racionalidad a la intervención penal. Así, en relación con dichas prácticas pueden identificarse, por un lado, bienes jurídicos de titularidad individual y, por otro, de alcance colectivo. Por lo que a lo primero se refiere, está presente, en primer lugar, el derecho a la *dignidad* misma del ser humano en formación, que reclama no verse sometido a prácticas que condicionen genéticamente su existencia. Junto a ello, todavía podrían descubrirse otros intereses de cariz individual, como es la exigencia de no-discriminación, que, como advierte el citado autor, podría propiciarse por algunas aplicaciones derivadas del conocimiento del genoma humano. Por lo que a lo segundo se refiere, la dimensión colectiva de la tutela, sería posible identificar ahora un interés que apunta a conceptos como la inalterabilidad e intangibilidad el patrimonio genético no patológico para garantizar la integridad y diversidad de la especie humana[341].

Más allá de estos aspectos, las dificultades se concentran a la hora de identificar un bien jurídico que sirva de soporte a la protección penal de la existencia misma de esta vida humana en formación; esto es, a la hora de precisar cuál sea el interés que resulte lesionado cuando se trate de prácticas orientadas a la destrucción misma de aquella forma incipiente de vida. Formulada en estos términos la cuestión, no es difícil comprender la dificultad para encontrar un sólido soporte a la tutela penal. Porque a diferencia de los casos anteriores, dado que lo que se plantea es el fin de lo que después habría devenido

---

[341] ROMEO CASABONA, *Derecho y Salud*, 1996, *ob. cit.*, págs. 156 ss.

en vida humana independiente, es imposible enunciar intereses relacionados con la supuesta proyección de la lesión en el futuro ser. Dado que éste nunca llegará a existir, la protección penal de su realidad como embrión o feto sólo prosperará si esas primeras secuencias de la vida pueden autonomizarse y convertirse en soporte de protección penal que, como tales, sean merecedoras y estén necesitadas de la misma.

En general, puede decirse que la discusión se ha centrado tradicionalmente en torno a la posibilidad de descubrir anclajes en el reconocimiento constitucional del derecho a la vida que permitan entender que una de las ramificaciones de ese derecho fundamental es la protección de los embriones y fetos, en cuanto portadores de la génesis misma de la que luego se calificará como vida humana independiente.

Como sintetiza MANTOVANI en la doctrina italiana, pueden diferenciarse, a grandes rasgos, hasta tres modelos a la hora de delimitar el objeto de protección. El primero de ellos corresponde al que pudiera denominarse como de *diferenciación total* entre el concebido y el hombre-persona. Conforme al mismo, se desconoce cualquier tutela jurídica del concebido como sujeto de derecho, afirmándose, en consecuencia, su máxima disponibilidad. El segundo de ellos es el modelo que, ahora en el extremo opuesto, se caracteriza por la *equiparación total* entre concebido y hombre-persona. Conforme a él, se conceden al primero todos los derechos propios del segundo, con el consiguiente reconocimiento de su indisponibilidad y la prohibición de su funcionalización a cualquier tipo de intereses[342]. Por último, un tercer modelo es el que se sitúa a medio camino entre los anteriores y el que, como tendremos ocasión de ver, goza de mayor predicamento tanto dentro como fuera de nuestras fronteras: el modelo de *diferenciación parcial*. Como su propio nombre indica, con él se trata de reconocer al feto unos derechos que, si bien se orientan fundamentalmente a garantizar su dignidad, no supone fundir su reconocimiento con el estatuto propio que se atribuye a la vida humana independiente[343].

A este tercer modelo es al que puede decirse que responde nuestro Derecho, tal como ha venido a reconocerlo expresamente el Tribunal Constitucional. Como es sabido, éste tuvo ocasión de pronunciarse al respecto en la conocida Sentencia 53/1985, de 11 de abril, recaída con ocasión de un recurso previo de

---

[342] En la doctrina véase, por ejemplo, BLÁZQUEZ, *Bioética. La nueva ciencia de la vida, ob. cit.*, págs. 117 ss.

[343] MANTOVANI, Ferrando, "Uso de gametos, embriones y fetos en la investigación genética y con propósitos cosméticos e industriales", en AAVV, *Biotecnología y Derecho. Perspectivas de Derecho comparado*, Romeo Casabona (ed), *ob. cit.*

inconstitucionalidad sobre el texto definitivo del Proyecto de Ley Orgánica de regulación del aborto presentado por el Gobierno socialista. En ella, si bien el Alto Tribunal se pronunció en el sentido de que los *nascituri* no son portadores del derecho a la vida, en los términos que proclama el art. 15 del Texto constitucional, sí les reconoció una serie de derechos cuyo entronque había de descubrirse en dicho derecho fundamental, a partir del que justificaba su protección constitucional.

Retomando la doctrina sentada por aquella sentencia, ya en el específico ámbito que ahora nos interesa, el Tribunal Constitucional tendría ocasión de pronunciarse de forma expresa al respecto. Así lo hizo en la Sentencia 1996/212, de 19 de diciembre, dictada con ocasión de la presentación de un recurso de inconstitucionalidad contra varios artículos de la Ley 42/1988, de 28 de diciembre, de donación y utilización de embriones y fetos humanos o de sus células, tejidos u órganos, hoy derogada por la Disposición Derogatoria Única de la Ley 14/2007, de Investigación Biomédica. En ella el Alto Tribunal, partiendo de la doctrina ya sentada en la Sentencia 53/1985, volvería a recordar que el art. 15 CE reconoce como derecho fundamental el derecho de todos a la vida, derecho del que son titulares los nacidos, sin que quepa extender esa titularidad a los *nascituri*:

> *"en el caso de la vida del nasciturus no nos encontramos ante el derecho fundamental mismo, sino, como veremos, ante un bien jurídico constitucionalmente protegido como parte del contenido normativo del art. 15 CE. De ahí que no quepa invocar una garantía normativa, la del contenido esencial que la Constitución reserva precisamente a los derechos y libertades mismos reconocidos en el Capítulo Segundo del Título I de la Constitución (art. 53.1 CE)...los preceptos constitucionales relativos a los derechos fundamentales y libertades públicas pueden no agotar su contenido en el reconocimiento de los mismos, sino que más allá de ello, pueden contener exigencias dirigidas al legislador en su labor de continua configuración del ordenamiento jurídico...sin perjuicio de la afirmación según la cual dentro del derecho fundamental de todos a la vida no cabe comprender, como titulares del mismo, a los nascituri, la STC 53/1985 ha declarado repetidamente que 'el nascituris está protegido por el art. 15 de la Constitución...La propia STC 53/1985 se ocupaba ya de especificar en qué puede consistir la protección constitucional de la vida del nasciturus '...: la de abstenerse de impedir u obstaculizar el proceso natural de gestación, y la de establecer un sistema legal de defensa de la vida que suponga una protección efectiva de la misma y que, dado el carácter fundamental de la vida, incluya también, como última garantía, las normas penales'. En conclusión, del art. 15 CE se deriva lo que se ha calificado como un deber de protección por parte del Estado, incluido por tanto el legislador, deber que en este caso se proyecta sobre los nascituri".*

Todavía el Tribunal Constitucional tendría una nueva ocasión de volver a pronunciarse al respecto; ahora en la Sentencia 116/1999, de 17 junio, dictada con ocasión del recurso de inconstitucionalidad promovido por 63 Diputados del Grupo Parlamentario Popular contra la Ley 35/1988, de 22 noviembre, sobre Técnicas de Reproducción Asistida. En ella, recordando la doctrina sentada en las anteriores Sentencias, volvería a insistir en la idea de que los *nascituri* no son titulares del derecho a la vida (Fundamentos jurídicos 4 y 5). Así, una vez más, dentro de esos márgenes más estrechos, el Tribunal Constitucional, en la tónica de lo que sucede en otros países[344], reconocía las ramificaciones de la protección de estas fases previas de la vida con el derecho fundamental a la misma y anclaba en ella la justificación de la protección penal.

A partir del reconocimiento de ese bien jurídico como interés derivado del art. 15 CE, el legislador del 95 decidió incorporar por primera vez a su articulado dos grupos de delitos que compartían entre sí la preocupación por extender la tutela penal hasta las conductas que pudieran afectar a la génesis misma de la vida humana: los delitos relativos a la *manipulación genética* y las *lesiones al feto*. Junto a ellos, siguiendo la tradición que había inspirado al anterior Código penal, el legislador optó por seguir regulando el delito de *aborto* conforme al esquema de las indicaciones. De los principales aspectos de cada uno de estos tipos delictivos se ocupan las líneas que siguen.

1.3. Los concretos tipos delictivos: los delitos relativos a la manipulación genética, las lesiones al feto y el delito de aborto

1.3.1. Los delitos relativos a la manipulación genética

La incorporación de estos delitos al Código penal español tuvo lugar por primera vez de la mano de la aprobación del Código penal del 95, si bien es verdad que las propuestas de su incorporación se remontaban ya a fechas anteriores[345]. En concreto, dentro del Libro II un Título V, bajo la rúbrica "Delitos relativos a la manipulación genética", se incluyeron los artículos 159 a 162, cuyo tenor literal es el siguiente:

Artículo 159

1. Serán castigados con la pena de prisión de dos a seis años e inhabilitación especial para empleo o cargo público, profesión u oficio de siete a diez años los que con finalidad distinta a la eliminación o disminución de taras o enfermedades graves, manipulen genes humanos de manera que se altere el genotipo.

---

[344]   Véase al respecto la detallada exposición de ROCA I TRÍAS, "Derechos de reproducción y eugenesia", en *Biotecnología y Derecho. Perspectivas de Derecho comparado, AAVV, ob. cit.*, págs. 143 ss.

[345]   Así, ya se contemplaban en el Proyecto de Código penal de 1992 y en el Anteproyecto de Código penal de 1994. Sobre esa regulación véase HIGUERA GUIMERÁ, *El Derecho penal y la genética, ob. cit.*, págs. 221 ss; DE LA CUESTA ARZAMENDI, "Los delitos de 'manipulación genética' en el nuevo Código penal de 1995", en *Revista de Derecho y Genoma Humano*, 1996, págs. 49 ss.

2. Si la alteración del genotipo fuere realizada por imprudencia grave, la pena será de multa de seis a quince meses e inhabilitación especial para empleo o cargo público, profesión u oficio de uno a tres años.

Artículo 160

La utilización de la ingeniería genética para producir armas biológicas o exterminadoras de la especie humana será castigada con la pena de prisión de tres a siete años e inhabilitación especial para empleo o cargo público, profesión u oficio por tiempo de siete a diez años.

Artículo 161

1. Serán castigados con la pena de prisión de uno a cinco años e inhabilitación especial para empleo o cargo público, profesión u oficio de seis a diez años quienes fecunden óvulos humanos con cualquier fin distinto a la procreación humana.

2. Con la misma pena se castigarán la creación de seres humanos idénticos por clonación u otros procedimientos dirigidos a la selección de la raza.

Artículo 162

1. Quien practicare reproducción asistida en una mujer, sin su consentimiento, será castigado con la pena de prisión de dos a seis años, e inhabilitación especial para empleo o cargo público, profesión u oficio por tiempo de uno a cuatro años.

2. Para proceder por este delito será precisa denuncia de la persona agraviada o de su representante legal. Cuando aquélla sea menor de edad, incapaz, o una persona desvalida, también podrá denunciar el Ministerio Fiscal.

En cuanto que desbordaría las pretensiones del presente apartado, no es objeto del mismo realizar un estudio de los distintos tipos delictivos, en el sentido de analizar sus elementos así como los respectivos problemas interpretativos o dogmáticos que pudieran plantear[346], sino tan solo hacer un recorrido por las posibilidades de intervenir penalmente en las conductas relacionadas con los límites iniciales de la vida.

---

[346] Baste pensar en la diversidad de problemas que plantean: desde las dificultades de solapamiento con otros tipos delictivos hasta el riesgo de que, de interpretarse a veces de forma literal, las previsiones penales pudieran servir de apoyo a prácticas lícitas, como las relacionadas con la reproducción o con la incidencia en gametos o preembriones con fines reproductivos. Véase al respecto ROMEO CASABONA, *Genética y Derecho*, 2001, *ob. cit.*, págs. 331 ss. También sobre todos estos aspectos así como sobre las peculiaridades que plantea cada tipo delictivo, véase ampliamente ROMEO MALANDA, *Intervenciones genéticas sobre el ser humano y Derecho penal, ob. cit.*, págs. 340 ss.

Lo primero que llama la atención de la simple lectura de los delitos que se aglutinan bajo la rúbrica relativa a los delitos relacionados con la manipulación genética es que la misma contempla conductas cuyo encaje en aquélla resulta a veces realmente difícil de justificar conforme a criterios de homogeneidad[347]. Ello determina, a su vez, la imposibilidad de identificar un único bien jurídico que sirva de soporte o denominador común a todos los delitos que integran la rúbrica, hasta el punto de poder decirse que alguna de esas conductas ni guardan ni tienen por qué guardar parecido morfológico alguno con las de manipulación de genes humanos, ni tener incidencia sobre embriones o fetos. Es lo que sucede con los comportamientos descritos en el art. 160 (utilización de ingeniería genética para producir armas biológicas o exterminadoras de la especie humana), o los que contempla el art. 162 (reproducción asistida de la mujer sin su consentimiento). En todos ellos se trata de prácticas que no sólo atentan contra intereses distintos de los que se ven afectados en las conductas que recaen sobre preembriones, embriones o fetos, sino que ni siquiera tienen necesariamente que comportar en su dinámica comisiva una incidencia sobre los mismos.

Por otra parte, como ya apuntábamos en el apartado anterior, en los genuinos delitos de manipulación genética el bien jurídico afectado no tiene que ver con la preservación, como tal, de la continuidad de la vida humana en formación. Al contrario, de ordinario el interés individual entronca con otros bienes jurídicos, como la *dignidad* del futuro ser. Todo ello imbricado con intereses de corte supraindividual que apuntan de forma amplia a la conservación de la variedad genética de la especie humana así como a su preservación e intangibilidad[348].

Por encima de estos aspectos, interesa destacar la preocupación que con ellos expresa el legislador por asegurar que las posibilidades que ofrece el desarrollo de la ciencia no desborden principios éticos de general aceptación, también en el orden internacional[349]. Dichos principios podrían condensarse tanto en la idea de prohibir el empleo de dichos métodos con fines perfectivos

---

[347] Véase por todos, con abundante bibliografía al respecto, ROMEO CASABONA, "Los llamados delitos relativos a la manipulación genética", en *Genética y Derecho*, 2001, págs. 331 ss. El mismo en "Prevención versus simbolismo en el Derecho penal de las biotecnologías", en *Revista de Derecho penal. Delitos contra la Administración Publica I*, Buenos Aires 2004, págs. 635 ss., donde plantea los requisitos que debe cumplir el bien jurídico en estos tipos delictivos para merecer protección penal.

[348] ROMEO CASABONA, *Derecho y Salud*, 1996, *ob. cit.*, págs. 156 ss.

[349] Véase por ejemplo la Carta de Derechos Fundamentales de la Unión Europa, que establecía en su art. 3.2 que "En el marco de la medicina y la biología se respetarán, en particular:...la prohibición de prácticas eugenésicas y en particular las que tienen por finalidad la

o selectivos de la raza, como de crear seres humanos idénticos, asegurando así la preservación natural de la identidad del patrimonio genético sin introducir modificaciones artificiales en el mismo, salvo en los supuestos que expresamente autoriza de finalidad terapéutica.

En cuanto que con la descripción de esas conductas el legislador define el contenido mínimo de protección, la incorporación de estos preceptos al Código penal tiene que valorarse, *per se*, como algo positivo por encima de las críticas sistemáticas y de redacción de las que puntualmente se haga acreedora, así como de las consiguientes dificultades interpretativas y dogmáticas que plantean. Ahora bien, afirmado lo anterior, ni que decir tiene que la eficacia de ese diseño teórico depende en buena medida del uso que de esos instrumentos legales se haga en la práctica. Sólo de ella depende que sus previsiones sirvan realmente para frenar el avance incontrolado de las posibilidades científicas o que, por el contrario, se acaben convirtiendo en una arista más de la que se ha dado en llamar *función simbólica* del Derecho penal[350]. Con todo, si bien es cierto que la práctica jurisprudencial debe huir de este riesgo que reduce a la nada el esfuerzo de la ley, no menos peligroso sería utilizar sus previsiones para conminar el uso de algunos recursos científicos denostados por determinadas concepciones morales, religiosas o éticas que escapan al reducto de una moral de mínimos común a los distintos sectores sociales. Ese riesgo se potencia por el cúmulo de elementos valorativos que están presentes en la redacción del tipo. Es lo que sucede, por ejemplo, respecto a lo que deba entenderse por taras o enfermedades graves a efectos del art. 159. La dificultad interpretativa no sólo puede plantearse en relación con el adjetivo "grave", sino también con el propio sustantivo que le sirve de base; así, por ejemplo, la manipulación de genes que altera el genotipo con la finalidad de hacerlos resistentes a determinadas enfermedades, como el SIDA, ¿puede considerarse como una conducta orientada a la eliminación de enfermedades, o la orientación preventiva permite incriminarla conforme al art. 159 CP?[351] Otro tanto habría de decirse respecto al riesgo de recurrir a una interpretación estricta que entendiese las previsiones del art. 161 en términos de imposibilidad de

---

selección de las personas;... -la prohibición de la clonación reproductora de seres humanos".

[350]   LUZÓN PEÑA, "Función simbólica del Derecho penal y delitos relativos a la manipulación genética", en *Modernas tendencias en la Ciencia del Derecho penal y en la Criminología, Actas del Congreso Internacional de la Facultad de Derecho de la UNED*, Madrid, 2001, págs. 131 ss.

[351]   Sobre la dificultad de delimitar lo que sean manipulaciones genéticas terapéuticas véase ROMEO MALANDA, *Intervenciones genéticas sobre el ser humano y Derecho penal, ob. cit.*, págs. 191 ss.

fecundar óvulos humanos con fines de experimentación aun cuando la continuidad de ese germen de vida se interrumpiese de forma inmediata.

Nos encontramos, en definitiva, ante delitos cuya aplicación práctica no
puede desligarse de las concepciones prejurídicas que inevitablemente van a
teñir su interpretación. No puede ignorarse, por otra parte, que estas dificultades están llamadas a agudizarse por el hecho de que el progreso científico normalmente discurre por delante de las previsiones legales, de tal modo que el
tratamiento jurídico de estas nuevas posibilidades técnicas va a depender en
buena medida de la forma en que se interpreten los distintos tipos delictivos.

De otro lado, justo por lo anterior, esto es, por el dato de que la realidad
siempre va por delante de las previsiones legales, debe reconocerse que pese
al esfuerzo por incorporar al articulado del Código esas nuevas conductas, es
posible identificar todavía determinadas modalidades cuya gravedad bien pudiera justificar los criterios de *merecimiento y necesidad* de protección que inspiran la intervención penal y, sin embargo, escapan a las definiciones típicas
que ofrece el legislador. No hay mejor ejemplo de ello que un suceso ocurrido
en Holanda. Se trataba de un caso en el que el semen de un donante con mal
hereditario grave sirvió para concebir a 18 niños[352]. Según los médicos, éstos
presentan un 50% de posibilidades de desarrollar una enfermedad neurológica (una ataxia incurable) en la etapa adulta.

En realidad, el problema que se plantea en supuestos de este tipo es el de
determinar las consecuencias que pueda acarrear una actuación imprudente
realizada en el marco de las prácticas permitidas (fecundación artificial). Los
obstáculos que se oponen a apreciar los delitos relativos a la manipulación genética son evidentes, en tanto que se trata de prácticas que, en sí, están permitidas y son, por tanto, ajenas a las preocupaciones que motivaron al legislador
a tipificar las conductas de los arts. 159 ss. Es más, esta laguna de punibilidad
cierra su círculo ante la imposibilidad de apreciar tanto los clásicos delitos de
lesiones como las lesiones al feto. Sobre ello tendremos ocasión de volver a
insistir más adelante.

1.3.2. El delito de lesiones al feto

La preocupación del legislador del 95 por acotar el ámbito de conductas típicas relacionadas con los albores de la vida humana se completó con la incorporación del delito de lesiones al feto en un Título independiente, el IV, dentro

---

[352]   Información aparecida en el diario *El País*, el 1 de marzo de 2002.

del Libro II. Bajo la rúbrica "De las lesiones al feto", el legislador castiga en los artículos 157 y 158, las lesiones que se produjeran a aquél a consecuencia de maniobras realizadas antes del nacimiento. El tenor literal de dichos preceptos es el siguiente:

Artículo 157

El que, por cualquier medio o procedimiento, causare en un feto una lesión o enfermedad que perjudique gravemente su normal desarrollo, o provoque en el mismo una grave tara física o psíquica, será castigado con pena de prisión de uno a cuatro años e inhabilitación especial para ejercer cualquier profesión sanitaria, o para prestar servicios de toda índole en clínicas, establecimientos, consultorios ginecológicos, públicos o privados, por tiempo de dos a ocho años.

Artículo 158

El que, por imprudencia grave, cometiere los hechos descritos en el artículo anterior, será castigado con la pena de arresto de siete a veinticuatro fines de semana.

Cuando los hechos descritos en el artículo anterior fueren cometidos por imprudencia profesional se impondrá asimismo la pena de inhabilitación especial para el ejercicio de la profesión, oficio o cargo por un período de seis meses a dos años.

La embarazada no será penada a tenor de este precepto.

La incorporación de estos tipos delictivos estuvo motivada por las dificultades dogmáticas que a la jurisprudencia había planteado la calificación de determinados supuestos en los que la actividad dañosa se realiza sobre el feto antes del momento del nacimiento. De hecho, el origen de esas dificultades era común a todos los ordenamientos que, como el español antes de 1995, no contemplaban un delito específico que tutelase al feto como objeto de lesiones. Baste recordar el famoso proceso Contergan, que a finales de los años cincuenta y comienzo de los sesenta planteó en Alemania al Tribunal de Aquisgran las dificultades para reconducir al ámbito penal las lesiones causadas al feto a consecuencia del consumo por parte de mujeres embarazadas de un medicamento, Contergan, recetado como sedante. Si bien finalmente el caso se sobreseyó al comprometerse la empresa que comercializaba el producto a satisfacer una indemnización a las víctimas, para evitar la calificación de las conductas como atípicas el Tribunal optó por reconducir los daños causados al feto como delitos de lesiones y homicidio, atendiendo a los respectivos resultados producidos después del nacimiento.

Sin embargo, bajo esos intentos de evitar las lagunas de punibilidad que de otro modo se producirían, a nadie escapaba lo forzado del razonamiento que tomaban por base, en cuanto suponía, en definitiva, desconocer los diferentes bienes jurídicos implicados: mientras en los daños por el consumo de las refe- ridas pastillas la acción recaía directamente sobre el feto; en los delitos de le- siones y homicidio se protege, por el contrario, respectivamente, la integridad y la vida humana independiente. Reconducir aquélla a estos bienes jurídicos no podía tacharse más que como una construcción artificial y forzada. Y ello por más que se estuviera de acuerdo en torno a la conveniencia de evitar las lagunas de punibilidad que de otra forma estaban abocadas a producirse.

El mismo problema se había planteado en nuestro país. Ante la ausencia en el Código penal anterior de un tipo específico que incriminara estas con- ductas, la jurisprudencia del Tribunal Supremo se vio igualmente obligada a colmar las posibles lagunas de punibilidad acudiendo a una interpretación ex- tensiva del delito de lesiones cuya dudosa procedencia desde el punto de vista del principio penal básico de legalidad no pasó desapercibida a la doctrina[353]. Así, por ejemplo, las Sentencias de 5 de mayo de 1988, de 1 de abril de 1992, de 29 de marzo de 1988, de 4 de octubre de 1990 o de 5 de abril de 1995[354], ha- bían considerado al feto como sujeto pasivo del delito de lesiones. Conforme a la última de las Sentencias citadas:

"en armonía con los avances científicos, que el concebido tiene un patrimonio genético totalmente diferenciado y propio sistema inmunológico, que puede ser sujeto paciente dentro del útero —confor- me a las técnicas más recientes— de tratamiento médico o quirúrgico para enfermedades y deficien- cias orgánicas, y que la dependencia de la madre, abstracción del tiempo biológico de la gestación, no es un término absoluto por cuanto se prolonga después del nacimiento, negar al embrión o feto condición humana independiente y alteridad manteniendo la idea preterida de la 'mulieris portio', es desconocer las realidades indicadas...En conclusión, afirmado como realidad penal el delito de lesiones al feto a través de la violencia ejercida sobre la madre embarazada, o, atribuyéndole, con un sentido progresivo que se emancipa de las ficciones civiles, condición humana diferenciada de su progenitora y penalmente protegible, la posibilidad del delito doloso y, consecuentemente, del delito imprudente no es cuestionable en nombre del principio de legalidad".

Para evitar esa disyuntiva entre tener que admitir la impunidad o forzar los límites de las figuras de homicidio y lesiones, el Código penal del 95 introdujo por primera vez los delitos de lesiones al feto. Conforme a los arts. 157 y 158 se castiga tanto al que por dolo como por imprudencia grave "por cualquier medio o procedimiento, causare en un feto una lesión o enfermedad que per- judique gravemente su normal desarrollo, o provoque en el mismo una grave tara física o psíquica". Con estas previsiones se venía a cubrir, en definitiva, las posibles lagunas legales que de otra forma habrían de producirse cuando

---

[353] RAMÓN RIBAS, "La protección de la vida y salud del nasciturus", en *Responsabilidad penal del personal sanitario*, Brandariz García/Faraldo Cabada (coords.), A Coruña, 2002, págs. 77 ss.

[354] Véase el comentario de esta última de GARCÍA ÁLVAREZ, "Lesiones al feto", en *Cuader- nos Jurídicos*, n° 43, 1995.

la maniobra médica se realice en momentos previos al nacimiento, ya sea motivada por el tratamiento recibido por la mujer embarazada (ej., casos en que se había sometido a sesiones de rayos X), ya sea motivada por actos orientados al diagnóstico de enfermedades del propio feto (como prevé, por ejemplo, el art. 12.1 de la Ley 35/1988 sobre Técnicas de en Reproducción Asistida).

Los arts. 157 y 158 protegen como *bien jurídico* autónomo la integridad y salud del feto. Como puede comprobarse de su simple lectura, se trata de brindar protección al feto frente a cualquier agresión que pudiera causarle un menoscabo grave en su salud o integridad. Ahora bien, por razones lógicas, a diferencia de lo que sucede con el delito de aborto, dicha protección se absolutiza en varios sentidos. En primer lugar, porque resulta independiente del dato de la concurrencia o no de consentimiento de la embarazada, ya que ahora no se trata de ventilar un conflicto de intereses entre los de la madre y los del futuro ser. En segundo lugar, también por ello, a diferencia de lo que sucede en relación con el aborto, en el tipo delictivo que ahora interesa pierde cualquier sentido la discusión generada en torno al comienzo de su protección penal. En las lesiones al feto, en efecto, decae la racionalidad de cualquier intento de trazar límites temporales que abriesen espacios de impunidad, como defienden los precursores del sistema del plazo en el delito de aborto. La protección del feto a efectos del delito de lesiones comienza desde el momento de la anidación del óvulo fecundado en el útero materno, y a partir de ese momento cualquier lesión en el mismo que revista los caracteres que describe el tipo será subsumible en él con independencia de la proximidad o lejanía con el momento del parto.

En realidad, dejando a un lado los problemas puntuales que presente su aplicación práctica[355], las dudas en torno a las posibilidades de apreciar este nuevo título de responsabilidad surgen a la hora de trazar el momento que marque la línea divisoria en su aplicación por lo que se refiere a los momentos finales de la existencia de su objeto de tutela; en otras palabras, a la hora de trazar el momento a partir del cuál pueda decirse que la maniobra recae sobre un feto y cuándo, por el contrario, lo hace sobre el producto del nacimiento, con la consiguiente aplicación de los delitos contra la vida humana independiente.

---

[355]   Como los problemas de dilación temporal que con frecuencia van a presentarse así como por las dificultades para apreciar en no pocos casos el nexo de causalidad entre la conducta y resultado lesivo. Véase al respecto, entre otros, GARCÍA ÁLVAREZ, *Cuadernos Jurídicos* 1995, *ob. cit.*, págs. 16 ss.

Exponente de esta problemática es la Sentencia del Tribunal Supremo de 22 de enero de 1999. Con un criterio a mi juicio forzado, el Tribunal se decantó por considerar persona y no feto al ser formado cuyo nacimiento se ha iniciado. Según los hechos probados, la mujer había ingresado en la clínica por indicación del doctor que la venía asistiendo del embarazo, por quejarse aquélla de fuertes dolores lumbares que, en principio, dicho doctor diagnosticó como propios de un cólico nefrítico. Allí fue tratada como una enferma más pese a que su embarazo alcanzaba ya las 38 semanas de gestación. Aunque además del análisis de orina y sangre se le practicó una radiografía obstétrica (indicativa de una marcada disminución del líquido amniótico) y otra abdominal y de gestación (indicativa de "trabajo de parto"), el doctor insistió en su particular diagnóstico y no le practicó reconocimiento ginecológico alguno, lo que sí realizó, a instancias de la embarazada, una matrona de la clínica. La matrona comprobó que la mujer se hallaba en un avanzado estado de dilatación, por lo que la envió al paritorio de la clínica, donde se produjo el parto media hora después. A consecuencia del padecimiento fetal el niño precisó inmediata asistencia. Entre las secuelas que sufrió se describe una encefalopatía crónica, con retraso en los patrones de maduración psicomotriz, secundaria a factores de hipoxia cerebral en período prenatal.

El Tribunal Supremo, en sintonía con el criterio sostenido por la corriente jurisprudencial alemana mayoritaria[356], apreció en ese caso un delito de lesiones, y no de lesiones al feto, por entender que no se trata de "una vida humana en formación, muy al contrario, las graves lesiones que se exteriorizaron cuando concluyó el parto se causaron al demorarse un nacimiento ya iniciado, en una gestación culminada, impidiéndose que la criatura saliera cuando debía del seno materno. El comienzo del parto pone fin al estado fetal y ese comienzo surge con el llamado período de dilatación y continúa con el período de expulsión, en ambos tiempos el nacimiento ya ha comenzado. Las contracciones de la dilatación tienden a ampliar la boca del útero hacia su

---

[356] Es usual distinguir por aquella jurisprudencia entre las contracciones uterinas previas al parto, que son las que se producen hasta poco antes del nacimiento, y las contracciones del parto, que a su vez pueden ser dilatantes (producidas durante el período de dilatación) y del parto (producidas durante el período de expulsión). Para el Tribunal Supremo alemán el inicio del nacimiento debe situarse en las contracciones dilatantes, las cuales abren el canal del parto hasta alcanzar plenamente la posibilidad de atravesar dicho conducto, sin que sea necesario que se hayan producido las contracciones del parto. En la doctrina de ese país, se adhiere a ese criterio, por ejemplo, ROXIN. Véase la conferencia pronunciada en Sevilla, Cáceres y Salamanca en enero de 2002, "La protección de la vida humana mediante el Derecho penal", publicada por la Universidad de Salamanca, Fundación General. Publicado también en *Dogmática y Ley penal. Libro homenaje a Enrique Bacigalupo*, Barcelona, 2004. Preámbulo y notas de Núñez Paz, págs. 1189 ss.

total expulsión y al mismo tiempo empujan el niño hacia fuera, hay ya intento de expulsión del cuerpo materno, que enlaza con las contracciones y dolores propios de la expulsión que coincide con la fase terminal del nacimiento o parto...No existe en Derecho penal un precepto que señale, como sucede en el Código Civil, la delimitación, a los efectos pertinentes, de la consideración jurídica de la persona. Lo que no cabe duda es que la conceptuación de la persona a partir del momento en que se inicia el nacimiento se sitúa en la línea de la mayor efectividad de los derechos a la vida, a la integridad física y a la salud que proclaman los artículos 15 y 43 de nuestra Constitución".

El Tribunal Supremo volvería a retomar esta misma línea interpretativa en la Sentencia de 29 de noviembre de 2001. En ella se enjuiciaba la conducta de un ginecólogo que utilizó una ventosa para extraer el feto, a pesar de que lo desaconsejaban las circunstancias del caso (tanto la edad de la embarazada como la localización del feto). Según los informes periciales, la maniobra determinó una vuelta prieta del cordón umbilical alrededor del cuello del niño, determinando que naciera con mal estado general, hipotónico y flácido, debido a una hipoxia isquémica, lo que a su vez dio lugar a una parada respiratoria. El niño falleció nueve horas después de ingresar en la Unidad de Cuidados Intensivos. La sentencia de 1 de marzo de 2000 de la Audiencia Provincial de Murcia, que conoció los hechos en primera instancia, apreció imprudencia leve en la actuación médica. No obstante, absolvió a los acusados por entender que se trataba de un hecho atípico, dado que el art. 621.2 CP sólo comprende como resultado la muerte de otra persona, y en este caso, no lo era. Por otra parte, dado que en el diseño legal la imprudencia que produce lesiones al feto sólo se castiga cuando puede adjetivarse como grave, al haberse calificado en el caso concreto los hechos como constitutivos de imprudencia leve resultaba igualmente imposible fundamentar la condena conforme a este delito.

Recurrida la Sentencia de la Audiencia Provincial, el Tribunal Supremo dictó una segunda casando aquélla y condenó al médico por una falta de homicidio, si bien con el voto particular en contra del magistrado Perfecto Andrés Ibañez[357]. Tras recordar la doctrina establecida por las Sentencias de 5 de

---

[357]   En su voto particular el magistrado insistió en el sentido que debe atribuirse al pronombre indefinido "el otro" en los delitos relativos a la vida e integridad física. Partiendo de la definición que ofrece el Diccionario de la Real Academia del "otro" (como "persona o cosa distinta de aquélla de que se habla"), concluye que "la alteridad, como atributo, reclama la existencia de una individualidad personal reconocible y plenamente diferenciada; lo que trasladado al campo que aquí interesa remite al ser humano vivo, en cuanto dotado de vida independiente. El feto, incluso a término, que se encuentra todavía dentro del

abril de 1995 así como de 22 de enero de 1999, consideró que "No son, pues, los delitos de aborto ni de lesiones al feto los que procede examinar. No es la salud, integridad o vida del feto lo que se pone en peligro sino la salud e integridad física de una 'persona', el otro, al que se refieren el artículo 420 del Código penal derogado y el artículo 147 del vigente Código penal. De acuerdo con esta doctrina, la muerte de un niño, como sucedió en el presente caso, que vivió varias horas y murió como consecuencia de la desacertada técnica utilizada en su nacimiento, constitutiva de imprudencia leve, colma cumplidamente las exigencias típicas del art. 621.1 del Código penal, porque ya era una persona, penalmente protegible".

En la misma línea puede citarse la Sentencia del Juzgado de lo Penal de Sevilla, de 31 de octubre de 2001. En ella se enjuiciaba la conducta del ginecólogo que omitió la práctica de pruebas que le habrían permitido diagnosticar el estado de sufrimiento fetal, pese a que existían signos para su sospecha (como un episodio de contracciones con pérdida del tapón mucoso y expulsión de sangre por la vagina). A consecuencia de ese sufrimiento, el niño padeció una vez nacido parálisis cerebral tipo tetraparesia espástica severa, asociada a retraso psicomotor grave. El Juzgado de lo Penal condenó al ginecólogo por un delito de lesiones.

En la línea de un importante sector doctrinal[358], entiendo que este criterio sólo puede tener sentido en aquellos ordenamientos que, como el alemán, no contemplan un delito de lesiones al feto, de tal forma que cuando la conducta, por no provocar la destrucción del mismo, no sea reconducible a un delito de aborto, la solución tuviera que ser la impunidad. En la medida en que la fijación de este criterio supone anticipar la protección penal cubriendo lagunas de punibilidad y, por otra parte, no es terminológicamente forzado, ha sido mayoritaria la línea doctrinal que en esos ordenamientos se ha inclinado por considerar el inicio de las contracciones dilatantes como el momento a partir

---

claustro materno no responde conceptualmente a tal exigencia. Ni siquiera en el supuesto de que se halle en curso de expulsión, ya que durante ésta se está naciendo, pero todavía no se ha nacido". Además de añadir argumentos relacionados con la dicción del derogado delito de infanticidio, razonó sobre la base del sentido mismo de la tipificación del delito de lesiones al feto: "Es más, el momento de concreción del comienzo de la vida humana independiente, en el Código penal vigente, ha perdido relevancia a la hora de determinar la posibilidad de sanción o la impunidad de la muerte por imprudencia o de las lesiones en el caso del feto (por la previsión de tipos específicos, los de los arts. 145 y 157-158). De este modo, la decisión de la sentencia que motiva este voto, de adelantar el umbral de la protección de aquél mediante la reconsideración extensiva del objeto material de homicidio, es ahora todavía más difícil de apoyar con argumentos de Derecho positivo".

[358] Véase por todos MUÑOZ CONDE, *Derecho Penal, Parte Especial, ob. cit.*, pág. 34.

del cual sean aplicables los tipos que tutelan la vida humana independiente[359]. Es más, en dichos sistemas resulta plenamente explicable no ya sólo esta fijación del punto temporal, sino incluso la de otros momentos previos que tienden a anticipar la protección del feto respecto a las lesiones que al mismo se causen. No a otra preocupación responden, por ejemplo, propuestas como la que formula GROPP en la doctrina alemana, quien se pronuncia a favor de un criterio basado en la viabilidad de vida del niño (*"Lebehsfähigkeit"*), esto es, en su posibilidad de vivir extrauterinamente desligado de la madre[360].

Sin embargo, el traslado de este tipo de argumentos a aquellos ordenamientos que, como el nuestro, contemplan un delito de lesiones al feto, sólo puede hacerse merecedor de críticas en cuanto desconoce el sentido mismo y la razón de ser de la previsión legislativa de ese título de responsabilidad. Porque entonces, de ser coherentes, habría de expulsarse de su ámbito todos los supuestos en los que la lesión al feto se produjera en un momento inminente al parto, ignorando así la razón de ser y el ámbito propio de aplicación que el

---

[359] En la doctrina alemana esa interpretación, motivada por el deseo de extender los límites de la protección penal, se respaldó tradicionalmente en la redacción de un precepto que estuvo vigente hasta 1998. Se trataba del parágrafo 217 del Código penal, relativo al que matase a su hijo ilegítimo -niño decía literalmente el precepto- "en" el parto o inmediatamente después del nacimiento ("in oder gleich nach der Geburt"). A partir de ahí, la referencia a que el hecho pudiera cometerse "durante" el parto se había interpretado como comprensivo del comienzo de las contracciones dilatantes, cerrando con ello el círculo de equivalencias entre las mismas y el inicio de la vida humana independiente.
  No obstante, pese a ser mayoritaria esa opinión doctrinal, no puede decirse que sea unánime. De hecho, no han faltado voces que han denunciado las dificultades interpretativas y, sobre todo, las objeciones que puede plantear dicha exégesis desde un punto de vista político-criminal y de su compatibilidad con el sentido mismo del lenguaje. Es el caso, por ejemplo de LÜTTGER, *Medicina y Derecho penal*, Madrid, 1984, págs. 63 ss., razonando, básicamente, sobre la base de la diversidad de objetos, o más recientemente de HERZBERG (Rolf)/HERZBERG (Annika), quienes ante esas dificultades proponen, de *lege ferenda*, la incorporación de tipos delictivos específicos que contemplen las lesiones al feto, en "Der Beginn des Menschseins im Strafrecht", en *JR* 2001, págs. 1106 ss.
[360] GROPP, "Überlegugen zum pränatalen Schutz des Lebens und der körperlichen Unversehrheit", en *GA*, 2000, págs. 7 ss; véase también al respecto KÜPER, "Mensch oder Embryo? Der Anfang des 'Menschsein' nach neuem Strafrecht", en *GA* 2001, págs. 515 ss. Un criterio análogo es el que se ha sostenido en la doctrina italiana a partir de la Ley de ese país sobre interrupción del embarazo de 1978, que se refiere a la «posibilidad de vida autónoma». A partir de esta referencia legal, se ha defendido como criterio el de la «capacidad de vida autónoma». Véase al respecto MANTOVANI, Ferrando, AAVV, *Biotecnología y Derecho. Perspectivas de Derecho comparado*, Romeo Casabona (ed)., *ob. cit.*, págs. 255 ss.

legislador ha atribuido al delito de lesiones al feto[361]. Todo ello sin desconocer la consecuencia, ya denunciada por MUÑOZ CONDE, de que este proceder que se critica supondría poner "ya en el momento del parto, al mismo nivel de protección jurídica a la madre y al aún no nacido, lo que dificulta extremadamente la apreciación de un estado de necesidad en caso de aborto terapéutico en esta fase"[362]. Por ello, como señala el mismo autor, el criterio que marque el salto cualitativo que determina la apreciación de un delito contra la vida humana dependiente o independiente ha de ser el de la total expulsión del feto del claustro materno, siendo por lo demás indiferente el dato de que tras esta expulsión se haya producido o no el corte del cordón umbilical[363].

Digna de aplauso es en este sentido tanto la ya citada Sentencia de 1 de marzo de 2000 de la Audiencia Provincial de Murcia, como la Sentencia de 25 de mayo de 1999, dictada por la Sección Segunda de la Audiencia Provincial de Vizcaya. En esta última se enjuiciaba la conducta de la ginecóloga que atendió a una embarazada que tras romper aguas acudió a la Clínica. Allí se le apreció la existencia de líquido amniótico teñido y una dilatación de 2,5 cm, precediéndose a aplicársele anestesia intradural, sin que se le realizara un control estricto mediante cardiografía continua con electrodo interno a fin de poder detectar la existencia de braquicardias. Durante el transcurso del parto el feto sufrió al menos media hora de braquicardia fetal, naciendo el niño en estado de muerte aparente, consiguiendo el pediatra que respirase tras una asistencia de 30 minutos. Como consecuencia de la asfixia intraparto sufrida, el niño presentó lesiones consistentes en una parálisis cerebral que le afectaba a la movilidad de los cuatro miembros y a la postura, siendo imposible que llegara a caminar con independencia, así como improbable que pudiera ser capaz de comunicarse verbalmente, necesitando asistencia continua. La Audiencia condenó a la ginecóloga por un delito de lesiones al feto imprudente, desvinculando así su apreciación del dato del comienzo del período de dilatación. Esa calificación sería confirmada por el Tribunal Supremo en la Sentencia de 15 de noviembre de 2001, si bien el objeto del recurso se centraba en la procedencia de la pena de inhabilitación.

La misma valoración positiva merece la Sentencia de 13 de mayo de 2002, de la Audiencia Provincial de Sevilla, que conoció en apelación el caso sobre el que tuvo que pronunciarse la Sentencia ya citada del Juzgado de lo Penal

---

[361]   Véase en este sentido el voto particular, parcialmente transcrito en una nota anterior, del magistrado Perfecto Andrés Ibáñez a la Sentencia del Tribunal Supremo de 29 de noviembre de 2001.

[362]   MUÑOZ CONDE, *Derecho Penal, Parte Especial, ob. cit.*, pág. 136.

[363]   MUÑOZ CONDE, *Derecho Penal, Parte Especial, ob. cit.*, pág. 34.

de Sevilla, de 31 de octubre de 2001. Frente a la calificación de los hechos que hizo ésta, la Audiencia Provincial entendió que "las lesiones que se causen con anterioridad al nacimiento, aunque se manifiesten una vez concluido éste, han de sancionarse con arreglo a lo dispuesto en los arts. 157 ó 158 CP"[364].

Debe observarse, con todo, que la afirmación anterior en torno a que la incorporación del delito de lesiones al feto viene a cubrir un espacio propio que de otra forma, de ser respetuosos con el principio de legalidad, habría de quedar extramuros del Derecho penal, no significa que con ella se eviten todas las lagunas de punibilidad. Como ya anunciábamos más arriba, no puede pasarse por alto la imposibilidad de reconducir a este tipo delictivo determinados supuestos de imprudencia médica que tienen lugar en las fases iniciales de la vida. Sirva de ejemplo el supuesto al que hace unos años se enfrentó el Tribunal de Casación francés. Se trataba de un caso en el que la madre contrajo la rubéola durante el embarazo. La enfermedad fue diagnosticada a una hija suya cuando aquélla estaba embarazada, y ésta, por temor al contagio, pidió un examen al médico. El facultativo, apoyado por un laboratorio, consideró que no había peligro, por entender que la embarazada era inmune a la rubéola. El embarazo siguió adelante y nació el niño. Poco después comenzó a sufrir problemas neurológicos que un experto atribuyó a la rubéola. El Tribunal de casación reconoció que los errores cometidos por el médico y el laboratorio impidieron a la madre ejercer su derecho a la interrupción voluntaria del embarazo, evitando así el nacimiento de un niño afectado por una minusvalía. En una Sentencia realmente novedosa y, sin duda polémica, el Alto Tribunal reconoció el derecho del minusválido a recibir una indemnización[365].

Dejando a un lado las pretensiones meramente resarcitorias que se plantearon, y volviendo al ángulo penal que aquí interesa, lo cierto es que en un caso de este tipo sería difícil derivar responsabilidad para el médico en este orden. De entrada, la misma no podría venir de la mano de la merma de libertad que el error médico supuso en las posibilidades de elegir de la madre. Baste pensar que ni podrían afirmarse los presupuestos de un delito contra la libertad —básicamente un delito de coacciones—, ni existe un delito que consista en la infracción del deber de asegurarse que concurrían las condiciones para cometer un aborto. La responsabilidad en casos como éste sólo podrá venir de la mano de las lesiones que sufrió el feto a título de comisión por omisión, esto

---

[364]   No obstante, no deja de llamar la atención el hecho de que al fundamentar el cambio de calificación con el principio acusatorio afirme que "se trata de tipos penales homogéneos, en cuanto que protegen en ambos casos bienes jurídicos similares contemplados de forma conjunta en el art. 15 de la Constitución".

[365]   Noticia recogida por el Diario *El País* de 18 de noviembre de 2000.

es, por no practicar las pruebas oportunas. Ello requeriría comprobar no sólo los presupuestos de la posición de garantía del médico, sino que su hipotética actuación cuidadosa habría podido evitar la afectación del feto, por ejemplo, por disponerse de un medicamento que lo protegiese.

Al margen de lo anterior, todavía podría apuntarse a un título de responsabilidad que enfocaría no ya los daños producidos al feto, sino a la salud de la madre: las lesiones psíquicas causadas a ésta por las alteraciones y trastornos psicológicos que le hubiera podido provocar el nacimiento del hijo en tales condiciones, un tipo, sin embargo, que augura dificultades para prosperar en casos como éste a la vista del carácter restrictivo con que tiende apreciarlo la jurisprudencia[366].

Las mismas dificultades para castigar determinadas conductas relacionadas con la *mala praxis* médica que inciden en las fases iniciales de la existencia se producen en casos como el ocurrido en Holanda, ya referido líneas más arriba: el semen de un donante con mal hereditario grave sirvió para concebir a 18 niños[367]. Según los médicos, los niños tenían un 50% de posibilidades de desarrollar una enfermedad neurológica (una ataxia incurable) en la etapa adulta. Al margen de los problemas que ya, de por sí, plantearía en estos supuestos fundamentar la responsabilidad por lesiones debido a la dilación temporal entre la acción y la producción del resultado[368], la verdadera dificultad se refiere a la imposibilidad de descubrir un tipo delictivo capaz de abarcar el injusto de la conducta.

En primer lugar, porque no hace falta insistir sobre los obstáculos para apreciar en tales casos un delito de lesiones. Baste pensar que la conducta que origina la lesión no ya sólo es que se produzca antes del nacimiento, sino que trae su causa del acto mismo de la inseminación, algo que descarta cualquier posibilidad de recurrir a dicho tipo delictivo. Pero en segundo lugar, por lo mismo, por el origen tan remoto del daño al futuro ser, ni siquiera podría apreciarse el delito de lesiones al feto que, como es sabido, requiere que se realice una conducta sobre éste, lo que tampoco se da en estos supuestos, en los que la mala *praxis* médica se remonta nada menos que al origen de la vida. En tales casos, por tanto, de comprobarse que efectivamente la no detección

---

[366]   Sobre las dificultades de apreciar este tipo delictivo, véase MUÑOZ CONDE, *Derecho Penal, Parte General*, *ob. cit.*, págs. 109 ss. Sobre las dificultades para delimitar lo que son lesiones psíquicas con entidad suficiente para dar paso al delito de lesiones y lo que sean meros efectos colaterales asociados a la comisión de otro delito me ocupé en "Algunos aspectos del delito de malos tratos", en *Revista penal*, 2000, págs. 67 ss.

[367]   Información aparecida en el diario *El País*, el 1 de marzo de 2002.

[368]   Véase *supra*, 1.2.2.2, *La responsabilidad médica por los daños producidos a largo plazo*.

de la enfermedad por el donante se debió a una actuación contraria a las reglas de cuidado, todo lo más, cabría fundamentar la responsabilidad por lesiones psíquicas de la madre, algo que plantea serias dudas respecto a sus posibilidades de prosperar.

Hasta ahora hemos apuntado algunos problemas que suscitan los distintos tipos delictivos que se orientan a tutelar tanto la vida como la integridad física en las fases iniciales de la vida, a la vez de identificar las posibles lagunas de punibilidad que no obstante podrían producirse. El recorrido por las posibilidades de incriminación de las conductas relacionadas con los albores de la vida quedaría incompleto si no se hiciera referencia a un delito que, frente a todos los anteriores que se han ido enunciando, goza de una amplia tradición en la mayoría de los Códigos penales: el delito de aborto. De alguno de sus aspectos se ocupan las líneas que siguen.

1.3.3. El delito de aborto

El delito de aborto, que hasta hace unos años era prácticamente el único que brindaba protección a la vida en las fases previas al momento del nacimiento, es en la actualidad un tipo que colma la secuencia de los que el legislador dedica a proteger la vida humana en formación. Si bien es cierto que este delito ha perdido la nota de la exclusividad en la tutela de esas fases iniciales, también lo es que no por ello ha logrado despojarse de la conflictividad que siempre le ha rodeado.

Sería inútil el esfuerzo de agotar en estas páginas la polémica que conlleva la regulación penal del delito de aborto. Porque si ya en general no puede desconocerse la inevitable implicación de las opciones valorativas y puntos de partida éticos, morales, filosóficos e ideológicos en cualquier propuesta de solución a los problemas que se plantean en los inicios de la vida humana, esas valoraciones se disparan cuando se trata de abordar la permisibilidad o no de las conductas relacionadas con el aborto. De hecho, la discusión salpica tanto a la cuestión relativa al momento a partir del cual el feto debe merecer tutela penal frente a las conductas que lo destruyen como respecto a los casos en que el Derecho puede dejar de dispensarle protección y, en su caso, los plazos dentro de los que esto sea posible.

Con todo, la primera cuestión referida, la relativa a cuál sea el momento que marque el comienzo de la protección penal del feto frente a las maniobras que tienden a destruirlo, puede decirse que hoy día tiende a ser pacífica. Porque si bien es verdad que al respecto podrían sostenerse en principio todos los criterios imaginables (fecundación, anidación, aparición de la línea primigenia, cesación de la totipotencialidad, nacimiento cerebral y organogenosis)[369], puede considerarse mayoritaria en la actualidad la opinión que sitúa dicho momento en el de la anidación del óvulo fecundado en el útero materno, catorce días después de la fecundación[370].

En realidad las dificultades se concentran hoy día a la hora de fijar los límites de dicha protección que comienza en el momento de la anidación. Es cierto, con todo, que en la actualidad puede decirse que son minoritarios los defensores de las posturas radicalmente extremas en uno u otro sentido. Así, pueden considerarse aisladas tanto las voces que proponen permitir ilimitadamente su práctica hasta el momento del nacimiento, como las que, en el extremo opuesto, se ofuscan en vedar la interrupción del embarazo sin admitir ningún tipo de excepciones. Frente a estas dos posturas extremas, las distintas concepciones morales e ideológicas se mueven en un terreno intermedio que, dependiendo de los respectivos puntos de partida que tomen por base, amplían o restringen el ámbito de impunidad de las prácticas abortivas.

Dentro de ese abanico de opciones intermedias son dos, en realidad, los sistemas o modelos en torno a los que se concentra la discusión en la actualidad.[371] El primero de ellos, que es el que sigue nuestro legislador, es el conocido como *sistema de las indicaciones*. Conforme a sus esquemas se parte como regla general de la ilegalidad de las conductas abortivas salvo en determinados supuestos y bajo ciertas condiciones. El segundo modelo es el llamado del *plazo*, conforme al que se reconoce la impunidad de las prácticas abortivas siempre que se realicen dentro de los márgenes temporales que contempla la

---

[369] Véase al respecto, MANTOVANI, Ferrando, AAVV, *Biotecnología y Derecho. Perspectivas de Derecho comparado*, Romeo Casabona (ed). *ob. cit.*, págs. 252 ss.

[370] Sobre la discusión en la doctrina alemana, véase LÜTTGER, *Medicina y Derecho penal, ob. cit.*, págs. 49 ss. Entre nosotros, véase por todos MUÑOZ CONDE, *Derecho Penal, Parte General, ob. cit.*, págs. 87 ss. Una relación de los autores que defienden las distintas posturas puede verse, por ejemplo, en FLORES MENDOZA, El delito de lesiones al feto en el Código penal de 1995, en *AP*, 1996, nota 6.
Digna de resaltar es la Sentencia del Tribunal Constitucional Federal Alemán de 25 de febrero de 1975, que reconoció que el derecho a la vida proclamado en el artículo 2.º de la Ley Fundamental de Bonn se extiende a la vida del embrión, en tanto que «interés jurídico independiente», añadiendo que, según los conocimientos biológicos y fisiológicos establecidos, la vida humana existe al menos desde el decimocuarto día siguiente a la concepción, y que el desarrollo que se opera después es continuo, sin que se pueda establecer ni división precisa, ni distinción exacta.

[371] Véase al respecto el detallado estudio crítico de LAURENZO COPELLO, "El aborto en la legislación penal española: una reforma necesaria". *Fundación Alternativas*, págs. 53 ss
http://www.fundacionalternativas.com/laboratorio

ley, margen que suele establecerse en las doce primeras semanas de gestación. Junto a estos dos modelos básicos, todavía podría hablarse de una vía intermedia que es la que parece seguir la regulación alemana desde el año 1995. En esa fecha, el Parlamento de ese país aprobó una ley que enfocaba el problema de la interrupción del embarazo desde un modelo que se ha dado en llamar de *"asesoramiento"*. Conforme al mismo, el aborto es impune siempre que se realice dentro de los tres primeros meses del embarazo, aun cuando no exista indicación especial alguna. Sin embargo, y es lo que acercaría este modelo al de las indicaciones, a la mujer se le hace saber que una interrupción del embarazo sólo procede en casos excepcionales y que, si bien el aborto dentro de los tres primeros meses de gestación es impune aun cuando no concurra indicación ni posterior consulta, conforme al Tribunal Constitucional Federal[372] se considera, al menos, ilícito[373].

Frente a estas opciones más amplias, nuestro Código penal acoge el modelo más restrictivo de las indicaciones que ya estaba vigente en el Código anterior al del 95, a cuya regulación éste se remite. A buen seguro no fueron sino las dificultades de llegar a un acuerdo sobre este punto entre los distintos Grupos Parlamentarios, y la necesidad de no demorar u obstaculizar la aprobación del nuevo Código penal las que determinaron que el legislador optase por remitir la permisibilidad del aborto a otra ley, el art. 417 bis del Código penal de 1973, vigente de acuerdo con la Disposición Derogatoria 1.a) del actual Código penal. Conforme a los arts. 144 a 146:

Artículo 144

El que produzca el aborto de una mujer, sin su consentimiento, será castigado con la pena de prisión de cuatro a ocho años e inhabilitación especial para ejercer cualquier profesión sanitaria, o para prestar servicios de toda índole en clínicas, establecimientos o consultorios ginecológicos, públicos o privados, por tiempo de tres a diez años.

Las mismas penas se impondrán al que practique el aborto habiendo obtenido la anuencia de la mujer mediante violencia, amenaza o engaño.

---

[372]   Véase la Sentencia del Tribunal Constitucional alemán de 28 de mayo de 1993, dictada con ocasión de un recurso de inconstitucionalidad interpuesto por 248 diputados del CDU y del CSU contra la Ley de plazos aprobada en 1992, dictada para homogeneizar las legislaciones de las dos alemanias, ya que mientras en la República occidental estaba vigente el sistema de las indicaciones, en la Oriental regía una ley de plazos. En esa Sentencia, el Tribunal Constitucional afirmó que la interrupción del embarazo debe seguir siendo antijurídica durante todo el período de gestación, si bien concedió que el legislador penal no estaba obligado a sancionar el aborto realizado dentro de las doce primeras semanas siempre que se cumplan una serie de requisitos procedimentales.

[373]   Al respecto véase ROXIN, *La protección de la vida humana mediante el Derecho penal*, conferencia publicada por la Universidad de Salamanca, *ob. cit.*

Artículo 145

1. El que produzca el aborto de una mujer, con su consentimiento, fuera de los casos permitidos por la ley[374], será castigado con la pena de prisión de uno a tres años e inhabilitación especial para ejercer cualquier profesión sanitaria, o para prestar servicios de toda índole en clínicas, establecimientos o consultorios ginecológicos, públicos o privados, por tiempo de uno a seis años.

2. La mujer que produjere su aborto o consintiera que otra persona se lo cause, fuera de los casos permitidos por la ley, será castigada con la pena de prisión de seis meses a un año o multa de seis a veinticuatro meses.

Artículo 146

El que por imprudencia grave ocasionare un aborto será castigado con pena de arresto de doce a veinticuatro fines de semana.

Cuando el aborto fuere cometido por imprudencia profesional se impondrá asimismo la pena de inhabilitación especial para el ejercicio de la profesión, oficio o cargo por un período de uno a tres años.

La embarazada no será penada a tenor de este precepto.

No es la pretensión de estas líneas realizar una aproximación a los presupuestos típicos de este delito, ni siquiera a los principales problemas dogmáticos que plantea, como los de autoría y participación o de consumación y la punibilidad de las formas intentadas. El estudio de esos problemas sólo tendría sentido en el marco de un análisis dogmático pormenorizado que excede la pretensión de estas páginas. En ellas sólo pretende realizarse una reflexión

---

[374] Conforme al art. 417 bis del anterior Código penal, "no será punible el aborto practicado por un médico, o bajo su dirección, en centro o establecimiento sanitario, público o privado, acreditado y con consentimiento expreso de la mujer embarazada, cuando concurra alguna de las circunstancias siguientes: a.- Que sea necesario para evitar un grave peligro para la vida o salud física o psíquica de la embarazada y así conste en un dictamen emitido con anterioridad a la intervención por un médico de la especialidad correspondiente, distinto de aquel por quien o bajo cuya dirección se practique el aborto. En caso de urgencia por riesgo vital para la gestante, podrá prescindirse del dictamen y del consentimiento expreso; 2.- Que el embarazo sea consecuencia de un hecho constitutivo del delito de violación...siempre que el aborto se practique dentro de las doce primeras semanas de gestación y que el mencionado hecho hubiera sido denunciado; 3.- Que se presuma que el feto habrá de nacer con graves taras físicas o psíquicas, siempre que el aborto se practique dentro de las veintidós primeras semanas de gestación y que el dictamen, expresado con anterioridad a la práctica del aborto sea emitido por dos especialistas de centro o establecimiento sanitario, publico o privado, acreditado al efecto y distintos de aquel por quien o bajo cuya dirección se practique el aborto. 2. En los casos previstos en el número anterior, no será punible la conducta de la embarazada aun cuando la práctica del aborto no se realice en un centro o establecimiento público o privado acreditado o no se hayan emitido los dictámenes médicos exigidos".

general en torno a las consecuencias que derivan del talante con que el legislador encara la regulación de aborto, limitándose a recoger supuestos mínimos de permisibilidad que estructuralmente no responden más que a los esquemas más restrictivos de un *estado de necesidad*.

Después de tantos años de vigencia de esta regulación y, en definitiva, de la abundante experiencia práctica que ya ha se ha podido acumular, no se afirma nada nuevo al advertir los abundantes efectos negativos a que ha dado paso[375]. Entre ellos valgan de cita tan sólo los dos más frecuentes o, si se quiere, los dos que de forma más llamativa reflejan, respectivamente, tanto la hipocresía del empeño por permitir de forma tan restrictiva estas prácticas como las distorsiones a que da paso.

La primera de ellas refleja la hipocresía de este tipo de empeños legislativos en mantener una regulación en exceso restrictiva que no de cabida a otras indicaciones, como la relativa a la indicación socioeconómica. Ante ello, la práctica ha tenido que sortear el encorsetamiento al que aboca su castigo recurriendo a expedientes que impidieran criminalizar conductas que obedecen a razones sociales, económicas o, simplemente, que son emanación de la libertad de conciencia y decisión sobre aspectos tan íntimos como los que se refieren a la opción de llevar adelante un embarazo. No es por ello de extrañar que en la práctica la indicación terapéutica, en concreto en lo que se refiere a la salud psíquica de la mujer, haya funcionado de forma realmente elástica, acogiendo en su seno la mayoría de los supuestos que de otra forma habrían de castigarse[376].

En segundo lugar, puede identificarse otro efecto del mantenimiento de la actual regulación que muestra sin lugar a dudas las distorsiones a que da paso. Y es que, los expedientes abiertos por aborto, en prácticamente todos ellos se planteaba en exclusiva la responsabilidad del médico que realizó el correspondiente dictamen autorizativo, e incluso a veces, de los médicos que intervinieron con posterioridad a la práctica del aborto para evitar complicaciones ulteriores mediante la realización de un examen uno o dos días después[377],

[375]   Al respecto, véase de forma detallada el estudio de LAURENZO COPELLO, "El aborto en la legislación penal española: una reforma necesaria". *Fundación Alternativas*, págs. 53 ss. http://www.fundacionalternativas.com/laboratorio

[376]   Lo anterior explica a su vez que los procesos abiertos por prácticos de abortos irregurlares se han referido en su mayoria a los abortos practicados bajo esta indicación . No hay mejor prueba que las denuncias presentadas en el año 007 contra la Clínica "Institute CB Medical Ginemedex" de Madrid por realizar abortos sin respetar los límites de la indicación. En relación con otros casos ya enjuiciados, vease la STS de 24 de marzo de 1998.

[377]   Véase por ejemplo la STS de 7 julio 1993.

algo que, una vez más, ahora en un ámbito tan cuestionable como éste, vuelve a cargar las tintas contra la profesión médica. Al igual que ocurre en relación con ámbitos distintos como el de la eutanasia, se trata de una muestra paradigmática más de cómo la conducta del médico que ayuda a su paciente en el ejercicio de un acto de libertad se vuelve en su contra. Si, como veremos, en aquél ámbito la imposibilidad de castigar al beneficiado —el enfermo terminal— resulta evidente por razones lógicas, ahora aquélla se debe a la posibilidad de la mujer de ampararse en el dictamen del profesional y justificar en él la legalidad de su comportamiento.

Valga de ejemplo la Sentencia de 7 febrero 1996, que condenó al médico que procedió a la interrupción del embarazo y al que emitió el dictamen, pero, sin embargo, apreció un error de prohibición invencible en la conducta de la embarazada, en cuanto que a la misma, "carente de conocimientos médicos y jurídicos, no le era exigible ir más allá de comprobar fuera de lo dictaminado por el médico y la condición de centro autorizado al que acudió si existía o no la situación viabilizadora de la aplicación de la referida indicación y bastaba con el dictamen facultativo (aunque fuera emitido por uno carente de la especialidad legalmente requerida) para reputar existente dicha situación y, por ello, debe estimarse que tenía una creencia fundada y por tanto invencible de estar obrando lícitamente al prestar su consentimiento para el cese de la gestación".

Valga también de ejemplo la Sentencia de 1 abril 1998, que condenó al ginecólogo que causó un aborto sin revisar el informe en el que el psiquiatra dictaminaba con síntomas, a juicio del Tribunal, genéricos e inespecíficos, el riesgo para la salud psíquica de la madre. La Sentencia de instancia apreció en la actuación del ginecólogo simplemente un error vencible, error que si bien el TS mantuvo por razones de favorecer al reo y porque el recurso fue planteado por los acusados, cuestionó sobre la base de la condición profesional de aquél.

Digna de mención es igualmente la Sentencia de 26 octubre 2000, que condenó al Director de la clínica y al médico ginecólogo que, teniendo dudas, elevaron una consulta al Ministerio sobre si era válido el dictamen de un psicólogo —sin necesidad, por tanto, de recurrir a un médico especialista— para practicar un aborto por grave peligro para la salud psíquica de la madre, y antes de recibir respuesta, practicaron el aborto con tal dictamen. No obstante, el Tribunal admitió la existencia de un error de prohibición vencible en cuanto a la creencia de que el informe emitido por un psicólogo era suficiente para llenar el requisito previsto expresamente por el legislador del Código Penal[378].

Pero sin duda, el más conocido de todos los casos fue el del ginecólogo Sáenz de Santamaría. De hecho, la segunda vez que ingresó en prisión fue por haber practicado el aborto a una niña que, por su edad, no podía ser objeto de un reproche penal. Se trataba de una niña de 10 años que había sido violada. El médico pasó una semana en la cárcel y después fue indultado[379].

2. La actividad médica en las fases finales de la vida: la eutanasia

2.1. Consideraciones generales

Las reflexiones que siguen tienen por objeto los problemas relacionados con la eutanasia en la modalidad que se ha dado en llamar *individual, compasiva o piadosa*, esto es, aquélla que tiene por finalidad poner fin o acortar la vida de un enfermo sobre la base de un sentimiento de piedad ante el estado en el que

---

[378] Conforme a la Sentencia, "a pesar de haber solicitado una aclaración al Ministerio de Justicia lo cierto es que no esperaron a la respuesta definitiva, ni tuvieron en cuenta las normas específicas en una actividad especialmente regulada ni atendieron a los pronunciamientos judiciales sobre este particular. En consecuencia, en este caso, el error de prohibición en el que los recurrentes dicen haber incurrido, era evitable, dado que conocían las normas reguladoras de su actividad profesional, tuvieron razones para pensar en la antijuridicidad de sus conductas y no esperaron la respuesta de una fuente de información jurídica fiable ni atendieron a los pronunciamientos de la jurisprudencia". Por otra parte, el fallo eximió de responsabilidad a la psicóloga que emitió el informe por entender que: "No participa ni coopera en absoluto en la conducta típica, su intervención se contrae a emitir el dictamen que le ordena el director de la clínica siendo precisamente la ausencia de un informe por parte de un médico especialista lo que ha impedido que la conducta típica de practicar el aborto se vea beneficiada por una causa que lo justifique...la acusada se ha limitado a emitir un dictamen que le fue ordenado sobre la incidencia del embarazo sobre la salud mental de la mujer embarazada y esa conducta no se subsume en el artículo 415 del Código Penal que le ha sido aplicado".

[379] Debe recordarse en este punto la dificultad adicional que, como señalábamos más arriba al tratar el consentimiento prestado por los menores de edad, supone el hecho de que ni el Código penal ni la legislación civil contemplen la edad a partir de la cual deba reconocerse plena autonomía a la decisión de la mujer. Al contrario, la cuestión se complica debido a que la Ley 41/2002 excepciona de sus previsiones los casos de interrupción voluntaria del embarazo, que remite a su regulación propia que, paradójicamente, no existe más allá de las previsiones generales del Código Civil.

se encuentra[380]. El hecho de dedicar un capítulo a la eutanasia en el marco de un estudio sobre la responsabilidad penal del médico se justifica por sí sólo si se repara en el dato de que el debate en torno a la misma encuentra su marco habitual en la *praxis médica*. Baste pensar no ya sólo en que las posibilidades de prolongar o mantener la vida están directamente condicionadas por el avance de la medicina, sino también en que la mayoría de las veces —y cada vez con más frecuencia dada la tendencia actual a morir en el hospital—, es el médico quien, *de facto*, se encuentra en condiciones de poner fin a la existencia del paciente, ya sea porque la misma dependa de su conexión a soportes vitales, ya porque el medio de provocar la muerte sea la administración de una sustancia que es él quien está en condiciones de facilitar. En cualquiera de esos casos es el médico, en definitiva, quien está, de hecho, en condiciones de practicar lo que ya Jiménez de Asúa calificase como un "homicidio piadoso".

Sin perjuicio de que posteriormente hagamos referencia a los supuestos en los que el paciente no está en condiciones de manifestar su voluntad, los casos normales de eutanasia se caracterizan porque al interés representado por la continuidad de la vida y su veneración absoluta se enfrenta el respeto de la voluntad del paciente contraria a continuar una existencia que ha perdido su calidad[381]. En éste ámbito, el de los límites finales de la vida, se entreveran con toda su fuerza los diferentes intereses que pueden entrar en conflicto, y en el que, como en ningún otro, el avance médico se presta a usarse como un arma que tan pronto puede volverse a favor como en contra del enfermo.

Situado el problema en estas coordenadas, a nadie escapa que cualquier aproximación a su tratamiento difícilmente puede realizarse con asépticos instrumentos jurídico-penales. Por el contrario, representa ante todo un espacio donde indefectiblemente se proyectan y confluyen con toda su viveza y radicalidad las distintas concepciones filosóficas, éticas y religiosas en torno al valor recíproco de la libertad y de la vida. Basta echar una mirada atrás en la historia[382] para observar cómo la respuesta estatal frente al viejo dilema entre *santidad* y *calidad* de la vida[383] ha cabalgado a lomos de las respectivas concepciones —pre-

---

[380]   Véase al respecto MANTOVANI, Ferrando, quien se muestra en general favorable al castigo de la eutanasia,"El problema jurídico de la eutanasia", en *Eutanasia y suicidio*, Granada, 2001, págs. 83 ss.

[381]   El interés representado por el respeto a la dignidad de la persona y a la búsqueda de una muerte digna es implícito, como de todos es sabido, a la propia etimología del término eutanasia, que proveniente del griego "eu-thanatos", significa buena muerte.

[382]   Véase HUMPHRY-WICKET, *El derecho a morir. Comprender la eutanasia*, Barcelona, 1989.

[383]   Entre otros, ESER, en *ZStW* 1985, *ob. cit.*, págs. 34 s; el mismo en "Entre la santidad y la calidad de vida", en *ADPCP* 1984, págs. 747 ss. Véase también FLETCHER, *Humanhood:*

jurídicas— de la misma como don divino, sagrado e indisponible en términos absolutos o, por el contrario, como un derecho cuyo ejercicio no se duda que sea lícito fomentar, pero sólo hasta donde suponga, más que un simple estar vivo o la mera existencia, un auténtico derecho a vivir, porque el sujeto aún tenga voluntad e interés en continuar una existencia que le parece digna[384].

De todos son conocidos los principales argumentos manejados por defensores y detractores de la eutanasia[385]. El eje argumentativo de éstos últimos suele pivotar tanto en torno a la sacralidad de la vida como a la incapacidad del enfermo para tomar una decisión responsable y meditada cuando, por definición, lo único que aspira es a escapar de una situación angustiosa. Por su parte, los primeros subrayan la relativización misma de la vida ante otros intereses del paciente, fundamentalmente su autonomía y calidad de existencia, que podrían verse arrolladas por un entendimiento mecánico y ciego de la medicina en favor de la vida como bien absoluto. No le falta razón a ESER cuando escribe que "el ser humano ya no sólo precisa protección frente a un adelantamiento prematuro del momento de la muerte, sino también, en determinadas circunstancias, frente a una 'prolongación impuesta de la vida'. Antiguamente el ser humano tan sólo tenía que luchar por retardar el momento de la muerte tanto como le fuera posible. En la actualidad se enfrenta con una Medicina que incluso consigue reanimar a alguien clínicamente muerto y que aspira a prolongar la vida mediante la aplicación de una terapia superintensiva, incluso cuando para el afectado ha perdido todo sentido. En consecuencia, poder morir con tranquilidad puede resultar más difícil que poder vivir durante más tiempo"[386].

Essays in Biomedical Ethics, New York, 1979, págs. 149 ss.

[384]   Véanse las amplias referencias doctrinales que ofrece BRINGEWAT, "Diskussionsbericht II: Psycologische, medizinische und soziologische Aspekte von Suizid und Euthanasie", en *Suizid un Euthanasie*, Hrsg. Albin Eser, Stuttgart 1976, págs. 222 ss; en la misma obra, EIBACH, *Thesen zur Diskussion um die sogenannte 'Euthanasie'*, págs. 245 ss; SPORKEN, *Euthanasie im Rahmen der Lebens- und Sterbehilfe, ob. cit.*, pág. 273; véase también DWORKIN, *El dominio de la vida. Una discusión acerca del aborto, la eutanasia y la libertad individual*, Barcelona, 1994, cap. 7.

[385]   Véase las reseñas de la interesante monografía de DWORKIN, *El dominio de la vida. Una discusión acerca del aborto, la eutanasia y la libertad individual, ob. cit.*, en especial, Cap. 1,7 y 8., así como la completa exposición de esos argumentos que ofrece TOMÁS-VALIENTE LANUZA, *La disponibilidad de la propia vida en el Derecho penal, ob. cit.*, págs. 124 ss.

[386]   ESER, *Problemas de justificación y exculpación en la actividad médica, en Avances de la Medicina y Derecho Penal, ob. cit.*, págs. 22 s. Véase también, en la misma obra, KAUFMANN Arthur, "¿Relativización de la protección jurídica de la vida?", en *CPC* 1987 (trad. de Silva Sánchez), págs. 42 s., quien parafraseando al teólogo THIELICKE afirma, "no cabe desconocer que un recurso excesivo a las técnicas médicas puede transformar la misión curativa del médico en 'terror de la humanidad' o en un 'crimen de lesa humanidad'; LAU-

Precisamente debido a la ductilidad con la que la medicina puede usarse en estos ámbitos y, con ello, su capacidad para convertirse tanto en un arma de alivio del sufrimiento como en una torturante máquina para saborear el encuentro con la muerte, a la postre los argumentos utilizados en favor de la legalización de la eutanasia se vinculan con el respeto de la *autonomía y dignidad* del ser humano[387]. De hecho, son estos argumentos los únicos que pueden explicar que el médico se implique realizando una conducta que no sólo no le reporta un beneficio personal, sino que incluso puede acabar sentándole frente a un Tribunal al que poco más le queda alegar que haber actuado en conciencia.

FS, *NJW* 1976, *ob. cit.*, pág. 1126; KUHLENDAHL, "Ärztlicher Entscheidungsspielraum -Handlungszwänge", en *Fs. Bockelmann*, München, 1979, págs. 465 ss.

[387] Según entiendo, los conceptos de *situación terminal, voluntad y dignidad* tienen que contemplarse como presupuestos que sólo de forma cumulativa y secuencial dotan de sentido a la regulación de la eutanasia: sin la situación objetiva carece de sentido plantearse cuál sea la voluntad del paciente y sin ésta, a su vez, resulta ociosa la cuestión en torno a la posible vulneración de su *dignidad*. Lo primero, esto es, que la situación terminal o de grave enfermedad es el presupuesto situacional al que tiene que referirse la voluntad apenas está necesitado de mayor explicación desde el momento en que si concurre aquélla pero no ésta, la muerte habría de calificarse como *homicidio* y, a la inversa, si existe voluntad de morir pero no situación terminal el punto de referencia sería un *suicidio*. Pero tampoco la *dignidad*, como concepto apriorístico y absoluto, puede ser el primer cimiento sobre el que se apoye la eutanasia, algo que, no obstante, suele manejarse no pocas veces como argumento central de una política despenalizadora. Frente a ello, no puede perderse de vista que el concepto de *dignidad* es ante todo relativo y que sólo adquiere sentido a partir de la indagación de la voluntad del enfermo. Valga para ello una dualidad de razones fuertemente imbricadas entre sí: en primer lugar, la dificultad de identificar la situación de enfermedad grave, en sí, como algo específicamente atentatorio de aquélla. Al respecto son significativas las palabras de FRANCE QUERÉ, recogidas y suscritas por ETIENNE MONTERO, quien refiriéndose a la dignidad afirmaba: "Los criterios de dignidad vienen dados por el papel social, la consideración del prójimo, los honores, la carrera, la conciencia propia de cada uno...Cabe entonces observar que la enfermedad no es en este sentido, la única capaz de arrebatar la dignidad: ¿por qué no habría de tener el mismo efecto la miseria o la delincuencia?" (en "¿Hacia una legalización de la eutanasia voluntaria? Reflexiones acerca de la tesis de la autonomía", en *La Ley*, 16 de marzo de 1999, pág. 2 y la cita que recoge en la nota 9). En segundo lugar, por la imposibilidad de definir lo que sea "indigno" en términos meramente objetivos, sin tener en cuenta cuál sea la voluntad del sujeto. Si, como apunta PÉREZ ROYO, la dignidad supone un mínimo de voluntad propia, de forma que "nadie puede ser reducido a la condición de mero instrumento de la voluntad ajena" (en *Curso de Derecho constitucional*, 8ª ed., Barcelona, 2002, pág. 301), la duda en torno a su posible vulneración no puede desligarse de la voluntad del enfermo, con la consecuencia de que una misma situación de sufrimiento podrá ser digna si es consentida y, a la inversa, despojar al sujeto de su dignidad si se le obliga a soportarla bajo los argumentos que sean, ya que entonces aparecería *instrumentalizado* por una voluntad ajena.

Resulta ilustrativo al respecto un recorrido por algunos casos que en los últimos años han tenido mayor alcance en los medios de comunicación. El primero es el caso del Dr. Jack Kevorkian, apodado periodísticamente como Doctor Muerte. Fue acusado de asesinato por causar la muerte de 130 enfermos terminales que acudieron a él para que pusiera fin a sus vidas. En marzo de 2000 un jurado popular le declaró culpable por practicar la eutanasia activa a un paciente terminal que quería morir. La grabación mostraba a Kevorkian sentado junto al paciente, el Sr. Youk, quien le pedía ayuda para morir, prestando por escrito su consentimiento para ello. El Dr. Kervorkian le preguntó: "¿Está seguro de que quiere seguir?", a lo que el paciente contestó asintiendo con dificultades para mover la cabeza. El médico buscó entonces una vena en el brazo de Youk y le inyectó una sustancia letal que acabó a los pocos minutos con su vida. Durante el proceso, ante las acusaciones del Fiscal, afirmó Kervorkian: "Como médico, me veo forzado a hacer ésto", calificando incluso su comportamiento como "una cruzada". El Dr. Kervorkian fue condenado por un Tribunal de Michigan a una pena de entre 10 y 25 años de prisión. Su profunda convicción de la injusticia del fallo le llevó a declararse en huelga de hambre[388].

Valga de cita también el caso de la enfermera Christine Malevre, encarcelada el 8 de abril de 1999 en París por su implicación en varios casos de eutanasia. No sólo había reconocido que ayudó a morir a varios pacientes incurables del servicio de neumología y neurología del hospital en el que trabajaba, sino que incluso publicó un libro en el que confesaba con detalles los casos de eutanasia que practicó en el hospital; o el de Christine Malèvre, una enfermera francesa condenada el 31 de enero de 2003 a diez años de cárcel tras ser declarada culpable de seis asesinatos de pacientes. En los interrogatorios llegó

---

[388] Resulta de interés reproducir algunas palabras de la jueza Jessica Cooper, pronunciadas como introducción a la lectura de la condena a Kervokian, en la que se mostraba de forma tajante impermeable a cualquier consideración humanitaria que vaya más allá de la prohibición legal: "Cuando alguien inyecta a un ser humano una dosis letal de alguna sustancia, eso, señor, es un homicidio. Y así lo apreció el jurado. Usted ha vilipendiado al jurado y al sistema legal en este caso. Todos los miembros de ese jurado sentían compasión y empatía por Thomas Youk. Tenían, sin embargo, un deber mayor que superaba a esa simpatía y emoción personales. Estaban obligados por juramento a respetar la ley, no a anularla... Nadie ignora el debate y la pasión que rodea al final de la vida y el control del dolor... Pero aquí no se juzga ese debate. Este juicio versaba sobre usted; sobre usted y el sistema legal. Y usted ha ignorado y desafiado al Congreso y al Tribunal Supremo...Este juicio no ha versado sobre la corrección política o moral de la eutanasia. Trataba de usted, señor. Trataba de una ilegalidad. Trataba de la falta de respeto hacia una sociedad que existe y se desarrolla por fuerza del sistema legal. Nadie, señor, está por encima de la ley. Nadie".

a autoinculparse de treinta prácticas de eutanasia alegando haber actuado siempre con la aquiescencia del enfermo o para evitar dolores.

Son, en definitiva, actitudes que demuestran que se trata de un ámbito fuertemente impregnado por convicciones personales y, en definitiva, por razones de conciencia. Estas se apoyan no sólo en la idea de que también la muerte es compatible con el respeto a la vida y que la misma se respeta cuando se le permite alcanzar su término natural[389]. También en que las usuales y pomposas calificaciones de "supremo", "prioritario" o "fundamental", no son más que adjetivaciones de un sustantivo común: derecho a la vida, que, como todos los derechos, encuentra la razón de ser de su protección, ya en sus primeras manifestaciones, en la necesidad de ofrecer tutela y respaldo jurídico a su titular; pero nunca, al menos en teoría, en usarlo como un *boomerang* que implacablemente se vuelva en su contra.

Lo cierto es que este efecto *boomerang*, que es impensable en relación con cualquier otro derecho, se presenta sin mayores reparos cuando el bien afectado es la vida. La paradoja no puede ser mayor: desde el nacimiento, el Estado procura a sus ciudadanos una libertad que garantiza en su Texto Fundamental al reconocer las más variadas manifestaciones de aquélla en todos los órdenes de la vida, una libertad que instintivamente el hombre busca a lo largo de su existencia rechazando actitudes paternalistas en una lucha por asumir y enfrentarse a sus propios aciertos o errores. Sólo así puede decirse libre. También, desde el primer momento, el Estado social afana su empeño por procurar el bienestar y, para ello, no sólo articula un sistema público de salud que evite o palie, en lo posible, la enfermedad y el sufrimiento, sino que extiende su protección más allá del ámbito sanitario para proteger también la libertad e integridad del individuo frente a las conductas que puedan provenir de terceras personas, reaccionando, si hace falta, con la forma más severa que conoce: el Derecho penal. Es lo que sucede en relación no sólo con los ataques a la vida, sino con cualquier otro que pueda atentar de forma amplia contra la dignidad del individuo, por sentirse coaccionado, atacado en su integridad moral, etc.

Paradójicamente, sin embargo, cuando el sufrimiento y la angustia se hacen más fuertes que nunca y la decisión se torna más inalienable y soberana, tanto empeño por garantizar la libertad y el bienestar parecen plegarse irremediablemente ante el impulso de una suerte de temor irracional, alimentado, sin duda, por el peso de toda una tradición cultural. Es entonces cuando valores

---

[389]   MARTÍN GÓMEZ, "La eutanasia desde la perspectiva del Derecho comparado. Especial atención a los casos holandés y americano", en *RFDUCM*, 1994/95, pág. 170.

como la libertad o el bienestar ceden ante la causa perdida por seguir viviendo y, a su compás, los avances que la ciencia procuraba en beneficio del paciente pueden volverse impasiblemente en su contra. Como reverso de lo anterior, un aspecto tan personal e inalienable como son las particulares creencias y convicciones morales se expanden a espacios que exceden del único en el que su existencia es válida y respetable, el impenetrable santuario de la conciencia[390], para demandar protección, si hace falta, recurriendo al Derecho penal. Vaya por delante que no se quiere decir con lo anterior que este orden no deba intervenir para castigar determinadas conductas de poner fin a la vida de enfermos terminales. Lo único que se trata es de determinar cuáles son las que realmente merecen reproche penal, garantizándose de este modo no sólo el respeto del principio básico de *intervención mínima*, sino evitar que se utilice el medio de reacción más enérgica de que dispone el Estado para imponer una determinada moral e incluso para sancionar determinadas conductas que en los casos extremos se orienten a evitar el llamado *encarnizamiento terapéutico*. Las consideraciones que siguen se ocupan de forma crítica de la regulación de la eutanasia en el Código penal (apartados 2.2 y 2.3). Por su dificultad, en un apartado independiente trataremos los casos especialmente conflictivos, referidos a los enfermos que no pueden expresar su voluntad (pacientes en estado de coma y menores de edad e incapaces (apartado 2.4).

2.2.   El tratamiento penal de la eutanasia. De la vía interpretativa a la opción del Código penal de 1995

La reticencia a ceder en los momentos finales de la vida márgenes de libertad al propio interesado se refleja inequívocamente en la regulación penal positiva de la eutanasia. De hecho, uno no puede sorprenderse de que hasta fechas relativamente recientes el Código penal no contemplase una regulación expresa de la materia y que, por tanto, su castigo discurriese por las normas relativas al suicidio o incluso al homicidio, con el consiguiente desconocimiento de la singular problemática humana que encierra. Ante esa 'insensibilidad' legislativa, tampoco es de extrañar que la doctrina de nuestro país

---

[390]   Escribía VARGAS LLOSA en un artículo periodístico titulado "Una muerte tan dulce", que obligar a vivir a los enfermos incurables es "un atropello intolerable a la soberanía individual y una intromisión del Estado reñida con un derecho humano básico. Decidir si uno quiere o no vivir...es algo absolutamente personal, una elección donde la libertad del individuo debería poder ejercitarse sin coerciones y ser rigurosamente respetada, un acto, por lo demás, cuyas consecuencias sólo atañen a quien lo ejecuta", Diario *El País*, 25 de abril de 1999.

tratase, de una u otra forma, a partir de la siempre incierta discusión en torno a la ponderación e interpretación recíproca de los derechos fundamentales a la *vida* y a la *libertad*[391], de encontrar remedios con los que, al menos, paliar la misma.

Antes de entrar a recordar cuáles eran en concreto éstos, conviene tener presente la clasificación que puede considerarse ya clásica de la eutanasia, en cuanto que la misma es el punto de partida obligado de cualquier reflexión al respecto. En concreto, la mayoría de los ensayos doctrinales orientados a clasificar las distintas formas de eutanasia suelen diferenciar entre la *eutanasia activa* (provocación de la muerte) y la *pasiva u ortotanasia* (no-iniciación o interrupción de un tratamiento que consigue alargar la vida en su fase final, o, lo que es lo mismo, la conducta consistente en retirar el soporte vital), distinguiendo a su vez entre la *eutanasia directa e indirecta*, según que la medida se oriente a causar la muerte o simplemente produzca como efecto secundario el acortamiento de la vida[392].

A partir de esta clasificación, ya antes de las previsiones introducidas por el Código penal del 95 la doctrina, en líneas generales, se había mostrado favorable a admitir la impunidad, en primer lugar, en los supuestos de *eutanasia*

---

[391] Entre otros, MUÑAGORRI LAGUÍA, *Eutanasia y Derecho Penal, ob. cit.*, págs. 41 ss; también en "La regulación de la eutanasia en el nuevo Código penal de 1995", en *Jueces para la Democracia*, 1996; DÍEZ RIPOLLÉS, *Eutanasia y Derecho, ob. cit.*, págs. 519 ss; véase referencias doctrinales en DÍEZ RIPOLLÉS/GRACIA MARTÍN, *Delitos contra bienes jurídicos fundamentales, ob. cit.*, págs. 204 ss.
En relación con Ordenamientos, como el alemán, que se limitan a contemplar la figura del homicidio a petición véanse los intentos por trazar límites que, al menos, dejen fuera los casos de eutanasia pasiva practicada con consentimiento del paciente. Es el caso de la propuesta de OPDERBECKE, "Grenzen der ärztlichen Behandlungspflicht, en Suizid und Euthanasie", en *Suizid und Euthanasie*, Stuttgart, 1976, págs. 136 ss; en la misma obra, ESER, *Neues Recht des Sterbens? Einige grundsätzliche Betrachtungen, ob. cit.*, págs. 392 ss.

[392] Entre otros, DEL ROSAL BLASCO, "El tratamiento jurídico-penal y doctrinal de la eutanasia en España", en *El tratamiento jurídico de la eutanasia. Una perspectiva comparada*, Valencia, 1996, págs. 54 ss; ZUGALDÍA ESPINAR, "*Eutanasia y homicidio a petición: situación legislativa y perspectivas político-criminales*", RFDUG, 1987, págs. 283 ss. Véase también en la misma obra, SEMINARA, *La eutanasia en Italia*, págs. 78 ss. No obstante, propone una clasificación distinta DÍEZ RIPOLLÉS, diferenciando entre eutanasia terminal, paliativa y cualitativa que, en esencia, se corresponde respectivamente con la eutanasia pasiva, indirecta y activa, en "Eutanasia y Derecho", en *El tratamiento jurídico de la eutanasia: Una perspectiva comparada*, Valencia, 1996, págs. 517 s; véase también en NUÑEZ PAZ, *Homicidio consentido, eutanasia y derecho a morir con dignidad, ob. cit.*, págs. 58 ss; MARCOS DEL CANO, *La eutanasia. Estudio filosófico-jurídico*, Barcelona, 1999, págs. 51 ss.

pasiva. Dejando al margen argumentos aislados[393], la lógica que ha inspirado esta solución no es otra que la idea de que, al fin y al cabo, cuando el paciente renuncia a seguir recibiendo la medicación o la asistencia mecánica que necesita, lo que ejerce no es más que el derecho a negarse al tratamiento, lo que entronca con el principio de voluntariedad como presupuesto legitimador de cualquier acto médico. Como afirmase ESER, "allí donde sea admisible la interrupción de un tratamiento con medicamentos terapéuticos, también debe serlo el cese del tratamiento técnico"[394]. Se trataría, en definitiva, de respetar uno de los principios básicos de bioética, considerado además punto de partida de los restantes: *la autonomía* del paciente, hasta el punto de que la pretensión de desconocerla e imponer pese a la misma un tratamiento médico podría dar paso, en su caso, a un delito de coacciones.

Por otra parte, en la medida en que se trata de un simple omitir, el razonamiento que está en la base de la impunidad de la eutanasia pasiva puede reconducirse a otro de dichos principios que fundamenta la ética biomédica: el de *no-maleficencia*[395]. Así habría de entenderse teniendo en cuenta que el empeño por agotar cualquier recurso que ofreciera la medicina podría llevar a prácticas de encarnizamiento terapéutico, que se traducirían en hacer

---

[393]   En la doctrina alemana es digno de mención el planteamiento de JAKOBS. Este autor intenta justificar la impunidad de los casos de desconexión del aparato, considerados tradicionalmente como formas de eutanasia pasiva, a partir de las premisas de la construcción más amplia que sostiene en torno a la comprensión de los roles en Derecho penal. Así afirma: "Es lícito suspender determinadas prestaciones realizadas a través de aparatos y que conservan con vida al paciente cuando ya no están indicadas médicamente. Aunque la desconexión de los aparatos, es decir, un actuar positivo, tenga efectos causales respecto a la muerte del paciente, el médico permanece dentro de su rol y no se arroga una organización ajena; por el contrario, es infortunio del otro el hecho de estar organizado de manera propensa a sufrir el daño", en *La imputación objetiva en Derecho penal, ob. cit.*, págs. 32 s.

Digna de mencionarse es igualmente la argumentación de DUTTGE, quien justifica la impunidad de la eutanasia pasiva e indirecta en que, a diferencia de lo que sucede con la modalidad activa, en estos casos puede hablarse de un consenso en la comunidad que evita cualquier lesión a la paz jurídica (*"keine Störung des rechtsfriedens"*), en "Sterbehilfe aus rechtsphilosophischer Sicht", en *GA* abril, 2001, págs. 158 ss., 174 ss.

[394]   ESER, en Schönke/Schröeder/Eser, vor § 211. En la doctrina italiana véase por ejemplo MANTOVANI, Ferrando, que se muestra en general favorable al castigo de la eutanasia a partir de una concepción personalista del Derecho, "El problema jurídico de la eutanasia", *ob. cit.*, págs. 94 ss: "Tratándose de un rechazo del tratamiento por parte del enfermo, ha de abandonarse la impropia y equívoca expresión de eutanasia pasiva consentida, y no existe necesidad de regulación específica alguna para estas hipótesis", pág. 95; véase también STORTONI, "Reflessioni in tema di eutanasia", en *L'indice Penale*, mayo-agosto, 2000, pág. 482.

[395]   Por todos, BEAUCHAMPS/CHILDRESS, *Principios de ética médica, ob. cit.*, págs. 208 ss.

prevalecer el mantenimiento ciego de la vida por encima del interés en evitar sufrimiento del paciente y, en definitiva, por encima del *mal* que de esta forma se le causara.

Precisamente a esta argumentación responde el conocido fallo del Tribunal Superior de Londres en favor de Miss B, una mujer que quedó tetrapléjica a consecuencia de una enfermedad de los vasos sanguíneos. Su petición podía reconducirse al concepto de eutanasia pasiva, en cuanto que lo que solicitaba —y se le reconoció— era el derecho a rechazar el aparato respiratorio que la mantenía con vida. La juez del caso, tras reconocer que con su decisión permitía a la paciente que muriese "en paz y dignidad", consideró que: "Hay que permitirlo a quienes están tan severamente discapacitados como Miss B, a quienes vivir en tales condiciones puede suponer algo peor que la muerte". Dicha muerte se produjo finalmente el 29 de abril de 2002. Como tendremos ocasión de referir más adelante, a la misma tipología responde en nuestro país el caso de Inmaculada Echevarría.

Es más, esta solución, defendida sin ambages en los casos en los que el enfermo solicita la práctica de la eutanasia, se ha extendido a veces, si bien desde luego de una forma mucho más controvertida, a los casos en los que el paciente se opone o incluso ni siquiera puede expresar su voluntad debido a la gravedad de su estado. Sin perjuicio de que más adelante nos ocupemos específicamente de este aspecto, baste citar en relación con los casos en que el paciente se opone a la terapia en cuestión el razonamiento defendido en la doctrina alemana por autores como ROXIN, cuando afirma que, si bien es verdad que en línea de principio debe prevalecer la voluntad del paciente, ha de trazarse un límite en el que la continuidad de la actividad médica debe valorarse como carente de sentido "porque los recursos técnicos y también financieros de la sanidad pública no son inagotables. Pero, sobre todo, porque el retraso continuo del incontenible proceso mortal con ayuda de modernos instrumentos médicos no se corresponde con nuestra idea de una muerte digna"[396]. Como exponente de lo segundo, esto es, de la posibilidad de practicar la eutanasia pasiva aun cuando el paciente no pueda manifestar su voluntad, pueden considerarse las palabras de ESER cuando escribe que la cancelación de la obligación del médico de mantener la vida podría basarse en la idea del hombre como 'ser dotado de sentido', lo que le lleva a fundamentar la "posibilidad de poner fin a la obligación de prolongación de la vida (abandonándola

---

[396] ROXIN, "Tratamiento jurídico-penal de la eutanasia", traducción de Olmedo Cardenete, en *Eutanasia y suicidio, ob. cit.*, pág. 17.

así pasivamente a la muerte), cuando ella ha perdido definitivamente toda forma de capacidad de comunicación"[397].

La misma solución de la impunidad se había defendido también para la eutanasia *activa indirecta*[398], siempre que mediara el consentimiento del paciente[399]. El razonamiento que respalda esta solución descansa en la idea, aceptada hoy día por todos los expertos en Bioética, incluso aquellos que profesan la moral católica, de que salvar la vida no es prolongar la muerte. Así, por ejemplo, escribe ROXIN: "Si la eutanasia indirecta es impune se debe a que junto a la voluntad del paciente orientada a un resultado concreto se añade la consideración de que, dado el caso, el deber de alargar la conservación de la vida cede frente a la obligación de atenuar el sufrimiento. Una vida algo más corta sin graves dolores puede ser más valiosa que otra no mucho más larga acompañada de sufrimientos apenas insoportable"[400]. En la medida en que se trata en última instancia de procurar bienestar al paciente, ofreciéndole

---

[397] ESER, *ADPCP 1984, ob. cit.*, págs. 774 ss. En nuestra doctrina, véase por ejemplo NUÑEZ PAZ, *Homicidio consentido, eutanasia y derecho a morir con dignidad, ob. cit.*, págs. 72 s.

[398] Entre otros, ZUGALDÍA ESPINAR, *RFDUG*, 1987, *ob. cit.*, págs. 281 ss; BAJO FERNÁNDEZ, *CPC* 1993, *ob. cit.*, págs. 735 ss., para quien "la prolongación artificial de la vida de un enfermo terminal o que padece insoportables dolores y que solicita expresamente la muerte, constituye trato inhumano o degradante prohibido por el art. 15 de la Constitución Española". Sobre estos argumentos véase también ALONSO ÁLAMO, "La eutanasia hoy: perspectivas teológicas, bioética constitucional y jurídico-penal (a la vez una contribución sobre el acto médico)", en *Revista penal, num. 20, julio 2007*, págs. 18 ss.
La misma solución puede considerarse mayoritaria con relación a aquellos Códigos penales que, como el italiano, no contienen regulación expresa de la eutanasia. Véase, entre otros, GRASSO, "Riflessioni in tema di eutanasia", en *Quaderni della Giustizia*, 1986-I, págs. 69 ss; STORTONI, *Vivere: diritto o dovere? Riflessioni sull'eutanasia*, Trento, 1992, págs. 66 ss; MANTOVANI, Ferrando, en *Rivista italiana di diritto e procedura penale*, 1988-I, *ob. cit.*, págs. 454 ss; con amplias referencias doctrinales, véase MONTICELLI, "Eutanasia, Diritto penale e principio di legalità", *Estratto de L'Indice penale*, maggio-agosto 1998, págs. 493 ss. No obstante, no puede hablarse de unanimidad, existiendo voces que reclaman, bien el castigo de todas las formas de eutanasia (EUSEBI, en *Rivista italiana di medicina legale*, 1995, *ob. cit.*, págs. 743 s., subrayando la imposibilidad de dar relevancia a una voluntad formada en una situación de sufrimiento), bien la impunidad de cualquiera de sus formas -también la activa- siempre que sea consentida (GIUNTA, "Diritto di morire e Diritto penale. I termini di una relazione problematica", en *Rivista italiana di diritto e procedura penale*, 1897-I, págs. 74 ss).

[399] No obstante, no han faltado posturas aisladas que proponen incluso la legalidad de la eutanasia cuando el paciente no puede expresar su voluntad. Es el caso de JAKOBS, quien a partir de la identificación de lo que llama una "situación racional", se muestra partidario de dar luz verde a la eutanasia aun cuando no conste el consentimiento expreso del paciente, sino meramente presunto, en *Suicidio, eutanasia y Derecho Penal*, Valencia, 1999, trad. de Muñoz Conde y García Álvarez, pág. 69.

[400] ROXIN, "Tratamiento jurídico-penal de la eutanasia", *ob. cit.*, pág. 8.

el tratamiento que palie su sufrimiento aun a costa de mermar en términos cuantitativos su existencia, la impunidad de estos casos podría basarse en otro de los principios de bioética: el de beneficencia.

Distinto ha sido siempre el talante con el que se ha afrontado el problema de la *eutanasia activa directa*, respecto a la que han sido realmente aislados los intentos de defender su atipicidad[401], siendo frecuentes, por el contrario, las posturas proclives al mantenimiento de su castigo[402], generalmente bajo el argumento de que del derecho a la vida no puede deducirse el reconocimiento de un derecho a la muerte[403]. Con todo, hay que reconocer que tampoco han faltado los esfuerzos por articular expedientes que, para unos, podrían llegar

---

[401]   Es el caso de ROXIN, quien, según hemos visto, tras mostrarse partidario de mantener en general la tipicidad de la eutanasia activa, defiende en determinados supuestos muy restrictivos su atipicidad, en la línea de solución que contemplara el Proyecto Alternativo. Conforme a su parágrafo 216.II: "El Tribunal, bajo los presupuestos del apartado primero (homicidio a petición), podrá excluir la pena cuando la muerte sirva para el cese de una grave situación de sufrimiento insoportable para el interesado que no pueda ser evitada o mitigada por ninguna otra medida", véase ROXIN, en "Tratamiento jurídico-penal de la eutanasia", *ob. cit.*, pág. 35. Debe advertirse por otra parte que, a partir de la impunidad en el Derecho alemán de la participación en el suicidio, este autor sostiene la impunidad de la complicidad en la eutanasia activa cuando ésta puede reconducirse a los esquemas de aquella figura, pág. 25.

[402]   Así, en relación en general con la eutanasia activa directa escribe ROXIN, "incluso cuando con buenos motivos se relativiza el significado de estos obstáculos y se enfatiza el interés humano en el cese de sufrimientos insoportables y en una muerte digna que se encuentra detrás de estas concepciones minoritarias, los inconvenientes de una admisibilidad más amplia de la eutanasia activa me parecen preponderantes. Querer situarnos...a favor de la racionalidad del deseo de morir o de una ponderación de intereses incluso bajo el Derecho vigente, supone crear una inseguridad jurídica que no puede ser exigida a ningún médico ni paciente. La circunstancia de que ni siquiera los mismos defensores de tales opciones normativas ofrecen soluciones concretas, lo demuestra de forma clara y suficiente. También la equivocidad de criterios como 'lo razonable' y el 'interés', ofrece una puerta de entrada a tendencias inconvenientes que mejor no deberían abrirse", en "Tratamiento jurídico-penal de la eutanasia", *ob. cit.*, pág. 33.

[403]   Puede citarse en este sentido la Sentencia del Tribunal Europeo de Derechos Humanos, de 29 de abril de 2002, que declaró que del reconocimiento en el art. 2 del Convenio de que el "derecho de toda persona a la vida está protegido por la Ley", no se puede "interpretar, sin distorsión alguna del lenguaje, que el artículo 2 confiere un derecho diametralmente opuesto, a saber el derecho a morir; tampoco puede crear un derecho a la autodeterminación en el sentido de que conceda a todo individuo el derecho a escoger la muerte antes que la vida". Por ello, desestimó la demanda presentada por una ciudadana británica contra el Reino Unido, para que se le reconociera el derecho que le había denegado el "Director of Public Prosecutions" a conceder a su marido una inmunidad de diligencias si le ayudaba a poner fin a su vida como forma de evitar la penosa muerte que le esperaba debido al padecimiento de una esclerosis lateral amiotrófica.

a justificar la conducta[404]; para otros, a excluir o atenuar la culpabilidad, impidiendo así su equiparación punitiva a los casos en los que, o el sujeto no tenía voluntad de morir, o no concurrían los presupuestos situacionales de la eutanasia[405].

El Código penal español del 95, apartándose de la línea de otros países de nuestro entorno cultural que, si bien contemplan la figura del homicidio consentido[406], no contienen referencia alguna a la eutanasia, optó por ocuparse específicamente del problema en el art. 143.4. Conforme al mismo, "El que causare o cooperare activamente con actos necesarios y directos a la muerte de otro, por la petición expresa, seria e inequívoca de éste, en el caso de que

---

[404]   Por ejemplo, proponían apreciar para estos casos un estado de necesidad, VALLE MUÑIZ, *CPC* 1989, *ob. cit.*, págs. 176 ss; GIMBERNAT ORDEIG, "Eutanasia y Derecho Penal", en *RFDUG*, 1987, págs. 107 ss; DÍEZ RIPOLLÉS, "Suicidio y homicidio consentido", en DÍEZ RIPOLLÉS/GRACIA MARTÍN, *Delitos contra bienes jurídicos fundamentales. Vida Humana Independiente y libertad, ob. cit.*, págs. 263 ss., si bien defendiendo la atipicidad para las conductas omisivas; el mismo en "Eutanasia y Derecho", en *El tratamiento jurídico de la eutanasia, ob. cit.*, págs. 539 s. Véase también CABELLO MOHEDANO/GARCÍA GIL/VIQUERA TURNEZ, *Entre los límites personales y penales de la eutanasia*, Cádiz, 1990 págs. 107 ss.

[405]   TORIO, "Reflexión crítica sobre el problema de la eutanasia", en *Estudios penales y Criminológicos*, Santiago de Compostela, 1991, págs. 241 ss. Recogiendo las distintas opiniones doctrinales, véase ZUGALDÍA ESPINAR, *RFDUG*, 1987, *ob. cit.*, págs. 290 ss. y GARCÍA ARÁN, "Eutanasia y disponibilidad de la propia vida", en *Cuadernos de Derecho Judicial, Delitos contra la vida e integridad física*, Madrid, 1995, págs. 14 ss. (publicado también en *Revista Peruana de Ciencias Penales*, num. 7/8, págs. 749 ss.)

[406]   Es el caso, por ejemplo, de los Códigos penales italiano y alemán. El primero, establece en su artículo 579 que "Será castigado con pena de prisión de seis a quince años quien cause la muerte de un hombre con el consentimiento de éste", añadiendo que no será válido el consentimiento si el hecho es cometido: 1) contra una persona menor de 18 años; 2) contra una persona enferma mental o que se encuentre en condiciones de enfermedad psíquica por cualquier otra enfermedad o por abuso de sustancias alcohólicas o estupefacientes; 3) contra una persona cuyo consentimiento haya sido obtenido por violencia, amenaza o engaño". Véase al respecto MANTOVANI, Ferrando, "Sobre el problema jurídico del suicidio", en *Eutanasia y suicidio*, Granada 2001, págs. 69 ss. Conforme al §216 StGB "será castigado con una pena de prisión de seis meses a cinco años el que matare a otro por expresa y seria petición de éste". Debe tenerse en cuenta, por otra parte, que en ese ordenamiento, es impune la participación en el suicidio, con lo que resulta que la calificación de una misma conducta dependerá de la forma en la que el tercero coopere a la muerte del enfermo terminal y, en definitiva, de quién sea el titular del dominio último del acto. Sobre esta problemática véase por ejemplo ROXIN, "Tratamiento jurídico-penal de la eutanasia", *ob. cit.*, págs. 25 ss. Al hilo de casos enjuiciados por los Tribunales alemanes, véase también el mismo autor en "La eutanasia en el conflictivo ámbito de la participación en el suicidio, la interrupción permitida de un tratamiento y el homicidio a petición (a propósito de las sentencias BGH, NStZ 1987, 365 y LG Ravebsburg NStZ 1987, 229)", en *Eutanasia y suicidio*, Granada, 2001, págs. 39 ss.

la víctima sufriera una enfermedad grave que conduciría necesariamente a su muerte, o que produjera graves padecimientos permanentes y difíciles de soportar, será castigado con la pena inferior en uno o dos grados a las señaladas en los números 2 y 3 de este artículo"[407].

De esta forma, el legislador español, haciéndose eco de la línea valorativa antes descrita, consagró expresamente la opción de incriminar, sin excepciones ni paliativos[408], la autoría ejecutiva así como la cooperación necesaria a la *eutanasia activa directa* y, por exclusión, de considerar impunes esas mismas formas participativas a la eutanasia pasiva o indirecta[409]. Precisamente en relación con los actos de colaboración, debe tenerse en cuenta que la ausencia de cualquier referencia a las conductas de inducción determina que exista prácticamente unanimidad a la hora de considerar punibles los actos de incitación a la misma[410].

---

[407] Sobre los requisitos generales de este precepto, véase por ejemplo LEMA AÑÓN/BRANDARIZ GARCÍA, "Disponibilidad de la propia vida, eutanasia y responsabilidad penal: notas iusfilosóficas y jurídico penales", en *Responsabilidad penal del personal sanitario*, Brandariz García/Faraldo Cabada (coords.), A Coruña, 2002, págs. 45 ss; MUÑAGORRI LAGUIA, en *Jueces para la Democracia, ob. cit*, págs. 67 ss; TOMÁS-VALIENTE LANUZA, *La cooperación al suicidio y la eutanasia en el nuevo C.P. (art. 143), ob. cit.*, págs. 124 ss.

[408] Como, por ejemplo, hacía en Alemania el Proyecto alternativo de la ley reguladora de la ayuda a morir, de 1986, cuyo parágrafo 216, tras disponer que "Será castigado con pena de prisión de seis meses a cinco años quien cometa un homicidio a solicitud expresa y seria de quien no quiere vivir más", introducía un segundo apartado del siguiente tenor: "El Juez puede dispensar la pena en los supuestos del apartado 1, cuando el homicidio sirve para acabar con un estado de padecimiento grave e insoportable para el afectado, que no puede ser remediado o atenuado por medio de otras medidas", en *ADPCP* 1988 (trad. de MAPELLI CAFFARENA), págs. 833 ss.

[409] Esta regla se consagró ya en el ámbito deontológico. En concreto, a efectos de la reglamentación corporativa, dispone el art. 28 del Código de Ética y Deontología Médica que "el médico nunca provocará intencionadamente la muerte de un paciente ni por propia decisión ni cuando el enfermo o sus allegados lo soliciten ni por ninguna otra exigencia. La eutanasia u 'homicidio por compasión' es contraria a la ética médica"; no obstante, conforme al apartado 2 "en caso de enfermedad incurable y terminal, el médico deberá limitarse a aliviar los dolores físicos y morales del paciente, manteniendo en todo lo posible la calidad de una vida que se agota y evitando comprender o continuar acciones terapéuticas sin esperanza, inútiles u obstinadas. Asistirá al enfermo hasta el final, con el respeto que merece la dignidad del hombre". Conforme al apartado 3, "la decisión de poner término a la supervivencia artificial en caso de muerte cerebral sólo se tomará en función de los más rigurosos criterios científicos y las garantías exigidas por la Ley. Antes de suspender los cuidados, los médicos cualificados e independientes del equipo encargado de obtener los órganos para trasplante, suscribirán un documento que autentifique la situación".

[410] Sobre esta regulación véase en nuestra doctrina, por ejemplo, BARQUÍN SANZ, "La eutanasia como forma de intervención en la muerte de otro", en *Eutanasia y suicidio*, Granada,

Como puede comprobarse, se trata de una solución bastante limitada, que precisamente por su vocación de contentar a todos, al final no acaba satisfaciendo a nadie. A los que se oponen a la eutanasia a partir del viejo dogma de la sacralidad de la vida porque probablemente seguirán viendo en ella un cauce que, al fin y al cabo, se articule como se articule, permite poner fin impunemente a la existencia humana. A los que se muestran favorables a atender a la voluntad del enfermo en el sentido de conceder la prioridad a la calidad de la vida por encima de su cantidad, porque esta regulación les resultará, sin duda, excesivamente estrecha.

En efecto, dejando de momento al lado otras objeciones al precepto a las que nos referiremos más adelante que tienen que ver con la incoherencia e incluso con la crueldad de la regulación, la misma puede tacharse de superficial y claramente restrictiva.

Lo primero, su superficialidad, no es difícil de entender. Baste recordar que, como destacábamos líneas más arriba, antes de la introducción del precepto ya podía fundamentarse la solución de la impunidad de las conductas pasivas o indirectas a partir de algunos principios de bioética.

Lo segundo, su carácter sumamente restrictivo, también resulta evidente precisamente por lo anterior, esto es, porque solo ha considerado atípicos los casos que podían serlo con expedientes alternativos, pero sigue castigando decididamente las conductas reclamadas por algunos enfermos que padecen enfermedades permanentes y difíciles de soportar pero que, sin embargo, pueden mantenerse con vida años e incluso décadas.

Sin lugar a dudas, la timidez con la que admite la práctica de la eutanasia —confirmada posteriormente por el rechazo a la Proposición de Ley presentada en enero de 1998 por el Grupo Parlamentario Mixto[411]— es fruto de los temores del legislador, que posiblemente no tienen que ver ya con el mante-

---

2001, págs. 155 ss.

[411] Que proponía la siguiente redacción del art. 143.4 CP "Quedará exento de pena quien, mediante actos necesarios o de cooperación activa, permitiere, propiciare o facilitare la muerte digna y sin dolor de otra persona, a petición expresa, libre e inequívoca de ésta, en caso de que sufriera una enfermedad grave que hubiera conducido necesariamente a su muerte o le produjera graves padecimientos permanentes y difíciles de soportar, o que, siendo permanente, le incapacitara de manera generalizada para valerse por sí misma". La Proposición se completaba con la modificación de la Ley General de Sanidad para introducir el derecho del paciente a decidir libremente, una vez informado, el tratamiento médico que se le vaya a aplicar, lo que se justificaba como presupuesto del reconocimiento de la voluntad de morir del afectado. Véase el Boletín Oficial de las Cortes Generales de 26 de enero de 1998.

nimiento reverencial del viejo dogma de la sacralidad absoluta de la vida. Es más probable que esos temores tengan que ver con el miedo a caer en la que se ha dado en llamar "pendiente resbaladiza", y a que la impunidad de tales conductas se convierta en una fórmula con la que reavivar los espeluznantes horrores cometidos en otros períodos de la historia, que bajo términos como *"programas de eutanasia"*, sirvieron para enmascarar la eliminación de seres que "manchan" la pureza de la raza o, simplemente, seres que siempre resultan costosos para todos y especialmente incómodos para quienes tienen que dedicar tiempo y esfuerzo en cuidarlos[412].

De hecho, que el legislador nacional dé muestras de esos temores no es algo que le caracterice en solitario, sino que por el contrario se trata de una preocupación compartida por distintas declaraciones emitidas por diferentes instancias internacionales. Valga de cita la Recomendación 1418 (1999), adoptada el 25 de junio de 1999 por la Asamblea Parlamentaria del Consejo de Europa, que pese a declarar que la obligación de respetar y proteger la dignidad de los enfermos terminales y moribundos deriva de la inviolabilidad de la dignidad humana en todas las etapas de la vida, lo que exige proporcionar al ser humano un medio adecuado que le permita morir con dignidad, y pese a reconocer que debe protegerse el derecho de estas personas a la autodeterminación, afirma que "el deseo de morir no genera el derecho a morir a manos de un tercero", así como que "el deseo de morir de un enfermo terminal o una persona moribunda no puede, por sí mismo, constituir una justificación legal para acciones dirigidas a poner fin a su vida". En el mismo sentido restrictivo se pronunció la Asociación Médica Mundial en su declaración sobre la eutanasia adoptada en su 39ª Asamblea, celebrada en Madrid, en octubre de 1987: "La eutanasia, es decir, el acto deliberado de poner fin a la vida de un paciente, incluso a petición de éste o de sus familiares próximos, es contraria a la ética. Esto no impide al médico respetar el deseo del paciente de permitir

---

[412]   Este razonamiento suele ser, por lo demás, el principal de los manejados por quienes se oponen a la legalización de la eutanasia. Así, por ejemplo, escribe ETIENNE MONTERO, "La legalización de la eutanasia voluntaria supone el primer paso de un proceso lógico ineluctable. Para lograr su aceptación se jura y perjura que sólo se aplicará en aquellos casos extremos presentados ante la opinión pública en razón de su carácter especialmente dramático. Sin embargo, una vez admitido el principio, se forjará, de forma natural, una mentalidad que restará importancia al acto eutanásico. En cuanto se levante la prohibición, lo que antaño estaba vedado, se convertirá en una práctica común hasta el punto de parecer, a los ojos de todos, como algo normal. La evolución hacia eutanasias practicadas sin el consentimiento del paciente, por piedad o por razones socioeconómicas, se inscribe en un escenario que ya es previsible", en *La Ley*, 1996, *ob. cit.*, págs. 2 s. Véase por ejemplo también la Declaración sobre la eutanasia de la Sociedad Española de cuidados paliativos aprobada por el Comité Directivo de la SECPAL en Barcelona el 26 de enero de 2002.

que el proceso natural de la muerte siga su curso en la fase terminal de su enfermedad".

En la misma línea, en el Pronunciamiento sobre el suicidio asistido por un médico, adoptado en la 44ª Asamblea celebrada en Marbella en septiembre de 1992, la Asociación Médica Mundial declaró que "El suicidio asistido por un médico es, de igual manera que la eutanasia, contrario a la ética y debe ser condenado por la profesión médica. Siempre que el auxilio del médico trata deliberadamente de dar los medios para que el paciente ponga fin a su propia vida, ese médico actúa de modo contrario a la ética. Con todo, el derecho a rehusar el tratamiento médico es un derecho básico del paciente y el médico no quebranta la ética incluso si el respeto a tal deseo conduce al paciente a la muerte".

Por su parte la Asociación Médica Americana en su declaración sobre el suicidio asistido por un médico (Council of Ethical and Judicial Affairs, junio de 1996), se manifestó en el sentido de que "permitir a los médicos participar en el suicidio asistido causaría más daño que bien. El suicidio médicamente asistido es fundamentalmente incompatible con el papel asistencial del médico, sería difícil o imposible de controlar y acarrearía graves riesgos para la sociedad".

Desde luego, si realmente el temor fuese éste, no le faltarían razones al legislador para tantas reticencias a la hora de abrir de una vez la mano a la impunidad. Lo que ocurre, sin embargo, es que, como reiteradamente destacan no pocas voces, para evitar tal efecto bastaría con una estricta depuración de los presupuestos objetivos que legitimen aquélla[413].

Resulta inevitable en este sentido la referencia a la Ley holandesa de legalización de la eutanasia, aprobada el 10 de abril de 2001 y entrada en vigor el 1 de abril de 2002 con el respaldo de un amplio consenso social[414], que consolida normativamente una práctica que, según algunos estudios, lejos de aumen-

---

[413]   Entre otros, CASADO GONZÁLEZ, *La eutanasia. Aspectos éticos y jurídicos*, Madrid, 1994, págs. 53 s; en la doctrina americana, STONE/WINSLADE, "Ayuda médica al suicidio y eutanasia en los Estados Unidos", en *El tratamiento jurídico de la eutanasia. Una perspectiva comparada*, en Díez Ripollés/Muñoz Sánchez (coord), *ob. cit.* págs. 407 ss; LANDROVE DÍAZ, "El derecho a una muerte digna", en *La Ley*, 1998, pág. 1999.
En Alemania, véase JAKOBS, *Suicidio, eutanasia y Derecho penal, ob. cit.*, págs. 54 ss.

[414]   Según una investigación realizada en 1998 por la Universidad Erasmus en Rotterdam, el 92% de los habitantes están a favor de la eutanasia. Incluso el 96% de los católicos entrevistados se mostraban favorable. Datos recogidos en el Diario El País, de 21 de abril de 2002.

tar los casos de eutanasia había determinado su reducción[415]. Siguiendo sus pasos, debe mencionarse también la ley belga de legalización de la eutanasia activa, aprobada el 16 de mayo del mismo año, y entrada en vigor en septiembre de 2002.

La primera de esas normas, partiendo de que el paciente no tiene un derecho intrínseco a la eutanasia, ni el médico una obligación de practicarla, no la considera delito siempre que éste actúe respetando criterios muy estrictos: que el enfermo esté sometido a un sufrimiento insoportable sin que exista perspectiva de mejora alguna[416] y que haya expresado repetidamente su voluntad de morir[417]. Además, el médico que atiende habitualmente al paciente debe valorar su sufrimiento como insoportable y sin posibilidades de mejora, y pedir la opinión a otro colega. El facultativo está obligado a informar con toda celeridad a una de las cinco comisiones regionales integradas por un jurista, un médico y un especialista en ética, que estudiarán el caso y juzgarán si se han respetado los requisitos. En caso contrario, informarán al Ministerio Fiscal, que abrirá una investigación[418]. Los médicos que no respeten esas

---

[415]   Véase la información aparecida en el Diario *El País* el 27 de mayo de 2002. Según los datos recopilados por las cinco comisiones regionales encargadas de revisar el comportamiento de los médicos, en 2001 fueron comunicadas 2.054 ayudas para morir. En 2000 llegaron 2.123 certificados y en 1999, algo más de 2.216.

[416]   De esos supuestos quedan fuera los casos de las personas que sufren depresión. En este sentido, el Tribunal Supremo holandés confirmaba en diciembre de 2002 la condena impuesta en 2001 por el Tribunal de Apelación de Amsterdam a un médico por practicar la eutanasia a un anciano, que se había quedado sin parientes ni amigos y que apenas podía moverse y que, por ello, aseguraba "haber perdido las ganas de vivir". Véase la información aparecida en el Diario *El País*, el 26 de diciembre de 2002.

[417]   La Ley incluye dos apartados especiales dedicados a los menores de edad y a las personas incapacitadas para hablar con el médico. Los primeros sólo podrán tomar la decisión de morir cuando alcancen entre 16 y 17 años y la opinión de sus padres será tenida en cuenta. Entre los 12 y los 16 años, sólo el consentimiento de los progenitores permitirá dicha práctica. Las peticiones escritas de eutanasia, por ejemplo en un testamento, servirán para enfermos en coma o incapacitados que hubieran expresado esa voluntad.

[418]   De hecho, ya antes de la aprobación de esta ley, la práctica, sobre la base de 25 años de jurisprudencia y una serie de directrices recogidas por el Colegio de Médicos, *de facto*, conducía a la impunidad de la eutanasia siempre que se respetaran determinados requisitos. Así, pese a que en ese país la eutanasia se incriminaba en el Código penal (art. 293), la práctica aseguraba la impunidad al personal médico que la realizase dentro de determinados cauces procedimentales que ponían el acento tanto en la gravedad de la situación como en la voluntad del enfermo. Dichos requisitos procedimentales fueron establecidos por una Comisión de la Sociedad Real de Medicina de acuerdo con la Asamblea General de los Fiscales: situación irreversible de sufrimientos insoportables, petición libre y reiterada de no continuar viviendo y la confirmación del diagnóstico por otro médico. Al respecto, véase MARÍN GÁMEZ, en *RFDUCM*, 1995/95, *ob. cit.*, págs. 139 ss. y TOMÁS-VALIENTE

condiciones serán castigados con penas de hasta doce años de cárcel si han participado activamente, y de tres años, si se han limitado a proporcionar al enfermo los medios para quitarse la vida.

Por su parte, la Ley belga se orienta igualmente a instaurar un proceso con todas las garantías así como a ofrecer una salida racional al conflicto. Esta Ley, que permite que cualquier enfermo incurable, aunque no esté en fase terminal ni su enfermedad sea mortal[419], pueda elegir el momento de su muerte, prevé un proceso tutelado por el médico del paciente, que deberá contar siempre con la opinión de un segundo facultativo, y hasta de un tercero en caso de que la dolencia no sea mortal. Para evitar que los enfermos formen su voluntad condicionados por la posible situación de depresión en que se encuentren o bien motivados por presiones familiares, la norma establece ciertos plazos, garantizando que la legalidad de la eutanasia se ciña a los enfermos que la demanden de forma consciente y reiterada. Para ello prevé la creación de una Comisión federal compuesta por médicos y juristas que habrá de valorar en un plazo de dos meses desde la práctica de la eutanasia el cumplimiento de los requisitos previstos en la Ley[420].

Con independencia de la forma en que en concreto se articule, creo que la preocupación por garantizar la libertad del enfermo en la toma de decisión así como el escrupuloso respeto de una serie de garantías en la comprobación de los presupuestos fácticos que legitimen su práctica deberían ser las únicas inquietudes de un Estado que ya dejó de ser confesional en la producción de sus leyes penales, si no quiere vociferar una libertad que, sin embargo, tan fácilmente quebranta ante el lastre que de forma inevitable representa el peso de toda una tradición cultural; y lo que es aun más grave, si no quiere imponer determinadas concepciones nada menos que mediante el recurso al Derecho

---

LANUZA, *La disponibilidad de la propia vida en el Derecho penal*, ob. cit., págs. 275 ss. En realidad, las únicas novedades que incorpora el texto legal son la aceptación de una declaración de voluntad previa (testamento vital) por parte de aquellos pacientes que en el último momento no tengan capacidad para manifestar su deseo de morir y la inclusión de los menores, a partir de 16 años, como capacitados para pedir la eutanasia activa sin acuerdo de sus padres; la misma en "La regulación de la eutanasia en Holanda", en *ADPCP* 1997, págs. 293 ss.

[419]   La Ley se refiere en el art. 3.1 a "una situación médica sin esperanza, definida por un estado de sufrimiento físico o psíquico permanente e insoportable que no pueda paliarse y que sea el resultado de una enfermedad grave e incurable".

[420]   Sobre la regulación de estos países así como de otros de Derecho comparado, véase NÚÑEZ PAZ, *La buena muerte. El derecho a morir con dignidad*, Madrid, 2006, págs.169 ss.

penal desconociendo, dicho sea de paso, tanto la práctica médica real[421] como el sentir de amplios grupos sociales[422]. Este proceder sólo podría legitimarse desde el desconocimiento de que, como señalara DWORKIN, "incluso las personas que pretenden imponer sus concepciones sobre los demás a través del derecho penal, cuando, junto con sus colegas que piensan como ellos, son políticamente poderosos, podrían horrorizarse, quizás hasta el punto de promover una revolución, si se invirtiera su suerte política y se enfrentaran a la pérdida de la libertad que ahora están dispuestos a negar a los demás"[423]. Frente a esta tendencia, la preocupación del Derecho penal debería focalizarse únicamente en dos aspectos: el primero, la garantía de que la decisión de poner fin a la vida se acompañe de un *pronóstico fatal o de padecimientos irreversibles*[424]; la segunda, que es la que ahora interesa, la salvaguardia de la *libertad* del afectado y no de los intereses de quienes les rodean.

En lugar de lo anterior, nuestro Código penal tuvo presente claramente otras preocupaciones; en concreto, la de trazar la línea divisoria entre lo punible y lo impune atendiendo, no al contenido material de la decisión, sino a la forma en que se lleva a cabo, por acción o por omisión, de manera directa o indirecta. De ello se ocupa el apartado que sigue.

2.3. La delimitación de las conductas activas y omisivas como criterio rector de la regulación penal. Valoración y crítica

Como ya adelantábamos, el principio rector del tratamiento de la eutanasia en el Código penal es el que distingue entre las formas de eutanasia que se califiquen como activas o, por el contrario, como omisivas. De esta forma, su tipicidad no descansa en lo que, en pura lógica, pudiera ser un criterio racional; a saber, la comprobación de que se da una situación límite y que el

---

[421] Según una encuesta realizada por la Organización de Consumidores y Usuarios publicada en el número 33 de la Revista OCU-Salud de diciembre de 2000, el 15% de los médicos reconocía haber practicado la eutanasia alguna vez, el 21% decía conocer la práctica por otros y el 65% afirmaba haber recibido él mismo la petición para aplicarla por parte de enfermos o familiares de estos.

[422] Según algunas encuestas de la Organización de Consumidores y Usuarios, tres de cada cuatro españoles se muestran a favor de regular con generosidad los mecanismos que garanticen el derecho a una muerte digna. Véase la información aparecida en el Diario El País, de 23 de marzo de 2002.

[423] DWORKIN, *El dominio de la vida. Una discusión acerca del aborto, la eutanasia y la libertad individual*, pág. 313.

[424] Al respecto, STONE/WINSLADE, en *El tratamiento jurídico de la eutanasia, ob. cit.*, págs. 402 ss.

paciente desea poner fin a su existencia cuando no quedan esperanzas para una vida digna más allá de los tubos y del sufrimiento. Por el contrario, la atipicidad de dichas conductas se vincula a un tercer pilar que ya nada tiene que ver con los presupuestos situacionales en que se encuentra el enfermo: el concreto método por el que se ayude al paciente a encontrarse con la muerte.

No hace falta, sin embargo, reflexionar demasiado para advertir que ese criterio no sólo resulta irrelevante desde el punto de vista valorativo. También es capaz de arrasar sin mayores reparos una línea argumentativa que, sin embargo, el propio legislador ha cuidado de consagrar expresamente con carácter general en el Código penal, dando así al traste con cualquier pretensión de coherencia.

Salta a la vista, en efecto, que mal encaja este criterio con el que el propio legislador consagra con carácter general en el art. 11 CP. Como es sabido, conforme a las previsiones de dicho artículo, cuando pueda descubrirse una equivalencia estructural y concurra el resto de los requisitos de identidad valorativa, las conductas activas y omisivas deben considerarse idénticas en su tratamiento. Si este es un principio general en Derecho penal, no se entiende muy bien por qué con relación al tipo delictivo de la eutanasia las reglas tengan que ser distintas, hasta el punto de que lo que en un caso se considera impune (la omisión), se torne punible en otro (la acción)[425] cuando no pueden encontrarse diferencias valorativas en el contenido de desvalor —o valor— de uno y otro comportamiento[426]. La explicación de dicha incoherencia sólo puede encontrarse en la valoración social que, como señala CASADO GONZÁLEZ[427], todavía impera, de forma expresa o tácita, y que con contundencia muestra el ejemplo propuesto por RACHELS, que recoge la citada autora. La opinión de RACHELS se refiere a los recién nacidos con el síndrome de Down que presentan defectos congénitos, como la obstrucción intestinal, y que necesitan de una operación inmediata para salvarle la vida, operación que, en ocasiones, los padres y el médico deciden no realizar:

> *"Comprendo que hay personas que se oponen a todo tipo de eutanasia e insisten en que tales niños deben vivir. También comprendo por qué hay otras personas que son partidarias de sacrificar a estos bebés rápidamente y sin dolor...La doctrina que permite a un bebé deshidratarse y languidecer, pero impide recurrir a una inyección que ponga fin a su vida sin sufrir, es tan evidentemente cruel que no necesita de mayor rebatimiento...Pero observemos que esta situación es absurda, independientemente del punto de vista que cada cual adopte con respecto a la vida y los potenciales de estos bebés. Si merece la pena conservar la vida de un niño con estas características, ¿qué importa que*

---

[425] MUÑOZ CONDE, *Derecho penal, Parte Especial, ob. cit.*, págs. 73 ss.
[426] Desde el punto de vista de los principios deontológicos, véase por ejemplo BEAUCHAMPS/ CHILDRESS, *Principios de ética médica, ob. cit.*, págs. 208 ss.
[427] CASADO GONZÁLEZ, *La eutanasia. Aspectos éticos y jurídicos, ob. cit.*, págs. 19 ss.

requiera una simple operación? O, si se piensa que lo mejor es que no siga viviendo, ¿qué más da que su tracto intestinal esté obstruido?En cualquiera de los dos el litigio es el síndrome de Down, no los intestinos. El tema debería resolverse, si hay que hacerlo, partiendo de esta base y sin posibilidad de que dependa de un aspecto tan insignificante como es la de que el niño tenga el tracto intestinal bloqueado o no"[428].

La misma valoración es, lógicamente, trasladable a los supuestos en que se trata de un enfermo adulto. Y es que no deja de resultar llamativo que al mismo tiempo que se niega la legitimidad de cualquier forma de auxilio directo por una colaboración activa se apunte, bajo el dogma del *agere licere*, a la posibilidad de alcanzar la muerte mediante la negativa a recibir cualquier alimentación, opción que no es sino expresión de la máxima crueldad y barbarie con la que un ser humano puede enfrentarse al final de su vida[429]. No le falta razón a DWORKIN cuando afirma que en los Ordenamientos que prohíben la causación directa de la muerte "el derecho produce el resultado aparentemente irracional de que la gente puede elegir morir lentamente, negándose a comer, rehusando los tratamientos que la mantienen con vida, o asfixiándose al desconectar los respiradores, pero no pueden elegir la muerte rápida e indolora que sus médicos podrían fácilmente promover. Muchas personas, incluidos muchos médicos, piensan que esta distinción no es irracional, sino por el contrario esencial y piensan que los médicos no deberían, bajo ninguna circunstancia, convertirse en asesinos. Pero para muchas otras personas este principio parece cruelmente abstracto"[430].

No puede olvidarse, por otra parte, que la opción de castigar las conductas activas, pese a representar en pura lógica aritmética el castigo del 50% por ciento de los supuestos imaginables —en contraposición al otro 50% representado por los comportamientos pasivos—, se corresponde en realidad en la práctica con un tanto porcentual de casos mucho más elevado que el que arroja esa representación teórica. Y no ya sólo porque, como revela un simple recorrido por los casos más conocidos que se han ido citando, son mayoría entre los que llegan a los Tribunales los que se corresponden a la fenomenología de la eutanasia activa. Es que, a su vez dentro de ese amplio porcentaje en el que la salida al sufrimiento requiere una búsqueda activa de la muerte, justamente también están llamados a ser más numerosos aquellos en los que el enfermo está imposibilitado para ir, por sí mismo, en búsqueda de esa muerte y requiere, por tanto, del auxilio de terceros. En España así lo evidenciaba, a título de ejemplo,

---

428   Citado por CASADO GONZÁLEZ, *La eutanasia. Aspectos éticos y jurídicos, ob. cit.,* págs. 20 s.

429   Sobre estos aspectos véase también ALONSO ÁLAMO, *Revista penal, num. 20, julio 2007, ob. cit.,* págs. 3 ss., págs. 30 s.

430   DWORKIN, *El dominio de la vida. Una discusión acerca del aborto, la eutanasia y la libertad individual, ob. cit.,* pág. 240.

el conocido caso de Ramón Sanpedro, el Inmaculada Echevarría o, ya fuera de nuestras fronteras, el de Diane Pretty, una mujer británica incapacitada totalmente para moverse y que reclamaba que terceros le ayudasen a morir. No se olvide que estamos hablando de la decisión de poner fin a la vida de enfermos terminales, de personas que están en cama o postradas en una silla de ruedas, no de personas fuertes y sanas que se pueden valer por sí mismas.

Por ello, teniendo presente que la opción legislativa supone en la práctica incriminar gran parte de los supuestos en los que se plantea la conflictividad propia de la eutanasia, no es de extrañar que en nuestro Derecho —de forma paralela a lo que sucede en otros que hacen recaer la solución en criterios ajenos a la situación objetiva y voluntad del paciente[431]—, dicha diferencia

---

[431] Es lo que sucede en el Derecho alemán que, pese a que no contempla las conductas de participación en el suicidio, castiga el homicidio a petición. Ante esta diferente regulación que nada tiene que ver con los presupuestos situacionales, no es de extrañar que se hayan ensayado fórmulas para centrar la racionalidad de la decisión en argumentos vinculados a la situación y voluntad del paciente. En este sentido destaca la construcción de JAKOBS, para quien la razón de ser de ese diferente tratamiento no puede encontrarse en el dato, coyuntural por lo demás, de quién sea el que ejecute materialmente la acción que pone fin a la vida, lo que, *per se*, no añade nada tan relevante como para condicionar la incriminación o atipicidad de la conducta. Para JAKOBS, la clave de dicho tratamiento diferenciado debe encontrarse en el hecho de que sólo cuando es el sujeto que no quiere continuar viviendo quien ejecuta su muerte, puede hablarse de una convicción tal en su decisión que permite valorarla como madura, razonamiento que le lleva a contemplar el delito de homicidio a petición como un tipo de *peligro abstracto*.

No obstante JAKOBS admite que puede haber casos en los que resulte garantizada la madurez de la decisión de quien renuncia a continuar viviendo, porque el tercero ejecutor se limite a ajustar su conducta a la organización libremente dada por el sujeto cansado de vivir. Ello requiere analizar los motivos que impulsan al autor a la misma, de tal modo que mientras dicha razonabilidad habría de negarse cuando la muerte se busca por un fracaso amoroso, ha de admitirse cuando se trata de un enfermo terminal que no quiere continuar viviendo en tales condiciones: "la prohibición del homicidio a petición que pretende evitar una decisión de morir no suficientemente madura, no puede aplicarse, por tanto, a todos los casos de muerte por cualquier petición sin más ni más; es decir, dicha prohibición sólo rige para los casos de muerte por una petición que no puede ser considerada como objetivamente razonable. Hay que reducir adecuadamente, por tanto, el ámbito de este delito de homicidio a petición, ya que cuando la petición es objetivamente razonable debe presumirse, desde el punto de vista jurídico, que tiene consistencia y que se ha hecho con una madurez necesaria".

La búsqueda de criterios con los que determinar cuándo pueda hablarse de una decisión madura lleva a JAKOBS a enfrentarse con el problema de la eutanasia: si se admite como algo indiscutido la impunidad de la eutanasia *pasiva e indirecta* en cuanto que no es razonable seguir manteniendo la vida del enfermo cuando ello sólo le conduce a padecimientos inhumanos, no otra cosa debe regir para la eutanasia *activa* cuando la petición pueda contemplarse como *objetivamente razonable* y, por tanto, la ayuda que a la misma presta el tercero como una contribución a la finalidad buscada por el solicitante. Es más, a partir

valorativa esté llamada a remediarse en la práctica mediante el recurso a expedientes alternativos. Unas veces mediante el intento de fundamentar una causa de justificación —básicamente un *estado de necesidad*—[432]; otras, mediante el expediente de excluir la *culpabilidad* en atención a los móviles humanitarios que inspiran su actuación e incluso a las razones de conciencia que motivaron la intervención médica, dando así relevancia al error de validez por *concepción discrepante* del Derecho[433]. Pero la mayoría de las veces dichos esfuerzos se orientan a la búsqueda de fórmulas interpretativas con las que negar la tipicidad misma de la conducta. El caso paradigmático en el que se concentran tales esfuerzos es el de la desconexión de los aparatos respiradores.

Un primer ejemplo de ello lo ofrece un caso que hace unos años tuvo un gran eco en los medios de comunicación. Se trata del enjuiciado por una Sen-

---

del criterio de la razonabilidad dicho autor apunta incluso la operatividad de la eutanasia pasiva cuando concurra el *consentimiento presunto* del paciente: "cuando se solicite en situaciones determinadas, dejará de ser un caso especial y se convertirá en un estándar corriente, que igualmente podrá ser aplicable en caso de consentimiento presunto, al igual que sucede desde hace años con la eutanasia indirecta y pasiva. Más aún, en una sociedad que a la pregunta sobre el sentido de la vida arroja una respuesta general tan escasa como la que se da a la pregunta sobre el sentido de la desgracia, el umbral de lo que tiene que amenazar en desgracia para que el deseo de morir pueda ser evidenciado como razonable, se colocará a un nivel cada vez más bajo. El Estado moderno, que a sus inicios, para domesticar a los ciudadanos, les amenazaba con el horror del Juicio Final -de eso se trató al principio- ha pasado a prometer a sus ciudadanos, para mantenerlos unidos, una muerte a su debido tiempo".

[432] En nuestra doctrina véase por ejemplo, BARQUÍN SANZ, "La eutanasia como forma de intervención en la muerte de otro", *ob. cit.*, págs. 188 ss., quien reserva la posibilidad de apreciar una causa de justificación completa sólo a los casos en que el enfermo no sea capaz de resolver su muerte por sí mismo. Según entiendo, esta opción supone introducir un criterio artificial sobre la base de la distinción propiciada en el Derecho alemán por la diferente regulación legal de la cooperación-impune- al suicidio y el homicidio a petición -punible-, distinción que incluso en ese Derecho ha mostrado más dificultades que ventajas.

[433] Al respecto, MUÑOZ CONDE, *El error en Derecho penal*, Valencia, 1989, págs. 68 s., quien si bien no específicamente en relación con la eutanasia sino con el aborto, manifiesta su opinión favorable a aplicar "el pfo 3° del art. 6 bis a) (actual art. 14.3) a la mujer que, entendiendo prevalentes sus derechos a la libertad, dignidad e intimidad reconocidos constitucionalmente, decide abortar, aunque no se den los presupuestos de las estrictas indicaciones reconocidos en el art. 417 bis". No obstante, según el mismo autor, cuando la objeción de conciencia afecta a la vida de un sujeto distinto del que la ejerce, la solución debe matizarse, sin perder de vista que: "la libertad de conciencia de quien, por ejemplo, ayuda a morir a un enfermo canceroso terminal, poniéndole una dosis letal, sólo puede llevar a la impunidad, en la medida en que exista petición expresa y seria del moribundo, y no por respeto a la decisión de conciencia en sí misma considerada", en *Nueva Doctrina Penal*, 1996, *ob. cit.*, pág. 92.

tencia dictada por el Tribunal de Apelación de Milán de 26 de abril de 2002, que absolvió a un hombre que en junio de 1998 arrancó el respirador que mantenía artificialmente con vida a su esposa. El hombre entró armado en el Hospital donde su mujer llevaba ingresada una semana tras sufrir severos problemas de salud que desembocaron en una hemorragia cerebral. Con una pistola en mano —aunque descargada— obligó a la doctora de guardia a llevarle a la UCI donde estaba su mujer y una vez dentro le arrancó los tubos del respirador. Allí esperó hasta que su esposa expirase y llamó a un médico amigo para que certificara su muerte, entregándose después a la policía. En primera instancia fue condenado por homicidio premeditado. El Tribunal de Apelación consideró, sin embargo, que había serias dudas de que la mujer estuviese viva cuando su marido le quitó el respirador. Setenta horas antes de los hechos los médicos detectaron sólo un atisbo de actividad cerebral en la paciente en un reflejo fugaz en las pupilas, sin que pudiera probarse que esa actividad se mantuviese setenta horas después. Sobre la base de ese razonamiento, el Tribunal le condenó exclusivamente por entrar armado en un hospital.

Otra vía interpretativa para negar la tipicidad de la conducta consiste en apelar a los argumentos que atienden a razones de corte pietista y humanitaria relativas a la necesidad de no prolongar los sufrimientos del enfermo. No a otra argumentación responde el fallo del Tribunal Superior de Londres ya citado en favor de Miss B, una mujer que quedó tetrapléjica a consecuencia de una enfermedad de los vasos sanguíneos.

También entre los intentos de fundamentar en tales casos la atipicidad de la conducta debe citarse el planteamiento de JAKOBS en la doctrina alemana. Este autor intenta justificar la impunidad de las prácticas de desconexión del aparato a partir de las premisas más amplias de su comprensión del Derecho penal y del papel que en el mismo juegan los roles que corresponden a cada individuo. Así afirma: "Es lícito suspender determinadas prestaciones realizadas a través de aparatos que conservan con vida al paciente cuando ya no están indicadas médicamente. Aunque la desconexión de los aparatos, es decir, un actuar positivo, tenga efectos causales respecto a la muerte del paciente, el médico permanece dentro de su rol y no se arroga una organización ajena; por el contrario, es infortunio del otro el hecho de estar organizado de manera propensa a sufrir el daño"[434].

Pero, sin duda, los esfuerzos por apartar del ámbito de la impunidad la conducta de desconexión de los aparatos respiradores ha encontrado su más

---

[434]   JAKOBS, *La imputación objetiva en Derecho penal*, ob. cit., págs. 32 s.

genuino ámbito en la lógica argumentativa relacionada con las posibilidades de calificarla como activa u omisiva[435]. La necesidad de reconducir los supuestos que ahora se tratan a la fenomenología de los delitos omisivos se explica por sí misma no ya sólo desde una óptica político criminal, atenta a criterios valorativos en torno al merecimiento de pena, sino también desde un punto de vista meramente fenomenológico por la necesidad de no introducir un sesgo arbitrario entre las conductas que genéricamente pueden reconducirse a la problemática de la desconexión de los aparatos de reanimación. Y es que, si se comprendieran como activas las consistentes en desconectar el reanimador, a esta calificación habría de contraponerse la consideración como pasivas de aquellas otras que también se traducen en la no continuación del tratamiento. Baste pensar en los casos en los que el médico, por ejemplo, decidiera no cambiar la bombona de oxígeno que mantenía al paciente con respiración asistida.

El cauce dogmático elegido para fundamentar la omisión, con la consiguiente impunidad que se asocia a esta segunda calificación, discurre a través de la construcción que con carácter general ya se ensayara en la doctrina alemana para identificar los delitos activos y omisivos, y que daría paso, como es sabido, a la categoría de los delitos conocidos como de omisión mediante acción (*"Unterlassung durch Tun"*). Así afirma: "Es lícito suspender determinadas prestaciones realizadas a través de aparatos que conservan con vida al paciente cuando ya no están indicadas médicamente. Aunque la desconexión

---

[435] Así, mientras algunos autores apuntan a su comprensión como comportamiento *activo*, como SAMSON ("Begehung und Unterlassung", en *Festschrift für Hans Welzel*, Berlin/New York, 1974, págs. 579 s), HIRSCH, "Behandlungsabbruch und Sterbehilfe", en *FS Lackner*, 1987, págs. 605 s; BOCKELMANN (*en Ponsold, Lehrbuch der gerichtlichen Medizin, ob, cit.*, págs. 112 s) o SAX ("Zur rechtlichen Problematik der Sterbehilfe durch vorzeitigen Abbruch einer Intensivbehandlung", en *JZ* 1975, págs. 137 s.), otros proponen contemplarlo como una *omisión*. Es el caso de ENGISCH (*en Suizid und Euthanasie als human und sozialwissenschaftliches Problem. ob. cit.*, pág. 315) o de ROXIN (en *Eutanasia y Suicidio, ob. cit.*, págs. 39 ss.); véase el mismo autor en Tratamiento jurídico-penal de la eutanasia", *ob. cit.*, págs. 14 s. Sobre esta discusión véase la monografía de SCHNEIDER, *Tun und Unterlassen beim Abbruch lebenserhaltender medizinischer Behandlung*, Berlin, 1997. En nuestra doctrina véase por todos la exposición y referencias doctrinales de TOMÁS-VALIENTE LANUZA, *La disponibilidad de la propia vida en el Derecho penal, ob. cit.*, quien por su parte se muestra partidaria de apreciar una acción en todos los casos de desconexión del aparato al adherirse a las premisas de la teoría que sostiene que una vez que se consuma el curso salvador, la actuación posterior debe valorarse como una modalidad activa. Para esta autora, la impunidad en estos casos de desconexión del aparato habría de fundamentarse en la apreciación de una causa de justificación, págs. 474 ss. La misma en TOMÁS-VALIENTE LANUZA, *La cooperación al suicidio y la eutanasia en el nuevo C.P. (art. 143), ob. cit.*, págs. 113 ss.

de los aparatos, es decir, un actuar positivo, tenga efectos causales respecto a la muerte del paciente, el médico permanece dentro de su rol y no se arroga una organización ajena; por el contrario, es infortunio del otro el hecho de estar organizado de manera propensa a sufrir el daño"[436].

No obstante, incluso los autores que aceptan esta construcción como expediente para fundamentar la atipicidad de la conducta, tienen que enfrentarse al difícil obstáculo de fundamentar la impunidad de los comportamientos realizados por terceros. Porque si, como acabamos de apuntar, la base argumentativa que sirve de apoyo a la atipicidad de estas prácticas es la asimilación fenomenológica de la desconexión del reanimador con la omisión de las conductas que el médico realiza de propia mano, cuando la desconexión del aparato la ejecute un tercero, los pilares argumentativos de esta forma de razonar se desploman por sí mismos. Con todo, tampoco estas dificultades han paralizado los esfuerzos doctrinales por fundamentar la atipicidad de dichas conductas. Así por ejemplo, en la doctrina alemana ROXIN, comentando este caso, se esfuerza en seguir defendiendo la contemplación de estos supuestos como formas de eutanasia pasiva, argumentando que es, además, una solución que se corresponde con el Proyecto Alternativo alemán que despenalizaba expresamente los supuestos de desconexión del reanimador[437]. Pero más allá de este intento por reconducir también estos casos a los límites de las conductas omisivas, se han ensayado otras vías para fundamentar su impunidad. Así, TRÖNDLE propone sortear las dificultades del razonamiento anterior negando que el que desconecta el aparato sea el causante de la muerte. Porque, dice, quien así actúa no hace sino retirar los impedimentos artificiales que retrasan el momento de una muerte que, de todos modos, va a producirse; OTTO razona sobre la base de que el sujeto que retira los mecanismos artificiales no se dirige a matar al enfermo, sino a garantizarle su derecho constitucional al tratamiento; o, finamente, JAKOBS propone restringir el ámbito de lo típico a los casos en los que la desconexión de aparato se refiera a tratamientos en los que aquél no se ha integrado en el círculo de organización del paciente, dejando al margen del tipo los supuestos en los que se trata de aparatos que pertenecen al ámbito de organización de aquél, como sucede, por ejemplo, con un marcapasos[438].

De no aceptarse ninguno de esos razonamientos alternativos, la calificación de la conducta de desconexión tendría que ser la de su tipicidad, quedando tan

---

[436]   JAKOBS, *La imputación objetiva en Derecho penal*, ob. cit., págs. 32 s.
[437]   Véase ROXIN, *Eutanasia y homicidio consentido*, ob. cit., págs. 15 s.
[438]   Véase la exposición e indicaciones bibliográficas que hace TOMÁS-VALIENTE LANUZA, *La disponibilidad de la propia vida en el Derecho penal*, ob. cit., págs. 480 ss.

sólo como expediente para sortear la imposición de una pena, bien el recurso a la construcción de una causa de justificación, bien a excluir la culpabilidad de la conducta. No creo que haga falta insistir en la inseguridad que acarrea este modo de razonar así como, sobre todo, en las escasas posibilidades de que un Tribunal acoja estos expedientes alternativos. Sería conveniente por ello, que en la línea en que lo hizo Francia en abril de 2005, se incluyera en la ley una cláusula expresa permitiendo la desconexión de mecanismos reanimadores cuando lo solicite el enfermo[439].

Precisamente al problema de la calificación de la retirada o desconexión de aparatos tuvo que enfrentarse el Consejo Consultivo de Andalucía en marzo de 2007. El Dictamen se planteó en relación con una mujer de 51 años, Inmaculada Echevarría, que padecía distrofia muscular progresiva y que solicitó mediante escrito dirigido al equipo médico responsable de su atención y a la Consejería de Salud, la suspensión del tratamiento de ventilación mecánica que venía recibiendo en los últimos 10 años en el Hospital San Rafael de Granada. La Consejería de Salud de la Junta de Andalucía solicitó un dictamen facultativo sobre el tema al Consejo Consultivo de Andalucía. Éste dictaminó el 1 de marzo de 2007, con un solo voto en contra, que la petición de limitación del esfuerzo terapéutico y la negativa al tratamiento con ventilación mecánica solicitada por la mujer era ajustada a Derecho. Para ello, aun reconociendo que la protección de la vida en la CE es un valor superior del Ordenamiento jurídico, consideró que la solicitud de la paciente podría entenderse como un rechazo al tratamiento expresado como revocación del consentimiento previamente emitido para recibir tratamiento de soporte vital mediante ventilación mecánica, entendiendo que una vez que se cumplan satisfactoriamente una serie de requisitos relacionados con la información sobre la enfermedad, el tratamiento y sus alternativas, así como con la constatación de la libertad, consistencia y estabilidad de la decisión tomada, no existen razones éticas que impidan cumplir la petición de desconexión de la paciente aunque ello suponga, con elevada probabilidad, su muerte. Para ello, recordaba los Instrumentos internacionales que regulan y protegen la autonomía del paciente, así como, ya en nuestro Derecho, las previsiones de la LO 41/2002, y en el específico ámbito de la Comunidad Autónoma de Andalucía, la Ley 2/1998, de 15 de junio, de Salud de Andalucía, que igualmente concibe el principio de autonomía de la voluntad del paciente en términos tales que no deja dudas acerca de que la

---

[439]   Conforme a esa ley, cuando un paciente en estado grave "decida limitar o interrumpir el tratamiento, el médico deberá respetar su voluntad después de haberle informado de los riesgos de su decisión". El presupuesto para ello es que el enfermo se encuentre en "grado avanzado o terminal de una afección grave e incurable".

legitimidad de la práctica médica requiere el consentimiento del enfermo, con independencia de las consecuencias que pueda tener su negativa.

A partir de lo anterior, y sobre la base de que la legalidad de las prácticas de eutanasia en el Derecho español requiere que se trate de formas pasivas o indirectas, consideró que, "el caso que se somete a consulta de este Consejo, la interrupción de la ventilación mecánica, es una conducta pasiva e indirecta, que se justifica por la existencia de un deber de respetar la decisión libre y consciente del paciente, en tal sentido amparada por la legislación específicamente reguladora de la asistencia sanitaria y, en consecuencia, los profesionales sanitarios que la adopten deben quedar impunes".

La mujer vio cumplido el deseo de que se le retirase el respirador el día 14 de marzo de 2003, falleciendo poco después.

Con lo anterior sólo hemos hecho referencia a los esfuerzos ensayados por la doctrina y la jurisprudencia para apartar determinadas conductas eutanásicas de la órbita del Derecho penal. Dichos esfuerzos son igualmente perceptibles desde el lado ahora de los propios afectados que, no ya sólo en relación con las prácticas de desconexión del aparato sino en general con todas las manifestaciones de la eutanasia, ven en el recurso a las instancias internacionales la última esperanza, no ya para la interpretación de la ley, sino para la corrección de la rigidez de sus soluciones. Baste retomar el caso posiblemente más famoso sucedido en nuestro país, el de Ramón Sampedro, quien a consecuencia de un accidente sufrido el 23 de agosto de 1968, cuando contaba con 25 años de edad, quedó parapléjico y tetrapléjico, padeciendo como consecuencia la inmovilización absoluta y permanente de todo su cuerpo, excepto la cabeza. Dejando a un lado los pronunciamientos formales en torno a la falta de competencia, tanto el Auto dictado por el Juzgado de Primera Instancia de 19 de junio de 1993, como por la Audiencia Provincial de Barcelona de 24 de febrero de 1994, si bien se mostraron contrarios a conceder la autorización para que se le causara la muerte, se refirieron a la posibilidad de que, si quisiera, el Sr. Sampedro podría negarse a la alimentación en cuanto que tal decisión "forma parte de su patrimonio subjetivo de derechos y facultades". Después de que su petición se desestimara también por el Tribunal Constitucional mediante el Auto de 18 de julio de 1994 —por motivos procesales— la Audiencia de A Coruña le denegó su petición en noviembre de 1996, si bien subrayando, una vez más, que el hecho en sí de la muerte es algo que la ley ni prohíbe ni puede prohibir. Al tiempo en que se produjo su muerte estaba aún pendiente de resolución un nuevo recurso de amparo ante el Tribunal Constitucional.

Ese infructífero peregrinar que hasta entonces había tenido la reclamación presentada en su día por Sampedro pretendió encontrar todavía una salida ante el Comité de Derechos Humanos de la ONU en el sentido de que, al menos a posteriori, se le reconociera el derecho a morir. Tras haber sido rechazada la demanda presentada por su cuñada ante el Tribunal Constitucional y el Tribunal de Estrasburgo con el argumento de que se trata de derechos no transferibles, la reclamación llegó hasta el Comité de Derechos Humanos de la ONU. Este, frente a la postura que adoptase el Tribunal Constitucional y el Tribunal Europeo de Derechos Humanos, decidió en febrero de 2002 examinar el fondo de la demanda, pidiendo al Gobierno español explicaciones tanto sobre la admisibilidad de la reclamación como sobre el fondo de la misma. Pese a que el Gobierno español solicitó que se rechazara la demanda por falta de legitimación de la cuñada de Sampedro, la ONU comunicó que se pronunciaría sobre el fondo del asunto. En respuesta a las alegaciones del Gobierno español en contra de la demanda, los letrados reiteraron las alegaciones que ya formulara Sampedro, entre ellas, los argumentos relativos a que vivir es un derecho, no un deber, la libertad personal, en el sentido de que la intromisión estatal en el derecho a morir es incompatible con el Pacto Internacional de Derechos Civiles y Políticos, o la defensa de la dignidad, o el trato cruel que dispensa el Estado que no reconoce el derecho a morir[440]. En la misma línea, invocó la Sentencia C-239/97, de 20 de mayo de 1997 de la Corte Constitucional de Colombia que negó la responsabilidad penal del médico que ayudó a morir voluntariamente a enfermos terminales[441].

---

[440]   Véase la información aparecida en el Diario *El País*, con fecha 16 de agosto de 2002.

[441]   Conforme a esa sentencia "Nada tan cruel como obligar a vivir a una persona en medio de padecimientos oprobiosos, en nombre de creencias ajenas, así una inmensa mayoría de la población las estime intangibles. Porque, precisamente, la filosofía que informa la Carta se cifra en su propósito de erradicar la crueldad...Además, si el respeto a la dignidad de la vida humana irradia al ordenamiento, es claro que la vida no puede verse simplemente como algo sagrado, hasta el punto de desconocer la situación real en la que se encuentra el individuo y su posición frente al valor de la vida para sí. En palabras de esta Corte: "el derecho a la vida no puede reducirse a la mera subsistencia, sino que implica el deber de vivir adecuadamente en condiciones de dignidad...El deber del Estado de proteger la vida debe ser entonces compatible con el respeto a la dignidad humana y al libre desarrollo de su personalidad. Por ello la Corte considera que frente a los enfermos terminales que experimentan intensos sufrimientos, este deber estatal cede frente al consentimiento informado del paciente que desea morir de forma digna. En efecto, en este caso el deber estatal se debilita considerablemente por cuanto, en virtud de los informes médicos, puede sostenerse que, más allá de toda duda razonable, la muerte es inevitable en un tiempo relativamente corto. En cambio, la decisión de cómo enfrentar la muerte adquiere una importancia decisiva para el enfermo terminal, que sabe que no puede ser curado, y que por ende no está optando entre la muerte y muchos años de vida plena, sino entre morir en condiciones que él escoge, o morir poco tiempo después en circunstancias dolorosas y que juzga indignas. El derecho fundamental a vivir en forma digna implica entonces el derecho a morir dignamente, pues condenar a una persona a prolongar por un tiempo

El 30 de marzo de 2004 el Comité de Derechos Humanos de la ONU dictaminó que eran inadmisibles las alegaciones presentadas contra España.

También en casos ocurridos fuera de nuestras fronteras se advierte el mismo esfuerzo por arrancar de instancias internacionales las decisiones que los Tribunales internos siguen negando con la ley en la mano. Valga de cita el caso ya citado de Diane Pretty, una británica postrada en una silla de ruedas a causa de una neuropatía degenerativa incurable que con ayuda de un ordenador reclamó el derecho a suicidarse auxiliada por su marido. La Cámara de los Lores le negó el derecho al suicidio asistido. Ante esa negativa, Diane planteó su caso ante el Tribunal de Estrasburgo, acusando al Reino Unido de violar cinco artículos de la Convención Europea de Derechos Humanos: el segundo, sobre el derecho a la vida; el tercero, sobre prohibición de tratos inhumanos o degradantes; el octavo, sobre el respeto a la vida privada y familiar; el noveno, sobre la libertad de conciencia; y el decimocuarto, sobre la prohibición de discriminación. Sin embargo, el Tribunal Europeo se pronunció el 29 de abril de 2002 denegando su petición con el argumento de que "no existe un derecho fundamental a la muerte" ni se puede "obligar a un Estado a aportar su caución a actos destinados a interrumpir la vida". De esta forma el Tribunal rechazó que se estuvieran cometiendo tratos inhumanos o degradantes. Si bien reconoció que la actitud de los Tribunales podía representar una injerencia en su vida privada, consideró proporcionado que el sistema británico se negase a comprometerse a perseguir a su marido en caso de que la ayudase a morir. También rechazaron los magistrados el argumento relativo a que se violase el derecho a la libertad de conciencia, puesto que el "principio de autonomía" esgrimido por la demandante no tiene "nada que ver con la manifestación de una religión o una convicción de culto". Finalmente, Diane falleció en mayo de 2002 tras entrar en un coma precipitado por dificultades respiratorias y tras un acusado sufrimiento.

A la vista de lo anterior, si algo está claro es que mientras no exista una regulación más permisiva de la eutanasia, los márgenes de impunidad sólo pueden venir de la mano de la búsqueda de expedientes hermenéuticos alternati-

---

escaso su existencia, cuando no lo desea y padece profundas aflicciones, equivale no sólo a un trato cruel e inhumano, prohibido por la Carta (CP art. 12), sino a una anulación de su dignidad y de su autonomía como sujeto moral. La persona quedaría reducida a un instrumento para la preservación de su vida como valor abstracto...Por consiguiente, si un enfermo terminal que se encuentra en las condiciones objetivas que plantea el art. 236 del Código penal considera que su vida debe concluir, porque la juzga incompatible con su dignidad, puede proceder en consecuencia, en el ejercicio de su libertad, sin que el Estado esté habilitado para oponerse a su designio, ni impedir, a través de la prohibición o de la sanción, que un tercero le ayude a hacer uso de su opción...".

vos, como el que apuntábamos más arriba en el sentido de concebir de forma amplia lo que se considere eutanasia pasiva. Lo que ocurre es que a nadie escapa que este esfuerzo, bien por parte de los Tribunales de encontrar salidas que van más allá de la letra de la ley, bien por parte de los pacientes por agotar la esperanza —infructífera hasta ahora— de conseguir interpretaciones superadoras de sus dificultades en instancias internacionales, además de generar la siempre denostada inseguridad jurídica, no puede evitar el reproche de que sólo permite la impunidad tras situar al médico ante los Tribunales, fomentando así, por ello, la tendencia más inhumana pero también más segura de la indiferencia ante el sufrimiento y la petición del enfermo[442].

Por todo lo anterior, merece mencionarse la *Propuesta Alternativa al Tratamiento jurídico de las conductas de terceros relativas a la disponibilidad de la propia vida* (Alicante 12-2-1993)[443], elaborada por el Grupo de Estudios de Política Criminal. Dicha propuesta, que a su vez tomó por base el *Manifiesto en favor de la disponibilidad de la propia vida* elaborado por el mismo Grupo en noviembre de 1991, partía de la distinción entre las hipótesis que contribuyen o no al ejercicio de la disponibilidad sobre la propia vida. Entre estas últimas incluía tanto la eliminación de graves sufrimientos sin repercusión en el acortamiento de la vida —cuya realización activa u omisiva declaraba impune en tanto no existiera oposición expresa o presunta— como las actuaciones en situación de muerte clínica cerebral, también declaradas impunes en tanto que ya no puede decirse que incidan en la vida. Dentro de las hipótesis que contribuyen al ejercicio de la disponibilidad de la propia vida la Propuesta se estructuraba en torno a distintas posibilidades: a) supresión de la vida vegetativa en situación irreversible; b) supresión de prolongación artificial de proceso irreversible de muerte (enfermos terminales); c) eutanasia prematura. Para estos tres primeros supuestos defendía la impunidad tanto de las conductas activas como omisivas, de autoría o participación, mientras no existiera oposición expresa o presunta por parte del enfermo. No obstante, en caso de oposición, contemplaba la posibilidad de que el homicidio quedase justificado a través de un conflicto de intereses o una colisión de deberes": d)

---

[442]   La articulación de expedientes con los que permitir la impunidad en determinados supuestos de eutanasia activa no es algo exclusivo de nuestra doctrina. Por el contrario, dicho intento está presente igualmente en autores cuyos Ordenamientos contemplan la figura del *homicidio a petición*. Como referíamos marginalmente es, en la doctrina alemana, la postura sostenida por JAKOBS, quien se esfuerza por depurar una serie de casos de eutanasia que no tendrían cabida en parágrafo 216 StGB.

[443]   Su origen se remonta al Manifiesto en favor de la disponibilidad de la propia vida elaborado en Valencia el 16-11-1991 por un grupo de jueces, juristas y profesores de Derecho penal, así como a la reunión de trabajo celebrada en Madrid el 26-6-1992.

eliminación o mitigación de graves sufrimientos padecidos en una situación de certeza o riesgo considerable de muerte próxima, con repercusión en un acortamiento de la vida. Para estos casos consideraba que si media solicitud, la conducta activa u omisiva, de autoría o participación, debería considerarse impune. En ausencia de solicitud, dichas conductas serán típicas, si bien dejando abierto el examen de la concurrencia de causas de menor culpabilidad; e) eliminación de graves sufrimientos padecidos en una situación de certeza o riesgo considerable de muerte próxima, por medio de la provocación de muerte inmediata. De mediar solicitud del afectado, consideraba estos comportamientos impunes tanto si eran activos como omisivos, de autoría o de participación; f) eliminación de graves sufrimientos derivados de una lesión, enfermedad o minusvalía incurables y permanentes, por medio de la provocación de la muerte inmediata. En ellos si mediase la solicitud del afectado defendía la impunidad de los comportamientos activos u omisivos, de autoría y participación, siempre que el afectado estuviera incapacitado de manera generalizada para valerse por sí mismo[444].

Esta distinción llevaba a la Propuesta Alternativa a defender la impunidad de "la producción de la muerte de otro por parte de un médico o de cualquier otra persona bajo su dirección, si media la solicitud expresa, libre y seria de una persona mayor de 18 años que tenga capacidad natural de juicio, siempre que ésta padezca graves sufrimientos no evitables ni notoriamente atenuables de otro modo y que se deriven de una afección incurable que le conducirá próximamente a la muerte o que, siendo permanente, le incapacita de manera generalizada para valerse por sí misma"[445].

En definitiva, frente al aleatorio criterio de la calificación de la conducta como activa u omisiva, los esfuerzos debieran orientarse en la línea de buscar una solución racional al conflicto a partir de la fijación de presupuestos mínimos de permisibilidad o, lo que es lo mismo, mediante la búsqueda de una *justificación por el procedimiento* en el sentido que ya propusiera HASSEMER[446], esto es, de una salida regulativa de situaciones respecto a las que su dificultad impide adoptar una respuesta sustantiva. Este proceder, que no sería dife-

---

[444] La inducción seguirá siendo antijurídica, si bien podrá examinarse la presencia de una menor culpabilidad. En ausencia de solicitud del afectado todas las modalidades de conducta integrarán el tipo de homicidio.

[445] Véase el contenido de la Propuesta en *El tratamiento jurídico de la eutanasia. Una perspectiva comparada*, ob. cit., págs. 609 ss., así como en la misma obra el comentario de DEL ROSAL BLASCO, *El tratamiento jurídico-penal y doctrinal de la eutanasia en España*, ob. cit., págs. 64 ss.

[446] HASSEMER, en HASSEMER/LARRAURI, *Justificación material y justificación por el procedimiento en Derecho penal*, Madrid, 1997.

rente al que ya ofrece el Código penal en ámbitos como el aborto permitido, la esterilización de deficientes mentales o la manipulación genética con fines terapéuticos[447], no sólo es, como señala MUÑOZ CONDE, el único capaz de "arbitrar un sistema de garantías que asegure el respeto y la consideración que merecen los distintos bienes jurídicos que entran en conflicto"[448]. También es el único que asegura que no devengan en prácticas perversas la superación de criterios, en sí, tan caprichosos y artificiales como el que sigue nuestro Código penal de diferenciar entre eutanasia activa o pasiva, así como de otros propuestos doctrinalmente, como el de atender a si la cooperación es o no ejecutiva, criterios que desenfocan por completo la única razón de ser que cabalmente pueden tener la protección penal de la vida en sus fases finales[449].

De lo que se trata, en definitiva, es de ofrecer una *solución formal* en la línea de la ya vigente en Holanda o Bélgica, que asegure ámbitos de impunidad en situaciones límite, evitando con ello dejar la decisión en manos de la valoración judicial del caso concreto que, por lo demás, sólo podría fundamentar la ausencia de responsabilidad en expedientes alternativos a la atipicidad, como la existencia de una causa de justificación o incluso la ausencia de culpabilidad[450]. Sólo aquel proceder se situaría en condiciones de garantizar la concurrencia de los dos únicos pilares que pueden legitimar o vetar una intervención dirigida a provocar la muerte, a saber, los presupuestos situacionales de la misma y la voluntad del enfermo. Sólo él, además, permitiría no sólo sortear los argumentos que apuntan al riesgo de abocar en la mecanización de las prácticas eutanásicas hasta aproximar su concepto a la comprensión nazista de "vidas sin valor vital"[451], sino acabar por fin con el viejo prejuicio,

---

[447] MUÑOZ CONDE, en el Prólogo a la obra de JAKOBS *Suicidio, eutanasia y Derecho penal*, *ob. cit.*, pág. 20.

[448] MUÑOZ CONDE, en *Revista de Derecho y Genoma Humano*, enero junio 1995, *ob. cit.*, págs. 201. Debe advertirse que este autor propone centrar los términos del debate no en el plano de la tipicidad, sino de la justificación; el mismo en *Derecho penal, Parte Especial*, *ob. cit.*, págs. 77 s.

[449] Véase, por ejemplo, BARQUÍN SANZ, "La eutanasia como forma de intervención en la muerte de otro", *ob. cit.*, págs. 206 ss.

[450] Como señala HASSEMER, la justificación procedimental "Por un lado, permite fundamentar de forma dogmáticamente plausible la exención de la pena en el ámbito del injusto. Por otro -y más importante- puede fundamentarse jurídicamente. No se basa sencillamente en una retirada del Derecho penal...su esencia es flanquear jurídica y penalmente los deberes de actuación precedentes y simultáneos: esto es, una procedimentalización", en HASSEMER/LARRAURI, *Justificación material y justificación por el procedimiento en Derecho penal*, *ob. cit.*, pág 47.

[451]   Sobre este peligro, véase por todos ETIENNE MONTERO, *La Ley*, 1996, *ob. cit.*, pág. 2 y de forma detallada TOMÁS-VALIENTE LANUZA, *La disponibilidad de la propia vida en el Derecho penal*, *ob. cit.*, págs. 137 ss.

denunciado por DWORKIN[452], de que la muerte es algo definitoriamente atentatorio a los intereses del paciente y que, por ello, su petición, en términos de una ayuda positiva, tiene que valorarse en todo caso como irracional.

2.4. La específica problemática de los sujetos que no pueden manifestar su voluntad: el caso de los enfermos en estado de inconsciencia, los menores de edad e incapaces y la eutanasia precoz

Como apuntábamos más arriba, tanto en la regulación vigente en España como en las propuestas de *lege ferenda* y en general en las distintas fórmulas de regulación de la eutanasia ensayadas fuera de nuestras fronteras, suele ser común la exigencia de la concurrencia no sólo de la voluntad, sino de la *solicitud* reiterada del enfermo como presupuesto mínimo de su permisibilidad. Ninguna regulación positiva, ni siquiera las fórmulas más progresistas de Holanda o Bélgica, prescinden de dicho requisito como punto de partida de la licitud de la práctica.

Lo cierto es, sin embargo, que no resulta infrecuente en la práctica que se planteen situaciones límites en las que a la ausencia de esperanza de vida del paciente se suma la imposibilidad de recabar su consentimiento, bien sea porque se encuentra en una situación sobrevenida irreversible que lo impide (un estado de coma), bien porque se trata de sujetos que, por definición, no se encuentran en condiciones de consentir (menores de corta edad y entre ellos, los casos de la eutanasia precoz). En todos estos supuestos se plantea la validez del consentimiento que presten los familiares e incluso en ocasiones, cuando se trata de la eutanasia indirecta para aliviar el dolor, cuáles deban ser las pautas de actuación del médico que se ve en la tesitura de administrar o no el fármaco que palia el sufrimiento del enfermo aun a costa de acortar su vida, planteándose así lo que deba entenderse en tales casos por la *buena praxis médica*.

En lo que sigue trataremos por separado los casos en que se trata de enfermos en coma (2.4.1), de menores de edad e incapaces (2.4.2), y los supuestos de eutanasia precoz (2.4.3). En todos ellos partimos de la limitación que, *de lege lata*, impone la regulación actual de la eutanasia en el art. 143.4, que, como veíamos en el apartado anterior, ciñe los espacios de atipicidad que contempla

---

[452]   DWORKIN, *El dominio de la vida. Una discusión acerca del aborto, la eutanasia y la libertad individual*, ob. cit., págs. 257 s.

a los casos de eutanasia pasiva o indirecta. Dicho de otro modo, en las consideraciones que siguen nos planteamos en exclusiva a quién compete la toma de decisiones acerca de la eventual práctica de la eutanasia pasiva o indirecta cuando se trata de enfermos que no pueden prestar su consentimiento[453].

2.4.1. El caso de los enfermos en estado de coma

Dado su diferente grado de dificultad, dentro de los casos en que se trata de decidir acerca de la práctica o no de la eutanasia a enfermos terminales o con padecimientos difíciles de soportar que se encuentran en estado de coma, resulta necesario diferenciar dos grandes grupos de supuestos, según hayan emitido o no previamente una declaración al respecto, esto es, lo que a menudo se conoce bajo la denominación de *testamento vital*.

2.4.1.1. El caso de los enfermos que previamente han redactado un documento de instrucciones previas

Dentro de la problemática específica de los pacientes en situación de coma, sin duda alguna los supuestos más fáciles de resolver son aquellos en que el enfermo previamente ha emitido el que se conoce como *testamento vital,* o más correctamente en cuanto está llamado a surtir sus efectos antes del fallecimiento de la persona[454], documento de *voluntades previas o anticipadas,* o *documento de instrucciones* previas, como se denomina en el artículo 11 de la LO 41/2002.

Conforme a dicho precepto, por documento de instrucciones previas se entiende aquel por el que "una persona mayor de edad, capaz y libre, manifiesta anticipadamente su voluntad, con objeto de que ésta se cumpla en el momento en que llegue a situaciones en cuyas circunstancias no sea capaz

---

453   Sobre estos aspectos me pronuncié en "La eutanasia en estados de inconciencia o incapacidad para prestar el consentimiento. Especial referencia a la eutanasia precoz", *en prensa,* en *Revista Galega de Seguridade pública, nº 10, 2008,* cuyo contenido sigue básicamente la redacción de estas páginas.

454   Se trata, en efecto, de una disposición que viene a completar el desarrollo de la persona, que se inicia con su nacimiento y concluye con su muerte, de modo que se trata de una voluntad que ha de regir, no tras la muerte del paciente, como es propio de las disposiciones testamentarias, sino durante la vida del mismo, sirviendo, por ello, a preservar el libre desarrollo de su personalidad.

de expresarlos personalmente, sobre los cuidados y el tratamiento de su salud o, una vez llegado el fallecimiento, sobre el destino de su cuerpo o de los órganos del mismo. El otorgante del documento puede designar, además, un representante para que, llegado el caso, sirva como interlocutor suyo con el médico o el equipo sanitario para procurar el cumplimiento de las instrucciones previas"[455].

Si bien, como decíamos, estos casos se prestan en principio a una solución más sencilla, hay que reconocer que también en ellos pueden surgir problemas interpretativos de la voluntad del enfermo[456]. En efecto, el dato de que en ellos, por definición, ésta no sea coetánea al acto médico, sino que se manifieste en un momento previo al de la situación de inconsciencia bajo la que habrá de desplegar sus efectos, trastoca de forma sustancial los dos pilares básicos que la fundamentan: el acto del consentimiento y, como presupuesto del mismo, la información del paciente.

En primer lugar, pueden surgir dudas en torno a la conformidad *real* de la voluntad del paciente con el supuesto concreto que se presenta. Esto no solo puede deberse a la dificultad para comprobar en el caso en cuestión si concurre la situación objetiva a que se refería el paciente en su declaración anticipada, una dificultad que por lo demás no va a ser extraña en la práctica debido al frecuente uso de términos valorativos (enfermedad grave, sufrimiento severo, etc.). También puede ponerse en duda nada menos que la *actualidad* o vigencia de aquella voluntad manifestada debido a que, por definición, ésta no es coetánea al acto médico, por lo que siempre existirá el riesgo de que haya variado en el momento de desplegar sus efectos[457]. Baste pensar en la imposibilidad de que dicha manifestación de voluntad tuviera en cuenta al tiempo de su emisión todos los factores que pueden hacer acto de presencia en el momento de la enfermedad. Todo ello sin ignorar, por otra parte, que el grado de la posible disidencia de esa voluntad previa respecto a la que el paciente emitiría de estar consciente en el momento del acto depende, a su vez, de que en el mo-

---

[455]   En el ámbito regional véase, por ejemplo, el art. 1 de la Ley Andaluza 5/2003, de Declaración de Voluntad Vital Anticipada, que dispone que su objeto es regular la declaración de voluntad vital anticipada en el ámbito de la Comunidad *"como cauce del ejercicio por la persona de su derecho a decidir sobre las actuaciones sanitarias de que pueda ser objeto en el futuro, en el supuesto de que llegado el momento no goce de capacidad para consentir por sí misma".* Véase al respecto GÓMEZ RIVERO, "La Ley Andaluza de Declaración de Voluntad Vital Anticipada", *Revista: http://www.geriatrianet.com,* vol. 6. núm. 1, 2004.

[456]   Por todos, KAUFMANN, *¿Relativización de la protección jurídica de la vida?, ob. cit.,* pág. 51

[457]   Véase por ejemplo, DE FARIA COSTA, "Das Ende des Lebens und das Strafrecht", en *GA* 2007, pág. 326,

mento de manifestarla existiera ya o no la situación de enfermedad. Allí donde la misma ya hubiera aparecido, no puede descartarse la posibilidad de que el paciente haya obrado condicionado por aspectos tales como la ansiedad, los factores familiares o el efecto de los fármacos, circunstancias todas ellas que pueden haberle llevado a manifestar una voluntad que no se corresponda con sus deseos reales en el momento en que se materialice. Precisamente lo anterior explica que sea una constante en la ley la preocupación por garantizar la prevalencia de la voluntad real del enfermo incluso sobre el contenido de lo manifestado en el documento de instrucciones previas.

En segundo lugar, la realidad que envuelve a la manifestación de una declaración de voluntad en tales circunstancias deroga, en buena medida, las exigencias del derecho a la información del paciente que, a su vez, actúa como presupuesto de la emisión del consentimiento. Y no ya solo porque, como antes observábamos, es imposible que el sujeto conozca de antemano todos los pormenores de la situación a la que va a tener que enfrentarse, así como las alternativas que pueda ofrecerle la ciencia en el momento de la enfermedad. También porque es posible que si la declaración se emite en un momento avanzado de la enfermedad el sanitario se haya acogido a lo que se conoce como *privilegio terapéutico del médico*, reconocido incluso en el orden positivo por el art. 5.4 de la Ley 41/2002. Como es sabido, con el mismo se tratan de conciliar las exigencias del deber de informar al paciente con la práctica de una medicina humanitaria, en la que, al menos en los casos en que la gravedad de la enfermedad no permite ya medida paliativa alguna, se evite que una información exhaustiva pueda llevar a aquél a una situación de ansiedad o angustia baldía.

Sea por una circunstancia u otra, lo cierto es que no es despreciable el riesgo de que la información de que dispusiera el enfermo al tiempo de emitir su voluntad fuera sesgada, sin comprender todos los aspectos que, a modo de objeto de referencia básico, contemplan los art. 4.1 y 10 de la Ley básica 41/2002. Por ello, al menos cuando se dieran las circunstancias anteriores, más que de una declaración de voluntad llamada a regir de forma precisa cuando llegara la situación para la que está pensada, el documento de instrucciones previas puede operar en ocasiones como un documento de *directrices* a partir de las cuales indagar la voluntad del paciente pese a sus carencias de información[458].

---

[458]   Véase al respecto, por ejemplo, ECHEZARRETA FERRER, "La autonomía del paciente en el ámbito sanitario: las voluntades anticipadas". El artículo puede consultarse en http://www.readultosmayores.com.ar/salud.

Por lo demás, tal vez solo convenga recordar que la eficacia de la voluntad anticipada del enfermo está condicionada, lógicamente, a que se respeten las previsiones del Ordenamiento Jurídico y, en especial, las contenidas en el Código penal en lo que se refiere a los actos sobre los que puede disponer. De hecho, este límite se contiene en el propio art. 11.3 de la Ley 41/2002[459], así como en la mayoría de las leyes comunitarias de desarrollo[460]. Conforme a cuanto hemos venido recordando, lo anterior quiere decir que el enfermo podrá manifestar su voluntad, bien de que se le administren medicamentos o medidas que alivien su sufrimiento aun cuando produzcan un acortamiento de su vida, bien de que se le dejen de proporcionar los medios que necesite para continuar viviendo. En este sentido, conforme al debate que referíamos líneas más arriba en torno a la calificación como activa o pasiva de la conducta de la retirada o desconexión de los mecanismos reanimadores, dependiendo de la respuesta que se sostenga, la capacidad de decisión del enfermo podrá o no comprender la petición de dicho extremo. Sobre la irracionalidad de esta comprobación no creo que haga falta volver a insistir.

2.4.1.2. Los casos de ausencia del testamento vital

Más complicadas se presentan aún las cosas cuando se trata de sujetos que entran en estado de coma sin haber emitido antes un documento de instrucciones previas. De hecho, ya sea por el temor reverencial a la muerte, la confianza en que a corto o medio plazo no llegará a plantearse la situación, o simplemente la dificultad que indiscutiblemente supone la falta de tradición de la eutanasia en nuestro entorno cultural, son todavía pocos los que expresan su voluntad para el caso en que, llegado el momento, deseen que no se les someta a procedimientos que supongan la mera prolongación de su existencia o, al contrario, que dejen constancia de que quieren que su vida se mantenga tanto tiempo como sea posible pese a cualquier grado de merma de su calidad de vida.

Es más, si esto es así en personas de cierta edad, no es de extrañar que suelan estar ausentes las manifestaciones anticipadas de voluntad cuando se trata

---

[459]   "No serán aplicadas las instrucciones previas contrarias al ordenamiento jurídico, a la «lex artis», ni las que no se correspondan con el supuesto de hecho que el interesado haya previsto en el momento de manifestarlas. En la historia clínica del paciente quedará constancia razonada de las anotaciones relacionadas con estas previsiones".

[460]   Véase por ejemplo, el art. 8.3 de la Ley de Cataluña; el art. 4 bis 3 de la Ley gallega; el art. 28.2 de la Ley de Madrid; el art. 8.3 de la Ley navarra; o el art. 5, apartados 3 y 4 de la Ley del País Vasco.

de individuos jóvenes o de edad media que, la mayoría de las veces, por sufrir un accidente, entran de forma inesperada en estado de vida vegetativa. En estos casos, además, las dificultades de decisión se acrecientan sensiblemente, en cuanto que al dramatismo que ya en general comporta la situación se suma enconadamente el mayor dolor que siempre provoca poner fin a una vida a la que todavía parecía quedar mucho. Como demuestra la realidad, no han sido escasos los supuestos en los que se ha planteado el dilema de la eutanasia de personas jóvenes. Baste de cita el conocido caso de Nancy Cruzan, de 26 años, quien a causa de un accidente de tráfico estuvo siete años en coma (de 1983 a 1990). Pese a la petición que hicieron los padres a los Tribunales para que a Nancy le fuese retirada la sonda que la mantenía con vida, las sentencias dictadas en diferentes instancias se pronunciaron en sentido denegatorio, argumentando la falta de una voluntad manifestada por la paciente. Sólo tras un largo y penoso peregrinaje por los Tribunales, el Tribunal Supremo Federal de los Estados Unidos de América, en la Sentencia de 14 de diciembre de 1990, autorizó la desconexión de la sonda al amparo de la enmienda 14 de la Constitución americana que tutela la libertad individual. Igualmente conocido es el caso de Karen Ann Quinlan. A consecuencia del consumo conjunto de alcohol y drogas, en 1975, cuando contaba con 21 años de edad, Karen sufrió un paro cardíaco que le provocó un estado de coma. La Corte Suprema de Morristown (New Jersey) reconoció por vez primera la primacía del presunto interés de una joven a no seguir mantenida viva artificialmente frente al interés estatal en la conservación de la vida, autorizando al año siguiente de la producción del accidente la desconexión del aparato que la mantenía con vida, a pesar de lo cual continuó viviendo hasta 1985.

Desde luego que también en estos casos puede decirse que, con independencia de sus peculiaridades, los presupuestos legitimadores de la eutanasia habrán de ser los mismos que rigen en general en el Código penal; esto es, como tantas veces hemos recordado, por una parte la comprobación de la situación objetiva representada por la existencia de una enfermedad terminal o que comporta padecimientos permanentes y difíciles de soportar y, por otro, la concurrencia de la voluntad del enfermo que, conforme a la regulación actual, solo podrá referirse a la práctica de la eutanasia pasiva o indirecta. En cuanto que ambos presupuestos presentan dificultades específicas en esta fenomenología de casos, los tratamos brevemente por separado.

    a. La comprobación del presupuesto situacional: la existencia de una enfermedad terminal grave o que causa padecimientos permanentes y difíciles de soportar

En primer lugar, en los casos que ahora nos ocupan se presenta ya especialmente compleja la comprobación del presupuesto situacional que exige el Código penal. Como es sabido, el art. 143.4 requiere que se trate de "una enfermedad grave que conduciría necesariamente a su muerte (del paciente) o que produjera graves padecimientos permanentes y difíciles de soportar".

Es cierto que la determinación del pronóstico acerca de la *irreversibilidad* o no del padecimiento, esto es, de su carácter permanente, compete por definición a los médicos, quienes habrán de pronunciarse al respecto conforme al grado de conocimiento de la ciencia en el momento en que se emiten su parecer. Ese juicio, sin embargo, se torna más complicado cuando se trata de definir lo que se entienda por un padecimiento *grave*. Desde luego que la comunidad científica puede llegar a un cierto grado de consenso a la hora de identificar lo que sea un padecimiento grave, esto es, a la hora de determinar, por ejemplo, la intensidad del dolor o las circunstancias que *en general* determinan el reconocimiento objetivo de un grado considerable de sufrimiento. Sin embargo, la determinación de lo que en última instancia sea tal en el caso concreto requiere necesariamente atender a la forma en la que el enfermo vivencia esa situación. Probablemente, para algunas personas el quedar relegado a una silla de ruedas o incluso tener que pasar el resto de sus días postrado en la cama será un padecimiento duro, que conlleva una innegable carga de dolor y sufrimiento, pero que sin embargo están dispuestas a soportar. Seguramente para otras, sin embargo, esa misma situación sería sin más imposible de soportar. ¿Cómo medimos entonces el grado de insoportabilidad del sufrimiento si el paciente está en coma?; ¿cómo decidimos si la situación es o no soportable si la persona a que compete decidirlo no puede manifestar los límites de su tolerancia hacia ella?

Es más, a la hora de ofrecer respuesta a esta pregunta no puede pasarse por alto que dentro de la fenomenología de casos de los enfermos en coma pueden presentarse dos grupos claramente diferenciables. Los primeros serían aquellos en los que el estado de coma acompañe a una enfermedad adicional. Baste pensar en el ejemplo que manejábamos líneas más arriba en el que se trataba de valorar una situación de tetraplejia. Imaginemos que la persona que la padece entra en un estado de coma, de tal modo que éste no representa ya sólo una enfermedad en sí, sino la causa por la que no podamos conocer la voluntad de ese mismo enfermo en lo que se refiere a continuar o no con su vida pese al padecimiento de la tetraplejia. Junto a ellos, el segundo grupo de casos sería aún mucho más complicado de resolver. Son aquellos supuestos en los que el padecimiento único del enfermo sea, precisamente, la misma razón que impide conocer su voluntad: el estado de coma. No creo que sea necesario insistir en que en ellos las dificultades resultan aun mayores porque, ¿es ya el estado de coma un padecimiento difícil de soportar?

Precisamente en estos supuestos en que el daño que sufre el paciente se ciñe a su estado de inconsciencia que a menudo estará presente de forma adicional la dificultad de identificar el otro presupuesto situacional que exige el Código penal y al que antes nos referíamos: la existencia de un padecimiento irreversible. Bastaría para ello tan solo con recordar los casos, que no solo han inspirado al cine sino que han salpicado a los medios de comunicación[461], en los que tras muchos meses e incluso años de estado vegetativo el enfermo recobra inesperadamente la conciencia. Con estos precedentes, ¿cómo afirmar con certeza que un estado de coma es una situación irreversible?

Ninguno de estos interrogantes tiene, desde luego, una solución sencilla, hasta el punto de que el intento de ofrecer respuestas unívocas a cualquiera de ellos es una tarea condenada por definición al fracaso, cuando no a una manipulación conforme a los principios éticos, morales o religiosos desde los que se enfoque. Por ello, la solución en este punto, al igual que sucede con tantos otros aspectos que venimos tratando, sólo podría encontrar una respuesta que se considerase válida penalmente a través de la instauración de una *justificación procedimental,* esto es, a través de la implantación de protocolos de actuación por los se garantizara la *legalidad* de la decisión por lo que se refiere a este extremo. Mientras no exista este procedimiento, esquivado hasta la fecha probablemente por el temor secular a regular cualquier aspecto que tenga que ver con la eutanasia, la determinación de ese presupuesto quedará al albur del único médico que atienda al paciente cuando no, directamente, de la decisión más o menos interesada de sus familiares.

b. La indagación de la voluntad del enfermo

Junto con lo anterior, esto es, la determinación de los presupuestos situacionales de la enfermedad, también en estos casos para proceder a la práctica eutanásica —pasiva o indirecta— habrá de garantizarse el respeto de la autonomía del paciente, sin que pueda suplirse esa comprobación por un juicio objetivo en torno a la *racionalidad* del mantenimiento o no de la vida en tales circunstancias.

---

[461]   Estos casos no sólo han inspirado el argumento de películas como *Good bye Lenin,* sino que también han saltado a los medios de comunicación. El último ocurría en junio de 2007 y se refería a una persona en coma desde hacía 19 años debido a un accidente laboral y que de forma inesperada recuperó la conciencia (véanse los Diarios de 4 de junio de 2007).

Por ello, me parece correcta la línea doctrinal mayoritaria que propone indagar en el caso concreto la voluntad presunta de la persona afectada, de tal modo que la procedencia de la práctica eutanásica sólo pueda justificarse allí donde se llegue a la convicción en torno a la concurrencia de dicha voluntad o, al menos, a la ausencia de indicios que revelen que el paciente se habría opuesto a tal práctica[462]. Como escribe ROXIN, en estos casos "no se debería...proseguir su tratamiento *ad infinitum* bajo el lema 'in dubio pro vita', ni tampoco interrumpirlo siempre bajo la tesis 'in dubio contra vitam'. Más bien debería decidirse sobre la base de los indicios de mayor importancia"[463].

Se trata, en definitiva, de partir de las circunstancias del caso concreto e interpretar la voluntad presunta del paciente. Si esa comprobación arrojase como resultado el deseo de aquél de seguir viviendo pese a su estado, el mismo habría de respetarse sin que fuera posible invocar un estado de necesidad. La razón por la que ésto sea así no es difícil de entender. Baste pensar que la pretensión contraria de admitir la eutanasia involuntaria sólo podría articularse dogmáticamente mediante los parámetros propios de una causa de justificación, básicamente un estado de necesidad. Sin embargo, esa pretensión tropezaría frontalmente con la comprensión misma de sus requisitos. Porque, como es sabido, cuando están en juego bienes jurídicos disponibles, la procedencia del estado de necesidad se supedita a que el afectado no se oponga a la preservación del bien propio que se trata de salvaguardar, un requisito que no se cumpliría en los casos que ahora tratamos. En efecto, en la medida en que la salud, entendida como estado completo de bienestar físico mental y social tal como la definiera la OMS en 1947 y comprensiva, por tanto, de la ausencia de sufrimientos, es un bien jurídico disponible, cuando el titular renuncie a la medida que la preservaría (eutanasia) decaerían los pilares mismos de una causa de justificación que le diera prioridad frente a la vida. Desde esos parámetros, por tanto, la legalidad de la eutanasia involuntaria no habría de verse sino como una manifestación paternalista del Estado, que tan pronto puede

---

[462] No obstante, en un sentido distinto se han pronunciado recientemente algunas voces en nuestra doctrina con argumentos que, pese a no compartirse en su totalidad por las razones que se exponen en el texto, no dejan de ser originales y tienen sin duda el mérito de ofrecer un nuevo enfoque en el inagotable problema de la eutanasia en sujetos inconscientes. Es el caso de GARCÍA RIVAS: "la eutanasia involuntaria puede quedar perfectamente justificada siempre que se actúe en interés del paciente, expresión que encierra un juicio ponderativo de naturaleza objetiva cuyo control debería quedar atribuido a la competencias de comités *ad hoc*, que decidieran en cada caso con imparcialidad cual es ese interés: seguir viviendo o morir con dignidad", en "Despenalización de la eutanasia en la Unión Europea: autonomía e interés del paciente", en *Revista Penal*, 2003, nº 11, pág. 30.
[463] ROXIN, en "Tratamiento jurídico-penal de la eutanasia", *ob. cit.*, pág. 24.

manifestarse bajo la imposición de la continuidad de una vida no deseada como, en el extremo opuesto, del punto y final a la misma contra el deseo de su titular.

Al respecto resulta ilustrativa la cita de un caso sobre el que tuvo que pronunciarse el Tribunal Supremo Federal de Frankfurt en julio de 1998. En él se enjuiciaba la conducta de un médico y el hijo de la enferma que decidieron cambiar por té el suministro de alimentación artificial a una anciana que desde hacía años se mostraba incapaz de hablar, caminar, ponerse en pie, debía ser alimentada artificialmente, y sólo reaccionaba a estímulos externos a través de contracciones faciales y gruñidos. En la línea del fallo del Tribunal Supremo, afirma ROXIN la necesidad de comprobar la voluntad de la paciente, que en ese caso podría deducirse, ya que "los vanos esfuerzos en torno a la anciana durante más de dos años, su situación carente de esperanza alguna (por padecer 'graves' daños cerebrales), así como su manifestación anterior de que ella no quería acabar de ese modo, hablan más bien en favor de su deseo de que el tratamiento debía ser interrumpido en el supuesto de que tal situación acaeciera"[464].

Trasladado lo anterior a la regulación de la eutanasia en nuestro Código penal, esto quiere decir que la práctica de los reducidos supuestos que no castiga (la pasiva o indirecta) sólo resultará impune cuando, además de la situación objetiva que describe el precepto, concurra la voluntad del enfermo. Lo anterior significa, a *contrario sensu*, que si no puede descubrirse la misma, por muy grave que sea la situación del paciente e irreversible su padecimiento, el médico que quiera asegurarse de que no se abra un proceso penal contra él, habrá de agotar el tratamiento hasta el último segundo de la vida del paciente, con el consabido riesgo de llegar al que se conoce como encarnizamiento terapéutico.

Por ello, para garantizar la seguridad del médico resultará fundamental trazar los criterios conforme a los que pueda afirmarse la concurrencia de aquella voluntad del enfermo, siquiera sea atendiendo al que se ha dado en llamar *consentimiento presunto*, que permitiese al menos suponer fundadamente que, si el paciente pudiera manifestar su voluntad, solicitaría la práctica de la eutanasia. La dificultad para ello no es difícil de entender: ¿cuándo podría presumirse?, ¿bastaría con que no concurrieran indicios en sentido contrario o es necesario, sin embargo, la existencia de criterios que permitan fundamentar positivamente la concurrencia de su voluntad? Y de ser este segundo el caso, ¿qué grado de exigencia habría de requerirse para considerarlos como

---

[464]   ROXIN, en "Tratamiento jurídico-penal de la eutanasia", *ob. cit.*, pág. 24.

fundados?, ¿bastaría, por ejemplo, con que el sujeto hubiera alguna vez manifestado con carácter general que es partidario de la eutanasia?, ¿que hubiera dicho personalmente la preferiría antes que soportar el sufrimiento de una enfermedad irreversible?

La respuesta a estos interrogantes dista de ser sencilla, y la dificultad de descubrir cuál habría sido la voluntad del enfermo puede llevar unas veces a situaciones en las que, de hecho, unas veces se acabe operando con base a criterios objetivos, esto es, conforme a una estricta ponderación de intereses; y, otras, se haga prevalecer la voluntad de los familiares —con los intereses que a menudo la condicionan— por encima de la del propio enfermo. Todo ello sin desconocer, como antes destacábamos, la inseguridad que comportaría para el médico la práctica de la eutanasia en tales condiciones, en cuanto que siempre pesaría sobre él el riesgo de acabar sentado en un banquillo acusado de haber obrado sin respetar la exigencia básica de contar con la voluntad del enfermo, bien sea por haber obrado conforme a los criterios más o menos fundados que le indiquen los familiares; bien porque ante la imposibilidad de recabar el consentimiento del enfermo, hubiera entendido que la *lex artis* le imponía suspender el tratamiento o proporcionar al paciente una medicación que paliase su dolor aun a costa de acortar cuantitativamente su existencia[465].

---

[465]　El problema de la actuación del médico sin solicitar el consentimiento de los familiares pero obrando conforme a las pautas que consideran conforme a la *lex artis* estuvo presente en el conocido como caso Leganés. El 3 de marzo de 2005 el entonces Consejero de Sanidad de Madrid ordenó que la inspección médica investigase una denuncia anónima que acusaba a los médicos del Hospital Severo Ochoa de Madrid de haber cometido 400 homicidios por medio de sedaciones en el Hospital Severo Ochoa.
De ellas, finalmente solo cuatro se consideraron realizadas con mala praxis médica, ya que se sedó terminalmente a los pacientes pese a la posibilidad de ofrecerle tratamiento médico. El auto de 20 de junio de 2007 del Juzgado número 7 de Leganés archivó el caso por considerar que "Varios pacientes han muerto tras mala práctica médica a la hora de sedarles, si bien no se puede lograr asegurar, al menos con lo que hasta ahora se ha recopilado, que el fallecimiento deviniera exclusivamente por los fármacos prescritos por los doctores... los pacientes pudieron morir o por la sedación indebida o por su enfermedad inicial y esto, para exigir responsabilidad penal, ha de quedar claro. Acción y resultado deben estar conectadas y este último poderse imputar objetivamente al autor...En definitiva...hubo por parte de los médicos una confusión entre lo que son medidas paliativas -necesarias en la mayoría de los casos- y la aplicación de sedación terminal. A los referidos pacientes se les sedó indebidamente -bien por dosis o por combinación de fármacos- y se puso en peligro su vida, si bien no se puede descartar que fallecieran de su enfermedad inicial...Los peritos han informado que varios pacientes no estaban en una situación tal que exigiese su sedación y que merecían ser tratados para su curación y que eso entraña una mala práctica médica. Asimismo, que en otros casos la administración de fármacos fue tal que se sugiere una relación con la muerte y que esto también resulta una mala práctica médica. Pero no se puede

Para evitar esta situación, sería conveniente la creación de Comités de Bioética que sirvieran de apoyo legitimador de esa decisión. A la hora de articular su composición, bien pudieran servir como modelo los previstos en las Leyes belga y holandesa, que contemplan dichos comités compuestos por el médico que atiende al paciente, un médico distinto al anterior, así como un especialista en bioética. Dicha composición pone ya en la pista de que en los casos en que resulte difícil descubrir indicios acerca de la voluntad a favor o en contra del paciente para la práctica eutanásica, habrá de tenerse en cuenta, como forma de *presumir* aquella, la situación objetiva en que aquél se encuentra, su padecimiento, así como el pronóstico acerca de la evolución de la enfermedad, conforme a los datos que aportasen los profesionales de la medicina. Es importante observar que de esta forma no se sustituye la voluntad del paciente por datos objetivos, sino que son aquellos datos lo que habrán de utilizarse como indicio para deducir cuál sería la voluntad de aquél en el caso concreto y, en su caso, para destruir la presunción inicial de su voluntad de seguir viviendo sobre la idea del llamado *instinto de conservación*.

2.4.2. *El caso de los menores de edad e incapaces*

Las dificultades para respetar el requisito de que se acredite la concurrencia de la voluntad del paciente no se ciñen a los casos anteriores en que el mismo se encuentra en estado de coma. También está presente en los supuestos

---

sostener, más allá de la duda, de convicciones personales, de meras suposiciones, que los médicos imputados sean responsables de las muertes de sus pacientes".

Junto a ello, el Auto consideró que "los médicos creían, en todo caso, obrar lícitamente y actuar dentro de cánones prefijados por la ciencia. Entendían que sus pacientes morirían en un muy corto espacio de tiempo y que debían mitigar sus dolores. Ante ello, decidieron sedar y se obtuvo lo pretendido, que no era otra cosa que la esperada muerte, pero indolora".

Es interesante la consulta del dictamen médico emitido el 25 de mayo de 2006 por once médicos del Ilustre Colegio de Médicos de Madrid, a petición del Juzgado de Instrucción número 7 de Leganés, y que tomó en consideración el fallo. En él se relacionan los motivos por los que no puede establecerse la relación entre la sedación y el fallecimiento, aun reconociendo que el empleo de dichas dosis generó una situación de riesgo para los pacientes que es probable que en algunos casos acelerase el fallecimiento

Frente al referido Auto de 20 de junio de 2007 dos médicos denunciados presentaron recurso de apelación ante la Audiencia Provincial de Madrid atacando su fundamentación jurídica, en concreto, acerca de la admisión de la existencia de prácticas médicas realizadas fuera de la lex artis: El auto 47/2008 de la Audiencia Provincial de Madrid, de 21 de enero, ratificó el sobreseimiento y el archivo del caso y ordenó que se suprimiera toda referencia a la mala praxis en la actuación médica.

en que, si bien aquel puede manifestarla, existen dudas acerca de los límites con que deba tomarse en consideración su petición de poner fin a su vida. Es el caso de los menores de edad e incapaces. ¿Hasta qué punto debe tenerse en cuenta la voluntad que manifiestan estos sujetos?, ¿debe trazarse algún límite a su reconocimiento?, ¿a partir de qué edad puede tomarse plenamente en consideración?

De nuevo en este punto el Código penal no ofrece mención específica alguna al respecto. Como tantas veces hemos recordado, tan sólo exige que, dentro de los supuestos limitados que permite, exista una petición expresa, seria e inequívoca del enfermo, requisitos que si bien suponen sin ambages que la persona que lo emite esté en condiciones de prestar un consentimiento válido, sin embargo no permiten especificar los casos en el que el mismo deba excluirse. Por otra parte, tampoco la legislación civil ofrece ninguna mención expresa. Sólo en la LO 41/2002 puede encontrarse una referencia, si bien en relación con un aspecto concreto: los casos en que se trate de otorgar un documento de instrucciones previas. Al respecto dispone el art. 11 de dicho texto legal que habrá de emitirse por una persona "mayor de edad, capaz y libre". Con todo, pese a esa referencia a la mayoría de edad, en tanto que se trata de requisitos específicos para emitir el documento, no puede decirse que resuelva siquiera el problema de los menores de edad en el sentido de permitir concluir, básicamente, que éstos en ningún caso pueden solicitar una práctica de eutanasia.

Ante esta situación, para ubicar el problema en sus justos términos debe tenerse en cuenta que, conforme a los límites con que, según vimos, se admite la eutanasia en nuestro Ordenamiento jurídico, la respuesta que se dé a los interrogantes anteriores debe ubicarse en el contexto más amplio de los términos con que resulta admisible conceder plenos efectos jurídicos al consentimiento prestado por aquellos sujetos menores de edad o incapaces como presupuesto legitimador de cualquier forma de tratamiento médico. En efecto, según veíamos, los ámbitos de impunidad que permite nuestra legislación se ciñen a los casos en que el paciente, bien rechaza continuar el tratamiento (eutanasia pasiva), bien quiere que le sean suministrados determinados fármacos que alivian su padecimiento aun a costa de acortar paulatinamente su existencia (eutanasia indirecta). En estos términos puede entenderse que ante la ausencia de reglas especiales[466], la cuestión nos remita en última instancia a la tarea

---

[466] Como hace por ejemplo la Ley aprobada por el Parlamento holandés en 2002, que a partir de los 16 años permite el homicidio a petición propia (artículo 3, sección 2 de la ley); los sujetos entre los 12 y 16 años también pueden solicitarla, pero con la condición de que los propios padres o quien tuviera la tutela jurídica añadieran su consentimiento a la petición

de determinar los presupuestos de la validez del consentimiento del enfermo a cualquier tratamiento médico.

En primer lugar, en lo que se refiere a las personas que padecen algún tipo de incapacidad, por *anomalía o deficiencia mental*, en su concepto habrán de incluirse no sólo los casos de enfermos mentales permanentes, sino también los de aquellos otros que se encuentran en situación de trastorno mental, que incluso puede estar motivada por su propio estado de enfermedad.

Conforme a cuanto tuvimos ocasión de sostener con carácter general al tratar los requisitos para prestar el consentimiento a cualquier acto médico, la determinación de los casos en que el paciente que padezca algún tipo de anomalía o alteración psíquica pueda emitir una declaración de voluntad válida en el sentido de que se le desconecten los mecanismos reanimadores o que se le suministre una medicación que acorte su vida requerirá tener en cuenta su concreto estado de minusvalía mental[467]. Esta capacidad habrá de valorarla el médico que le atiende, de modo que en los casos en que el juicio arroje un resultado negativo en torno a la misma, deberán decidir los familiares del enfermo o las personas vinculadas a él[468].

Igualmente en relación con los menores de edad habrá de tenerse en cuenta en este punto cuantas reflexiones hicimos a la hora de delimitar su capacidad para consentir a un tratamiento médico. Según veíamos, conforme al art. 9.3 c) de la Ley 41/2002, habrá de entenderse que pese a la fijación de los 16 años como límite que marca el momento a partir del cual no cabe el consentimiento por representación, no debe interpretarse que esa disposición signifique *a contrario sensu*, que cuando se trate de un menor de esa edad el consentimien-

---

personal de los sujetos afectados por enfermedad incurable o por dolor (artículo 4, sección 2).

[467] Véase *supra* Primera Parte II. 2.2.2, *El consentimiento del paciente en caso de menores de edad e incapaces.*

[468] Con todo, debe observarse que en alguna Ley autonómica reguladora de la Declaración de Voluntad vital anticipada, se menciona el cauce procedimental para los casos en que, en relación con personas incapacitadas, el médico dude acerca de la concreta capacidad para consentir de paciente. Es el caso de la Ley andaluza 5/2003, de Declaración de Voluntad Vital Anticipada, que en apartado 2 del art. 4 dispone: "Los incapacitados judicialmente podrán emitir declaración de voluntad vital anticipada, salvo que otra cosa determine la resolución judicial de incapacitación. No obstante, si el personal facultativo responsable de su asistencia sanitaria cuestionara su capacidad para otorgarla, pondrá los hechos en conocimiento del Ministerio Fiscal para que, en su caso, inste ante la autoridad judicial un nuevo proceso, que tenga por objeto modificar el alcance de la incapacitación ya establecida". Véase un comentario al respecto en GÓMEZ RIVERO, La Ley Andaluza de Declaración de Voluntad Vital Anticipada", publicado en *http://www.geriatrianet.com*, vol. 6. núm. 1, 2004.

to siempre tenga que prestarse por representación. Por el contrario, dado que la ley no dice nada al respecto, es perfectamente posible entender que también por debajo de esa edad, si en el caso concreto el menor tuviera capacidad de comprender y querer, habría de respetarse su voluntad.

Con todo, hay que reconocer que aun cuando se conceda el referido valor a las previsiones de la Ley 41/2002, no por ello desaparecen por completo las dudas interpretativas. Así, por ejemplo, resulta complicado trazar la solución de los casos en que se plantee un conflicto entre la opinión manifestada por el menor y la de sus representantes legales[469]. No es por ello de extrañar que desde aquella doctrina se haya llamado la atención sobre la conveniencia de haber introducido una previsión específica que, como hace la Ley gallega en su art. 6 c), dispusiera que en caso de colisión entre la voluntad manifestada por el representante legal y los intereses del menor o incapacitado, se solicite la intervención de la autoridad judicial[470].

Dejando a un lado este problema, lo cierto es que con lo anterior tan solo hemos delimitado los casos en que deba concederse al paciente menor de edad o con alguna enfermedad o minusvalía mental la capacidad para manifestar una voluntad que deba ser tenida en cuenta en la decisión. En el resto de los casos, esto es, aquellos en que ya sea por el grado de incapacidad mental que padece el sujeto o por su corta edad no pueda considerarse capacitado para decidir, se plantea la complicada cuestión en torno a la forma en que deba procederse. Desde luego que el problema ni siquiera debiera surgir en los casos en que el enfermo al que no se reconoce plena capacidad manifestara una opinión contraria a las prácticas legales eutanásicas que se planteasen, esto es, la pasiva y la indirecta. Pese a reconocer en tales casos su capacidad limitada, sería de todo punto inadmisible desconocer la manifestación de voluntad de cualquier persona en el sentido de querer prolongar su existencia, por mucho que su consentimiento estuviera viciado. Por ello, en realidad, las dificultades que se plantean en estos casos se concentran allí donde es el paciente incapacitado para consentir quien solicita la práctica eutanásica.

---

[469]   Véase sobre esta cuestión, por ejemplo, PARRA LUCÁN, "La capacidad del paciente para prestar válido consentimiento informado. El confuso panorama legislativo español", *Actualidad Jurídica Aranzadi*, abril, 2003, págs. 1912 ss., quien entiende que en los casos en que el menor hubiera cumplido los 16 años y se opusiera a la intervención, la misma sólo podría legitimarse con el recurso a la autoridad judicial.

[470]   Véase en este sentido, por ejemplo, GUERRERO ZAPLANA, José, *El consentimiento informado. Su valoración en la jurisprudencia. Ley básica 41/2002 y leyes autonómicas*, Ed. Lex nova. Valladolid, 2004, pág. 83.

Ante el silencio de la ley, la única solución habría de provenir, *de lege feren-da,* de la incorporación al texto legal de una serie de protocolos de actuación que bajo determinadas circunstancias legitimasen formalmente la práctica de la eutanasia. En tanto que la solución que proponemos es en buena medida común a los casos que tratamos en el apartado que sigue relativo a la eutanasia precoz, nos remitirnos al mismo para evitar reiteraciones.

2.4.3. *La eutanasia precoz o prenatal*

Junto a los casos anteriores en que resulta necesario indagar la voluntad de las personas que, por su situación, no se encuentran en condiciones de emitir un consentimiento expreso, se plantean aquellos otros en que el enfermo es una persona que, por definición, no puede emitir una manifestación de voluntad. Es lo que sucede cuando la enfermedad grave o irreversible la padecen recién nacidos.

Bajo el concepto de eutanasia precoz se incluyen desde los supuestos en los que se actúa directamente sobre el feto para poner fin a su vida tras diagnosticar malformaciones cuando ya no es posible acogerse a la indicación eugenésica, hasta aquéllos en los que la muerte tiene lugar tras un parto natural, pasando por los casos en los que éste se provoca de forma anticipada. Entre los padecimientos más comunes podría citarse la trisomía 13, que afecta sin remedio a todos los órganos, en especial al corazón y al cerebro y causa gran dolor, o la espina bífida, que determina que no se cierre la columna y quede al aire la médula espinal; a veces a la altura del cuello.

Por encima de sus peculiaridades, denominador común a todos los supuestos es que los intereses que entran en conflicto son, por definición, ajenos a la voluntad del portador de la vida a la que se trata de poner fin, lo que introduce un matiz singular en su tratamiento. Dichos intereses se cifran, por un lado, en la continuidad de ésta pese a las malformaciones que padece el feto o el recién nacido[471]; por otro, en el detrimento de la calidad de vida a consecuencia de dichas malformaciones y, como interés adicional, la atención a las cargas

---

[471]   En la línea de sostener que también la vida de los seres con taras o minusvalías merece protección véase por ejemplo KAUFMANN, Arthur, en *Avances de la Medicina y Derecho penal,* Instituto de Criminología de Barcelona, 1988, pág. 44: "La deficiencia en sí no es causa de justificación de la eutanasia precoz, pues no hay 'vidas desprovistas de valor vital'. Nadie tiene, pues, el derecho de calificar la vida de tales niños como 'sin sentido' o 'inútil'; seres impedidos viven a menudo satisfactoriamente y constituyen una carga menor para la comunidad que la que representan delincuentes profesionales sanos física y psíquicamente".

de todo tipo que ello supone para los padres o personas que hayan de encargarse de su cuidado.

Partiendo de los esquemas generales conforme a los que se regula la eutanasia en el Código penal, puede decirse que también para los supuestos de eutanasia precoz, en cuanto que no son más que una especie de eutanasia, resulta por completo aplicable la regla de prohibición absoluta de cualquier forma de poner fin a la vida que no cumpla los requisitos de ser pasiva o indirecta. Ahora bien, situado el problema en estas coordenadas de permisibilidad limitada, se plantea adicionalmente la forma en que en tales supuestos pueda entenderse cumplido el requisito que, también conforme al art. 143.4, es presupuesto legitimador de la práctica: la concurrencia del consentimiento del paciente que, según tantas veces hemos recordado, se traduce en la exigencia de una *solicitud.*

A nadie creo que escapen las dificultades para apreciar este requisito. Baste pensar que en los casos de bebés y recién nacidos, todo lo más, podrá aspirarse a manejar una presunción general de aquella voluntad conforme a los siempre inciertos criterios acerca de los hipotéticos deseos del "hombre medio" en aquella situación, pero nunca entender satisfecho el presupuesto que exige literalmente el Código penal: una *petición* sería e inequívoca por parte del enfermo. Por ello, de interpretarse en términos literales dicho requisito del Código habrá de concluirse que en relación con estos sujetos no sólo son punibles las formas de eutanasia activa o directa, sino ya antes, cualquier forma de eutanasia. Si esto es así, como obliga a entender la comprensión literal del precepto, la conclusión que arroja esta tendencia solo puede ser la de la terrible insensibilidad del legislador en esta materia.

En efecto, la pretensión de ignorar legalmente estos casos, con la consecuencia de tenerlos que calificar en puridad como un asesinato al que, dependiendo del Tribunal juzgador, se aprecie todo lo más un estado de necesidad[472], supone tanto como ignorar la realidad a la que se enfrentan a menudo los profesionales de la medicina. Cargar sobre sus espaldas el peso de una decisión en la que se juegan nada menos que una condena por una calificación tan

---

[472]   Desde el esfuerzo por garantizar al menos este margen de impunidad se explican los esfuerzos ensayados por autores como MUÑOZ CONDE, quien propone que la impunidad de estos actos habrá de reconducirse a los cauces de un *estado de necesidad* "y no simplemente en el ámbito de las causas de exculpación o atenuación de la pena, pues no se trata de perdonar, comprender una situación determinada en unas circunstancias dramáticas, sino de autorizar y regularizar una forma de ayuda a morir con dignidad y sin sufrimiento que puede ser absolutamente loable", MUÑOZ CONDE, *Derecho Penal, Parte Especial, ob. cit.,* págs. 73 ss.

grave y, a cambio, no consiguen ningún beneficio propio, sino tan solo poner fin a un sufrimiento ajeno insoportable e irreversible, parece, realmente, una situación tan indiferente como injusta. Claro que la misma no debe extrañar, en cuanto que no es más que una de tantas aristas dentro de la insensibilidad que en general acompaña a la regulación de la eutanasia en nuestro Derecho, a la que ahora tan solo se añade el dramatismo de la situación por las peculiaridades de todo tipo, también afectivas y emocionales, que suelen estar implícitas en las decisiones relativas a bebés.

Probablemente, buena parte de las razones de este silencio legal tengan que ver con el miedo tantas veces manifestado a terminar en lo que se suele llamar como pendiente resbaladiza o efecto de plano inclinado ("slippery slope"); esto es, que la legitimación de cada práctica eutanásica dé paso posteriormente a otra nueva, cada vez más amplia y con menos exigencias, que acabe al final en la legalización fáctica de cualquier tipo de conductas. Sin embargo, el temor a la perversión de una regulación no debe ser óbice a la regulación misma. De la misma manera que la previsión en el Código penal del estado de necesidad como causa de justificación no determina que se permita la expulsión del ámbito de lo punible de cualquier conducta que sin embargo debiera merecer castigo, la previsión de un procedimiento que permitiera la justificación de la eutanasia en estos casos de bebés o recién nacidos tampoco debiera obstruirse con aquel argumento. Para evitar tal efecto bastaría con una estricta depuración de los presupuestos objetivos que legitimasen aquella práctica.

Se trataría, en definitiva, de incluir una regulación protocolaria para estos supuestos que deslice el centro de gravedad de su tratamiento desde la comprobación de la voluntad del enfermo al aseguramiento de un cauce reglado que garantizara una serie de mínimos en la toma de decisión. De hecho, no otra cosa sucede en un ámbito previo al que ahora se plantea, como es la práctica del aborto: de la misma forma que en esta fase sería absurda la pretensión de indagar la voluntad del feto cuando padezca graves taras o anomalías psíquicas para considerar legitimado el aborto por indicación eugenésica, lo sería el empeño de descubrir la voluntad del recién nacido. Nadie debe por ello extrañarse de que en los casos de aborto eugenésico, prescindiendo del rígido y criticable requisito de los plazos, la preocupación del legislador haya sido la de garantizar los presupuestos objetivos legitimadores de la decisión, en la que, por cierto, nada tiene que ver si el método de provocar la muerte es activo o pasivo[473].

---

[473]   Baste recordar que el art. 144 CP se remite al art. 417 bis del CP 1973, cuyo apartado tercero permite el aborto cuando se presuma que el feto habrá de nacer con graves taras

Hasta la fecha sólo Holanda ha previsto un tratamiento especial al respecto, conforme al llamado "protocolo de Groningen", propuesto en el año 2003 por pediatras de este hospital universitario[474], y sobre el que se pronunció favorablemente la Asociación Holandesa de Pediatría. Ese protocolo regula el procedimiento a seguir para aplicar la eutanasia a recién nacidos dentro de los márgenes legales que la consideran aceptable, trazando así los límites en que los médicos no serán perseguidos judicialmente.

El Protocolo parte de que el grado de calidad de vida que se considera aceptable para justificar la eutanasia es un criterio subjetivo que depende de las distintas opiniones de padres y médicos. Pero para inyectar pautas objetivas, recoge los criterios adoptados por el "Grupo Profesional Médico" para la valoración de situaciones críticas en el informe "Doen of laten" ("Hacer o dejar de hacer") de la Asociación Holandesa de Pediatría. Estos criterios son los siguientes: el grado de dependencia de los cuidados médicos que tendrá el paciente en el futuro, la posibilidad de llevar una vida más o menos autónoma, la capacidad de comunicación, el nivel de sufrimiento y la esperanza media de vida. Conforme a lo anterior, distingue tres grupos de recién nacidos en los que habría que tomar una decisión respecto a su mantenimiento en vida.

1) Bebés que morirían poco después del nacimiento, aunque se les aplicaran todos los recursos médicos disponibles.

2) Bebés que requerirían cuidados intensivos para sobrevivir, pero cuya calidad de vida y posibilidades de recuperación serían muy bajas. En este apartado se incluyen niños con daños cerebrales profundos o graves alteraciones de sus órganos.

3) Bebés con un "pronóstico sin esperanza" y "sufrimiento intratable", aunque no necesiten cuidados médicos intensivos para sobrevivir. En este grupo los pediatras holandeses incluyen a niños con las formas más graves de espina bífida.

En este tercer caso, no se trataría de dejar que llegue la muerte por retirada de cuidados intensivos, sino de provocar la muerte por medios activos. Sin embargo, como en el primero y en el segundo la supresión del tratamiento

---

físicas o psíquicas, siempre que se practique dentro de las veintidós primeras semanas de gestación y que el dictamen, expresado con anterioridad a la práctica del aborto, sea emitido por dos especialistas de centro o establecimiento sanitario, público o privado, acreditado al efecto, y distintos de aquel por quien o bajo cuya dirección se practique el aborto.

[474]   Sus principales autores son Eduard Verhagen y Pieter Sauer, pediatras en la Clínica Infantil Beatrix de Groningen.

que comprende la retirada de la hidratación y la nutrición produce irrevocablemente la muerte, se registran como fallecimientos por causas naturales y, según la visión del protocolo, no se incluyen dentro de los casos de eutanasia

En todos los supuestos el Protocolo exige una serie de condiciones a las que supedita la legalidad de la eutanasia: que el recién nacido experimente un sufrimiento grande y sin esperanzas de mejora, que el pronóstico sea confirmado al menos por otro médico, y que ambos padres den su consentimiento informado. Todos los casos en que se aplicase la eutanasia deberían ser comunicados luego a la Fiscalía, para que verificase el respeto de las condiciones sin necesidad de interrogar a los médicos.

El Protocolo de Groningen fue asumido en diciembre de 2005 por el ejecutivo conforme a un documento que estipula las obligaciones del pediatra o neonatólogo a la hora de abordar la eutanasia de recién nacidos con graves sufrimientos, así como los abortos "terapéuticos" a partir de las 24 semanas. Sus dos primeras reglas describen la situación del paciente, que debe sufrir y no tener posibilidades de cura o mejora, además de deberse consultar con otro colega. Para ello se constituyó una Comisión, que empezó a funcionar a mediados de 2006. Sus miembros son elegidos por los Ministerios de Justicia y Sanidad, y la integran un catedrático de Derecho de la Salud, tres especialistas (neonatólogo, pediatra y ginecólogo) y un experto en ética. Todos los casos deberán ser remitidos luego a la Fiscalía General del Estado.

Ahora bien, incluso si se estableciera dicho cauce procedimental, la dificultad que plantean estos supuestos seguiría siendo la de determinar a quién compete la decisión una vez que se haya comprobado la concurrencia de los requisitos mínimos que legitimarían la práctica médica. Porque evidentemente, una cosa es que la misma pueda considerarse justificada y otra bien distinta, a partir de esa permisibilidad, la determinación de quién o quiénes están legitimados para solicitar una práctica que si bien la ley autoriza, lógicamente no prescribe.

Si bien es verdad que en general la mayoría de las propuestas consideran que la toma de decisión debe corresponder a los familiares[475], no han faltado voces que, en aras de objetivizar al máximo posible la salida racional del conflicto, han propuesto vedarles dicho poder decisorio y atribuírselo a Comités de ética creados al efecto en los distintos hospitales, que deberían estar integrados por personas cualificadas y sometidos a algún mecanismo de control.

---

[475]   De hecho, también la regulación holandesa que antes describíamos requiere el consentimiento de los padres para poner fin a la vida del hijo.

Ello, dicen sus defensores, garantizaría al recién nacido el mismo derecho a morir que tendría una persona adulta en su misma situación de grave sufrimiento[476].

Sin desconocer las ventajas que pudiera tener este tipo de propuestas, no son difíciles de descubrir las serias objeciones que despierta cuando se pretende articular en la práctica. De hecho, el primer y principal obstáculo que se opone a su aceptación es el de tener que imponer cauces para forzar o, al menos obstaculizar, la decisión de signo distinto que eventualmente sostuvieran los padres. Baste pensar que, de llevarse a sus ultimas consecuencias habría que articular un cauce que permitiera a los médicos, llegado el caso de forma coactiva, despojar a los padres de la custodia de su hijo y entregarlos a aquellos para cumplir las decisiones de dicho Comité aun cuando se aferrasen en la apuesta por afrontar las dificultades y tratamientos que fuesen necesarios para mantener a su hijo con vida. La imposición de esa vía, lógicamente, requeriría nutrirse de unas coordenadas objetivas de valoración asentadas con tanta fuerza como la que necesita neutralizar el sentimiento que despierta la eventual oposición de unos padres que se oponen a la práctica de la eutanasia.

Quede claro que con lo anterior no se desconoce que sin lugar a dudas sería más conveniente para el recién nacido alcanzar aquél clima valorativo preñado por la serenidad de lo que es mejor para él en estrictos términos objetivos. Es más, aquél no sólo sería conveniente en relación con los casos de neonatos, sino también con los supuestos de fetos con graves malformaciones, casos en los que, con los requisitos que establece, nuestro Código penal *permite* a la embarazada la práctica del aborto dentro de las veintidós primeras semanas de gestación. Sin embargo, de la misma forma en que en estos casos sería impracticable la pretensión de trasladar la decisión desde los padres a otras instancias, habrá que descartarse que a la hora de tomar aquella otra decisión los Comités pudieran suplantar la voluntad de los progenitores.

---

[476]   GARCÍA RIVAS, "Hacia una justificación más objetiva de la eutanasia", en *Homenaje al Dr. Marino Barbero*, vol. II, Ediciones de la Universidad de Castilla-La Mancha y Salamanca, 2001, págs. 149 ss; véase el mismo en "Despenalización de la eutanasia en la Unión Europea: autonomía e interés del paciente", en *Revista Penal*, 2003, págs. 28 ss.

TERCERA PARTE

LA OBJECIÓN DE CONCIENCIA COMO POSIBLE LÍMITE A LA RESPONSABILIDAD PENAL DEL MÉDICO POR LOS DELITOS CONTRA LA LIBERTAD, VIDA E INTEGRIDAD FÍSICA

En los apartados precedentes nos hemos ocupado de acotar las bases de la responsabilidad penal del médico por los distintos delitos contra la salud, vida humana independiente y dependiente. Como podía deducirse de esa exposición, la delimitación de sus presupuestos en algunos ámbitos no puede sustraerse a la conflictividad valorativa que a veces les resulta inmanente, siendo sin duda ejemplo paradigmático al respecto el aborto y, en general, todos los aspectos que rodean a la protección de la vida en sus límites iniciales y finales. Por ello, el tratamiento de la responsabilidad del médico por tales delitos quedaría incompleto si no se hiciera referencia al valor que puede tener en esos ámbitos conflictivos la alegación de razones de conciencia de cara a atenuar e incluso a excluir aquella responsabilidad.

Es pacífica la definición de la objeción de conciencia como aquella actitud de quien se niega a obedecer una orden de la autoridad o un mandato legal amparándose en la existencia en su fuero interno de convicciones que le impiden hacerlo sin violentar de forma grave las mismas[1]. La objeción de conciencia, cuyo fundamento habría de encontrarse en el art. 16 de la Constitución, viene así a ser expresión de un conflicto entre una norma concreta —imperativa o prohibitiva— y las creencias éticas, morales o religiosas del individuo que le reclaman e incluso imponen desde un punto de vista subjetivo un comportamiento distinto al que aquélla prohíbe o prescribe. Los dictados de conciencia (*deber moral*), por un lado, y el contenido del Derecho positivo (*deber jurídico*), por otro, se erigen así en los extremos de un conflicto en el que cualquier opción del individuo comporta la lesión de uno de dichos extremos[2].

De esta escueta definición se desprenden ya dos rasgos fundamentales de la objeción de conciencia que operan a modo de filtro de su relevancia jurídica. El primero de ellos, que puede considerarse requisito de forma, subraya que uno de los presupuestos para que sea atendible el conflicto del objetor con el Derecho es que el mismo tenga un carácter *puntual*, esto es, que recaiga sobre una norma concreta de cuyo contenido discrepa, sin que quepa, por tanto,

---

[1] Véase, por ejemplo, GARCÍA HERRERA, quien sistematiza las posibles clasificaciones de la objeción de conciencia, en *La objeción de conciencia en materia de aborto*, Departamento de Sanidad, Servicio Central de Publicaciones del Gobierno Vasco Vitoria-Gasteiz, 1991, págs. 29 ss; de forma más amplia, ESCOBAR ROCA, *La objeción de conciencia en la Constitución española*, Madrid, 1993, págs. 39 ss; el mismo en "La objeción de conciencia del personal sanitario", *en AAVV, Bioética, Derecho y Sociedad, ob. cit.*, págs. 133 ss. Véase también SIEIRA MUCIENTES, *La objeción de conciencia sanitaria*, Madrid, 2000, págs. 23 ss. En la doctrina alemana, por todos, HEDERGEN, "Gewissensfreiheit und Strafrecht", en *GA* 1986, págs. 108 ss.

[2] EBERT, *Der Überzeugungstäter in der neueren Rechtsentwicklung. Zugleich ein Versuch zu seiner Verurteilung de lege lata. Schriften zum Strafrecht*, Berlin, 1975, pág. 60.

alegar "en bloque" una objeción al Derecho vigente[3]. El segundo se orienta a acotar los márgenes dentro de los que pueda comenzar a discutirse las razones del objetor. Conforme a este segundo límite, el conflicto por razones de conciencia sólo resulta admisible en relación con los ámbitos que se prestan *de forma razonable* a enfocarse desde diferentes ópticas valorativas. Es lo que sucede cuando la discrepancia con la normativa concreta se debe a la creencia de la prevalencia de un derecho superior, incluso de rasgo constitucional[4]. Por el contrario, como afirma BECKSTEIN, la relevancia penal de los motivos de conciencia habrá de excluirse en relación con los bienes jurídicos básicos que sirven de soporte a la ordenación social, en cuanto que su lesión bajo ningún concepto podría ampararse en las creencias subjetivas del autor[5].

La aceptación de este límite impide, por ejemplo, plantear siquiera la objeción de conciencia respecto a normas como la que sancionan el homicidio o el asesinato y, por tanto, dar un tratamiento diferente a crímenes como los cometidos por el régimen nazi o por movimientos terroristas. Lo mismo habría de decirse en relación con las normas que protegen otros bienes fundamentales del individuo, como pueda ser la libertad en sus más diversos aspectos (p. ej., las relativas a la libertad sexual o las detenciones contra la voluntad del sujeto). Desde luego que es posible, por ejemplo, que el marido pueda tener arraigada entre sus convicciones la de que puede exigir el débito conyugal a su esposa o que la fidelidad que le debe le otorga el derecho a encerrarla cuando está ausente. Sin embargo, el carácter incuestionable con el que surge la necesidad de protección de tales bienes jurídicos impide ya de entrada conceder relevancia jurídica alguna a la alegación de sus creencias diferentes. En estos casos, todo lo más, la relevancia penal de dichos motivos habría de venir de la mano de una posible alteración psicológica del sujeto, algo que, en cualquier caso, ya nada tiene que ver con la salida jurídica a una colisión de deberes que el Derecho reconociera.

Así contextualizado el ámbito conflictual de la objeción de conciencia, no es de extrañar que el ámbito médico sea uno de los espacios más proclives a su planteamiento. Como ya apuntábamos, basta pensar al respecto que la incidencia de la actividad médica en los límites controvertidos de la protección

---

[3]   Dicha oposición "en bloque" sería más propia de otras figuras limítrofes, como la resistencia o la desobediencia civil. Sobre las diferencias entre ésta y la objeción de conciencia véase por todos SIEIRA MUCIENTES, *La objeción de conciencia sanitaria, ob. cit.*, págs. 26 ss.

[4]   MUÑOZ CONDE, *El error en Derecho penal, ob. cit.*, pág. 70.

[5]   BECKSTEIN, *Der Gewissenstäter im Strafrecht und Strafprozeßrecht*, Nürenberg, 1975, págs. 165 ss.

de la vida (su comienzo y su fin) la convierte por definición en un terreno propicio a la alegación de razones de conciencia. Es más, al margen de la conflictividad inmanente a ámbitos como el aborto, la ayuda al suicidio, la eutanasia o la práctica de esterilizaciones a incapaces que adolezcan de una grave deficiencia psíquica, e incluso la práctica de intervenciones como las de cirugía transexual, lo cierto es que el desarrollo normal de la *praxis* médica está repleto de momentos en los que la obligación de actuar del médico se ve salpicada inevitablemente por sus principios, creencias y convicciones personales. Buen ejemplo de ello es la actitud que adopte ante situaciones de riesgo para el paciente cuando él mismo las acepta o incluso las reclama, siendo paradigmática en este sentido la problemática que presenta la negativa del Testigo de Jehová a recibir una transfusión sanguínea. Todo ello sin olvidar otros ámbitos conflictivos, como las actividades experimentales, las técnicas de reproducción asistida o las relativas a prácticas de manipulación genética.

No obstante, pese a la elevada incidencia de la actividad médica en decisiones cargadas de implicaciones valorativas, en relación con ninguno de esos aspectos existe una normativa que contemple la objeción de conciencia del médico. Bien es cierto que han existido proposiciones de Ley presentadas por distintos grupos parlamentarios en las que se contenía una propuesta de regulación de las condiciones para plantear la objeción de conciencia[6]; y que,

---

[6] Así, la Proposición de Ley presentada por el Grupo Parlamentario Comunista el 26 de junio de 1981: "El médico y demás personal facultativo podrá, a título individual, formular reserva de no participación en interrupciones voluntarias del embarazo...salvo los supuestos establecidos en el art. 5, la formulación de la reserva revela de la obligación de asistencia profesional en los procedimientos y actividades dirigidas, específica y necesariamente, a determinar la interrupción del embarazo, pero no de la asistencia anterior y siguiente a la interrupción; la Proposición de Ley del Grupo Popular presentada el 3 de mayo de 1985: "El derecho a la objeción de conciencia previsto en la Constitución española se reconoce expresamente a los médicos y demás personal colaborador en toda su extensión, para que pueda ser alegado por los mismos y, en consecuencia, inhibirse de cualquier tipo de colaboración en los supuestos que la legislación española establece como despenalizados"; la Proposición de ley presentada por el Grupo Parlamentario de Izquierda Unida-Iniciativa per Catalunya en 1998 disponía: "El personal sanitario, médicos, ATS y demás personal facultativo podrá formular reserva de no participación en interrupciones voluntarias del embarazo comprendida en los artículos anteriores ante la autoridad sanitaria competente...La formulación de la reserva conlleva para el personal que la ejerce la prohibición de practicar o intervenir en esta clase de intervenciones en cualquier tipo de centros ya sean públicos o privados...". Por último, el Proyecto de Ley de Interrupción del Embarazo, de 7 de julio de 1995, disponía en su art. 4: "En el caso de que la práctica de la interrupción del embarazo fuera urgente por existir riesgo vital para la gestante, todo médico especialista en Obstetricia y Ginecología integrado en un centro sanitario de carácter público o privado, así como todo el personal de enfermería o auxiliar, estarán obligados a prestar a la embarazada la asistencia que sea necesaria para salvar su vida, sin que puedan aducir

ya en el ámbito doctrinal, el Grupo de Estudios de Política Criminal elaboró un borrador en el que perfilaba cuáles debían ser los límites de la alegación de las razones de conciencia[7]. Sin embargo, dado que ninguno de estos textos se ha convertido en Derecho positivo, este ámbito sigue plagado de dificultades

---

razones de conciencia para eximirse de la responsabilidad en que pudieran incurrir por la denegación de auxilio. Dichas razones tampoco podrán ser invocadas por el personal médico y sanitario para justificar la denegación de asistencia a una mujer cuya vida y salud se encuentran en grave peligro a consecuencia de una intervención de interrupción de su embarazo".

[7]   Art. 1: El personal sanitario podrá formular objeción de conciencia a la realización de intervenciones de interrupción del embarazo. La reserva a participar en las mismas queda limitada a los actos que supongan la realización del aborto o la participación en el mismo, sin que pueda extenderse en ningún caso a la asistencia sanitaria general anterior y posterior a la intervención.
Art. 2: La Administración sanitaria arbitrará los mecanismos oportunos para que conste debidamente actualizada la condición de objetor del personal sanitario que se declare como tal.
Art. 3: La declaración como objetor se extiende a la práctica o intervención en interrupciones del embarazo en cualquier clase de centro sanitario, así como a los procedimientos específicos de asesoramiento e información legalmente previstos.
Excepto en el supuesto previsto en el artículo siguiente la práctica o intervención en interrupciones del embarazo en centros privados por parte de quien esté reconocido como objetor en centros sanitarios públicos llevará consigo la pérdida de la condición de objetor y será constitutivo de falta muy grave.
Art. 4: La objeción de conciencia no puede ser invocada por el personal sanitario cuando por razones de urgencia la práctica del aborto sea indispensable para salvaguardar la vida o la salud de la mujer. En este supuesto, la negativa a la prestación dará lugar a la exigencia de las responsabilidades jurídicas correspondientes.
Art. 5: Las autoridades sanitarias garantizarán que en toda la red pública preste servicio personal no objetor para asegurar la práctica de las interrupciones de embarazo permitidas por la Ley.
En relación con los supuestos de disponibilidad de la propia vida, el Grupo de Estudios de Política criminal propuso la reforma de la Ley General de Sanidad para dar cabida a un artículo 10 bis del siguiente tenor: "Se reconoce el derecho a la objeción de conciencia del personal sanitario en relación con los supuestos de disponibilidad de la propia vida a los que se refiere el párrafo octavo del artículo anterior y el artículo 408.2 del Código penal.
En todo caso, el médico objetor que tenga bajo su responsabilidad a un enfermo que, por sí o a través de sus representantes legales, familiares o allegados en las condiciones previstas en las disposiciones anteriormente citadas, solicite ayuda a morir, deberá ponerlo en conocimiento del centro, a fin de que éste facilite la asignación de otro facultativo.
La Administración sanitaria competente garantizará que en la red pública preste servicio personal no objetor para asegurar la efectiva realización de los derechos relativos a la disponibilidad de la propia vida.
El médico objetor no podrá negarse a que otro facultativo dispuesto a asistirle en su petición se haga cargo del paciente.
El comportamiento que impida el ejercicio de los referidos derechos por parte del enfermo dará lugar a las consiguientes responsabilidades jurídicas", Véase *Una alternativa al trata-*

interpretativas. Es más, como enseguida tendremos ocasión de ver, las dudas salpican al punto de arranque mismo de su ejercicio, esto es, a la cuestión previa y mínima en torno al engarce de este derecho en el Texto constitucional.

Por ello, a efectos metodológicos, antes de entrar de lleno en el tratamiento de la objeción de conciencia en la actividad médica, resulta necesario tratar, si quiera sea de forma somera, la naturaleza jurídica que se atribuya a la misma (I), para acotar a continuación de forma más precisa su problemática, diferenciándola así de otros ámbitos en los que, o su dificultad es sólo aparente, o el reconocimiento de su relevancia penal tiene que discurrir necesariamente por vías alternativas (II). Una vez aclarados estos extremos, un último apartado se ocupa del específico tratamiento de la alegación de las razones de conciencia en el ámbito penal (III) y, ya de forma concreta, de la problemática propia de la objeción de conciencia en el ámbito sanitario, prestando atención especial a las dificultades que plantea en relación con el aborto (IV).

I. LA NATURALEZA JURÍDICA DE LA OBJECIÓN DE CONCIENCIA. SU TRATAMIENTO EN LA DOCTRINA DEL TRIBUNAL CONSTITUCIONAL

Como en parte ya anunciábamos, si algo caracteriza a la problemática propia de la objeción de conciencia es la falta de sólidos anclajes legales que configuren sus contornos. De hecho, la Constitución española ni siquiera consagra con alcance general la libertad de conciencia. Ello contrasta con los Textos constitucionales de otros países de nuestro entorno cultural, como la Norma Fundamental Alemana, cuyo art. 4.1 reconoce de forma expresa la inviolabilidad de la libertad de conciencia. Frente a ello, nuestra Constitución sólo reconoce este derecho de forma puntual en relación con el servicio militar obligatorio (art. 30.2) así como respecto a los profesionales de la información (art. 20.1 d). Conforme a éste último, se reconoce y protege el derecho a:

"comunicar o recibir libremente información veraz por cualquier medio de difusión. La ley regulará el derecho a la cláusula de conciencia en el ejercicio de estas libertades".

miento jurídico de la disponibilidad de la propia vida. Grupo de Estudios de Política criminal, 1993; también, *ADPCP* 1995, págs. 1072 ss.

Pero es en el art. 30.2 donde el Texto Constitucional se refiere nominalmente a la objeción de conciencia. Conforme al mismo:

"La ley fijará las obligaciones militares de los españoles y regulará, con las debidas garantías, la objeción de conciencia, así como las demás causas de exención del servicio militar obligatorio, pudiendo imponer, en su caso, una prestación social sustitutoria".

Si bien es verdad que, al menos con esta referencia el texto constitucional no ignora explícitamente su problemática, lo cierto es que su presencia no deja de multiplicar los interrogantes y expandirlos, al menos, en una doble dirección. En primer lugar, porque la referencia exclusiva de los problemas de conciencia apegada al ámbito de las prestaciones militares no deja de plantear la duda en torno a si su reconocimiento puede hacerse extensible a otros ámbitos —el sanitario en lo que ahora interesa— que el legislador no menciona. En segundo lugar, porque aun cuando se contestase afirmativamente a esta primera pregunta, todavía quedaría por resolver la cuestión relativa a si el reconocimiento de la posibilidad de alegar razones de conciencia puede concebirse como un derecho fundamental que pudiera alegarse con independencia de que aún no se hubiese dictado la correspondiente ley de desarrollo.

Ante estos interrogantes, no sólo en la doctrina, sino también en la propia jurisprudencia del Tribunal Constitucional, pueden encontrarse tendencias de signo distinto. Estas discrepan no ya tanto a la hora de reconocer la posibilidad de alegar razones de conciencia en ámbitos distintos al de la prestación militar. Básicamente las diferencias se manifiestan a la hora de concebir la naturaleza de esa alegación, esto es, cuando se trata de responder a la pregunta en torno a si la misma puede calificarse como un derecho fundamental con todas las consecuencias que ello comporta. No hay mejor prueba al respecto que un recorrido por los diversos pronunciamientos en los que el Tribunal Constitucional ha tenido ocasión de pronunciarse sobre esta cuestión. Así, siguiendo el estudio que de esa jurisprudencia realiza SIEIRA MUCIENTES pueden identificarse al menos tres grupos de sentencias que marcan una escala de progresividad desde las que admiten el reconocimiento de un derecho fundamental a objetar, que formaría parte del derecho de libertad ideológica y religiosa, hasta las que niegan el mismo[8].

---

[8]   SIEIRA MUCIENTES, *La objeción de conciencia sanitaria, ob. cit.*, págs. 39 ss. Véase también RUIZ MIGUEL, "La objeción de conciencia, en general y en deberes cívicos, en Libertad ideológica y derecho a no ser discriminado", *Cuadernos de Derecho Judicial*, 1996, págs. 18 ss; con reseñas doctrinales, ESCOBAR ROCA, *La objeción de conciencia en la Constitución española, ob. cit.*, págs. 171 ss.

Al primer grupo de sentencias, esto es, las favorables al reconocimiento de tal derecho fundamental, pertenecen los primeros pronunciamientos del Tribunal Constitucional. Paradigmática en este sentido es la STC 53/85, de 11 de abril, dictada precisamente a propósito de un recurso de inconstitucionalidad del Proyecto de ley de despenalización del aborto. En ella el Tribunal Constitucional declaró que el derecho a la objeción de conciencia "existe y puede ser ejercido con independencia de que se haya dictado o no tal regulación. La objeción de conciencia forma parte del contenido del derecho fundamental a la libertad ideológica y religiosa del art. 16.1 de la Constitución, y, como ha indicado este Tribunal en diversas ocasiones, la Constitución es directamente aplicable, especialmente en materia de derechos fundamentales".

Al segundo grupo de Sentencias, esto es, las que SIEIRA MUCIENTES califica como "intermedias", pertenecerían dos pronunciamientos de los años 82 y 85. Así, la STC 15/1982, de 23 de abril, tras afirmar que "la objeción de conciencia es un derecho reconocido explícita e implícitamente en la ordenación constitucional española", añadió que "ha de ser declarada efectivamente existente en cada caso, y por ello el derecho a la objeción de conciencia no garantiza en rigor la abstención del objetor, sino su derecho a ser declarado exento de un deber que, de no mediar tal declaración, sería exigible bajo coacción". En la misma línea, la STC 35/1985, de 7 de marzo, afirmó que "El derecho de objeción de conciencia al servicio militar, derivado de la libertad ideológica establecida en el art. 16, es un derecho reconocido en el art. 30.2 de la misma ley suprema, a ser declarado exento del deber de cumplir tal servicio militar".

Por último, el tercer grupo de pronunciamientos constitucionales niega a la objeción de conciencia la condición de derecho fundamental. En esta línea puede citarse la STC 160/1987, de 27 de octubre, dictada con motivo de un recurso de inconstitucionalidad interpuesto por el Defensor del Pueblo. Conforme a la misma: "se trata, pues, de un derecho constitucional reconocido por la Norma Suprema en su art. 30.1, protegido, sí, por el recurso de amparo (art. 53.3) pero cuya relación con el art. 16 (libertad ideológica) no autoriza no permite calificarlo de fundamental...Constituye en este sentido una excepción al cumplimiento de un deber general, solamente permitida por el art. 30.2 en cuanto que sin ese reconocimiento constitucional no podría ejercerse el derecho, ni siquiera al amparo del de libertad ideológica o de conciencia (art. 16)... Es justamente su naturaleza excepcional...lo que le caracteriza como derecho constitucional autónomo, pero no fundamental". En la misma línea puede citarse la STC 161/1987, de 27 de octubre, dictada con ocasión de una cuestión de inconstitucionalidad promovida por la Audiencia Nacional en relación con la Ley 48/1984, de 26 de diciembre, reguladora de la objeción de conciencia y prestación social sustitutoria. En ella, tras reconocer, recordando la doctrina de la STC 15/1982, que el derecho a la objeción de conciencia supone una concreción de la libertad ideológica y que ésta se encuentra entre los derechos fundamentales, afirmó que "lo cierto es que el derecho a la objeción de conciencia está configurado por el constituyente como un derecho constitucional autónomo, de naturaleza excepcional, pues supone una excepción al cumplimiento de un deber general...Que el derecho a la objeción de conciencia o, más exactamente, a la objeción de conciencia a la prestación del servicio militar, sea una concreción de la libertad ideológica reconocida en el art. 16 de la Constitución ha sido ya afirmado, en forma inequívoca por este Tribunal en su Sentencia 15/1982, de 23 de abril". No obstante, debe "considerarse el derecho a la objeción de conciencia como un derecho autónomo, cuya conexión con la libertad ideológica no impidió al constituyente configurarlo en la forma que estimó oportuna".

Ante estas aparentes contradicciones en los pronunciamientos de la propia jurisprudencia constitucional, no es de extrañar que en la doctrina esta falta de claridad haya operado como caldo de cultivo para fundamentar las interpretaciones más dispares. Así, mientras algunos autores han tomado por base las últimas sentencias para excluir la calificación como fundamental del derecho a la objeción de conciencia en el ámbito médico, otros se esfuerzan en reconocerle tal valor. El punto de partida que está en la base del razonamiento de éstos es que las últimas declaraciones del Tribunal Constitucional a propósito del ámbito militar no tienen el significado de derogar la declaración que hiciera la Sentencia 53/85, de 11 de abril. En concreto, a favor de esta segunda opinión, que considero más acertada, se manejan argumentos como los sostenidos por SIEIRA MUCIENTES. Para esta autora, en primer lugar, a favor de la comprensión de la objeción de conciencia sanitaria como derecho fundamental hablaría la propia realidad social, puesto que en una materia como el aborto, en la que es imposible hablar de consenso social, no debe condicionarse la alegación de razones de conciencia por parte de los profesionales sanitarios a que se haya dictado una ley que contemple esa posibilidad; en segundo lugar, porque dado que el Tribunal Constitucional no se ha acogido a la posibilidad que le brinda el art. 13 LOTC, que permite derogar la propia doctrina del Tribunal Constitucional de forma expresa, debe considerarse vigente la doctrina sentada por la Sentencia 53/87, de tal modo que vendría a representar una excepción respecto al sentido de los pronunciamientos posteriores al año 97[9]. De aceptarse esta conclusión, que ha encontra-

---

9   SIEIRA MUCIENTES, *La objeción de conciencia sanitaria*, ob. cit., págs. 89 ss.

do eco incluso en algún pronunciamiento jurisprudencial[10], y comprenderse, por tanto, el planteamiento de razones de conciencia en el ámbito médico como un derecho fundamental, habría que concluir que se trata de un derecho directamente alegable sin perjuicio de que no haya sido dictada la ley que lo desarrollo. De esta premisa parten las consideraciones que siguen.

II. LOS PRESUPUESTOS Y LÍMITES DE LA ALEGACIÓN DE LAS RAZONES DE CONCIENCIA

En primer lugar, dado que cuando se plantea el valor de la alegación de razones de conciencia se cuestionan los límites de un conflicto entre un deber de obrar y una norma de contenido moral, presupuesto lógico del mismo es la existencia de una y otra. Por un lado, en efecto, debe existir un deber jurídico directamente dirigido al médico. Ello supone excluir, como señala ESCOBAR ROCA, los casos en los que éste cuenta con un margen de decisión como, sucede, por ejemplo, con las conductas de eutanasia pasiva[11]. Por otro lado, presupuesto lógico del conflicto es que con la realización de la conducta prescrita se infrinja un principio ético o moral. Esto requiere descubrir en el caso concreto un atentado a una creencia que encuentre sus raíces en principios que pueda catalogarse como tales. Buen ejemplo de esta exigencia es la polémica suscitada en su día sobre la posibilidad de alegar razones de conciencia en torno al deber de dispensar la llamada píldora del día después. La discusión en torno a la misma ha pivotado sobre el debate en torno a si se trata de un método abortivo —en cuyo caso cabe oponer razones de orden moral— o, por el contrario, meramente anticonceptivo —en cuyo caso aquéllas no tendrían cabida—.

---

[10]   Es el caso de la Sentencia del Tribunal Superior de Justicia de Baleares de 13 de febrero de 1998: "conviene recordar que la objeción de conciencia al aborto, aun sin consagración y regulación explícitas en la Constitución ni en la legislación ordinaria, es un derecho fundamental que forma parte del contenido del derecho fundamental a la libertad ideológica y religiosa reconocido en el art. 16.1 de la Constitución, según doctrina fijada por el Tribunal Constitucional en su conocida Sentencia de 11 de abril de 1985. Por consiguiente, se trata de un derecho que vincula a todos los poderes públicos, a tenor del art. 53.1 de la Constitución, de modo que éstos, no sólo tienen el deber de respetarlo en la plenitud de su contenido, sin merma ni menoscabo, sino, incluso, si fuere menester, la de adoptar cuantas medidas positivas resultaren necesarias para procurar su efectividad".
[11]   ESCOBAR ROCA, AAVV, Bioética, Derecho y Sociedad, ob. cit., págs. 139 s.

Como es sabido, a finales de 2001 la Sala contencioso-administrativa del Tribunal Superior de Justicia de Andalucía dictó un auto que suspendía cautelarmente la dispensación obligatoria de la píldora poscoital por considerarla un método abortivo. El 30 de julio de 2002, la misma sala rectificó su postura inicial y, al margen de argumentos relativos a la legitimación, entendió que la píldora del día siguiente no era un abortivo, sino un método anticonceptivo respecto a cuya expendición, por tanto, no tenía sentido alegar razones de conciencia.

En segundo lugar, se hace necesario delimitar los supuestos en los que la objeción de conciencia afecta a intereses o derechos propios de los que el objetor es titular frente a aquellos otros en los que se ven afectados derechos o intereses ajenos. Sólo en este segundo caso tiene sentido plantear un conflicto de conciencia. En el primero, la solución ha de buscarse en argumentos mucho más básicos que tienen que ver con el reconocimiento de un espacio de libertad del sujeto. Sirva de ejemplo lo que ocurre con los Testigos de Jehová que rechazan determinadas medidas terapéuticas. Dejando a un lado la posible implicación de terceros, en lo que se refiere a la alegación por ellos mismos de su negativa a la terapia, lo único que se plantea es una petición de respeto a un acto de voluntad que manifiestan en ejercicio de su libertad. Pero, insistamos, esa alegación que plantea el propio Testigo de Jehová para nada necesita justificarse ante el Derecho en razones de conciencia. No sucede algo distinto en relación con otras conductas que se orientan de forma directa a la producción de un resultado lesivo. Así, por ejemplo, a nadie se le ocurriría invocar argumentos relacionados con la objeción de conciencia para fundamentar la licitud de la conducta del penitente que se autoflagela e incluso decide emular la pasión de Cristo clavándose en la cruz. Si estos casos quedan fuera del ámbito de relevancia penal es simplemente porque la conducta es libre expresión de la voluntad del único afectado. Por lo mismo, a nadie se le ocurriría acudir a razones que tengan que ver con la libertad de conciencia para sostener la impunidad del suicida que intenta sin éxito sacrificar su vida, por ej., por estar convencido de que la misma ha perdido cualquier sentido espiritual. Dejando al margen los argumentos político criminales que condicionan cualquier solución en este ámbito, también en estos casos la razón de la impunidad es que se trata de la expresión de un acto de libertad que, si bien el Derecho no aprueba, tampoco puede prohibir; lo que, según vimos, el Tribunal Constitucional enuncia como expresión de un *agere licere*[12].

---

[12]   Así, por ejemplo, escribe ROMEO CASABONA: "Cuando se produce un conflicto de deberes intrapersonales, esto es, en la propia esfera interior del individuo constreñido por su propio dictamen de conciencia, en realidad tal conflicto no se configura como característico de la objeción de conciencia...En realidad en estos casos...se plantea una cuestión previa, la de la libertad de todo paciente de someterse a un tratamiento, sea vital o no lo sea, y

El terreno propio de la objeción de conciencia, por ello, comienza allí donde se produce una disociación entre quien alega las razones de conciencia y la persona a la afectan las consecuencias de la misma. Es el caso, por ejemplo, de la actitud que adopte el médico ante la practica del aborto que se le demanda, de la petición de ayuda a morir de un enfermo terminal o, simplemente, de la actitud que adopte el profesional que se ve en la tesitura de impedir el acto suicida de quien ya no tiene ganas de seguir viviendo.

Junto a las anteriores delimitaciones del espacio propio en el que cobra sentido recurrir a razones de conciencia todavía tiene que hacerse una adicional, atenta ahora al sentido de la voluntad del afectado. Y es que, ya de entrada, parece que la valoración y, por ello, el margen para admitir argumentos relativos a la creencia diferente tiene que ser distinto dependiendo, por ejemplo, de que el enfermo en situación terminal esté de acuerdo o no con el criterio médico de dejarle morir, o de que la mujer a la que se trata de practicar un aborto consienta o no en el mismo. Debe observarse, en relación con esto último, que los problemas no sólo pueden surgir cuando el médico se opone a la práctica de un aborto que la mujer reclama. También se plantean en los casos inversos en los que el médico pretende la practica de un aborto contra la voluntad de la embarazada por entender, por ejemplo, que la misma sufre un riesgo que no debe correr, o porque piensa que las malformaciones que ha detectado en el feto provocarán en el niño graves padecimientos que, a su juicio, por ser moralmente inaceptables, deben evitarse. En estos casos, en realidad, la objeción de conciencia se plantea respecto a una norma prohibitiva; a saber, la que obliga al médico a abstenerse y respetar la voluntad de la mujer. Frente a lo que sostienen algunos defensores de concepciones más restrictivas sobre el concepto de la objeción de conciencia[13], también en estos casos puede hablarse de alegación de razones de conciencia para justificar

---

cualquiera que sea la motivación que presida la decisión de rechazar el tratamiento si estima esta opción...No quiere sostenerse con este planteamiento que no exista una auténtica cuestión de conciencia como transfondo, pues es cierto que ésta se constituye como el motor del posible conflicto, sino que desde el punto de vista jurídico no es necesario llegar a él, pues se trata, en suma, del reconocimiento de la autonomía de la voluntad como tal... Desde el punto de vista penal son supuestos de ausencia de tipicidad para el sujeto y para terceros", "La objeción de conciencia en la praxis médica", en *Libertad ideológica y derecho a no ser discriminado*, Madrid, 1996, págs. 69 ss; véase también GASCÓN ABELLÁN, *Obediencia al Derecho y objeción de conciencia*, Madrid, 1990, pág. 242; TOMÁS-VALIENTE LANUZA, *La disponibilidad de la propia vida en el Derecho penal, ob. cit.*, págs. 346 ss. En un sentido distinto parece pronunciarse DURANY PICH, *Objeciones de conciencia, ob. cit.*, pág. 23.

[13]   Véase, por ejemplo, CORCOY BIDASOLO, M., en "Problemas jurídico-penales de la objeción de conciencia en el ámbito de las actividades sanitarias", en *Estudios de Bioética y*

hipotéticamente la infracción de un deber, cifrado ahora en el que impone al médico abstenerse de actuar.

Dentro de los supuestos en que se produce una discrepancia entre la voluntad del afectado y quien se opone a ella por razones de conciencia tiene que hacerse todavía una precisión adicional, atenta a un argumento que está en la base misma de la atendibilidad jurídica de los motivos de conciencia. En concreto, no puede olvidarse que la objeción de conciencia no es sino expresión de un conflicto entre los mandatos o prohibiciones de la norma y el fuero interno del sujeto, esto es, un conflicto que surge ante la imposibilidad de ignorar el espacio más propio del individuo, el más personal, el más íntimo y, por ello, el más sagrado: el de la conciencia. Si esto es así, si de lo que se trata es de no desconocer las razones personales del objetor, sus límites habrán de anclarse allí donde la atención de los motivos de conciencia de quien pretende oponerla no impidan que el afectado, a su vez, actúe en conciencia, esto es, que proyecte sobre su propia persona sus creencias o principios éticos, morales o religiosos[14]. Baste pensar en los casos en que la conciencia del médico no sólo le impide practicar personalmente un aborto a la embarazada que lo desea o ayudar al paciente que así lo quiere en su doloroso trance ante la muerte, sino que también pretende impedir que otro médico lo haga[15], vedándole así que actúe en conciencia.

Derecho, Valencia, 2000, págs. 68 s, 71.s, 77. Publicado también en *Dogmática y Ley penal, Libro homenaje a Enrique Bacigalupo, ob. cit.*, págs. 115 ss.

[14] Esta premisa resta, a mi juicio, fuerza de convicción al razonamiento de BOCKELMANN cuando basa su postura contraria a conceder relevancia a la objeción de conciencia en el dato de que, entonces, el médico que impulsado por ellas se opusiera a interrumpir un embarazo, no estaría dispuesto a tutelar que apelasen a razones de conciencia quienes lo practiquen ("Zur Problematik der Sonderbehandlung von Überzeugungsverbrecher", en *FS Wezel*, Berlin, 1974, pág. 554). A mi entender, la fuerza de convicción de este argumento decae si se parte de la premisa destacada en el texto en torno al carácter estrictamente personal que tiene la alegación de motivos de conciencia, que impide trascender a aspectos que afectan a la conciencia de terceros.

[15] En este sentido puede verse a GARCÍA HERRERA, *La objeción de conciencia en materia de aborto, ob. cit.*, pág. 45. No obstante, a mi juicio, este autor va demasiado lejos al afirmar que "La legitimidad (de la objeción de conciencia) desaparece cuando entra en conflicto con otros bienes y derechos fundamentales que resultarían irremediablemente dañados si persistiera la actitud del objetor...Solo, por tanto, cuando la objeción de conciencia reúna los criterios de prestación personal y su inocuidad respecto a bienes y valores fundamentales, podremos reconocer y admitir su legitimidad". Como veremos más adelante, hay ámbitos, como el relativo al aborto, donde es posible que subsista la objeción de conciencia del único médico del hospital que se opone a practicar un aborto que no comporta riesgo para la vida o salud de la mujer. Todo ello al margen, lógicamente, de que en tal caso la sanidad pública esté obligada a facilitar a la embarazada los medios para la práctica del aborto en un hospital distinto.

Con todo, al menos por lo que se refiere a un posible atentado contra la libertad, no puede perderse de vista la práctica, sin duda excepcional, que los Tribunales han sentado respecto al específico problema de los Testigos de Jehová. Como tuvimos ocasión de comprobar en otro lugar, no son escasos los Autos de la Sala Segunda del Tribunal Supremo que autorizan las transfusiones sanguíneas practicadas contra la voluntad del paciente que no está en situación terminal, práctica que cuando se realiza mediando violencia (p. ej., mediante el empleo de narcóticos, anestesia o tranquilizantes) bien pudiera reconducirse a un delito de coacciones. Esta línea jurisprudencial sólo puede explicarse teniendo en cuenta los móviles que inspiran la actuación del médico así como la necesidad político criminal de no sembrar de temores su labor cuando la realiza en conciencia. No puede explicarse de otra forma que, en realidad, haga el médico lo que haga, esto es, decida practicarla o no, los Tribunales estén dispuestos a fundamentar su impunidad.

El límite anterior se evidencia aun de forma más clara cuando dicha negativa no sólo supone la imposición de la conciencia del objetor a la del afectado, sino que puede ser constitutiva de un delito contra la *vida* o la *salud* de éste. Baste pensar en el caso del médico que se opusiera a practicar un aborto cuando concurre un riesgo para la vida o salud de la embarazada. En casos como éste la opción de seguir manteniendo los dictados de su conciencia podría ser constitutiva, llegado el caso, de un delito de lesiones o de homicidio.

Junto con los límites anteriores resta todavía apuntar un criterio adicional que en buena medida viene impuesto por razones lógicas. Como señala GARCÍA ARÁN, la relevancia de la alegación de las razones de conciencia por parte del médico requiere que la actividad a la que se refiera no se enmarque dentro del espectro de conductas que de forma normal o habitual forman parte de la *praxis médica*. Porque, "por ejemplo, no merecería la atención del legislador la posible pertenencia de profesionales de la medicina a religiones que prohibieran la realización de transfusiones de sangre puesto que la total asunción de tal práctica por la colectividad en la que se produce impediría ya la pertenencia a la misma por un individuo que mantuviera tales creencias"[16].

Así delimitada su problemática, los ámbitos en los que con más frecuencia se va a presentar en la actividad médica son, como en parte ya anunciábamos, la eutanasia, el aborto y la ayuda al suicidio, siendo los dos primeros los que acusan singularmente el problema de la relevancia penal de las razones de conciencia. Sin desconocer otros ámbitos en los que éstas también pue-

---

[16]   GARCÍA ARÁN, "La objeción de conciencia del médico en relación a la interrupción del embarazo", en *El aborto. Un tema para debate*, Madrid, 1982, pág. 121.

den alegarse, como los relativos a las técnicas de reproducción asistida, las prácticas de esterilización[17] o las conductas de manipulación genética, puede decirse que no sólo son aquellos los sectores en que con más frecuencia están llamadas a plantearse, sino que en ellos su alegación se presta a proyectarse en una doble dirección que sin duda dificulta su enfoque. Y es que, en efecto, el hecho de que el legislador despenalice determinadas modalidades de eutanasia (la pasiva o indirecta) y de aborto (los comprendidos en el sistema de indicaciones del art. 417 bis del antiguo CP) determina que la alegación de razones de conciencia pueda referirse no sólo a la práctica de una modalidad que la ley no autoriza, sino, lo que es más frecuente, a la negativa a realizar el comportamiento abortivo que la ley permite. En lo que sigue nos ocuparemos en primer lugar de las soluciones ensayadas con carácter general en la doctrina para canalizar dogmáticamente la objeción de conciencia, tratando a continuación las peculiaridades que presentan los casos en que la objeción se refiere a una norma permisiva.

III. EL TRATAMIENTO DE LA OBJECIÓN DE CONCIENCIA EN LA DOCTRINA PENAL

Si bien con diferentes matices, el grueso de las posturas sostenidas a la hora de conceder relevancia penal a la alegación de los motivos de conciencia pueden reagruparse en torno a dos grandes opciones que tradicionalmente se han repartido el posible encaje dogmático en el que deban tratarse aquéllas[18].

La primera opinión es la que defiende la conveniencia de tener en cuenta esa alegación ya en el ámbito de *antijuricidad*[19]; la segunda, que puede considerarse

---

[17]   Respecto a estos ámbitos véase por ejemplo ESCOBAR ROCA, AAVV, Bioética, Derecho y Sociedad, ob. cit., págs. 146 ss.

[18]   Realmente aisladas son las voces que proponen una solución diferente, como reconducir su problemática al ámbito de la adecuación social. Es el caso de PETERS, "Überzeugungstäter und Gewissenstäter", en *Fs. für Mayer zum 70 Geburstag*, Berlin, 1966, pág. 276.
En nuestra doctrina puede citarse la postura defendida por PÉREZ DEL VALLE de reconducir dogmáticamente la exclusión de penal por motivos de conciencia a la categoría de la *responsabilidad por el hecho*, en *Conciencia y Derecho penal*, ob. cit., págs. 284 ss.

[19]   En la doctrina alemana, entre otros, HIRSCH, *Strafrecht und Überzeugungstäter*, Heidelberg, 1999, pág. 13 ss, apelando al ejercicio legítimo de un derecho.
Más limitado es el número de autores que proponen su reconducción a los esquemas de un estado de necesidad, fundamentalmente, por la dificultad de identificar las razones de conciencia como un mal en sentido jurídico. Apuntan a dicha posibilidad, entre otros, GÓ-

mayoritaria, propone remitir su estudio a las causas de exclusión o atenuación de la *culpabilidad*[20][21]. Entre los autores que se insertan en esta segunda línea, esto es,

---

MEZ BENÍTEZ, "Consideraciones sobre lo antijurídico, lo culpable y lo punible con ocasión de las conductas típicas realizadas por motivos de conciencia", en *Ley y conciencia; moral legalizada y moral crítica en la aplicación del Derecho*, Instituto de Derechos Humanos Bartolomé de las Casas, Universidad Carlos III y Boletín Oficial del Estado, 1993, págs. 75 ss. De una forma crítica véase, por ejemplo, GARCÍA RIVAS, "Los delitos de insumisión en la legislación española", en *ADPCP* 1992, pág. 914.

[20] Ya sea por la apreciación de un error de prohibición: VON BURSKI, *Der Zeugen Jehovas, die Gewissensfreiheit und das Strafrecht, ob. cit.*, pág. 105; KAUFMANN, Armin, "Die Dogmatik im Alternativ-Entwurf", en *ZtSW* 1968, págs. 40 s; por inexigibilidad, EBERT, *Der Überzeugunstäter in der neueren Rechtsentwicklung, ob. cit.*, págs. 60 ss. En España la mayoría de los autores que reconducen su tratamiento al ámbito de la culpabilidad manejan este segundo expediente. Entre otros, JIMÉNEZ DÍAZ, "Delitos relativos a la prestación social sustitoria: su problemática aplicación, II Parte", en *CPC* 1995, págs. 79 ss; ESCOBAR ROCA, *La objeción de conciencia en la Constitución española, ob. cit.,*, pág. 381; TAMARIT SUMALLA, "La objeción de conciencia en Derecho penal", en *Cuadernos Jurídicos* 1994 n° 22, pág. 20; el mismo en *La víctima en el Derecho penal, ob. cit.*, págs,. 142 ss; véase también CORCOY BIDASOLO, en Estudios de Bioética y Derecho, ob. cit., pág. 83, quien entiende que sería posible apreciar la eximente de miedo insuperable en cuanto causa de inexigibilidad, "En los casos en los que no quepa apreciar una causa de exclusión de la culpabilidad completa, por faltar algún requisito no esencial del miedo insuperable, siempre cabrá aplicar la atenuante de obcecación como muy cualificada"; véase también PÉREZ ARROYO, "Objeción de conciencia y Derecho penal en la actual dogmática penal española. Especial referencia al ámbito sanitario", en *Revista Peruana de Ciencias Penales*, n° 7/8, págs. 843 ss.

[21] Véase una exposición de las diferentes tendencias, con abundantes referencias doctrinales en TAMARIT SUMALLA, *La libertad ideológica en el Derecho penal*, Barcelona, 1989, págs. 387 ss. La postura de este autor puede calificarse en cierta forma como intermedia, en cuanto que diferencia entre los supuestos que darían lugar a la exclusión de la antijuricidad, de un lado, y de la culpabilidad, de otro. Al primero responderían los casos en que "el bien jurídico protegido no pueda considerarse prevalente ante la libertad de conciencia, o en aquellas ocasiones en que los principios inspiradores de la intervención penal aconsejen renunciar a una ponderación objetiva de los intereses en juego, cediendo la potestad para efectuar tal ponderación al mismo autor titular del bien jurídico protegido"; por el contrario, "la exclusión de la culpabilidad resultará procedente en aquellos supuestos en los que, faltando los anteriores requisitos, la desproporción entre los intereses en conflicto sea tolerable por el Derecho, y la imposición de la pena amenace con producir una excepcional perturbación en el 'desarrollo de la personalidad' del sujeto". Véase también la completa exposición y crítica de cada una de las posibles soluciones que realiza PÉREZ DEL VALLE, *Conciencia y Derecho penal, ob. cit.*, págs. 117 ss.

En la doctrina alemana, entre otros, EBERT, "Der Überzeugungstäter in der neueren Rechtsentwicklung", *ob. cit.*, págs. 3 ss; NOLL, "Der Überzeugungstäter im Strafrecht", Zugleich ein Auseinandersetzung mit Gustav Radbruchs rechtsphilosophischem Relativismus, en *ZStW* 1966, págs. 638 ss; ROXIN, en *Maihifer-Festschrift, ob. cit.*, págs. 389 ss; RUDOLPHI, "Die Bedeutung eines Gewissensentscheides für das Strafrecht", en Stratenwerth/Kaufmann/Geilen/Hirsch/Schreiber/Jakobs/Loos (eds.) *Welzel-Fs* zum 70 Geburstag,

la de tratar en sede de culpabilidad la actuación motivada por creencias diferentes, no puede dejar de hacerse referencia a los que se inscriben en las modernas tendencias *funcionalistas*. A ellos se debe, sin duda, la elaboración más acabada del modo de articular dogmáticamente la relevancia de las creencias discrepantes del autor. Valga de cita la referencia a los exponentes de las dos grandes construcciones de la elaboración teleológica del delito: ROXIN y JAKOBS.

Como es sabido, el primer autor representa al funcionalismo que se ha dado en llamar *moderado*. Punto de partida de su razonamiento es que el fundamento de la culpabilidad, si bien tiene que basarse en la capacidad del autor de reaccionar frente a las exigencias normativas, no puede agotarse en tal comprobación; por el contrario, los resultados que arroja esa estricta indagación deben tamizarse de inmediato a la luz de los fines preventivos del Derecho penal. La categoría más amplia en la que se integran ambos momentos recibe en la construcción de ROXIN la denominación de *responsabilidad*[22]. A partir de lo anterior considera que el rechazo al castigo del autor por convicción habría de fundamentarse en la ausencia de dicho juicio de responsabilidad, esto es, en la ausencia de la necesidad de la pena por falta de las demandas preventivas que la fundamentan. Tras afirmar que "el delincuente de conciencia no es inculpable desde perspectivas jurídicopenales, pues el mismo desacata una ley que se corresponde con el orden constitucional de valores y con el principio democrático de la mayoría..." y que "El mismo también puede comportarse conforme a Derecho", añade: "Existen buenas razones para que se conceda de tal modo una indulgencia limitada al sujeto que actúa por motivos de conciencia que nuestro Derecho no otorga al infractor ordinario de la ley. Pues a un Ordenamiento jurídico liberal le cuadra también tolerar al discrepante, en la medida en que éste no atente contra los supremos principios constitucionales y contra la seguridad del Estado y tampoco niegue en principio los derechos fundamentales de otros"[23].

El segundo de los autores citados, JAKOBS, puede considerarse representante del que se ha dado en llamar funcionalismo *radical o extremo*. Este autor sostiene una comprensión normativa de la culpabilidad desde las premisas del *funcionalismo sistémico*. Conforme a dicho planteamiento, la finalidad de la

---

Berlin/New York, 1974, págs. 605 ss; HEINITZ, "Der Überzeugungstäter im Strafrecht", *ZStW* 1966, págs. 615 ss.

[22]   ROXIN, *Derecho Penal, Parte General, ob. cit.*, 791 ss.

[23]   ROXIN, *Derecho Penal, Parte General, ob. cit.*, págs. 950 ss; el mismo en *Fs. für Maihofer* 1988, pág. 397.
        En nuestra doctrina, apelando también a argumentos relativos a la necesidad de pena, véase la propuesta de GÓMEZ BENÍTEZ, *Consideraciones sobre lo antijurídico, lo culpable y lo punible con ocasión de las conductas típicas realizadas por motivos de conciencia*, en *Ley y conciencia: moral legalizada y moral crítica en la aplicación del Derecho, ob. cit.*, págs. 78 ss.

pena se desvincula de cualquier referente extrajurídico para presentarse como un instrumento de estabilización del sistema, orientado a hacer prevalecer el reconocimiento de la norma y la fidelidad al Derecho. La pena se configura así de acuerdo con los cánones de un modelo tecnocrático. Desde sus esquemas, se trata de ofrecer una respuesta simbólica de confirmación de la vigencia de la norma frente a las transgresiones visibles o simbólicas del Derecho y que, por ello, se valoran como funcionalmente intolerables. La proyección de estos planteamientos *preventivo-integratorios* en la categoría de la culpabilidad arroja como resultado que el sentido de la misma se reduzca a decidir si el conflicto planteado entre la frustración de la expectativa representada por la norma y la exigencia de su mantenimiento contrafáctico puede procesarse de un modo alternativo a la imposición de la pena, sin que por ello sufra la más mínima quiebra el reconocimiento de la vigencia de la norma.

El viejo sentido individual de la culpabilidad queda así, en la construcción de este autor, definitivamente desbordado y sustituido por exigencias exclusivamente funcionalistas, en las que el papel del individuo se reduce al de ser un "subsistema físico-psíquico" valorado a la luz de exigencias de *estabilización* del Ordenamiento Jurídico[24]. Conforme a lo anterior entiende JAKOBS que la exculpación del autor por convicción habrá de admitirse allí donde, al margen de la magnitud existencial que para él representen sus creencias, sus déficits de socialización pueda explicarse al margen del autor sin merma para la vigencia del Ordenamiento jurídico[25]. Según JAKOBS, esto sería posible en tres situaciones distintas: a) cuando el autor se limite a infringir una norma aislada, de tal modo que su actuación pueda asumirse como un fallo que no cuestione el Derecho en sus rasgos esenciales; b) cuando los déficits de socialización se puedan atribuir a la culpa de terceras personas que le han educado de modo incorrecto o que le han inducido a una situación de labilidad incomprensible; c) cuando al autor se le pueda distanciar de la situación, como sucede, en el ámbito de los deberes institucionales, cuando la persona potencialmente beneficiada acepta la reducción de su protección[26].

Sin poder entrar en el estudio de las ramificaciones últimas de cada opción, baste decir que la postura que aquí sostenemos parte de aceptar el punto de partida común de ambas; a saber, la ubicación del problema de la objeción de conciencia en sede de culpabilidad y su vinculación a argumentos que enlazan con exigencias relativas a la necesidad de la pena. En apoyo de

---

[24]   JAKOBS, *Derecho penal. Parte General, ob. cit.*, pág. 701.
[25]   JAKOBS, *Derecho penal. Parte General, ob. cit.*, pág. 701.
[26]   JAKOBS, *Derecho penal. Parte General, ob. cit.*, pág. 701.

esta opción pueden manejarse diferentes razones. En primer lugar, que la propuesta de reconducir su tratamiento a la sede de antijuricidad requeriría partir de una premisa más que discutible, en tanto que la pretensión de justificar la actuación de quien contraviene el Derecho por razones de conciencia supondría trasladar los términos del conflicto a un ámbito que desnaturaliza la problemática insita a ella. Mal encaja, a mi entender, la razón de ser por la que se plantea la necesidad de que el Derecho no vuelta la espalda al objetor (la atención a la esfera interna del sujeto) con la pretensión de reconocer al conflicto una eficacia justificante que trasciende a aquélla. Este proceder sólo podría admitirse mediante la introducción de elementos subjetivos en el injusto, con la consiguiente desnaturalización del mismo[27].

En segundo lugar, y vinculado a lo anterior, dicho razonamiento conduciría en sus consecuencias a resultados inadmisibles desde una óptica político-criminal. Como es sabido, un importante sector de la moderna doctrina penal sostiene que el ámbito de la prohibición no viene acotado por la clásica categoría de la tipicidad, sino que se obtiene de su conjugación sintética con la valoración de las situaciones de justificación, de tal modo que el ámbito de lo prohibido vendría dado por lo que se ha dado en llamar *situación penalmente antijurídica*[28]. Conforme a tales esquemas habría que deducir que, de considerarse justificada la conducta de quien contraviene la norma por razones de conciencia quedaría al margen del ámbito prohibido. Las consecuencias no se harían entonces esperar. Baste pensar que quien con violencia quisiera impedir dicha actuación, no sólo cometería un delito de coacciones (puesto que habría que decir que está impidiendo algo que la Ley no prohíbe), sino que ni siquiera podría defenderse frente a quien actuase por razones de conciencia, en tanto que, como es sabido, no cabe apreciar la legítima defensa frente a un comportamiento que a su vez está justificado.

Lo anterior, sin embargo no es más que el punto de partida. Como pusiera de relieve MUÑOZ CONDE, esta genérica línea de solución puede plantear dificultades cuando se trata de dotarla de una cobertura legal que garantice su aplicación de forma sólida y uniforme en los distintos supuestos en los que

---

[27] MUÑOZ CONDE, "La objeción de conciencia en Derecho penal", en *Política criminal y nuevo Derecho penal*, p. 286: "Una cosa es que el estado respete la libertad de conciencia individual y otra distinta es que la respete hasta el punto de hacer suya la decisión de conciencia individual contraria a sus leyes, dejando condicionada su aplicación a la aceptación de las mismas por parte del individuo. Una tal pretensión entraría en contradicción con la propia esencia del Derecho, como conjunto de normas objetivas de validez general".

[28] SILVA SÁNCHEZ, *Aproximación al Derecho Penal contemporáneo*, Barcelona, 1992, págs. 394 ss.

pudiera plantearse[29]. Porque en tanto que el legislador no imponga al juez de modo expreso la necesidad de valorar las razones de conciencia a efectos de una atenuación e incluso exclusión de la culpabilidad, el encaje de tal premisa en el Código penal está necesitada de una labor interpretativa que la reconduzca a uno de los expedientes que reconoce la dogmática penal. En dicha tarea entiendo que puede acogerse la propuesta que sostuviera MUÑOZ CONDE en la línea defendida en la doctrina alemana por autores como ARMIN KAUFMANN[30], conforme a la cual se trata de reconducir la problemática de estos supuestos a los esquemas del *error de prohibición*, en cuanto que el comportamiento del autor por convicción entronca con la creencia de un ámbito de prohibición diferente al que establece la norma[31].

Bien es verdad que en los casos que se discuten no puede decirse con propiedad que el sujeto se encuentre en una situación de déficit de conocimiento de la norma, ya que capta su contenido y precisamente manifiesta su discrepancia respecto al mismo[32]. Lo anterior, sin embargo, no debe valorarse como un obstáculo para admitir tal expediente, en tanto que al sostener esa solución lo único que se afirma es que, en tanto esa discrepancia se vincule a la firme convicción del sujeto en la invalidez de la norma, nada se opone a equiparar desde el punto de vista de la orientación a las consecuencias ambos grupos de casos.

Cuestión distinta es que el recurso a tal expediente está necesitado de una dualidad de precisiones que, por un lado, depuren los presupuestos en los que el mismo resulte aplicable y, por otro, garanticen la adecuación de la consecuencia penal a los presupuestos a los que obedece su aplicación. Lo primero enlaza con cuanto decíamos al principio en torno a lo que deba entenderse por objeción de conciencia con relevancia penal. Como entonces afirmábamos, ésta debe delimitarse conforme a criterios que garanticen que si el Dere-

---

[29]   MUÑOZ CONDE, *El error en Derecho Penal, ob. cit.*, págs. 69 ss; el mismo en *Nueva Doctrina Penal*, 1996, ob. cit., págs. 98 ss.
[30]   ARMIN KAUFMANN Armin, en *ZStW* 1968, *ob. cit.*, págs. 34 ss.
[31]   MUÑOZ CONDE, en Nueva Doctrina Penal, *ob. cit.*, 1996, págs. 100.
[32]   Respecto a esta crítica véase la completa referencia doctrinal que recoge PÉREZ DEL VALLE, *Conciencia y Derecho penal, ob. cit.*, págs. 237 ss. Véase también la crítica que formula este autor a la posibilidad de reconducir dogmáticamente los problemas de conciencia a los esquemas del error de prohibición. Conforme a sus planteamientos, en los supuestos que se tratan no puede hablarse de que el sujeto carezca de capacidad de culpabilidad, ya que ella requeriría que hubiese un error en el proceso de conocimiento, algo que un Estado neutral no puede admitir respecto a un juicio de conciencia, págs. 268 ss. Para PÉREZ DEL VALLE la solución si bien debe relacionarse con la idea de la inexigibilidad, debe situarse en sede de injusto, en concreto, en la categoría de la responsabilidad por el hecho que formulara BACIGALUPO, págs. 284 ss; TAMARIT SUMALLA, *La víctima en el Derecho penal, ob. cit.*, pág.142 ss.

cho decide ser sensible a las creencias discrepantes del autor, no desconozca las de terceras personas. Frente al extenso ámbito en el que puede manejarse el término objeción de conciencia en un sentido social, esto es, como comprensivo de cualquier comportamiento cuya motivación enlaza con creencias personales, el espacio en el que el mismo deba ser, como tal, atendido por el Derecho, debe limitarse a los supuestos en los que ni la conducta del objetor obstaculice a su vez la libertad de conciencia de otros sujetos afectados ni suponga una limitación de sus derechos. Únicamente con tales premisas es razonable no sólo empezar a negociar un margen de discrepancia entre la norma y el autor, sino conceder relevancia al mismo a través del expediente del *error de prohibición*. Porque sólo entonces puede disculparse la actuación de quien actúa en el convencimiento absoluto de que su actuación es correcta.

Distintos entiendo que deben valorarse los casos en los que la actuación del autor por convicción colisiona con la libertad de conciencia o con otros derechos básicos de terceros. Es lo que sucede en casos como los de la negativa a practicar un aborto por parte del único médico al que puede acudir la embarazada, una actitud que no sólo puede vedar la actuación conforme a la conciencia de aquélla, sino poner en peligro su vida o salud. La negativa a reconducir tales casos al expediente del error de prohibición se basa no ya sólo en la imposibilidad de que en tales circunstancias el Derecho no pueda atender a la objeción de conciencia como tal, sino en que la misma dudosamente podría canalizarse por los cauces del art. 14.3 CP. Difícilmente podría decirse, en efecto, que quien actúa, por la razón que sea, sabiendo que con ello lesiona derechos fundamentales del afectado o incluso que pone en peligro su vida o salud, lo haga en la creencia errónea de obrar lícitamente, máxime cuando dichos bienes, por su reconocimiento indiscutido, no se prestan a relativización alguna.

Para evitar equívocos de inmediato debe precisarse que la afirmación anterior no supone concluir diciendo que en tales supuestos quede siempre vedada la posibilidad de alterar el régimen de responsabilidad del autor; lo único que se afirma con ello es la imposibilidad de que el Derecho pueda reconducir esos móviles de conciencia a los esquemas del *error de prohibición*. En estos supuestos en los que la objeción de conciencia colisiona con derechos o intereses del afectado nada impedirá, sin embargo, apreciar la circunstancia atenuante genérica del art. 21.6 CP sobre la base de entender que, por sus creencias, no podía exigírsele al autor que se motivase con normalidad conforme a las exigencias normativas[33].

---

[33] En relación con el aborto, en los casos en los que el médico se niega a practicarlo pese a ser necesario para salvar la vida de la madre, véase TAMARIT SUMALLA, *La libertad*

Hasta aquí hemos tratado de esbozar un planteamiento general en torno a la objeción de conciencia. Como ya anunciábamos al principio, en el ámbito médico su problemática suele concentrarse en materia de aborto, ámbito en el que el punto de referencia es una norma permisiva. De ello se ocupan las líneas que siguen.

IV. LA OBJECIÓN DE CONCIENCIA REFERIDA AL CONTENIDO DE UNA NORMA PERMISIVA. ESPECIAL REFERENCIA AL ABORTO

Si bien es verdad que la objeción de conciencia en el ámbito médico puede plantearse en una pluralidad de fases y ámbitos, hasta ahora la mayoría de las veces la misma se ha suscitado en relación con la específica problemática del aborto. Ello ya de por sí justificaría que se hiciera especial referencia a este ámbito y que se convirtiese en paradigma de la solución de otros supuestos en los que igualmente se plantee la objeción de conciencia del médico o en general del profesional sanitario. Pero a esta incidencia *cuantitativa* debe sumarse todavía un factor *cualitativo* que vendría a reforzar la necesidad de prestar especial atención a este ámbito, en cuanto introduce una nota de complejidad que supera la de otros casos. En concreto, el dato de que la objeción de conciencia se plantea, no ya respecto a una norma que obliga a actuar, sino frente a una que posibilita realizar una práctica que en general se reputa prohibida; en otras palabras, la objeción de conciencia al aborto se traduce en la oposición a realizar el comportamiento autorizado.

No es sino la combinación de estos dos factores la que, de hecho, determina que en todas las declaraciones normativas en las que es posible encontrar una referencia a la objeción de conciencia médica, el ámbito de las practicas abortivas se mencione siempre expresamente e incluso que se trate en solitario. En el ámbito internacional valga de cita la Declaración de Oslo sobre el aborto terapéutico, de la XXIV Asamblea Médica Mundial de 1970, rectificada en la XXXV Asamblea Médica Mundial de 1983 que en su punto 5 afirma que "si un

---

ideológica en Derecho Penal, ob. cit., págs. 460 s. No obstante, este autor parece admitir la exclusión de la culpabilidad en supuestos en los que, sin embargo, se produce una colisión con derechos o intereses del afectado; en concreto, en los de intervención médica arbitraria, practicados contra el consentimiento y libertad de conciencia del enfermo. En ellos, tras afirmar que dicha conducta sería constitutiva de un delito de coacciones, admite la posibilidad de una situación de inexigibilidad excluyente de la culpabilidad, pág. 437.

médico estima que sus convicciones no le permiten aconsejar o practicar un aborto, él puede retirarse siempre que garantice que un colega calificado continuará dando asistencia médica", o los Principios Europeos de Ética Médica, aprobados por la Conferencia Internacional de Órdenes Médicas celebrada en París en 1987. El art. 18 de este documento declara conforme a la ética médica la conducta de "negarse a intervenir en el proceso de reproducción o en el caso de interrupción del embarazo o aborto, invitando a los interesados a solicitar el consejo de otros compañeros".

Por su parte, ya en el ámbito nacional, el Código Deontológico dispone en su art. 27 que "1. Es conforme a la Deontología que el médico, por razón de sus convicciones éticas o científicas, se abstenga de la práctica de aborto o en cuestiones de reproducción humana o de trasplante de órganos. Informará sin demora de las razones de su abstención, ofreciendo en su caso el tratamiento oportuno al problema por el que se le consultó. Y siempre respetará la voluntad de las personas interesadas en buscar la opinión de otros médicos. 2. El médico no debe estar condicionado por acciones u omisiones ajenas a su propia libertad de declararse objetor de conciencia. Los Colegios de Médicos le prestarán, en todo caso, el asesoramiento y ayuda necesaria".

En cualquier caso, lo que ahora interesa subrayar son las peculiaridades de la objeción de conciencia en este ámbito, entre las que destaca el hecho, ya referido líneas más arriba, de que se trata de una objeción a una norma permisiva, no prohibitiva. Este dato obliga a trazar, ya de entrada, una restricción que depure el genuino ámbito en el que cobra sentido dar cabida a los móviles de conciencia en el orden penal. Porque, en principio, en tanto que se trata de una norma que *permite* —no impone ni prohíbe una conducta—, cuando el médico opta por no hacer uso de la misma está realizando una conducta perfectamente lícita desde la óptica penal[34] y, con ello, pudiera decirse que decae la necesidad de "excusarla" por los cauces que permite la objeción de conciencia. Como afirma RUIZ DE MIGUEL, "la objeción de conciencia jurídicamente reconocida presupone la existencia de un deber legal genérico cuya exención personal por razones morales por parte de alguno de sus destinatarios es también aceptada jurídicamente. Cuando falta aquel deber no se puede hablar de objeción de conciencia propiamente dicha"[35]. No es por ello de extrañar que en estos supuestos en los que la ley se limita a permitir lo que por regla general está prohibido, buena parte de la doctrina haya propuesto

---

[34]   En realidad, en estos casos, a salvo de lo que enseguida veremos, la objeción se plantea respecto a un deber extrapenal: el de dar cobertura a las prestaciones que administrativamente competen a un centro sanitario.

[35]   RUIZ MIGUEL, en *Libertad ideológica y derecho a no ser discriminado, ob. cit.*, págs. 15 s.

manejar, en lugar del término "objeción de conciencia", el de *objeción de legalidad*"[36].

No obstante, la relevancia penal de la objeción de conciencia en estos casos emerge tan pronto como aparece en escena un aspecto que anula la nota de exclusiva implicación de la conciencia médica para adquirir el carácter de un deber que puede colisionar frontalmente con derechos o intereses de terceros. Es lo que sucede en los casos en los que la paciente no tiene la posibilidad de que la intervención sea practicada por un médico distinto, bien porque no exista otro médico en la localidad que pueda y quiera practicar el aborto que la ley permite, bien porque los servicios de ese otro médico se incardinen dentro de la sanidad privada, a la que la paciente no tiene posibilidades económicas de acceder. Son casos, en definitiva, en los que se plantea si el Derecho debe atender la negativa del médico que en conciencia se opone al aborto (bien sea con carácter general o a la indicación que en concreto se plantea).

El problema no encuentra solución expresa en nuestro Derecho positivo, que como ya tuvimos ocasión de insistir, carece de una ley que regule la objeción de conciencia[37]. Ni que decir tiene que ante la ausencia de un texto legal que de forma expresa marque las pautas de su alegación, quedan abiertas todas las cuestiones relativas a la misma. Para intentar de trazar sus perfiles, en lo que sigue nos ocupamos por separado, en primer lugar, de delimitar el círculo de sujetos que puedan acogerse a la objeción de conciencia al aborto (1), y en segundo lugar, de los límites de la misma en los casos en que entre en colisión con otros derechos de la embarazada o incluso de terceros (2).

1. Los sujetos que pueden acogerse al derecho a la objeción de conciencia

La practica de un aborto, como sucede en general hoy día con la realización de cualquier intervención, lejos de consistir en un acto único que realice de modo individual un profesional en concreto, requiere de la colaboración de distintos profesionales que, con mayor o menor proximidad, con mayor o menor eficacia causal directa, prestan su colaboración para que se produzca

---

[36] Véase NAVARRO VALLS, "La objeción de conciencia al aborto, en Libertad ideológica y derecho a no ser discriminado", en *Cuadernos de Derecho Judicial, Libertad ideológica y derecho a no ser discriminado*, 1996, pág. 56.

[37] Entre las propuestas formuladas para precisar su alcance véase el Docuemento elaborado por el Grupo de Opinión del Observatori de Bioètica i Dret Parc Cientific de Barcelona, hecho en noviembre de 2007, Casado y Carcoy (coords.).

la interrupción del embarazo. Esta colaboración de los distintos profesionales plantea ante todo la duda en torno a quiénes pueden alegar razones de conciencia. Porque si bien es verdad que pocas dificultades plantaría reconocer ese derecho al médico que de forma inmediata realiza la práctica abortiva, la claridad se enturbia cuando se vuelve la mirada al resto de los profesionales que de algún modo, con distintas contribuciones, intervienen en la misma. ¿Podría acogerse al derecho a objetar, por ejemplo, el anestesista que sitúa a la paciente en condiciones de ser intervenida?; ¿y la enfermera encargada de facilitar el instrumental al médico?; ¿y el personal que tiene que trasladar la camilla de la habitación al quirófano? O, pensando en colaboraciones aún más alejadas, ¿podría hacerlo el personal administrativo encargada de concertar las citas entre el paciente y el médico?

Es más, las dudas en relación con los posibles sujetos que puedan alegar razones de conciencia no se ciñen sólo a las relacionadas con su planteamiento en el ámbito individual. Junto a ellas surge la cuestión en torno a si es posible que en el ámbito institucional, esto es, por parte del centro público o privado en el que se realizan los abortos, se aleguen las razones de conciencia para su práctica y, con ello, se cercene ya de entrada cualquier posibilidad de practicar la intervención.

En relación con esta ultima cuestión, puede decirse que la doctrina se muestra prácticamente unánime a la hora de recordar que, siempre que se constate la seriedad de la objeción[38], aquélla puede alegarse tanto por sujetos individuales como por entidades[39], en cuanto que también éstas son titulares de derechos fundamentales, entre ellos, a la libertad ideológica y religiosa[40]. Sin embargo, como de inmediato reconoce esa misma doctrina, la realidad misma de las cosas determina que, en la práctica, la alegación de la objeción de conciencia por parte de centros tenga dudoso sentido en el sector privado, puesto que para ellos bastará con que no presenten la solicitud que les habi-

---

[38]   Así, por ejemplo, poca credibilidad habría de darse a la declaración del médico de un Hospital público que dijera oponerse a la práctica de un aborto por motivos de conciencia cuando lo practicara en el sector privado; ROMEO CASABONA, La objeción de conciencia en la praxis médica, en "Libertad ideológica y derecho a no ser discriminado", *Escuela Judicial y Consejo General del Poder Judicial, ob. cit.,* pág. 103

[39]   Entre otros, TIRAPU, "Algunas consideraciones sobre la objeción de conciencia y tratamientos sanitarios", en *Anuario del Seminario Permanente sobre Derechos Humanos, II. Derecho a la vida y a la integridad física y psíquica,* Universidad de Jaén, 1996, pág. 67; SIEIRA MUCIENTES, *La objeción de conciencia sanitaria, ob. cit.,* págs. 210 ss.

[40]   SIEIRA MUCIENTES, *La objeción de conciencia sanitaria, ob. cit.,* págs. 210 ss.

litaría para realizar las prácticas abortivas[41]. Puede decirse, por ello, que en realidad con relación a los centros privados el problema sólo se plantearía en los casos de *objeción sobrevenida*, esto es, cuando tras haber solicitado y obtenido la oportuna autorización para la práctica abortiva, el centro privado alega razones de conciencia para continuar con tal práctica.

Frente a ellos, la genuina problemática de la declaración institucional de la objeción de conciencia se plantea en relación con los centros públicos. No obstante, la doctrina suele ser unánime al limitar el ejercicio de este derecho por la exigencia de que se asegure la prestación de servicios de interrupción voluntaria del embarazo. Así, suele afirmarse que si con carácter general se limita el sentido de la objeción de conciencia respecto a los centros públicos, a falta de una ley que regule expresamente el problema, la alegación de razones de conciencia por tales centros podría resultar incluso inconstitucional; y, a la inversa, pudiera resultar perfectamente compatible con la Constitución que se consagrase legalmente la obligación de los centros públicos de realizar abortos. En palabras de RUIZ MIGUEL, "sería extraño que la Constitución viniera a autorizar una especie de objeción de conciencia de un centro o dependencia estatal respecto de una obligación asumida por el Estado, autorizando así, más que una objeción de conciencia propiamente dicha, una simple y desconcertante desobediencia de la dirección del centro que excede el normal ejercicio de la libertad ideológica y religiosa"[42].

Lo anterior, lógicamente, no supone negar a los médicos que presten sus servicios en el sector público el derecho a oponerse al aborto por motivos de conciencia. Lo único que se veda con ello es que dicha posibilidad pueda ejercerse "en bloque" por el centro sanitario en cuestión. Lo contrario, esto es, negar el derecho a objetar razones de conciencia al personal al servicio de centros públicos con el argumento de que siempre tienen la posibilidad de abandonar sus servicios sólo sería admisible con el desconocimiento más palmario de derechos básicos como el de *igualdad* y el de *no ser discriminado* (a la hora de acceder al empleo) por creencias religiosas o ideológicas.

Más allá de esta cuestión en torno a las posibilidades de alegar la objeción de conciencia en el ámbito institucional, especialmente discutida en la doc-

---

[41] ROMEO CASABONA, "Objeción de conciencia y aborto", en *Estudios Jurídicos en memoria de Profesor Casabó Ruiz*, Valencia, 1997, págs. 743 ss; RUIZ MIGUEL, *El aborto: problemas constitucionales*, Madrid, 1990, págs. 110 s; véase también GARCÍA HERRERA, *La objeción de conciencia en materia de aborto, ob. cit.*, pág. 121.

[42] RUIZ MIGUEL, *El aborto: problemas constitucionales, ob. cit.*, págs. 111 ss. Véase también SIEIRA MUCIENTES, *La objeción de conciencia sanitaria, ob. cit.*, págs. 216 ss., que fundamenta esa imposibilidad la financiación pública que reciben.

trina es la relativa a delimitar los sujetos que ya a título individual pueden ejercer ese derecho; o dicho de otra forma, la identificación de los actos cuya realización puede fundamentar la alegación de razones de conciencia. Es, en definitiva la cuestión en torno a si sujeto de la objeción de conciencia puede ser no sólo el médico que tendría que practicar el aborto, sino de una forma más amplia, todos los profesionales que, de una forma u otra, se ven implicados de forma decisiva en su realización (enfermeras, anestesistas...).

Por seguir un orden creciente de complejidad, puede afirmarse que pocas dudas se plantean, en primer lugar, respecto a los actos que se proyectan en el momento mismo del aborto o en secuencias temporales inminentes a aquél en que se realiza la práctica abortiva y que, por tanto, inciden de forma directa en su producción. Baste pensar en la esterilización del instrumental que tiene que utilizar el médico o en la práctica de la anestesia. En este sentido tuvo ocasión de pronunciarse la Sentencia de 13 de febrero de 1998, de la Sala de lo Social del Tribunal Superior de Justicia de Baleares. En ella estimaba la pretensión de acogerse a la objeción de conciencia de las matronas cuya función consistía en la instauración de vía venosa y analgesia, control de las dosis de oxitocina, control de la dilatación del cuello del útero y control de las constantes vitales durante todo el proceso, por considerar que entrañan "actos de asistencia que contribuyen de manera positiva y eficiente a que la gestación se interrumpa sin daño para la salud de la embarazada, y aún cabría catalogarlos de imprescindibles para que la operación culmine, pues de no ser así es de presumir que el conflicto ni siquiera se habría planteado. En consecuencia son también actos sanitarios de cuya ejecución se encuentran jurídicamente exentos quienes ejercen frente al aborto voluntario el derecho fundamental a la objeción de conciencia"[43].

En realidad, las dificultades surgen en relación con las actuaciones que se sitúan en la periferia de la intervención, ya sea por tener lugar en momentos anteriores o posteriores a la misma. Bien es cierto que en relación con estos últimos supuestos todavía pueden identificarse casos cuya solución no plantearía especiales dificultades. Así, según entiendo, no deben existir dudas para excluir la alegación de razones de conciencia cuando el acto en cuestión no incide ya propiamente en la maniobra abortiva, sino en la atención que la mujer precisa tras haber sido sometida a la intervención[44]. En la medida en que la asistencia requerida surge de una demanda de auxilio, la negativa a prestar

---

[43]   Véase al comentario a esta sentencia de MARTÍNEZ ROCAMORA, "La objeción laboral de conciencia en materia de aborto", en *Aranzadi Social*, 1998, págs. 2512 ss.

[44]   Por todos, GARCÍA ARÁN, *La objeción de conciencia del médico en relación a la interrupción del embarazo, ob. cit.*, pág. 129.

asistencia sanitaria no podría explicarse ya con argumentos relativos a estrictos móviles de conciencia, sino con razones que necesariamente encubrirían una actitud de castigo encubierto a la mujer que ha abortado.

Así lo vino a reconocer la Sentencia de la Sala de lo Contencioso-administrativo de la Audiencia Territorial de Oviedo de 29 de junio de 1988[45], relativa a la impugnación que formuló el Colegio Oficial de Médicos de Asturias a la Orden dictada por la Dirección Médica del Hospital Materno-Infantil de Oviedo, según la cual se obligaba a todos los facultativos a prestar asistencia a los pacientes que la necesitasen a consecuencia de las maniobras abortivas cuando se presentasen complicaciones sobrevenidas. La Sala, tras dejar sentado que los objetores de conciencia no pueden ser obligados a realizar actos que vayan encaminados de forma directa o indirecta a la práctica de un aborto, afirmó la obligación indiscriminada de asistencia cuando se presente cualquier tipo de incidencia o estado patológico a consecuencia de la práctica abortiva realizada por otro profesional.

En el resto de los casos, sin desconocer la dificultad para trazar criterios que gocen de validez general, me parece que tienen razón los autores que, superando el encorsetamiento propio de las propuestas que en general apuntan a criterios formales, como la atención al momento en que se produce la ayuda[46], afirman que la alegación de la objeción de conciencia debe prosperar en tanto se trate de actos orientados a la interrupción del embarazo y, por ello, pueda reconocerse la seriedad de la objeción[47]. Lo contrario supondría llegar a una situación incoherente que desconocería que, desde el punto de vista valorativo, lo único importante es el rechazo moral que despierta en el sujeto la practica a la que debe cooperar, lo que supondría, incluso, un atentado contrario a la dignidad de la persona[48]. No se entendería muy bien de otra forma que el objetor esté disculpado de realizar el acto en sí pero en cambio esté

---

[45] Véase el comentario que a la misma hace MEJICA GARCÍA,"Sobre la objeción médica en materia de aborto", *AP* 1988-2, págs. 2357 ss.

[46] Es el caso, por ejemplo de GARCÍA ARÁN, quien fija como límite para poder alegar la objeción de conciencia que se trate de una fase en la que ya no existe posibilidad de desistimiento por parte de la mujer, en "La objeción de conciencia del médico en relación con la interrupción voluntaria del embarazo, en *El aborto, un tema para debate, ob. cit.*, pág. 124.

[47] SIEIRA MUCIENTES, *La objeción de conciencia sanitaria, ob. cit.*, pág. 230. De una forma muy amplia véase RUIZ MIGUEL, *El aborto: problemas constitucionales, ob. cit.*, pág. 117, quien incluye: "Desde la recepción administrativa hasta el traslado en camilla al quirófano de la paciente, pasando por los análisis y el resto de la preparación de la intervención quirúrgica".

[48] SIEIRA MUCIENTES, *La objeción de conciencia sanitaria, ob. cit.*, pág. 231.

obligado a crear las condiciones del mismo cuando esto colisione igualmente con sus creencias personales[49].

Esta postura amplia es la que ha encontrado reconocimiento en la jurisprudencia. De nuevo, en palabras de la Sentencia de 13 de febrero de 1998, de la Sala de lo Social del Tribunal Superior de Justicia de Baleares, debe incluirse en el espectro de conductas susceptibles de motivar la alegación de razones de conciencia toda "intervención que por hipótesis se endereza causalmente a conseguir, sea con actos de eficacia directa, sea de colaboración finalista, según el cometido asignado a cada cual, el resultado que la conciencia del objetor rechaza, cual es la expulsión del feto sin vida. Las funciones que la Dirección del Hospital pretende encargar a los hoy recurrentes (instauración de vía venosa y analgesia, control de la dosis de oxitocina, control de dilatación del cuello del útero y control de las constantes vitales durante todo el proceso) entrañan todos ellos actos de asistencia que contribuyen de manera positiva y eficiente a que la gestación se interrumpa sin daño para la salud de la embarazada, y aun cabría catalogarlos de imprescindibles para que la operación culmine".

En el mismo sentido de concebir en términos amplios la objeción de conciencia se pronunció ya antes la sentencia citada de la Audiencia Territorial de Oviedo de 29 de junio de 1988: "no pueden ser obligados a la realización de actos médicos, cualesquiera que sea su naturaleza, que directa o indirectamente estén encaminados a la producción del aborto, tanto cuando éste vaya a realizarse, como cuando se esté realizando la interrupción del embarazo...".

Según entiendo, la traducción de este criterio amplio llevaría a incluir prácticamente todas las colaboraciones relacionadas con la actividad de interrupción del embarazo. Es lo que sucedería sin lugar a dudas, en primer lugar, con

---

[49]   En este sentido parece que debe también interpretarse la Propuesta de Reforma de la Ley General de Sanidad elaborada por el Grupo de Estudios de Política CriminaL, cuyo artículo 1, según veíamos marginalmente, dispone que "El personal sanitario podrá formular la objeción de conciencia a la realización de intervenciones de interrupción del embarazo. La reserva a participar en las mismas queda limitada a los actos que supongan la realización del aborto o la participación en el mismo, sin que pueda extenderse en ningún caso a la asistencia sanitaria anterior y posterior a la intervención", cláusula que se explica del siguiente modo en los fundamentos de la Propuesta: "se reconoce el derecho a objetar para todo el personal sanitario pero sólo en relación a aquellos actos directamente relacionados con el motivo de la objeción, esto es, con la realización de la intervención y la participación directa en la misma, que son los únicos que pueden plantear el conflicto entre el deber de prestación sanitaria y la convicción del objetor".

conductas como la del médico que debe emitir los preceptivos informes[50]. Pero en segundo lugar, esta aceptación generosa del derecho a objetar que concede la prioridad a las razones de conciencia sobre la importancia causal de la contribución, posibilitaría incluir actos más alejados, como el que referíamos al comienzo de este apartado relativo al personal encargado de concertar las citas entre paciente y médico para realizar el aborto[51].

Con todo, debe observarse que las dificultades de índole práctica que plantearía la admisión de supuestos como éste bloquearían en buena medida su operatividad. Baste pensar en la dificultad que conlleva delimitar a priori qué citas son las que tiene que dar y cuáles puede evitar, ya que es obvio que no todas las consultas ginecológicas acaban efectivamente ni tienen por objeto la interrupción del embarazo. Casi ni que decir tiene que sería totalmente rechazable la posibilidad de interrogar a la persona que solicita la cita por los motivos de su consulta. Porque ese proceder difícilmente podría compatibilizarse con otro derecho fundamental de la mujer: el derecho a su intimidad. Es más, aunque pudiera llegar a conocer ese dato, tampoco sería viable que desarrollase selectivamente sus funciones, puesto que ello llevaría en la práctica a la necesidad de contar con dos personas de nivel administrativo a modo de "cascada" o "suplencia", algo igualmente inoperante. Probablemente, por ello, estos condicionamientos materiales impidan en la práctica que determinadas colaboraciones puedan acogerse al derecho a la objeción de conciencia.

Más allá de estas dificultades, no está de más apuntar, por último, que aun cuando hemos acogido el criterio amplio sugerido por los propios pronunciamientos jurisprudenciales comentados, podrían identificarse determinados ámbitos que, por ser ajenos a los actos abortivos propiamente dichos, no podrían acogerse a la posibilidad de alegar razones de conciencia. Es lo que,

---

[50]   ROMEO CASABONA, *La objeción de conciencia en la praxis médica, ob. cit.*, pág. 100. De ello deduce, por ejemplo, que en el caso en que un especialista diagnostica una grave enfermedad a una mujer gestante que ha acudido a su consulta y sabe que dicha enfermedad es incompatible con la prosecución del embarazo, no podría negar su informe por el temor de que la misma decida abortar; por el contrario, si el especialista acude a otro para confirmar el diagnóstico inicialmente dudoso, este último sí podría negarse a emitir su dictamen si es determinante para continuar el procedimiento legal para la interrupción del embarazo. Véase también SIEIRA MUCIENTES, *La objeción de conciencia sanitaria, ob. cit.*, pág. 237; MÉJICA GARCÍA/FERNÁNDEZ GARCÍA, "Sobre la objeción de conciencia médica en materia de aborto", en *La Ley*, 1999, págs. 1910 ss; NAVARRO VALLS, "La objeción de conciencia", en *Bioética y Justicia*, CGPJ, 2000, págs. 324 s.

[51]   En este sentido SIEIRA MUCIENTES, *La objeción de conciencia sanitaria, ob. cit.*, pág. 230.

según entiendo, sucede con las tareas que realiza el personal de mantenimiento del Hospital[52].

2. Límites de la alegación de las razones de conciencia

Junto a la determinación de los presupuestos en los que es posible alegar razones de conciencia, otro de los problemas nucleares en torno a la misma es el de trazar los *límites* dentro de los cuales dicho derecho pueda plantearse. Las dudas surgen con relación a los casos en los que la eventual negativa del médico no sea cubierta por otro profesional, de forma que la misma pudiera, bien impedir el derecho de la mujer a abortar, bien poner en peligro su *vida* o *salud*.

Conforme a cuanto ya tuvimos ocasión de sostener a propósito de la titularidad del derecho a la objeción de conciencia, puede decirse que el problema se va a presentar con diferentes matices según se trate del sector público o privado: mientras que en este último la eventual obligación de actuar por parte del médico objetor ni siquiera surge cuando el centro en cuestión haya ejercido explícita o implícitamente la objeción de conciencia —por el hecho de no haber solicitado la homologación—, en el sector público la eventual colisión entre la objeción de conciencia del médico y el derecho de la mujer a abortar va a plantearse siempre que, por las circunstancias que sean, con aquélla se reduzcan las posibilidades de la mujer para ejercer su derecho al aborto.

En principio, la línea de solución de estos supuestos bien pudiera extraerse directamente de cuanto ya sostuvimos más arriba en torno a la dualidad de límites que bordean el derecho a la objeción de conciencia. En concreto, de la necesidad de que las razones internas del médico ni colisionen con las de la paciente, ni supongan dar paso a la comisión de un delito.

En primer lugar, la colisión con la libertad de conciencia de la embarazada se va a plantear especialmente en los supuestos contemplados en el apartado 2 y 3 del art. 417 bis del CP de 1973, esto es, en los casos en los que el embarazo taiga su causa de un delito de violación, así como aquellos en los que se presuma que el feto habrá de nacer con graves taras físicas o psíquicas. En estos casos, en efecto, la oposición por parte del único médico que puede practicar

---

[52]   Véase al respecto, entre otros, ROMEO CASABONA, "La objeción de conciencia en la praxis médica", en *Libertad ideológica y derecho a no ser discriminado, ob. cit.*, págs. 91 ss., que considera como actos objetables los destinados a la destrucción del feto; RUIZ MIGUEL, *El aborto: problemas constitucionales, ob. cit.*, pág. 110; GARCÍA HERRERA, *"La objeción de conciencia en materia de aborto", ob. cit.*, págs. 120 ss.

el aborto supondría vedar a la embarazada la posibilidad de actuar también según su conciencia. No puede olvidarse que no a otras razones obedece la decisión de la mujer que, o bien no quiere tener el hijo que es fruto de una relación no deseada, o bien, por las circunstancias que sea, no quiere asumir de por vida el cuidado de un hijo con graves deficiencias o, simplemente, se niega a que su hijo viva con tales padecimientos. De darse la prioridad en estos casos a las creencias personales del médico se estarían desconociendo las de quien es en realidad la principal interesada y quien sin lugar a dudas tiene que actuar según su conciencia. Este proceder no sólo burlaría la voluntad de la ley sino que daría al traste con cualquier pretensión de racionalidad en la comprensión de la conflictividad que subyace al aborto[53].

En segundo lugar, decíamos, la atención a las razones de conciencia del médico habrán de limitarse allí donde puedan dar paso a la comisión de un delito. Esto último es lo que puede suceder con más frecuencia respecto a la primera indicación del antiguo art. 417 bis CP; a saber, la existencia de un *peligro grave* para la vida o la salud física o psíquica de la embarazada[54]. Porque si, pese a su voluntad de abortar, se obligara a la mujer a asumir los graves riesgos que el embarazo comporta para su vida o salud, los daños que ocasionalmente se produjeran a la misma podrían imputarse a quien le impidió el aborto, quien podría responder, en su caso, por un delito de *homicidio* o *lesiones*. Pero es que además, al margen de lo anterior, esto es, del puntual delito de lesiones o de homicidio que pudiera apreciarse en relación con la modalidad del apartado primero del art. 417 bis, no puede descartarse que en cualquiera de las indicaciones la continuidad del embarazo cause alteraciones psíquicas a la embarazada y, con ello, sitúe a la conducta médica en los umbrales de un delito de *lesiones psíquicas.*

No puede perderse de vista, por otra parte, que en tales casos, como advierte en la doctrina alemana BOPP, se vulneraría la *dignidad* misma de la mujer si tuviera que poner en peligro su vida porque así lo decidiera el médico[55], lo que incluso podría dar paso ahora a un delito contra la *integridad moral.* Todo ello sin olvidar que, también en relación con todos los supuestos, la actitud del único médico que se opone a practicar el aborto podría ser constitutiva de un

---

[53] No es otra cosa lo que justifica que en la doctrina se haya justificado una suerte de discriminación en la elección del personal sanitario cuando la presencia de objetores no garantice las prestaciones a las que el usuario tiene derecho. Véase al respecto, por ejemplo CORCOY BIDASOLO, en *Estudios de Bioética y Derecho, ob. cit.*, pág. 90.

[54]   SIEIRA MUCIENTES, *La objeción de conciencia sanitaria, ob. cit.*, págs. 270 ss.

[55] BOPP, *Der Gewissenstäter und das Grundrecht der Gewissensfreiheit*, Freiburg, 1972, págs. 213 s.

delito de omisión propia del art. 196 CP, esto es, la *denegación de un servicio sanitario* de la que se deriva riesgo grave para la salud de las personas.

Los anteriores serían los supuestos en los que habría de negarse la procedencia de la alegación de razones de conciencia. Dejando al margen estos casos extremos en los que si se atendiera a la objeción médica se podría poner en peligro la vida o salud de la mujer, en el resto tan inconcebible sería quebrantar las creencias de la embarazada como las del médico. Porque tanto para uno como para otro la actuación contraria a su conciencia supone de igual forma la realización de un acto que puede marcarle en el fuero interno para el resto de su vida. Por ello, la solución a tales casos sólo puede pasar por que la sanidad pública garantice una cobertura amplia de la prestación mediante el aseguramiento de personal suficiente que pueda realizar la práctica abortiva, esto es, de personal no objetor. Ello sitúa el problema, lógicamente, en los umbrales de una nueva situación conflictual que tendría que ver ahora con el reconocimiento constitucional de la *igualdad*. Baste pensar que la elección del personal habría de orientarse entonces selectivamente en atención a la consideración de sus creencias y principios éticos, religiosos y morales, algo cuya inadmisibilidad no necesita mayor fundamento. Tal vez el único mecanismo que permitiera una salida airosa del conflicto y que, por ello, debería acoger la ley que regulara en el futuro la objeción de conciencia en materia sanitaria, habría de pasar por contemplar la financiación por parte de la sanidad pública, bien del desplazamiento de la mujer a otros centros en los que sea posible la práctica abortiva, bien de la intervención en un centro privado.

CUARTA PARTE

OTROS TÍTULOS DE RESPONSABILIDAD PENAL DEL MÉDICO

I. LA OMISIÓN DE ASISTENCIA SANITARIA (ART. 196 CP)

Antes de la aprobación del Código penal de 1995, dada la ausencia de un tipo delictivo que de forma expresa castigara la omisión del deber de prestación sanitaria, la sanción penal del mismo había de reconducirse, bien al anterior artículo 371 (actual 412.3), relativo a la denegación de auxilio cuando el médico ostentase la condición de funcionario público, bien a la genérica omisión del deber de socorro (actual artículo 195, antiguo artículo 489 ter). Todo ello sin perjuicio de exigir, cuando se dieran los presupuestos del respectivo delito, responsabilidad por el resultado de muerte o lesiones que eventualmente llegara a producirse conforme a los esquemas de los delitos de omisión impropia[1].

Sin embargo, esas posibilidades de calificación resultaban insatisfactorias, en tanto que la conjugación de esos títulos introducía un sesgo injustificado en el régimen de responsabilidad del sanitario según actuara en el sector público o privado. Ello se traducía en serias distorsiones punitivas difíciles de justificar en un plano lógico. En efecto, dejando a un lado la posible responsabilidad por el resultado lesivo, cuando fuera un profesional de la medicina pública el que omitiera el socorro debido la pena, conforme al art. 371 CP, sería la inhabilitación especial y multa de 100.000 a 500.000 ptas. Sin embargo, cuando se tratara de un profesional de la medicina privada, conforme al art. 489 ter, la sanción sería la de arresto mayor o multa de 100.000 a 200.000 ptas[2].

A esa situación pondría fin el Código penal de 1995, que sancionó expresamente el incumplimiento del deber de asistencia médica, reconocido ya en el ámbito deontológico[3] y posteriormente consagrada en el Estatuto Marco del

---

[1] Sobre la situación anterior, con referencias a la jurisprudencia, véase ROMEO CASABONA, *El médico ante el Derecho penal, ob. cit.*, págs. 44 ss; MARTÍNEZ-PEREDA RODRÍGUEZ, *La responsabilidad penal del médico y del sanitario, ob. cit.*, págs. 218 ss. Incomprensiblemente este autor denuncia como una de las distorsiones que producía la existencia del art. 371.3 -actual 412.3-, el beneficio que introduce, puesto que "antes de su inclusión cabría castigar al funcionario en razón del delito de comisión por omisión respecto al resultado a que su omisión hubiere dado lugar", pág. 220. Pero esta afirmación sólo cobra sentido si se desconoce el respectivo ámbito de injusto que viene a sancionar una y otra calificación.

[2] HUERTA TOCILDO, *Principales novedades de los delitos de omisión en el Código penal de 1995*, Valencia, 1997, págs. 58 s.

[3] Conforme al art. 4.5 del Código de Ética y Deontología médica de 1990: "todo médico, cualquiera que sea su especialidad o la modalidad de su ejercicio, debe prestar ayuda de urgencia al enfermo o al accidentado". A ello añade el art. 6 del mismo texto que "en caso de huelga médica, el médico no queda eximido de sus obligaciones éticas hacia los pacientes a quienes debe asegurar los cuidados urgentes e inaplazables".

Personal Sanitario de los Servicios de Salud, Ley 55/2003, de 16 de diciembre[4]. En concreto, el art. 196 CP castiga de forma expresa y con una pena específica la omisión del profesional de prestar la asistencia sanitaria a la que está obligado, configurando así una responsabilidad agravada de omisión del deber de asistencia llamada a aplicarse, como línea de principio, a todos los profesionales de la medicina. Conforme al referido precepto[5],

"El profesional que, estando obligado a ello, denegare asistencia sanitaria o abandonare los servicios sanitarios, cuando de la denegación o abandono se derive riesgo grave para la salud de las personas, será castigado con las penas del artículo precedente en su mitad superior y con la de inhabilitación especial para empleo o cargo público, profesión u oficio, por tiempo de seis meses a tres años".

Si bien es verdad que con la incorporación de un precepto penal específico el legislador vino a zanjar buena parte de la discusión que hasta entonces había ocupado a la doctrina en torno a los posibles títulos delictivos a los que pudiera reconducirse dicho deber de obrar, así como a adoptar un posicionamiento expreso en torno a las cuestiones valorativas y de política criminal que pudieran surgir en torno a su contenido de injusto, lo cierto es que no por ello ha cesado el debate doctrinal. Al contrario, puede decirse que prácticamente no hay ningún elemento de este nuevo tipo delictivo que se preste a interpretarse de forma unánime. Ello condiciona, lógicamente, el alcance del precepto, hasta el punto de que su ámbito típico puede verse ampliado o restringido en función de tantas variables como opciones sean imaginables a la hora de interpretar la letra de la ley. Baste citar la forma en que se comprenda el círculo de sujetos activos que pueden cometer el delito, la situación de grave riesgo que refiere la letra de la ley o los límites de la obligación de obrar. Por otra

---

[4]   Conforme a su art. 19, el personal estatutario está obligado a "ejercer la profesión o desarrollar el conjunto de las funciones que correspondan a su nombramiento, plaza o puesto de trabajo con lealtad, eficacia y con observancia de los principios técnicos, científicos, éticos y deontológico que sean aplicables" (letra b), así como a "cumplir el régimen de horarios y jornada, atendiendo a la cobertura de las jornadas complementarias que se hayan establecido para garantizar de forma permanente el funcionamiento de las instituciones, centros y servicios" (letra g). Por su parte, entre las infracciones que contempla dicha norma, el art. 77.2 letra d) prevé como falta muy grave el "abandono del servicio", en la letra e) "la falta de asistencia durante más de cinco días continuados o la acumulación de siete faltas en dos meses sin autorización ni causa justificada", así como en la letra j) "el incumplimiento de la obligación de atender los servicios esenciales establecidos en caso de huelga".

[5]   Dicho artículo se preveía ya en anteriores Proyectos de Reforma. Así, el art. 194 del Proyecto de 1980, art. 193 del Anteproyecto de 1983, si bien junto a la denegación de la asistencia sanitaria y el abandono de los servicios sanitarios se contemplaba el incumplimiento del nivel mínimo establecido para el funcionamiento de dichos servicios; y en el art. 194 del Proyecto de 1992.

parte, las dificultades interpretativas se proyectan a la relación concursal del precepto con otros tipos delictivos, básicamente, los de lesiones y homicidio, colmando así el número de dificultades de cara a su aplicación práctica.

De todas esas cuestiones se ocupan las páginas que siguen. No obstante, interesa destacar desde el principio que, por encima de todos esos interrogantes que plantea la redacción del art. 196, ni siquiera es claro el punto de partida de su comprensión, algo que se bifurca en dos cuestiones básicas que, de nuevo, condicionan poderosamente no sólo el sentido o la racionalidad que se atribuya al precepto, sino su propia extensión o amplitud. La primera de ellas es la relativa a cuál sea la estructura morfológica a la que obedece el tipo; en concreto, a si contempla un supuesto de acción o, por el contrario, uno omisivo y, de ser éste el caso, su naturaleza o clase. La segunda cuestión es la que plantea cuál sea el bien jurídico protegido en el tipo, algo que, al igual que sucede en relación con cualquier delito de la Parte Especial del Código Penal, condiciona poderosamente la interpretación del cualquiera de sus elementos típicos.

La primera de las cuestiones es la relativa a la comprensión de la estructura misma del precepto. Mientras algunos autores sostienen que el tipo responde a los esquemas de un delito de *omisión pura*, otras propuestas doctrinales oscilan desde los que lo consideran como un delito de *omisión impropia*[6] hasta los que reconducen su morfología a la figura intermedia de los delitos de *omisión de garante*[7].

El punto de partida de quienes entienden que se trata de un delito de omisión impropia suele partir de la comprensión de la situación de riesgo a la que hace referencia el precepto en el sentido de exigir una situación de peligrosidad concreta, de tal modo que el resultado que se imputaría al omitente sería dicha situación de riesgo. A mi juicio, sin embargo, esta posibilidad debe rechazarse por varias razones. En primer lugar, resulta claro que sería realmente difícil sostener que se trata de la consagración legal de una figura delictiva que de otra forma habría podido castigarse conforme a los esquemas de la comisión por omisión. Porque no puede olvidarse que la lógica que está en la base del castigo de esta figura es extender la responsabilidad penal a otros comportamientos —omisivos— no previstos expresamente en la letra de la

---

[6]   Por ejemplo, HUERTA TOCILDO, *Principales novedades de los delitos de omisión en el Código penal de 1995*, ob. cit., pág. 70; QUERALT JIMÉNEZ, *Derecho penal español. Parte Especial*, Barcelona, 1996, pág. 177. A nivel jurisprudencial así lo comprende la Sentencia de 10 de marzo de 2000 del Tribunal Superior de Justicia de Granada.

[7]   Véase GÓMEZ TOMILLO, *Responsabilidad penal de los profesionales sanitarios*, Valladolid, 1999, pág. 26.

ley, algo que supone por definición, como presupuesto conceptual lógico, que sí se contemplan éstos en la modalidad activa. Este paralelismo básico, sin embargo, no puede descubrirse en el ámbito que ahora se trata o, al menos, no en todos los supuestos. Baste pensar que la puesta en peligro del enfermo debida a una actuación positiva indebida del facultativo sólo sería reconducible, en su caso, a los esquemas de una tentativa. Ahora bien, esta figura encontraría entonces su referente exclusivo en la puesta en peligro dolosa de la vida o salud del paciente, nunca en los supuestos en que respecto al resultado el médico actúa de forma imprudente, casos que sin embargo también abarca el art. 196 conforme a lo que enseguida tendremos ocasión de sostener. Resultaría así la paradoja de que, por la vía de la omisión impropia, se estarían incriminando supuestos que, sin embargo, no se castigan penalmente en relación con las conductas activas, algo realmente insólito en la teoría general de la comisión por omisión.

En segundo lugar, tampoco me parece acertada la tesis que considera que el legislador ha tipificado un delito que, si bien no tiene correspondencia con uno de acción, obedece a la lógica estructural que está en la base de la comisión impropia. Porque para que eso fuera así, presupuesto básico sería que pudiera predicarse la existencia de un resultado cuya producción se imputa a quien omitió una actuación que le era debida. En el caso que ahora interesa, dicho resultado habría de venir representado por la situación de peligrosidad que contempla el tipo. Sin embargo, adelantando conclusiones, entiendo que la situación de peligro que requiere el art. 196 no es propiamente el resultado del delito, sino una *condición objetiva de penalidad* que, como tal, condiciona exclusivamente la sanción penal de la conducta. Desde esas premisas, decae cualquier pretensión de apreciar los elementos de un delito de omisión impropia.

Descartada la posibilidad de identificar la estructura del art. 196 con un supuesto de omisión impropia, ciertamente la comprensión del art. 196 como un tipo de omisión pura cualificada respecto al 195 parece aproximar la discusión a las propuestas que identifican su estructura con los delitos de *omisión pura de garante*. Como es sabido, la construcción de estos delitos, cuyo precursor en nuestra doctrina es SILVA SÁNCHEZ[8], parte de que la existencia de situaciones intermedias entre los delitos de omisión pura y de comisión por omisión, situaciones que repelen su inclusión en esta categoría porque, pese a que se da el requisito de la infracción de un deber, no concurre la equivalencia estructural para imputar el resultado que se deriva de aquélla.

---

[8]   SILVA SÁNCHEZ, *El delito de omisión, ob. cit.*, pág. 344.

No obstante, por las mismas razones ya apuntadas más arriba, entiendo que difícilmente podría aceptarse que el legislador esté estableciendo en el art. 196 una pena distinta a partir de un delito de comisión por omisión en el que faltara el requisito de la equivalencia estructural. Porque si se admite que no todos los supuestos que comprende el art. 196 estarían tipificados en la correspondiente modalidad de comisión activa, decae el sentido de seguir indagando si se dan los requisitos de equivalencia estructural con aquélla[9].

Llegados a este punto, entiendo que el delito de omisión de prestación de asistencia sanitaria no es más que un tipo de *omisión pura* cualificado en razón de los sujetos activos y de la consiguiente valoración que su injusto merece al legislador; se trata, en definitiva, de un supuesto agravado del deber de asistencia cuando éste se refiere a la actividad médica y los omitentes son profesionales sanitarios obligados a dicha prestación[10].

La segunda cuestión que anunciábamos como previa al resto de los interrogantes que plantea el precepto y que, sin lugar a dudas, se convierte en condicionante de toda su interpretación típica, es la relativa a cuál sea el *bien jurídico* que en él se protege. Según entiendo, el mismo habría de identificarse no ya con el deber genérico de solidaridad que, según sostuve en otro lugar[11], tutela el art. 195. Lo que vendría a castigar el art. 196 sería la infracción de la obligación del específico deber de auxilio que recae sobre los profesionales de la sanidad. Dicho en otras palabras, el injusto que vendría a tipificar el precepto son los incumplimientos —como enseguida tendremos ocasión de ver, no todos, sino sólo los especialmente graves, esto es, los que ponen en grave riesgo la salud de las personas— del deber de prestar asistencia médica por parte de quienes están obligados a ello[12].

---

[9]   Considera que se trata de una omisión pura de garante, por ejemplo, FARALDÓ CABANA, "La omisión del profesional sanitario: Los delitos de omisión del deber de socorro y denegación de asistencia sanitaria o abandono de los servicios sanitarios, en *Responsabilidad penal del personal sanitario*, Brandariz García/Faraldo Cabana (coords.), A Coruña, 2002, pág. 141.

[10] En este sentido, por ejemplo, GARCÍA ALBERO, *Comentarios al nuevo Código penal*, dirigido por Quintero Olivares, Pamplona, 1996. En un sentido distinto, HUERTA TOCILDO, *Principales novedades de los delitos de omisión en el Código penal de 1995, ob. cit.*, págs. 66 ss.

[11] GÓMEZ RIVERO, "La producción del resultado muerte o lesiones en relación al supuesto agravado del artículo 489 ter", en *La Ley*, n° 3843, agosto de 1995, págs. 787 ss; la mismas en La Ley n° 4051, junio de 1996, *ob. cit.*, págs. 1385 ss.

[12] En sentido distinto véase por ejemplo GÓMEZ TOMILLO, *Responsabilidad penal de los profesionales sanitarios, ob. cit.*, pág. 15, quien sostiene que el bien jurídico protegido es tanto la vida como la salud de las personas.

Bien es verdad que en el art. 196 la tipicidad se condiciona a la producción de una situación de riesgo grave que parece que pudiera emparentar el bien jurídico protegido en esta figura delictiva con la vida y salud de los afectados[13]. Según entiendo, sin embargo, este dato no puede valorarse como un aspecto que abocara a mediatizar la comprensión del bien jurídico en función de los valores representados por la vida o salud de las personas eventualmente afectadas. Como tendremos ocasión de volver a insistir, existen argumentos para entender dicha cláusula como una *condición objetiva de penalidad*, esto es, como un requisito que condiciona única y exclusivamente la efectiva sanción del desvalor descrito en el tipo. Entiendo, por ello, que el bien jurídico tutelado en el art. 196 podría caracterizarse como la infracción del deber de obrar de los profesionales cuando a consecuencia de ella se produzca una situación de especial gravedad, exigencia ésta que actuaría así como filtro con el que alejar del injusto penal las omisiones de menor gravedad.

A partir de esta comprensión previa del art. 196, en lo que sigue trataremos los principales problemas que plantea su tipicidad objetiva (1) y subjetiva (2), abordando en último lugar el régimen de su relación concursal con otros tipos delictivos (3).

1. Elementos del tipo objetivo del art. 196

En primer lugar, *sujeto activo* del delito es, según el precepto, el profesional que omite prestar la asistencia sanitaria a la que está obligado. Más allá de esta doble exigencia relativa a la condición de profesional y de obligado, el art. 196 no contiene restricción alguna. Por ello, frente a lo que sostiene cierto sector doctrinal[14], entiendo que entre los sujetos activos no sólo están comprendidos los profesionales encargados de prestar asistencia sanitaria directa, entendiendo por tal las actividades de diagnóstico, asistencia o tratamiento. También deben considerarse comprendidos en el mismo quienes de forma indirecta realizan esa actividad. Baste pensar en los celadores o conductores

---

[13]   Véase en este sentido, por ejemplo, ESQUINAS VALVERDE, *El delito de denegación de asistencia sanitaria o abandono de los servicios sanitarios*, Granada, 2006, págs. 43 ss.

[14]   Así por ejemplo, FARALDÓ CABANA, "El delito de denegación de asistencia", en *Revista del Poder Judicial*, nº 55, 1999, pág. 23; la misma en Responsabilidad penal del personal sanitario, ob. cit., pág. 146, argumentando sobre la base de que el precepto se refiere al profesional sanitario. Sin embargo, el art. 196 se refiere exclusivamente al profesional, sin adjetivarlo como sanitario, lo que, a mi juicio, permite sostener una interpretación más amplia que la que se ciñe al círculo de personas que prestan directamente servicios sanitarios.

de ambulancia cuando con su actitud denegatoria o de abandono de las funciones encomendadas desatienden la asistencia que deben prestar. A favor de esta interpretación no sólo hablaría el argumento ya apuntado de que de la letra de la ley no puede deducirse restricción alguna al respecto, sino que la interpretación amplia que aquí se propone es la única compatible con la razón de ser de un precepto que viene a sancionar los casos más graves de infracción de deberes profesionales, algo que sin duda también se da cuando se trata de aquellos[15].

Es más, dado que el tipo no contiene restricción adicional alguna, entiendo, en la línea de lo que sostiene GÓMEZ TOMILLO, que en su ámbito típico es posible comprender también los supuestos en los que el profesional no tiene la condición específica de sanitario. Sirva de ejemplo el caso del socorrista de una piscina e incluso de la autoridad que, advertida de un accidente que demanda asistencia sanitaria, omite las tareas de auxilio que reclaman las circunstancias de tiempo y lugar. Así lleva a entenderlo no sólo el hecho de que, a diferencia de lo que sucede en otros tipos delictivos, el legislador no ha acotado su ámbito típico a los profesionales sanitarios en sentido estricto[16], sino también porque, de nuevo, esta interpretación amplia es la única compatible con la razón de ser y el bien jurídico que protege el precepto, ya que de otra forma se produciría una selección de comportamientos difícilmente compatible con la incriminación agravada de los deberes más graves de asistencia en materia sanitaria.

Por lo que se refiere al *supuesto de hecho*, el legislador ha optado por configurar el tipo conforme a la técnica de los tipos *mixtos*. En efecto, el art. 196 define la conducta típica de un doble modo: por un lado, la denegación de la asistencia sanitaria; por otro, el abandono de dichos servicios.

La primera conducta, designada por el empleo del verbo *"denegar"* contextualiza su injusto en el marco de una previa petición de asistencia. Sólo a partir de ella es posible que el médico adopte una actitud "denegatoria" de la misma, bien sea de forma expresa o concluyente. Dicha denegación de

---

[15]   A favor de esta interpretación amplia véase por todos GÓMEZ TOMILLO, *Responsabilidad penal de los profesionales sanitarios, ob. cit.*, págs. 34 ss. Hay que reconocer, no obstante, que esta posición no es unánime. Así por ejemplo, véase en un sentido restrictivo ESQUINAS VALVERDE, *El delito de denegación de asistencia sanitaria o abandono de los servicios sanitarios, ob. cit.*, págs. 176 ss., quien limita su ámbito de aplicación a los sujetos garantes de la evitación de riesgos para la salud mediante una actuación salvadora de carácter sanitario.

[16]   GÓMEZ TOMILLO, *Responsabilidad penal de los profesionales sanitarios, ob. cit.*, págs. 29 ss.

asistencia supone un requerimiento asistencial, ya sea por parte de la persona necesitada, ya por cualquier otra que lo solicita para ella, petición que puede ser tácita en los casos, por ejemplo, en que el necesitado se encuentra en un estado de coma que le impide solicitar la ayuda[17].

A partir de dicha premisa básica, la delimitación de los perfiles de esta primera modalidad denegatoria requiere hacer varias precisiones. En primer lugar, justamente porque requiere una petición de asistencia, los límites de la denegación que describe el tipo habrán de marcarse allí donde el sujeto no la solicite, siquiera implícitamente. Baste pensar en el ejemplo paradigmático de los Testigos de Jehová. Si, como ya sostuvimos al tratar los supuestos de responsabilidad en comisión por omisión, el deber de obrar del médico se cancela por regla general por la negativa del paciente a recibir la asistencia que precisa, lo mismo habrá de sostenerse a efectos de apreciar los presupuestos de este delito de omisión impropia. Lo contrario supondría convertir al médico en una especie de obligado a velar incondicionalmente por la vida y salud de los ciudadanos, algo que desde luego resulta difícilmente admisible ya desde el plano más simple del sentido común.

En segundo lugar, aunque pudiera parecer casi obvio decirlo, la denegación de asistencia que debe considerarse típica es únicamente aquélla que el paciente necesita y que está médicamente indicada; dicho en otras palabras, no se trata de incriminar las peticiones de asistencia que realice el paciente aun cuando las mismas se produzcan en la situación de riesgo que contempla el precepto. Tan sólo cabe plantear una omisión relevante respecto a las actuaciones que estén médicamente indicadas.

Es ilustrativo al respecto el caso enjuiciado por la Sentencia de 10 de marzo de 2000, del Tribunal Superior de Justicia de Granada. En ella se ventilaba la conducta de la médico que encontrándose en servicio de urgencias recibió una llamada que requería su presencia para atender a un paciente con síntomas de haber sufrido una crisis cardiaca en su domicilio. La médico consideró que en lugar de ir allí a atenderlo, los familiares, que manifestaron tener medios de desplazamiento, deberían trasladarlo a la mayor brevedad posible al centro de salud que se encontraba a 16 km, por ser el lugar donde se hallaban los medios necesarios para atenderlo, ya que en su domicilio no le podría hacer nada. Pese a los requerimientos e insistencias de los familiares para que acudiera al domicilio, la médico no se personó, por lo que finalmente

---

[17]   PORTILLA CONTRERAS, AAVV *Curso de Derecho penal español*, Madrid, 1996, págs. 388 s; GARCÍA SANZ, "Responsabilidad penal por denegación de asistencia sanitaria", en *AP* 2001, marg. 680.

trasladaron al enfermo al centro de salud, donde todo había sido dispuesto para recibirlo, pero allí ingresó ya prácticamente cadáver. Tanto la Audiencia Provincial de Granada que conoció en primera instancia de los hechos, como el Tribunal Superior de Justicia de Granada en Sentencia de 10 de marzo de 2000 absolvieron a la médico por entender que "la asistencia sanitaria se prestó debidamente en el Centro de Salud en que la acusada se hallaba prestando servicio de urgencias...la asistencia domiciliaria no estaba médicamente indicada, ya que en ella no podían utilizarse los medios materiales y de diagnóstico con que contaba el Centro de Salud, ni tampoco podía disponerse de la intervención del personal sanitario necesario".

Es más, dado que en esta primera modalidad la conducta consiste en "denegar", fuera de la misma deberían quedar incluso los casos en los que, si bien se presta la asistencia requerida, la misma es errónea o incompleta[18]. En efecto, si el tipo se articula en torno a la denegación de la asistencia, cuando la misma se presta desaparece el presupuesto situacional típico. Es cierto que si la atención es deficiente o incorrecta puede existir responsabilidad penal para el médico; pero la misma surgirá entonces por las deficiencias de la asistencia prestada e, incluso, a título de omisión por la terapia que omite en tanto que el médico, ya sea por su posición o por su previa intervención, haya asumido ya la posición de garantía. Cuestión distinta es que sean imaginables casos en los que la denegación represente un momento temporalmente independiente, ulterior a la asistencia médica prestada de forma deficiente. En estos supuestos no se plantearía dificultad alguna para apreciar el art. 196, trasladándose entonces la cuestión a la relación concursal de dicho título de responsabilidad con un delito de omisión impropia.

La segunda modalidad que contempla el legislador es la de *abandono* de los servicios. En ella se incluirían tanto los casos en los que tiene lugar una demanda asistencial como aquellos otros en los que la misma no llega a producirse. Ahora, en efecto, lo único importante es que el profesional no se encuentre en el lugar de trabajo cuando está obligado a hacerlo; y ello con independencia de que finalmente tenga o no lugar un requerimiento asistencial[19], lo que, adelantando conclusiones, determina la caracterización del peligro exigido en esta segunda modalidad conforme a los esquemas del *peligro hipotético*.

---

[18]   En un sentido distinto, GÓMEZ TOMILLO, *Responsabilidad penal de los profesionales sanitarios, ob. cit.*, págs. 38 ss.

[19]   Cuestión distinta es que, como veremos más adelante, de conocer que existe una persona que demanda sus servicios y pese a ello no los presta aceptando la eventualidad de un resultado lesivo, se plantee un régimen especial de responsabilidad si finalmente se produce aquél.

Una cuestión que puede resultar dudosa en esta segunda modalidad es la relativa a si en la misma tienen cabida los supuestos en los que no puede hablarse propiamente de un abandono del servicio, si por tal se entiende la previa incorporación al mismo. Sin duda, el supuesto más frecuente que puede plantear dudas es el del incumplimiento de los horarios, básicamente en lo que se refiere a una incorporación tardía. Según entiendo, de la configuración del tipo objetivo de este delito no pueden extraerse obstáculos para reconducir a él tales casos. En realidad, la restricción de la responsabilidad del sanitario en estos supuestos debe derivarse de las exigencias del delito en el plano subjetivo. Como veremos más adelante, el tipo requiere que la conducta de abandono se realice de forma dolosa, esto es, con conciencia y voluntad de que se produzca un vacío en la cobertura asistencial. Esta exigencia expulsa del ámbito típico supuestos como los retrasos involuntarios o meramente negligentes y, casi ni que decir tiene, los que obedecen a razones accidentales. Baste pensar en problemas para acceder al lugar de trabajo por dificultades del tráfico o por no haber salido del lugar de origen con suficiente antelación, supuestos a los que el más burdo sentido común remite, todo lo más, a la vía disciplinaria.

Así descritas cada una de las modalidades de conducta que contempla el art. 196, su sanción se condiciona en cualquier caso a la producción de una situación de *riesgo* para la salud de las personas, siendo ése el elemento que cualifica como tal al injusto penal frente a las infracciones disciplinarias. Frente a los autores que comprenden dicha situación de riesgo como resultado del delito, premisa que a su vez suele servirles como apoyo argumentativo con el que sostener que el bien jurídico protegido es la vida y salud de las personas, entiendo que dicha exigencia legal debe contemplarse como una *condición objetiva de penalidad* cuya función es acotar los supuestos en los que, por la gravedad de la infracción del deber, esté justificada la intervención penal[20]. La razón es que la comprensión de la producción de un riesgo grave en clave de condición de la pena es la única que permite llegar a resultados satisfactorios desde un punto de vista político-criminal. Baste pensar que es la única que evita dejar en la más absoluta impunidad o, todo lo más, castigar conforme a la genérica omisión del deber de socorro del art. 195 los casos en los que el obligado que deniega la asistencia sanitaria, si bien conoce su deber así

---

[20]   GÓMEZ TOMILLO, *Responsabilidad penal de los profesionales sanitarios, ob. cit.*, pág. 26. Sobre las distintas posiciones véase la exposición que realiza ESQUINAS VALVERDE, *El delito de denegación de asistencia sanitaria o abandono de los servicios sanitarios, ob. cit.*, págs. 15 ss., quien descarta la comprensión de dicho elemento como condición objetiva de la pena.

como el dato de que no hay otro profesional que cubra sus servicios, lo hace con una actitud de imprudencia, temeraria incluso, respecto a la situación de riesgo para la vida o integridad del requirente de auxilio. Otro tanto habría que decir respecto a la modalidad de abandono cuando pese a conocer la dejación de sus deberes el profesional actúa simplemente con una actitud de imprudencia respecto al posible riesgo grave que llegue a producirse; por ejemplo, por confiar en que está fácilmente localizable. Negar en casos como éste los presupuestos de aplicación del art. 196 abocaría a un ámbito de impunidad difícilmente compatible con las razones que cabalmente inspiraron al legislador a incorporar dicho artículo. Entiendo, por ello, que la función de la exigencia de la situación de riesgo grave es la de identificar las infracciones más graves de ese deber de asistencia que, como tales, merecen tutela penal y, correlativamente, la de remitir al ámbito disciplinario los supuestos más leves en que dicha infracción no genere tal situación de riesgo.

Por otra parte, al exigir el art. 196 que se produzca una situación de riesgo grave para la vida o salud del paciente, fuera del ámbito penal quedan no sólo los casos en los que en el momento del ingreso la persona que en su momento necesitó auxilio ya hubiera fallecido. También habrán de excluirse aquellos otros en los que, pese a existir una negativa o abandono de los servicios por parte de un profesional, quedase asegurada la cobertura asistencial gracias al servicio que pudieran prestar otros profesionales. Es más, el Código penal ni siquiera sanciona cualquier negativa que pudiera causar una situación de riesgo, sino sólo aquéllas que puedan calificarse como *"graves"*, elemento éste de carácter valorativo que deberá apreciarse por el juez atendiendo a las circunstancias del caso concreto. Esta gravedad, por lo demás, habría de valorarse en términos *fácticos,* esto es, haciendo abstracción del origen, la causa o las posibilidades de éxito de la terapia a aplicar[21].

Por encima de los aspectos anteriores, el verdadero problema que plantea la interpretación de la exigencia de que a la omisión se acompañe una situación de riesgo grave para la salud de las personas es el *grado de peligrosidad* que represente; esto es, el grado de proximidad a la lesión del bien jurídico

---

[21]   No alcanzo a ver la razón de la restricción que pretende introducir GÓMEZ TOMILLO, al afirmar que "no podría entenderse incluido dentro del tipo la negativa a practicar una interrupción del embarazo en el caso de peligro para la salud de la madre por parte del facultativo médico encargado de la mujer embarazada", *Responsabilidad penal de los profesionales sanitarios, ob. cit.,* pág. 38. Si se presenta una situación de riesgo -cualquiera- que el médico puede aminorar o excluir mediante una intervención se darían las bases para la aplicación de dicho artículo. Cuestión distinta es, como señala el mismo autor, el efecto que haya de tener la posible alegación de razones de conciencia.

necesario para poder apreciar el delito. Bien es verdad que, como señalaba en otro lugar[22], cuando el profesional deniega la asistencia sanitaria, el hecho de que la omisión se contextualice tras una previa demanda de auxilio configura por definición a esta modalidad típica como un delito de peligro *concreto*, en cuanto remite a una situación en la que la omisión se traduce en la negativa a prestar auxilio a quien en el momento presente ya lo solicita. Sin embargo, cuando la conducta consiste en el *abandono* de los servicios sanitarios son imaginables supuestos en los que la situación de peligrosidad, si bien puede existir de forma abstracta, aún no se ha actualizado. Baste pensar en el ejemplo del médico de guardia que abandona su puesto dejando al Hospital sin servicio de urgencias y, por tanto, sin cobertura asistencial frente a las posibles demandas asistenciales que pudieran producirse.

A mi juicio, tanto la propia redacción de precepto como la filosofía que lo inspira obligan a entender que también en casos como éste en los que la actitud del profesional determina ya en una contemplación abstracta una situación de *riesgo grave* ante potenciales demandas de auxilio —por ejemplo, por ser el único médico de guardia el que abandona los servicios—, debe apreciarse la cualificación[23]. No puede ser de otra forma si se repara en que la razón de ser del precepto es incriminar el desvalor de acción que comportan los actos más graves de abandono sanitario, bastando, por ello, la *potencialidad lesiva*

---

[22]   GÓMEZ RIVERO, *La Ley*, 1996, ob. cit., págs. 1385 ss.

[23]   En un sentido distinto parece pronunciarse GÓMEZ PAVÓN, "La responsabilidad del médico por omisión", en *PJ* 1995, pág. 291, al afirmar que "abandonará los servicios sanitarios, el que deja a una persona desamparada, o cesa en la continuación de la asistencia"; también FARALDÓ CABANA, en *Revista del Poder Judicial, ob. cit.*, quien considera que para que el abandono sea delictivo es preciso que el mismo se produzca "cuando hayan acudido a los servicios sanitarios de referencia personas en búsqueda de asistencia sanitaria, ya que, de lo contrario, difícilmente cabría que del mismo se 'derivare' un riesgo grave para la salud de las personas"; la misma en *Responsabilidad penal del personal sanitario, ob. cit.*, págs. 145. Esta afirmación, sin embargo, me parece que supone desconocer que también puede ser grave un riesgo abstracto.
No considero justificada la crítica que me hace algún autor como GÓMEZ TOMILLO, (*Responsabilidad penal de los profesionales sanitarios, ob. cit.*, pág. 61) para quien mi solución de diferenciar entre el grado de peligro en uno y otro apartado adolecería del defecto de diferenciar donde la ley no lo hace. No alcanzo a ver de dónde puede deducirse que la ley no está diferenciando cuando el presupuesto situacional que describe en cada apartado es ya, en un plano lógico, distinto. Creo que el defecto estaría justamente en lo contrario: en intentar encorcetar en una misma estructura dos conductas que difícilmente pueden nivelarse ya en el plano descriptivo. No discuto que pueda resultar mejor, por homogéneo, que dos apartados de un mismo artículo que describen conductas afines pudieran someterse a unas mismas reglas; pero entonces lo que habrá que hacer es criticar que en el apartado primero la acción típica se configure en torno al verbo "denegar", no desconocer la letra de la ley.

de la conducta. Cuestión distinta será que en la práctica estos hechos sólo se persigan penalmente cuando se haya producido un resultado o, al menos, una situación de peligro concreto. Pero eso no es algo distinto de lo que sucede con tantos otros tipos de peligro cuyo injusto es limítrofe con infracciones disciplinarias o administrativas.

Por lo demás, dicha situación de riesgo debe apreciarse con independencia del origen del mismo así como de su vinculación con el resultado lesivo. Esto último, consecuencia de la comprensión del bien jurídico tutelado en el precepto, supone que el delito habrá de apreciarse también en los casos en que pudiera demostrarse que, pese a haberse prestado el auxilio, el resultado lesivo se habría producido de todas formas[24]. El dato de la incidencia de la omisión en la producción del resultado será relevante sólo a la hora de calibrar la eventual responsabilidad del médico por un delito de homicidio en *comisión por omisión*.

Por otra parte, es indiferente a la hora de apreciar el art. 196 el origen de la situación de riesgo grave. Ello quiere decir que el precepto no requiere que sea de la denegación o abandono del facultativo de la que surja la misma, sino que por el contrario basta con que sea ya su gravedad la que determine el requerimiento asistencial. Esta solución entiendo que puede deducirse sin dificultad de la previa comprensión del art. 196. Por una parte, a partir de la identificación del bien jurídico protegido en dicho artículo con el aseguramiento del deber de actuar que pesa sobre el profesional sanitario. En efecto, si se quiere dotar de un contenido material a la lesión de dicho bien jurídico que impida incriminar lo que serían meras infracciones disciplinarias, resulta obligado entender que también tienen cabida en el precepto los casos en que el contexto situacional en el que surge dicho deber ya reviste objetivamente la nota de la gravedad, de tal modo que es justamente por ello por lo que la pasividad o el abandono del profesional merece la sanción penal. Por otra parte, dicha conclusión se deriva igualmente de la comprensión que aquí defendemos del precepto como un delito de omisión pura o propia. Y es que si se partiera de que tiene que ser de la omisión del profesional de la que surja la situación de riesgo grave, dicha comprensión emparentaría la morfología de estos delitos con la estructura, no de los de omisión propia, sino impropia, de los que no sería en realidad más que una consagración legal expresa. Sin embargo, si se descarta esta opción para admitir que el legislador incrimina una omisión es-

---

[24]   Esta conclusión suele aceptarse no sólo en nuestra regulación, sino en general en todos los Ordenamientos que contemplan un delito de omisión de socorro. Por todos, KIENAPFEL, "Die Hilfeleistungspflicht des Arztes nach deutschem und österreichischem Strafrecht", en *FS. Bockelmann, München*, 1979, págs. 591 ss.

pecialmente cualificada pero desatendiendo en la valoración de dicho injusto el dato de cuáles sean sus consecuencias, la situación de peligro grave no puede comprenderse más que como el marco situacional preexistente que eleva el desvalor de la omisión a la categoría de injusto penal[25].

Otro aspecto que pudiera resultar problemático en la interpretación del delito es el relativo a si es posible cualificar la pena cuando la negativa del profesional se contextualice tras una previa atención defectuosa por parte del mismo; en otras palabras, si resulta aplicable el tipo agravado que contempla el apartado tercero del art. 195. Como es sabido, este apartado se refiere a los casos en los que la víctima lo fuere debido a un accidente ocasionado previamente de forma imprudente o fortuita por parte de quien ahora omite la asistencia. A mi juicio, la respuesta a esta cuestión debe ser afirmativa[26].

En primer lugar, porque el art. 196 no sólo no contiene restricción alguna al respecto, sino que, por el contrario, parece remitirse en bloque a lo que dispone dicho precepto ("será castigado con las penas del artículo precedente en su mitad superior"). En segundo lugar, porque frente a la postura sostenida por algunos autores que han puesto en entredicho la posibilidad de trasladar los presupuestos típicos del art. 195.3 a la conducta que incrimina el 196[27], entiendo que los mismos son perfectamente imaginables en el ámbito sanitario. En efecto, es plenamente posible que la denegación sanitaria surja tras un previo actuar incorrecto del profesional, ya sea a título fortuito o imprudente. Ejemplo del primer caso serían los supuestos en los que el médico realizara una intervención correcta que luego, por causas imprevisibles, determinase una complicación del enfermo que finalmente pusiera en peligro para su vida o salud. Más fácilmente imaginables son aún los ejemplos en la modalidad de previo actuar imprudente. Baste pensar en el caso en el que el médico realice incorrectamente la práctica médica y debido a la misma el paciente que ahora desatiende se encuentre en situación de riesgo grave. Es cierto que, como señala algún autor, "en el artículo 196 no existe la exigencia de un actuar precedente de naturaleza fortuita o imprudente"[28]. Pero es que, además de ser por eso justamente por lo que se discute si tal cualificación es posible, dicha

---

[25]   En un sentido distinto HUERTA TOCILDO, *Principales novedades de los delitos de omisión en el Código penal de 1995, ob. cit.*, pág. 105.

[26]   En este sentido véase por ejemplo GARCÍA ALBERO, *Comentarios al nuevo Código penal, ob. cit.*, pág. 254.

[27]   Véase por ejemplo GÓMEZ TOMILLO, *Responsabilidad penal de los profesionales sanitarios, ob. cit.*, págs. 50 s.

[28]   Véase por ejemplo GÓMEZ TOMILLO, *Responsabilidad penal de los profesionales sanitarios, ob. cit.*, págs. 50 s.

referencia no está ni tiene por qué estar en el enunciado del art. 196 cuando justamente se remite en bloque a lo que dispone el artículo anterior.

Es más, entiendo que no sólo no existen obstáculos en la letra de la ley para apreciar la responsabilidad por el art. 196 también en estos supuestos, sino que dicha solución es la única capaz de ofrecer una respuesta satisfactoria cuando el profesional que provocó la situación de riesgo omite la asistencia a la que está obligado. Baste pensar que de otra forma el médico que omite actuar en tales circunstancias se vería comparativamente privilegiado respecto a lo que sucede en el art. 195 con relación a la cualificación de su apartado tercero. Así, mientras un particular que causa un accidente respondería más gravemente que cuando se limita a omitir el deber de asistencia, el médico que provoca la situación de riesgo grave habría de responder igual que el que no la provoca o, en su caso, remitir su conducta a lo que dispone el art. 195.3.

Junto a la exigencia de una situación de peligrosidad, el art. 196 CP se esfuerza en acotar de forma detallada los presupuestos que dan lugar a su aplicación, incorporando una cláusula restrictiva que no figuraba en el texto inicial del Proyecto de Ley presentado por el Gobierno. En efecto, en el curso de la tramitación parlamentaria, además de incluirse la mención expresa, casi redundante por lo demás, a la cualidad de profesional del omitente, se añadió la exigencia de que en el caso concreto el sujeto estuviese *"obligado a ello"* (a la prestación sanitaria). Si bien es verdad que esa limitación podría extraerse ya por vía interpretativa del propio sentido del precepto, su incorporación vino a asegurar que el mismo no se aplique, sin más, por la mera condición del sujeto activo. Por el contrario, dicha mención asegura que éste se encuentre desempeñando efectivamente el cargo cuando deniega el auxilio[29]. Es más, la exigencia de obligatoriedad viene igualmente a poner de manifiesto que, incluso cuando el médico se encuentre "de servicio", tampoco responderá por el 196 si el requerimiento que se le hace excede o, simplemente, no se corresponde con las competencias que tiene asumidas. Lo primero será el caso, por ejemplo, en el que al ATS de guardia se le requiere en una situación de urgencias para intervenir quirúrgicamente a un paciente; lo segundo cuando, por ejemplo, también en un caso de urgencia, se requiere al cirujano para realizar una cura.

Más allá de estos supuestos, la mención expresa a la exigencia de obligatoriedad obedece al deseo de garantizar expresamente que dicha obligación no entre en colisión con el *derecho de huelga* del personal sanitario, evitando así

---

[29]   En este sentido, entre otros, PORTILLA CONTRERAS, *Curso de Derecho Penal, ob. cit.,* pág. 388; GÓMEZ PAVÓN, en *PJ*, 1995, ob. cit., pág. 290.

que una interpretación literal del precepto pudiera representar un obstáculo a un derecho constitucionalmente reconocido.

Por lo demás, debe observarse que en esos supuestos lo único que se excluye es la responsabilidad en que pueda incurrir el profesional por la cualificación contemplada en dicho artículo. Subsistente quedará la que pudiera derivarse, en su caso, por la omisión del deber de socorro que grava a todos los sujetos conforme al art. 195, y que les obligaría ahora, al menos, dependiendo de los casos, a enviar al paciente al centro o profesional correspondiente o a demandar los servicios del personal que no se encuentra ejerciendo su derecho de huelga. Lo contrario supondría perder de vista el punto de referencia de dicha exención de responsabilidad y desconocer que el deber de prestar socorro que obliga a todos los sujetos conforme al art. 195 CP se independiza por completo de cualquier condición profesional y, por supuesto, del eventual ejercicio del derecho de huelga para asentarse en algo más primario y fundamental: el *deber de solidaridad* que imponen las normas básicas de convivencia.

2. El tipo subjetivo del artículo 196

Con relación a la *tipicidad subjetiva*, la omisión de asistencia sanitaria sólo es punible en su modalidad dolosa, al no preverse cláusula alguna de incriminación de la imprudencia.

Conforme a cuanto hemos venido sosteniendo, el conocimiento y voluntad del personal sanitario debe ceñirse exclusivamente a la conducta denegatoria o, en su caso, de abandono, de los servicios que está obligado a prestar; en otras palabras, el dolo debe referirse exclusivamente a una actitud que determina la ausencia de cobertura asistencial, bien sea ante un requerimiento concreto, bien ante la eventualidad de que se produzca. Como decíamos más arriba, esta exigencia impide tipificar conforme a este artículo los casos en los que la falta de incorporación del sujeto a los servicios se debe, por ejemplo, a un retraso involuntario o negligente (incorporación tardía). Por otra parte, al ceñirse a la conducta denegatoria o de abandono el dolo del sanitario, fuera del mismo queda la situación de grave riesgo que, según vimos, condiciona exclusivamente la efectiva sanción de la conducta. Como entonces sosteníamos, ésta representa una condición objetiva de penalidad cuya función es acotar los supuestos que, por su gravedad, merecen sanción penal.

Ahora bien, admitido lo anterior, entiendo que una interpretación del precepto conforme a un contenido material que deje fuera los supuestos que por su menor entidad sólo deban dar paso a infracciones disciplinarias o administrativas, fuerza a entender que, si bien no tiene que estar abarcado por el dolo, el sujeto debió percibir que de su abandono o denegación podía producirse al menos una situación remota de riesgo (potencialidad) de que llegara a producirse un peligro grave[30]. Según entiendo, es lo que sucede de forma clara cuando en la modalidad de abandono el profesional deja los servicios sin adoptar ningún tipo de precauciones para evitar una eventual situación de riesgo, de tal modo que la manifestación del mismo dependiera por completo del azar. Como el azar es un imponderable sobre el que no se puede actuar, el médico que abandona los servicios tiene que contar con la eventualidad, siquiera hipotética, de que se produzca un requerimiento asistencial.

Distintas entiendo que deben valorarse las cosas cuando el profesional deniega o abandona los servicios pero descartando cualquier situación de peligrosidad por haberse ocupado, positivamente, de evitar aquellos riesgos. Sirva de ejemplo el caso en el que el médico abandona su puesto por asegurarle otro compañero que él hará frente a las posibles demandas de asistencia, pero éste, por ejemplo por sentirse indispuesto, abandonara los servicios. Aun cuando en ejemplos como éste se acabe produciendo una situación de riesgo grave, entiendo que la toma de precauciones por parte del obligado para evitar la posible situación de riesgo determinaría la imposibilidad de hacerle responder por el art. 196 CP. Porque una cosa es desligar la producción de aquella situación de peligro del objeto del dolo del autor conforme a los esquemas de las condiciones objetivas de penalidad; y otra es que, por aceptarse dicha calificación, se desconozca cualquier efecto eximente de pena a los esfuerzos del autor que de forma seria y positiva se oriente a evitar que esa condición tenga lugar. Dicho de otro modo, una cosa es admitir la existencia de condiciones objetivas de responsabilidad que escapan al referente del dolo y otra deducir de ahí que las condiciones objetivas de punibilidad son un reducto del trasnochado principio de responsabilidad objetiva, de tal forma que perseguirían inevitablemente al médico como una sombra de la que no se podría desprender pese a lo valioso de su conducta.

Así delimitado el objeto de referencia del dolo en este delito, el error del profesional sobre los elementos del tipo habría de valorarse como una forma de imprudencia, impune al no contemplarse su castigo. Es lo que sucederá cuando, con relación a cualquiera de las modalidades que contempla el art. 196, el médico cree que no está obligado, bien a prestar asistencia, bien a permanecer en los servicios.

---

[30]   En este sentido, GÓMEZ TOMILLO, *Responsabilidad penal de los profesionales sanitarios*, *ob. cit.*, págs. 102 s.

Por último, no está de más advertir que en los casos en que el profesional abandone o deniegue la asistencia sanitaria sin tomar precauciones para que no se produzca la condición objetiva de punibilidad cifrada en una situación de riesgo grave, si ésta llegara a producirse y diera paso a un resultado lesivo, la actitud del médico respecto a éste podrá ser de imprudencia o, en su caso, de dolo eventual, lo que enlaza con la problemática concursal de este delito con otros a los que eventualmente dé paso.

3. Régimen concursal del art. 196 con otros tipos delictivos

La primera dificultad que plantea la determinación del régimen concursal del art. 196 con otros preceptos del Código penal es la de su posible relación con la responsabilidad del sanitario por el resultado lesivo que llegara a producirse y que pudiera imputársele a título de comisión por omisión.

En la doctrina puede considerarse mayoritaria la opinión doctrinal que entiende que la responsabilidad del médico conforme al art. 196 es alternativa, por subsidiaria, a aquélla en la que pueda incurrir como comitente omisivo[31]. Se reproduce, con ello, el mismo razonamiento que suele sostenerse cuando se plantea la concurrencia del supuesto agravado del art. 195.3 CP con el posible resultado lesivo que se produzca. Frente a este proceder, ya me pronuncié en otro lugar sobre la necesidad de diferenciar los distintos contenidos de injusto que vienen a sancionar cada uno de los tipos delictivos y, con ello, a favor de la posibilidad de apreciar un concurso de delitos[32]. Dicha consecuencia es el resultado lógico de las premisas que entonces sostenía en torno a la comprensión del bien jurídico y, correlativamente, del injusto de este delito, en términos de la infracción más grave de los deberes de actuar que pesan sobre el profesional sanitario, un bien jurídico que nada tiene que ver con el

---

[31]　Entre otros, HUERTA TOCILDO, "Injerencia y el art. 489 bis 3 CP", en *ADPCP* 1985, pág. 59; LUZÓN PEÑA, *Revista de Derecho de la Circulación, 1974, ob. cit.*, pág. 272; ZUGALDÍA ESPINAR, "Omisión e injerencia con relación al supuesto agravado del párrafo 3 del artículo 489 bis del Código penal", en *CPC* 1984, pág. 589. Refiriéndose expresamente al ámbito médico, SILVA SÁNCHEZ, "La responsabilidad penal del médico por omisión", en *Avances de la medicina y del Derecho penal, ob. cit.*, pág. 135. En la doctrina italiana puede verse en este sentido a DE CORSO, *Rivista italiana di diritto e procedura penale, ob. cit.*, 1987, pág. 570, por entender que el médico ostenta siempre una posición de garante. En la doctrina alemana, por ejemplo, ULSENHEIMER, *Arztstrafrecht in der Praxis, ob. cit.*, pág. 206.

[32]　GÓMEZ RIVERO, *La Ley*, nº 3843, agosto de 1995, *ob. cit.*, págs. 787 ss; la misma en *La Ley* nº 4051, junio de 1996, *ob. cit.*, págs. 1385 ss.

resultado que finalmente llegue a producirse[33]. Por ello, ni la sola apreciación del art. 196 ni la de un delito de omisión impropia serían capaces de agotar en su totalidad las distintas secuencias y respectivos contenidos de desvalor por las que atraviesa la omisión del sanitario.

La adopción como punto de partida de que el injusto que incrimina el art. 196 es diferente del eventual resultado lesivo que llegara a producirse determina que, salvo que la omisión del deber de socorro se conecte con una conducta orientada de forma intencional a producir el resultado lesivo, su apreciación no suponga incriminar dos veces un mismo contenido de desvalor, sino que cada uno de ellos venga a cubrir distintas parcelas de injusto[34]. Aun remitiéndome a lo expuesto en otro lugar, quisiera simplemente destacar ahora dos argumentos que revelan de forma palmaria el diferente contenido de desvalor de ambas calificaciones y, con ello, justifican la solución del concurso de delitos.

El primero es un argumento que si bien se vincula específicamente al art. 195.3 CP, manifiesta la línea de solución que, por coherencia, también ha de considerarse válida en relación con el art. 196 que, según interpreto, no es más que una modalidad especial de la omisión del deber de socorro. Si aquel precepto contempla la conducta de quien omite el socorro tras haber causado por negligencia un accidente a consecuencia del cual deja a la victima en situación de peligro manifiesto y grave, es evidente que presupuesto lógico del mismo es que se hayan causado lesiones imprudentes a aquélla. Pese a que está fuera de dudas que en ese caso el agente habrá de responder por tales lesiones, el le-

---

[33]   Por ello, porque el delito del art. 196 viene a cubrir una parcela propia de injusto que nada tiene que ver con la producción del resultado, es indiferente para el mismo que *a posteriori* se compruebe que la prestación de la asistencia tampoco habría supuesto una disminución del riesgo de producción de aquél. En un sentido distinto, GÓMEZ PAVÓN, en *PJ* 1995, *ob. cit.*, pág. 294: "La exigencia de un grave riesgo para la salud, hace que queden fuera del precepto aquellas situaciones en que, a pesar de la atención, no se hubiera podido mejorar dicha situación, incluso, cuando aún prestándose la debida asistencia la muerte hubiera sido evitable". Considera que el bien jurídico protegido es la vida y la salud de las personas, GÓMEZ TOMILLO, *Responsabilidad penal de los profesionales sanitarios. Artículo 196 del Código penal, ob. cit.*, págs. 13 ss.

[34]   GÓMEZ RIVERO, en La Ley, 1995, ob. cit, págs. 787 ss; la misma en La Ley, 1996, ob. cit., págs. 1385 ss. Se inclina también por apreciar un concurso de delitos en los casos en que, en relación con el art. 195.3, a la acción imprudente siga una omisión del deber de socorro dolosa, PORTILLA CONTRERAS, Curso de Derecho Penal español, ob. cit., pág. 378, 380, si bien puntualiza que cuando el resultado sobreviene, no a consecuencia de la acción inicial, sino de la falta de asistencia y en esa omisión ulterior puede apreciarse dolo eventual, la responsabilidad por el resultado absorbe a la omisión del deber de socorro (págs. 378 s.).

gislador sanciona expresamente la conducta como constitutiva de un delito de omisión del deber de socorro. Según entiendo, de esta forma está reconociendo implícitamente la solución del concurso de delitos, puesto que si cuando se produce una lesión fuesen exclusivamente aplicables los tipos que la contemplan, no tendría sentido tipificar en tales casos un delito de omisión pura.

El segundo argumento enlaza con razones que tienen que ver con el tipo subjetivo de estos delitos que, como es sabido, sólo admite su comisión dolosa. A favor de la posibilidad de apreciar de forma cumulativa dos tipos de responsabilidad hablaría el dato de que frente al injusto de la omisión del deber de socorro, que tiene que resultar abarcado por el dolo del autor, el injusto ulterior representado por la lesión se corresponde normalmente con un tipo subjetivo distinto: el de un delito imprudente. Ello no puede valorarse más que como una prueba inequívoca de la autonomía y diferente contenido de desvalor de cada conducta.

A estos argumentos genéricos debe añadirse otro ya en el específico ámbito del art. 196. En concreto, que el diseño teórico de la modalidad de abandono de los servicios sanitarios confirma una vez más el diferente contenido de injusto que focalizan uno y otro título de responsabilidad. Según sostenía, el riesgo que puede derivar del abandono de los servicios sanitarios no necesita materializarse en una situación de peligrosidad concreta; dicho de otro modo, su contenido de desvalor se independiza por completo de la persona que en cuestión haya resultado afectada y, en su caso, lesionada o fallecida a consecuencia de dicha denegación.

Por lo demás, la especificidad de la prestación de la asistencia sanitaria fuerza a hacer alguna precisión respecto al modo en que está llamado a articularse este título de responsabilidad con el delito de omisión impropia. Así, a diferencia de lo que sucede con el delito de omisión del deber de socorro del art. 195.3 CP, en el que la omisión de la ayuda debida aparece como un momento secuencialmente posterior a la actuación del sujeto, en la mayoría de los casos que ahora se tratan la inactividad en que consiste este delito de omisión propia aparece como el primer momento a partir del cual, en su caso, puede acaecer un resultado lesivo. Ello podría venir en apoyo de la conclusión, sostenida por algún autor[35], de que dado que la omisión del deber de asistencia tiene que ser eminentemente dolosa, de producirse un resultado lesivo ulterior la responsabilidad del facultativo como autor omisivo del mismo determinaría que en él quedase consumida aquélla en que hubiera podido incurrir conforme al art. 196 CP.

---

[35]   PORTILLA CONTRERAS, *Curso de Derecho penal español*, ob. cit., pág. 391.

Según entiendo esta conclusión no puede generalizarse a todos los supuestos. Bien es verdad que la misma es válida allí donde la denegación de asistencia o el abandono de los servicios se produzca con la intención de producir el resultado lesivo que finalmente tiene lugar. En realidad, cuando sea éste el caso, su tratamiento no diferiría del de aquellos otros, prácticamente indiscutidos, en los que la omisión del deber de socorro no es más que una secuencia ulterior de la actuación dolosa orientada a causar la muerte o lesiones. Porque tanto en uno como en otro supuesto la denegación de asistencia aparece como un momento necesario y lógico de la consecuencia lesiva más grave que pretende el agente, quien, por ello, sólo responde por el resultado lesivo. Ocurre, sin embargo, que junto a estos casos son imaginables otros en los que, pese a realizarse dolosamente los elementos del tipo, no puede predicarse el dolo del omitente respecto al resultado lesivo.

Con relación a la primera modalidad de denegación de asistencia sanitaria baste pensar en el caso en que el profesional confía en que otro médico, pese a no estar en ese momento "obligado" a actuar, va a asumir el cuidado del paciente. Es más, es posible que el médico que deniega la asistencia se reserve interiormente la decisión de actuar en el caso de que fracase la posibilidad con la que cuenta, supuestos en los que resultaría imposible fundamentar el dolo eventual respecto al resultado. Lo mismo podría decirse respecto a la modalidad de abandono de los servicios. También en ella es imaginable la posibilidad de que el médico, pese a ser consciente de la gravedad de la situación que supone el abandono, cuente con que otro compañero asuma la eventualidad que pueda producirse. En todos estos supuestos la producción del resultado lesivo habría de reconducirse al ámbito de la imprudencia, no del dolo eventual. Con todo, hay que reconocer que, salvo estos casos aislados, lo normal será que el profesional que deniega asistencia sanitaria o abandona los servicios siendo consciente de la grave situación de riesgo que con ello produce, actúe respecto al resultado, al menos, con dolo eventual. En este caso, ahora sí, la responsabilidad del médico como comitente omisivo doloso respecto al resultado absorbería el desvalor del art. 196 CP.

Hasta ahora hemos trazado la forma en que está llamada a articularse la responsabilidad por el art 196 CP con el resultado lesivo que llegara a producirse. Resta todavía plantear su relación concursal respecto a otro delito de omisión propia: el art. 409 CP relativo al abandono de un servicio público. Dispone este artículo:

> "A las autoridades o funcionarios públicos que promovieren, dirigieren u organizaren el abandono colectivo y manifiestamente ilegal de un servicio público, se les castigará con la pena de multa de ocho a doce meses y suspensión de empleo o cargo público por tiempo de seis meses a dos años."

Las autoridades o funcionarios públicos que meramente tomaren parte en el abandono colectivo o manifiestamente ilegal de un servicio público esencial y con grave perjuicio de éste o de la comunidad, serán castigados con la pena de multa de ocho a doce meses".

Las cuestiones concursales que suscita la aplicación de este precepto no se van a plantear en relación con el apartado primero, cuyo contenido de injusto aparece más nítidamente perfilado frente a la conducta del 196 CP. Las dudas surgen con relación a la modalidad recogida en el apartado segundo, en el que se contempla el abandono del servicio como acto individual de quien lo realiza. En la línea propuesta por MUÑOZ CONDE, entiendo que, de darse los presupuestos de los respectivos artículos, la solución tiene que ser apreciar un *concurso ideal* entre ambos tipos delictivos[36]. Bien es verdad que el art. 409 incorpora como elemento del tipo la exigencia de que a consecuencia del abandono colectivo o manifiestamente ilegal del servicio público esencial tenga lugar un *"grave perjuicio de éste o de la comunidad"*, y que esa cláusula pudiera hacer pensar en un principio en el solapamiento de sus respectivos contenidos de desvalor. Basta, sin embargo, atender al bien jurídico que pretende tutelar cada uno de esos tipos delictivos para diferenciar las respectivas parcelas de injusto que vienen a sancionar: el *deber de solidaridad*, el primero, y la infracción de las normas relativas a los *servicios mínimos de huelga*, el segundo. La gravedad del perjuicio a que alude el art. 409 se agota, en efecto, en el desvalor que de por sí supone la alteración del servicio como tal; pero sin valorar, como se infiere por lo demás de la pena de multa prevista, la entidad de los bienes jurídicos que mediatamente puedan resultar afectados.

Mayor dificultad pudiera plantear la relación concursal del art. 196 con el apartado 3 del art. 412. Conforme al mismo:

"La autoridad o funcionario público que, requerido por un particular a prestar algún auxilio a que venga obligado por razón de su cargo para evitar un delito contra la vida de las personas, se abstuviera de prestarlo, será castigado con la pena de multa de dieciocho a veinticuatro meses e inhabilitación especial para empleo o cargo público por tiempo de tres a seis años.

Si se tratare de un delito contra la integridad, libertad sexual, salud o libertad de las personas, será castigado con la pena de multa de doce a dieciocho meses y suspensión de empleo o cargo público de uno a tres años.

En el caso de que tal requerimiento lo fuera para evitar cualquier otro delito u otro mal, se castigará con la pena de multa de tres a doce meses y suspensión de empleo o cargo público por tiempo de seis meses a dos años".

El parecido de esta modalidad con el art. 196 resulta evidente, hasta el punto de que, de hecho, antes de la introducción en el Código penal del 95 del

---

[36]   MUÑOZ CONDE, *Derecho penal, Parte Especial, ob. cit.*, pág. 336. En el mismo sentido FARALDÓ CABANA, en *Revista del Poder Judicial, 1999, ob. cit*; la misma en *Responsabilidad penal del personal sanitario, ob. cit.*, págs. 153.

art. 196, era éste el precepto al que acudía la doctrina y la jurisprudencia para sancionar los casos de abandono de asistencia sanitaria cuando el médico ostentaba la cualidad de funcionario.

Con todo, debe observarse que, a diferencia de lo que sucedía en la regulación anterior al Código Penal de 1995, la posibilidad de aplicar este precepto al personal sanitario en los casos de denegación de asistencia se reduce en la actualidad a la modalidad que contempla el apartado tercero. En efecto, los dos primeros supuestos contemplados en el art. 412.3 se refieren a los casos en los que la denegación del auxilio lo es para evitar un delito, presupuesto de hecho que falta por definición en la tipología de supuestos que aquí se tratan, a saber, los de la negativa del profesional a prestar asistencia. Porque una cosa es que su conducta denegatoria pueda ser, de por sí, constitutiva de delito y otra, como requieren los dos primeros apartados del art. 412.3, que la demanda de intervención que rechaza sea para evitar un delito. Sólo en relación con el último apartado, relativo a la evitación de otro mal —no delictivo—, podría plantearse la posible concurrencia del art. 412.3 con el art. 196 CP.

Centrando la problemática concursal, por tanto, en el último inciso del art. 412.3, entiendo que desde la interpretación que aquí sostenemos del bien jurídico protegido en el art. 196 como el cumplimiento de los deberes más graves que en el ámbito sanitario pesa sobre los distintos sujetos obligados a actuar, el régimen concursal con el art. 412.3 tiene necesariamente que discurrir conforme a los esquemas del concurso de leyes, no de delitos[37]. Ahora, en efecto, a diferencia de cuanto sostuvimos a propósito del art. 409, la denegación de auxilio que contempla el art. 412.3 aborda una perspectiva estrictamente individual en la que pasa a primer plano la actitud denegatoria de asistencia por parte de un sujeto que está obligado a ello y, cuando el mal que describe el tipo se plantee en el ámbito sanitario, el punto de referencia es también una situación de peligro para la persona o personas que pudieran verse afectadas[38]. Por ello, castigar la conducta del funcionario público conforme a los dos tipos delictivos supondría incriminar dos veces un mismo contenido de desvalor. Por lo demás, afirmada la existencia de un concurso de leyes, resultaría de aplicación preferente el art. 196, no sólo por razones de especialidad respecto

---

[37] En este sentido, por ejemplo, HUERTA TOCILDO, *Principales novedades, ob,. cit.*, págs. 99 s. De otra opinión FARALDÓ CABANA, en *Revista del Poder Judicial, 1999, ob. cit*; la misma en *Responsabilidad penal del personal sanitario, ob. cit.*, pág. 153.

[38] Aunque el legislador no lo diga expresamente, no de otra forma puede entenderse la referencia a la evitación de un mal. Cuestión distinta es que, a diferencia de lo que sucede en el art. 196, ahora el legislador no lo condicione a la exigencia de una especial gravedad.

al supuesto que contempla, sino también por ser el precepto que prevé una pena superior.

II. EL DEBER DE SECRETO MÉDICO: LOS DELITOS CONTRA LA INTIMIDAD

El presupuesto obligado del comienzo de cualquier relación del paciente con el médico es la comunicación de datos que, de forma amplia, puede decirse que afectan al ámbito de su privacidad, entendiendo por tal el conjunto de facetas de la vida de una persona que, interrelacionadas, arrojan aspectos sobre su personalidad o sobre su vida que tiene derecho a mantener reservados[39].

En efecto, desde el momento en que el paciente comunica al médico datos que afectan a algo tan íntimo y personal como son las circunstancias relativas a su salud, le está convirtiendo en receptor de una información que entra de lleno en el ámbito de su privacidad. Esta confesión reviste, además, peculiares circunstancias que la hacen especialmente sensible. Baste pensar que el enfermo nunca o, al menos no en los supuestos normales, revela al médico esos datos de forma totalmente voluntaria o libre, sino que lo hace por padecer una enfermedad que le obliga a buscar ayuda. No es porque desee que otros sepan, sino sólo porque tiene necesidad de hacerlo, por lo que ofrece una información que, como pocas, afecta a aspectos de carácter singularmente personal. A ello debe añadirse todavía el dato de que ni siquiera esa comunicación o confesión se realiza en plenas condiciones de igualdad; por el contrario, el paciente se encuentra la mayoría de las veces ante una figura, la del médico, que le recaba datos íntimos a cambio de ayudarle con una ciencia cuyas técnicas e incluso cuya terminología le es por completo ajena. Por eso, por su situación desconocimiento, tiene que limitarse a confiar en que la revelación de esos aspectos íntimos resulta estrictamente necesaria para la ayuda que demanda. Ante la información que se le solicita, el enfermo ni discute ni está en condiciones de discutir ni valorar si los datos que se le piden son realmente necesarios para el diagnóstico o tratamiento de su dolencia.

Por otra parte, las peculiaridades que envuelven a la práctica médica agudizan sobremanera las dificultades e incluso, si se quiere, la vulnerabilidad de la información suministrada por aquél. No hay mejor prueba al respecto que

---

[39]   CRIADO DEL RÍO, *Aspectos médico-legales de la historia clínica*, Madrid, 1999, pág. 165.

la suerte que pueden correr las llamadas *historias clínicas*. Como es sabido, con esta denominación se designa el documento en el que se contiene todo el historial del paciente[40] o, por emplear las palabras del art. 14 de la Ley 41/2002, "el conjunto de los documentos relativos a los procesos asistenciales de cada paciente, con la identificación de los médicos y de los demás profesionales que han intervenido en ellos, con objeto de obtener la máxima integración posible de la documentación clínica de cada paciente, al menos en el ámbito de cada centro". Es, en definitiva, el documento en el que se concentran todos los datos personales del mismo. Pese a las precauciones por garantizar su confidencialidad, lo cierto es, sin embargo, que debido a la ingente cantidad de historias que manejan los hospitales así como al amplio círculo de suje-tos —no sólo profesionales ni con intereses exclusivamente médicos— que pueden recabar el acceso a la misma (por ej., compañías aseguradoras[41]), su vulnerabilidad es especialmente elevada.

No puede desconocerse, por otra parte, que la práctica médica actual no se realiza en solitario por un profesional, sino que lo normal es que en cualquier intervención participen distintos profesionales que de forma simultánea o su-cesiva tienen que acceder al historial del paciente, algo que multiplica el nú-mero de los potenciales sujetos que pudieran revelar el secreto. Si todos estos aspectos no fuesen ya de por sí suficientes para explicar la especial facilidad con la que en el ámbito médico pueden revelarse los datos íntimos del pacien-te, todavía hay que añadir las circunstancias que, ya en general, convierten hoy día en especialmente vulnerable el acceso a la información personal. En-tre ellas habría que incluir no solo las posibilidades de obtener información por vías que, como la informática, eran por completo ajenas a la atención del legislador hasta hace unas décadas, y que sin embargo en la actualidad permite almacenar información sanitaria mediante métodos como la historia clínica electrónica, la tarjeta sanitaria o la receta electrónica. También habría de apuntarse entre los factores coadyuvantes a la especial vulnerabilidad de los datos el objeto mismo de ese acceso, esto es, la realidad de los datos que se pueden obtener. A ello han contribuido de forma decisiva los nuevos avances de la ciencia, que en la actualidad permiten acceder a un determinado tipo de información que hasta hace unos años era simplemente impensable. Es lo que sucede de forma paradigmática con los nuevos descubrimientos de análisis del ADN a partir de la recogida de muestras que, por lo demás, resultan es-

---

[40]   Sobre las definiciones y conceptos de la historia clínica, véase por todos CRIADO DEL RÍO, *Aspectos médico-legales de la historia clínica, ob. cit.*, págs. 21 ss.

[41]   Sobre todas estas situaciones véase por ejemplo, CRIADO DEL RÍO, *Aspectos médico-legales de la historia clínica, ob., cit.*, págs. 203 ss.

pecialmente fáciles de obtener y que, sin embargo, proporcionan una ingente información que no sólo sirve para *identificar* a la persona a la que pertenecen, sino también para recabar datos sobre su *individualidad* que se adentran en sus aspectos más reservados, entre ellos, los relativos a su estado de salud.

Con lo anterior, sin embargo, sólo se hemos descrito los factores que justifican la preocupación por la confidencialidad de los datos del paciente, y el hecho de que, frente a la debilitación del deber del secreto médico que todavía auspiciaran en el siglo pasado voces como la de Gregorio Marañón[42], pueda decirse que el mismo representa hoy día uno de los pilares sobre los que descansa el ejercicio de la medina.

Ahora bien, afirmado lo anterior, la pregunta que surge de inmediato es la relativa a los criterios que deben inspirar el trazo de los límites de la protección del secreto en la variada gama de situaciones conflictivas que pueden plantarse en la práctica. No puede olvidarse que la fijación de los mismos tiene que encontrar un difícil punto de equilibrio con el que evitar tanto que otros derechos e intereses queden arrasados por una protección desorbitada de la intimidad, como que aquellos se conviertan en un cheque en blanco con el que vaciar de contenido a éste derecho.

Baste pensar, por ej., en la eventual obligación del médico de aportar datos del paciente en un proceso judicial, casos en los que pudiera plantearse la colisión del derecho a la intimidad con intereses de terceras personas (ej., compañías aseguradoras) e incluso con los propios intereses del médico que fuera demandado. Otras veces, la colisión se produce con el interés representado por salvaguardar la vida y salud de terceras personas. Sirvan de ejemplo los casos en los que el médico diagnostica una enfermedad contagiosa, por ejemplo, el SIDA, que el enfermo puede transmitir a las personas con las que mantiene prácticas de riesgo. Por último, y sólo por seguir enunciando algu-

---

[42]   Así, escribía en *Vocación y Ética, ob. cit.*, págs. 78 s., "Al transformarse los hospitales, de centros de caridad, en centros de estudio y enseñanza, prácticamente se ha anulado el secreto profesional, pues el enfermo es constantemente examinado por una legión de médicos, internos y enfermeros y con frecuencia presentado en las aulas, donde se explican y examinan no sólo sus síntomas, sino hasta los problemas más delicados de su herencia... Lo probable, pues, es que en un plazo breve, el secreto profesional quede reducido a casos especiales y concretos, que son aquellos de perturbaciones del espíritu y de los instintos que, en efecto, acercan la actitud del médico a la del confesor; aquellos en los que la enfermedad esté ligada con responsabilidades extramédicas notorias; y aquellos, en fin, en los que cualquiera que sea su naturaleza, el enfermo exige previamente del médico la reserva profesional. En todos los demás, el secreto subsistirá, pero con un carácter de cortesía social más que de imposición casi religiosa; y siempre con las amplias eximentes derivadas del interés científico o pedagógico de la enfermedad".

nos ejemplos, otras veces la colisión se puede plantear respecto a intereses de carácter colectivo que desbordan el estricto ámbito de la salud. Baste pensar, por ejemplo, en los límites del deber de secreto con el derecho a la informa-ción, ámbito éste en el que se encaran los límites del secreto con el interés social representado por el conocimiento de la noticia. De hecho, nos hemos acostumbrado a ver en los informativos noticias que parece que se aceptan sin ni siquiera reparar en que afectan a la intimidad de los afectados. Basta con recordar las que dan cuenta de gemelos siameses que nacen unidos y, al hilo de la exhibición de su imagen, se detalla no sólo la índole de su malformación, sino el origen de la misma así como los pormenores de la intervención a que se someten. ¿Es que en estos casos el derecho a la intimidad no ampara a esos niños o bebés?, ¿o es que en ellos se considera justificada su lesión por la pre-valencia de un interés superior, el derecho a la información?

Así esbozada la problemática del secreto en el ámbito médico, en lo que sigue trataremos en primer lugar, el fundamento mismo de la preservación de los datos comunicados por el paciente (1). Sólo una vez identificado el mismo tiene sentido plantearse la forma en que la ley le dispensa tutela por su viola-ción. A la luz de su identidad y de la ponderación de los múltiples factores que, según mencionábamos, sitúan a los datos relativos a la salud en un terreno especialmente vulnerable, puede entenderse que desde hace tiempo su protec-ción se haya convertido en una de las principales preocupaciones del legisla-dor, lo que explica que en la actualidad exista una vasta normativa al respecto (2). Por fin, en un último apartado trataremos los principales problemas que plantea la tutela penal de los datos del paciente; en concreto, el artículo 199.2 que específicamente castiga la revelación del secreto profesional. Su estudio pasa por acotar, entre otros extremos, el concepto de secreto así como por fijar los límites de su protección cuando entra en conflicto con otros derechos o intereses, ya sea de los sujetos implicados en la prestación sanitaria, ya de terceras personas (3).

1. El fundamento de la protección de los datos relativos a la salud

En la tarea de indagar cuál sea la razón de ser o el fundamento de la pro-tección del secreto profesional en el ámbito médico pueden identificarse dos intereses que, de forma complementaria, ofrecen una explicación en torno a la importancia de su tutela. El primero de ellos, de corte estrictamente *indivi-dual*, es el que apunta de forma específica a la protección de la *intimidad* del paciente, compartiendo así un espacio de tutela que se plantea en terrenos ajenos a la *praxis* médica y que, por tanto, es común a otros ámbitos problemáticos. Junto a él, puede identificarse un interés distinto, ahora de carácter supraindividual, que desde una perspectiva *social* justificaría igualmente la necesidad de su protección. Vayamos por partes.

1.1. La protección de la intimidad

Ninguna dificultad plantea afirmar que la protección de los datos íntimos del paciente obedece de forma directa a la necesidad de preservar su *intimidad*, hasta el punto de poder decirse que dicha tutela no es más que la proyección al ámbito de la medicina de aquel derecho fundamental reconocido con carácter general en el artículo 18 CE[43]. Se trata, en definitiva, de una ramificación más de un derecho que, por ser fundamental, extiende su alcance a todas y cada una de las manifestaciones de la vida social en la que aquél puede resultar violado, también, por tanto, a la relación médico-paciente. En cuanto concreción del reconocimiento de dicho derecho fundamental, la protección de la intimidad se proyecta en una basta normativa que se ha ido gestando tanto en el ámbito internacional como en el ámbito nacional o interno[44].

Por otra parte, como no podía ser de otra forma, a la elaboración del concepto de intimidad han contribuido distintos pronunciamientos del Tribunal Constitucional en los que ha tenido que pronunciarse sobre el alcance, contenido y, en su caso, límites de este derecho. En ellos ha centrado a menudo su concepto sobre un ámbito de privacidad cuya invasión sólo es legítima cuando se cuenta con el consentimiento del afectado. El derecho a la intimidad vendría así a proteger el uso reservado del conjunto de datos relativos a la privacidad del individuo. En este orden de ideas, el Alto Tribunal ha apuntado como piedra angular de este derecho "la dignidad de la persona que implica la existencia de un ámbito propio y reservado frente a la acción y conocimiento

---

[43]   Al respecto, ROMEO CASABONA, haciendo especial referencia a los aspectos relativos a la información genética, "Aspectos específicos de la información en relación con los análisis genéticos y con las enfermedades transmisibles", en *Información y Documentación Jurídica*, Madrid, 1997, vol. I. págs. 306 ss. Véase también la exhaustiva exposición de SÁNCHEZ CARO-SÁNCHEZ CARO, *El médico y la intimidad*, Madrid, 2001, donde analiza detalladamente su origen, fundamento y su comprensión en el Derecho constitucional y ordinario español, así como SÁNCHEZ CARAZO, *La intimidad y el secreto médico*, Madrid, 2000.

[44]   Véase una relación detallada en SÁNCHEZ CARO-SÁNCHEZ CARO, *El médico y la intimidad*, ob. cit., págs. 92 ss.

de los demás, necesario, según las pautas de nuestra cultura, para mantener una calidad mínima de la vida humana"[45].

Si bien es verdad que pese a esos rasgos mínimos el derecho a la intimidad es, ante todo, un derecho elástico que escapa a cualquier encorsetamiento apriorístico[46], el Tribunal Constitucional ha dejado claro que sus perfiles tienen que concretarse a partir de la conjugación de elementos objetivos y subjetivos. Así, por ejemplo, la STC 57/1994, de 28 de febrero, identificó como objeto de protección de la intimidad "el sentimiento de pudor personal, en tanto responda a estimaciones y criterios arraigados en la cultura de la propia comunidad". Ya de forma más reciente, la STC 1463/2000[47] recordaba que el contenido del derecho a la intimidad, por contraposición al derecho fundamental más amplio a la protección de datos, "confiere a la persona el poder jurídico de imponer a terceros el deber de abstenerse de toda intromisión en la esfera íntima de la persona y la prohibición de hacer uso de lo así conocido", y que su función es "la de proteger frente a cualquier invasión que pueda realizarse en aquél ámbito de la vida personal y familiar que la persona desea excluir del conocimiento ajeno y de las intromisiones de terceros en contra de su voluntad", reproduciendo a su vez la doctrina ya establecida en otras Sentencias del Tribunal Constitucional[48].

Esta línea que apunta a la concreción del concepto de intimidad conforme a coordenadas *temporales y espaciales* se refleja no sólo en las definiciones doctrinales[49], sino ante todo en las declaraciones de Derecho positivo. Valga

---

[45] Véase también, por ejemplo, la STC 115/2000, de 10 de mayo: "el derecho fundamental a la intimidad reconocido por el art. 18.1 CE tiene por objeto garantizar al individuo un ámbito reservado de su vida, vinculado con el respeto de su dignidad como persona (art. 10.1 C.E.), frente a la acción y el conocimiento de los demás, sean éstos poderes públicos o simples particulares", citando a su vez las Sentencias 134/1999, FJ 5, con cita de las SSTC 73/1982, de 2 de diciembre; 110/1984, de 26 de noviembre; 231/1988, de 2 de diciembre; 197/1991, de 17 de octubre; 143/1994, de 9 de mayo, y 151/1997, de 29 de septiembre.
Véase otras referencias a la doctrina del TC en PÉREZ ROYO, J., *Curso de Derecho constitucional, ob. cit.*, pág. 393 ss.

[46] PÉREZ ROYO, J., Curso de Derecho constitucional, ob. cit., pág. 387 ss.

[47] Dictada con motivo de un recurso de inconstitucionalidad interpuesto por el Defensor del Pueblo contra determinados artículos de la LO 15/1999, de 13 de diciembre de Protección de Datos de Carácter Personal.

[48] En concreto, la 73/1982, 110/1984, 89/1987, 231/1988, 197/1991, 134/1999, 144/1999 así como 115/2000.

[49] Así, por ejemplo, escribe NOVOA MONREAL que "La idea que se tiene de la vida privada varía de una persona a otra, de un grupo a otro, de una sociedad a otra; varía también, igualmente, en función de edades, tradiciones y culturas diferentes", en *Derecho a la vida privada y libertad de información. Un conflicto de derechos*, México, 1981, pág. 42; y MARTÍNEZ DE PISÓN, "es posible englobar bajo su significado (cfr., la intimidad) momentos

de cita la Ley Orgánica 1/1982, de 5 de mayo, que en su art. 2.1 maneja como parámetro que acote normativamente la relevancia jurídica de dicho concepto, más allá de la atención a lo que cada persona considere como tal, las ideas y usos sociales de cada momento histórico[50]. Justamente por la necesidad de atender al contexto que envuelve el caso en cuestión, dichas declaraciones de principio se reducen a la postre a remitir al juez a las circunstancias del caso concreto, en cuanto que son ellas las únicas que pueden precisar lo que sea una auténtica vulneración del derecho a la intimidad del paciente frente a lo que no pase de calificarse como meras *indiscreciones*.

Pese a esa relatividad inicial en torno a los límites con que se proteja la intimidad, suele existir consenso a la hora de afirmar que comprende todos los datos que definen el ámbito más intenso de su vida privada, con independencia de que la invasión en esa esfera íntima ocasione o no un daño al sujeto afectado[51]. Por ello, volviendo la vista al ámbito médico que ahora interesa, puede afirmarse sin ambages que los datos concernientes a la salud nutren de forma indiscutida el núcleo mínimo de aquel derecho. Así, al margen de que la divulgación de que alguien padece una enfermedad de cierta entidad puede repercutir en su imagen o en las posibilidades de desenvolvimiento social, el mero conocimiento de tales datos ofrece a quien accede a los mismos una información que, como pocas, le introduce en una zona íntima que, en principio, es espacio *exclusivo y excluyente* del afectado. En este sentido tuvo ocasión de pronunciarse de forma contundente el Tribunal Constitucional en la Sentencia 20/1992, de 14 de febrero, con relación a una información perio-

---

y estados dispares que fluctúan de un tiempo a otro de forma que, lo que ahora puede parecer perteneciente al ámbito íntimo, más tarde, sin embargo, se hace algo habitual y público, y no extraña, entonces, su revelación y conocimiento público. La frontera entre lo privado, lo público y lo íntimo es una frontera en movimiento, en continua transformación, al tiempo que también las costumbres varían y las modas influyen en las actitudes de la gente. No tiene, así pues, unos contornos previamente fijados e inmutable, sino que los supuestos relativos al sentimiento personal de lo que es la intimidad -especialmente, en el mundo del derecho- varían de una infracción a otra, de una persona a otra", en *El derecho a la intimidad en la jurisprudencia constitucional*, Madrid, 1993, pág. 81.

En la doctrina alemana, sobre la necesidad de conjugar lo que el sujeto estime digno de protección con la valoración social de los datos en cuestión, véase por todos, MEURER, "AIDS und strafrechtliche Probleme der Schweiepflicht", en *AIDS und Strafrecht*, Herausgegeben von Szwarc, Berlin, 1996, pág. 140.

[50] Dispone dicho artículo en su apartado 1° que "La protección civil del honor, de la intimidad y de la propia imagen quedará delimitada por las leyes y por los usos sociales atendiendo al ámbito que, por sus propios actos, mantenga cada persona reservado para sí o su familia".

[51] PÉREZ ROYO, J., *Curso de Derecho constitucional, ob. cit.*, pág. 396.

dística en la que se identificaba a una persona como afectada por el virus del SIDA,

El diario de información general «Baleares», editado y dirigido respectivamente por los recurrentes de amparo publicó en la sección de sucesos de su edición del día 15 de febrero de 1986, un suelto sin firma bajo el título «Un arquitecto palmesano con SIDA» del siguiente tenor literal:

> «El cuarto caso que se produce en Mallorca del Síndrome de Inmunodeficiencia Adquirida, lo padece un arquitecto palmesano, quien convivía desde hace algún tiempo con otro compañero de profesión, catalán. Al parecer, el enfermo es L. V., de treinta y nueve años de edad. Los facultativos están efectuando distintas pruebas al compañero de vivienda del enfermo para comprobar si éste también padece el síndrome».

El TC consideró que "Ninguna duda hay, en cuanto a lo primero, de que la reputación de las personas (art. 7.3 de la Ley Orgánica 1/1982) fue aquí afectado" puesto que "la identificación periodística, indirecta pero inequívoca, de una determinada persona, como afectada por el Síndrome de Inmunodeficiencia Adquirida (SIDA) deparaba, teniendo en cuenta actitudes sociales que son hechos notorios, un daño moral (y también económico, como luego se demostró) a quienes así se vieron señalados como afectados por una enfermedad cuyas causas y vías de propagación han generado y generan una alarma social con frecuencia acompañada de reacciones, tan reprobables como desgraciadamente reales, de marginación para muchas de sus víctimas. Y también es notorio, en segundo lugar y por último, que la identificación de las personas así supuestamente afectadas por tal enfermedad fue, en el sentido más propio de las palabras, irrelevante a efectos de la información que se quiso transmitir, pues si ninguna duda hay en orden a la conveniencia de que la comunidad sea informada sobre el origen y la evolución, en todos los órdenes, de un determinado mal, no cabe decir lo mismo en cuanto a la individualización, directa o indirecta, de quienes lo padecen, o así se dice, en tanto ellos mismos no hayan permitido o facilitado tal conocimiento general... La intimidad personal y familiar es, en suma, un bien que tiene la condición de derecho fundamental (art. 18.1 de la Constitución) y sin el cual no es realizable, ni concebible siquiera, la existencia en dignidad que a todos quiere asegurar la norma fundamental (art. 10.1)... la preservación de ese reducto de inmunidad sólo puede ceder, cuando del derecho a la información se trata, si lo difundido afecta, por su objeto y por su valor, al ámbito de lo público, no coincidente, claro es, con aquello que pueda suscitar o despertar, meramente, la curiosidad ajena".

Digno de mención es también el Auto del Tribunal Constitucional de 600/1989, de 11 de diciembre:

"El secreto profesional, en cuanto justifica, por razón de una actividad, la sustracción al conocimiento ajeno de datos o informaciones obtenidas que conciernen a la vida privada de las personas, está estrechamente relacionado con el derecho a la intimidad que el art. 18.1 CE garantiza, en su doble dimensión personal y familiar, como objeto de un derecho fundamental. En tales casos, la observancia del secreto profesional puede ser garantía para la privacidad, y el respeto a la intimidad, una justificación reforzada para la oponibilidad del secreto, de modo que se proteja con éste no sólo un ámbito de reserva y sigilo en el ejercicio de una actividad profesional que, por su naturaleza o proyección social se estime merecedora de tutela, sino que se preserve, también, frente a intromisiones ajenas, la esfera de personalidad que el art. 18.1 CE garantiza.

Ello adquiere especial relevancia en el caso del secreto médico, habida cuenta de la relación que se establece entre el profesional de la medicina y el paciente, basada firmemente en la confidencialidad y discreción y de los diversos datos relativos a aspectos íntimos de su persona que con ocasión de ella suelen facilitarse. De ahí que el secreto profesional sea concebido en este ámbito como norma deontológica de rigurosa observancia, que encuentra una específica razón de ser no ya en la eficiencia misma de la actividad médica, sino en el respeto y aseguramiento de la intimidad de los pacientes."

Ya en el ámbito de la jurisdicción ordinaria, en el orden penal el Tribunal Supremo tuvo ocasión de pronunciarse al respecto en la Sentencia de 18 de febrero de 1999, relativa a un caso en el que se planteaba la vulneración de la intimidad del afectado por la revelación de datos relativos a la salud. De forma resumida, los hechos enjuiciados eran los siguientes:

En junio de 1996, C.P.D, periodista colaborador del Diario de Las Palmas, tuvo conocimiento de que en la prisión provincial del Salto del Negro podía haber dos personas portadoras de SIDA que trabajaban en la cocina de dicho establecimiento penitenciario. C.P.D., pensando que tal noticia era de interés periodístico, logró obtener a través de personas o por medios desconocidos, dos listados, uno relativo a los internos de la prisión que padecían la enfermedad del SIDA y otro relativo a los internos que trabajaban en la cocina de la prisión. Tales listados incluían datos sobre el nombre y apellidos, estado civil, profesión y naturaleza del delito por el que cada interno había sido condenado. A partir de dichos listados, pudo identificar a dos reclusos con Sida que trabajaban en la cocina del establecimiento. Con tales datos elaboró un artículo periodístico, que envió para su publicación al Director del Diario de las Palmas para que fuera incluido en una sección de dicho periódico, firmada por un colectivo de periodistas identificados con el nombre de El Ronco. El artículo, aparecido bajo el título "SIDA, cocina y cárcel" decía lo siguiente: "En la prisión provincial del Salto del Negro corre el rumor insistente de que hay al menos dos presos con SIDA que están destinados en el servicio de cocina, con lo que la alarma entre los internos y los funcionarios está creciendo. Este periódico ha tenido acceso a un listado de reclusos con destino específico en la cocina del centro penitenciario y otro con el nombre de lo internos que padecen SIDA. En ambas listas se repiten dos nombres...Si estos datos se confirman (y ya se sabe lo difícil que es hacerlo por la vía oficial, ya que hay datos como los del sida que son confidenciales, así como los de la cocina, que se consideran de régimen interno), la dirección debería tomar medidas urgentes para evitar posibles contagios de tal enfermedad".

Dejando a un lado las cuestiones de fondo[52], lo que ahora interesa es que el Tribunal Supremo consideró vulnerado el derecho a la intimidad de los reclusos y condenó al acusado como autor de un delito del art. 197.2,3 y 5 con la eximente incompleta de ejercicio legítimo de un derecho, a la pena de un año de prisión, multa de doce meses e inhabilitación especial para el ejercicio de la profesión periodística durante un año, así como al pago de dos millones de pesetas a los dos reclusos identificados.

Partiendo de que los datos relativos a la salud del paciente forman parte indiscutida de la esfera íntima de la persona, cuya revelación, por tanto, está prohibida a la generalidad de los sujetos que puedan llegar a tener conocimiento de los mismos, con más razón habrá de admitirse tal deber de sigilo en relación con los profesionales que, en el desarrollo de su actividad, se convierten en destinatarios directos de dichos datos íntimos: los médicos y en general el personal sanitario que en su condición de tal llegara a tener acceso a los datos del paciente. De hecho, puede decirse que los condicionamientos que están en la base de la realidad contextual que envuelve a la relación médico-paciente modulan su protección tanto por lo que se refiere al presupuesto de la misma como a la fenomenología de casos a los que se extiende.

Lo primero, porque la demanda de protección de la intimidad del paciente frente a estos profesionales se refuerza si se atiende no ya sólo a los caracteres de su actividad, que les convierte en *cuasi* confesores del enfermo, sino también porque la revelación de datos íntimos encuentra su origen último en circunstancias totalmente involuntarias para el paciente; por decirlo de otro modo, la revelación tiene lugar en un contexto que le sitúa en una especie de "estado de necesidad": para acceder a la asistencia médica que precisa tiene que revelar datos personales. En este sentido, si se atiende a las condiciones que la motiva, la confesión del enfermo no puede equipararse a la revelación de esos mismos datos realizada a un amigo o a un familiar; ni siquiera a la confesión que pudiera hacerse a otras personas, como a un futurólogo o a un adivino, por mucho que también en todos estos casos con tal revelación se espere obtener ayuda del receptor. Al médico se le revelan datos íntimos porque sólo así se puede obtener de él ayuda, porque sólo así puede ofrecer remedios para curar o, al menos, para paliar la enfermedad. Desde esta perspectiva "la

---

52   Véase el comentario de esta sentencia de JAREÑO LEAL y DOVAL PAIS, en "Revelación de datos personales, intimidad e informática", en *La Ley*, núm 4844, 21 de julio de 1999.

voluntad" de expresar esos datos en absoluto puede equipararse a la que inspira su comunicación en el resto de los ámbitos de la vida ordinaria.

De hecho, la atención a las peculiares circunstancias que motivan la revelación en este ámbito, ha determinado que la Ley Civil conceda al particular una protección absoluta frente a la comunicación de sus datos realizada por un profesional, en contraposición a la protección relativa que dispensa en los casos en que esa revelación sea realizada por otro particular. En efecto, el art. 7 de la LO 1/1982, que contempla el catálogo de las conductas que se consideren como intromisiones ilegitimas en los derechos al honor, la intimidad personal y familiar y la propia imagen, diferencia entre las que cometan los particulares y los profesionales. A las primeras se refiere su apartado 3, exigiendo, más allá de la revelación del dato, una afectación a otros derechos, en concreto, la reputación y el buen nombre, que dote así de gravedad a la conducta e impida reconducir a ella la comunicación de cualquier aspecto nimio[53]. Frente a ellas, el apartado 4 del mismo artículo considera genéricamente integrado el atentado a la intimidad con la revelación de los datos por parte de los profesionales, con independencia, por tanto, de cuál sea su entidad o las consecuencias que esa revelación conlleve para el sujeto pasivo[54].

En segundo lugar, la fenomenología misma de la relación médico-paciente determina que su problemática se acote normalmente a una de las posibles modalidades de conductas con las que es posible violar la intimidad. Si como señalase el Tribunal Constitucional en la Sentencia 254/1993, de 20 de julio, el contenido de tal derecho se proyecta en dos aspectos complementarios, uno *negativo* (impedir el conocimiento de datos privados) y otro *positivo* (control de información), puede decirse que sólo en relación con este último se plantea en la generalidad de los casos la vulneración del derecho a la intimidad en el ámbito médico. En efecto, a diferencia de lo que sucede frecuentemente en otros ámbitos, como el periodístico, lo normal es que el acceso del médico a los datos del paciente haya tenido lugar de forma legal, esto es, con el consentimiento de éste. De hecho, esta conclusión debe mantenerse incluso cuando al elaborar la anamnesis el médico obtenga, mediante la práctica normal de preguntas al paciente, una información que no es necesaria para su trata-

---

[53]   Conforme al apartado tercero, se considera intromisión ilegítima "la divulgación de hechos relativos a la vida privada de una persona o familia que afecten a su reputación y buen nombre, así como la revelación o publicación del contenido de cartas, memorias u otros escritos personales de carácter íntimo".

[54]   Dispone ese apartado que se considera intromisión ilegítima "la divulgación de hechos relativos a la vida privada de una persona o familia conocida a través de la actividad profesional u oficial de quien los revela".

miento y que afecta a datos personales. Baste pensar en los casos en los que le interroga sobre sus hábitos sexuales, origen, creencias, situación económica o cualquier otro aspecto de su vida privada que en absoluto sea necesario para el diagnóstico o tratamiento pero que, sin embargo, el médico recaba por mera curiosidad "prevaliéndose" de su condición. Si bien es verdad que en tales supuestos el paciente contesta a las preguntas que le formula en la creencia de que son datos imprescindibles o al menos convenientes para confeccionar la historia clínica, difícilmente podría apreciarse una vulneración de su intimidad desde el momento en que es él quien de forma consciente suministra una información a la que siempre puede negarse.

Sólo en los casos en los que el profesional obtuviera de forma ilícita información sanitaria podría plantearse la lesión a la vertiente negativa de la intimidad. Es lo que sucedería, por ejemplo, allí donde practicara una analítica no consentida por el paciente como medio para conocer su estado de salud. Dado que se trataría en cualquier caso de prácticas que comportan un injusto adicional, no es de extrañar que no sea en ellas en las que está pensando el legislador cuando diseña una protección penal especial para las violaciones del deber de sigilo de los profesionales en el art. 199.2 que, como veremos, se ciñe en exclusiva al injusto consistente en los actos de revelación. En estos casos, la conducta adicional de obtención ilícita de los mismos habría de discurrir conforme a las previsiones generales relativas al descubrimiento de secretos, básicamente del art. 197 CP, cuyo estudio, por tratarse de un precepto de carácter general, excede del objeto de estudio de este trabajo.

1.2. La implicación de intereses supraindividuales en la protección de los datos del paciente

Si bien es verdad que, conforme a lo anterior, la intimidad es la razón de ser básica e indiscutida de la protección del secreto médico, puede identificarse todavía un fundamento adicional, si se quiere ahora indirecto o mediato, que igualmente explica la necesidad de su tutela. Este fundamento no sería ya común a todos los supuestos en los que se plantea el problema del conocimiento y difusión de datos personales, sino específico del ámbito del ejercicio de la medicina. Como decíamos al principio, la puesta en contacto del paciente con el médico presupone por definición que aquél revele a éste datos que pertenecen a su esfera privada y sin cuyo conocimiento el médico difícilmente podría asistirle. Esa revelación sólo puede tener lugar desde las coordenadas de un margen de confianza en la discreción de lo manifestado, que se convierte así en presupuesto mínimo e indispensable para el ejercicio mismo de la práctica médica. Sólo cuando el paciente cuenta con la garantía de la intimidad, esto es, cuando puede confiar en que los datos personales que comunica al médico no van a ser conocidos por terceros, dispone de una base mínima de confianza sobre la que poder entablar una relación con el profesional.

Si bien es verdad que esta protección de la confianza presenta en principio un cariz estrictamente individual, no puede desconocerse que la misma tiene también una proyección *social*, orientada ahora a generar un clima de seguridad que posibilite ya en general el ejercicio mismo de la medicina. Porque únicamente cuando en el ámbito comunitario existe la garantía o, si se quiere, un clima de seguridad en torno a la confidencialidad médica, se dan las condiciones para el ejercicio de la práctica misma, y sólo entonces, como afirma BOCKELMANN, se puede esperar que los enfermos acudan al médico[55]. De esta forma, hace acto de presencia un interés que desborda la óptica estrictamente individual, y que consiste en el interés supraindividual en la confianza de la relación médico-paciente[56]. Dicho interés es, ante todo, *funcional*, porque no se trata de otorgar protección a la consecución de dicho clima de confianza en cuanto tal; se trata, por el contrario, de un interés que se funcionaliza en aras de lograr un objetivo mediato representado por la garantía del ejercicio de la práctica médica.

2. La protección normativa de la confidencialidad de los datos del paciente

Dado el valor y la trascendencia del secreto médico, no es de extrañar que la preocupación por su protección esté presente en la regulación positiva. Dejando a un lado las plasmaciones más antiguas, como la del célebre Juramento Hipocrático[57], en los textos legales actuales es posible encontrar distintas plasmaciones del deber de secreto médico. Así, en el orden civil, el derecho a la intimidad se reconoce con carácter general en la LO 1/1982, de 5 de mayo, de protección civil del derecho al honor, a la intimidad personal y familiar y a la propia imagen[58]. No obstante, la extensión cada vez más generalizada del

---

[55]   BOCKELMANN, *Strafrecht des Arztes, ob. cit.*, pág. 34.
[56]   Véase también LENCKNER, "Ärztliches Berufsgeheimnis", en *Arzt und Recht*, München, 1966, págs. 160 s.
[57]   "Todo lo que en el ejercicio de la profesión, y aun fuera de ella, viere u oyere acerca de la vida de otros hombres, y que jamás deba ser revelado al exterior, me callaré considerando como secreto todo lo de este tipo".
[58]   Conforme al art. 7.4 se considera intromisión ilegítima "la revelación de datos de una persona o familia conocidos a través de la actividad profesional u oficial de quien los

tratamiento informático de datos, también en el ámbito médico, y la especial protección que demandan los mismos ha dado paso a una normativa específica, siendo de destacar la LO 15/1999, de 13 de diciembre, de Protección de Datos de Carácter Personal[59]. Esta Ley, en su art. 7.3 establece como regla general la exigencia de consentimiento expreso del afectado, así como la existencia de una ley o razones de interés general para el tratamiento de sus datos de carácter personal, entre ellos los relativos a la salud, que califica como especialmente protegidos[60], excepcionando el apartado 6 del mismo artículo dicha exigencia en determinados supuestos que, en general, pueden reconducirse explicativamente a las necesidades médicas y de gestión de los servicios sanitarios[61].

En el ámbito comunitario debe citarse el Convenio del Consejo de Europa, hecho en Estrasburgo, para la protección de las personas con respecto al Tratamiento Automatizado de Datos de Carácter Personal, de 28 de enero de 1981[62], la Directiva 95/46/CE del Parlamento Europeo y del Consejo, de 24 de octubre de 1995, relativa a la protección de las Personas Físicas en lo que respecta al Tratamiento de Datos Personales y a la Libre Circulación de estos datos[63], el Instrumento de ratificación del Acuerdo de Adhesión del Reino de

---

revela".

[59] Esta Ley derogó la anterior Ley Orgánica 5/1992, de 29 de octubre, de Regulación del Tratamiento Automatizado de Datos de Carácter Personal. Debe tenerse en cuenta que el Tribunal Constitucional en la sentencia de 30 de noviembre de 2000 estimó el recurso de inconstitucionalidad interpuesto contra la LO 15/1999, anulando el inciso del art. 21.1 que permitía a una norma de rango reglamentario facultar, sin consentimiento del interesado, la cesión de datos personales entre administraciones públicas para fines distintos de los que originaron su recogida, así como el inciso del apartado 1 del art. 24 y todo su apartado 2, que relegaba a la decisión administrativa la posibilidad de negar al interesado el acceso, rectificación y cancelación de sus datos personales.

[60] Dispone dicho artículo que "Los datos de carácter personal que hagan referencia al origen racial, a la salud y a la vida sexual sólo podrán ser recabados, tratados y cedidos cuando por razones de interés general, así lo disponga una ley o el afectado consienta expresamente".

[61] "No obstante lo dispuesto en apartados anteriores, podrán ser objeto de tratamiento los datos de carácter personal a los que se refieren los apartados 2 y 3 de este artículo, cuando dicho tratamiento resulte necesario para la prevención o para el diagnóstico médicos, la prestación de asistencia sanitaria o tratamiento médicos o la gestión de servicios sanitarios, siempre que dicho tratamiento de datos se realice por un profesional sanitario sujeto a secreto profesional o por otra persona sujeta asimismo a una obligación equivalente de secreto".

[62] Ratificado por España por instrumento de 27 de enero de 1984 (BOE 15 de noviembre de 1985).

[63] Conforme a su art. 8.1: "Los Estados miembros prohibirán el tratamiento de datos personales que revelen el origen racial o étnico, las opiniones políticas, las convicciones religio-

España al Convenio de aplicación del Acuerdo Schengen de 14 de junio de 1985[64]. Digna de mención es igualmente la Recomendación 5/97, de 13 de febrero de 1997 del Comité de Ministros del Consejo de Europa a los Estados miembros sobre Protección de Datos Médicos, cuyo artículo 3 establece las condiciones para la recogida y procesamiento de los datos médicos[65] [66].

En el orden internacional son de citar las Declaraciones de Ginebra[67], Helsinki[68], Hawai[69], Lisboa[70] o Venecia[71], así como en el Código Internacional de Ética Médica[72]; o ya en relación específica con el ámbito de la genética, la

---

sas o filosóficas, la pertenencia a sindicatos, así como el tratamiento de los datos relativos a la salud o a la sexualidad". No obstante, se excepciona de esta regla en el apartado 3 los casos en que el "tratamiento de datos resulte necesario para la prevención o para el diagnóstico médicos, la prestación de asistencia sanitaria o tratamientos médicos o la gestión de servicios sanitarios, siempre que dicho tratamiento de datos sea realizado por un profesional sanitario sujeto al secreto profesional sea en virtud de la legislación nacional, o de las normas establecidas por las autoridades nacionales competentes, o por otra persona sujeta asimismo a una obligación equivalente al secreto".

[64]   Firmado en Schengen el 19 de junio de 1990. En el Capítulo III del Convenio se recogen las normas relativas a la protección de datos de carácter personal y seguridad de los datos.

[65]   Conforme al apartado primero de ese artículo, "Se garantizará el respeto a las libertades fundamentales y en particular el derecho a la intimidad, durante la recogida y procesamiento de datos médicos".

[66]   Debe tenerse también en cuenta el art. 7 de los Principios Europeos de Ética Médica, aprobado por la Conferencia Internacional de Ordenes Médicas en París, el 6 de enero de 1987, conforme al cual "El médico es el confesor necesario del paciente. Deberá garantizarle el secreto total de cuanta información haya obtenido y de cuanto haya podido comprobar a raíz de sus contactos con él. El secreto médico no queda abolido al morir los pacientes. El médico debe respetar la vida privada de los pacientes y tomar cuantas medidas sean necesarias para que resulte imposible revelar cuanto haya llegado a su conocimiento con el ejercicio de su profesión"; el art. 10 del Convenio Europeo para la protección de los Derechos Humanos y la dignidad del ser humano con respecto a las aplicaciones de la Biología y la Medicina, aprobado por el Comité de Ministros el 19 de noviembre de 1996, "Toda persona tiene derecho a conocer su vida privada cuando se trate de informaciones relativas a su salud"; así como la Carta de Derechos fundamentales de la Unión Europea (DOCE 2000/C, 364/01), cuyo art. 8.1 disponía que "Toda persona tiene derecho a la protección de los datos de carácter personal que la conciernan".

[67]   Adoptada por la Asamblea General de la Asociación Médica Mundial celebrada en Ginebra en septiembre de 1948.

[68]   Adoptada por la XVIII Asamblea Médica Mundial, Helsinki, 1964.

[69]   Adoptada por la Asamblea Médica Mundial, Hawai, 1977.

[70]   Adoptada por la XXXIV Asamblea Médica Mundial, Lisboa, 1981.

[71]   Adoptada por la XXXV Asamblea Médica Mundial, Venecia 1983.

[72]   Adoptado por la III Asamblea General de la Asociación Médica Mundial, Londres, 1949.

Declaración Universal sobre el Genoma y Derechos Humanos de la UNESCO de 1997[73].

En el ámbito nacional, el deber de secreto médico se recoge en el plano deontológico en los artículos 14[74], 15[75], 16[76] y 17[77] del Código de Deontología y Ética Médica[78] y, ya como Derecho positivo, en el art. 10.3 de la Ley Orgánica 14/1986, de 25 de abril General de Sanidad, que incluye en el catálogo de los derechos del paciente el de "la confidencialidad de toda información relacio-

---

[73] Conforme el art. 7: "Se deberá proteger a las condiciones estipuladas por la ley la confidencialidad de los datos genéticos asociados con una persona identificable, conservados o tratados con fines de investigación o con cualquier otra finalidad".

[74] Art. 15.1: "El secreto del médico es inherente al ejercicio de la profesión y se establece como un derecho del paciente a salvaguardar su intimidad ante terceros; 2. El secreto profesional obliga a todos los médicos cualquiera que sea la modalidad de su ejercicio; 3. El médico guardará secreto de todo lo que el paciente le haya confiado y de lo que de él haya conocido en el ejercicio de la profesión; 4. La muerte del enfermo no exime al médico del deber del secreto".

[75] Art. 15.1: "El médico tiene el deber de exigir a sus colaboradores discreción y observancia escrupulosa del secreto profesional. Ha de hacerles saber que ellos también están obligados a guardarlo.
2. En el ejercicio de la medicina en equipo, cada médico es responsable de la totalidad del secreto. Los directivos de la institución tienen el deber de facilitar los medios necesarios para que esto sea posible".

[76] Art. 16.1: "Con discreción, exclusivamente ante quien tenga que hacerlo, en sus justos y restringidos límites y, si lo estimara necesario, solicitando el asesoramiento del Colegio, el médico podrá revelar el secreto en los siguientes casos: a.- Por imperativo legal; b.-En las enfermedades de declaración obligatoria; c.- En las certificaciones de nacimiento y defunción; d.- Si con su silencio diera lugar a un perjuicio al propio paciente o a otras personas; o a un peligro colectivo; e.- Cuando se vea injustamente perjudicado por causa del mantenimiento del secreto del paciente y éste permite tal situación; f.- Cuando comparezca como denunciado ante el Colegio o sea llamado a testimoniar en materia disciplinaria; g.- Cuando el paciente lo autorice. Sin embargo, esa autorización no debe perjudicar la discreción del médico, que procurará mantener siempre la confianza social hacia su confidencialidad".

[77] Art. 17.1: "Los sistemas de informatización médica no comprometerán el derecho del paciente a su intimidad; 2. Los sistemas de informatización utilizados en las instituciones sanitarias mantendrán una estricta separación entre la documentación clínica y la documentación administrativa; 3. Los bancos de datos sanitarios extraídos de historias clínicas estarán bajo la responsabilidad de un médico. 4. Los bancos de datos médicos no pueden ser conectados a una red informática no médica; 5. El médico podrá cooperar en estudios de auditoría...con la condición expresa de que la información en ellos utilizada no permita identificar ni directa ni indirectamente a ningún paciente en particular".

[78] Sobre el reconocimiento de este derecho en los distintos Códigos deontológicos, véase por ejemplo CANALS MIRET/BUISÁN ESPELETA, "El secreto médico", en AAVV, Bioética, Derecho y Sociedad, ob. cit., págs. 169 ss.

nada con su proceso y con su estancia en instituciones sanitarias, públicas o privadas que colaboren con el sistema público"[79].

De forma más reciente, la Ley 41/2002 establece en su art. 2.7 que "La persona que elabore o tenga acceso a la información y la documentación clínica está obligada a guardar la reserva debida". Por su parte, conforme art. 7 del mismo Texto:

"*1. Toda persona tiene derecho a que se respete el carácter confidencial de los datos referentes a su salud, y a que nadie pueda acceder a ellos sin previa autorización amparada por la ley.*

2. Los centros sanitarios adoptarán las medidas oportunas para garantizar los derechos a que se refiere el apartado anterior, y elaborarán cuando proceda las normas y los procedimientos protocolizados que garanticen el acceso legal a los datos de los pacientes".

Todo ello sin olvidar el reconocimiento de tal derecho en específicos ámbitos sectoriales, como el RD 2070/1999, de 30 de diciembre, por el que se regulan las actividades de obtención y utilización clínica de órganos humanos y la coordinación territorial en materia de donación y trasplante de órganos y tejidos[80]; el RD 2049/1986, de 21 de noviembre sobre la Interrupción Voluntaria del Embarazo[81], el art. 3.2 del RD 223/2004, de 6 de febrero, por el que se regulan los ensayos clínicos con medicamentos, o los Reales Decretos 1854/1993, que regula las transfusiones de sangre y hemoderivados, y 411/1996, que regula las actividades relativas a la utilización de tejidos humanos, por citar sólo parte de la normativa[82]. Digna de mención es también la Ley 14/2006, de 26 de mayo, sobre Técnicas de Reproducción Humana Asistida[83], las previsiones contenidas en la Ley 14/2007, de 3 de julio, de Investigación Biomédica, que regula, entre otros aspectos, la confidencialidad de los análisis y datos gené-

---

[79] En este sentido disponía su art. 61, hoy derogado por la Ley 41/2002, que debe "quedar plenamente garantizados el derecho del enfermo a su intimidad personal y familiar y el deber de guardar el secreto por quien, en virtud de sus competencias, tenga acceso a la historia clínica".

[80] Cuyo art. 5.1 dispone que "No podrán facilitarse ni divulgarse informaciones que permitan la identificación del donante y del receptor de órganos humanos".

[81] Cuyo art. 9 dispone que "en todo caso, se garantizará a la interesada el secreto de la consulta".

[82] Sobre una relación más amplia, véase por ejemplo, SÁNCHEZ CARAZO, La intimidad y el secreto médico, ob. cit., págs. 72 ss.

[83] Conforme a su art. 3.6, "Todos los datos relativos a la utilización de estas técnicas deberán recogerse en historias clínicas individuales, que deberán ser tratadas con las debidas garantías de confidencialidad respecto a la identidad de donantes, de los datos y condiciones de los usuarios y de las circunstancias que concurran en el origen de los hijos así nacidos". Véase también el art. 18.3 relativo a los centros de reproducción asistida, que dispone que "Los equipos médicos recogerán en una historia clínica, custodiada con la debida protección y confidencialidad, todas las referencias sobre los donantes y usuarios".

ticos[84], así como, por mencionar un ámbito distinto, la LO 7/2006, de 21 de noviembre, de protección de la salud y de lucha contra el dopaje en el deporte, en cuyos arts. 34 ss. contempla el tratamiento de los datos relativos al dopaje y a la salud en el deporte[85].

La protección de dicho derecho fundamental ha encontrado reflejo en el orden penal. Nuestro Código penal y, en general, la inmensa mayoría de los Códigos penales, ha optado por incorporar a su articulado preceptos que de forma específica contemplan la revelación de secretos por parte de quienes tienen acceso a los mismos con ocasión del ejercicio de la profesión médica. En este sentido, el Código penal del 95, superando la escueta regulación que ofrecía el anterior, y cuyas lagunas de punibilidad no habían escapado a la crítica doctrinal[86], dedica varios tipos a la protección de la intimidad. Así, a propósito del ámbito profesional que aquí interesa[87] puede citarse el apartado 4 del art. 197, en relación con la conducta de descubrimiento y revelación de datos por las personas encargadas o responsables de los ficheros, soportes informáticos, electrónicos o telemáticos, archivos o registros; el apartado 5 del mismo artículo, que contempla expresamente el caso de que el secreto afecte a la salud del paciente; el art 198, en relación con la conducta de los

---

[84] Véase el art. 9 relativo al tratamiento de los datos genéticos, el art. 45, que contempla los principios rectores en materia de análisis genéticos, muestras biológicas y biobancos, el art. 50, relativo al acceso a los datos genéticos por parte del personal sanitario y especialmente el art. 51.1, conforme al cual, "El personal que acceda a los datos genéticos en el ejercicio de sus funciones quedará sujeto al deber de secreto de forma permanente. Sólo con el consentimiento expreso y escrito de la persona de quien proceden se podrán revelar datos genéticos de carácter personal. Si no es posible publicar los resultados de una investigación sin identificar a los sujetos fuente, tales resultados sólo podrán ser publicados con su consentimiento".

[85] Conforme al art. 34:"1.- El personal que desempeñe las funciones de control del dopaje deberá guardar la confidencialidad y el secreto respecto de los asuntos que conozca por razón de su trabajo. 2.- Los datos, informes o antecedentes obtenidos en el desarrollo de sus funciones sólo podrán utilizarse para los fines de control del dopaje y, en su caso, para la denuncia de hechos que puedan ser constitutivos de infracción administrativa o de delito".

[86] Entre otros, LUZÓN PEÑA, "Tratamiento del secreto profesional en el Derecho español", en *Estudios Penales*, Barcelona, 1991, págs. 461 ss; ROMEO CASABONA/CASTELLANO ARROYO, "La intimidad del paciente desde la perspectiva del secreto médico y del acceso a la historia clínica", en *Derecho y Salud*, 1993, págs. 6 ss.

[87] Más allá de la protección penal del secreto médico en cuanto tal, deben tenerse en cuenta las disposiciones del Código penal relativas a otros profesionales. En concreto, dispone el art. 466 CP que "Si la revelación de las actuaciones declaradas secretas fuese revelada por el Juez o miembro del Tribunal, representante del Ministerio Fiscal, Secretario Judicial o cualquier funcionario al servicio de la Administración de Justicia, se le impondrán las penas previstas en el art. 417 en su mitad superior".

funcionarios; el art. 199.1[88] y 2[89], que tipifica las conductas, respectivamente, de revelación de secretos en el marco de una relación laboral (como sucede cuando el sujeto activo es, por ejemplo, un celador) y profesional; el art. 415 con relación a la conducta de la autoridad o funcionario público[90] "no comprendido en el artículo anterior que, a sabiendas y sin la debida autorización accediere o permitere acceder a documentos secretos cuya custodia le esté confiada por razón de su cargo", así como el art. 417, relativo a la revelación por parte de la autoridad o funcionario público de datos que conozca por razón de su oficio[91]. Por último, el art. 442 CP contempla la conducta de la autoridad o funcionario que haga uso de un secreto del que tenga conocimiento por razón de su oficio o cargo con ánimo de obtener un beneficio económico para sí o para un tercero[92].

---

[88] "El que revelare secretos ajenos, de los que tenga conocimiento por razón de su cargo o sus relaciones laborales, será castigado con la pena de prisión de uno a tres años y multa de seis a doce meses".

[89] "El profesional que, con incumplimiento de su obligación de sigilo o reserva, divulgue los secretos de otra persona, será castigado con la pena de prisión de uno a cuatro años, multa de doce a veinticuatro meses e inhabilitación especial para dicha profesión por tiempo de dos a seis años".

[90] Hay que tener en cuenta que el concepto de funcionario público a efectos penales es más amplio que en el orden administrativo, al considerarse como tal en el art. 24.2 CP a "todo el que por disposición inmediata de la Ley o por elección o nombramiento de la autoridad competente participe en el ejercicio de las funciones públicas", comprendiendo de este modo a todos los médicos que prestan sus servicios en establecimientos públicos con independencia de la índole de su vinculación.

[91] "1. La autoridad o funcionario público que revelare secretos o informaciones de los que tenga conocimiento por razón de su oficio o cargo y que no deban ser divulgados, incurrirá en la pena de multa de doce a dieciocho meses e inhabilitación especial pare empleo o cargo público por tiempo de uno a tres años.
Si de la revelación a que se refiere el párrafo anterior resultara grave daño para la causa pública o para tercero, la pena será de prisión de uno a tres años, e inhabilitación especial para empleo o cargo público por tiempo de tres a cinco años.
2. Si se tratara de secretos de un particular, las penas serán las de prisión de dos a cuatro años, multa de doce a dieciocho meses, y suspensión de empleo o cargo público por tiempo de uno a tres años".

[92] "La autoridad o funcionario público que haga uso de un secreto del que tenga conocimiento por razón de su oficio o cargo, o de una información privilegiada, con ánimo de obtener un beneficio económico para sí o para un tercero, incurrirá en las penas de multa del tanto al triplo del beneficio perseguido, obtenido o facilitado e inhabilitación especial para empleo o cargo público por tiempo de dos a cuatro años. Si obtuviere el beneficio perseguido se impondrán las penas en su mitad superior.
Si resultara grave daño para la causa pública o para tercero, la pena será de prisión de uno a seis años, e inhabilitación especial para empleo o cargo público por tiempo de siete a diez años. A los efectos de este artículo se entiende por información privilegiada toda informa-

Dado que el precepto que directamente interesa al objeto de este apartado es el art. 199.2, relativo a la revelación de secretos hecha por los profesionales, en los apartados siguientes nos ocupamos de sus principales rasgos típicos[93].

3. La tutela penal del secreto profesional. El art. 199.2 CP

Conforme al art. 199.2, "El profesional, que con incumplimiento de su deber de sigilo o reserva, divulgue los secretos de otra persona, será castigado con la pena de prisión de uno a cuatro años, multa de doce a veinticuatro meses, e inhabilitación especial para dicha profesión por tiempo de dos a seis años".

En primer lugar, en cuanto a los *sujetos activos,* dado que se trata de un delito especial propio cuyo autor tiene que ostentar la condición de profesional, resulta fundamental determinar quiénes deban considerarse como tales. Ante la ausencia en el Código penal de un detalle o relación de cuáles sean en concreto esos sujetos, ha sido clásica en la doctrina la definición de la profesión a partir de la definición que ofrece al respecto el Diccionario de la Real Academia, y que ya manejara BAJO FERNÁNDEZ comentando el Proyecto de Código penal de 1980. Este autor exige la concurrencia de los siguientes caracteres: 1.- Ejercicio de empleo, facultad u oficio; 2.- ejercicio público de una actividad jurídicamente reglamentada (investidura pública); 3.- necesidad de requerir tales servicios. A partir de ellos definía al profesional como "toda persona que ejerce públicamente un empleo, facultad u oficio cuyos servicios se requieren por razones de necesidad y que, por su interés público, están jurídicamente reglamentados"[94].

Dejando a un lado el último requisito, que en realidad, más que como tal, debe verse como una de las razones por las que se concede protección especial al secreto profesional, los dos últimos arrojan importantes claves de cara a identificar los sujetos activos.

---

ción de carácter concreto que se tenga exclusivamente por razón del oficio o cargo público y que no haya sido notificada, publicada o divulgada".

[93]   Puede verse un estudio detallado del precepto en GÓMEZ RIVERO, *La protección penal de los datos sanitarios. Especial referencia al secreto profesional médico,* Granada, 2007.

[94]   BAJO FERNÁNDEZ, El secreto profesional en el Proyecto de Código penal, en *ADPCP* 1980, *ob. cit.,* págs. 606 ss; siguiendo esos requisitos véase por ejemplo, OCTAVIO DE TOLEDO Y UBIETO, "Algunas reflexiones sobre el tratamiento jurídico del secreto profesional", en *La Ley,* 1983, pág. 1143, quien en la línea de BAJO precisa que la exigencia de reglamentación jurídica no se identifica con una titulación académica, sino simplemente con una autorización oficial para el ejercicio de la actividad en cuestión.

El primero de ellos, es el *ejercicio de un empleo, facultad u oficio.* Su valor se cifra en exigir que la actividad en cuestión se realice en el marco contextual de un *rol* profesional, de tal modo que aun cuando presente el carácter de un acto aislado o puntual para el sujeto que la presta, la misma se enmarque en un ejercicio prestacional con potencialidad o susceptibilidad de realizarse de forma continuada, siendo irrelevante el dato de que, *de facto,* se realice o no de forma permanente en el tiempo. De esta manera quedan fuera del ámbito típico del precepto casos como el del médico que accidentalmente prestara asistencia sanitaria a una persona, por ejemplo, asistiéndola en la calle. Por mucho que por medio de esa primera prestación llegase a tener conocimiento de los datos relativos a la persona atendida, la revelación de secretos que hiciera habría de quedar extramuros del art. 199.2.

En segundo lugar, el requisito de que se trate de una actividad *jurídicamente reglamentada* y que el sujeto en cuestión cumpla los requisitos exigidos para la misma para poder ser considerado profesional va a introducir importantes restricciones en el ámbito de protección de la norma.

La exigencia se explica por el hecho de que sólo la actividad reconocida públicamente puede demandar una tutela singular en lo que al secreto se refiere. Sería absurdo, por el contrario, que esas garantías, cifradas de forma sintética en la confianza mutua de los actores intervinientes en aras a posibilitar su ejercicio, se preocupara de preservarla el Estado respecto a las actividades que él no reconoce mediante un régimen estatutario. Al exigirse además que se cumplan los requisitos normativamente exigidos para su ejercicio, resulta también necesario que las mismas se presten por sujetos avalados por el correspondiente título o capacitación oficial, ya que el Estado sólo puede tutelar de forma singular las actividades que reconoce, y en las condiciones de legitimidad de las que hace depender en concreto su ejercicio. De lo anterior resulta que debe excluirse del ámbito de sujetos obligados por el secreto profesional a quienes ejercen de forma *intrusa* la actividad profesional, en cuanto que, dado que realizan una función que sólo de forma aparente se orienta a la práctica de la actividad, no puede predicarse de ellos la necesidad de tutela que demanda su ejercicio.

Ciertamente, podrá denunciarse la incoherencia que supone hacer de peor condición por lo que al art. 199.2 se refiere a quien cumpla los requisitos reglamentarios para el ejercicio de la profesión que a quien ejerce de forma intrusa la actividad, a quien conforme a lo anterior no se le podría aplicar dicho precepto; pero eso será entonces será entonces una consecuencia lógica derivada de la existencia de este delito especial. Todo ello sin olvidar que, en la medida en que se considere que ha revelado el secreto por "razón de su oficio o relaciones laborales", será de aplicación el apartado primero del art. 199.

Junto a lo anterior la delimitación del ámbito de aplicación del precepto requiere todavía alguna delimitación adicional atenta a la razón de ser que inspira la incorporación al CP de un delito relativo a las infracciones del deber de sigilo por los profesionales. Si bien es verdad que el bien jurídico protegido es la intimidad, no puede desconocerse que existen otros intereses que aun cuando no lleguen a tener la consideración de bien jurídico, están presentes en la configuración del precepto. Es lo que sucede con la garantía de la relación de confianza que está en la base de la relación profesional del médico con el paciente, y sin la cual sería imposible el desarrollo mismo de la actividad. Por ello, al margen del precepto deben quedar los casos en que la revelación se realice por profesionales que no guarden esa relación de confianza con el paciente. Este punto de vista permite dejar fuera de su ámbito de protección, por ejemplo, el caso en el que un médico tuviera conocimiento de datos de un paciente que atiende otro colega, pero que él no ha tratado personalmente. Si después revelara esos datos, aunque lo hiciera con ocasión del ejercicio de su profesión, la quiebra a la intimidad habría de reconducirse, en su caso, a otros tipos delictivos, no al art. 199.2 CP.

En cuanto a los *sujetos pasivos*, presupuesto del delito es que la información se refiera a personas identificadas o, al menos, que resulten identificables. Concurriendo este presupuesto es indiferente que los datos que revela se refieran al paciente o a terceros. Baste pensar, a título de ejemplo, en los casos en que el paciente acude a un psicólogo para tratar un estado de ansiedad motivado por los continuos episodios de embriaguez de su marido, de tal forma que, a partir de esa información, el profesional revelase a terceros ese dato de la embriaguez de quien no es su paciente. Lo mismo habría que sostener en relación con otros supuestos imaginables donde la información provenga de otras vías distintas a la comunicación verbal de los datos. Baste pensar en los casos, cada vez más frecuentes, en los que el médico somete a su paciente a un examen genético a partir del cual llega a diagnosticar enfermedades —actuales o de posible desarrollo futuro— que puedan sufrir parientes próximos de la persona que trata. Como decíamos, en cualquiera de estos supuestos es indiferente la persona a la que se refiera la información, siempre que el profesional haya tenido acceso a la misma con motivo del ejercicio de su profesión. Así vendría a avalarlo la referencia que hace el art. 199.2 a los datos de "otros", referencia que, por tanto, en absoluto limita el círculo de sujetos pasivos a los destinatarios directos de la asistencia sanitaria.

El núcleo de la conducta típica del art. 199.2 lo representa la acción de *"divulgar"*, por lo que resulta fundamental delimitar su significado. Según entiendo, por tal no sólo deben entenderse los supuestos en que el profesional realiza personal y materialmente la revelación sino, en general, cualquier comportamiento que de forma amplia se oriente a la puesta a disposición de los datos de que se trate a terceras personas no autorizadas. Así llevaría a entenderlo, no ya sólo una interpretación del delito conforme a criterios de racionalidad y de orientación a las consecuencias, esto es, de cara a evitar resultados político-criminalmente insatisfactorios, como resultaría si el médico pudiera sortear la aplicación del precepto recurriendo, por ejemplo, a un tercero para que fuera quien realizara material y personalmente la conducta de revelación. La misma también podría deducirse ya de una exégesis literal del término *divulgar*, que conforme al Diccionario de la Real Real Academia Española, significa *"publicar, extender, poner al alcance del público algo"*. En el concreto ámbito que nos interesa, la divulgación así entendida como *"extensión"* o *"puesta al alcance"* de otros tendría lugar con cualquier acto que pone los datos íntimos fuera del ámbito de estricta reserva de acceso a que está obligado el profesional, comprendiendo de esta forma no sólo las conductas de comunicación personal, sino cualesquiera otras por las que el dato dejara de estar sustraído al conocimiento de los demás.

Lo anterior, sin embargo, no supone que el delito se acabe comprendiendo como un tipo de mera actividad, sino que, por el contrario, debe interpretarse en la clave propia de los *delitos de resultado*, solución a la que apuntan tanto argumentos relacionados con el bien jurídico protegido por la norma como de cariz político criminal.

Lo primero, esto es, las consideraciones relativas al bien jurídico, porque dado que la razón de ser de la configuración del tipo del art. 199.2 es la protección penal de la intimidad, la pretensión de castigar los actos de divulgación que, aun siéndolos, no llegaran a plasmarse en resultado alguno supondría tanto como acabar configurando el tipo en términos de mera infracción formal de un deber. Esto sería propio de otros delitos como, por ejemplo, en relación con los funcionarios, la infidelidad en la custodia de documentos, pero no de un tipo que, como el art. 199.2, se orienta de forma directa a la tutela de la intimidad.

En segundo lugar, en cuanto a los argumentos de índole *político-criminal*, porque entonces, de conformarse el injusto del precepto con la mera realización de las conductas orientadas a la divulgación en aquellos términos amplios con independencia del resultado que llegara a producirse, se desconocería la necesidad de reservar la intervención penal para los ataques más graves, con su consiguiente solapamiento con las conductas que deban integrar, en su caso, las infracciones disciplinarias.

La fijación del concreto momento en que se cifre el resultado no puede situarse en el de la efectiva lesión del bien jurídico, sino en una situación *de peligro*. En concreto, allí donde, por un lado, por parte del profesional, pueda decirse que, abandonando su deber de sigilo, haya hecho ya todo lo necesario para poner los datos de forma efectiva *en poder del destinatario*; y, por otro, del lado ahora del destinatario, allí donde esos datos se encuentren ya en su poder, aun cuando éste todavía no haya tenido conocimiento efectivo de su contenido. Sólo entonces, cuando concurran estas dos exigencias, podrá decirse que la inminencia de proximidad a la lesión efectiva de la intimidad es tan alta y, con ella, la situación de peligro, que se justifica la reacción punitiva con la pena del delito consumado y será también, entonces, cuando puede entenderse perfeccionado el contenido material del injusto, debiéndose contemplar las vicisitudes posteriores al mismo como meros acontecimientos formales, ajenos por completo a su contenido del desvalor.

La tipicidad de la conducta se completa por la referencia a otros dos elementos que resultan fundamentales en la comprensión del precepto. Por un lado, el concepto de *secreto*, que es el objeto de referencia de la conducta de divulgación; por otro, el valor que deba concederse a la cláusula que incorpora el tipo relativa a que la revelación la realice el profesional *"con incumplimiento de su deber de sigilo o reserva"*. En lo que sigue, nos referimos por separado a cada uno de esos requisitos.

3.1. El concepto de secreto a efectos penales

La protección que el Código penal brinda al derecho a la intimidad del paciente, no sólo a efectos del art. 199.2, sino también en los distintos artículos que dedica a la materia descansa sobre el concepto de *secreto*. Ello hace necesario delimitar y definir lo que haya de entenderse por tal como presupuesto de la aplicación de los distintos tipos delictivos. Así, según veíamos, el apartado 4 del art. 197 se refiere a la conducta de descubrimiento y revelación de *secretos* por las personas encargadas o responsables de los ficheros, soportes informáticos, electrónicos o telemáticos, archivos o registros: el apartado 5 del mismo artículo, contempla específicamente el caso de que el *secreto* afecte a la salud del paciente; el art 198, se refiere a las conductas de descubrimiento y revelación de *secretos* por un funcionario; el art. 199.1 y 2 contempla las conductas, respectivamente, de revelación de *secretos* en el marco de una relación laboral y profesional; el art. 415 tipifica la conducta de la autoridad o funcionario público "que, a sabiendas y sin la debida autorización accediere o permitiere acceder a documentos *secretos* cuya custodia le esté confiada por razón de su cargo"; por último, el art. 417 se refiere a la autoridad o funcionario público que revele *secretos* o informaciones que conozca por razón de su oficio.

Según se reconoce de forma prácticamente unánime, el ámbito del secreto médico se extiende a la totalidad de los datos privados conocidos por el profesional en el ejercicio de su profesión (bien sea debido a la comunicación por el propio paciente o al descubrimiento por el médico en el curso de la exploración[95]) que puedan calificarse como *íntimos o reservados*[96]. Al respecto, puede considerarse válida la definición comúnmente aceptada al respecto en la doctrina alemana: secretos son los hechos que sólo son conocidos por un círculo limitado de personas y en cuyo mantenimiento secreto el afectado tiene un interés comprensible, esto es, cuya protección está objetivamente fundada[97].

No obstante, pese a la aparente simplicidad de este enunciado, su concreción en el caso particular se erige en la práctica en el verdadero núcleo gordiano de la aplicación de las previsiones legales. De hecho, la primera dificultad proviene ya de la necesidad de conjugar los aspectos objetivos y subjetivos que, como se desprende de esa definición, toma por base su concepto[98].

En la búsqueda de un punto de equilibrio o simbiosis entre ambos aspectos, tal vez lo único que está fuera de discusión es que si bien la voluntad del afectado no es un factor decisivo a la hora de acotar el marco de lo que haya de entenderse por secreto, la misma es suficiente por sí sóla para despojar a

---

[95]   Al respecto, véase referencias doctrinales en FERNÁNDEZ HIERRO, *Sistema de responsabilidad médica, ob. cit.*, págs. 150 ss.

[96]   Véase por ejemplo la STS de 4 de abril de 2001: "Por secreto ha de entenderse lo concerniente a la intimidad, que sólo es conocido por su titular o por quien él determine".

[97]   Entre otros, ULSENHEIMER, *Arztstrafrecht in der Praxis, ob. cit.*, págs. 271 s; NIEDERMAIR, "Verletzung von Privatgeheimnissen im interesse des Patienten? Aus der neueren Rechtsprechung zur ärztlichen Schweigepflicht, en *Medizinstrafrecht, In Spannungsfeld von Medizin, Ethik und Strafrecht*, Hrsg. ROXIN/SCHROTT, Stuttgart/München/Hannover/Berlin/Weimar/Dresden, 1999, pág. 366; MÜLLER, "Schweigepflicht und Schweigerecht des Arztes", en "Schweigepflicht und Schweigerecht des Arztes", en *Die juristische Problematik in der Medizin*, Band II. Ärztliche Aufklärungs- und Schweigepflicht, (Hrsg. von Mergen) München, 1971, pág. 91; LENCKNER, en "Ärztliches Berufsgeheimnis", en *Arzt und Recht, ob. cit.*, págs. 171 s.

[98]   En este sentido, en la doctrina alemana, por ejemplo, NIEDERMAIR, en ROXIN/SCHROTH, *Medizin und Strafrecht. In Spannungsfeld von Medizin, ob. cit.*, págs. 363 s. Véanse las referencias doctrinales recogidas por TOBINSKY, *Zur Strafbarkeit des Arztes, der bei der Abrechnung seiner privatärztlichen Tätigkeit sogennante 'Privatärztliche Verrechnungsstellen' einschaltet*, Frankfurt/Bern/New York/Paris, 1991, págs. 21 ss.

un dato de la consideración de tal. En otras palabras, que si bien la voluntad del interesado no puede determinar, sin más, lo que es secreto, sí basta para decidir lo que no lo es, en cuanto que en este ámbito, al igual que ocurre con tantos otros en los que se plantea la protección de un interés disponible, el punto de partida de la tutela penal es la voluntad del titular. Por ello, cuando aquél renuncia —de forma explícita o implícita— a su protección, ésta decae. Más allá de esta delimitación negativa de lo que sea secreto, las dificultades se concentran a la hora de conjugar los aspectos subjetivos y objetivos que permitan acotar lo que, como tal, merezca tutela penal.

De entrada, la referencia que el legislador penal hace al concepto de "secreto" parece poner en la pista de que pretende acotar un segmento del concepto más amplio de datos *íntimos*, cuya revelación, en principio, bien pudiera dar paso exclusivamente a la protección civil conforme al art. 7.4 de la LO 1/1982, de 5 de mayo y, por supuesto, maneja también un concepto más restringido de los datos de carácter personal cuya protección regula la LO 15/1999, de 13 de diciembre de Protección de Datos. Según vimos, esta Ley considera de forma amplia como intromisión ilegítima "la revelación de datos privados de una persona o familia conocidos a través de la actividad profesional u oficial de quien los revela". Frente a ello, al convertir en pilar de la intervención penal el concepto de secreto el legislador penal parece querer trazar ya de entrada un límite que objetiviza el ámbito de lo que haya de entenderse por tal, vedando así la posibilidad de recurrir al Derecho penal para proteger aspectos que el paciente, de forma más o menos caprichosa, se opusiera a que el médico revelase. Así, por ejemplo, aunque es un dato íntimo la homosexualidad del paciente, éste no podría fundamentar una demanda de responsabilidad penal contra el médico por comunicar ese dato a un tercero cuando el mismo previamente lo haya hecho público por otras vías, por ejemplo, narrándolo en un libro o acudiendo a un programa de televisión para ser entrevistado[99].

Es más, la conclusión habría de ser la misma en la hipótesis, prácticamente académica, en la que el programa, por fallos de emisión, no hubiera podido visualisarse o que incluso no hubiera tenido ninguna audiencia, en cuanto que lo único importante es que el dato en cuestión se puso a disposición de cualquiera. Lo contrario sólo podría fundamentarse desde una concepción *formal* de la protección penal, desconocedora de la lesividad *material* de un bien jurídico cuya tutela penal no puede descansar ni en la mera anticipación temporal en el conocimiento de una información ni en su facilitación a terceros que de todos modos tenían acceso a la misma. Por el contrario,

---

[99]   En la doctrina alemana, por ejemplo, BRENNER, *Arzt und Recht, ob. cit.*, B.II.21.2.

la intervención penal sólo puede basarse en su improcedencia en términos absolutos. No es por ello de extrañar que en la doctrina alemana algún autor, como SAMSON, haya definido el secreto como los hechos que son conocidos sólo por un círculo limitado de personas y que "no permanecen en secreto por mera casualidad"[100].

Por lo mismo, habrá de excluirse del ámbito del secreto la revelación de enfermedades que son cognoscibles por cualquiera, como un defecto visual que ya delata la utilización de gafas, una cojera perceptible visualmente o las dificultades de audición[101]. Con todo, no le falta razón a TOBINSKY cuando en tales casos advierte la necesidad de diferenciar entre lo que sean los caracteres de la enfermedad perceptibles sensorialmente por cualquiera y la eventual revelación de datos, como el pronóstico o gravedad de la dolencia, algo que, ahora sí, sólo el facultativo conoce y que, por ello, podría engrosar la lista de los datos secretos[102]. La necesidad de atender a una comprensión material del bien jurídico determina igualmente que deba desterrarse del ámbito penal la divulgación de datos que, si bien de momento no son conocidos, inexorablemente pasarán a serlo en el futuro. Así, por ejemplo, por mucho que una mujer sin pareja no quiera que el médico comunique su embarazo, la protección de dicho dato como secreto frente a las personas de su entorno no puede fundamentarse en la sola voluntad de ésta cuando pasados unos meses aquél será un extremo cognoscible por cualquiera.

A partir de lo anterior queda por resolver aún la cuestión en torno a lo que, en términos positivos y no de mera exclusión, se considere secreto, esto es, la pregunta acerca de con qué parámetros puede medirse lo que, además de tener tales características, merezca protección penal más allá de la que dispense el orden civil.

En el intento de encontrar un criterio que permita trazar con carácter general el ámbito de los datos secretos dignos de protección penal, no han faltado propuestas orientadas a objetivizar las eventuales pretensiones subjetivas del interesado. En la doctrina alemana es el caso ya referido de SAMSON, quien se esfuerza en dotar de contenido a lo que en términos objetivos pueda considerarse digno de permanecer en secreto ("*Geheimhaltungswürdigkeit*"). Para ello, este autor pone el acento en una dualidad de exigencias: en primer

---

[100]   SAMSON, *Systematischer Kommentar zum Strafgesetzbuch*, Bd. I. AT, 2 Auf, Frankfurt 1977 §203.26.

[101]   Por ejemplo, SCHLUND, en LAUF/UHLENBRUCK, *Handbuch des Arztrechts, ob.cit.*, pág. 381.

[102]   TOBINSKY, *Zur Strafbarkeit des Arztes, der bei der Abrechnung seiner privatärztlichen Tätigkeit sogennante 'Privatärztliche Verrechnungsstellen' einschaltet, ob. cit*, pág. 19.

lugar, que se trate de algo que sólo sea conocido por un grupo determinado de personas; en segundo lugar, que esa falta de conocimiento genérico no se deba al mero azar[103].

Si bien hay que reconocer que la propuesta de SAMSON tiene el mérito innegable de evitar que la protección penal pivote sobre las circunstancias que caprichosamente pueda decidir el afectado, lo cierto es que, en realidad, no aporta nada nuevo al punto de partida ya señalado más arriba, en cuanto que en el fondo lo único que hace es reiterar que el dato en cuestión no puede ser público. Por eso, porque no introduce ningún filtro adicional que tamice el concepto de secreto que merezca ser protegido penalmente, la estricta aplicación de su criterio llevaría a consecuencias inadmisibles. Baste pensar que entonces habría de elevarse a la categoría de secreto cualquier circunstancia que se refiera al paciente, por irrelevante que ésta fuese, con tal que de otra forma resultase inaccesible o de muy difícil conocimiento por terceros. Este proceder llevaría a tratar por igual casos de muy distinta entidad, cuya equiparación resulta ya inadmisible a la luz del más básico sentimiento de justicia. Y es que, en efecto, de admitirse la propuesta del autor, habrían de tratarse iguales los casos en que el médico revela que el paciente padece una gripe, una otitis, o un simple dolor muscular que aquellos otros en los que la revelación se refiere al padecimiento de una enfermedad de transmisión sexual, entre ellas el SIDA[104].

No es por ello de extrañar que frente a este primer criterio se hayan ensayado otros que permitan acotar los datos que, además de ser desconocidos y no cognoscibles por la generalidad, tengan entidad suficiente para merecer protección penal. En este sentido puede citarse la propuesta de ROGALL, quien pretende objetivizar lo que deba considerarse como secreto a partir del concepto de privacidad (*"Privatheit"*). Dicho concepto, entiende el autor, cumple una doble función: por una parte, sirve al derecho a la autodeterminación de cada persona; por otra, se orienta a garantizar el libre desarrollo de la individualidad del sujeto. Conforme a lo anterior, entiende que la esfera de privacidad que debe adquirir relevancia penal es aquélla cuya revelación puede resultar disfuncional para el individuo desde el punto de vista de su integración en la sociedad. De esta forma, define la privacidad como el derecho a controlar la información sobre aquellas circunstancias o datos de la persona

---

[103]   SAMSON, *SK, ob. cit.*, §203.26.
[104]   MUÑOZ CONDE, "Falsedad documental y secreto profesional en el ámbito sanitario", en *Derecho y Salud*, 1996, pág. 153.

que, "caso de ser conocidos, sería perjudiciales para la estima social del afectado y dificultarían su vida en sociedad"[105].

El punto de partida de este autor entiendo que ofrece una sólida línea para objetivar lo que se considere digno de protección penal, en cuanto que frente a la propuesta de SAMSON, permite dejar al margen de ese ámbito los supuestos en que la revelación de datos tiene menor relevancia, por mucho que los mismos no fueran públicos. Sólo partiendo de aquello que en el contexto social pueda considerarse digno de permanecer en secreto se traza un primer criterio con el que calibrar desde un punto de vista penal la relevancia de la conducta. Así, por ejemplo, no cabe duda de que es digno de protección el interés del sujeto de que no se conozcan datos que puedan afectar negativamente a su imagen, como la adicción a las drogas del paciente o el mantenimiento de relaciones sexuales con sujetos pertenecientes a grupos de riesgo.

Ahora bien, aun aceptando este punto de partida, entiendo que, frente a la fórmula que propone ROGALL, que focaliza exclusivamente el interés de protección en los supuestos referidos, la tutela del secreto debe extenderse igualmente a otros supuestos que completan el panorama del ámbito digno de protección penal a la par que evitan que la tutela de la intimidad quede al albur de la interpretación de un concepto tan relativo e impreciso como el de lo "perjudicial para la estima social"[106]. Los primeros son aquellos en los que, si bien las consecuencias que deriven de la revelación del secreto no tienen por qué ser necesariamente negativas, con la comunicación de esos datos se revelen creencias, ideas o actitudes que se consideran estrictamente personales. Es lo que sucedería, por ejemplo, respecto a datos como si la paciente se ha sometido a alguna vez a una intervención abortiva[107] o si tiene relaciones con personas de su mismo sexo, en cuanto que también en estos casos puede

---

[105]　ROGALL, "Die Verletzung von Privatgeheimnissen (§203 StGB)", *NStZ* 1983, pág. 4.

[106]　En este sentido, por ejemplo BRENNER define el secreto como las circunstancias que sólo son conocidas por alguno o por un círculo limitado de personas y en las que el paciente tiene un interés digno de protección de que sigan siendo secretas, en *Arzt und Recht, ob. cit.*, B.II.21.1.

[107]　Véase por ejemplo la STS de 4 de abril de 2001, que, casando la sentencia dictada por la Audiencia Provincial de Valencia, condenó por vulneración del secreto profesional al médico neurólogo que visitó a una paciente ingresada en la sección de ginecología, a la que conocía por proceder sus familias de una pequeña localidad. La médico tuvo que analizar el historial médico de la paciente, donde constaba que se había sometido con anterioridad a dos intervenciones legales del embarazo. Esta circunstancia fue manifestada por la médico a su madre, quien a la primera ocasión, en el pueblo, indicó a la hermana de la gestante el hecho, ya conocida por ésta, del estado de gravidez actual y la precedente existencia de dos abortos.

descubrirse un *interés o expectativa* cuya protección excede del capricho más o menos arbitrario del sujeto en cuestión para encontrar apoyo en consideraciones objetivas. Y es que, en efecto, representa un interés objetivo el que nadie tenga conocimiento de aspectos que revelan la forma de pensar o los hábitos de vida que delatan las tendencias o convicciones de la persona y que, por tanto, ofrecen importantes indicadores en torno a circunstancias estrictamente personales.

En segundo lugar, entiendo que más allá de los casos en los que la información pueda tener trascendencia social, la búsqueda de una fórmula que objetivice los datos dignos de tutela no puede perder de vista las repercusiones que la revelación pueda tener para el interesado. En otras palabras, los criterios que objetivicen los límites de responsabilidad no pueden desconocer los aspectos ligados a la persona del portador del secreto. Dado que se trata de enunciar criterios objetivos, los únicos aspectos subjetivos que pueden venir en consideración por esta vía serán aquellos que, más allá de las preferencias o caprichos del sujeto, expresen una pretensión *objetivable*. Así, por ejemplo, es evidente que no es lo mismo revelar la edad de una señora que se opone a ello por simples razones de coquetería o que prefiere que no se conozca su estado civil o, simplemente, si en la actualidad tiene o no un compañero/a sentimental —supuestos que todo lo más podrían dar paso a una reclamación civil—, que los casos en los que la revelación de ese mismo dato tiene trascendencia para el propio sujeto. Por lo demás, la conclusión anterior habrá de permanecer invariable aun cuando éstas consistan en la consecución de un beneficio ilegal no delictivo[108] (por ejemplo, porque declara en una póliza de enfermedad ser más joven para poder ser admitido en una compañía aseguradora que contempla límites de edad)[109].

Bien es verdad que la valoración anterior introduce un factor de inseguridad en cuanto supone el recurso al siempre denostado criterio de la valoración judicial. Pero sólo una tarea valorativa impide reconducir al ámbito penal revelaciones que no deben pasar de considerarse como meras indiscreciones que, por su menor trascendencia social, tienen que quedar al margen de la reacción más violenta de cuantas dispone el Estado. Sólo así, exigiendo que la voluntad del paciente no se apoye en el vacío, sino sobre la base de un

---

[108] En cuyo caso, como se verá más adelante, se darían los presupuestos de un estado de necesidad.

[109] En este sentido véase BOCKELMANN, *Strafrecht des Arztes, ob. cit.*, pág. 36, quien maneja el criterio de lo comprensible ("verständlich"), entendiendo por tal todas las circunstancias que podrían ser relevantes para terceros, incluyendo también las que obedecen a motivos mezquinos ("schäbige Gründe").

interés objetivo, puede evitarse el riesgo de acabar incriminando conductas, como las que señalara SCHMIDT, de revelar lo que desayuna el paciente o el lugar al que va a veranear, por mucho que aquél se oponga a la divulgación de tales datos privados[110].

Por otra parte, así acotado el contenido del secreto, no existen dificultades a la hora de afirmar que su vulneración puede producirse de cualquier modo imaginable. Es indiferente, en efecto, que la comunicación de datos se realice de forma activa u omisiva; y en el primer caso, que lo sea verbalmente, por escrito o de cualquier otra forma imaginable. Así, por ejemplo, de la misma forma se lesiona el derecho del paciente a que no se conozca su enfermedad comunicando sus datos personales que mostrando una fotografía o pruebas radiográficas[111].

3.2. Límites de vigencia del secreto

Más allá de la cuestión relativa al ámbito de lo que se considere digno de protección, otro de los problemas nucleares en torno a la protección penal del secreto en el art. 199.2 CP surge a la hora de trazar los límites *relativos* de dicha tutela, esto es, de determinar el momento a partir del cual el derecho a la intimidad, en lo que aquí interesa, el derecho a que no sea conocida por terceros la enfermedad que padece el sujeto, *pueda* decaer ante otros intereses e incluso, en su caso, *tener* necesariamente que ceder ante la prevalencia de los mismos.

De hecho, a esa colisión apunta inequívocamente el art. 199.2 CP cuando condiciona la aplicación de sus previsiones a que el profesional realice la re-velación *"con incumplimiento de su obligación de sigilo o reserva"*. Si bien esta técnica de incorporar en el tipo elementos relativos a la antijuricidad no es exclusiva del art. 199.2, sino que es posible encontrarla en otros muchos de-litos, lo cierto es que la forma en que se configura en aquel precepto agranda las dificultades interpretativas. En efecto, a diferencia de lo que sucede en otros delitos, como el 163.4 relativo a las detenciones ilegales, en los que el le-gislador acota ese ámbito de atipicidad a partir de la referencia a lo dispuesto en la ley, el art. 199.2 no contiene restricción alguna relativa a cuáles sean los espacios de permisibilidad a los que se refiere el tipo, de tal forma que, de no introducirse límite alguno, el número de casos que podría incluirse por esta vía podría comprender no sólo los de permisibilidad legal, sino cualquiera que

[110]   SCHMIDT, en PONSOLD, *Lehrbuch der Gerichtlichen Medizin, ob. cit.*, pág. 27, nota 2.
[111]   GLATZ, *Der Arzt zwischen Aufklärung und Beratung, ob. cit.*, págs. 310 ss.

pudiera considerarse justificado conforme a la lógica propia de una causa de justificación.

Para evitar que la cláusula adquiera un contenido tan amplio que no deje espacio a la justificación, debe entenderse que con ella el legislador en modo alguno ha pretendido comprender los casos de colisión genérica de deberes u obligaciones propios de la categoría de la antijuricidad, sino que el espacio que dote de racionalidad a dicha cláusula tiene lugar en un momento anterior al de aquella colisión de intereses, en concreto, a la hora de identificar el alcance mismo de la obligación de secreto del médico que luego, en su caso, se contraponga a esos otros deberes cuyo conflicto se examine, entonces sí, en sede de antijuricidad.

Conforme a lo anterior, cuando el legislador se refiere en el art. 199.2 como elemento que excluye la propia tipicidad al incumplimiento del deber de sigilo, debe entenderse que está haciendo mención a las normas extrapenales, que por estatuir *obligaciones* para los profesionales y no meramente facultades de actuar, delimitan el contenido de su deber de sigilo. En definitiva, el valor de esta cláusula sería, en realidad, el de operar al modo propio de las *normas penales en blanco*, esto es, de suponer una remisión a la normativa extrapenal que en los distintos ámbitos delimita el deber de reserva del médico como presupuesto de la tipicidad misma de la conducta. Así, por ejemplo, dicha cláusula está llamada a completarse por la LO 1/1982, que dispone en su art. 8 apartado 1 que "No se reputarán, con carácter general, intromisiones ilegítimas las actuaciones autorizadas o acordadas por la Autoridad competente de acuerdo con la Ley, ni cuando predomine un interés histórico, científico o cultural relevante". En el mismo sentido, el art. 16 de la Ley 41/2002 prevé la entrega de historias clínicas con fines de investigación judicial[112], y el art. 77.8 inciso segundo de la Ley 29/2006, de 26 de julio, de garantías y uso racional de los medicamentos, que dispone que no será necesario el consentimiento del interesado para el tratamiento y la cesión de datos que sean consecuencia de la implantación de sistemas de información basados en receta médica en soporte papel o electrónico. Por citar alguna previsión reglamentaria, el art. 199.2

---

[112] En el ámbito internacional, contempla esta posibilidad el art. 9 del Convenio de Estrasburgo de 1981, que excepciona de la prohibición de revelación de datos los casos en que sea una medida necesaria "a) para la protección de la seguridad del Estado, de la seguridad pública, para los intereses monetarios del Estado o para la represión de infracciones penales"; véase también la Recomendación 5/97, de 13 de febrero de 1997 del Comité de Ministros del Consejo de Europa a los Estados miembros sobre Protección de Datos Médicos, cuyo artículo 7.3 dispone que los datos médicos pueden comunicarse si son relevantes y es una medida permitida por la Ley con fines de "iv. el establecimiento, ejercicio o defensa de una reclamación legal".

habrá de entenderse también integrado, por ejemplo, por el RD 2210/1995, de 28 de diciembre, por el que se constituye la Red Nacional de Vigilancia Epidemiológica, que impone en su art. 33 la obligación de los profesionales de la medicina tanto del sector público como privado, de comunicar los casos de diagnóstico del SIDA al Registro de Sida de la Comunidad Autónoma[113].

Por el contrario, allí donde aquella normativa sólo establezca una opción facultativa para el profesional sanitario, esto es, ámbitos de permisibilidad, cuando este optara por la revelación de los datos la exclusión de su responsabilidad habría de reconducirse a los cauces propios de las causas de justificación.

La operatividad de las causas de justificación cobra gran importancia en la práctica. No puede olvidarse que es una premisa prácticamente indiscutida el reconocimiento del carácter limitado con que se protege el derecho a la intimidad. De hecho, el propio Tribunal Constitucional ha tenido ocasión de pronunciarse expresamente sobre el carácter limitado de la protección de la intimidad en la Sentencia 37/1989, de 15 de febrero. En ella se planteaba la conformidad a Derecho de la incautación judicial de historiales clínicos en la Clínica del Doctor Sáez de Santamaría como medio para indagar la posible comisión de delitos de aborto. El Alto Tribunal negó que el acto de reconocimiento constituyese una práctica degradante o contraria a la dignidad humana, afirmando que "No hay derechos ilimitados y la intimidad no es una excepción". No obstante, en el concreto caso enjuiciado, el Tribunal Constitucional consideró que la orden judicial no estaba suficientemente motivada y, por ello, no podría hablarse de proporcionalidad entre la vulneración de la intimidad y los intereses que con ella se pretendían conseguir.

La dificultad no está, por ello, en afirmar el carácter limitado de tal derecho. Aquélla se presenta a la hora de precisar los presupuestos en los que se excepcione su protección por *facultarse* al médico conforme a los cauces propios de la justificación para que proceda a la revelación de los datos secretos.

Por seguir un orden creciente de complejidad, bien es verdad que todavía pueden identificarse supuestos en los que ni siquiera se plantea un conflicto de intereses que pudiera resolverse a favor o en contra de la intimidad del paciente. Baste pensar en la posible comunicación de sus datos personales con fines de investigación científica. En estos supuestos no se plantaría dificultad alguna para descartar la legalidad de la actuación del médico que proporcio-

---

[113]   Todo ello con independencia de que, como tendremos ocasión de aclarar más adelante, en estos casos ni siquiera podría hablarse de la difusión del secreto.

nara los datos personales de aquél, ya que en ellos ni siquiera puede hablarse en puridad de una colisión de intereses en el sentido de que la atención de uno implicase el desconocimiento del otro. En realidad, la supuesta antítesis se evita fácilmente mediante la omisión de los datos personales[114], tal como por lo demás prevé la correspondiente normativa[115].

La misma ausencia de una colisión real de intereses está presente en los supuestos en los que la comunicación tiene lugar entre profesionales. Es lo que sucede, por ejemplo, con la comunicación de la enfermedad o pronóstico de un enfermo por parte del médico al personal auxiliar, como pueda ser la enfermera que tiene que redactar la documentación médica. Lo mismo habría de decirse en relación con el personal no estrictamente sanitario que indirectamente llegara a conocer esos datos (por ej., personal administrativo). No le falta por ello razón a SCHMIDT cuando afirma que en tales supuestos ni siquiera puede hablarse con propiedad de una revelación de secretos a terceros[116] sino de una extensión del secreto médico que, por contraposición al anterior, se denomina ahora como derivado[117], y a la que consiente de forma

---

[114]   *Confidencialidad y derecho a la intimidad en la investigación sanitaria, actas de la reunión promovida por el Instituto Valenciano de Estudios en Salud Pública y la Sociedad Española de Epidemiología*, Valencia, 24-25 marzo 1988. Ministerio de Sanidad y Consumo, Generalitat Valenciana.
En la doctrina alemana véase por ejemplo, BRENNER, *Arzt und Recht, ob. cit.*, B.II.21.4.

[115]   Así, el art. 15.4 del Código Deontológico dispone que "El análisis científico y estadístico de los datos contenidos en las historias y la presentación de algunos casos concretos pueden proporcionar informaciones muy valiosas, por lo que su publicación es autorizable desde el punto de vista deontológico, con tal de que se respete el derecho de los pacientes a la intimidad; conforme al art.16 de la Ley 41/2002, "El acceso a la historia clínica con fines judiciales, epidemiológicos, de salud pública, de investigación o docencia...obliga a preservar los datos de identificación personal del paciente, separados de los de carácter clínico-asistencial, de manera que como regla general quede asegurado el anonimato, salvo que el propio paciente haya dado su consentimiento para no separarlos. Se exceptúan los supuestos de investigación de la autoridad judicial en los que se considere imprescindible la unificación de los datos identificativos con los clínico-asistenciales, en los cuales se estará a lo que dispongan los jueces y tribunales en el proceso correspondiente". En el ámbito comunitario véase la Directiva 95/94/CE, cuyo art. 12 dispone que "Siempre que sea posible, los datos médicos usados para fines de investigación científica deben ser anónimos. Los profesionales y organizaciones científicas y las autoridades públicas deben promover el desarrollo de técnicas y procedimientos para asegurar el anonimato".

[116]   SCHMIDT, en PONSOLD, *Lehrbuch der Gerichtlichen Medizin ob. cit.*, págs. 24 s.

[117]   En nuestra doctrina, véase CRIADO DEL RÍO, *Aspectos médico-legales de la historia clínica, ob. cit.*, pág. 155.

implícita el paciente en cuanto que dicha revelación es necesaria y consustancial al ejercicio de la medicina[118].

Conforme a la misma argumentación, tampoco plantearía dificultades el tratamiento de los casos en que se trata de la comunicación de datos entre profesionales, bien porque esa revelación se enmarque dentro de una consulta entre ellos, bien, de forma aún más evidente, porque el enfermo se ponga en manos de un equipo médico[119]. En cualquiera de esos casos, todos los profesionales que tengan acceso a los datos del paciente quedan igualmente gravados por el deber de secreto médico. De hecho, tal práctica se encontraba claramente plasmada en el art. 15.5 del Código de Ética y Deontología Médica de 1979 al disponer que "El médico está obligado, a solicitud y en beneficio del enfermo, a proporcionar a otro colega los datos necesarios para completar el diagnóstico, así como a facilitarle el examen de las pruebas realizadas", y el mismo razonamiento está implícito en el art. 15.1 del actual Código al disponer que, "el médico tiene el deber de exigir a sus colaboradores discreción y observancia escrupulosa del secreto profesional". Por su parte, ya en el plano positivo, establece el art. 16.6 de la Ley 41/2002 que "El personal que accede a los datos de la historia clínica en el ejercicio de sus funciones queda sujeto al deber de secreto".

También dentro de estos supuestos en los que, en realidad, no puede hablarse de revelación de datos a terceros habrían de incluirse aquellos en que los superiores recaban datos al médico con fines de inspección. Valga de cita el caso enjuiciado por la Audiencia Provincial de Segovia en la sentencia de 19 de diciembre de 2000. El Gerente de Asistencia Pública Domiciliaria del Insalud de Segovia, al observar en una evaluación de la "Cartera de Servicios" que faltaba información solicitó a distintos médicos de Atención Primaria diversos listados de pacientes con su número de identificación. Frente a la alegación de los médicos requeridos que entendieron que dichos listados afectaban a la intimidad de los enfermos y que su entrega podría infringir su obligación de secreto profesional, consideró la Sentencia que en este caso no podía hablarse ni de actividad prohibida por la Ley de Protección de Datos[120] ni, por lo que

[118]   PFEFFER, *Durchführung von HIV-Tests ohne den Willen des Betroffenen*, ob. cit., pág. 160.
[119]   PFEFFER, *Durchrführung von HIV-Tests ohne den Willen des Betroffenen*, ob. cit., págs. 160 s.
[120]   La Sentencia argumentaba sobre la base del apartado 3 del art. 7 de la LO 15/1999 de Protección de Datos de Carácter Personal, que exceptiona de la exigencia de consentimiento expreso del afectado para el tratamiento de datos los casos en que "resulte necesario para la prevención o diagnóstico médicos, la prestación de asistencia sanitaria o tratamientos médicos o la gestión de servicios sanitarios, siempre que dicho tratamiento de datos se

ahora interesa, de quebrantamiento de secreto profesional a efectos de aplicar el art. 197:

No cabe "la aplicación del delito de revelación de secretos, pues aparte de que en este caso los potenciales agraviados serían los pacientes y no han denunciado, requisito necesario de procedibilidad (art. 201 CP), el tipo básico del 197 exige en la actividad típica ausencia de autorización (cuál mayor que la derivada del propio ordenamiento) y el art. 199 alude igualmente al incumplimiento del deber de sigilo o de reserva, quebrantamiento que no se produce igualmente por decisión de la Ley, cuando los referidos datos son entregados a la inspección sanitaria. Pero además, en cualquier caso, aunque carezcamos de normativa similar a la prevista en el parágrafo 203 StGB o en el art. 622 del CP italiano, resulta evidente la necesidad en la distribución horizontal y vertical del trabajo sanitario de que exista acceso al historial médico por personal auxiliar o superior jerárquico en orden a la evaluación o supervisión de su trabajo, quienes por una parte no pueden ser considerados como terceros a efectos del conocimiento por razones profesionales, pero a quienes lógicamente también es predicable la condición de confidentes necesarios, determinante de la obligación de sigilo y reserva de lo conocido por este medio".

El límite a esta facultad de comunicar datos reservados entre profesionales habrá de trazarse, lógicamente, allí donde la comunicación se desvincule de estrictas razones de necesidad de tratamiento. Es lo que sucede, por ejemplo, en el caso que comenta NIEDERMAIR:

Se trataba de un psicólogo de un centro de salud mental al que una paciente comentó haber mantenido en otro tiempo relaciones sexuales con el Director del centro, quien tenía entonces confiado su cuidado. Pese a que la paciente condicionó la confesión al mantenimiento del secreto, el psicólogo reveló dicha confidencia a otros profesionales del Centro. El acusado alegó en su favor que reveló el hecho por considerar que tal vez esas relaciones estaban en el origen de los problemas mentales de la paciente, hasta el punto de temer que pensara incluso en el suicidio. Junto a lo anterior, alegó que no consideraba de recibo que el Director mantuviese relaciones con las personas que estaban a su cuidado[121].

Como señala NIEDERMAIR, el tratamiento de casos como éste no puede asimilarse al de aquellos otros en que la comunicación entre profesionales obedece a la atención conjunta del paciente. Ahora, por el contrario, la comunicación del secreto por parte de la paciente se incardina en las coordenadas de una relación exclusivamente bilateral que en absoluto puede comprender implícitamente su extensión a terceros. Es más, como señala el mismo autor, ni siquiera en este supuesto podría recurrirse a un *estado de necesidad* para

---

realice por un profesional sanitario sujeto al secreto profesional o por otra persona sujeta asimismo a una obligación equivalente de secreto".

[121]   NIEDERMAIR, en ROXIN/SCHROTH, *Medizin und Strafrecht. In Spannungsfeld von Medizin, ob. cit.*, pág. 365.

justificar la revelación debido a la imposibilidad de argumentar ni sobre la base del interés del paciente en descubrir la causa de sus trastornos mentales, ni apelando al supuesto interés de terceros en evitar que la conducta del Director volviera a repetirse. Lo primero, porque al referirse los intereses en conflicto a una misma persona, no puede solucionarse acudiendo a una estricta ponderación objetiva. Al contrario, tendrán que ser decisivas las preferencias subjetivas del afectado, de tal forma que para poder revelar el secreto sería necesario su consentimiento[122]. En contra de apreciar un estado de necesidad hablaría igualmente, como señala el autor, la dificultad para apreciar sus presupuestos, especialmente el requisito de la inminencia del mal así como la ausencia de otros medios alternativos de solución del conflicto[123]. Es justamente esta razón la que también invalida el argumento que apunta a la atención de los intereses de terceros[124].

En el capítulo de los límites de permisibilidad de la comunicación de aspectos privados del paciente debe hacerse mención a los casos en que la revelación de la información por un médico a otros colegas responda al deseo de salvaguardar la vida o la salud del resto de los profesionales (por ej., un ATS) que habrán de atenderle y cuyo desconocimiento de la patología pudiera resultarle perjudicial. Ni que decir tiene que los casos paradigmáticos son aquellos en los que el paciente sufre una enfermedad contagiosa, como pueda ser el SIDA, casos en los que el personal médico debe conocerla para adoptar las medidas de precaución necesarias. Según entiendo, tampoco en estos supuestos habrían de verse dificultades para fundamentar la conformidad a Derecho de la comunicación de la información sin necesidad de recurrir siquiera a los cauces dogmáticos que permite el *estado de necesidad*. En realidad, como señala CASTELLANO ARROYO, en estos supuestos "no se trata de revelar un secreto en sentido amplio, sino de transmitir una información médica a otros profesionales sanitarios, autoridades o funcionarios que actuarán también en beneficio del paciente y de la colectividad; todos ellos quedarán igualmente obligados en la salvaguardia y protección del secreto, por lo que nos encontramos con un "secreto compartido" y no con un "secreto divulgado"[125].

---

[122]   NIEDERMAIR, en ROXIN/SCHROTH, *Medizin und Strafrecht. In Spannungsfeld von Medizin, ob. cit.*, pags. 373 ss.

[123]   NIEDERMAIR, en ROXIN/SCHROTH, *Medizin und Strafrecht. In Spannungsfeld von Medizin, ob. cit.*, págs 373 ss.

[124]   NIEDERMAIR, en ROXIN/SCHROTH, *Medizin und Strafrecht. In Spannungsfeld von Medizin, ob. cit.*, págs 376 s.

[125]   CASTELLANO ARROYO, Problemática de la Historia clínica, en *Información y documentación clínica*, Madrid, 1997, pág. 84. Véase también, ROMEO CASABONA, *Derecho y Salud*, 1993, *ob. cit.*, pág. 7.

Mayores dificultades pudieran plantear los supuestos en los que la comunicación de datos personales, si bien responde a un interés legítimo, no tiene lugar ya entre profesionales, sino que la revelación tiene como destinatarios a terceras personas, casos en los que se plantea el genuino problema de los límites del secreto profesional.

Como se desprende de la referencia a algunas de las sentencias antes citadas tanto del Tribunal Constitucional como del Tribunal Supremo, un primer problema lo plantean ya los supuestos en que el posible límite al deber de informar encuentra su origen en el interés en la comunicación de una noticia, casos en el que el destinatario de la información es, en general, la sociedad. Como referíamos en el epígrafe anterior, sobre un supuesto de este tipo tuvo ocasión de pronunciarse el Tribunal Constitucional en la Sentencia núm. 20/1992, de 14 de febrero, con relación a una información periodística en la que se identificaba a una persona como infectada por el SIDA. En ella, el Alto Tribunal descartó la concurrencia de cualquier justificación a la lesión del derecho a la intimidad sobre la base de un supuesto interés superior a la información, "pues si ninguna duda hay en orden a la conveniencia de que la comunidad sea informada sobre el origen y la evolución, en todos los órdenes, de un determinado mal, no cabe decir lo mismo en cuanto a la individualización, directa o indirecta, de quienes lo padecen, o así se dice, en tanto ellos mismos no hayan permitido o facilitado tal conocimiento general".

Ya en el ámbito de la jurisdicción ordinaria, el Tribunal Supremo tuvo ocasión de pronunciarse sobre un supuesto parecido en la Sentencia de 18 de febrero de 1999, en la que de nuevo se planteaba la vulneración de la intimidad del afectado por la revelación de datos relativos a la salud. Ahora se trataba de la publicación de una noticia periodística en la que se informaba de que en las cocinas de una prisión podía haber dos personas infectadas por el Sida, acompañando un listado identificativo de los portadores del virus. El Tribunal Supremo condenó al periodista, si bien apreció la eximente incompleta de ejercicio legítimo de un derecho.

Lo que interesa destacar ahora es que en sendas sentencias, tanto el Tribunal Constitucional como el Supremo se han pronunciado en el sentido de restringir el ámbito de prevalencia del derecho a la información, trazando, como línea de principio, la superioridad del derecho a la intimidad en los casos en que se plantee la colisión entre ambos derechos. Con todo, no deja de causar sorpresa la especial facilidad con la que a veces se relajan los límites del secreto profesional en el ámbito periodístico, y más aún, que a veces ni siquiera se plantee la problemática en torno a la licitud de la revelación de datos médicos. Baste pensar, por ejemplo, en los supuestos a los que hacíamos referencia más arriba en los que se ofrece información en los medios de comunicación sobre el nacimiento de siameses unidos por partes del cuerpo, acompañándose no sólo de la emisión de imágenes, sino también de todo tipo de detalles sobre los orígenes o causas de la malformación así como sobre los pormenores de su tratamiento. Sin embargo, se trata de ámbitos en los que deberían de plantearse los posibles límites al derecho a la información así como cuestionarse la legitimidad —a mi juicio dudosa— que puedan tener los padres para dar luz verde a los medios de información para que comuniquen la noticia.

Fuera del ámbito de colisión del derecho a la intimidad con el derecho a la información, el otro límite que, sin duda, está llamado a operar con más frecuencia en la práctica es el representado por la *vida o salud* de terceras personas. Baste pensar de nuevo en el riesgo de contagio del SIDA a quienes pudieran relacionarse con el enfermo. De entrada puede afirmarse que el problema que plantean estos supuestos debe ventilarse en sede de *antijuricidad*, no de tipicidad de la conducta. Por mucho que exista un interés atendible y digno de protección que se contraponga al derecho a la intimidad del enfermo, las violaciones de ésta también siguen teniendo relevancia penal en el ámbito típico en cuanto que también, en efecto, cuando está en juego otro interés relevante, la intimidad continúa demandando tutela penal y los ataques a la misma siguen entrando de lleno en el ámbito de protección de los respectivos tipos penales que la protegen. En este sentido entiendo que debe interpretarse la previsión del art. 18.4 de la Ley 41/2002, que tras establecer como regla general que los centros sanitarios y los facultativos de ejercicio individual sólo facilitarán el acceso a la historia clínica de los pacientes fallecidos a personas vinculadas a él y siempre que no exista prohibición expresa del fallecido, añade que "En cualquier caso el acceso de un tercero a la historia clínica motivado por un riesgo para su salud se limitará a los datos pertinentes".

Por otra parte, tampoco debe desconocerse que dicha protección penal no puede ceder incondicionalmente ante un supuesto interés de mayor calado que, con carácter general, actuase cancelándola. Es lo que sucedería con el argumento que apuntase a una supuesta obligación genérica del profesional de revelar los datos que conoce cuando peligra en abstracto la vida o la salud de terceras personas. Tal obligación sólo podría fundamentarse desde el absurdo presupuesto de asignar al médico una especie de función de *gendarme* que justificase la conducta, sin duda singular, de "alertar" a terceros de la enfermedad del paciente. En este sentido, ni siquiera puede exigirse al médico un deber de asegurarse y de velar para que efectivamente éste tome las medidas oportunas tendentes a evitar el contagio; al contrario, es lícito que aquél se limite a confiar en que, una vez advertido, el enfermo adoptará de *motu propio* las precauciones pertinentes[126].

Por ello, ante la imposibilidad de conceder prioridad con carácter general a uno u otro de los intereses en conflicto, el problema se traslada al análisis de la *antijuricidad* de la conducta, ámbito en el que deberán tenerse presente las circunstancias y peculiaridades del caso en cuestión; esto es, se traslada al estudio de la *permisibilidad* puntual de la relevación y, en concreto, a la concurrencia de los presupuestos de un *estado de necesidad*. Para apreciar sus requisitos será necesario que la lesión del interés que se contrapone a la intimidad no se plantee en términos meramente genéricos o potenciales; esto es, como la hipotética lesión de intereses de terceras personas. Como es sabido, la elaboración teórica del estado de necesidad reserva su problemática para los casos en que el interés que se trata de salvaguardar se encuentre, *de facto*, en una situación de *peligro actual e inminente*[127]. Conforme a lo anterior, cuando ese otro interés que se contrapone a la intimidad del paciente sea la vida o salud de terceros, habrá de tratarse de supuestos en los que, por una parte, concurran circunstancias que hagan sospechar que el paciente pueda convertirse en una fuente de peligro grave para terceros y, por otra, existan razones fundadas para pensar que la evitación del mismo no pueda confiarse a la adopción de medidas protectoras por parte de aquél.

Sin desconocer que los supuestos en los que el médico puede verse en la tesitura de revelar un dato íntimo del paciente se van a presentar en los más variados ámbitos y circunstancias, entiendo que puede formularse la siguiente regla general: la primacía del derecho a la intimidad habrá de mantenerse en todos aquellos casos en los que el interés a ella contrapuesto ni se traduzca en la evitación de un riesgo para la vida o salud de las personas ni se implique con intereses de carácter general. Como ejemplo de esto último, esto es, de los casos en los que el derecho a la intimidad habría de ceder por colisionar con intereses de alcance general, puede manejarse aquél en el que, registrada una anomalía psíquica, ésta afectase al desarrollo de una profesión de implicación social, como pueda ser el ejercicio de la docencia. Como ejemplo de lo primero, esto es, de los casos en los que el interés que entra de forma directa e inmediata en conflicto es la vida o salud de *concretas* personas, determinadas o determinables, puede manejarse el caso, paradigmático por lo demás, en el que el médico tuviera conocimiento de que el paciente infectado de SIDA no

---

[126]   SOLA RECHE, "Algunos problemas relativos al derecho a la intimidad del paciente", en *Derecho y Salud*, 1995, pág. 87.

[127]   PFEFFER, *Durchführung von HIV-Tests ohne den Willen des Betroffenen, ob. cit.*, pág. 170,

vaya a adoptar medidas de protección frente a su pareja para evitar el contagio[128]. De forma evidente podría justificarse la revelación del secreto cuando, además de concurrir un interés general, se afectase de forma directa la vida o salud de un colectivo indeterminado de sujetos; por seguir con el ejemplo, cuando la anomalía psíquica incidiera en actividades que conlleven una potencialidad lesiva para la vida o la salud de terceros, tales como el ejercicio de la medicina, la conducción de vehículos por un profesional o incluso el manejo o porte de armas por un miembro de las Fuerzas de Seguridad[129].

Frente a estos supuestos, la regla general habrá de ser la prevalencia del derecho a la intimidad en el resto de los casos. Sirva de ejemplo aquél en el que el interés que entrase en juego fuera la incorrección del importe que, por ejemplo, tiene que pagar el tomador de un seguro. Se trataría de un supuesto en el que por ser un interés estrictamente económico el que se contrapone a la intimidad, ni siquiera podría derogarse la protección de la misma por los estrechos cauces de una *causa de justificación*.

En realidad, el problema que plantean estos supuestos surge a la hora de precisar, no ya si el médico *puede justificadamente* violentar tal deber amparado por una causa de justificación. La duda es si, más allá de dicha posibilidad, puede estar *obligado* a hacerlo bajo determinados presupuestos, de tal forma que la infracción de dicho deber pudiera acarrearle, incluso, consecuencias penales[130].

---

[128] En nuestra doctrina, MUÑOZ CONDE, en *Derecho y Salud*, 1996, *ob. cit.*, pág. 152: JORGE BARREIRO, "El delito de revelación de secretos (profesional y laboral)", en *La Ley*, 1996. En relación con el ámbito propio de la información genética, en el que se plantea con especial intensidad la posible colisión de intereses dada la trascendencia de la información para el resto de los miembros de la familia, véase, entre otros, DE SOLA en *Revista de Derecho y Genoma Humano*, nº1, julio-diciembre 1994, ob. cit., págs. 179 ss; OTERO GONZÁLEZ, "El secreto profesional desde la óptica del deber de declarar en el proceso penal", en *La Ley*, 2000. En la doctrina alemana, ABBING, en *Revista de Derecho y Genoma Humano*, nº 2, enero-junio 1995, ob. cit., págs. 41 ss; PFEFFER, *Durchführung von HIV-Test ohne den Willen des Betroffenen*, *ob. cit.* págs. 169 ss; MEURER, "AIDS und strafrechtliche Probleme der Schweiepflicht", en *AIDS und Strafrecht*, ob, cit., págs. 144 ss; ULSENHEIMER, *Arztstrafrecht in der Praxis*, *ob. cit.*, pág. 229.

[129] Sobre esta tipología de casos, véase en la doctrina alemana, por todos, DEUTSCH, *Arztrecht und Arzneimittelrecht*, *ob. cit.*, págs. 138 ss, 192 ss.

[130] Debe llamarse la atención sobre la dificultad sobreañadida que supone el hecho de que frecuentemente, incluso la doctrina partidaria de fundamentar en determinados casos el deber de quebrantar el secreto médico, argumente también dicha solución a partir de la concurrencia de una causa de justificación, fundamentalmente, un estado de necesidad. A mi juicio, con ello se fusiona bajo una única argumentación dos aspectos que no dejan de ser contradictorios: porque, o se habla de obligatoriedad o de estado de necesidad, pero lo que no puede hacerse es fundamentar una obligación a partir de la concurrencia de un

En la línea propuesta por MUÑOZ CONDE[131], entiendo que dicha obligación surgirá en todos aquellos casos en los que la confrontación de intereses no sea entre el derecho a la intimidad y la obligación de denuncia de un hecho cometido, sino entre la intimidad y la obligación de impedir determinados delitos en los términos del art. 450 CP[132]. Por lo que a lo primero se refiere, esto es, los casos en los que el término contrapuesto a la intimidad es el deber de denuncia, hay que recordar que dicha obligación viene consagrada con carácter general en el art. 262 LECr. Conforme a dicho artículo, "Los que por razón de sus cargos, profesiones u oficios tuvieren noticia de algún delito público, estarán obligados a denunciarlo inmediatamente al Ministerio fiscal, al Tribunal competente, al Juez de Instrucción y, en su caso, al municipal o al funcionario de policía más próximo al sitio, si se tratare de un delito flagrante". De dicha obligación dispensa el art. 263 a determinados sujetos, en concreto a los Abogados, Procuradores, eclesiásticos y ministros de cultos disidentes.

Pese a que el precepto no se refiere de forma expresa a la profesión médica, entiendo que razones básicas de coherencia fuerzan a interpretar que la dispensa que contempla el art. 263 LECr. es extensible también a la misma[133]. Así lleva a pensarlo el hecho de que la razón de ser de dicha cláusula no es otra que el respeto a la confidencialidad de los datos conocidos en función del oficio; y no cabe duda de que ese mismo fundamento está presente no sólo en relación con profesiones como la abogacía, sino también respecto al médico, en cuanto que ambos comparten la misma relación de confianza con su cliente. Todo ello sin olvidar que de otra forma se le atribuiría al médico una tarea que le es ajena y que, si algo hace, es desnaturalizar el vínculo de confianza que le liga con su paciente para reemplazarlo por una suerte de deber de fidelidad hacia el Estado. Mantener a ultranza la interpretación de que dicho enunciado tiene el carácter de *numerus clausus* sólo sería posible mediante una interpretación formal que cerrara los ojos a la razón de ser que motiva el precepto. De admitirse la interpretación propuesta, dicho deber de

---

estado de necesidad cuyo único valor es el de permitir en el caso concreto que el sujeto realice una conducta típica, nunca el de obligarle a realizarla.

[131]   MUÑOZ CONDE, en *Derecho y Salud*, 1996, *ob. cit.*, pág. 152.

[132]   Apunta a la posibilidad de la obligación del médico, SOLA RECHE, en *Derecho y Salud*, 1995, *ob. cit.*, pág. 88. De otra opinión, ROMEO CASABONA, *Aspectos específicos de la información en relación con los análisis genéticos y la enfermedades transmisibles, ob. cit.*, págs. 356 ss; el mismo, en ROMEO CASABONA/CASTELLANO ARROYO, *Derecho y Salud*, 1993, ob. cit., págs. 10 ss; el mismo en *Actualidad Penal*, 1993-2, *ob. cit.*, IV; el mismo en *JANO*, nº 1024, 1993, *ob. cit.*, págs. 59 ss.

[133]   No obstante, en sentido contrario, véase IGLESIAS CUBRIA, *El derecho a la intimidad del paciente*, Oviedo, 1970, pág. 83.

declarar se traduce a la postre en una *habilitación* al profesional para que en tales circunstancias *pueda optar* por la denuncia, con la consecuencia de que si decide acogerse a la misma estará actuando amparado por el *cumplimiento de un deber*.

Frente a estos supuestos, la obligación de denunciar se ceñirá a los casos en que con ella el profesional pueda impedir la comisión futura de un hecho delictivo. El ejemplo paradigmático viene representado por aquél en el que el enfermo haya comunicado al médico que, de forma *intencional*[134], va a realizar actividades de riesgo que puedan poner en peligro la vida o salud de terceros[135]. La pretensión de seguir manteniendo en tales supuestos el derecho a la intimidad como término de un conflicto que sólo pudiera ceder por los cauces de un *estado de necesidad*, esto es, en términos meramente potestativos, no supondría sino una forma de potenciar actitudes de pasividad ante conductas lesivas de intereses superiores de terceros. De hecho, la extrema debilidad del derecho a la intimidad en tales situaciones ni siquiera se plantea en otros ámbitos en los que igualmente surge el deber de impedir delitos. Baste pensar, a título meramente ejemplificativo, en aquellos en los que el cumplimiento del deber de denuncia requiera descubrir otros aspectos íntimos del paciente. Sirva de ejemplo el caso en el que la conducta de impedir un delito de agresión o abuso sexual a un menor de edad suponga implícitamente revelar datos íntimos del futuro agresor, como sin duda lo son sus inclinaciones o desviaciones sexuales. Si en casos como éste a nadie se le ocurriría dar prioridad al derecho a la intimidad ni, por tanto, excepcionar el deber de impedir la comisión del delito por quien tuviera conocimiento de ello, tampoco hay razones para que la regla deba ser distinta en los supuestos que ahora se tratan.

Con todo, debe quedar claro que dicha responsabilidad del médico se limita a la que pueda surgir del art. 450 CP, sin extenderse, al menos por regla general, a los posibles delitos contra la vida o salud que a consecuencia de la omisión lleguen a producirse, y respecto a los que pudiera plantearse la responsabilidad del médico a título de *cómplice* o *cooperador necesario* en *comisión por omisión*. La solución contraria, esto es, la de afirmar tal título de responsabilidad, sólo podría sostenerse adoptando un punto de partida inadmisible; a saber, que el médico ostenta una genérica *posición de garantía* —bien fundamentada en razón del bien jurídico, bien en el control de una fuente de peligro (el paciente que trata)—, que le obligaría a preservar, no

---

[134]   No se plantean los casos en los que la comunicación se refiere a una futura conducta negligente, ya que bastaría la información del médico al paciente para que éste la evitase.

[135]   En la doctrina alemana véase entre otros MEURER, en *AIDS und Strafrecht, ob. cit.*, págs. 148 ss; BRENNER, *Arzt und Recht, ob. cit.*, B.II.21.4.

ya la vida y salud del paciente que trata, sino la de todos los miembros de la comunidad[136]. Sobre lo absurdo de tal solución tendremos ocasión de insistir en otra sede[137].

Por lo demás, debe llamarse la atención sobre el dato de que la solución propuesta habrá de mantenerse inalterada con independencia de que el riesgo recaiga de forma genérica sobre terceros (ej., el médico tiene indicios para advertir que el paciente no va adoptar medidas de protección en sus relaciones con terceros) como cuando se concrete en una o varias personas (ej., el médico tiene indicios para conocer que el paciente no va a adoptar medidas de protección para evitar el contagio de su pareja). Es más, frente a lo sostenido por algún autor que se ha enfrentado al mismo problema en el contexto de la regulación alemana, como EBERBACH[138] o ULSENHEIMER[139], entiendo que la solución que aquí se defiende habrá de mantenerse inalterada incluso en los casos en los que la omisión del médico afecte a otro paciente que esté tratando.

Sirva de ejemplo el supuesto en el que un médico de cabecera tuviera como pacientes a los distintos miembros de una misma familia y por una prueba analítica llegara a tener conocimiento de que el marido es portador de una enfermedad contagiosa grave, y pese a que éste le manifestara expresamente que no va a tomar medidas protectoras para evitar el contagio al resto de los miembros de la familia, el médico no comunicase dichos extremos a la esposa cuando ésta acudiese por su parte a visitarle. El desconocimiento de dichos extremos determina que ésta consienta en prácticas que finalmente la contagian de SIDA.

La pretensión de hacer en estos casos responsable al médico por el resultado producido sólo podría sostenerse desde posiciones meramente formales del deber de garantía que ignorasen cualquier exigencia de equivalencia estructural entre las conductas activas y omisivas. Tal pretensión sólo sería sostenible desde el desconocimiento mismo de la necesidad de acotar el ámbi-

---

[136] El fundamento de tal posición amplia de garantía sólo sería posible cuando la relación de servicios se incardine en un contexto más amplio de dependencia, como pudiera ser el caso de los establecimientos penitenciarios, ARLOTH, "Arztgeheimnis und Auskunftspflicht bei AIDS im Strafvollzug", en *MedR*, 1986, págs. 298 s. Con todo, no puede pasarse por alto que también en estos supuestos dicha posición de garantía recaerá en la mayoría de los casos, no ya sobre el médico, sino sobre el personal funcionarial al que se le encomienda la custodia y tutela de los mismos.

[137] Véase *supra Segunda Parte, 2, La responsabilidad del médico en comisión por omisión.*

[138] EBERBACH, "Juristische Probleme der HTLV-III-Infektion (AIDS)", en JR 1986, págs. 230 ss.

[139] ULSENHEIMER, *Arztstrafrecht in der Praxis, ob. cit.*, págs. 229 s.

to al que se extiende la posición de garante del médico. Descartada la existencia de un genérico deber de obrar, la posible responsabilidad del profesional por el resultado de lesiones e incluso de muerte que llegara a producirse sólo podría fundamentarse en supuestos prácticamente de laboratorio, como el que apunta PFEFFER[140], en el que la pareja del infectado acudiese al médico solicitando información sobre las medidas a adoptar para impedir un posible contagio. Con todo, debe observarse que si en tales ejemplos la violación del deber que grava al médico de informar a su paciente se convierte en fuente de responsabilidad, no ya por un delito del art. 450 CP, sino por el resultado lesivo, es justamente porque en tales casos aquél acota su deber de garantía a un ámbito que comprende la obligación de comunicar dicha información (atención de un paciente por una consulta que demanda la comunicación de la enfermedad del tercero).

Las reflexiones anteriores trataban de identificar los presupuestos bajo los que el médico pudiera estar facultado y, en su caso, obligado a denunciar datos secretos del paciente que conoce por razón de su profesión. En lo que sigue haremos referencia a los casos en los que se plantea su obligación de *declarar* o *testificar* en un proceso.

Las dudas en torno a los supuestos en los que sea posible dicha dispensa surgen ante la falta de desarrollo legal de las previsiones del art. 24. 2 de la Constitución. Como es sabido, dicho artículo dispone que "La Ley regulará los casos en que, por razones de parentesco o de secreto profesional no se estará obligado a declarar sobre presuntos hechos delictivos"[141]. Ante la ausencia de dicha Ley, la única previsión a la que puede acudirse es al art. 417 LECr., que dispensa de la obligación de declarar en el proceso a determinados sujetos[142], entre los que menciona a los funcionarios públicos. De procederse a una interpretación literal de la misma resultaría que sólo el personal sanitario que ostente dicha condición podría acogerse a tal dispensa. Esta conclusión, sin embargo, no dejaría de resultar llamativa si se tiene en cuenta que la razón

---

[140] PFEFFER, *Durchrführung von HIV-Tests ohne den Willen des Betroffenen*, ob. cit., pág. 212 ss., 216.
[141] Esta declaración viene a excepcionar la obligación consagrada en el art. 118 de la propia Norma Fundamental de colaborar con los Jueces y Tribunales en el curso de un proceso.
[142] "Los eclesiásticos y ministros de los cultos disidentes, sobre los hechos que le fueren revelados en el ejercicio de las funciones de su ministerio: 2.- Los funcionarios públicos, tanto civiles como militares, de cualquier clase que sean, cuando no pudieren declarar sin violar el secreto que por razón de sus cargos estuvieren obligados a guardar, o cuando, procediendo en virtud de la obediencia debida, no fueren autorizados por su superior jerárquico para prestar la declaración que se les pida".

de ser de la misma tiene que ver, antes que con la condición funcionarial del médico, con la especial relación de confianza que le liga con su paciente, algo en lo que nada influye su *status* profesional. No es por ello de extrañar que la doctrina se haya mostrado favorable a extender dicha dispensa con carácter general al médico[143]. Así, por ejemplo, MUÑOZ CONDE apela a los principios generales que permitirían recurrir a un *estado de necesidad* entre los intereses de la Administración de Justicia y el derecho a la intimidad, conflicto que pudiera resolverse a favor de este último[144]. Conforme a lo anterior resultaría que el médico estaría *facultado* a no declarar respecto a los posibles hechos delictivos de los que tenga conocimiento por razón de su oficio.

Con todo, aun suscribiendo la validez de las interpretaciones extensivas anteriores, entiendo que deben formularse varios tipos de precisiones que están llamadas a perfilar su alcance. La primera, por muy básica que pudiera parecer, es la que apunta a que si la razón de ser de esa dispensa es proteger la intimidad del paciente, la misma no puede concebirse como una carta en blanco a la que en cualquier caso pudiera acogerse el médico. Presupuesto lógico de dicha posibilidad es que el paciente no haya renunciado expresamente a la protección de su intimidad requiriendo la presencia del médico en el juicio. Lo contrario llevaría al absurdo de interpretar esta dispensa no como una garantía a favor de los derechos del paciente —su intimidad— sino orientada de forma incomprensible al arbitrio médico, desconociendo con ello que, como afirmase la Sentencia del Tribunal Supremo de 2 de julio de 1997, el secreto médico es "un medio para proteger derechos fundamentales, pero no un derecho fundamental en sí mismo, sino un deber enderezado a evitar intromisiones ilegítimas en el ámbito de protección de la LO 1/1982...".

Es más, según entiendo, cuando el paciente renuncie a seguir manteniendo en secreto los datos que afectan a su intimidad y se trate de un proceso en el que es el médico la parte demandada, éste no puede amparar su negativa a testificar en un supuesto derecho a no declarar contra sí mismo ni, por idénticas razones, negarse a entregar la historia clínica de la que eventualmente pueda deducirse la responsabilidad del médico. En tales casos decaería cualquier pretensión del sanitario de seguir manteniendo su derecho al silencio en cuanto que, como sostiene ROMEO CASABONA, no puede decirse que de la entrega de la historia clínica se derive su autoinculpación, toda vez que la

---

[143]   DE ÁNGEL YÁGÜEZ, "Problemática de la Historia clínica", en *Información y Documentación Jurídica*, Madrid, 1997, págs. 131 ss; el mismo en "Problemas legales de la historia clínica en el marco hospitalario", en *La Ley*, 1987-1, págs. 1019 ss.
[144]   MUÑOZ CONDE, en *Derecho y Salud*, 1996, *ob. cit.*, págs. 151 s.

misma sólo es un elemento más de prueba[145]. De hecho, si bien con relación a un ámbito distinto, el de la negativa del conductor a someterse a la prueba de alcoholemia, este razonamiento fue sostenido por el Tribunal Constitucional en Sentencia 161/1997.

En dicha Sentencia, el Tribunal Constitucional entendió que el derecho a la no confesión "puede considerarse que comprende únicamente la interdicción de la compulsión del testimonio contra uno mismo. Mayor amplitud tiene la prohibición de compulsión a la aportación de elementos de prueba que tengan o puedan tener en el futuro valor incriminatorio contra el así compelido, derivada del derecho de defensa y del derecho a la presunción de inocencia. Esta amplitud, sin embargo, debe someterse a un doble tamiz en el complejo equilibrio de garantías e intereses que se concitan en el procedimiento sancionador: las garantías frente a la autoincriminación se refieren en este contexto solamente a las contribuciones del imputado de quien pueda razonablemente terminar siéndolo y solamente a las contribuciones que tienen un contenido directamente incriminatorio.

Así, en primer lugar, tal garantía no alcanza sin embargo a integrar en el derecho a la presunción de inocencia la facultad de sustraerse a las diligencias de prevención, de indagación o de prueba que proponga la acusación o que puedan disponer las autoridades judiciales o administrativas. La configuración genérica de un derecho a no soportar ninguna diligencia de este tipo dejaría inermes a los poderes públicos en el desempeño de sus legítimas funciones de protección de la libertad y la convivencia, dañaría el valor de la justicia y las garantías de una tutela judicial efectiva, y cuestionaría genéricamente la legitimidad de diligencias tales como la identificación y reconocimiento de un imputado, la entrada y registro en un domicilio, o las intervenciones telefónicas o de correspondencia. En esta línea, en relación con una diligencia de reconocimiento médico de una imputada, tuvimos ya ocasión de precisar que su ejecución «podría ser compelida mediante la advertencia de las consecuen-

---

[145]   ROMEO CASABONA, en Derecho y salud, 1993, ob. cit., pág. 17, quien plantea además la colisión con el derecho del paciente a obtener la tutela judicial efectiva conforme al art. 24.1 CE. Como argumento adicional, maneja el autor que cuando el médico presta sus servicios en un centro, es éste el propietario de la historia clínica, que no se ve afectado por tales restricciones cuando se le solicita la entrega.
En sentido contrario, DE ANGEL YÁGÜEZ, en La Ley, 1987-1, ob. cit., págs. 1023 ss; el mismo en Problemática de la Historia clínica, ob. cit., págs. 138 ss., quien propone incluso que cuando la historia se halle en poder del Hospital, éste, ante el requerimiento judicial, deba pedir la correspondiente autorización al médico, a partir del entendimiento de que también en estos casos el verdadero titular del derecho al secreto médico sigue siendo el profesional.

cias sancionadoras que pueden seguirse de su negativa o de la valoración que de ésta quepa hacer en relación con los indicios ya existentes» (STC 37/1989 [RTC 1989/37], fundamento jurídico 8.º).

Los mismos efectos de desequilibrio procesal, en detrimento del valor de la justicia, y de entorpecimiento de las legítimas funciones de la Administración, en perjuicio del interés público, podría tener la extensión de la facultad de no contribución a cualquier actividad o diligencia con independencia de su contenido o de su carácter, o la dejación de la calificación de los mismos como directamente incriminatorios a la persona a la que se solicita la contribución. En suma, como indican el prefijo y el sustantivo que expresan la garantía de autoincriminación, la misma se refiere únicamente a las contribuciones de contenido directamente incriminatorio".

En segundo lugar, en tanto persista el interés del paciente en preservar su intimidad, la negativa del médico a declarar habrá de mantenerse aun cuando en su actitud influyan móviles adicionales espurios que en última instancia condicionen subjetivamente su decisión, como la intención de dificultar o, al menos, no facilitar, la consecución de las pretensiones del actor. Porque de otra forma, los límites de la dispensa volverían de nuevo a perder de vista la razón de ser que cabalmente la justifica y que, como tantas veces se ha dicho, es claramente objetiva, no subjetiva.

Por lo demás, no está de más recordar que esa dispensa es independiente de que el médico pueda ser obligado judicialmente a entregar la historia clínica como medio con el que el paciente pueda hace valer su derecho en el proceso. Esta obligación vendría respaldada por el reconocimiento del derecho de los litigantes a obtener un proceso justo que no se viera cercenado u obstaculizado por la negativa médica[146]. Así vendría a corroborarlo, no sólo el referido argumento legal en el sentido de que la ley dispensa de la protección de la intimidad

---

[146] Así lo reconoció el Tribunal Europeo de Derechos Humanos en sus sentencias de 24 de febrero de 1995 y 9 de junio de 1998, apoyándose en los arts. 6 y 8 del Tratado de Roma de 1950 que consagran, respectivamente, el derecho a un proceso equitativo y al respeto de la vida privada y familiar. Véase las referencias en SEOANE PRADO, autor del capítulo "La historia clínica ante los Tribunales", en CRIADO DEL RÍO, *Aspectos médico-legales de la historia clínica, ob. cit.*, pág. 317.

Véase también la Sentencia de 10 de junio de 1980 del Tribunal de Justicia de la Comunidad Europea, relativa a un caso en que, tras haberse celebrado las pruebas médicas para tomar posesión de una plaza de funcionario, los médicos que dictaminaron la no superación de la prueba psiquiátrica se negaron a aportar al Tribunal los informes. El Tribunal, tras reconocer que el secreto médico encuentra protección en todos los Estados miembros afirmó que dicho secreto está sometido a límites: "a) que el paciente haya dado expresamente su consentimiento; b) que el médico intervenga en el marco de un procedimiento de control

del paciente cuando la revelación de datos esté amparada en un mandamiento judicial, sino también argumentos de justicia material. De otro modo la actitud del médico conjugada con la del paciente podría dar paso a graves quiebras en el derecho a un proceso justo. Baste pensar en el caso en que se trate de un juicio en el que la parte actora sea, por ejemplo, una aseguradora que alega una estafa en la percepción de una indemnización por fingir el asegurado una enfermedad. Si bastase la negativa del paciente y la actitud del médico —incluso en connivencia con éste— de acogerse al deber de secreto profesional, en casos como éste se impediría no sólo la posibilidad de recoger la declaración del médico, sino de acceder a la historia clínica. El resultado no sería otro que la más absoluta impotencia de la parte actora para poder hacer valer su pretensión. Por ello, entiendo que en estos casos el médico no sólo está obligado a facilitar la historia clínica tras el mandamiento judicial sino que, de no hacerlo, podría incurrir en responsabilidad penal conforme a los arts. 556 CP (desobediencia a la autoridad judicial)[147], y 412.1 (denegación de auxilio a la justicia)[148].

Ni que decir tiene que con la referencia a los ámbitos conflictuales anteriores no se agotan los supuestos en que puede plantearse la colisión del derecho a la intimidad con otros derechos o intereses. Los ámbitos, desde luego, son muy distintos y resultaría imposible agotarlos en este trabajo. Baste pensar, por ejemplo, en los específicos problemas que se plantean en ámbitos puntuales, como el de la salud laboral o el penitenciario, donde a menudo surgen supuestos de colisión del derecho a la intimidad con otros intereses que en el caso concreto se consideren de mayor calado, como por ejemplo, la preser-

---

administrativo...; c) que la invocación del secreto médico tenga por efecto bloquear el funcionamiento normal de la justicia".

Ya en el orden nacional debe citarse la Sentencia del Tribunal Supremo de 20 de marzo de 1997, en la que se enjuiciaba un caso de imprudencia médica. En ella el Alto Tribunal subrayó la importancia de la aportación de la historia clínica de cara a lograr la igualdad de oportunidades de las parte litigantes.

En cualquier caso, para depurar los supuestos en los que la negativa de la entrega esté respaldada únicamente por la confidencialidad de los datos del paciente, no han faltado propuestas doctrinales en el sentido de que en la futura regulación del secreto médico se contemple la posibilidad de que el Juez determine qué parte de la historia clínica es secreto profesional relativo al paciente, DE ANGEL YAGÜEZ, *La Ley*, 1987-1, *ob. cit.*, págs. 1021 s.

[147]   "Los que, sin estar comprendidos en el art. 550 resistieren a la autoridad o sus agentes, o los desobedecieren gravemente, en el ejercicio de sus funciones, serán castigados con la pena de prisión de seis meses a un año".

[148]   "El funcionario público que, requerido por autoridad competente, no prestare el auxilio debido para la Administración de justicia u otro servicio público, incurrirá en las penas de multa de tres a doce meses, y suspensión de empleo o cargo público por tiempo de seis meses a dos años".

vación de la salud del resto de los internos en el ámbito penitenciario, o del resto de los trabajadores en el ámbito laboral. Pero sobre todo, junto a esos ámbitos clásicos de colisión presentan específicos problemas las situaciones de conflicto que son consecuencia de los nuevos retos que plantean los avances relacionados con la información genética, un ámbito que comprende una información especialmente sensible dado su potencial para atentar contra el derecho fundamental a la intimidad[149].

III. EL INTRUSISMO EN LA ACTIVIDAD MÉDICA

El delito de intrusismo se contempla en el art. 403 del Código penal con el siguiente tenor literal:

"El que ejerciere actos propios de una profesión sin poseer el correspondiente título académico expedido o reconocido en España de acuerdo con la legislación vigente, incurrirá en la pena de multa de seis a doce meses. Si la actividad profesional desarrollada exigiere un título oficial que acredite la capacitación necesaria y habilite legalmente para su ejercicio, y no se estuviere en posesión de dicho título, se impondrá la pena de multa de tres a cinco meses.

Si el culpable, además, se atribuyese públicamente la cualidad de profesional amparada por el título referido, se le impondrá la pena de prisión de seis meses a dos años".

Por su parte, ya en sede de las faltas, dispone el art. 637:

"El que usare pública e indebidamente uniforme, traje, insignia o condecoración oficiales, o se atribuyere públicamente la cualidad de profesional amparada por un título académico que no posea, será castigado con la pena de arresto de uno a cinco fines de semana o multa de diez a treinta días".

A la vista de la redacción de ambos preceptos podrían diferenciarse hasta cuatro conductas de diferente gravedad. La menos grave sería la atribución de cualidad profesional amparada en título académico, sin que el sujeto lo posea y sin que ejerza actos propios de la profesión (falta del art. 637); la segunda, el ejercicio de actos propios de una profesión sin poseer el correspondiente título oficial (tipo atenuado o privilegiado del delito); la tercera, el ejercicio de actos propios de una profesión sin poseer el correspondiente título académico (tipo básico del delito); la cuarta, el ejercicio de actos propios de una profesión unido a la atribución pública de la cualidad de profesional amparado por el título que le habilite para el ejercicio (tipo agravado).

---

[149] De todos estos aspectos tuve ocasión de ocuparme detenidamente en mi monografía *La protección penal de los datos sanitarios. Especial referencia al secreto profesional médico*, Granada, 2007.

En cualquiera de los casos, se trata de conductas que guardan un parecido morfológico innegable con los comportamientos falsarios, lo que explica que el legislador las ubique en el Título XVIII bajo la rúbrica *De las falsedades*. Sin embargo, pese a esa sistematización que pareciera emparentar directamente el bien jurídico protegido en estos tipos con la protección de la apariencia de la condición profesional de cara a la sociedad, no le falta razón a la doctrina mayoritaria cuando sostiene que el *bien jurídico* protegido atiende a un interés distinto. En primer lugar, porque como afirma LLORIA GARCÍA, no en todos los supuestos que contempla el art. 403 puede advertirse la lesión de la seguridad del tráfico jurídico fiduciario, bien jurídico tutelado en los preceptos relativos a las falsedades. Baste pensar en los casos en que el intruso se atribuya la cualidad profesional de forma privada, supuestos en los que únicamente se lesionaría la confianza entre las partes[150]. En segundo lugar, porque si se tratara de tutelar el mismo bien jurídico que en los delitos de falsedades, posiblemente ni siquiera habría sido necesaria su tipificación expresa.

En la tarea de descubrir cuál sea el interés que cabalmente haya podido inspirar al legislador a incriminar expresamente el intrusismo, se han ensayado distintas teorías que apuntan a una diversidad de bienes jurídicos que eventualmente constituyeran el objeto de protección: desde los intereses de los clientes, actuales o potenciales, hasta el de los colectivos profesionales a que la actividad en cuestión sólo se realice por los integrantes del mismo, tanto por razones de prestigio como de índole económica[151]. Sin embargo, puede decirse que la concepción que en la actualidad goza de mayor predicamento, y que asumimos básicamente en las líneas que siguen, es la que pone el acento en una dimensión eminentemente formal que enlaza, antes que con la protección de la apariencia que el comportamiento genera en la sociedad, con un interés básicamente estatal. Éste habría de cifrarse en la salvaguardia del cumplimiento de los requisitos exigidos administrativamente para ejercer

---

[150]   LLORIA GARCÍA, *El delito de intrusismo profesional*, Valencia, 2001, págs. 166 ss.
[151]   Por todos, véase la exposición de los distintos argumentos y posturas doctrinales en LLO-
RIA GARCÍA, *El delito de intrusismo profesional, ob. cit.*, págs. 199 ss.
A esos diversos intereses protegidos se refiere la STS de 23 de marzo de 2005 cuando concreta el bien jurídico protegido en "dos órdenes de interés: a) el del público en general al que van dirigidos los actos a realizar por el agente sin título, protegiendo a la colectividad de los eventuales daños de una praxis inhábil o ignorante, lo que equivale a conceptuar este delito como de peligro...b) también protege el interés corporativo de un determinado grupo de profesionales, tanto en defensa de sus competencias y derechos morales sobre el prestigio y buen hacer de la profesión, como en los patrimoniales que pudieran quedar afectados por una competencia desleal y la invasión de su esfera económica por terceros no pertenecientes al colectivo profesional afectado", reconociendo la misma sentencia que debe prevalecer el primero de los intereses.

la correspondiente profesión y en la consiguiente preocupación del Estado y de la Administración Pública por asegurar el cumplimiento y control de las condiciones de habilitación profesional como presupuesto formal previo a su ejercicio[152]. Como señala en nuestra doctrina, por ejemplo, CHOCLÁN MONTALVO, lo que se trataría de proteger no es tanto la facultad de conceder títulos por parte de la Administración, sino la función de policía que ésta tiene encomendada en orden al ejercicio de profesiones tituladas[153]. Dado que el delito de intrusismo consiste en ejercer la actividad sin título, no tiene por qué verse vulnerado el aspecto relativo a la expendición de los mismos.

Conforme a lo anterior, se trataría, en definitiva, de tutelar el respeto de la exclusiva potestad administrativa en el control de títulos que habiliten para el ejercicio de determinadas profesiones y, con ello, de la potestad del Estado de impedir que quien no ostente el mismo ejerza la correspondiente profesión[154]. Todo ello con independencia de que, como señalan ORTS BEREN-GUER/ROIG TORRES, pueda resultar cuestionable, desde el punto de vista

---

[152]   Según RODRÍGUEZ MOURULLO, el bien jurídico habría de identificarse con "un mecanismo de control administrativo destinado a velar por dicha seguridad: una faceta de la Administración Pública cual es la potestad de velar que los títulos de determinadas profesiones sean concedidos con las garantías de orden moral y cultural indispensables", en "Algunas consideraciones sobre el delito de intrusismo", en *La Ciencia del Derecho Penal ante el nuevo siglo, Libro Homenaje a Cerezo Mir*, Madrid, 2002, pág. 1481.

[153]   CHOCLÁN MONTALVO, "¿Hay intrusismo en las especialidades médicas?", en *La Ley*, 1999 (15 de diciembre); véase también, LLORIA GARCÍA, *El delito de intrusismo profesional, ob. cit.*, págs. 252 ss.

[154]   Frente a ello, algunos autores sitúan el centro de gravedad del delito, no en el interés del Estado, sino de la comunidad o sociedad. Es el caso del LUZÓN PEÑA, para quien, aparte de la fe publica en la calidad de profesional, el bien jurídico no es el interés o potestad del Estado, sino el interés de la colectividad o de la sociedad de exigir que sean exclusivamente quienes posean el título quienes ejerzan la profesión, aunque tal exigencia sea instrumentada a través del Derecho y del Estado. Junto a ello identifica también como bien jurídico los intereses de la profesión invadida, "Problemas del intrusismo en Derecho penal", en *ADPCP* 1985, págs. 669 ss. En el sentido de excluir del bien jurídico los intereses de la Administración o del Estado, véase también, ESCOBAR MARULANDA, quien hace recaer el acento en el interés de los usuarios, en "El delito de intrusismo y el principio de exclusiva protección de bienes jurídicos", en *ADPCP*, 1994, págs. 65 ss; o CHOCLÁN MONTALVO. Para este autor, no se trataría de proteger "la potestad del Estado o de la Administración de expedir títulos, sino el interés de la colectividad, instrumentalizado por el Derecho, en la exigencia de título para el ejercicio de aquellas profesiones como garantía, al menos formal, de que responda a un determinado nivel de preparación y formación", "Intrusismo con ánimo de lucro y estafa", en *Actualidad Penal*, 1996, marg. 297. A mi juicio, sin embargo, esta interpretación que subraya el interés de los ciudadanos chocaría con el reconocimiento, tal como lo hace el propio autor, de que el delito se comete aun cuando la profesión se ejerza correctamente; en el caso de los médicos, conforme a la lex artis. Porque en este caso se cumple el interés lógico o básico del ciudadano a que se

de los principios de *lesividad* e *intervención mínima*, que para proteger dichos intereses se recurra al Derecho punitivo[155].

Junto a ese objeto de protección, es cierto que pueden descubrirse otros intereses subyacentes en la sanción penal de estas conductas, que bien pudieran abarcar desde el de los propios colegios profesionales que de otra forma podrían resultar económicamente desfavorecidos hasta el de los ciudadanos en general a la garantía de la concordancia entre la apariencia que genera la práctica de la profesión y la condición de profesional de quien la ejerce[156]. Todo ello sin olvidar la importancia de preservar a la colectividad de los potenciales riesgos contra la salud que comporte la práctica intrusa, básicamente la vida y salud. Pero esos intereses adicionales entiendo que no llegan a ostentar la condición de bien jurídico protegido en el precepto porque, o bien se trata de meros intereses cuya importancia no alcanza la gravedad mínima para movilizar a la maquinaria penal, o bien porque, cuando la alcanza, ya existen otros tipos penales a los que pudieran reconducirse, como los relativos a

---

satisfagan sus reclamaciones o demandas asistenciales; en definitiva, a que se le atienda correctamente.

[155]   ORTS BERENGUER/ROIG TORRES, en *Responsabilidad penal del personal sanitario, ob. cit.,*págs. 170 ss. Véase también en el mismo sentido LLORIA GARCÍA, *El delito de intrusismo profesional, ob. cit.*, págs. 257 ss: "El bien jurídico que se analiza es un bien digno y susceptible de protección, pero no está necesitado de protección penal en el caso concreto de los ataques que se deriven de la realización de la conducta de intrusismo. No se alcanza la verdadera protección de la coexistencia pacífica porque ésta no se altera por aquél que, sin engaño, desempeña una actividad laboral sin título...teniendo en cuenta que el párrafo primero del artículo 403 se dirige a la tutela del bien jurídico constituido por la facultad de la Administración de controlar el cumplimiento de la normativa en materia de títulos profesionales...se alcanza la conclusión de que el intruso lesiona exclusivamente la dignidad y autoritas de la Administración pública. Conminar con sanción penal ese ataque sólo podría responder a una concepción de Estado absolutista en el que la desobediencia a los mandatos estatales está sometida a la sanción más grave que puede imponer el propio Estado: la sanción penal". Véase también RODRÍGUEZ MORURULLO, en *La Ciencia del Derecho Penal ante el nuevo siglo, Libro Homenaje a Cerezo Mir, ob. cit.*, págs. 1484 ss.

[156]   Véase RODRÍGUEZ MOURULLO, "El delito de intrusismo", en *Revista General de Legislación y Jurisprudencia*, 1969, pág. 241. Este autor identifica tres grupos de intereses que pueden resultar afectados: el interés privado de los que reciben el servicio por quien no es competente, el interés privado de los respectivos grupos profesionales y el interés público en que determinadas profesiones se ejerzan con la suficiente actitud y capacidad. No obstante, considera que el objeto de protección está representado exclusivamente por la potestad que corresponde al Estado de velar que los títulos de determinadas profesiones sean concedidos con las garantías de orden moral y cultural indispensables. En relación con el art. 321 del anterior Código penal, véase MANZANARES SAMANIEGO, "El delito de intrusismo", en *AP* 1995, marg. 317 ss; ÁLVAREZ GARCÍA, F.J "Del intrusismo", en *La Ley*, 1983-2, págs. 541 ss; SERRANO TÁRRAGA, *El delito de intrusismo profesional*, Madrid, 1997, págs. 39 ss., si bien incluyendo en el ámbito de protección la fe pública.

las falsedades documentales, o en el caso de la lesión o puesta en peligro de bienes personales, los delitos de homicidio, lesiones e incluso contra la salud pública.

Así delimitado el objeto de protección, puede decirse que las mayores dificultades interpretativas que plantea la regulación legal se concentran a la hora de determinar los presupuestos típicos de dicho tipo delictivo. La discusión sobre la forma de interpretar este delito puede exponerse en torno a cuatro cuestiones básicas: la primera, la determinación de los sujetos que puedan cometerlo; la segunda, la relativa a los supuestos en los que la irregularidad deba dar lugar a una sanción penal y no meramente administrativa; en tercer lugar, en tanto se trata de un elemento nuclear del tipo, la determinación de lo que se entienda por habitualidad, esto es, si es necesario una reiteración de actos o si, por el contrario, es suficiente con la práctica por una sola vez de la actividad de que se trate; por último, la relación concursal de este delito con otros tipos delictivos, no ya sólo contra la vida y salud, sino también contra el patrimonio así como frente a otros atentados a la fe pública. De cada uno de estos aspectos se ocupan las líneas que siguen.

1. Los sujetos activos del delito

La cuestión relativa a la determinación de los sujetos que pueden cometer el delito de intrusismo no debiera presentar, al menos en principio, demasiadas dificultades. Porque una vez que se ha identificado el bien jurídico con el interés del Estado y de la Administración en asegurar el cumplimiento de las condiciones de habilitación como presupuesto formal previo a su ejercicio, *sujetos activos* del delito son, de forma indiscutida, quienes carecen por completo de cualquier título oficial o académico. mayores dudas pudiera despertar la inclusión también en el ámbito típico del precepto de los sujetos que aun estando en posesión de uno de esos títulos no gozan de la titulación necesaria para ejercer los actos de la profesión de que se trate. Dado que en esta cuestión se implican las consideraciones propias del siguiente apartado, relativo a la delimitación de los supuestos en los que la irregularidad puede dar lugar a una sanción penal, nos remitimos en este punto a las reflexiones que entonces tendremos ocasión de hacer.

Menores dificultades presenta la tarea de identificar el *sujeto pasivo* del delito. Una vez más, conforme a la caracterización del bien jurídico de que partimos, aquél será el Estado, no el individuo que en concreto resulte afectado[157], en cuanto que desde el momento en que se sitúa dicho bien jurídico en la protección de las funciones de policía que a éste le competen, es el Estado el portador del interés lesionado cuando se comete el delito. Ello determina, como consecuencia lógica, que el mismo siga existiendo aun cuando el particular que en el caso concreto reclame los servicios del intruso sea consciente y asuma la irregularidad.

2. La delimitación de los supuestos en los que la irregularidad puede dar lugar a una sanción penal

Se trata en este apartado de depurar los casos que puedan reconducirse al delito de intrusismo frente a aquellos otros cuya sanción deba ventilarse en los cauces extrapenales o incluso conforme a otros títulos de responsabilidad penal.

Respecto a esto último, no es difícil imaginar supuestos en los que resulten de aplicación títulos delictivos ajenos al intrusismo. Así, por ejemplo, en la medida en que el presupuesto de la comisión del tipo es la ausencia de titulación, concurriendo ésta, no existirá el delito aun cuando el sujeto no esté suficientemente habilitado o no tenga las condiciones, destreza o habilidades mínimas para su ejercicio. Frente a los resultados que dicha práctica produzca habrán de aplicarse los correspondientes tipos de lesiones u homicidio.

En realidad, las dificultades se plantean a la hora de determinar los casos en los que la irregularidad en el ejercicio de la profesión, por su menor gravedad, no deba pasar de castigarse en el orden administrativo, por respeto al principio penal de *intervención mínima*. Bien es verdad que pocas dudas ofrece el castigo de las conductas de quien realiza actos propios de la profesión médica sin *poseer título académico alguno*, entendiendo por tal el correspondiente título emitido por un centro público o privado con reconocimiento oficial (tipo base del apartado primero), o bien el título oficial (no académico) que debe acreditar la capacitación y habilitación necesaria para la actividad de que se trate (tipo atenuado del apartado segundo)[158]. Piénsese, por ejemplo,

---

[157]   ORTS BERENGUER/ROIG TORRES, en *Responsabilidad penal del personal sanitario, ob. cit.*, pág. 173.

[158]   Cuestión distinta es relativa a la polémica en torno a lo que se considere título académico y título académico y título oficial, en concreto, a si el precepto resulta aplicable a la profesiones que no requieren título universitario. Antes de la entrada en vigor del Código Penal del 95, el Tribunal Constitucional zanjó la polémica al mostrarse favorable a una interpretación restrictiva en la sentencia 111/1993, de 25 de marzo. Sin embargo, el CP

en la conducta de quien abre una consulta como médico general sin poseer el título de licenciado en medicina o en la de quien ejerce como ATS sin estar en posesión de la titulación requerida. Tanto en uno como en otro caso no cabe duda de que la conducta sería reconducible al art. 403[159].

La delimitación de los supuestos en que el sujeto no esté en posesión del correspondiente título habilitador requerirá atender a las correspondientes normas que delimitan el espectro de actividades a cuyo ejercicio habilita el título de que se trate. No puede olvidarse que el tipo se configura conforme a la técnica de las *leyes penales en blanco*, aunque en el mismo no se contenga una remisión expresa a la normativa extrapenal[160]. En concreto, en la derterminación de los actos propios de cada profesión la norma básica es la Ley 44/2003, de 21 noviembre, de ordenación de la porfesiones sanitarias. Conforme a su art. 4.2, "el ejercicio de una profesión sanitaria, por cuanta propia o ajena, requerirá la posesión del correspondiente título oficial que habilite expresamente para ello o, en su caso, de la certificación prevista en el art. 2.4. y se atenderá, en su caso, a lo previsto en esta, en las demás leyes aplicables y en las normas reguladoras de los colegios profesionales". Por su parte, su art. 6.1., define la competencia de los licenciados en medicina en los siguientes términos: correponde a los licenciados en medicina la indicación y reiteración de las actividades dirigidas a la promoción y mantenimiento de la salud, la prevención de las enfermedades y al diagnóstico, tratamiento, terapeútica y rehabilitación de los pacientes, así como el enjuiciamiento y pronóstico de los procesoso objeto de atención". Conforme al art. 16.3 del mismo texto legal, "la posesión del título de especialista será necesaria para utilizar de modo expreso la denominación de especialista, para ejercer la profesión con tal carácter y para ocupar puestos de trabajo con tal denominación en centros y establecimientos públicos y privados.

---

del 95 abrió de nuevo la discusión al incluir en el art. 403 la referencia no solo al título académico sino también al oficial

[159] Al respecto véase ORTS BERENGUER/ROIG TORRES, "El intrusismo en las profesiones sanitarias", en *Responsabilidad penal del personal sanitario, ob. cit.*, págs. 163 ss., 178 ss; LLORIA GARCÍA, *El delito de intrusismo profesional, ob. cit.*, págs. 278 ss.

[160] ORTS BERENGUER/ROIG TORRES, en Responsabilidad penal del personal sanitario, ob. cit., págs. 181 ss.
No obstante algún sector de la doctrina se ha mostrado crítico con la forma en la que en el artículo se configura dicha técnica de remisión, tachándola de inconstitucional conforme a los requisitos que para su compatibilidad con el principio de legalidad estableciera el Tribunal Constitucional, en la Sentencia 122/1987, de 14 de julio: que el reenvío normativo sea expreso y esté justificado por el bien jurídico que se protege en la norma y que la ley, además de señalar la pena, contenga el núcleo esencial de la prohibición. En dicho sentido crítico véase LLORIA GARCÍA, *El delito de intrusismo profesional, ob. cit.*, págs. 433 ss.

La necesidad de acudir a dicha normativa administrativa resulta necesaria en un doble sentido: tanto a la hora de determinar los "actos propios" de la profesión de que se trate, como de comprobar el grado de titulación requerida para la misma. Así, por lo que se refiere a la delimitación de los "actos propios" de la profesión médica, habrá de estarse básicamente al RD 1018/1980, de 19 de mayo, relativo a los Estatutos Generales de la Organización Médica Colegial, cuyo art. 35.2 establece como actos propios de la profesión médica la prestación de servicios médicos en sus distintas modalidades. La comprensión de lo que haya de entenderse por tal requerirá acudir, como señala LLORIA GARCÍA, a definiciones como la propuesta por el Comité de expertos de problemas legales del Consejo de Europa, que refiere como tales "toda clase de tratamiento, intervención o examen con fines diagnósticos, profilácticos, terapéuticos y de rehabilitación llevados a cabo por un médico o bajo su responsabilidad"[161]. Ello supone excluir del ámbito propio del intrusismo las prácticas que, si bien se realizan con finalidad curativa, no se realizan por quien tiene la condición de médico ni, por tanto, siguen los cánones de la ciencia médica. Baste pensar en los curanderos, en quienes practican la medicina natural o en la que se conoce como medicina alternativa[162].

En realidad, las dificultades se concentran a la hora de determinar si también es posible derivar responsabilidad penal allí donde propiamente no puede hablarse de una carencia de título, sino de la *insuficiencia o inadecuación del mismo*. El ámbito paradigmático en el que ha planteado esta dificultad es relativo a los actos propios de la Cirugía estética[163].

---

[161]   LLORIA GARCÍA, El delito de intrusismo profesional, ob. cit., págs. 379 s.

[162]   LLORIA GARCÍA, El delito de intrusismo profesional, ob. cit., págs. 377 s., con referencias jurisprudenciales. Cuestión distinta será, lógicamente, que quienes se dedican al ejercicio de las medicinas alternativas excedan en su ejercicio de los actos propios de ésta. Es lo que sucedió en el caso enjuiciado en la STS de 23 de marzo de 2005, relativa a un sujeto que se denominaba especialista en Biocibernética cuántica holográmica y medicina neurofocal, pero que realizó actos propios de la profesión médica; en concreto, recetó e inyectó medicamentos que requieren prescripción facultativa, efectuó diagnósticos y ordenó tratamientos y terapias prescribiendo el cese de las que hasta entonces seguían los pacientes.

[163]   Si bien el problema también se ha planteado en relación con la especialidad de odontología, hoy día es unánime la opinión acerca de que el ejercicio de la misma sin contar con la titulación especializada será constitutivo de intrusismo, en cuanto que se trata de una carrera diferente a la medicina y cirugía. Por todos, Muchoz Conde *Derercho Penal, parte especial, Ob. Cit , pág. 703)*
Junto a estos casos, la identificación de los actos que exceden de las facultades genéricas del médico para entrar en el campo propio de las especialidades requiere recurrir a la correspondiente normativa extrapenal; en concreto, al RD 127/1984 que regula las especialidades médicas, modificado por el RD 139/2003, de 7 de febrero, por el que se actualiza la regulación de la formación médica especializada. Sólo con el recurso a la normativa

Si bien se trata de una cuestión respecto a la que nunca ha existido una-minidad, según veremos, ni doctrinal ni jurisprudencial, puede considerar-se mayoritaria la opinión que, sobre la base de la necesidad de interpretar restrictivamente el ámbito de aplicación del precepto, entiende que en estos casos no puede identificarse una conducta constitutiva de delito[164]. El argu-mento principalmente manejado para ello era el de la indeterminación mis-ma de lo que sean los actos propios de los licenciados en medicina, algo que impediría delimitar ámbitos de exclusividad[165]. Por otra parte, como señala MUÑOZ CONDE, no puede olvidarse que si lo que se protege es la competen-cia de la Administración en la expendición de títulos, en la medida en que sea ella misma la que cree o al menos consienta la anomalía de que un médico no especialista actúe como tal, debe descartarse la subsunción de la conducta en el art. 403[166].

El Tribunal Supremo mantuvo esta postura en la Sentencia de 1 de abril de 2003. En ella, entre otros títulos de responsabilidad como la estafa, se plan-teaba la posible responsabilidad por intrusismo en que hubiera incurrido un médico que trabajaba en el área de oncología sin ser especialista. El Tribunal Supremo. Caso la sentencia de la audiencia provincial de castellón, de 18 de octubre de 2000 que condenó al médico por un delito de intrusismo y absolvió al sujeto por dicho título. Así le llevó a entenderlo entre otros argumentos[167],

---

[164]   extrapenal pueden delimitarse, por ejemplo, lo que sean actos propios de la cirugía esté-tica de aquellos otros de mayor envergadura para cuyo ejercicio es necesario el título de especialista en cirugía plástica y reparadora. Sobre los límites de otras especialidades, véase detalladamente ORTS BERENGUER/ROIG TORRES, en *Responsabilidad penal del personal sanitario, ob. cit.,* págs. 189 s.

[164]   En sentido contrario, ORTS BERENGUER/ROIG TORRES, en *Responsabilidad penal del personal sanitario, ob. cit.,* pág. 187 ss.

[165]   En este sentido SERRANO GÓMEZ, "Delito de intrusismo y médicos no especialista", *AP* 1999, marg. 451 ss.

[166]   MUÑOZ CONDE, *Derecho Penal, Parte Especial, ob. cit.,* pág. 701.

[167]   Como el relacionado con las dudas que antes de la aprobación de la Ley 44/2003 suscitaba respecto al principio de legalidad la remisión normativa del art. 403 al RD 127/2004. En palabras del Tribunal, en el momento actual esa norma con rango de ley no existe "pues la regulación del título de especialista está establecida por el Real Decreto 127/1984, de 11 de enero. Este Real Decreto es una norma postconstitucional que sin embargo no tiene el rango normativo exigido por la Constitución para reconocerle el alcance de norma re-guladora de un amplio elenco de profesionales tituladas...la validez de este Real Decreto se limita específicamente a lo que enuncia en su epígrafe...pero no constituye una norma hábil para complementar la norma penal reglamentando específicamente nuevas profe-siones tituladas". A todo lo anterior añadía el TS que tampoco desde el punto de vista ma-terial ese Real Decreto puede admitirse para integrar el continido del delito de intrisismo, que responde a la técnica de las normas penales en blanco y que exige un cierto grado de

el hecho de que ni en tales casos resultaría aplicable el apartado primero del precepto, ya que el título de especialista no es un título académico, ni el apartado segundo, que se refiere a los casos en que el sujeto ejerza sin poseer el correspondiente título oficial. Como recordaba el TS, para apreciar ese delito no basta constatar la carencia de título oficial o académico, sino que es necesario comprobar también que se realizan actos propios de una profesión, distinta a aquella para la cual el agente se encuentra habilitado. "Y este requisito no concurre en los supuestos enjuiciados, pues no existe en nuestro sistema jurídico una profesión de especialista médico legalmente establecida y regulada, con definición de actos propios y específicos, diferenciada de la actividad profesional del médico. Existe, eso sí, una regulación oficial de las especialidades médicas, a los efectos del Servicio Nacional de Salud, fundamentalmente, pero carente de rango legal y sin constitución de una profesión específica que atribuya a los especialistas la exclusividad de determinados actos médicos y la prohibición de realización de los mismos a los médicos no especialistas titulados en otra especialidad, más o menos próxima". De esta conclusión excluía la Sentencia el caso de la odontología, algo que ya habían reconocido sentencias previas por tratarse de un supuesto específico con regulación leal propia[168].

En palabras del Tribunal, en el momento actual esa norma con rango de ley no existe "pues la regulación del título de especialista está establecida por el Real Decreto 127/1984, de 11 de enero[169]...Este Real Decreto es una norma postconstitucional que sin embargo no tiene el rango normativo exigido por la Constitución para reconocerle el alcance de norma reguladora de un amplio elenco de profesiones tituladas...la validez de este Real Decreto se limita específicamente a lo que enuncia en su epígrafe...pero no constituye una norma hábil para complementar la norma penal reglamentando específicamente nuevas profesiones tituladas". A todo lo anterior añadía el TS que tampoco desde el punto de vista material ese Real Decreto podía admitirse para inte-

---

certeza, ya que no define el elenco de los actos médicos propios de cada una de las especialidades médicas.

Estos argumentos han perdido definitivamente su valor a partir de la entrada en vigor de La Ley 44/2003.

[168]   Véase por ejemplo la Sentencia del Tribunal Supremo de 13 de junio de 1990, o la de 29 de septiembre de 1999, en relación con el ejercicio de la profesión de odontólogo por parte de quien sólo estaba en posesión de un título de Licenciado en Medicina y Cirugía, si bien exigiendo para el castigo cierta frecuencia en el ejercicio de los actos de la especialidad

[169]   Debe recordarse que conforme al mismo, "el título de Médico Especialista expedido por el Ministerio de Educación y Ciencia, será obligatorio para utilizar, de modo expreso, la denominación de Médico Especialista para ejercer la profesión con este carácter y para ocupar un puesto de trabajo en establecimientos o instituciones públicas o privadas con tal denominación".

grar el contenido del delito de intrusismo, que responde a la técnica de las normas penales en blanco y que exige un cierto grado de certeza, ya que no define el elenco de los actos médicos propios de cada una de las especialidades médicas.

La doctrina que se había mostrado favorable a esta interpretación ya antes de la entrada en vigor de la Ley 44/2003, consideró que tras la misma no había razones para alterar esa conclusión. El argumento es que, dado que también conforme a dicha Ley la especialidad sigue sin ser título académico, conservan su valor los argumentos manejados por la STS de 1 de abril de 2003 antes citada[170].

Frente a esta interpretación, sin embargo, entiendo más acertada la mantenida por la doctrina que sostiene que, tanto antes como ahora, es aplicable el delito de intruisismo a los casos en que el médico no especialista realizada actos de la especialidad, proponiendo seguir la línea marcada por el tribunal constitucional en su sentencia 24/1996, de 13 de febrero, en la que, si bien en relación con el específico ámbito de la estomatología, dejó setada la obligación de estar en posesión del título de especialist para ejercer la profesión con tal carácter de manera habitual. En este sentido, me parecen plenamente suscribibles los argumentos que maneja LLORIA GARCÍA[171]. Partiendo de que los títulos académicos no universitarios deben reconducirse al inciso primero del art. 403, esto es, a los títulos académicos, reservando el Título Oficial exclusivamente para las autorizaciones adminstrativas no académicas, considera, en primer lugar, que de la normativa que integra el precepto, en cuanto que norma penal en blanco, se extrae la necesidad de la especialización para practicar los actos propios de ella. Así se desprendería tanto del art. 1 del RD 127/1984, como de la vigente Ley 44/2003, que, según vimos, establece en su

---

[170]   En relación con la Cirugía plástica, reparadora y estética, véase TRILLO NAVARRO: "Imprudencia en cirugía estética: coautoría y continuidad", en La Ley Penal, noviembre de 2007, pags 27 s., quien señala que en otro caso se realizaría una interpretación *in malam partem* y desproporcionada contraria al principio de legalidad. En le mismo sentido véase ORTIZ/QUINTÁN/ARMENGOL-MIRÓ: "La sedación en la endoscopia digestiva y el intrusismo: aspectos legales", en *Revista Española de Enfermedades Digestivas, vol. 98.*, num. 12, 2006, que transcribe las palabras de un Dictamen de la Asesoría jurídicas del Colegio de Médicos de Baleares: "un médico puede ejercer cualquier actividad médica, pertenezca o no a alguna especialidad, siempre que no se anuncia con al cualidad o especialidad, lo que quiere decir que el médico puede hacerlo todo en medicina, en cirugía y en cualquier rama derivada, pero sólo los especialistas pueden anunciar su dedicación especial".

[171]   LLORIA GARCÍA, "La intrusión delictiva en las especialidades médicas y la Ley 44/2003: a propósito de la Sentencia del Tribunal Supremo de 1 de abril de 2003", en la *Ley Penal*, 2006..

art. 16.3 la necesidad de contar con el título del especialista para utilizar, de modo expreso, la denominación de especialista, para ejercer la profesión en centros y establecimientos públicos o privados.

En segundo lugar, LLORIA GARCÍA destaca la invalidadez del argumento que considera que la normativa reguladora de las especialidades no establece una reserva exclusiva de actos a los especialidades, por lo que no sería posible hablar de una profesión de médico especialista distinta de la de médico. Frente a ello considera la autora que, si bien es verdad que ni antes ni ahora la Ley 44/2003 especifica los actos exclusivos de los especialistas, la nueva normativa realiza una atribución abstracta de compotencias en su art. 6 al delimitar el ámbito competencial de los profesionales de la salud en atención a la titulación que poseen. De hecho, continúa la autora, si se hiciera depender ese espacio propio de que la normativa específicamente lo delimitase, habría de legarse a la absurda conclusión de que "el art. 403 resultaría inapicible no sólo para el caso del ejercicio de las especialidades por los licenciados en medicina, sino también para el ejercicio de la medicina por un no titulado, pues en ninguna norma se prohíbe expresamente la realización de los actos médicos por los no titulados.

Como anunciábamos, sobre esta materia tuvo ocasión de pronunciarse la importante Sentencia 283/2006, de 9 de octubre, del Tribunal Constitucional, que otorgó el amparo a un médico que realizaba actos de cirugía plástica sin estar en posesión del título de especialista en cirugía plástica reparadora, puesto que sólo era licenciado en medicina y cirugía general. Recordando expresamente los argumentos de la STS de 1 de abril de 2003, el TC entendió que la remisión al RD 127/1984 que realiza el art. 403 CP conforme a la técnica de las leyes penales en blanco, vulnera el principio de legalidad penal:

> "De una parte, desde una perspectiva formal la norma reguladora de las especialidades médicas no es adecuada para complementar el tipo penal de intrusismo por su carencia de rango de Ley expresamente exigido por el art. 36 CE para el 'ejercicio de las profesiones tituladas'. Y, de otra parte, a la misma conclusión debe llegarse desde una perspectiva material, pues la citada norma reglamentaria no define los actos propios de cada especialidad, conculcando la garantía de lex certa que incorpora el derecho a la legalidad penal y el principio de seguridad jurídica".

Como decíamos, en la actualidad debe atenderse a la Ley 44/2003, que su art. 6.1. define la competencia de los Licenciados en Medicina en los siguientes términos: "corresponde a los Licenciados en Medicina la indicación y realización de la actividades dirigidas a la promoción y mantenimiento de la salud, a la prevención de las enfermedades y el diagnóstico, tratamiento, terapéutico y rehabilitación de los pacientes, así como el enjuiciamiento y pronóstico de los procesos objeto de atención".

Por su parte, conforme al art. 16.3 de la misma norma: "...la posesión del título de especialista sara necesaria para utilizar de modo expreso la denominación de especialista, para ejercer la profesión con tal caracter y para ocupar puestos de trabajo con tal denominación en centros establecimientos públicos y privados.

Pese a la exigencia de especialidades para tales actividades, se ha venido entendiendo que, dado que también ahora la especialidad sigue sin sert título académico, sigue siendo válida la doctrina sentada en la STS de 1 de abril de 2003 antes comentada, por lo que habrá de entender que la realización por no especialista de aquellas funciones no integra el delito de intrusismo[172].

Si bien dejando sentado que el vicio de constitucionalidad no se debe al art. 403 como tal, sino al RD citado, subraya que su inconstitucionalidad tiene su origen en que incumple con las exigencias del principio de certeza, en tanto que no define el ámbito de los actos propios de cada especialidad. De nuevo, en palabras del Tribunal,

"el citado Real Decreto no recoge un elenco de las actividades médicas que habrían de corresponder a cada una de las especialidades, limitándose a formular con carácter genérico, en su artículo 1, la obligatoriedad de obtener el título de médico especialista para ejercer la profesión con dicho carácter. Expresado en otros términos, nos hallamos ante una suerte de 'remisión normativa en cadena', debiendo acudir, para determinar el contenido de la prohibición, en primer lugar al Real Decreto 127/1984, y descender después hasta una resolución administrativa reguladora de los planes de formación para con ella concretar los perfiles de actividad de los especialistas correspondientes...el límite de la remisión en materia de intrusismo debería agotarse en el citado Real Decreto 127/1984, sin que sea acorde con el derecho invocado tener que descender a una disposición administrativa como la resolución de la Secretaría de Estado de Universidades..."[173].

---

[172]   En relación con la cirugía plástica, reparadora y estética véase TRILLO NAVARRO: "Imprudencia en cirugía estética: coautoría y continuidad" en la Ley Penal, noviembre 2007, págs. 27.s., quien señala que en otro caso se realizaria una interpretación *in malan partem* y desproporcionada contraria al principio de la legalidad. En el mismo sentido véase ORTIZ/QUINTAN/ARMENGOL-MIRÓ: "La sedación en la endoscopia digestiva y el intrusismo: aspectos legales": en Revista Española de Enfermedades Digestivaa, vol. 98, nº 12, 2006, que transcribe las palabras de un Dictamen de la Asesoría Jurídico del Colégio de Médicos de Baleares: "un médico puede ejercer cualquier actividad médica, pertenezca o no a alguna especialidad, siempre que no se anuncia con la especialidad o cualidad, lo que quiere decir que el médico puede hacerlo todo en medicina, en cirujía y en cualquier raam derivada, pero sólo los especialistas pueden anunciar su dedicación especial".

[173]   Debe advertirse, no obstante, que el Magistrado Pérez Tremps formuló un voto particular a la sentencia por entender que en el caso concreto difícilmente podría decirse que la norma generase incertidumbre e inseguridad en el destinatario, puesto que "no resulta fácilmente comprensible que en un supuesto en que el recurrente es médico de profesión, propietario de una clínica dedicada específicamente a la cirugía plástica y que se anuncia como especialista en dicha disciplina, se considere que se ha vulnerado su derecho a la legalidad penal, bajo la ratio decidendi de que no se le ha posibilitado tener acceso a un conocimien-

Por lo demás, junto al aspecto anterior, debe advertirse también que fuera del ámbito típico deben quedar tanto los casos en los que realmente no se ejerce la profesión careciendo de título, como aquellos otros en los que no puede hablarse de un ejercicio real de la actividad. Lo primero supone expulsar del ámbito de conductas con relevancia penal los supuestos en los que quien ejerce la profesión, si bien obtuvo el correspondiente título, se encuentra en situación de suspensión o inhabilitación para ejercerla, en cuanto que esa condena no le priva del título, sino sólo de la capacidad de ejercer la profesión para la que está habilitado[174]. Por otra parte, y dejando de momento a un lado la posible responsabilidad en que pueda incurrir el sujeto por la falta del art. 637, habrá de excluirse también del ámbito típico del delito cualquier forma de responsabilidad penal cuando no pueda hablarse propiamente de un ejercicio real de la profesión por parte de quien no está habilitado para ello. Es lo que sucede, al menos, en dos grupos de casos. El primero, aquellos en los que si bien se realizan actos propios de determinadas profesiones, no puede decirse que se ejerza como tal. Sirva como ejemplo el de quien se ofrece a asistir a un familiar o amigo utilizando conocimientos médicos que ha adquirido extraoficialmente. En la medida en que se trata de un acto puntual y aislado, ejercitado exclusivamente en el ámbito privado, habría de descartarse cualquier posibilidad de incriminar el comportamiento como intrusismo.

Otro grupo de supuestos que igualmente habrían de expulsarse del tipo penal serían aquellos en los que, si bien es posible apreciar la dimensión pública, sin embargo tampoco puede hablarse de un ejercicio real de la medicina. Baste pensar ahora en los casos en los que el sujeto realiza puntualmente actos médicos en una consulta con la única finalidad de atentar contra la libertad sexual del paciente[175].

3. El requisito de la habitualidad en el delito de intrusismo

Una cuestión que tradicionalmente ha resultado compleja a la hora de interpretar el precepto es la relativa a si es suficiente para la apreciación del delito con un sólo acto o si, por el contrario, se requiere una continuidad en el ejercicio de la actividad. Tanto en la doctrina como en la jurisprudencia puede

---

to cierto de qué concretos actos médicos le estaba prohibido desarrollar por carecer de la especialización en cirugía plástica y reparadora, por el hecho de que no estén previstos expresamente en el Real Decreto 127/1984 sino en otras normas administrativas".

[174] SERRANO TÁRRAGA, *El delito de intrusismo profesional*, ob. cit., pág. 84; LLORIA GARCÍA, *El delito de intrusismo profesional*, ob. cit., págs. 324 ss.

[175] SERRANO TÁRRAGA, *El delito de intrusismo profesional*, ob. cit., pág. 67.

considerarse mayoritaria la corriente que se inclina por la primera opción, de tal forma que el empleo en plural del sustantivo "actos" no tendría otro valor que el de hacer referencia a la pluralidad de conductas cuyo ejercicio requiere el correspondiente título[176]. Cuestión distinta es que la necesidad de acudir a las respectivas reglamentaciones que regulen la profesión de que se trate pueda llevar a exigir en determinados casos una pluralidad de actos para poder entender que realmente el sujeto está ejerciendo la misma[177].

Cuando se realicen varios actos de forma continuada, ello no debe llevar, sin embargo, a apreciar una pluralidad de delitos[178]. La necesidad de conservar una visión conjunta de los hechos determina que los mismos hayan de considerarse como un único delito, como un *delito permanente* cuya realización se prolonga en el tiempo. Porque, como explica LLORIA GARCÍA, en realidad, el delito de intrusismo representa un supuesto de unidad típica, ya que "si la conducta de intrusismo consiste en ejercer una profesión, hay que preguntarse si cada vez que se practica un acto propio reconocible como perteneciente a una profesión, se está en presencia de un acto de ejercicio profesional singular y diferenciable del que antes o después se ejecute, y parece que la respuesta ha de ser negativa. Cada ejecución de un acto propio no puede constituir, sin más, un acto de ejercicio profesional, porque el *ejercicio* ha de identificarse *con el conjunto de actividades que se desempeñan en determinados ámbitos y con el cumplimiento de determinados requisitos que hacen que dicha práctica se reconozca como profesional*"[179].

Por otra parte, como señalan ORTS BERENGUER/ROIG TORRES, el dato de que sea suficiente con la realización de un sólo acto no supone incriminar cualquier supuesto en el que, desde un punto de vista formal, pueda apreciarse su realización. Baste pensar en los casos en que se trata de actividades

---

[176]   Entre otros, MUÑOZ CONDE, *Derecho Penal, Parte Especial, ob. cit.*, pág. 697; MANZANARES SAMANIEGO, AP 1995, ob. cit., marg. 325; SERRANO TÁRRAGA, El delito de intrusismo profesional, ob. cit., pág. 68; LLORIA GARCÍA, *El delito de intrusismo profesional, ob. cit.*, págs. 399 ss.

[177]   CERVELLO DONDERIS, "La presencia de habitualidad en el delito de intrusismo", en *Revista General del Derecho*, 1992, pág. 2561.

[178]   Véase al respecto, por ejemplo, la STS de 23 de marzo de 2005: "no se necesita una reiteración de actos basta uno solo, pero sin son varios los actos no existe una continuidad delictiva sino un solo delito de ejercicio de actos propios de una profesión; se está en presencia de un plural descriptivo que se reconduce a la unidad delictiva como ocurre con el art. 368 'los que ejecuten actos'"

[179]   LLORIA GARCÍA *El delito de intrusismo profesional, ob. cit.*, págs. 414 s. En el mismo orden de ideas, RODRÍGUEZ MOURULLO habla de un delito "eventualmente habitual o, si se prefiere, de conducta eventualmente plural", La Ciencia del Derecho Penal ante el nuevo siglo, *Libro Homenaje a Cerezo Mir, ob. cit.*, pág. 1493.

aisladas que se realizan motivadas por una relación de amistad e incluso por razones de urgencia[180]. En ninguno de esos casos podría apreciarse el delito de intrusismo, tanto por razones que enlazan con la necesidad de condicionar su incriminación a un contenido de antijuricidad material y no meramente formal, como por la necesidad de exigir cierta profesionalidad por parte de quien ejerce dichos actos[181].

4. Problemas concursales del delito de intrusismo

Se analizan en este apartado los problemas concursales que puede plantear este delito respecto a otros títulos delictivos con los que puede aparecer asociado en la práctica.

En primer lugar, es cierto que hay determinados supuestos cuya relación concursal con el intrusismo en absoluto es conflictiva. Baste pensar en los resultados lesivos o incluso letales que eventualmente se produjesen a consecuencia del ejercicio de la profesión por parte del no titulado. En la medida en que el respeto de la exclusiva potestad administrativa en la expendición de títulos, como tal, es independiente de las condiciones en las que se realice la actividad y, con ello, de la corrección o no de la misma, la lesión de estos bienes daría paso al correspondiente concurso de delitos con los tipos que la protegen.

Mayores son las dificultades que plantea determinar la relación concursal del delito de intrusismo con el delito de estafa. Las dudas se comprenden por sí mismas teniendo en cuenta la estrecha proximidad entre ambos delitos. Baste pensar que normalmente el ejercicio de la profesión sin estar en posesión del correspondiente título académico va seguida de la exigencia de una contraprestación que, al tener su origen en una conducta engañosa, bien pudiera reconducirse a los esquemas del delito de estafa. La solución, al igual que sucede cada vez que se plantea la relación concursal de cualquier delito, sólo puede venir de la mano de las reflexiones relativas al bien jurídico protegido. Una vez cifrado el objeto de tutela del intrusismo en la garantía del cumplimiento de los requisitos exigidos estatalmente para ejercer la correspondiente profesión, la relación con los delitos de contenido patrimonial que eventualmente se cometan con ocasión del ejercicio de la misma no puede

---

[180]   ORTS BERENGUER/ROIG TORRES, en *Responsabilidad penal del personal sanitario, ob. cit.*, pág. 175.
[181]   LLORIA GARCÍA, *El delito de intrusismo profesional, ob. cit.*, págs. 422 s.

discurrir más que por las reglas del concurso —ideal— de delitos[182]. Tal vez sólo convenga añadir que, como señala CHOCLÁN MONTALVO, dicha solución debe mantenerse inalterada con independencia del criterio —seguido mayoritariamente por el Tribunal Supremo— de que los honorarios percibidos resulten o no los acostumbrados en la profesión. Frente a ello, lo único importante será determinar si pueden apreciarse en el caso concreto todos los elementos estructurales de la estafa; en especial, por ser el más conflictivo, la producción de un perjuicio patrimonial por el sujeto pasivo, algo que difícilmente podría admitirse cuando el servicio se presta correctamente[183].

Igualmente conflictiva pudiera plantearse la relación concursal del delito de intrusismo con el de falsedad documental. Según entiendo, en tanto que a aquél no es consustancial la falsificación de documentos, cuando ésta se produzca habrá de apreciarse el correspondiente concurso de delitos[184]. Se refleja así con claridad que los bienes jurídicos tutelados por los respectivos delitos apuntan a ámbitos distintos cuya tutela, por tanto, en absoluto se solapa: mientras que con el art. 403 se trata, según vimos, de garantizar el cumplimiento de los requisitos exigidos estatalmente para ejercer la correspondiente profesión, con la multiplicidad de intereses que ello comporta, en los delitos de falsedad se protege la fe pública de los documentos que se ven falseados.

Es más, entiendo que esa misma solución debe mantenerse inalterada incluso en relación con el supuesto agravado contemplado en el inciso final del art. 403 relativo a la atribución pública de la cualidad de profesional en cuanto que, una vez más, ni la realización de esta conducta requiere necesariamente

---

[182]   Se inclinan por admitir la relación concursal, SERRANO GÓMEZ, *AP*, 1999, *ob. cit*, marg. 461. Admite también un concurso de delitos MANZANARES SAMANIEGO, en *AP*, 1995, ob. cit., marg. 328, si bien limitando dicha solución a los casos en los que los elementos de la estafa superen los márgenes admitidos por la prestación legal de la actividad.
En este sentido puede verse la STS de 23 de marzo de 2005, que enjuiciaba a un sujeto que autodenominándose Doctor y especialista en Biocibernética cuántica holográmica y medicina neuro-focal tenía una consulta abierta en la que prescribía fármacos a sus clientes basando su tratamiento en que todas las enfermedades tenían su origen en la dentadura, por lo que prescribía la extracción de todas o parte de las piezas dentarias: "además de la lógica remuneración del acto médico, hubo otros pagos que fueron hechos mediante un engaño precedente por parte del recurrente, que fue bastante atendiendo a las concretas circunstancias personales de los pacientes, que ansiaban recuperar la salud, por lo que no es de aplicación la teoría del principio de autorresponsabilidad". Véase también la STS de 10 de octubre de 2005.

[183]   CHOCLÁN MONTALVO, *Actualidad Penal, 1996, ob. cit.*, margs. 230 ss.

[184]   SERRANO TÁRRAGA, *El delito de intrusismo profesional, ob. cit.*, págs. 94 ss.

la comisión de un tipo de falsedad documental, ni se produce un solapamiento de los bienes jurídicos protegidos[185].

Resta hacer una última referencia a la conducta contemplada en el art. 637 CP. Según vimos, en este artículo, ubicado entre las faltas contra el orden público, el legislador tipifica la conducta tanto de usar pública e indebidamente uniforme, traje, insignia o condecoración oficiales, como la de atribuirse públicamente la cualidad de profesional amparado por un título académico que no se posee. Se trata, en definitiva, de conductas de menor significación en las que el sujeto no ejerce la profesión que se atribuye. Según entiendo, de *lege ferenda* sería deseable su desaparición en cuanto que, o tiene una gravedad ínfima que difícilmente puede justificar un interés estatal equiparable al bien jurídico que se ha identificado en el resto de las conductas, o si de lo que se trata de sancionar es el respeto de la fe pública, no puede desconocerse que para los casos más graves que pudieran demandar tutela penal ya existen los correspondientes delitos de falsedad que funcionarían así como el límite mínimo a partir del cual sea razonable el recurso al Derecho penal.

IV. OTROS TÍTULOS DE RESPONSABILIDAD. ESPECIAL REFERENCIA A LA EXPENDICIÓN FALSA DE CERTIFICADOS

Junto a los delitos ya estudiados, es posible descubrir una pluralidad de supuestos en los que, en los más variados ámbitos, el legislador contempla una cláusula especial de responsabilidad para el médico: unas veces al tipificar conductas que normalmente sólo son cometidas por los profesionales de la medicina (como sucede en el art. 343 relativo a la exposición a una o varias personas a radiaciones ionizantes que pongan en peligro su vida, integridad, salud o bienes); otras, las más frecuentes, al cualificar la pena de determinados delitos que ya contempla cuando los mismos son cometidos por un profesional sanitario. Valga de cita el artículo 222 CP en relación con el delito de suposición de parto y alteración de la paternidad, estado o condición del menor. Conforme a dicho precepto, además de las penas previstas en los respectivos artículos, al facultativo[186] le será aplicable la pena de inhabilitación

---

[185]   En este sentido, por ejemplo, MANZANARES SAMANIEGO, *AP* 1995, *ob. cit.*, marg. 329.

[186]   Conforme al segundo inciso del mismo artículo, se entiende por facultativo "los médicos, matronas, personal de enfermería y cualquier otra persona que realice una actividad sani-

especial para empleo o cargo público, profesión u oficio, de dos a seis años. El art. 303 contempla otra agravación respecto a las conductas de receptación previstas en los art. 298 ss. Dispone dicho artículo que si las realizaren, entre otros, los facultativos[187], se impondrá, además de la pena correspondiente, la de inhabilitación especial para empleo o cargo público, profesión, oficio, industria o comercio, de tres a diez años.

En el catálogo de cualificaciones específicamente relacionadas con la genuina práctica médica todavía puede citarse el apartado 8 del artículo 368 a propósito de las conductas relacionadas con el tráfico de drogas. Conforme a dicho precepto, se impondrán las penas superiores en grado a las respectivamente previstas por el Código para los diferentes comportamientos delictivos cuando el culpable fuere, entre otros, un facultativo. Se trata de una cualificación aplicable tanto a los casos en los que la colaboración del facultativo consiste en expedir una receta que facilita la obtención de la droga, como a los supuestos en que el farmacéutico expende sin la oportuna receta fármacos con tales propiedades[188]. También en sede de los delitos contra la salud pública el legislador hace referencia especial al facultativo en el art. 372 al establecer que, además de la pena que le corresponda, se impondrá la de inhabilitación especial para empleo o cargo público, profesión u oficio, industria o comercio por tiempo de uno a diez años. Pero sin duda, la más reciente de esas previsiones ha sido la incorporada por la LO 7/2006, de 21 de noviembre, de protección de la salud y lucha contra el dopaje en el deporte, que prevé penas de prisión de seis meses a dos años para quienes promuevan el consumo de sustancias prohibidas, entre ellas de forma especial, cuando quien proporcione tales sustancias sea personal sanitario[189].

---

taria o sociosanitaria".

[187]   Entendiéndose por tal, conforme al mismo artículo "los médicos, psicólogos, las personas en posesión de títulos sanitarios, los veterinarios, los farmacéuticos y sus dependientes".

[188]   No así, sin embargo, al farmacéutico que tiene motivos para sospechar que la receta que se le presenta ha sido prescrita indebidamente por el médico. A mi juicio, esta falta de responsabilidad no puede fundamentarse desde las bases teóricas del principio de confianza, en cuanto que recurrir a él supondría desconocer que dicho principio quiebra allí donde hay motivos para desconfiar en la actuación de terceros. Frente a ello, entiendo que la impunidad del farmacéutico en estos casos se debe a la previa acotación de su ámbito competencial; esto es, a que la función del mismo opera en el ámbito administrativo, que le obliga exclusivamente a denegar determinados medicamentos si no se entrega la correspondiente receta, sin que se extienda a comprobar la procedencia real del medicamento recetado.

[189]   Dispone el art. 361 bis que "1. Los que, sin justificación terapéutica, prescriban, proporcionen, dispensen, suministren, administren, ofrezcan o faciliten a deportistas federados no competitivos, deportistas no federados que practiquen el deporte por recreo, o depor-

Entre esas previsiones específicas para la conducta de los profesionales de la medicina nos detendremos en lo que sigue en dos de ellas. En primer lugar, las relativas a los delitos relacionados con la salud pública; la segunda, la expendición de certificados falsos.

En primer lugar, en relación con los delitos contra la salud pública, merece atención especial la referencia a las previsiones de los apartados segundo y tercero del art. 362 CP. En él se castigan las conductas relativas a la imitación o simulación de medicamentos o sustancias análogas, dándoles apariencia de verdaderos, con ánimo de expenderlos y poniendo con ello en peligro la vida o la salud de las personas.

En concreto, en relación con esta previsión reclama una atención especial el requisito de la puesta en peligro de la vida o salud de las personas, una exigencia que precisamente marca el salto de la intervención penal frente a las conductas que sólo deban sancionarse en el orden administrativo[190]. A este respecto es importante destacar que el peligro no sólo puede derivarse del uso, en sí de los medicamentos, esto es, de los riesgos que pueda causar el preparado, sino también de otros que se produzcan como efecto de su dispensa. Es lo que sucede, de forma especial, en los casos en que la dispensa del medicamento simulado determine que el paciente renuncie a la medicación indicada. En este sentido cobra especial importancia la cita de la STS de 1 de abril de 2002, que entre otros delitos, condenó por un delito a la salud pública a un médico que suministraba a enfermos de cáncer un supuesto medicamento curativo, no autorizado por las autoridades sanitarias, que era un compuesto de urea y suero fisiológico, a sabiendas de su eficacia terapéutica así de que los pacien-

---

tistas que participen en competiciones organizadas en España por entidades deportivas, sustancias o grupos farmacológicos prohibidos, así como métodos no reglamentarios, destinados a aumentar sus capacidades físicas o a modificar los resultados de las competiciones, que por su contenido, reiteración de la ingesta u otras circunstancias concurrentes, pongan en peligro la vida o la salud de los mismos, serán castigados con las penas de prisión de seis meses a dos años, multa de seis a dieciocho meses e inhabilitación especial para empleo o cargo público, profesión u oficio, de dos a cinco años.2. Se impondrán las penas previstas en el apartado anterior en su mitad superior cuando el delito se perpetre concurriendo alguna de las circunstancias siguientes: 1ª Que la víctima sea menor de edad. 2ª Que se haya empleado engaño o intimidación. 3ª Que el responsable se haya prevalido de una relación de superioridad laboral o profesional". Sobre este delito véase por todos CORTÉS BECHIARELLI, *El delito de dopaje*, Valencia, 2007.

[190] Debe recordarse que el art. 101 c) 14 de la Ley 29/2006, de 26 de julio, de garantías y uso racional de los medicamentos y productos sanitarios contempla como infracción muy grave la elaboración, fabricación, importación, exportación, comercialización, prescripción y dispensación de productos, preparados, sustancias o combinaciones de las mismas que se presentaren como medicamentos y no estuvieran legalmente reconocidos.

tes que acudían a su consulta esperanzados por los resultados que prometía, renunciaban de esta forma a las terapias convencionales. En palabras del Alto Tribunal,

"la puesta en peligro concreto de la salud o la vida de los pacientes no se produce en este caso por los efectos nocivos de la sustancia en sí misma, sino por el hecho de su absoluta inoperancia y porque, como reconoce el condenado, su administración sustituía al tratamiento médico convencional, con lo cual en una enfermedad de tan acusada gravedad como el cáncer, la confianza de los pacientes en esta sustancia inocua impedía que acudiesen o conservasen otros tratamientos más efectivos, poniendo con ello en grave peligro su salud y su vida.

En los delitos de peligro concreto se exige un peligro próximo o inmediato de que se materialice la probabilidad de lesión para el bien jurídico. Y es claro que los pacientes enfermos de cáncer que abandonaron su tratamiento original o prescindieron de someterse al mismo, por consumir el ineficaz seudo-medicamento del condenado, tal como consta relacionado en numerosos casos concretos en los hechos probados, se pusieron en peligro próximo e inmediato de agravamiento de su enfermedad, falleciendo en un número relevante de casos".

En segundo lugar, mención especial merece igualmente el estudio de una conducta que, sin duda, por la propia naturaleza de la actividad sanitaria, está llamada a cobrar en la práctica especial importancia: la expendición de certificados médicos falsos. El Código penal del 95, superando las limitaciones con que configuraba esta modalidad en el Código anterior[191], dispone en su art. 397 CP: "El facultativo que librare certificado falso será castigado con la pena de multa de tres a doce meses". Conforme al art. 398: "La autoridad o funcionario público que librare certificación falsa será castigado con la pena de suspensión de seis meses a dos años".

En primer lugar, por lo que al ámbito típico de esos preceptos se refiere, debe advertirse que el objeto material de la conducta son exclusivamente los *certificados*, esto es, los documentos en los que el médico, en su cualidad de tal, constata como real el padecimiento de una patología o cualquier otra circunstancia sobre el estado físico o psíquico del sujeto. Se trata, en definitiva, de supuestos de falsedad que, sin embargo, valorativamente, el legislador contempla como menos graves que los de falsificación del resto de documentos privados y oficiales.

Baste pensar, por ejemplo en el caso en el que, en connivencia con el supuesto enfermo, certifica falsamente el padecimiento de una enfermedad para lograr eximir así a aquél de un servicio de obligado cumplimiento, para cobrar una determinada pensión, o bien posibilitarle la realización de una actividad que normativamente requiere la certificación de su buen estado de salud.

---

[191] El art. 311 disponía: "El facultativo que librare certificado falso de enfermedad o lesión con el fin de eximir a una persona de algún servicio público será castigado con las penas de arresto mayor y multa de 100.000 a 200.000 pesetas".

Dado que el Código penal no incrimina la conductas imprudentes de falsedad, deben quedar impunes los casos, frecuentes en la práctica médica, en los que el médico extiende un certificado —por ejemplo, para conducir o para el ejercicio de la función pública—, sin comprobar exhaustivamente el estado de salud del paciente, sino limitándose a realizar de forma rutinaria o mecánica un chequeo parcial y más o menos superficial. En la medida en que en estos casos el médico se limita de forma descuidada a acreditar datos relativos a la salud que no ha constatado de forma fehaciente, su actuación habría de quedar extramuros de los tipos de falsedad.

Limitada la responsabilidad penal del médico por la emisión falsa de certificados a los casos en los que la realice de forma dolosa, se plantea si, más allá de la responsabilidad en que pueda incurrir por el correspondiente tipo de falsedad, también puede hacerlo por el delito que instrumentalmente realice. Baste pensar que la exigencia de certificados o informes médicos se contempla en el plano legislativo en los más variados ámbitos, y que los mismos pueden servir para conseguir un injusto ulterior, la mayoría de las veces instrumentalizando al juez que tiene que emitir una resolución a partir de los mismos.

Así, por ejemplo, en el ámbito civil, el art. 208 CC requiere el dictamen de un facultativo para la declaración judicial de incapacidad; lo mismo exige el art. 211 para autorizar una medida de internamiento. Ya en el ámbito penal, el legislador prevé la emisión de un informe médico en distintos supuestos. Por ejemplo, respecto a las medidas de seguridad, el art. 95.1 CP dispone que "Las medidas de seguridad se aplicarán por el Juez o Tribunal, previos los informes que estime convenientes", y el art. 98 CP requiere que la propuesta que eventualmente realice el Juez de Vigilancia Penitenciaria al Juez o Tribunal sentenciador en torno al cese, sustitución o suspensión de la medida de seguridad impuesta, habrá de basarse en el correspondiente informe facultativo[192]. También en materia de suspensión de penas privativas de libertad el último apartado del art. 87 contempla la emisión de informes; ya en relación con la libertad condicional el art. 90 CP exige, entre otros requisitos, que los sentenciados "hayan observado buena conducta y exista respecto de los mismos un pronóstico individualizado y favorable de reinserción social, emitido por los expertos que el Juez de Vigilancia Penitenciaria estime convenientes". También se refiere al in-

---

[192]   Dispone el art. 98 CP: "Para formular la propuesta a que se refiere el artículo anterior el Juez de Vigilancia Penitenciaria deberá valorar los informes emitidos por facultativos y profesionales que asistan al sometido a medida de seguridad, y en su caso, el resultado de las demás actuaciones que a este fin ordene".

forme médico el art. 92, que lo contempla con carácter preceptivo para que los enfermos muy graves o con padecimientos incurables puedan obtener la libertad condicional.

La exigencia de un informe médico como base, bien para una declaración judicial, bien para la legalidad de la conducta que un tercero realice amparado en el mismo, se contempla igualmente en algunos tipos de la Parte Especial. Así, el art. 156 CP condiciona la autorización judicial para la esterilización de persona incapacitada que adolezca de grave deficiencia psíquica, entre otros extremos, a que sea "oído el dictamen de dos especialistas"; en relación con los supuestos en los que está permitida la práctica del aborto, el art. 417 bis.1 del anterior CP al que se remite el art. 145 del actual, dispone que, salvo supuestos de urgencia por riesgo vital para la gestante, la impunidad del médico por realizar un aborto acogiéndose a la indicación terapéutica requiere que la situación de grave peligro para la vida o salud de la embarazada "conste en un dictamen emitido con anterioridad a la intervención por un médico de la especialidad correspondiente, distinto de aquel por quien o bajo cuya dirección se practique el aborto". También en la indicación eugenésica se requiere que "el dictamen, expresado con anterioridad a la práctica del aborto, sea emitido por dos especialistas del centro o establecimiento sanitario, público o privado, acreditado al efecto, y distintos de aquel por quien o bajo cuya dirección se practique el aborto". Fuera del Código penal, también algunas leyes especiales exigen, en los más variados ámbitos, la emisión preceptiva de informes. Así, por ejemplo, el art. 47 de la Ley Penitenciaria requiere un informe a efectos de concesión de permisos de salida y en el mismo sentido se pronuncia el art. 62 c) de la misma Ley respecto a la individualización del tratamiento. Ya con relación a los menores de edad, la LO 5/2000, de 12 de enero, reguladora de la responsabilidad penal de los menores, convierte en pieza central la emisión de los correspondientes informes por el equipo técnico. Así, a efectos de adopción de las medidas dispone el art. 27 que "el Ministerio Fiscal requerirá del equipo técnico...la elaboración de un informe o la actualización de los anteriormente emitidos...sobre la situación psicológica, educativa y familiar del menor, así como sobre su entorno social, y en general sobre cualquier otra circunstancia relevante a los efectos de la adopción de alguna de las medidas previstas en la presente Ley". La misma exigencia del informe está presente, por ejemplo, a efectos de acordar la suspensión del fallo (art. 40). Por citar un caso más en el que legislativamente se requiere una certificación médica, baste referir la exigencia contenida en el RD 426/1980, de 22 de febrero, por el que se desarrolla la Ley 30/1979, de 27 de octubre, sobre Extracción y Trasplante de Órganos. Conforme a su art. 3, "El estado de salud física y mental del donante que permita la extracción del órgano deberá ser acreditado por un Médico distinto del o de los que vayan a efectuar la extracción".

En todos estos casos, el principal problema que se plantea es si, más allá de la responsabilidad en la que pueda incurrir el facultativo por la emisión de tales informes conforme a los arts. 397 y 398 CP, cabe plantear su posible relación concursal con el tipo delictivo que, en su caso, mediatamente facilite. Sirva como ejemplo el caso del facultativo que certifica falsamente la muerte de un recién nacido para entregar el niño a otra familia y así alterar su filiación. La pregunta que se plantearía entonces es si, además del correspondiente delito de falsedad, el médico podría responder por un delito del art. 220 relativo a la alteración de la paternidad.

Según entiendo, la solución a este problema tiene que encontrarse, al igual que en el resto de los tipos de falsedad, tanto en la naturaleza jurídica del documento como en la propia configuración de los elementos requeridos por el tipo. Bien es verdad que, por lo que a su naturaleza jurídica se refiere, los documentos contemplados en los arts. 397 y 398 tienen carácter diferente: mientras que en el supuesto del art. 397, esto es, la certificación falsa cometida por un médico particular, se trata de una falsedad en documento privado, en el supuesto del art. 397 se contempla una modalidad de falsedad en documento oficial[193]. No obstante, me parece que en lo que al régimen concursal con otros delitos se refiere, el legislador ha querido equiparar el tratamiento de ambos supuestos. Como sostuve en otro lugar[194], la solución de apreciar un concurso de leyes sólo resulta justificada allí donde el legislador ha incorporado al respectivo tipo delictivo la exigencia de un ánimo de perjudicar que trasciende al injusto propio del mero dato de la falsedad. Es lo que sucede en el art. 393 en relación con el uso de un documento público así como los arts. 395 y 396 en relación, respectivamente, con la falsificación y uso de documentos privados. En ellos, al exigirse dicho ánimo trascendente, el legislador ha funcionalizado el castigo de tales conductas al perjuicio a cuya producción se orientan, de tal modo que al ponerse en relación con el delito fin, dichas conductas falsarias no representan sino secuencias sólo formalmente autónomas de una misma maniobra fraudulenta, esto es, formas orientadas a la producción de un injusto más amplio cuya apreciación, por tanto, absorbe y desborda a la conducta falsaria.

Algo distinto sucede con el art. 392 relativo a la falsificación de un documento público y, por lo que ahora interesa, los arts. 397 y 398. En ellos la

---

[193]   Por todos, MUÑOZ CONDE, *Derecho Penal, Parte Especial*, ob. cit., pág. 737.
[194]   GÓMEZ RIVERO, *El fraude de subvenciones*, Valencia, 1996, págs. 252 ss.

protección de la funcionalidad del documento se desvincula del móvil que con su realización pretenda lograr el sujeto activo. De esta forma, la protección de la falsedad se independiza de la maniobra fraudulenta a cuya consecución se orienta, por lo que la solución habrá de ser apreciar un concurso de delitos. Esta solución se ve confirmada en el art. 398 por la propia naturaleza de las penas que en él se prevén: la suspensión de seis meses a dos años. Me parece fuera de dudas que esta pena sólo atiende a la conducta falsaria del funcionario; no a la contribución que tal colaboración represente para la comisión de un injusto adicional.

Afirmado lo anterior, cuestión distinta es que la apreciación de la responsabilidad del médico que emite un informe falso por el delito final que pretende conseguir quede vedada no pocas veces por razones dogmáticas. Así, por ejemplo, en relación con los casos en que el informe va dirigido a un Juez o magistrado que tiene que dictaminar en causa criminal, la posible responsabilidad penal del médico que, a sabiendas, informa favorablemente, requerirá que la conducta del juez sea a su vez típica conforme a los arts. 446 ss. CP. Es lo que sucederá cuando la actuación del Juez que dicta la resolución injusta sea dolosa. En estos casos nada se opondrá a apreciar una forma de participación que, como es sabido, requiere la actuación intencional de autor y partícipe.

Frente a estos supuestos, las dificultades para hacer responder al facultativo por el delito que posibilita su informe surgen allí donde no exista un hecho principal doloso en cuya ejecución pueda decirse que aquél participe. Continuando con el ejemplo en el que el informe sirva de base a una resolución judicial, sería éste el caso cuando la misma se dicte por imprudencia (art. 447 CP). En estos supuestos, descartada la posibilidad de apreciar una forma de participación por el delito que posibilita, el único título por el que pudiera responsabilizarse a quien emite el informe habría de ser la *cooperación necesaria*, en tanto la misma se entienda como una forma de coautoría. Dicha calificación, sin embargo, habría de descartarse en relación con delitos como la prevaricación, que por ser especiales impropios, sólo resultan punibles para los terceros cuando actúan como partícipes. Lo mismo habría que decir respecto a la posibilidad de admitir en estos tipos una forma de *autoría mediata*[195]. Esta calificación sólo resultaría admisible cuando el delito fin sea

---

[195] Por todos, GONZÁLEZ CUSSAC, *El delito de prevaricación de autoridades y funcionarios públicos*, Valencia, 1997, págs. 132 s., si bien no encuentra obstáculos para admitir en tales casos una forma de inducción.

común, como sucedería, por ejemplo, cuando el médico que practica el aborto lo haga confiando en el informe que emite otro facultativo.

Otro tanto habría que decir respecto a los supuestos en que la emisión del dictamen o informe posibilita la ulterior comisión de un delito por un tercero. También en estos casos el castigo del médico por el mismo sólo sería posible en caso de que hubiera actuado de forma dolosa. Baste pensar en el médico psiquiatra que certifica, con conciencia de su falsedad, la evolución favorable de un recluso ingresado en prisión, por ejemplo, por un delito de violación. Imaginemos que el certificado se concede en connivencia con el recluso que necesita la obtención del permiso para cometer el delito que tiene proyectado, cosa que finalmente sucede. En tanto la conducta del médico haya estado orientada a la comisión del concreto delito, nada se opondrá a apreciar su responsabilidad como cooperador necesario al mismo. Distintas habrían de ser las cosas cuando la actuación del médico fuera meramente imprudente respecto a la producción del resultado. Es lo que sucedería cuando, si bien el informe se realizara en connivencia con el recluso para obtener ilegalmente la libertad de éste, no existiera acuerdo sobre el proyecto futuro de delinquir. Apreciar en estos casos también la responsabilidad del facultativo por la ulterior conducta delictiva del paciente supondría no sólo ignorar los criterios básicos de imputación, sino resucitar los viejos esquemas del *versari in re illicita.*

Aunque es una cuestión que desborda la relativa a los tipos del Código penal que contemplan una específica mención al profesional, no quisiera concluir la referencia a las falsedades que puede cometer el médico sin hacer mención a los casos en los que su conducta falsaria consista en extender recetas, bien prescribiendo una medicación que el paciente no necesita, bien, simplemente, consignando el nombre de un paciente inexistente para obtener medicamentos para su ulterior venta o cualquier otro fin.

Es lo que sucede, a título de ejemplo, en casos como el que saltaba en 1999 a los medios de comunicación. Se trataba de un alergólogo del hospital Ramón y Cajal de Madrid que prescribía, sin necesidad médica, fármacos de un laboratorio en el que tenía intereses. La querella del Fiscal fue fruto de una denuncia presentada por cinco padres de niños tratados por el doctor en la que señalaban que durante muchos años tuvieron que adquirir periódicamente la medicación que le prescribía por razones de interés con el laboratorio. Cada tratamiento antialérgico costaba alrededor de 20.000 pesetas, sufragando el 60% de los gastos la Seguridad Social y el resto, el paciente[196]. En el

---

[196]   Véase la información aparecida en el *Diario El País,* el 17 de abril de 1999.

mismo sentido puede citarse el caso que también saltaba a la prensa relativo al descubrimiento en Granada de un fraude al Servicio Andaluz de Salud en el que estaban implicados el representante de un laboratorio y 98 médicos que facilitaban recetas en blanco. Estos entregaban las recetas a un farmacéutico, las rellenaban y obtenían los cupones de precinto de una clínica privada. El farmacéutico remitía las copias al Servicio Andaluz de Salud para que se las abonara, cuando en realidad ninguno de esos medicamentos había sido expedido.

Dejando a un lado la responsabilidad penal en que pueda incurrir el médico en el primer caso de poderse subsumir su conducta en el art. 369.8, esto es, los supuestos en que ayudara a un tercero a obtener drogas mediante el uso de recetas, así como por un posible delito de estafa a la Seguridad Social, e incluso de cohecho cuando el médico prescribe fármacos en connivencia con un laboratorio recibiendo a cambio regalos o una contraprestación económica[197], se plantea su posible responsabilidad conforme a los tipos de falsedad.

No es éste, lógicamente, el lugar para realizar un estudio acabado en torno a las formas y requisitos del delito de falsedad[198]. Lo único que interesa destacar ahora es que en tanto se den sus requisitos, no deben existir en este ámbito especiales dificultades para apreciar las correspondientes conductas falsarias descritas en los arts. 390 ss. CP. Tal vez al respecto sólo deba subrayarse que, tal como viene avalado por una sólida interpretación jurisprudencial, las recetas propias del Sistema Público de Salud se consideran documentos oficiales[199], de tal forma que las falsedades que el médico cometa en ellas darán paso

---

[197] Véase al respecto, por ejemplo, la STS de 7 abril 1981, en relación con la conducta del médico de la Seguridad Social que aceptó la propuesta de sus representantes de Laboratorio, de recibir 100 ptas. por cada receta oficial que le firmara en blanco para ser rellenadas por terceros con nombres imaginarios, medicamentos no despachados, con precintos no correspondientes a los debidos emplear, para cobrar su importe de la Seguridad Social, entregando así un número de recetas.

[198] Al respecto, véase por todos GARCÍA CANTIZANO, *Fraudes documentales*, Valencia, 1994.

[199] Puede servir como resumen al respecto la Sentencia del Tribunal Supremo de 10 de marzo de 1994: "La doctrina de esta Sala -cfr. Sentencias de 22 marzo, 3 abril y 18 y 21 mayo 1993 (RJ 1993/2430, RJ 1993/3022, RJ 1993/4168 y RJ 1993/4242)-, ha venido distinguiendo a estos efectos dos clases de recetas médicas: 1.º) las expedidas por los facultativos en el ejercicio de su función sanitaria en organismos públicos como la Seguridad Social, Beneficencia, Corporación Municipal o Mutualidades, que tanto por su origen, como por su destino, deben estimarse como documentos oficiales y 2.º) las realizadas por los médicos en el ejercicio particular de su profesión, que son documentos privados. Por ello, las recetas de la Seguridad Social -Sentencias de 20 octubre 1987 (RJ 1987/7581), 13 marzo,

a un delito de falsedad en documento público u oficial que, a su vez, cuando la conducta la comete un profesional incardinado en el sistema público de salud[200], podrá dar lugar a la apreciación del art. 390 CP.

Sirva de ejemplo la Sentencia del Tribunal Supremo de 25 de enero 2000. En ella se enjuiciaba la conducta de una médico sustituta que proporcionó a su padre recetas de pensionistas para que pudiera adquirir de forma gratuita los medicamentos que necesitaba, pese a no tratarse de una persona jubilada. Si bien atenuando la pena por aplicación del art. 318, el Tribunal Supremo confirmó la calificación de los hechos realizada por la Sentencia de instancia y condenó a la médico por un delito continuado de falsedad de documento oficial. En el mismo sentido, la Sentencia de 24 marzo 2000 de la Audiencia Provincial de León condenó conforme a ese título a un médico que extendía recetas falsas en connivencia con una farmacéutica que las dispensaba con el fin de cobrarlas después del Insalud. Véase también, por ejemplo, la STS de 10 marzo 1994, que condenó por un delito de falsificación de documentos públicos, oficiales y de comercio cometido por funcionario abusando de su oficio al médico de la Seguridad Social que falsificó recetas médicas en lo

---

6 mayo, 17 junio y 13 diciembre 1992 (RJ 1992/2084, RJ 1992/4479, RJ 1992/5402 y RJ 1992/9914)-, las oficiales de una Corporación Municipal, las del Seguro y Mutualidad de funcionarios del Estado, se han estimado documentos oficiales".

[200]   Sobre la consideración de estos médicos como funcionarios públicos véase por todas la STS de 7 abril de 1981: "1.º Porque legalmente funcionario público es el que por disposición inmediata de la Ley, por elección o por nombramiento de autoridad competente participa del ejercicio de funciones públicas (art. 119) siendo el Médico adscrito a un servicio como la Seguridad Social, hombre dedicado a velar por función tan importante, como la salud pública. 2.º Porque jurisprudencialmente ya se ha declarado que a los efectos penales, el concepto es más amplio que el puramente administrativo, bastando en cuanto al origen del nombramiento, cualesquiera de los citados en el art. 119 del CP; en cuanto a su actividad que intervengan, de alguna manera participando en funciones públicas; en cuanto al Organismo donde prestan que tenga cierto carácter de oficialidad: Estado, Provincia, Municipio, Corporaciones públicas, Entes estatales aunque sean autónomos -SS. de 9 marzo 1970 (RJ 1970/1988) 27 septiembre 1974 (RJ 1974/3419), 9 febrero 1976 (RJ 1976/371)- y los Organismos Oficiales que tengan por misión atender al cumplimiento de servicios que afectan a la colectividad y al bien común, deriven del poder público y persigan finalidades estatales. -S. de 27 septiembre 1980 (RJ 1980/3320). 3.º Porque la jurisprudencia ya se ha pronunciado en el sentido de que los farmacéuticos, médicos y enfermeras que por disposición legal se incorporan a la prestación de un servicio social a cargo del Instituto Nacional de Previsión, que depende del Estado les otorga los requisitos necesarios para alcanzar el carácter de funcionarios públicos a los efectos del art. 119 del C. Penal. Y aunque la jurisdicción laboral sea la competente para entender de ciertas cuestiones contenciosas entre ellos y el Instituto Nacional de Previsión, ello no obsta a la consideración de funcionarios públicos, a los fines de la legislación penal -S. de 15 junio 1979 (RJ 1979/2673)-".

referente a la persona del beneficiario; o la **STS de 20 marzo 2001**, en relación con la conducta de ciertos médicos de la sanidad pública que en sus recetas incorporaban a las fórmulas magistrales un producto farmacéutico inexistente que había suministrado otro acusado y que la Seguridad Social, por error, abonaba a precios muy elevados.

BIBLIOGRAFÍA CITADA

AAVV, Gafo (ed.) *Ética y Biotecnología*, Madrid, 1993.

AAVV, *Biotecnología y Derecho. Perspectivas de Derecho comparado,* Romeo Casabona (ed). Granada, 1998.

AAVV, Bioética, Derecho y Sociedad, María Casado (coord)., Valladolid, 1998.

AAVV, Bioética para clínicos, ed. Azucena Couceiro, Madrid, 1999.

AAVV, *Estudios de Bioética y Derecho*, Valencia, 2000.

AAVV, Bioética Práctica. Legislación y Jurisprudencia, Madrid, 2000.

AAVV, *Información y documentación clínica. Su tratamiento jurisprudencial,* coord. Romeo Casabona, ed. por el Ministerio de Sanidad y Consumo, Madrid, 2000.

AAVV, "La omisión del profesional sanitario: Los delitos de omisión del deber de socorro y denegación de asistencia sanitaria o abandono de los servicios sanitarios", en *Responsabilidad penal del personal sanitario*, Brandariz García/Faraldo Cabada (coords.), A Coruña, 2002.

ABBING, "La información genética y los derechos de terceros. ¿Cómo encontrar el adecuado equilibrio?", en *Revista de Derecho y Genoma Humano*, nº 2, enero-junio, 1995.

AGUADO LÓPEZ, "Algunas cuestiones sobre la imprudencia profesional en el Código penal de 1995 a raíz de la sentencia del Tribunal Supremo de 8 de noviembre de 1999", en *Actualidad Penal*, marzo de 2001.

ALONSO ÁLAMO, "La eutanasia hoy: perspectivas teológicas, bioética constitucional y jurídico-penal (a la vez una contribución sobre el acto médico)", en *Revista penal,* num. 20, julio 2007.

ÁLVAREZ GARCÍA, "Del intrusismo", en *La Ley*, 1983-2.

ÁLVAREZ GARCÍA, *La puesta en peligro de la vida y/o integridad física asumida voluntariamente por su titular*, Valencia, 1999.

AMELA VICH, "La responsabilidad penal del médico y del cirujano", en *PJ* 1997.

AMELUNG, "Über die Einwilligungsfähigkeit", en *ZStW* 1992.

Vetorechte beschränkt Einwilligungsfähiger in Grenzbereichen medizinischer Intervention, Berlin/New York, 1995.

"Einwilligungsfähigkeit und Rationalität", en *JR* 1999.

"Der Einwilligung des Verletzen im Strafrecht", en *JuS* 2001.

DE ÁNGEL YÁGÜEZ, "Problemas legales de la historia clínica en el marco hospitalario", en *La Ley*, 1987-1.

"Diagnósticos genéticos prenatales y responsabilidad (I y II)", en *Revista de Derecho y Genoma Humano*, 1996.

"Problemática de la Historia clínica", en *Información y Documentación Clínica. Actas del seminario conjunto sobre información y documentación clínica celebrado en Madrid los días 22 y 23 de septiembre de 1997*, Madrid, 1997.

"La segunda sentencia dictada por la Sala Primera del Tribunal Supremo en un caso de wrongful birth (4 de febrero de 1999), ¿Está en contradicción con lo resuelto en la sentencia de 6 de junio de 1997 sobre el mismo problema?", en *Revista de Derecho y Genoma Humano*, 1999.

ANGELINI ROTA-GUALDI, "Il tema di consenso del minore al trattamiento médico chirurgico", in *Giusticia penale*, 1980.

ARÁUZ ULLOA, *El delito de omisión del deber de socorro*, Valencia, 2006.

ARLOTH, "Arztgeheimnis und Auskunftspflicht bei AIDS im Strafvollzug", en *MedR*, 1986.

ARMANZA GALDOS, "La eximente por consentimiento del titular del bien jurídico", en *Revista de Derecho Penal y criminología*, 1998.

ARRIBAS LÓPEZ, "Breves consideraciones sobre la asistencia médica forzosa a los internos en centros penitenciarios", en *Actualidad Jurídica Aranzadi*, 18 de mayo de 2006.

ARROYO ZAPATERO "Los menores de edad y los incapaces ante el aborto y la esterilización", en *Estudios Penales y Criminológicos*, XI, 1998.

ARZT, *Willensmängel bei der Einwilligung*, Göttingen, 1970.

ASUA BATARRITA, "Tratamiento curativo son consentimiento del paciente y responsabilidad penal", en *JANO* 1995.

ASUA BATARRITA/DE LA MATA, "El delito de coacciones y el tratamiento médico realizado sin consentimiento o con consentimiento viciado", en *La Ley*, 1990.

ATAZ LÓPEZ, *Los médicos y la responsabilidad civil*, Madrid, 1985.

AUER/MENZEL/ESER, *Zwischen Heilauftrag und Sterbehilfe. Zum Behandlungsabbruch aus eth., medizin. u. rechtl. Sicht*, Köln, Berlin, Bonn, München, 1977.

BACIGALUPO, "Conducta precedente y posición de garante en Derecho penal", en *ADPCP* 1970.

"El consentimiento en los delitos contra la vida y la integridad física", *Poder Judicial*, 1986 Número especial XII.

Estudios sobre la Parte Especial del Derecho penal, 2 ed. Madrid, 1994.

Principios de Derecho penal, 4ª ed., Madrid, 1997.

"La comisión por omisión", en *Revista Canaria de Ciencias penales*, n° O, 1997.

BAJO FERNÁNDEZ, "La intervención médica contra la voluntad del paciente (A propósito del Auto de la Sala Segunda del Tribunal Supremo de 14 de marzo de 1979)", en *ADPCP*, 1979.

El secreto profesional en el Proyecto de Código penal, en *ADPCP* 1980.

"Agresión médica y consentimiento del paciente", en *CPC* 1985.

Manual de Derecho Penal, Parte Especial. Delitos contra las personas, Madrid, 1991.

"Prolongación artificial de la vida y trato inhumano o degradante, en *CPC* 1993.

"La nueva Ley de Autonomía del Paciente, en *Dogmática y ley penal, Libro Homenaje a Enrique Bacigalupo*, Barcelona, 2004.

BARNI/DELL'OSSO/MARTINI, "Aspetti médico-legali e riflessi deontologici del diritto a morire", en *Rivista di medicina legale*, 1981.

BARRIOS FLORES, "La responsabilidad profesional del médico interno residente", *en Derecho y Salud*, vol. 11, enero-junio, 2003.

BARQUÍN SANZ, "La eutanasia como forma de intervención en la muerte de otro", en *Eutanasia y suicidio*, Granada, 2001.

BAUER, "Aufklärung und Sterbehilfe in medizinischer Sicht", en *Fs. Bockelmann*, München, 1979.

BEAUCHAMPS/CHILDRESS, *Principios de ética médica*, Barcelona, 1999.

BECKSTEIN, *Der Gewissenstäter im Strafrecht und Strafprozeßrecht*, Nürnberg, 1975.

BELFIORE, "Sulla responsabilità colposa nell'ambito dell'attività medico-chirurgica in "équipe", en *Foro italiano*, 1983.

"Profili penali dell'attivitá medico-chirurgica in équipe", en *Archivio Penale*, 1986.

BEMMANN, "Zur Fragwürdigkeit der Zwangernährung von Strafgefangenen", en *Fs Klug*, 1983.

BERGMANN, "Patientenaufklärung in der Schmerztherapie", en *Der Schmerz*, 1998-5.

BENNICASA, «Liceità e fondamento dell'attività medico-chirurgica a scopo terapeutico», en *Riv. it. dir. e proc. pen.* 1980.

BERDUGO GÓMEZ DE LA TORRE, *El delito de lesiones*, Salamanca, 1982.

BERGANN, *Arbeitsteilung und Vertrauensgrundsatz im Arztstrafrecht*, Berlin/Heidelberg/New York, 2000.

BERCOVITZ RODRÍGUEZ CANO, "Comentario a la Sentencia de 4 de febrero de 1999. Responsabilidad sanitaria derivada del nacimiento de una niña con malformaciones", en *CCJC*, abril-agosto, 1999.

BICHLMEIER, "Die Wirksamkeit der Einwilligung in einen medizinich nicht indizierten ärztlichen Eingriff", en *JZ* 1980.

BILANCETTI, *La responsabilità penale e civile del médico*, Milano, 1995.
"La responsabilità del chirurgico estetico", en *Rivista italiana di medicina legale,* 1997.

BLANCO CORDERO, "Relevancia penal de la omisión o del exceso de información médica terapéutica", en *Actualidad Penal*, n° 26, 1997.

BLÁZQUEZ, *Bioética. La nueva ciencia de la vida*, Madrid, 2000.

BOCK, Behandlungs-, Aufklärungs- und Organisationsfehler aus der Sicht des Strafrechts, en *Der Gynäkologe*, 1999.

BOCKELMANN, "Rechtliche Grundlage und rechtliche Grenzen der ärztliche Aufklärungspflicht", en *NJW* 1961, publicado también en"Rechtliche Grundlagen und rechtliche Grenzen der ärztlichen Aufklärungspflicht", en *Recht und Medizin*, Hrgs. Eser, Darmstadt, 1990.
"Strafrecht des Arztes", en Ponsold, *Lehrbuch der gerichtlichen Medizin*, 1968.
"Zur Problematik der Sonderbehandlung von Überzeugungsverbrecher", en *FS Wezel*, Berlin, 1974.
"Der ärztliche Heileingriff in Beiträgen zur Zeitschrift für die gesamte Strafrechtswissenschaft im ersten Jahrhundert ihres Bestehens", en *ZStW* 1981.

BONEKKI-GIANNELLI, "Consenso e attività médico-chirurgica: profile deontologici e responsabilità penale, Consenso e attività médico-chirurgica: profili deontologici e responsabilità penale", en *Rivista italiana di medicina legale*, 1991.

BONELLI/GIANNELLI, "Consenso e attività medico-chirurgica: profili deontologici e responsabilità penale" en *Rivista italiana di medicina legale*, 1991.

BOPP, *Der Gewissenstäter und das Grundrecht der Gewissensfreiheit*, Freiburg, 1972.

BOTTKE, *Suizid und Strafrecht*, 1982, Berlin, 1982.
Täterschaft und Gestaltungsherreschaft, Heidelberg, 1992.

BRAMMSEN, *Die Entstehungsvorausetzungen der Garantenpflichten,* Berlín, 1986.
"Erfolgszurechnung bei unterlassener Gefahrverminderung durch einen Garanten", en *MDR* 1989.

BRENNER, *Arzt und Recht*, Stuttgart, New York, 1983.

BRINGEWAT, "Diskussionsbereicht II: Psycologische, medizinische und soziologische Aspekte von Suizid und Euthanasie", en *Suizid und Euthanasie*, Hrsg. Albin Eser, Stuttgart 1976.

BROSE, "Aufgabenteilung im Gesundheitswesen Horizontale und vertikale Arbeitsteilung auf klinischer und präkinischer Ebene", en *Medizinstrafrecht, In Spannungsfeld von*

Medizin, Ethik und Strafrecht, Hrsg. ROXIN/SCHROTT, Stuttgart/München/Hannover/ Berlin/Weimar/Dresden, 1999.

BRÜGMANN, en "Widerrrechtlichkeit des ärztlichen Eingriffs und Aufklärungspflicht des Arztes", en *NJW* 1977.

BRUNS, "AIDS, Alltag und Recht", en *MDR* 1987.

BUENO ARÚS, "Límites al consentimiento en la disposición del propio cuerpo desde la perspectiva del Derecho penal", en *PJ* 1985.

"El consentimiento del paciente en el tratamiento médico-quirúrgico y la Ley General de Sanidad", en *Estudios de Derecho penal y Criminología*, tomo I, 1989.

"El rechazo del tratamiento en el ámbito hospitalario", en *AP 1991*.

BURGASTALLER, *Das Fahrlässigkeitsdelikt im Strafrecht unter besonderer Berücksichtigung der Praxis in Verkehrsachen*, Wien, 1974.

BUZZI, "L'alimentazione coatta nei confronti dei detenuto", en *Rivista italiana di medicina legale*, 1982.

CABELLO MOHEDANO/GARCÍA GIL/VIQUERA TURNEZ, *Entre los límites personales y penales de la eutanasia*, Cádiz, 1990.

CANCIO MELIÁ, Comentario a la Sentencia del TS de 26 de febrero de 2000, en *Revista de Derecho y proceso penal*, 2000.

Conducta de la víctima e imputación objetiva, Barcelona, 2001.

CANESTRARI "Verso una disciplina penale delle tecniche di procreazione medicalmente assistita? Alla ricerca del bene giuridico tra valori ideali e opzione ideologiche", en *L'Indice penale*, septiembre-noviembre 2000.

CAOUKIAN, "La confidencialidad en la genética: la necesidad del derecho a la intimidad y el derecho a 'no saber'", en *Revista de Derecho y Genoma Humano*, nº 2, enero-junio, 1995.

CAPRIO/PRODOMO/RICCI/DI PALMA/ROVE, "Consenso informato e decadimento cognitivo", en *Rivista italiana di Medicina Legale*, 1998.

CARBONELL MATEU, "Libre desarrollo de la personalidad y los delitos contra la vida. Dos cuestiones: suicidio y aborto", en *CPC* 1991.

CASADO GONZÁLEZ, *La eutanasia. Aspectos éticos y jurídicos*, Madrid, 1994.

CASAS BARQUERO, *El consentimiento en el Derecho Penal*, Córdoba, 1987.

"El consentimiento como causa de exclusión del tipo y como causa de justificación", en *Estudios de Derecho penal y Criminología*, Universidad Nacional de Educación a Distancia, 1989.

CASTELLANO ARROYO, *Problemática de la Historia clínica, en Información y documentación clínica. Actas del seminario conjunto sobre información y documentación clínica celebrado en Madrid los días 22 y 23 de septiembre de 1997*, Madrid, 1997.

CEREZO MIR, "El tipo de injusto de los delitos de acción culposos", en *ADPCP* 1983.

"El consentimiento como causa de exclusión del tipo y como causa de justificación", en *Estudios de Derecho Penal y Criminología en homenaje al Profesor Rodríguez Devesa*, Madrid, 1989, tomo I.

Curso de Derecho Penal español, Parte General, II, Teoría jurídica del delito, Madrid, 1997.

CERVELLO DONDERIS, "La presencia de habitualidad en el delito de intrusismo", en *Revista General del Derecho*, 1992.

CHOCLAN MONTALVO, "Intrusismo con ánimo de lucro y estafa", en *Actualidad Penal*, 1996.

"Sobre la evolución dogmática de la imprudencia", *en Actualidad Penal* 1998.

Deber de cuidado y delito imprudente, Barcelona, 1998.

"¿Hay intrusismo en las especialidades médicas?", en *La Ley,* 1999, número 6.

COBO GÓMEZ DE LINARES, "El problema de las lagunas 'conscientes' y la jurisprudencia 'creativa' a través de un ejemplo: la distinción culpa profesional y culpa del profesional", en *PJ* 1990.

COBO DEL ROSAL/CARBONELL MATEU, "Conductas relacionadas con el suicidio. Derecho vigente y alternativas político-criminales", en *RFDUG,* n° 12, 1987.

COBO DEL ROSAL(Dir)/CARMONA SALGADO/GONZÁLEZ RUS/MORILLAS CUEVA/ POLAINO NAVARRETE/PORTILLA CONTRERAS, *Curso de Derecho penal español,* Madrid, 1996.

COMAS DÁRGEMIR CENDRA, "Análisis del Real Decreto 2070/1999, de 30 de diciembre, sobre extracción y trasplante de órganos", en *La Ley,* n° 5015, de 17 de marzo de 2000).

CONTI, "Comentario jurisprudencial", en *Rivista italiana de medicina legale,* 1998.

CORCOY BIDASOLO, *El delito imprudente. Criterios de imputación del resultado,* Barcelona, 1989.

"Libertad de terapia versus consentimiento", en *Bioética, derecho y sociedad",* Madrid, 1998.

"Tratamiento del secreto y derecho a la intimidad del menor. Eficacia del consentimiento", en *Protección de menores en el Código penal,* Madrid, 1999.

Delitos de peligro y protección de bienes jurídico-penales supraindividuales, Valencia, 1999.

"Problemas jurídico-penales de la objeción de conciencia en el ámbito de las actividades sanitarias", en *Estudios de Bioética y Derecho,* Valencia, 2000. Publicado también en *Dogmática y Ley penal,* Barcelona, 2004.

CÓRDOBA RODA, "El juez y el perito en la determinación de la norma de cuidado en los delitos de imprudencia en el ejercicio de la actividad médica", en *La Ley,* número especial sobre responsabilidad médica, 9 de enero 2002.

CORTÉS BECHIARELLI, *El delito de dopaje,* Valencia, 2007.

DEL CORSO, "Il consenso del paziente nell'attivitá medico-chirurgica", en *Rivista ilatiana di diritto e procedura penale,* 1987.

COUCEIRO (ed), *Bioética para clínicos,* Madrid, 1999.

CRESPI, *La responsabilità penale nel trattamento medico chirurgico con esito infausto,* Palermo, 1955.

Comentario jurisprudencial, en *Rivista italiana di diritto e procedura penale,* 1973.

CRIADO DEL RÍO, *Aspectos médico-legales de la historia clínica,* Madrid, 1999.

CUERDA RIEZU, "Límites juríridicopenales de las nuevas técnicas genéticas", en *ADPCP* 1988.

"Otra vez sobre nuevas técnicas genéticas y Derecho penal", en *ADPCP* 1988.

DE LA CUESTA ARZAMENDI, "Los delitos de 'manipulación genética' en el nuevo Código penal de 1995", en *Revista de Derecho y Genoma Humano,* 1996.

DÁLESSIO, "I limiti costituzionali dei trattamenti "sanitari", en *Diritto e società,* 1981.

DEUTSCH, "Das therapeutische Privileg des Arztes: Nichtaufklärung zugunsten des Patienten", en *NJW* 1980.

Arztrecht und Arzneimittelrecht, Berlín/Heidelberg/New York, 1983.

Medizinrecht, Arztrecht, Arzneimittelrecht und Medizinprodukterecht, Heidelberg, 1999.

DÍAZ PITA, "El bien jurídico protegido en los nuevos delitos de tortura y atentado contra la integridad moral", en *Estudios Penales y Criminológicos*, XX, Universidad de Santiago de Compostela, 1997.

DICTAMEN DEL CONSEJO NACIONAL CONSULTIVO DE ÉTICA FRANCES SOBRE EL DERECHO A NACER SIN TARAS (Comité Consultatif National d'Ethique pour les sciences de la vie et de la santé), de 29 de mayo de 2001.

DIEL, *Das Regreßverbot als allgemeine Tatbestandsgrenze im Strafrecht*, Frankfurt/Berlin/Berna/New York/paris/Viena, 1997.

DÍEZ RIPOLLÉS, "La huelga de hambre en el ámbito penitenciario", en *CPC* 1986.
"La disponibilidad de la salud e integridad personales", en *Cuadernos de Derecho Judicial. Delitos contra la vida e integridad física*, Madrid, 1995.
Los delitos de lesiones, Valencia, 1997.

DÍEZ RIPOLLÉS/GRACIA MARTÍN, *Delitos contra bienes jurídicos fundamentales. Vida humana independiente y voluntad*, Valencia, 1993.
(coords.) *Comentarios al Código Penal. Parte Especial, tomo I*, Valencia, 1997.

DÍEZ RIPOLLÉS/MUÑOZ SÁNCHEZ, (coords.) *El tratamiento jurídico de la eutanasia: Una perspectiva comparada*, Valencia, 1996.

DOCUMENTO FINAL DEL GRUPO DE EXPERTOS EN INFORMACIÓN Y DOCUMENTACIÓN CLÍNICA, de 26 de noviembre de 1997.

DOLZ LAGO, "Menores embarazadas y aborto: ¿quién decide?, en *Actualidad Penal*, 1996.
-    "¿Inconstitucionalidad de la Ley 1/2003, de 28 de enero, de la Generalitat, de derechos e información al paciente de la Comunidad Valenciana en relación con los menores de edad?, en *La Ley, 21 de* marzo de 2003.

DOMÍNGUEZ LUELMO, *Derecho sanitario y responsabilidad médica*, Valladolid, 2003.

DONINI, *Illecito e colpavolezza nell'imputazione del reato*, Milano, 1991.

DURANY PICH, *Objeciones de conciencia*, Pamplona, 1998.

DUTTGE, "Sterbehilfe aus rechtsphilosophischer Sicht", en *GA* abril, 2001.
"Die Präimplantationsdiagnostik zwischen Skylla und Charybdis", en *GA*, 2002.

DWORKIN, *El dominio de la vida. Una discusión acerca del aborto, la eutanasia y la libertad individual*, Barcelona, 1994.

DURANY PICH, *Objeciones de conciencia*, Navarra, 1998.

EBERBACH, en "Die ärztliche Aufklärung unheilbar Kranker", en *MedR* 1986.
"Juristische Probleme der HTLV-III-Infektion (AIDS)", en *JR* 1986.
"Heimliche AIDS-Test", en *NJW* 1987.

EBERT, *Der Überzeugungstäter in der neueren Rechtsentwicklung. Zugleich ein Versuch zu seiner Verurteilung de lege lata. Schriften zum Strafrecht*, Berlin, 1975.

EHLERS, *Die ärztliche Aufklärung vor medizinischen Eingriffen*, Köln, Berlin, Bonn, München, 1987.

EIBACH/SCHAEFER, "Patientenautonomie und Patientenwünsche", en *MedR*, 2001.
EIBACH, Thesen zur Diskussion um die sogenannte 'Euthanasie', Stuttgart 1976.

EMALDI CIRIÓN, "La responsabilidad jurídica derivada de diagnósticos genéticos erróneos", en *La Ley*, nº 5331, 15 de junio de 2001.

ENGISCH, *Untersuchungen über Vorsatz und Fahrlässigkeit im Strafrecht*, Berlin, 1930.
"Ärztlicher Eingriff zu Heilzwecken und Einwilligung", en *ZStW* 1939, publicado también en *Recht und Medizin*, Hrsg. Albin Eser, Darmstadt, 1990.

"Die Haftung des operierendum Chirurgen nach den § 220, 230 StGB für Fehler der Operationsschwester", en *Langenbecks Archiv für Klinische Chirugie/ Deutschen Zeitschrift für Chirurgie,* Bd. 288, 1958.

Suizid und Euthanasie nach deutschen Recht, en Suizid und Euthanasie als human und sozialwissenschaftliches Problem, (coord,. ESER), Stuttgart, 1976.

"Aufklärung und Sterbehilfe bei Krebs in rechtlicher Sicht", en *Fs. Bockelmann,* München, 1979.

ENGLJÄHRINGER, *Ärztliche Aufklärungsplicht vor medizinischen Eingriffen,* Wien, 1996.

ESCOBAR ROCA, *La objeción de conciencia en la Constitución española,* Madrid, 1993.

ESCOBAR MARULANDA, "El delito de intrusismo y el principio de exclusiva protección de bienes jurídicos", en *ADPCP,* 1994.

ESER, "Neues Recht des Sterbens? Einige grundsätzliche Betrachtungen", en Eser (ed.), *Suizid und Euthanasie,* Stuttgart, 1976.

«Das Humanexperiment», en *Gedächtnisschrift für Schröder,* München, 1978.

Heilversuch und Humanexperiment, en Der Chirurg 1979.

"Entre la santidad y la calidad de vida", en *ADPCP* 1984.

"Sterbewille und ärztliche Verantwortung", en *MedR* 1985.

"Problemas de justificación y exculpación en la actividad médica", en *Avances de la Medicina y Derecho Penal,* Barcelona, 1988.

"Medizin und Strafrecht: Eine schutgutorientierte Problemübersicht", en *ZStW* 1985, publicado también en *Recht und Medizin,* Hrgs. Eser, Darmstadt, 1990.

"Beobachtungen zum 'Weg der Forschung' im Recht der Medizin", en *Recht und Medizin,* Hrgs. Eser, Darmstadt, 1990.

ESER/BURKHARDT, *Derecho Penal, Cuestiones fundamentales de la Teoría del Delito sobre la base de casos de sentencias,* Madrid, 1995.

ESPINOSA LABELLA, "Las transfusiones de sangre a testigos de Jehová: un conflicto entre el médico y el enfermo", en *AP* 1996.

ESQUINAS VALVERDE, *El delito de denegación de asistencia sanitaria o abandono de los servicios sanitarios,* Granada, 2006.

EUSEBI, "Sul mancato consenso al trattamento terapeutico: profili giuridico-penali", en *Rivista italiana di medicina legale,* 1995.

EXNER, "Fahrlässiges Zussamenwirken", *Festgabe für Frank,* Tübingen, 1930.

FARALDÓ CABANA, "El delito de denegación de asistencia", en *Revista del Poder Judicial,* nº 55, 1999.

DE FARIA COSTA, "Das Ende des Lebens und das Strafrecht", en *GA* 2007.

FASSONE, "Sciopero della fame, autodeterminazione e libertà personale", en *Questione giustizia,* 1982.

FEIJOO SÁNCHEZ, en "La imprudencia en el Código penal de 1995", en *CPC* 1997.

Límites de la participación criminal. ¿Existe una prohibición de regreso como límite general del tipo en Derecho penal?, Granada, 1999.

"Actuación de la víctima e imputación objetiva (Comentario a la Sentencia del Tribunal Supremo de 17 de septiembre de 1999), en *Revista de Derecho penal y Criminología,* 2000.

"El principio de confianza como criterio normativo de imputación en el Derecho penal: fundamento y consecuencias dogmáticas", en *Revista de Derecho Penal y Criminología,* 2000.

FERNÁNDEZ BERMEJO, "Autonomía personal y tratamiento médico: límites constitucionales de la intervención del Estado (I) y (II), en *Actualidad Jurídica Aranzadi*, 1994, núms. 132 y 133.

FERNÁNDEZ HIERRO, *Sistema de responsabilidad médica*, Granada, 1997.

FIANDACA, "Sullo sciopero della fame nelle carceri", en *Foro italiano*, 1983.

FIESER, *Das Strafrecht des Anästhesisten*, München, 1975.

FIORE, C, *L'azione socialmente adequata nel diritto penale*, Morano, Napoli, 1966.

FISCHER, "Die mutmaßliche Einwilligung bei ärztlichen Eingriffen", en *Fs. für Deutsch*, München, 1999.

FLETCHER, *Humanhood: Essays in Biomedical Ethics*, New York, 1979.

FLORES MENDOZA, El delito de lesiones al feto en el Código penal de 1995, en *AP*, 1996.

FORTI, *Colpa ed evento nel diritto penale*, Milano, 1990.

FRAGA MANDIÁN/LAMAS MEILÁN, *El consentimiento informado (El consentimiento del paciente en la actividad médico-quirúrgica)*, ed. por Revista Xurídica Galega, 1989.

FRANK, *Strafgesetzbuch für Deutsche Reich*, Tübingen, 1924.

FRESIA, "Luci ed ombre del consenso informato", en *Rivista italiana di medicina legale*, 1994.

FRISCH, *Das Fahrlässigkeitsdelikt und das Verhalten des Verletzen*, Berlin, 1973.
    Tatbestandsmäßiges Verhalten und Zurechnung des Erfolgs, Heidelberg, 1988.

FURGUIUELE, "Diritto del minore al trattamento médico-sanitario, libertà religiosa del genitore, intervento e tutela statuale", en *Giur. it.*, 1984.

GALÁN CORTÉS, *El consentimiento informado del usuario de los servicios sanitarios*, Madrid, 1997.
    Responsabilidad médica y consentimiento informado, Madrid, 2001.

GALÁN CORTÉS/MÉJICA/CÁRCABA FERNÁNDEZ, "Bioética y consentimiento informado", en *Bioética Práctica. Legislación y Jurisprudencia*, Madrid, 2000.

GALANTI, "Liceità dell'ativià medico-chirurgica: alla ricerca di un fondamento normativo", en *Rivista Penale*, 1995.

GALLWAS, "Zur Legitimation ärztlichen Handelns", en *NJW* 1976.

DE LA GÁNDARA VALLEJO, *Consentimiento, bien jurídico e imputación*, Madrid, 1995.

GARCÍA ALBERO, *Comentarios al nuevo Código penal*, dirigido por Qunitero Olivares, Pamplona, 1996.

GARCÍA ÁLVAREZ, "Lesiones al feto", en *Cuadernos Jurídicos*, nº 43, 1995.

GARCÍA ANDRADE, *Reflexiones sobre la responsabilidad médica*, Madrid, 1998.

GARCÍA ARÁN, *La objeción de conciencia del médico en relación a la interrupción del embarazo, en El aborto. Un tema para debate*, Madrid, 1982.
    "Eutanasia y disponibilidad de la propia vida", en *Cuadernos de Derecho Judicial*, Delitos contra la vida e integridad física, Madrid, 1995 (publicado también en *Revista Peruana de Ciencias Penales*, num 7/8.

GARCÍA CANTIZANO, *Fraudes documentales*, Valencia, 1994.

GARCÍA GARNICA, *El ejercicio de los derechos de la personalidad del menor no emancipado*, Madrid, 2004.

GARCÍA GUERRERO/ MARTÍN SÁNCHEZ, "El dilema del médico ante la huelga de hambre", *Diario El País*, 19 de diciembre de 2006.

GARCÍA HERRERA," La objeción de conciencia en materia de aborto", *Departamento de Sanidad, Servicio Central de Publicaciones del Gobierno Vasco*, Vitoria-Gasteiz, 1991.

GARCÍA RAMÍREZ, *La responsabilidad penal del médico,* México, 2001.

GARCÍA RIVAS, "Los delitos de insumisión en la legislación española", en *ADPCP* 1992.

"La imprudencia profesional: una especie a extinguir, en *Revista de Derecho social,* abril-junio, 1999.

"Hacia una justificación más objetiva de la eutanasia", en *Homenaje al Dr. Marino Barbero*, vol. II, Salamanca, 2001.

"Despenalización de la eutanasia en la Unión Europea: autonomía e interés del paciente", en *Revista Penal,* 2003, n° 11.

GARCÍA SANZ, "Responsabilidad penal por denegación de asistencia sanitaria", en *AP* 2001.

GARZÓN REAL, "Responsabilidad civil. Negligencia profesional e imprudencia médico sanitaria", en *La Ley,* 1987.

GASCÓN ABELLÁN, *Obediencia al Derecho y objeción de conciencia,* Madrid, 1990.

GEILEN, "Rechtsfragen der ärztlichen Aufklärungsplficht", en *Die juristische Problematik in der Medizin, Band II. Ärztliche Aufklärungs- und Schweigepflicht,* (Hrsg. von Mergen) München, 1971.

"Suizid und Mitverantwortung", en *JZ* 1974.

GIESEN, *Arzthaftungsrecht,* Tübingen, 1995.

GIMBERNAT ORDEIG, "Recensión a la obra de Bacigalupo 'Delitos impropios de omisión', Buenos Aires, 1970", en *ADPCP* 1970.

Introducción a la parte general del Derecho Penal español, Madrid, 1979.

"Eutanasia y Derecho Penal", en *RFDUG,* 1987.

Delitos cualificados por el resultado y causalidad, Madrid, 1990.

"Inducción y auxilio al suicidio", en *Estudios de Derecho Penal,* 1990.

"Causalidad, omisión e imprudencia, en la comisión por omisión", en *Cuadernos de Derecho Judicial, La comisión por omisión,* Madrid, 1994, publicado también en *ADPCP,* 1994.

"Justificación y exculpación en Derecho penal español en la exención de responsabilidad por situaciones especiales de necesidad (legítima defensa, estado de necesidad, colisión de deberes)", en ESER/GIMBERNAT/PERRON, *Justificación y exculpación en Derecho penal.* Coloquio Hispano-Alemán de Derecho penal, Madrid, 1995.

GIUNTA, "Diritto di morire e Diritto penale. I termini di una relazione problematica", en *Rivista italiana di diritto e procedura penale,* 1897-I.

"Il consenso informato all'atto medico tra principi costituzionali e implicazioni penalistiche", en *Rivista Italiana di Diritto e procedura penale,* 2001.

GLATZ, *Der Arzt zwischen Aufklärung und Beratung. Eine Untersuchung über ärztliche Hinweispflichten in Deutschland und der Vereinigten Staaten,* Belin, 1996.

GLESS, "Zeitliche Differenz zwischen Handlung und Erfolg- insbesondere als Herausforderung für das Verjärungsrecht", en *GA,* 10/2006.

GÓMEZ BENÍTEZ, "Consideraciones sobre lo antijurídico, lo culpable y lo punible con ocasión de las conductas típicas realizadas por motivos de conciencia, en *Ley y conciencia; moral legalizada y moral crítica en la aplicación del Derecho,* Instituto de Derechos Humanos Bartolomé de las Casas, Universidad Carlos III y Boletín Oficial del Estado, 1993.

GÓMEZ PAVÓN, "La responsabilidad el médico por omisión", en *PJ* 1995.

GÓMEZ RIVERO, *La inducción a cometer el delito,* Valencia, 1995.

"La omisión de socorro a víctima de accidente", en *La Ley* 1995.

Nota previa y traducción al artículo de Herzberg 'La inducción a un hecho principal indeterminado', en *ADPCP* 1995.

"La producción del resultado muerte o lesiones en relación al supuesto agravado del artículo 489 ter", en *La Ley*, n° 3843, agosto de 1995.

"La regulación de los delitos de omisión del deber de socorro en el nuevo Código penal", en *La Ley*, 1996.

"Regulación de las formas de participación intentadas, de la autoría y participación", *La Ley*, 1996.

El fraude de subvenciones, Valencia, 1996.

"La intervención omisiva en el suicidio de un tercero", *AP* 1998.

La imputación de los resultados producidos a largo plazo, Valencia, 1998.

"La Ley Andaluza de Declaración de Voluntad Vital Anticipada", publicado en *http://www.geriatrianet.com*, núm. 1, 2004.

La protección penal de los datos sanitarios. Especial referencia al secreto profesional médico. Granada, 2007.

-   "La eutanasia en estados de inconsciencia o de incapacidad del paciente para prestar el consentimiento. Especial referencia a la eutanasia precoz", en *Revista Galega de Seguridade Pública, número 10, 2008.*

-   "Causalidad, incertidumbre científica y resultados a largo plazo", *en prensa. Actas del seminario Derecho penal, Ciencia, Tecnología e Innovación Tecnológica (I)*, edita la Cátedra Interuniversitaria Fundación BBVA- Diputación Foral de Bizkaia de Derecho y Genoma Humano. Universidad de Deusto. Universidad del País Vasco, en coedición con Ed. Comares.

GÓMEZ TOMILLO, *Responsabilidad penal de los profesionales sanitarios. Artículo 196 del Código penal*, Valladolid, 1999.

GONZÁLEZ CUSSAC, *El delito de prevaricación de autoridades y funcionarios públicos*, Valencia, 1997.

GONZÁLEZ MORÁN, "Comentarios a la Sentencia del tribuna Constitucional 212/1996, de 19 de diciembre", en *Revista del Derecho y Genoma Humano*, 1999.

GRACIA GUILLÉN, *Fundamentos de Bioética*, Madrid, 1989.

GRACIA MARTÍN, "La comisión por omisión en el Derecho penal español", en *Cuadernos de Derecho Judicial, La comisión por omisión*, Madrid, 1994.

GRASSO, "La responsabilitá penale nell'atttivitá medico-chirurgica: orientamenti giurisprudenziali sul "grado" de la colpa", en *Rivista italiana di medizina legale*, 1979.

"Riflessioni in tema di eutanasia", en *Quaderni della Giustizia*, 1986-I.

GREGORIO MARAÑÓN, *Vocación y Ética y otros ensayos*, Colección Austral, 6ª ed., Madrid, 1976.

GROPP, "Zur rechtlichen Verantwortlichkeit des Klinikpersonals bei suizidhandlungen hospitalisierter Psychiatriepatienten", en *MedR* 1994.

"Überlegugen zum pränatalen Schutz des Lebens und der körperlichen Unversehrheit", en *GA*, 2000.

GRÜNDWALD, Die Aufklärungspflicht des Arztes, en *ZStW* 1961.

"Heilbehandlung und ärztliche Aufklärungspflicht", en *Medizinisch-juristiche Grenzprobleme unserer Zeit, Fünf Beiträge herausgegeben von Göppinger*, München, 1966.

GRUPO DE ESTUDIOS DE POLÍTICA CRIMINAL, *Una alternativa al tratamiento jurídico de la disponibilidad de la propia vida*, ADPCP 1995.

GÜLDE, "Der Vertrauensgrundsatz als Leitgedanke des Straßenverkehrsrecht", *JW* 1938.

GUERRERO ZAPLANA, *El consentimiento informado. Su valoración en la jurisprudencia. Ley básica 41/2002 y leyes autonómicas,* Valladolid, 2004.

GUTIÉRREZ/VEGA GUTIÉRREZ/MARTÍNEZ BAZA, *Experimentación humana en Europa,* Valladolid, 1997.

HAVA GARCÍA, *La imprudencia médica,* Valencia, 2001.

HALLERMANN, "Ärztliche Aufklärungspflicht aus medizinischer Sicht", en *Die juristische Problematik in der Medizin. Band II. Ärztliche Aufklärungs- und Schweigepflicht,* München, 1971.

HANACK, "Die Arbeitstellung zwischen Arzt und Schwester im Strafrecht", en *ÄM,* 1959.

HART, "Arzthaftung und Arzneimitteltherapie", en *MedR* 1991.

HARTMANN, *Eigenmächtige und fehlerhafte Heilbehandlung,* Baden-Baden, 1999.

HASSEMER/LARRAURI, *Justificación material y justificación por el procedimiento en Derecho penal,* Madrid, 1997.

HEDERGEN, "Gewissensfreihaeit und Strafrecht", en *GA* 1986.

HEINITZ, "Der Überzeugungstäter im Strafrecht", en *ZStW* 1966.

HEREDERO HIGUERAS, *La Ley Orgánica 5/1992, de regulación de tratamiento automatizado de datos de carácter personal. Comentarios y textos,* Madrid, 1996.

HERRMANN, "Soll ein Krebspatient über seine Diagnose aufgeklärt werden", en *MedR* 1988.

HERZBERG, *Die Unterlassung im Strafrecht und das Garantenprinzip,* Berlin-New York, 1972.

Täterschaft und Teilnahme, München, 1977.

"Zur Strafbarkeit der Beteiligung am frei gewählten Selbstmord, dargestellt am Beispiel des Gefangenensuizids und der strafrechtlichen Verantwortung der Vollzugsbediensteten", en *ZStW* 1979.

"Die Schuld beim Fahrlässigkeitsdelikt", en *Jura* 1984.

HERZBERG(Rolf)/ HERZBERG (Annika), "Der Beginn des Menschseins im Strafrecht", en *JR* 2001.

HEUBEL, "Forschung mit einwilligungsfähigen und beschränkt einwilligungsfähigen Personen", en *MedR* 1997.

HIGUERA GUIMERÁ, *El delito de coacciones,* Barcelona, 1978.

El Derecho penal y la genética, Madrid, 1995.

HINDERER, "Aufgaben und Grenzen der strafrechtlicer Verantwortlichkeit bei Fehlhandlungen im Gesundheitswesen nach dem Strafrecht der DDR", en *ZStW* 1985.

HIRSCH, "Der Streit um Handlungs- und Unrechtslehre, insbesondere im Spiegel der Zeirschrift für die gesamte Straferchtswissenschaft", *ZStW* 1981, 1982.

"Behandlungsabbruch und Sterbehilfe", en *FS Lackner,* 1987.

"Zur Frage eines Straftatbestands der eigenmächtigen Heilbehandlung", *FS für Heinz Zipf Strafrecht und Überzeugungstäter,* Heidelberg, 1999.

HÖFLING/DEMEL,"Zur Forschung an Nichteinwilligungsfähigen", en *MedR,* 1999.

HÖPFEL, "Strafrechtliche Probleme des HIV-Test", en *Aids und Strafrecht,* Herausgegeben von Szwarc, Berlín, 1996.

HORST, "Die Rechtfertigung ärztlicher Eigenmacht", en *NJW* 1990.

HOYER, Anmerkung zum Urteil des BGH von 4.10.99, en *JR,* 2000.

HRUSCHKA, Anmerkung zum Urteil des BGH v. 22.2.1978, en *JR* 1978.

HUERTA TOCILDO, «Injerencia y el art. 489 bis 3 CP», en *ADPCP* 1985".

Las posiciones de garantía en el delito de comisión por omisión", en *Problemas fundamentales de los delitos de omisión*, Madrid, 1987.

Principales novedades de los delitos de omisión en el Código penal de 1995, Valencia, 1997.

HUMPHRY-WICKET, *El derecho a morir. Comprender la eutanasia*, Barcelona, 1989.

IADECOLA, "La rilevanza del consenso del paziente nel trattamento medico-chirurgico", en *Giust. pen.* 1986.

Il medico e la legge penale, Milan, 1993.

"La responsabilità penale del médico tra posizione di garanzia e rispetto della volontà del paziente", en *Cassazione Penale*, 1998.

"Il trattamento médico-chirurgico di emergenza ed il dissenso del paziente", en *La Giustizia penale*, 1989-I.

IGLESIAS CUBRIA, *El derecho a la intimidad del paciente*, Oviedo, 1970.

INFORMACIÓN Y DOCUMENTACIÓN CLÍNICA. SU TRATAMIENTO JURISPRUDEN-CIAL (Emaldi Cirión/Martín Uranga/de la Mata Barranco/Nicolás Jiménez/ Romeo Casabona -coord-), Madrid, 2000.

JAKOBS, *Studien zum fahrlässigen Erfolgsdelikt*, 1972.

"Vermeidbares Verhalten und Strafrechtssystem", en *Festschrift für Welzel zum 70 Geburstag*, Berlin/New York, 1974.

"Tätervorstellung und objektive Zurechnung", en *Gedächtnisschrift für Kaufmann*, München, 1989.

La imputación objetiva en Derecho penal, Universidad Externado de Colombia, Colombia, 1994, trad. de Cancio Meliá.

La competencia por organización en el delito omisivo, Universidad Externado de Colombia, 1994.

La imputación penal de la acción y la omisión (trad. de Sánchez-Vera Gómez-Trelles), Universidad Externado de Colombia, 1996.

Derecho Penal, Parte General. Fundamentos y teoría de la imputación, Trad. de Cuello Contreras y Serrano González de Murillo, Madrid, 1997.

Suicidio, eutanasia y Derecho Penal, Valencia, 1999, trad. de Muñoz Conde y García Álvarez.

JAREÑO LEAL y DOVAL PAIS, en "Revelación de datos personales, intimidad e informática", en *La Ley*, núm 4844, 1999.

JESCHECK, *Tratado de Derecho penal*, Trad. de Manzanares Samaniego, Berlín-Granada 1993.

JIMÉNEZ DÍAZ, "Delitos relativos a la prestación social sustitoria: su problemática aplicación, II Parte", en *CPC* 1995.

JORGE BARREIRO, Agustín, *"La relevancia jurídico-penal del consentimiento del paciente en el tratamiento médico-quirúrgico", CPC* 1982.

La imprudencia punible en la actividad médico-quirúrgica, Madrid, 1990.

"Nuevos aspectos de la imprudencia jurídico-penal en la actividad médica: la culpa en el equipo médico-quirúrgico", en *Responsabilidad del personal sanitario*, Madrid, 1994.

"Omisión e imprudencia. Comisión por omisión en la imprudencia: en la construcción y en la medicina en equipo", en *Cuadernos de Derecho Judicial, La comisión por omisión*, Madrid, 1994.

JORGE BARREIRO, Alberto, "Jurisprudencia penal y lex artis médica", en *Responsabilidad del personal sanitario, CGPJ* 1994.
"El delito de revelación de secretos (profesional y laboral)", en *La Ley*, 1996.
JUNG, "Außenseitermethoden und strafrechtliche Haftung", en *ZStW* 1985.
KAMINSKI, *Der objektiven Maßtab im Tatbestand des Fahrlässigkeitsdelikts. Struktur und Inhalt*, Berlin, 1990.
KAMPS, *Ärztliche Arbeitstellung und strafrechtliches Fahrlässigkeit*, Berlin, 1981.
KARGL, "Körperverletzung durch Heilbehandlung", en *GA* 2001.
KAUFMANN Arthur, "Die eigenmächtige Heilbehandlung", en *ZStW* 1961.
KAUFMANN Armin, "Die Dogmatik im Alternativ-Entwurf", en ZStW 1968.
KAUFMANN Armin, "Zum Stande der Lehre vom personalen Unrecht", en *Fs. für Welzel zum 70 Geburtstag*, Berlin, 1974.
KAUFMANN Arthur, *Das Schuldprinzip. Eine strafrechtslichrechtsphilosophische Untersuchung*, 2 ed. Heidelberg 1976.
KAUFMANN Arthur, "Zur ethischen und strafrechtlichen Berurteilung der sogenannten Früheuthanasie", en *JZ* 1982.
KAUFMANN Arthur, "¿Relativización de la protección jurídica de la vida?", en *CPC* 1987 (trad. de Silva Sánchez), publicado también en *Avances de la medicina y Derecho penal*, Barcelona, 1988.
KERN/LAUFS, *Die ärztliche Aufklärungspflicht- Unter besonderer Berücksichtigung der richterlichen Spruchpraxis*, Berlin/Heidelberg/New York, 1983.
KIENAPFEL, "Die Hilfeleistungspflicht des Arztes nach deutschem und österreichischem Strafrecht", en *FS. Bockelmann*, München, 1979.
KLINGER, *Strafrechtliche Kontrolle medizinischer Außenseiter*, Stuttgart, 1995.
KNAUER, "Ärztlicher Heileingriff, Einwilligung und Aufklärung -überzogene Anfonderung an den Arzt?" en *Medizinstrafrecht, In Spannungsfeld von Medizin, Ethik und Strafrecht*, Hrsg. ROXIN/SCHROTT, Stuttgart/München/Hannover/Berlin/Weimar/Dresden, 1999.
KRAUSS, Zur strafrechtlichen Problematik der eigenmächtigen Heilbehandlung, en *Fs. Bockelmann*, München, 1979.
KREUZER, *Ärztliche Hilfeleistungspflicht in der Sicht des Strafrechtes*, en *Die juristische Problematik in der Medizin*, Bd. II: *Ärztliche Aufklärungs- und Schweigepflicht*, München, 1971.
KUHLENDAHL, "Ärztlicher Entscheidungsspielraum -Handlungszwänge", en *Fs. Bockelmann*, München, 1979.
KÜPER, "Mensch oder Embryo? Der Anfang des 'Menschsein' nach neuem Strafrecht", en *GA* 2001.
LAÍN ENTRALGO, *Historia Universal de la Medicina*, Barcelona, 1972.
LAMPE, "Täterschaft bei fahrlässiger Straftat", en *ZStW* 1959.
LANDROVE DÍAZ, "El derecho a una muerte digna", en *La Ley*, 1998.
LANZAROTE MARTÍNEZ, "Algunos apuntes en torno al tratamiento del derecho constitucional a la vida en la nueva Ley sobre técnicas de reproducción humana asistida de 26 de mayo de 2006", en *La Ley*, miércoles 26 de julio de 2006.
LAUFS, Die Verletzung der ärztlichen Aufklärungspflicht und ihre deliktische Rechtsfolge, en *NJW* 1974.
"Fortschritte und Scheidewege im Arztrecht", en *NJW* 1976.
Arztrecht, München, 1978.

«Die Entwicklung des Arztrechts im Jahre 1977/78», en *NJW* 1978.

Aufklärungspflicht und Einwilligung, en Arztrecht, München, 1984.

"Die Entwicklung des Arztrechts 1983/1984", en *NJW* 1984.

LAUF/UHLENBRUCRUCK, *Handbuch des Arztrechts*, München, 1999.

LAURENZO COPELLO, "El aborto en la legislación penal española: una reforma necesaria". Fundación Alternativas, http://www.fundacionalternativas.com/laboratorio

"Relevancia penal el consentimiento informado en el ámbito sanitario", en *"Problemas actuales del Derecho penal y de la criminología", Libro Homenaje a Mª del Mar Díaz Pita*, Valencia, 2008.

LEMA AÑÓN/BRANDARIZ GARCÍA, "Disponibilidad de la propia vida, eutanasia y responsabilidad penal: notas iusfilosóficas y jurídico penales", en *Responsabilidad penal del personal sanitario*, Brandariz García/Faraldo Cabada (coords.), A Coruña, 2002.

LENCKNER, "Ärztliches Berufsgeheimnis", en *Arzt und Recht*, München, 1966.

LESCH, "Die strafrechtliche Einwilligung beim HIV-Antikörpertest an Minderjährigen", en *NJW* 1989.

LÓPEZ BARJA DE QUIROGA, "El consentimiento informado", en *Responsabilidad del personal sanitario, CGPJ* 1994.

El consentimiento en el Derecho penal. Cuadernos "Luis Jiménez de Asúa", Madrid, 1999.

LÓPEZ PEREGRÍN, *La complicidad en el delito*, Valencia, 1997.

LÜTTGER, *Medicina y Derecho penal*, Madrid, 1984.

LUZÓN PEÑA,"Autoría e imputación objetiva en el delito imprudente: valoración de las aportaciones causales", en *Revista de Derecho de la Circulación* 1974.

"Problemas del intrusismo en Derecho penal", en *ADPCP* 1985.

"La participación por omisión en la jurisprudencia reciente del TS", en *Poder Judicial* 1986.

"Tratamiento del secreto profesional en el Derecho español", en *Estudios Penales*, Barcelona, 1991.

"Estado de necesidad e intervención médica (o funcionarial, o de un tercero) en caso de huelgas de hambre, intentos de suicidio y autolesión: algunas tesis)", en *Estudios de Derecho penal*, Barcelona, 1991.

"Participación por omisión y omisión de impedir determinados delitos", en *La Ley* 1996.

"Función simbólica del Derecho penal y delitos relativos a la manipulación genética", en *Modernas tendencias en la Ciencia del Derecho penal y en la Criminología, Actas del Congreso Internacional de la Facultad de Derecho de la UNED*, Madrid, 2001.

LLORIA GARCÍA, *El delito de intrusismo profesional,* Valencia, 2001.

"La intrusión delictiva en las especialidades médicas y la Ley 44/2003: a propósito de la Sentencia del Tribunal Supremo de 1 de abril de 2003", en la Ley Penal, 2006.

MACÍA MORILLO, *La responsabilidad médica por los diagnósticos preconceptivos y prenatales (las llamadas acciones de wrongful birth y wrongful life)*, Valencia, 2005.

MAJUNKE, *Anästhesie und Strafrecht*, Stuttgart, 1988.

MANNA, *Profili penalistici del trattamento medico-chirurgico*, Milan, 1984.

"Le 'nuove frontiere' del trattamento medico-chirurgico nel Diritto Penale", en *L'Indice Penale*, 1996.

MANTOVANI, Ferrando, en "La responsabilita' del medico", en *Rivista italiana di medicina legale*, 1980.

Aspetti penalistici, en Trattamenti sanitari tra libertà e doverosità, Napoli, 1983.

- *Aspetti giuridici della eutanasia, en Rivista italiana di diritto e procedura penale*, 1988-I.
"Sobre el problema jurídico del suicidio", trad. de Barquín Sanz, en *Eutanasia y suicidio*, Granada 2001.
"El problema jurídico de la eutanasia", en *Eutanasia y suicidio*, trad. de Barquín Sanz y Martínez Ruíz, Granada, 2001.

MANTOVANI, Marco, *Il principio de affidamento nella teoria del reato colposo, Milano*, 1997.
"Alcune puntualizzazioni sul principio di affidamento", en *Rivista italiana di diritto e procedura penale*, 1997.

MANZANARES SAMANIEGO, "El delito de intrusismo", en *AP* 1995.

MARCIANO VIDAL, *Bioética*, Madrid, 1999.

MARCOS DEL CANO, La eutanasia. Estudio filosófico-jurídico, Madrid, 1999.

MARÍN GÁMEZ, "La eutanasia desde la perspectiva del Derecho comparado. Especial atención a los casos holandés y norteamericano", en *RFDUCM* 1995/95.

MARINUCCI-MARRUBINI, *Profili penalistici del lavoro medico-chirurgico im equipo*, Temi, 1968.

MARTÍN GÓMEZ, "La eutanasia desde la perspectiva del Derecho comparado. Especial atención a los casos holandés y americano", en *RFDUCM*, 1994/95.

MARTÍNEZ-CALCERRADA, *Derecho médico, Volumen primero, Derecho médico general y especial*, Madrid, 1986.
Responsabilidad penal del médico y del sanitario, Madrid, 1990.

MARTÍNEZ ESCAMILLA, *La imputación objetiva del resultado,* Madrid, 1992.

MARTÍNEZ DE PISÓN, *El derecho a la intimidad en la jurisprudencia constitucional,* Madrid, 1993.

MARTÍNEZ ROCAMORA, "La objeción laboral de conciencia en materia de aborto", en *Aranzadi Social*, 1998.

MATZ, "Der ärztliche Kunstfehler und sein Beweiss", en *Moderne Medizin un Strafrecht*, Kaufmann (Hrsg.), Heidelberg, 1989.

MARTÍNEZ-PEREDA RODRÍGUEZ, *La imprudencia punible en la profesión sanitaria según la jurisprudencia del Tribunal Supremo*, Madrid, 1985.
La responsabilidad civil y penal del anestesista, Granada, 1995.
Responsabilidad penal del médico y del sanitario, Madrid, 1997.

MAURACH, *Tratado de Derecho Penal*, Trad. y notas de Derecho español por Córdoba Roda, Barcelona, 1962.

MAURACH/GÖSEL/ZIPF, *Strafrecht, Allgemeiner Teil, Grundlehren des Strafrechts und Aufbau der Straftat. Ein Lehrbuch*, 5 Auf., Heidelberg/Karlsruhe, 1977.

MAURACH/ZIPF, *Strafrecht, Allgemeiner Teil*, Heidelberg, 1988. Existe traducción española por Bofill Gensch/Gibson, Buenos Aires, 1994.

MAURACH/SCHROEDER/MAIWALD, *Strafrecht. Besonderer Teil,* Heidelberg, 1988.

MAYER, *Die Unfähigkeit des erwachsenen Patienten zur Einwilligung in den ärztlichen Eingriff,* Kiel, 1994.

MAZZACUVA, "Problemi attuali in materia di responsabilita' penale del sanitario", en *Rivista italiana di medicina legale*, 1984.

MEJICA GARCÍA, "Sobre la objeción médica en materia de aborto", *en AP* 1988-2.

MÉJICA GARCÍA/FERNÁNDEZ GARCÍA, "Sobre la objeción de conciencia médica en materia de aborto", en *La Ley,* 1999.

MEURER, "AIDS und strafrechtliche Probleme der Schweiepflicht", en *AIDS und Strafrecht*, Herausgegeben von Szwarc, Berlin, 1996.

MEYER, Maria-Katharina, *Ausschluß der Autonomie durch Irrtum*, Köln/Berlín/Bonn/München/Heymann, 1984.

MEZGER, *Tratado de Derecho Penal, tomo I*, trad. *y notas a la 2ª ed. alemana (1933)* y notas de Derecho español por Rodríguez Muñoz.

MICHEL, "Aids-test ohne Einwilligung -Körperverletzung oder strafbarkeitslücke?", en *JuS* 1988.

MIR PUIG, *Adiciones al Tratado de Derecho Penal de Jescheck*, Barcelona, 1981.
"Sobre el consentimiento en el homicidio imprudente", en *ADPCP* 1991.
Derecho Penal, Parte General, Barcelona, 1996.

MONTERO, Etienne, "¿Hacia una legalización de la eutanasia voluntaria? Reflexiones acerca de la tesis de la autonomía", en *La Ley*, 16 de marzo de 1999.

MONTICELLI, "Eutanasia, Diritto penale e principio di legalità", *Estratto de L'Indice penale*, maggio-agosto 1998.

MORALES PRATS, Comentarios al nuevo Código penal, Pamplona, 1996 (dir. Quintero Olivares).

MOURE GONZÁLEZ, "¿Existe una falta de imprudencia profesional grave?", en *La Ley* 1999.

MOYA HURTADO DE MENDOZA, "Evolución jurisprudencial reciente de los atentados a la vida y la integridad en el marco del tratamiento médico-quirúrgico", en *Cuadernos de Derecho Judicial, Delitos contra la vida y la integridad física*, Madrid, 1995.

MÜLLER, "Schweigepflicht und Schweigerecht des Arztes", en *Die juristische Problematik in der Medizin, Band II. Ärztliche Aufklärungs- und Schweigepflicht*, (Hrsg. von Mergen) München, 1971.
"Operationserweiterung", en *Medizinstrafrecht. in Spannungsfeld von Medizin, Ethick und Strafrecht*, Hrsg. ROXIN/SCHROTH, Stuttgart/München/Hannover/Berlin/Weimer/Dresden, 1999.

MUÑAGORRI LAGUÍA, *Eutanasia y Derecho Penal*, Madrid, 1994.
"La regulación de la eutanasia en el nuevo Código penal de 1995", en *Jueces para la Democracia*, 1996.

MUÑOZ CONDE, "Provocación al suicidio mediante engaño. Un caso límite entre autoría mediata en asesinato e inducción y ayuda al suicidio", en *ADPCP* 1987, publicado también en *RFDUG*, 1987.
El error en Derecho penal, Valencia, 1989.
"La esterilización de deficientes psíquicos: comentario a la sentencia del Tribunal Constitucional español de 14 de julio de 1994", en *Revista de Derecho y Genoma Humano*, nº 2, enero-junio 1995.
"Falsedad documental y secreto profesional en el ámbito sanitario", en *Derecho y Salud*, 1996.
"La objeción de conciencia en Derecho Penal", en *Nueva Doctrina Penal*, 1996, publicado también en *Política criminal y nuevo Derecho penal*, Barcelona, 1997.
"Una nueva imagen del Derecho Penal Español", en *Revista de Derecho Penal y Criminología*, 1998.
Derecho penal, Parte General, Valencia, 6ª ed., Valencia, 2007.
Derecho penal, Parte Especial, 16ª ed., Valencia, 2007.

"Einige Fragen des ärztlichen Heileingriffs im spanischen Strafrech", en ROXIN/ SCHROTH (Hrsg.), *Handbuch des Medizinstrafrechts*, Stuttgart/München/Hannover/ Berlin/Weimar/Dresden, 2007.

NANNINI, *Il consenso al trattamento médico*, Milano 1989.

NAVARRO VALLS, "La objeción de conciencia al aborto, en *Cuadernos de Derecho Judicial, Libertad ideológica y derecho a no ser discriminado*, Madrid, 1996.
"La objeción de conciencia", en *Bioética y Justicia*, CGPJ, 2000.

NEUDECKER, *Die strafrechtliche Verantwortlichkeit der Mitglieder von Kollegialorganen. Dargestellt am Beispiel der Geschäftsleistungsgremien von Wirtschaftsunternehmen*, Paris/Wien, 1995.

NEUHAUS, "Ärztliches Handeln als Körperverletzung aus Sicht des Chirurgen", en *ZaeFQ*, 1998.

NEUMAN, "El VIH en la prisión y confidencialidad médica", en *Homenaje al Dr. Marino Barbero Santos*, vol. II, Salamanca, 2001.

NIEDERMAIR, "Verletzung von Privatgeheimnissen im interesse des Patienten? Aus der neueren Rechtsprechung zur ärztlichen Schweigepflicht, en *Medizinstrafrecht, In Spannungsfeld von Medizin, Ethik und Strafrecht*, Hrsg. ROXIN/SCHROTT, Stuttgart/ München/Hannover/Berlin/Weimar/Dresden, 1999.

NOLL, *Übergesetzliche Rechtfertigungsgründe, inbesondern die Einwilligung des Verletzten*, Basel, 1955.
"Der Überzeugungstäter im Strafrecht", Zugleich ein Auseinandersetzung mit Gustav Radbruchs rechtsphilosophischem Relativismus", en *ZStW* 1966.

NOVOA MONREAL, *Derecho a la vida privada y libertad de información. Un conflicto de derechos*, México, 1981.

NUÑEZ PAZ, *Homicidio consentido, eutanasia y derecho a morir con dignidad*, Madrid, 1999.
La buena muerte. El derecho a morir con dignidad, Madrid, 2006.

OCTAVIO DE TOLEDO Y UBIETO, *La reforma del consentimiento en las lesiones (art. 428 del CP), AAVV, Comentarios a la legislación penal*, V, 2, 1984.

OPDERBECKE, "Grenzen der ärztlichen Behandlungspflicht, en Suizid und Euthanasie", en *Suizid und Euthanasie*, Stuttgart, 1976.

OPPENHEIM, *Das ärztliche Recht zu körperlichen Eingriffen an Kranken und Gesunden*, Basel, 1892.

ORTIZ/QUINTÁN/ARMENGOL-MIRÓ: "La sedación en la endoscopia digestiva y el intrusismo: aspectos legales; en Revista Española de Enfermedades Digestivo", vol. 98 n° 12. 2006.

ORTS BERENGUER/ROIG TORRES, "El intrusismo en las profesiones sanitarias", en *Responsabilidad penal del personal sanitario*, Brandariz García/Faraldo Cabana (coords.), A Coruña, 2002.

OTERO GONZÁLEZ, "El secreto profesional desde la óptica del deber de declarar en el proceso penal", en *La Ley*, 2000.

OTTO, "Grenzen der Fahrlässigkeitshaftung im Strafrecht", en *JuS* 1974.
"Risikoerhöhungsprinzip statt Kausalitätsgrundsatz als Zurechnungskriterien bei Erfolgsdelikten", en *NJW* 1980.

PARODI/NIZZA, *La responsabilità penale del personale medico e paramedico. Giurisprudenza sistematica di diritto penale*, Torino, 1996.

PARRA LUCÁN, "La capacidad del paciente para prestar válido consentimiento informado. El confuso panorama legislativo español", en *Actualidad Aranzadi*, abril, 2003.

PASSACANTANDO, "Il difetto del consenso del paziente nel trattamento medico-chirurgico e i suoi riflessi sulla responsabillità penale del medico", en *Rivista italiana di medicina legale*, 1993.

PÉREZ ARROYO, "Objeción de conciencia y Derecho penal en la actual dogmática penal española. Especial referencia al ámbito sanitario", en *Revista Peruana de Ciencias Penales*, nº 7/8, año IV.

PÉREZ ROYO, J., *Curso de Derecho constitucional*, 8ª ed., Barcelona, 2002.

PÉREZ DEL VALLE, *Conciencia y Derecho penal. Límites a la eficacia del Derecho penal en comportamientos de conciencia*, Granada, 1994.

PETER, Anne Maria, *Arbeitsteilung im Krankenhaus aus strafrechtlicher Sicht*, Baden-Baden, 1992.

PETERS, "Überzeugungstäter und Gewissenstäter", en *Fs. für Mayer zum 70 Geburstag*, Berlin, 1966.

PFEFFER, *Durchführung von HIV-Test ohne den Willen des Betroffenen. Pflicht und Befugnis zur Befundmitteilung aus der Sicht des Strafrechts*, Berlin, 1989.

PLAZA PENADÉS, *El nuevo marco de la responsabilidad médica y hospitalaria*, Navarra, 2002.

PORTILLA CONTRERAS, "Tratamiento dogmático penal de los supuestos de puesta en peligro imprudente por un tercero con aceptación de la víctima de la situación de riesgo", en *CPC* 1991.

PRINCIGALLI, *La responsabilità del médico*, Napoli, 1983.

PROSKE, "Ärzliche Aufklärungspflicht und Einwilligung aus strafrechtlicher Sicht", en Schick, *Die Haftung des Arztes in zivil- und strafrechtlicher Sicht unter Einschluß des Arzneimittelrechts*, 1983.

PUPPE, Anmerkung zum BGH Besch. von 3.3.94, en JR, *1994*.
"Die Lehre von der objektiven Zurechnung", en *Jura* 1998.

QUERALT JIMÉNEZ, *Derecho penal español. Parte Especial*, Barcelona, 1996.

RADAU, "Wrongful birth' und 'wrongful life' Probleme der rechtlichen Bewältugung ärztlicher Pflichtverletzung bei der menschlicher Reproduktion", en *Ethik in der Medizin*.

RENZIKOWSKI, Die Strafrechtliche Berurteilung der Präimplantationsdiagnostik, en *NJW* 2001.

REQUEJO NAVEROS, M.T., "El derecho a no saber: fundamento y necesidad de protección penal", en *La Ley*, 17 de enero de 2006.

RIZ, *Il trattamento medico e le cause di giustificazione*, Padova, 1975.
Il consenso dell'avente diritto, Padova, 1979.
"Colpa penale per imperizia del medico: Nuovi orientamenti", en *L'Indice Penale*, 1985.
"Bioetica-Fivet-Clonazione. Tutela della persona e della vita" en *L'indice penale*, mayo-agosto 2000.

RODRÍGUEZ LÓPEZ, *La autonomía del paciente. Información, consentimiento y documentación clínica*, Madrid, 2004.

RODRÍGUEZ MOURULLO, "El delito de intrusismo", en *Revista General de Legislación y Jurisprudencia*, 1969.

ROGALL, "Comentario a la Sentencia del BGH de 22 de febrero de 1978", en *NJW* 1978.
"Die Verletzung von Privatgeheimnissen (§203 StGB)", en *NStZ* 1983.

ROLDAN BARBERO, «Prevención del suicidio y sanción interna», en *ADPCP* 1987.

ROMANO, *Comentario sistemático del Codice Penale,* I, Milano, 1987.

ROMEO CASABONA, *Los trasplantes de órganos*, Barcelona, 1978.

El médico y el Derecho penal. La actividad curativa (Licitud y responsabilidad penal), Barcelona, 1981.

"El consentimiento en las lesiones en el Proyecto de Código penal de 1980", en *CPC* 1982.

El médico ante el Derecho, Madrid, 1985.

"El marco jurídico-penal de la eutanasia en el Derecho español", en Homenaje al Prof. Sainz Cantero, en *RFDUG* 1987.

El Sida en las prisiones. Transmisión del Sida entre reclusos, en "VII Jornadas Penitenciarias Andaluzas", Sevilla, 1991.

El diagnóstico antenatal y sus implicaciones jurídico-penales", en *La Ley*, 1987.

"Responsabilidad médico-sanitaria y Sida", en *Actualidad Penal*, 1993-2.

"Acciones médicas ante el paciente o donante portadores o enfermos de Sida", *JANO*, n° 1032, 1993.

"El paciente de Sida y la afectación de su libertad de someterse a tratamiento y a su confidencialidad", en *JANO*, n° 1024, 1993.

El Derecho y la Bioética ante los límites de la vida humana, Madrid, 1994.

Genética y Derecho Penal: Los delitos de lesiones al feto y relativos a las manipulaciones genéticas, en *Derecho y Salud,* Vol. 4, num. 2, julio-diciembre 1996.

"La objeción de conciencia en la praxis médica", en Libertad ideológica y derecho a no ser discriminado, *Escuela Judicial y Consejo General del Poder Judicial*, Madrid, 1996.

"Aspectos específicos de la información en relación con los análisis genéticos y con las enfermedades transmisibles", en *Información y documentación clínica*, Madrid, 1997.

"Objeción de conciencia y aborto", en *Estudios Jurídicos en memoria de Profesor Casabó Ruiz*, Valencia, 1997.

"¿Límites de la posición de garante de los padres respecto al hijo menor? (La negativa de los padres, por motivos religiosos, a una transfusión de sangre vital para el hijo menor)", en *Revista de Derecho penal y criminología*, 1998.

"Los llamados delitos relativos a la manipulación genética", en *Genética y Derecho*, 2001.

"Protección jurídica del genoma humano en el Derecho Internacional: el Convenio Europeo sobre derechos humanos y biomedicina", en *Genética y Derecho*, 2001.

"La investigación y la terapia con células madre embrionarias: hacia un marco jurídico europeo", en *La Ley*, número correspondiente al día 24 de enero de 2002.

"Prevención versus simbolismo en el Derecho penal de las biotecnologías", en *Revista de Derecho penal. Delitos contra la Administración Publica I*, Buenos Aires 2004.

"Clinical Trials in Medicine in Spanish Law", en *Die klinische Prüfung in der Medizin. Europäische Regelungswerke auf dem Prüfstand*. Germany, 2005.

Conducta peligrosa e imprudencia en la sociedad de riesgo, Granada, 2005.

"Causalidad, determinismo e incertidumbre científica", en *Revista General de Derecho penal (http://www.iustel.com)*, núm. 8, noviembre de 2007.

ROMEO CASABONA/CASTELLANO ARROYO, "La intimidad del paciente desde la perspectiva del secreto médico y del acceso a la historia clínica", en *Derecho y Salud*, 1993.

ROMEO MALANDA, "El valor jurídico del consentimiento prestado por los menores de edad en el ámbito sanitario", en *La Ley*, 2000.

Luces y sombras de la nueva Ley de Técnicas de Reproducción Asistida", en *Perspectivas en Derecho y Genoma Humano*, núm. 8, diciembre 2006.

Intervenciones genéticas sobre el ser humano y Derecho penal, Bilbao-Granada, 2006.

DEL ROSAL BLASCO, "La participación y el auxilio ejecutivo al suicidio: un intento de reinterpretación constitucional del art. 409 CP", en *ADPCP* 1987.

"El tratamiento jurídico-penal y doctrinal de la eutanasia en España", en *El tratamiento jurídico de la eutanasia. Una perspectiva comparada*, Valencia, 1996.

ROßNER, "Verzicht des Patienten auf eine Aufklärung durch den Arzt", en *NJW* 1990.

ROUKA, *Das Selbstbestimmungsrecht des Minderjährigen bei ärzrlichen Eingriffen*, Frankfurt am Main, 1996.

ROXIN, *Política criminal y sistema de Derecho penal*, Trad. de Muñoz Conde, 1972.

"Über die mutmassliche Einwilligung", en *Festschrift für Welzel*, Berlín, 1974.

"Die Gewissenstat als Strafbefreiungsgrund", en *Fs. für Maihofer*, Frankfurt am Main, 1988.

"Die durch Täuschung herbeigeführte Einwilligung im Strafrecht", en *Gedächtnisschrift für Noll*, Zürich, 1984.

Täterschaft und Tatherrschaft, Hamburg, 1963; Berlín-New York, 1994.

Derecho Penal, Parte General, trad. de Luzón Peña, Díaz y García Conlledo y Vicente Remesal, Madrid, 1997.

Dogmática penal y política criminal, trad. de Abanto Vasquez, Perú, 1998.

"Die Sterbehilfe im Spannungsfeld von Suizidteilnahme, erlaubtem Behandlungsabbruch und Tötung auf Verlangen. Zugleich eine Besprechung von BGH, NStZ 1987, 365 und LG Ravensburg NStZ 1987, 229", en *NStW* 1987. Existe una traducción al español de Olmedo Cardenete "Tramiento jurídico-penal de la eutanasia"en *Eutanasia y Suicidio*, Granada, 2001.

La protección de la vida humana mediante el Derecho penal, conferencia pronunciada en Sevilla, Cáceres y Salamanca en enero de 2002, publicada por la Universidad de Salamanca, Fundación General. Publicado también en *Dogmática y Ley penal. Libro Homenaje a Enrique Bacigalupo*, Barcelona, 2004, con preámbulo y notas de Núñez Paz.

RUDOLPHI, *Die Gleichstellungsproblematik der unechten Unterlassungsdelikte und der Gedanke der Ingerenz*, Göttingen, 1966.

"Vorhersehbarkeit und Schutzzweck der norm in der strafrechtlichen Fahrlässigkeitslehre", en *Jus* 1969.

"Die Bedeutung eines Gewissensentscheides für das Strafrecht", en Stratenwerth/Kaufmann/Geilen/Hirsch/Schreiber/Jakobs/Loos (eds.) *Welzel-Fs* zum 70 Geburstag, Berlin/New York, 1974.

RUDOLPHI/SAMSON/GÜNTHER, *Systematischer Kommentar zum Strafgesetzbuch*, Luchterhand, Neuwied-Kriftel-Berlin, 6 ed. 1995.

RUGGIERO, "Il consenso dell'avente diritto nel trattamento médico-chirurgico: prospettive di riforma", en *Rivista italiana di medicina legale*, 1996.

RUIZ MIGUEL, "La objeción de conciencia, en general y en deberes cívicos, en Libertad ideológica y derecho a no ser discriminado", en *Cuadernos de Derecho Judicial*, 1996.

El aborto: problemas constitucionales, Madrid, 1990.

RUIZ VADILLO, "Responsabilidad civil y penal de los profesionales de la medicina", en *Actualidad Penal* 1994.

RUY HUIDOBRO, "La imprudencia médica en el ámbito del Derecho penal", en *Estudios Penales y Jurídicos en Homenaje al Prof. Casas Barquero*, Córdoba, 1996.

SAMSON, Systematischer Kommentar zum Strafgesetzbuch, Bd. I. AT, 2 Auf, Frankfurt 1977.

"Begehung und Unterlassung", en *Festschrift für Hans Welzel*, Berlin/New York, 1974.

"Zur Strafbarkeit der klinischen Arzneimittelprüfung", en *NJW* 1978.

SÁNCHEZ CARAZO, *La intimidad y el secreto médico*, Madrid, 2000.

SÁNCHEZ CARO, "El derecho a la información en la relación sanitaria: aspectos civiles", en *La Ley* 1993-3.

SÁNCHEZ CARO-SÁNCHEZ CARO, *El médico y la intimidad*, Madrid, 2001.

SÁNCHEZ TORRES, "Ética médica y bioética", en *Ética y responsabilidad en medicina*, Santa Fe de Bogotá, 1994.

SÁNCHEZ-VERA Y GÓMEZ TRELLES, *Intervención omisiva, posición de garante y prohibición de sobrevaloración del aporte*, Colección de Estudios nº 4, Universidad Externado de Colombia, 1995.

SANTACROCE, "Trasfusioni di sangue, somministrazione di emoderivati e consenso informato del paziente", en *La Giustizia Penale*, 1997.

SAPANN/LIEBHARDT/BRAUN, "Ärztliche Hilfeleistungspflicht und Willensfreiheit des Patienten", en *Fs. für Bockelmann*, München, 1979.

SAX, "Zur rechtlichen Problematik der Sterbehilfe durch vorzeitigen Abbruch einer Intensivbehandlung", en *JZ* 1975.

SCHAFFSTEIN, "Die Risikoerhöhung als objektives Zurechnungsprinzip im Strafrecht, insbesondere bei Beihilfe", en *Honig Festschrift*, Göttingen, 1970.

SCHIMIKOWSKI, *Experiment am Menschen*, Stuttgart, 1980.

SCHLEHOFER, "AIDS und Organspende", en *Jura* 1989.

SCHLUND, "Aufklärung im Rahmen ärztlicher Tätigkeit", en *Der Gynäkologe*, 1997-7.

SCHMIDHAÜSER, *"Fahrlässige Straftat ohne Sorgaltspflichtverletzung"*, en *Fs. Schaffstein*, Göttingen, 1975.

Strafrecht, Allgemeiner Teil, Studienbuch, Tübingen, 1982.

SCHMIDT, "Die Beruchtspflicht des Arztes unter strafrechtlichen Gesichtspunkten", en *Beihefte zur Monatschrift für deutsches Recht*, 1949.

"Der Arzt im Strafrecht", en PONSOLD, *Lehrbuch der Gerichtlichen Medizin. Einschliesslich der ärztlichen Rechtskunde und der versicherungsmedizin*, Stuttgart, 1957.

"Empfiehlt es sich, daß der Gesetzgeber die Fragen der ärztlichen Aufkärungspflicht regelt? Gutachten", en *Verhanlungen des 44 Deutschen Juristentages*, 1962.

SCHNEIDER, *Tun und Unterlassen beim Abbruch lebenserhaltender medizinischer Behandlung*, Berlin, 1997.

SCHÖNKE/SCHRÖDER, *Strafgesetzbuch*. 23 Auf., München, 1988.

SCHREIBER, en MARQUARD/SEIDLER/STAUDINGER (Hrsg.), *Medizinische Ethik und soziale Verantwertung*, 1989.

"Ärztliche Aufklärung- Zweck, Grenzen und Modalitäten", en *Innere Medizin und Recht*, Berlin, Wien, 1996.

"Zur Reform des Arztstrafrechts", en *Fs. für Joachim Hirsch*, Berlin, 1999.

SCHROEDER, "Die Farhlässigkeit als Erkennbarkeit der Tatbestandsverwirklichung", en *JZ* 1989.

Besondere Strafvorsichten gegen Eigenmächtige und Fehrelerhafte Heilbehandlung?, Passau, 1998.

SCHRÖDER, "Eigenmächtige Heilbehandlung im geltenden Strafrecht und im StGB-Entwurf, en *NJW* 1961.

SCHROTH, "Die strafrechtlichen Grenzen der Lebenspende", en *Medizinstrafrecht, In Spannungsfeld von Medizin, Ethik und Strafrecht,* Hrsg. ROXIN/SCHROTT, Stuttgart/München/Hannover/Berlin/Weimar/Dresden, 1999.

Zwischen Experiment und Heilbehandlung, en Kaufmann (Hrsg), Heidelberg, 1989.

"Ärztliches Handeln und strafrechtlicher Masstab", en ROXIN/SCHROTH (Hrsg.), *Handbuch des Medizinstrafrechts,* Stuttgart/München/Hannover/Berlin/Weimar/Dresden, 2007.

"Die strafrechtliche Grenzen der Organlebendspende sowie der Knochenmarktransplantation", en ROXIN/SCHROTH (Hrsg.), *Handbuch des Medizinstrafrechts,* Stuttgart/München/Hannover/Berlin/Weimar/Dresden, 2007.

SCHUMANN, *Strafrechtliches Handlungsunrecht und das Prinzip der Selbstverantwortung,* Tübingen, 1986.

SCHÜNEMANN, *Grund und Grenzen der unechten Unterlassungsdelikte,* 1971.

"Zur Kritik der Ingerenz-Garantenstellung", en *GA* 1974.

"Moderne Tendenzen in der Dogmatik der Fahrlässigkeits- und Gefährdungsdelikte", *JA* en 1975.

Problemas jurídico-penales relacionados con el Sida, trad. de Mir Puig, en *Problemas jurídico penales del Sida,* Barcelona, 1993.

SCHWALM, -"Zu einigen ungelösten Strafrechtsproblemen", en *Fs. Engisch* zum 70 Geburstag, Frankfurt 1969.

"Zum Begriff und Beweis des ärztlichen Kunstfehlers", en *Fs. Bockelmann,* München, 1979.

SEIZINGER, *Das Konflikt zwischen dem Minderjährigen und seinem gesetzlichen Vertreter bei der Einwilligung in den Heileingriff im Strafrecht,* 1976.

SEMINARA, La eutanasia en Italia, en *"Eutanasia y homicidio a petición: situación legislativa y perspectivas político-criminales", en RFDUG,* 1987.

SEOANE PRADO, "Información clínica", en *Información y Documentación clínica. Actas del seminario conjunto sobre información y documentación clínica celebrado en Madrid los días 22 y 23 de septiembre de 1997,* Madrid, 1997.

SERRANO GÓMEZ, "Delito de intrusismo y médicos no especialista", en *AP,* 1999.

SERRANO TÁRRRAGA, *El delito de intrusismo profesional,* Madrid, 1997.

SIEBERT, "Strafrechtliche Grenzen ärztlicher Therapiefreiheit", en *MedR* 1983.

SIEIRA MUCIENTES, *La objeción de conciencia sanitaria,* Madrid, 2000.

SILVA SÁNCHEZ, *El delito de omisión. Concepto y sistema,* Barcelona, 1986.

"Causación de la propia muerte y responsabilidad penal de terceros", *en ADPCP* 1987.

"La responsabilidad penal del médico por omisión", en *La Ley,* 1987-1, publicado también en *Avances de la Medicina y Derecho Penal,* Barcelona, 1988.

"Aspectos de la comisión por omisión: Fundamento y formas de intervención. El ejemplo del funcionario penitenciario", en *CPC* 1989.

Aproximación al Derecho Penal contemporáneo, Barcelona, 1992.

"Aspectos de la responsabilidad penal por imprudencia del médico anestesista", en *Derecho y Salud,* 1994.

"Comisión y omisión. Criterios de distinción, en La comisión por omisión", en *Cuadernos de Derecho Judicial, La comisión por omisión*, Madrid, 1994.

El nuevo Código penal: cinco cuestiones fundamentales, Barcelona, 1997.

"La comisión por omisión", en *Jornadas sobre el nuevo Código penal de 1995*, Universidad del País Vasco, 1998.

"La comisión por omisión", en *Revista Canaria de Ciencias Penales*, num. 1, 1998.

Medicinas alternativas e imprudencia médica, Barcelona, 1999.

SILVA/BALDÓ/CORCOY, y *Casos de jurisprudencia penal con comentarios doctrinales. Parte General*, Barcelona, 1997.

SIMÓN LORDA, *El consentimiento informado*, Madrid, 2000.

DE SOLA, "Privacidad y datos genéticos. Situaciones de conflicto (I)", en *Revista de Derecho y Genoma Humano*, n° 1, julio-diciembre 1994.

"Algunos problemas relativos al derecho a la intimidad del paciente", en *Derecho y Salud*, 1995.

SOLA RECHE/HERNÁNDEZ PLASENCIA/ROMEO CASABONA, *La responsabilidad profesional del médico en el Derecho español. Responsabilidad penal y civil de los profesionales*, Universidad de la Laguna, 1993.

SOLBACH/SOLBACH, "Zur Frage der Strafbarkeit einer Venenpunktion zum Zweck einer 'routinenmäßigen' Untersuchung auf 'AIDS'", en *JA* 1987.

SPORKEN, "Euthanasie im Rahmen der Lebens- und Sterbehilfe", en *Suizid und Euthanasie* (Hrsg) Eser, Stuttgart, 1976.

STANGELAND, "Aspectos sociológicos de la eutanasia en España", en *El tratamiento jurídico de la eutanasia. Una perspectiva comparada*, Valencia, 1996.

STERNBERG-LIEBEN, *Die objeltiven Schranken der Einwilligung im Strafrecht*, Tübingen, 1997.

STONE/WINSLADE, "Ayuda médica al suicidio y eutanasia en los Estados Unidos" en *El tratamiento jurídico de la eutanasia. Una perspectiva comparada*, en Díez Ripollés/Muñoz Sánchez (coord), Valencia, 1996.

STORTONI, *Vivere: diritto o dovere? Riflessioni sull'eutanasia*, Trento, 1992.

"Reflessioni in tema di eutanasia", en *L'indice Penale*, mayo-agosto, 2000.

STRATENWERTH, "Arbeitsteilung und ärztliche Sorgfaltspflicht", en *Festschrift für Schmidt* (hrsg. von Bockelmann y Gallas), Göttingen, 1961.

Strafrecht, Allgemeiner Teil, Köln/Berlin/Bonn/München, 1981.

«Zur Individualisierung des Sorgfaltsmaßstabes beim Fahrlässigkeitsdelikt», en *Fs. für Jescheck zum 70 Geburstag*, I, Berlin, 1985.

STRUENSEE, «Der subjektive Tatbestand des fahrlässiges Delikts», en *JZ* 1987.

«Actuar y omitir. Delitos de comisión por omisión», Universidad Externado de Colombia, 1996 (trad. de Patricia S. Ziffer).

TAMARIT SUMALLA, *La libertad ideológica en el Derecho penal, Barcelona, 1989.*

"La objeción de conciencia en Derecho penal", en *Cuadernos Jurídicos* 1994.

La víctima en Derecho penal, Pamplona, 1998.

"Responsabilidad penal de terceros ante la negativa a la transfusión de sangre de testigo de Jehová menor de edad con resultado de muerte", en *AJA*, 1998.

TAUPITZ, *Revista de Derecho y Genoma Humano*, n° 8, enero-junio 1998.

TEMPEL, "Inhalt, Grenzen und Durchführung der ärztlichen Aufklärungspflicht unter Zugrundelegung der höchstrichterlichen Rechtsprechung", en *NJW* 1980.

TIRAPU, "Algunas consideraciones sobre la objeción de conciencia y tratamientos sanitarios", en *Anuario del Seminario Permanente sobre Derechos Humanos, II. Derecho a la vida y a la integridad física y psíquica*, Universidad de Jaén, 1996.

TOBINSKY, *Zur Strafbarkeit des Arztes, der bei der Abrechung seiner privatärztlichen Tätigkeit sogennante 'Privatärztliche Verrechungsstellen' einschaltet*, Frankfurt/Bern/New York/Paris, 1991.

TOMÁS-VALIENTE LANUZA, "La regulación de la eutanasia en Holanda", en *ADPCP* 1997.

La disponibilidad de la propia vida en el Derecho penal, Madrid, 1999.

La cooperación al suicidio y la eutanasia en el nuevo C.P. (art. 143), Valencia, 2000.

TORIO LÓPEZ, "El conocimiento de la antijuricidad en los delitos culposos", en *ADPCP*, 1980.

"Reflexión crítica sobre el problema de la eutanasia", en *Estudios penales y Criminológicos*, Santiago de Compostela, 1991.

TRILLO NAVARRO: "Imprudencia en cirujía estética: coautoría y continuidad" en la Ley Penal, nov. 2007.

UHLENBRUCK, "Vorab-Einwilligung und Stellvertretung bei der Einwilligung in einen Heilbegriff", en *MedR* 1992.

ULSENHEIMER, *Arztstrafrecht in der Praxis*, Heidelberg, 1988.

"Ärztliche Aufklärung vor der Geburt", en *Der Gynäkologe*, 1998-9.

UMBREIT, *Die Verantwortlichkeit des Arztes für fahrlässiges Verhalten anderer Medizinalpersonen*, Frankfurt/Berlin/Bern/New York/Paris/Wien, 1992.

VALLE MUÑIZ, "Relevancia jurídico penal de la eutanasia", en *CPC* 1989.

"La ausencia de responsabilidad penal en determinados supuestos de eutanasia", en *Cuadernos jurídicos*, diciembre 1994.

VARANI, "I trattamenti sanitari tra obbligo e consenso", en *Archivio giuridico "Filippo Serafini"*, 1991.

VASALLI, G., "Alcune considerazioni nel consenso del paziente e lo stato di necessità nel trattamento médico-chirurgico", *Archivio penale*, 1973.

VEGA FEGA/VILLALAIN BLANCO, "Sobre la eutanasia: actitud de los sanitarios hacia la información y el tratamiento del paciente", en *CPC* 1992.

VEGA GUTIÉRREZ/MARTÍNEZ BAZA, *Experimentación humana en Europa*, Valladolid, 1997.

VERREL, "Zivilrechtliche Vorsorge ist besser als strafrechtliche Kontrolle", en *MedR* 1999.

VILLACAMPA ESTIARTE, *Responsabilidad penal del personal sanitario. Atribución de responsabilidad penal en tratamientos médicos efectuados por distintos profesionales*, Navarra, 2003.

VINCENZI AMATO/SPAGNOLO/LARICCIA/LORENZINI/BARNI/MANTOVANI/RESCIGNO, en "Relazioni, interventi e conclusioni al Convegno di stud"i, Roma, 1° diciembre 1982, en *Trattamenti sanitari fra libertà e doverosità*, Napoli, 1983.

VOLL, *Die Einwilligung im Arztrecht. Eine Untersuchung zu den Straf-, Zivil-, und Verfassungsrechtlichen Grundlagen, insbesondere bei Sterilisation und Transplantation unter Berücksichtigung des Betreuugsgesetzes*, Frankfurt am Main, 2002.

VON BAR, "Medizinische Forschung und Strafrecht", en *Recht und Medizin*, Hrgs. Eser, Darmstadt, 1990.

VON BURKI, *Die Zeugen Jehovas, die Gewissensfreiheit und das Strafrecht*, Freiburg, 1970.

VON GERLACH, "Ärtliche Aufklärungspflicht und eigenmächtige Heilbehandlung", en *Moderne Medizin und Strafrecht*, en Kaufmann (Hrsg), Heidelberg, 1989.

WACHSMUTH, "Die chirurgische Indikation. Rechtsnorm und Realität", en *Fs. Bockelmann*, München, 1979.

WASTL, "Die Problematik der Arbeitsteilung im Krankenhaus", en *Moderne Medizin und Strafrecht*, Kaufmann (Hrsg.), Heidelberg, 1989.

WELZEL, "Studiem zum System des Strafrecht", en *ZStW* 1939.

Fahrlässigkeit und Verkehersdelikte -Zur Dogmatik der fahrlässigen delikte-, Karlsruhe, 1961.

WERTENBRUCH, "Der Zeitpunkt der Patientenaufklärung", en *MedR* 1995.

WILLHELM, *Operationsrecht des Arztes und Einwilligung des Patienten in der Rechtspflege*, 1912.

WILHELM, "Probleme der medizinischen Arbeitsteilung aus strafrechtlicher Sicht", en *MedR* 1983.

Verantwortung und Vertrauen bei der *Arbeitsteilung in der Medizin*, Stuttgart, 1984.

WILLINGER, *Ethische und rechtliche Aspekte der ärztlichen Aufklärungspflicht*, Frankfurt, 1996.

WOLTER, "Adäquanz- und Relevanztheorie. Zugleich ein Beitrag zur objektiven Erkennbarkeit beim Fahrlässigkeitsdelikt", en *GA* 1977.

Objektive und personale Zurechnung von Verhalten, Gefahr und Verleztung in einem funktionalen Straftatsystem, Berlin, 1981.

YUNGANO/LÓPEZ BOLADO/POGGI/BRUNO, *Responsabilidad profesional de los médicos*, Buenos Aires, 1986.

ZAFFARONI, "Consentimiento y lesión quirúrgica", *Jurisprudencia argentina*, 1973.

ZIPF, *Problemas del tratamiento curativo realizado sin consentimiento en el Derecho Penal alemán y austriaco. Consideración especial del trasplante de órganos*, en *Avances de la Medicina y Derecho penal*, Barcelona, 1988, traducc. de su trabajo "Probleme eines Straftatbestandes der eigenmächtigen Heilbehandlung (dargestellt an Hand von §110 ÖStGB)", en Kaufmann/Bemmann/Krauss/Volk, en *Festschrift für Bockelmann zum 70 Geburstag*, München, 1979.

ZUGALDÍA ESPINAR, "La infracción del deber individual de cuidado en el sistema del delito culposo", en *ADPCP* 1984.

"Omisión e injerencia con relación al supuesto agravado del párrafo 3 del artículo 489 bis del Código penal", en *CPC* 1984.

"Eutanasia y homicidio a petición: situación legislativa y perspectivas político-criminales", en *RFDUG*, 1987.